le Guide du **routard**

Directeur ...
Philipp...

C...
Philippe GLOA... ...VAL

Rédacteur en chef
Pierre JOSSE

Rédacteurs en chef adjoints
Amanda KERAVEL et Benoît LUCCHINI

Directrice de la coordination
Florence CHARMETANT

Directrice administrative
Bénédicte GLOAGUEN

Direction éditoriale
Catherine JULHE

Rédaction
Olivier PAGE, Véronique de CHARDON,
Isabelle AL SUBAIHI, Anne-Caroline DUMAS,
Carole BORDES, André PONCELET,
Marie BURIN des ROZIERS, Thierry BROUARD,
Géraldine LEMAUF-BEAUVOIS,
Anne POINSOT, Mathilde de BOISGROLLIER,
Alain PALLIER, Gavin's CLEMENTE-RUÏZ
et Fiona DEBRABANDER

MEXIQUE

2012

hachette

Avis aux hôteliers et aux restaurateurs

Les enquêteurs du *Guide du routard* travaillent dans le plus strict anonymat. Aucune réduction, aucun avantage quelconque, aucune rétribution n'est jamais demandé en contrepartie. Face aux aigrefins, la loi autorise les hôteliers et restaurateurs à porter plainte.

Hors-d'œuvre

Le *Guide du routard,* ce n'est pas comme le bon vin, il vieillit mal. On ne veut pas pousser à la consommation, mais évitez de partir avec une édition ancienne. Les modifications sont souvent importantes.

routard.com

✓ Rejoignez la plus grande communauté francophone de voyageurs : plus de **2 millions** de visiteurs !

✓ Échangez avec les routarnautes : forums, photos, avis d'hôtels.

✓ Retrouvez aussi toutes les informations actualisées pour choisir et préparer vos voyages : plus de 200 fiches pays, une centaine de dossiers pratiques et un magazine en ligne pour découvrir tous les secrets de votre destination.

✓ Enfin, comparez les offres pour organiser et réserver votre voyage au meilleur prix.

✓ *routard.com,* le voyage à portée de clics !

Avis aux lecteurs

Les réductions accordées à nos lecteurs ne sont jamais demandées par nos rédacteurs afin de préserver leur indépendance. Les hôteliers et restaurateurs sont sollicités par une société de mailing, totalement indépendante de la rédaction, qui reste donc libre de ses choix. De même pour les autocollants et plaques émaillées.

Pour que votre pub voyage autant que nos lecteurs,
contactez nos régies publicitaires :
● *fbrunel@hachette-livre.fr* ●
● *veronique@routard.com* ●

Mille excuses, on ne peut plus répondre individuellement aux centaines de CV reçus chaque année.

TABLE DES MATIÈRES

MEXICO ET SES ENVIRONS

LES ENVIRONS DE MEXICO

LE GOLFE DU MEXIQUE

LA PÉNINSULE DU YUCATÁN

LA LIGNE DE CHEMIN DE FER LOS MOCHIS-CHIHUAHUA

Remerciements

– Pilar Marrufo Borges pour tous ses contacts ;

– Elsa Hughes, une précieuse acolyte ;

– la famille Enriquez au complet pour son accueil et ses bons tuyaux ;

– Ivonne Erosa Serrano, chef des relations publiques et Alejandro Ceballos Lizarrage, coordinateur, à l'office de tourisme et des congrès de Merida.

Nous tenons à remercier tout particulièrement Loup-Maëlle Besançon, Thierry Bessou, Gérard Bouchu, François Chauvin, Grégory Dalex, Stéphanie Déro, Solenne Deschamps, Fabrice Doumergue, Cédric Fischer, Carole Fouque, Michelle Georget, Claude Hervé-Bazin, Emmanuel Juste, Dimitri Lefèvre, Sacha Lenormand, Fabrice de Lestang, Romain Meynier, Éric Milet, Pierre Mitrano, Jean-Sébastien Petitdemange, Thomas Rivallain, Dominique Roland et Solange Vivier pour leur collaboration régulière.

Et pour cette nouvelle collection, nous remercions aussi :

Maureen Abel
David Alon
Sarah Amoyel
Pauline Augé
Emmanuelle Bauquis
Gwladys Bonnassie
Jean-Jacques Bordier-Chêne
Michèle Boucher
Alain Chaplais
Stéphanie Condis
Agnès Debiage
Jérôme Denoix
Tovi et Ahmet Diler
Clélie Dudon
Sophie Duval
Clara Favini
Alain Fisch
David Giason
Adrien et Clément Gloaguen

Stéphane Gourmelen
Xavier Haudiquet
Bernard Hilaire
Sébastien Jauffret
François et Sylvie Jouffa
Laetitia Le Couédic
Solenne Leclerc
Jacques Lemoine
Valérie Loth
Jacques Muller
Caroline Ollion
Nicolas Pallier
Martine Partrat
Odile Paugam et Didier Jehanno
Délis Pusiol
Amélie Robin
Prakit Saiporn
Jean-Luc et Antigone Schilling
Laura Vanzo

Direction : Nathalie Pujo
Contrôle de gestion : Héloïse Morel d'Arleux et Aurélie Knafo
Secrétariat : Catherine Maîtrepierre
Direction éditoriale : Catherine Julhe
Édition : Matthieu Devaux, Géraldine Péron, Olga Krokhina, Gia-Quy Tran, Julie Dupré, Juliette Genest, Barbara Janssens, Anaïs Petit et Clémence Toublanc
Préparation-lecture : Brigitte De Vaulx
Cartographie : Frédéric Clémençon et Aurélie Huot
Fabrication : Nathalie Lautout et Audrey Detournay
Relations presse France : COM'PROD, Fred Papet. ☎ 01-70-69-04-69.
● *info@comprod.fr* ●
Direction marketing : Muriel Widmaier, Lydie Firmin et Claire Bourdillon
Contacts partenariats : André Magniez (EMD). ● *andremagniez@gmail.com* ●
Édition des partenariats : Élise Ernest
Informatique éditoriale : Lionel Barth
Couverture : Clément Gloaguen et Seenk
Relations presse : Martine Levens (Belgique) et Maureen Browne (Suisse)
Régie publicitaire : Florence Brunel-Jars

AIRFRANCE

CLASSE VOYAGEUR : notre classe économique
avec boissons à volonté, menus au choix, glaces,
films, séries TV, musique, jeux vidéo, journaux et magazines,
1001 distractions tout au long du vol.

AIRFRANCE KLM   airfrance.fr

LES QUESTIONS QU'ON SE POSE LE PLUS SOUVENT

➤ **Quels sont les papiers à avoir ?**
Passeport valable au moins 6 mois après la date de retour. Pas de visa, mais on vous demandera de remplir dans l'avion une carte touristique que vous devrez rendre à la sortie du territoire.

➤ **Quelle est la meilleure saison pour aller au Mexique ?**
Réponse de Normand : tout dépend de l'itinéraire choisi. Le climat et les températures varient beaucoup selon les régions. Évitez peut-être septembre-octobre, la saison des pluies et des cyclones.

➤ **Quels sont les vaccins indispensables ?**
En plus de ceux recommandés en France, il est vivement conseillé de se faire vacciner contre l'hépatite A et la fièvre typhoïde.

➤ **Quel est le décalage horaire ?**
Il est de 7h pour le Yucatán (8h pendant quelques jours durant les mois d'avril et d'octobre, le Mexique ne passant pas à l'heure d'été en même temps que nous), 8h pour la plus grande partie du pays.

➤ **La vie est-elle chère ?**
Ce qui revient cher au Mexique, ce sont surtout les tentations ! Sinon, on peut manger pour trois fois rien dans les petites *taquerías,* sur les marchés ou en prenant un menu du jour *(comida corrida).*

➤ **Peut-on y aller avec des enfants ?**
À condition d'alterner les marches, les visites des sites précolombiens et la plage, les enfants seront aux anges... Et puis les Aztèques – et autres civilisations en -èques (Olmèques, Zapotèques, Toltèques...) – et les Mayas, c'est au programme, non ?

➤ **Quel est le meilleur moyen pour se déplacer dans le pays ?**
Le bus ! Un réseau très dense, bien organisé et plusieurs niveaux de confort... Pour les pressés ou les longues distances, de nombreuses compagnies aériennes à bas prix sillonnent le pays et permettent de gagner du temps. La voiture devient rentable à partir de quatre personnes. Hormis le très pittoresque « Chihuahua al Pacífico », le train n'existe plus.

➤ **Comment se loger au meilleur prix ?**
En dormant dans son hamac, qu'on peut accrocher sur certaines plages et quelques campings de la côte ! Également des AJ et des hôtels bon marché.

➤ **Quels sports et activités peut-on pratiquer ?**
Le tourisme d'aventure et l'écotourisme offrent de belles perspectives : descentes de rapides en kayak, randonnées pédestres, équestres ou à VTT, spéléologie, escalade... Plongée sous-marine dans les eaux des Caraïbes et les *cenotes* du Yucatán, snorkelling pour les moins braves.

➤ **Y a-t-il des problèmes de sécurité ?**
Petite et moyenne délinquances dans les grands centres urbains, plus importantes à Mexico. Certaines routes du pays sont à éviter la nuit. En règle générale, oubliez les routes isolées et les randonnées à pied dans les zones non touristiques, notamment au Chiapas, dans l'État de Guerrero et sur la côte du Michoacán.

LES COUPS DE CŒUR DU ROUTARD

● Dîner en amoureux à la terrasse du resto *La Casa de las Sirenas,* qui surplombe l'arrière de la cathédrale illuminée de Mexico, dans une ambiance féerique.

● Admirer le calendrier aztèque (24 tonnes !) du musée d'Anthropologie de Mexico.

● Assister au spectacle grand frisson que procure la danse des *voladores,* à l'entrée du site d'El Tajín : des hommes attachés à un poteau par une corde à 30 m de hauteur, qui se jettent dans le vide pour tourner 52 fois la tête à l'envers (on a compté).

● Grimper au sommet de la grande pyramide d'Uxmal, l'une des rares encore accessibles, pour la vue imprenable sur l'ensemble du site et la forêt tout autour.

● Visiter le site de Labná, sur la Ruta Puuc, dont les vestiges et l'atmosphère stimulent l'imagination (même si on en a peu) au point de se représenter les Mayas dans leur quotidien.

● Découvrir l'île Holbox, au nord de la péninsule du Yucatán, son aspect si naturel et son ambiance baba cool.

● Glisser entre stalactites et stalagmites dans les eaux incroyablement translucides d'un *cenote,* ces puits formés par l'érosion et utilisés comme réservoirs par les Mayas.

● Arpenter les marchés colorés et assister aux surprenantes pratiques religieuses « métissées » des villages tzotziles, près de San Cristóbal de Las Casas.

● Découvrir, au petit matin, la lumière dorée baignant les ruines endormies de la cité zapotèque de Monte Albán.

● Observer, à l'aube, le retour des pêcheurs de Puerto Ángel, lançant leurs barques à plein gaz pour remonter sur la plage, et voir s'entasser sur le quai thons, espadons, *huachinangos.*

● Admirer, effaré, le saut de l'ange des plongeurs de La Quebrada, à Acapulco.

● En fin de semaine, succomber à l'irrésistible invitation à faire la fête jusqu'au bout de la nuit des joyeuses *callejoneadas* de Guanajuato, vivants défilés à travers la ville, où se mêlent jeunes, étudiants et musiciens en costume traditionnel.

● Se laisser envelopper par les papillons monarques partis d'Amérique du Nord dès les premiers frimas pour hiberner dans leur sanctuaire montagneux aux alentours de Morelia.

● S'attabler en terrasse ou s'installer dans le jardin central pour contempler les jeux de lumière et d'ombre du soleil sur les façades à arcades de la merveilleuse place Vasco de Quiroga à Pátzcuaro.

● Emprunter absolument la vertigineuse et spectaculaire piste qui relie Creel au ravissant village colonial de Batopilas, niché au fond d'un canyon de la Barranca del Cobre.

● Partout s'enflammer pour la cuisine mexicaine, inscrite au Patrimoine immatériel de l'humanité par l'Unesco et, malgré les papilles qui brûlent, en redemander encore.

COMMENT Y ALLER ?

LES LIGNES RÉGULIÈRES

▲ AIR FRANCE

Rens et résas au ☎ 36-54 (0,34 €/mn, tlj 6h30-22h), sur ● airfrance.fr ●, dans les agences Air France (fermées dim) et dans ttes les agences de voyages.

➤ Air France dessert Mexico avec 4 vols directs/j., dont 1 en partage de code avec Aeroméxico au départ de Roissy-Charles-de-Gaulle, terminal 2E. Le 4e vol est effectué par KLM au départ d'Amsterdam. Également, à partir d'octobre 2011, 3 vols directs hebdomadaires pour Cancún. En correspondance avec ses vols transatlantiques de/vers Mexico, Air France propose 7 autres destinations au Mexique, en partage de code avec Aeroméxico : Monterrey, Cancún, Guadalajara, León, Mérida, Acapulco et Puerto Vallarta.

Air France propose une gamme de tarifs accessibles à tous : du *Tempo 1* (le plus souple) au *Super Apex* (le moins cher), selon les destinations. Pour les moins de 25 ans, Air France propose des tarifs très attractifs, *Tempo Jeunes,* ainsi qu'une carte de fidélité *(Flying Blue Jeune)* gratuite et valable sur l'ensemble des compagnies membres de *Skyteam.* Cette carte permet de cumuler des *miles.*

Sur Internet, possibilité de consulter les meilleurs tarifs du moment, dans l'onglet « Achats et réservations en ligne », rubrique « Promotions ».

▲ AEROMÉXICO

– *Paris : 1, bd de la Madeleine, 75001.* ☎ *0800-916-754.* ● *aeromexico.com* ●
Ⓜ *Madeleine ou Opéra. Résas lun-ven 9h-20h.*

➤ Assure 2 vols/j. sans escale de Paris (Roissy-Charles-de-Gaulle, terminal 2E) à Mexico et dessert plus de 50 villes mexicaines en correspondance comme Cancún, Mérida, Veracruz, Oaxaca, Acapulco, Puerto Vallarta, Guadalajara, Morelia, San Luis Potosí, Chihuahua, Los Mochis, La Paz, Los Cabos...

Formule « Super Plan » pour l'achat d'un billet transatlantique, pour un vol assuré par Aeroméxico, on peut acheter avant le départ ou sur place, à prix réduits, autant de vols intérieurs souhaités pendant la durée du séjour au Mexique.

▲ IBERIA

Rens et résas au ☎ 0825-800-965 (0,15 €/mn). ● *iberia.fr* ●
➤ Au départ de Paris, via Madrid, Iberia propose 1 vol/j. pour Mexico.

LES ORGANISMES DE VOYAGES

– Ne pas croire que les vols à tarif réduit sont tous au même prix pour une même destination à une même époque : loin de là. On a déjà vu, dans un même avion partagé par deux organismes, des passagers qui avaient payé 40 % plus cher que les autres. De plus, une agence bon marché ne l'est pas forcément toute l'année (elle peut n'être compétitive qu'à certaines dates bien précises). Donc, contactez tous les organismes et jugez vous-même.

– Les organismes cités sont classés par ordre alphabétique, pour éviter les jalousies et les grincements de dents.

EN FRANCE

▲ ALMA VOYAGES

– *Villenave-d'Ornon : 573, route de Toulouse, 33140.* ☎ *05-56-87-58-46. Fax : 05-56-87-43-48.* ● *alma-voyages.com* ●

Alma voyages est une agence de voyages en ligne qui propose un large choix de circuits au Mexique, sur mesure ou en groupe. Cette agence propose des circuits « tout compris » en ligne, avec les vols, le circuit, les boissons, les pourboires, les taxes... Ne reste à votre charge que l'argent de poche pour les souvenirs !

Fort de leurs 15 ans d'expérience, les agents de voyages d'Alma vous proposeront un conseil personnalisé et des produits adaptés à vos besoins et à vos envies.

Accès au salon VIP des aéroports (valable avec le code « VIPROUTARD » sur le site Alma Voyages) pour les lecteurs du *Guide du routard*.

▲ ALTIPLANO

– *Annecy-le-Vieux* : 18, rue du Pré-d'Avril, 74940. ☎ 04-50-46-90-25. ● *altiplano. org* ● *Lun-ven 9h-18h.*

Agence spécialiste de l'Amérique latine (Cuba, Mexique, Guatemala, Équateur, Pérou, Bolivie, Brésil, Chili et Argentine), créée par Philippe, passionné par ce continent. Voyages à la carte : vols internationaux, vols intérieurs et *pass*, hôtels privilégiant le charme, excursions, location de voitures...

▲ BACK ROADS

– *Paris* : 14, pl. Denfert-Rocherau, 75014. ☎ 01-43-22-65-65. ● *backroads.fr* ● Ⓜ ou RER B : *Denfert-Rocherau. Lun-ven 10h-19h ; sam 10h-18h.*

Depuis 1975, Jacques Klein et son équipe sillonnent les routes de l'Amérique, du nord au sud, ce qui fait d'eux de grands connaisseurs de cette région du monde. Pour cette raison, ils ne vendent leurs produits qu'en direct, ce qui leur permet de pratiquer des tarifs très compétitifs. Ils vous feront partager leurs expériences et vous conseilleront les itinéraires les plus adaptés à vos centres d'intérêt. Spécialistes des autotours, grâce à leur département *Car Discount,* ils ont également le grand avantage de disposer de contingents de chambres. À côté des circuits classiques, ethnologiques ou archéologiques, ainsi que des circuits camping et des séjours balnéaires ou en hacienda, ils ont développé des programmes « Aventure » tels que randonnées à pied ou à cheval dans la sierra Tarahumara ou sur l'Altiplano guatémaltèque, découverte de la Basse-Californie ou du Belize en kayak de mer ou en voilier, ainsi que l'observation des baleines en Basse-Californie.

▲ COMPAGNIE DE L'AMÉRIQUE LATINE & DES CARAÏBES

– *Paris* : 5, av. de l'Opéra, 75001. ☎ 0892-234-431 (0,34 €/mn). ● *compagniesdu monde.com* ● Ⓜ *Palais-Royal-Musée-du-Louvre ou Pyramides. Lun-ven 9h-19h ; sam 10h-19h.*

Dans le cadre de son *concept store,* vous rencontrerez des conseillers vendeurs spécialisés connaissant parfaitement cette partie du monde. Les voyages sont tournés vers le « beau », qui est pour eux la meilleure façon de découvrir et de respecter le monde. C'est pourquoi la Compagnie s'est spécialisée dans les voyages orientés vers l'archéologie, les sites religieux et la nature. Vous trouverez aussi une galerie d'art contemporain exposant des artistes locaux de grande qualité et un salon de thé et de café en provenance des meilleures plantations du continent.

La Compagnie propose de nombreux vols négociés et des formules de voyages individuels sur mesure au Mexique.

Compagnie de l'Amérique latine & et des Caraïbes fait partie du groupe Compagnies du Monde, comme Compagnie des États-Unis & du Canada, Compagnie des Indes & de l'Extrême-Orient, Compagnie de l'Afrique australe & de l'océan Indien, Compagnie des plages et Compagnie de la Polynésie.

Une envie de croisière, consultez le site le plus complet ● *mondeetcroisieres.com* ●

▲ COMPTOIR D'AMÉRIQUE CENTRALE ET DES CARAÏBES

– *Paris* : 2, rue Saint-Victor, 75005. ☎ 0892-234-231 (0,34 €/mn). ● *comptoir.fr* ● Ⓜ *Cardinal-Lemoine. Lun-ven 9h30-18h30 ; sam 10h-18h30.*

– *Lyon* : 10, quai Tilsitt, 69002. ☎ 0892-230-465 (0,34 €/mn). Ⓜ *Bellecour. Lunsam 9h30-18h30.*

– *Marseille* : 12, rue Breteuil, 13001. ☎ 0892-236-636. Ⓜ *Estrangin. Lun-sam 9h30-18h30.*
– *Toulouse* : 43, rue Peyrolières, 31000. ☎ 0892-232-236 (0,34 €/mn). Ⓜ *Esquirol. Lun-sam 10h-18h30.*

Le voyage se décline à l'infini en Amérique centrale et dans les Caraïbes : extraordinaires sites archéologiques du Yucatán, les marchés colorés du Guatemala, les villages ancestraux des hauts plateaux du Costa Rica et les villes-musées de Cuba. Quelles que soient vos envies, une équipe de spécialistes sera à votre écoute pour créer votre voyage sur mesure.

Membre de l'association ATR (Agir pour un Tourisme Responsable), Comptoir des Voyages a obtenu en 2010, pour la seconde année, la certification Tourisme responsable AFAQ AFNOR.

▲ COMPTOIRS DU MONDE (LES)

– *Paris* : 22, rue Saint-Paul, 75004. ☎ 01-44-54-84-54. ● *comptoirsdumonde.fr* ● Ⓜ *Saint-Paul ou Pont-Marie. Lun-ven 10h-19h ; sam 11h-18h.*

C'est en plein cœur du Marais, dans un décor chaleureux, que l'équipe des Comptoirs du Monde traitera personnellement tous vos désirs d'évasion : circuits et prestations à la carte pour tous les budgets sur toute l'Asie, le Proche-Orient, les Amériques, les Antilles, Madagascar, l'île Maurice et l'Italie. Vous pouvez aussi réserver par téléphone et régler par carte de paiement, sans vous déplacer.

▲ FRANCE AMÉRIQUE LATINE

– *Paris* : 37, bd Saint-Jacques, 75014. ☎ 01-45-88-20-00. ● *franceameriquelatine. fr* ● Ⓜ *Saint-Jacques. Lun-jeu 9h15-18h ; ven 9h15-16h.*

Présent depuis 1986 sur les terrains de la culture, de la solidarité et de la défense des Droits de l'homme, le service voyage de France Amérique latine propose de découvrir les richesses naturelles et surtout humaines du continent latino-américain à travers des circuits uniques et authentiques. Toute l'Amérique latine et la Caraïbe sont programmées afin de montrer la réalité de leurs peuples, sous diverses formes de voyages : séjours organisés ou à la carte, treks, mais aussi chantiers internationaux dans de nombreux pays, avec plusieurs associations et organisations de jeunesse, notamment des voyages solidaires. Sur place, les voyageurs pourront remettre eux-mêmes les médicaments et le matériel scolaire qu'ils auront réunis avant leur départ.

▲ NOSTALATINA

– *Paris* : 19, rue Damesme, 75013. ☎ 01-43-13-29-29. ● *ann.fr* ● Ⓜ *Tolbiac. Permanence : lun-sam 10h-13h, 15h-18h. Sur rdv.*

Parce qu'il n'est pas toujours aisé de partir seul, NostaLatina propose depuis 1994 des voyages sur mesure en Amérique latine, notamment au Mexique, du séjour classique jusqu'aux contrées les plus reculées, en individuel ou en groupe déjà constitué. Plusieurs formules au choix, dont deux qui sont devenues des formules de référence depuis quelques années pour les voyageurs indépendants : *Les Estampes,* avec billets d'avion, logement, transferts entre les étapes en mixant avec astuce avion, bus, train, ou encore location de voitures ; *Les Aquarelles,* avec en plus un guide et un chauffeur privé à chaque étape. Les itinéraires sur le site internet ne sont que suggérés, ils sont modifiables à souhait sur ces formules à la carte.

▲ NOUVELLES FRONTIÈRES

Rens et résas dans tte la France : ☎ 0825-000-825 (0,15 €/mn). ● *nouvelles-frontie res.fr* ● *Les brochures Nouvelles Frontières sont disponibles gratuitement dans les 300 agences du réseau, par téléphone et sur Internet.*

Nombreuses formules : des vols sur la compagnie de Nouvelles Frontières au départ de Paris et de province, et sur toutes les compagnies aériennes régulières, avec une gamme de tarifs selon votre budget. Sont également proposés toutes sortes de circuits, aventure ou organisés ; des séjours en hôtels, en hôtels-clubs et en résidences ; des week-ends ; des formules à la carte.

▲ PLEIN VENT VOYAGES

Résas et brochures dans les agences de voyages. ● *pleinvent-voyages.com* ●
Plein Vent, filiale à « petits prix » du groupe Fram, assure toutes ses prestations
(circuits et séjours) au départ de toutes les villes de France et principalement au
départ de Lyon, Marseille, Nice, Toulouse, Nantes, Lille et Paris. Parmi ses destinations phares, le Mexique, sans oublier les nouveautés comme la Turquie et
l'Angleterre. Plein Vent propose un système de « garantie annulation » performant.

▲ ROUTE DES VOYAGES (LA)

● *route-voyages.com* ● *Agences ouv lun-ven 9h-19h ; sam sur rdv.*
– *Aix-en-Provence* : 6, rue Jaubert, 13100. ☎ 04-42-12-32-94.
– *Annecy* : 4 bis, av. d'Aléry, 74000. ☎ 04-50-45-60-20.
– *Bordeaux* : 10, rue du Parlement-Saint-Pierre, 33000. ☎ 05-56-90-11-20.
– *Lyon* : 59, rue Franklin, 69002. ☎ 04-78-42-53-58.
– *Paris* : 10, rue Choron, 75009. ☎ 01-55-31-98-80. Ⓜ *Notre-Dame-de-Lorette.*
– *Toulouse* : 9, rue Saint-Antoine-du-T, 31000. ☎ 05-62-27-00-68.
Spécialiste du voyage sur mesure depuis plus de 15 ans sur les cinq continents.
C'est une véritable équipe de voyageurs spécialisés par destination qui grâce à
leur écoute et à leur expérience du terrain construisent des voyages très person-
nalisés. Ils travaillent en direct avec des prestataires locaux, privilégient les voyages hors des sentiers battus et proposent également une offre de voyages solidaires sur le site ● *routes-solidaires.com* ●

▲ ROUTES SOLIDAIRES (LES)

– *Toulouse* : 9, rue Saint-Antoine-du-T, 31000. ☎ 05-62-27-00-68. ● *routes-solidai
res.com* ●
Spécialiste du voyage sur mesure et solidaire, Les Routes Solidaires proposent
une formule innovante. Des séjours solidaires au cœur de projets locaux gérés de
manière collective sont insérés dans les itinéraires de découverte individuelle. Une
manière de comprendre un pays de l'intérieur, de partager des expériences fortes,
dans le respect des hommes et de leur environnement.

▲ TERRES LOINTAINES

Rens et résas : ☎ 01-46-44-10-48. ● *terres-lointaines.com* ●
Véritable créateur de voyages sur mesure, Terres Lointaines est un spécialiste
reconnu du long-courrier pour voyageurs individuels sur plus de 30 destinations en
Amérique, Afrique et Asie. Grâce à une sélection rigoureuse de partenaires sur place
et un large choix d'hébergements de petite capacité et de charme, Terres Lointaines propose des voyages de qualité et hors des sentiers battus. Les circuits itiné-
rants sont déclinables à l'infini pour coller parfaitement à toutes les envies et tous
les budgets. En plus d'un contact privilégié avec un expert du pays, le site ● *terres-
lointaines.com* ● permet une approche didactique et complète des destinations,
illustrée par de nombreuses photos, des cartes interactives et des informations
pratiques.

▲ VACANCES AMÉRIQUE LATINE

– *Paris* : 4, rue Gomboust (angle 31, av. de l'Opéra), 75001. ☎ 01-40-15-15-15.
● *cercledesvacances.com* ● *Lun-ven 8h30-20h ; sam 10h-18h30. Vacances Amérique Latine est une marque de la société Le Cercle des Vacances.*
Vacances Amérique Latine, une équipe de passionnés au service de tous ceux qui
souhaitent préparer leur voyage ou simplement obtenir des conseils, propose des
circuits accompagnés garantis, des circuits individuels privés, des autotours, ou
des séjours sur la Riviera maya. Propose également des billets d'avion à des prix
très intéressants ! Ses spécialistes ont une connaissance pointue de leur destination et y sont allés à de nombreuses reprises. Ils vont vous donner l'envie d'y aller
ou pourquoi pas, d'y retourner.

▲ VACANCES FABULEUSES

– *Paris* : 36, rue de Saint-Pétersbourg, 75008. ☎ 0820-300-382. ● *vacancesfabu
leuses.fr* ● Ⓜ *Place-de-Clichy. Lun-ven 10h-18h.*

COMPTOIR
DES VOYAGES

– Et dans ttes les agences de voyages.

Vacances Fabuleuses, c'est « l'Amérique à la carte ». Ce spécialiste de l'Amérique du Nord (États-Unis, Canada, Bahamas, Mexique et Amérique centrale) propose de découvrir le Mexique avec un large choix de formules allant de la location de voitures aux circuits individuels ou accompagnés.

Le transport est assuré à des prix charters ou sur compagnies régulières, le tout proposé par une équipe de spécialistes. Extension possible au Guatemala en mini-séjour ou en circuit accompagné.

▲ VOYAGES-SNCF.COM

Voyages-sncf.com, acteur majeur du tourisme français qui recense neuf millions de visiteurs par mois, propose d'acheter en ligne des billets de train, d'avion, des chambres d'hôtel, des locations de voitures, de vacances et des séjours clés en main ou Alacarte®, ainsi que des spectacles, des excursions et des visites de musées. Un large choix et des prix avantageux sont offerts toute l'année, pour tous types de voyages dans le monde entier : SNCF, 180 compagnies aériennes, 84 000 hôtels référencés et les principaux loueurs de voitures.

Leur site ● *voyages-sncf.com* ● permet d'accéder tous les jours, 24h/24, à plusieurs services : envoi gratuit des billets à domicile, Alerte Résa pour être informé de l'ouverture des réservations et profiter du plus grand choix, calendrier des meilleurs prix (TTC), mais aussi des offres de dernière minute et des promotions...

Pratique : ● *voyages-sncf.mobi* ● , le site mobile pour réserver, s'informer et profiter des bons plans n'importe où et à n'importe quel moment.

Et grâce à l'ÉcoComparateur, en exclusivité sur ● *voyages-sncf.com* ● , possibilité de comparer le prix, le temps de trajet et l'indice de pollution pour un même trajet en train, en avion ou en voiture.

▲ VOYAGEURS AU MEXIQUE ET EN AMÉRIQUE CENTRALE

Le spécialiste du voyage en individuel sur mesure.

● *vdm.com* ●

– Paris : La Cité des Voyageurs, 55, rue Sainte-Anne, 75002. ☎ 01-42-86-17-70. Ⓜ *Opéra ou Pyramides. Lun-sam 9h30-19h.*

– Également des agences à Bordeaux, Caen, Grenoble, Lille, Lyon, Marseille, Montpellier, Nantes, Nice, Rennes, Rouen, Strasbourg et Toulouse.

Parce que chaque voyageur est différent, que chacun a ses rêves et ses idées pour les réaliser, Voyageurs du Monde conçoit, depuis plus de 30 ans, des projets sur mesure. Les séjours proposés à travers 120 destinations sont des suggestions élaborées par 180 conseillers voyageurs. Spécialistes de leur pays, ils vous aideront à personnaliser les voyages présentés à travers une trentaine de brochures d'un nouveau type et sur le site internet où vous pourrez également découvrir des hébergements exclusifs et consulter votre espace personnalisé. Chacune des 15 *Cités des Voyageurs* est une invitation au voyage : librairies spécialisées, accessoires de voyage, expositions-ventes d'artisanat et conférences.

Voyageurs du Monde est membre de l'association ATR (Agir pour un tourisme responsable) et a obtenu en 2008 sa certification Tourisme responsable AFAQ AFNOR.

Comment aller à Roissy et à Orly ?

Bon à savoir :

– Le **pass Navigo** est valable pour Roissy-Rail (RER B, zones 1-5) et Orly-Rail (RER C, zones 1-4).

– Le **billet Orly-Rail** permet d'accéder sans supplément aux réseaux métro et RER.

À Roissy-Charles-de-Gaulle 1, 2 et 3

Attention : si vous partez de Roissy, pensez à vérifier de quelle aérogare votre avion décolle, car la durée du trajet peut considérablement varier en fonction de cette donnée.

D 211

LOSSE
-EN-GELAISSE

Transports collectifs

🚌 **Les cars Air France :** ☎ 0892-350-820 *(0,34 €/mn)*. ● *cars-airfrance.com* ● *Paiement par CB possible à bord.*

Le site internet diffuse les informations essentielles sur le réseau (lignes, horaires, tarifs...) permettant de connaître en temps réel des infos sur le trafic afin de mieux planifier son départ. Il propose également une boutique en ligne, qui permet d'acheter et d'imprimer les billets électroniques pour accéder aux bus.

➤ *Paris-Roissy :* départ pl. de l'Étoile (1, av. Carnot), avec un arrêt pl. de la Porte-Maillot (bd Gouvion-Saint-Cyr). Départs ttes les 20 mn, 6h-22h. Durée du trajet : 35-50 mn env. Tarifs : 15 € l'aller simple, 24 € l'aller-retour ; réduc enfants 2-11 ans. Autre départ depuis la gare Montparnasse (arrêt rue du Commandant-Mouchotte, face à l'hôtel *Pullman*), ttes les 30 mn, 6h-21h30, avec un arrêt gare de Lyon (20 bis, bd Diderot). Tarifs : 16,50 € l'aller simple, 27 € l'aller-retour ; réduc enfants 2-11 ans.
➤ *Roissy-Paris :* les cars *Air France* desservent la pl. de la Porte-Maillot, avec un arrêt bd Gouvion-Saint-Cyr, et se rendent ensuite au terminus de l'av. Carnot. Départs ttes les 30 mn, 6h-23h des terminaux 2A et 2C (porte C2), 2E et 2F (niveau « Arrivées », porte 3 de la galerie), 2B et 2D (porte B1), et du terminal 1 (porte 34, niveau « Arrivées »).
À destination de la gare de Lyon et de la gare Montparnasse, départs ttes les 30 mn, 6h-22h des mêmes terminaux. Durée du trajet : 45 mn env.

🚌 **Roissybus :** ☎ 32-46 *(0,34 €/mn)*. ● *ratp.fr* ● Départs de la pl. de l'Opéra (angle rues Scribe et Auber) ttes les 15 mn (20 mn à partir de 20h), 5h45-23h. Durée du trajet : 45-60 mn. De Roissy, départs 6h-23h des terminaux 1, 2A, 2B, 2C, 2D et 2F, et à la sortie du hall d'arrivée du terminal 3. Tarif : 9,40 €.

🚌 **Bus RATP n° 351 :** de la pl. de la Nation, 5h30-21h20. Solution la moins chère mais la plus lente. Compter en effet 1h30 de trajet. Ou *bus n° 350,* de la gare de l'Est (1h15 de trajet). Arrivée Roissypôle-gare RER.

🚆 **RER ligne B + navette :** départ ttes les 15 mn. Compter 30 mn de la gare du Nord à l'aéroport (navette comprise). Un 1er départ à 4h53 de la gare du Nord et à 5h26 de Châtelet. À Roissy-Charles-de-Gaulle, descendre à la station (il y en a deux) qui dessert le bon terminal. De là, prendre la navette adéquate. Tarif : 8,70 €.

Si vous venez du nord, de l'ouest ou du sud de la France en train, vous pouvez rejoindre les aéroports de Roissy sans passer par Paris, la gare SNCF Paris-Charles-de-Gaulle étant reliée aux réseaux TGV.

Taxis

Compter au moins 50 € du centre de Paris, en tarif de jour.

En voiture

Chaque terminal a son propre parking. Compter 35 € par tranche de 24h. Également des parkings longue durée (PR et PX), plus éloignés des terminaux, qui proposent des tarifs plus avantageux (forfait 24h 23 €, forfait 7 à 8 j. 130 €). Possibilité de réserver sa place de parking via le site ● *aeroportsdeparis.fr* ● Stationnement au parking Vacances (longue durée) dans le P3 Résa (terminaux 1 et 3) situé à 2 mn du terminal 3 à pied ou le PAB (terminal 2). Formules de stationnement 1-30 j. (120-190 €) pour le P3 Résa. De 2 à 5 j. dans le PAB 12,50 € par tranche de 12h et de 6 à 14 j. 25 € par tranche de 24h. Réservation sur Internet uniquement. Les P1, PAB et PEF accueillent les deux-roues : 15 € pour 24h.

Comment se déplacer entre Roissy-Charles-de-Gaulle 1, 2 et 3 ?

Les rames du CDG-VAL font le lien entre les 3 terminaux en 8 mn. Fonctionne tlj, 24h/24. Gratuit. Accessible aux personnes à mobilité réduite. Départ ttes les 5 mn ; et ttes les 20 mn, minuit-4h. Desserte gratuite vers certains hôtels, parkings, gares RER et gares TGV.

À Orly-Sud et Orly-Ouest

Transports collectifs

🚐 **Les cars Air France :** ☎ *0892-350-820 (0,34 €/mn).* ● *cars-airfrance.com* ● Tarifs : 11,50 € l'aller simple, 18,50 € l'aller-retour ; enfants 2-11 ans : 5,50 €. Paiement par CB possible dans le bus.

➤ *Paris-Orly :* départs de l'Étoile, 1, av. Carnot, ttes les 30 mn 5h-22h40. Arrêts au terminal des Invalides, rue Esnault-Pelterie (Ⓜ Invalides), gare Montparnasse (rue du Commandant-Mouchotte, face à l'hôtel *Pullman* ; Ⓜ Montparnasse-Bienvenüe, sortie Gare SNCF) et Porte d'Orléans (arrêt facultatif uniquement dans le sens Orly-Paris).

➤ *Orly-Paris :* départs ttes les 20 mn, 6h-23h40 d'Orly-Sud, porte L, et d'Orly-Ouest, portes B et C, niveau « Arrivées ».

🚆 **RER C + navette Orly-Rail :** ☎ *36-58 (0,23 €/mn).* ● *transilien.com* ● Prendre le RER C jusqu'à Pont-de-Rungis (un RER ttes les 15-30 mn). Compter 25 mn depuis la gare d'Austerlitz. Ensuite, navette Orly-Rail pdt 15 mn pour Orly-Sud et Orly-Ouest. Compter 6 €. Très recommandé les jours où l'on piétine sur l'autoroute du Sud (w-e et jours de grands départs) : on ne sera jamais en retard. Pour le retour, départs de la navette ttes les 15 mn depuis la porte G à Orly-Ouest (5h40-23h14) et la porte F à Orly-Sud (4h34-23h15).

🚐 **Bus RATP Orlybus :** ☎ *32-46 (0,34 €/mn).* ● *ratp.fr* ●
➤ *Paris-Orly :* départs ttes les 15-20 mn de la pl. Denfert-Rochereau. Compter 20-30 mn pour rejoindre Orly (Ouest ou Sud). La pl. Denfert-Rochereau est très accessible : RER B, 2 lignes de métro et 3 lignes de bus. Orlybus fonctionne tlj 5h35-23h, jusqu'à minuit ven, sam et veilles de fêtes dans le sens Paris-Orly ; et tlj 6h-23h20, jusqu'à 0h20 ven, sam et veilles de fêtes dans le sens Orly-Paris.

➤ *Orly-Paris :* départ d'Orly-Sud, porte H, quai 4, ou d'Orly-Ouest, porte J, niveau « Arrivées ». Compter 6,60 € l'aller simple.

🚆 **Orlyval :** ☎ *32-46 (0,34 €/mn).* ● *ratp.fr* ● Ce métro automatique est facilement accessible à partir de n'importe quel point de la capitale ou de la région parisienne (RER, stations de métro, gare SNCF). La jonction se fait à Antony (ligne B du RER) sans aucune attente. Permet d'aller d'Orly à Châtelet et vice versa en 40 mn env, sans se soucier de la densité de la circulation automobile. Compter 10,25 € l'aller simple entre Orly et Paris. Billet Orlyval seul : 7,90 €.

➤ *Paris-Orly :* départs pour Orly-Sud et Ouest ttes les 6-8 mn, 6h-22h15.
➤ *Orly-Paris :* départ d'Orly-Sud, porte J, à proximité de la livraison des bagages, ou d'Orly-Ouest, porte W du hall 2, niveau « Départs ».

Taxis

Compter au moins 35 € en tarif de jour du centre de Paris, selon circulation et importance des bagages.

En voiture

À proximité d'Orly-Ouest, parkings P0 et P2. À proximité d'Orly-Sud, P1 et P3 (à 50 m du terminal, accessible par tapis roulant). Compter 27,50 € pour 24h de stationnement. Ces 4 parkings à proximité immédiate des terminaux proposent des forfaits intéressants : « week-end » valable du ven 0h01 au lun 23h59 (43 €) et « grand week-end » du jeu 15h au lun 23h59 (59 €). Forfaits disponibles aussi pour les P4, P5 et P7 : 15,50 € pour 24h et 1 € par jour supplémentaire au-delà de 8 j. (45 j. de stationnement max). Il existe pour le P7 des forfaits Vacances 1 à 30 j. (15-130 €).

Les P4, P7 (en extérieur) et P5 (couvert) sont des parkings longue durée, plus excentrés, reliés par navettes gratuites aux terminaux. *Rens :* ☎ *01-49-75-56-50.* Comme à Roissy, possibilité de réserver en ligne sa place de parking (P0 et P7) sur ● *aeroportsdeparis.fr* ● Les frais de résa (en sus du parking) sont de 8 € pour 1 j., de 12 €

NOUVEAUTÉ

SRI LANKA (Ceylan ; mai 2012)

Montagnes verdoyantes, plantations de thé peignées comme un dimanche, cascades impressionnantes et villages de bout du monde. Des pluies chaudes, des lumières fortes, des forêts primaires... En guise de bienvenue, le sourire des enfants et la robe safran des moines qui colorie ce décor. Répondant au vert de la nature, le bleu des lagons, tout simplement. Les Anglais avaient le nez pour découvrir les lieux paradisiaques, ils ont laissé ici l'empreinte de petits cottages où il fait bon séjourner pour vivre en harmonie avec ce décor. Il est temps de redécouvrir ce paradis. Sri Lanka en a terminé avec la guerre civile et le tsunami. Soyez les premiers à en rouvrir les portes.

pour 2-3 j. et de 20 € pour 4-10 j. de stationnement pour le P0. Les parkings P0-P2 à Orly-Ouest, et P1-P3 à Orly-Sud accueillent les deux-roues : 6,20 € pour 24h.

Liaisons entre Orly et Roissy-Charles-de-Gaulle

🚌 *Les cars Air France :* ☎ 0892-350-820 (0,34 €/mn). ● cars-airfrance.com ● Départs de Roissy-Charles-de-Gaulle depuis les terminaux 1 (porte 34, niveau « Arrivées »), 2A et 2C (porte B1), 2B et 2D (porte C2), 2E et 2F (niveau « Arrivées », porte 3 de la galerie) vers Orly 5h55-22h30. Départs d'Orly-Sud (porte K) et d'Orly-Ouest (porte B-C, niveau « Arrivées ») vers Roissy-Charles-de-Gaulle 6h30 (7h le w-e)-22h30. Ttes les 30 mn (dans les 2 sens). Durée du trajet : 50 mn env. Tarif : 19 €. Enfants 2-11 ans : 9,50 €.

🚈 *RER B + Orlyval :* ☎ 32-46 (0,34 €/mn). Depuis Roissy, navette puis RER B jusqu'à Antony et enfin Orlyval entre Antony et Orly, 6h-22h15. Tarif : 17,60 €.

– *En taxi :* compter 50-55 € en journée.

EN BELGIQUE

▲ **CONTINENTS INSOLITES**
– *Bruxelles :* rue César-Franck, 44, 1050. ☎ 02-218-24-84. ● continentsinsolites. com ● *Lun-ven* 10h-18h ; sam 10h-13h.
Continents Insolites, organisateur de voyages lointains sans intermédiaires, propose une gamme étendue de formules de voyages détaillées dans son guide annuel gratuit sur demande.
– *Voyages découverte sur mesure :* à partir de 2 personnes. Un grand choix d'hébergements soigneusement sélectionnés : du petit hôtel simple à l'établissement luxueux et de charme.
– *Circuits découverte en minigroupes :* de la grande expédition au circuit accessible à tous. Des circuits à dates fixes dans plus de 60 pays en petits groupes francophones de 7 à 12 personnes. Avant chaque départ, une réunion est organisée. Voyages encadrés par des guides francophones, spécialistes des régions visitées.

▲ **FAIRWAY TRAVEL**
– *Bruxelles :* rue Abbé-Heymans, 2, 1200. ☎ 02-762-78-78. ● fairwaytravel.be ●
Spécialiste de l'Amérique latine, du Mexique au Chili en passant par les fjords de Patagonie ou la cordillère des Andes. Au programme, des circuits en individuels avec location de voitures, un service à la carte, des croisières en Amazonie, en Antarctique, aux Galápagos et en Terre de Feu, des randonnées sur le chemin de l'Inca, les plus beaux trains d'Amérique latine.

▲ **LATINO AMERICANA DE TURISMO**
– *Bruxelles :* av. Brugmann, 250, 1180. ☎ 02-211-33-50. ● latinoamericana.be ●
Lun-ven 9h30-18h30 ; sam sur rdv.
Son expérience sur l'Amérique latine permet à cet organisateur de voyages de proposer des formules personnalisées sur mesure. Ce spécialiste met tout en œuvre pour vous initier aux secrets du Pérou, du Chili, du Mexique, de l'Équateur, de l'Argentine, du Guatemala, de la Bolivie... Départs garantis quelle que soit la date prévue, en tenant compte des paramètres climatiques des pays. Tarifs compétitifs sur vols réguliers.

▲ **NOUVELLES FRONTIÈRES**
● nouvelles-frontieres.be ●
– *Nombreuses agences dans le pays dont Bruxelles, Charleroi, Liège, Mons, Namur, Waterloo, Wavre et au Luxembourg.*
Voir texte dans la partie « En France ».

COMMENT Y ALLER ?

▲ PAMPA EXPLOR

– Bruxelles : av. Brugmann, 250, 1180. ☎ 02-340-09-09. ● pampa.be ● Lun-ven 9h-19h ; sam 10h-17h. Également sur rdv, dans leurs locaux ou à votre domicile.
Spécialiste des voyages à la carte, Pampa Explor propose plus de 70 % de la « planète bleue », selon les goûts, attentes, centres d'intérêt et budget de chacun. Du Costa Rica à l'Indonésie, de l'Afrique australe à l'Afrique du Nord, de l'Amérique du Sud aux plus belles croisières, Pampa Explor privilégie les découvertes authentiques et originales, pleines d'air pur et de chaleur humaine. Pour ceux qui apprécient la jungle et les Pataugas ou ceux qui préfèrent les voyages de luxe, en individuel ou en petits groupes, mais toujours sur mesure.

▲ SUDAMERICA TOURS

Brochures disponibles dans les agences de voyages en Belgique et au Luxembourg, ou au ☎ 02-772-15-34 (Bruxelles). ● sudamericatours.be ●
Tour-opérateur belge spécialisé sur l'Amérique latine, Sudamerica Tours propose une brochure comprenant les « Circuits et séjours individuels » et les « Circuits en groupes accompagnés » avec départs garantis de Bruxelles.
Sudamerica Tours réalise également des circuits à la carte avec location de voitures, des séjours plage, des safaris, des croisières en Amazonie, aux Galápagos, sur le lac Titicaca... Logement en haciendas et hôtels de charme. Destinations : Argentine, Bolivie, Brésil, Chili, Équateur, Guatemala, Pérou, Mexique, Nicaragua, Costa Rica, Venezuela et Cuba.

EN SUISSE

▲ JERRYCAN

– Genève : rue Sautter 11, 1205. ☎ 022-346-92-82. ● jerrycan-travel.ch ●
Tour-opérateur de la Suisse francophone spécialisé dans l'Afrique, l'Asie et l'Amérique latine. Trois belles brochures proposent des circuits individuels et sur mesure. L'équipe connaît bien son sujet et peut construire un voyage à la carte.

▲ STA TRAVEL

● statravel.ch ●
– Fribourg : rue de Lausanne 24, 1701. ☎ 058-450-49-80.
– Genève : rue de Rive 10, 1204. ☎ 058-450-48-00.
– Genève : rue Vignier 3, 1205. ☎ 058-450-48-30.
– Lausanne : bd de Grancy 20, 1006. ☎ 058-450-48-50.
– Lausanne : à l'université, Anthropole, 1015. ☎ 058-450-49-20.
Agences spécialisées notamment dans les voyages pour jeunes et étudiants. 150 bureaux STA et plus de 700 agents du même groupe répartis dans le monde entier sont là pour donner un coup de main (Travel Help).
STA propose des voyages avantageux : vols secs (Blue Ticket), hôtels, écoles de langues, work & travel, circuits d'aventure, voitures de location, etc. Délivre la carte internationale d'étudiant ISIC et la carte Jeune.
STA est membre du fonds de garantie de la branche suisse du voyage ; les montants versés par les clients pour les voyages forfaitaires sont assurés.

▲ TUI – NOUVELLES FRONTIÈRES

– Genève : rue Chantepoulet 25, 1201. ☎ 022-716-15-70.
– Lausanne : bd de Grancy 19, 1006. ☎ 021-616-88-91.
Voir texte dans la partie « En France ».

AU QUÉBEC

▲ INTAIR VACANCES

Membre du groupe Intair comme Exotik Tours, Intair Vacances propose un vaste choix de prestations à la carte incluant vol, hébergement et location de voitures en

Europe, aux États-Unis ainsi qu'aux Antilles, au Mexique et au Costa Rica. Sa division Boomerang Tours présente par ailleurs des voyages sur mesure et des circuits organisés dans le Pacifique sud.

▲ NOLITOUR VACANCES

Membre du groupe *Transat A.T. Inc.,* Nolitour est un spécialiste des forfaits vacances vers le Sud et offre une gamme complète de forfaits vacances vers des destinations populaires comme la Floride, le Mexique, Cuba et la République dominicaine.

▲ VACANCES AIR CANADA

● *vacancesaircanada.com*

Vacances Air Canada propose des forfaits loisirs (golf, croisières, voyages d'aventure, ski et excursions diverses) flexibles sur les destinations les plus populaires des Antilles, de l'Amérique centrale et du Sud, de l'Asie et des États-Unis. Vaste sélection de forfaits incluant vol aller-retour, hébergement. Également des forfaits vol + hôtel/vol + voiture.

▲ VACANCES SIGNATURE

● *vacancessignature.com* ●

Ce voyagiste établi au Canada depuis plus de 35 ans est membre du groupe *TUI Travel PLC.* Il propose principalement des forfaits vacances vers le Mexique et la République dominicaine au départ de 11 grandes villes canadiennes.

▲ VACANCES TOURS MONT ROYAL

● *vacancestmr.com* ●

Ce voyagiste propose une offre complète sur les destinations et les styles de voyages suivants : Europe, destinations soleils d'hiver et d'été, forfaits tout compris, circuits accompagnés ou en liberté. Au programme, tout ce qu'il faut pour les voyageurs indépendants : location de voitures, cartes de train, bonne sélection d'hôtels, excursions à la carte, forfaits à Paris, etc. À signaler : l'option achat/rachat de voiture (17 jours minimum), avec prise en France et remise en France ou ailleurs en Europe ; également vols entre Montréal et Londres, Bruxelles, Bâle, Madrid, Málaga, Barcelone et Vienne avec *Air Transat* ; les vols à destination de Paris sont assurés par la compagnie *Corsairfly* au départ de Montréal, d'Halifax et de Québec.

UNITAID

UNITAID a été créé pour lutter contre le VIH/sida, le paludisme et la tuberculose, principales maladies meurtrières dans les pays en développement. UNITAID intervient dans 94 pays en facilitant l'accès aux médicaments et aux diagnostics, et en baissant les prix dans les pays en développement. Le financement d'UNITAID provient principalement d'une contribution de solidarité sur les billets d'avion mise en place par six pays membres, dont la France, où la taxe est de 1 € sur les vols intérieurs et de 4 € sur les vols internationaux (ce qui représente le traitement d'un enfant séropositif pour un an). En moins de trois ans, UNITAID a réuni plus d'un milliard de dollars Les financements ont permis à près d'un million de personnes atteintes du VIH/sida de bénéficier d'un traitement et de délivrer plus de 19 millions de traitements contre le paludisme. Moins de 5 % des fonds sont utilisés pour le fonctionnement du programme, 95 % sont utilisés directement pour les médicaments et les tests. Pour en savoir plus : ● *unitaid.eu* ●

MEXIQUE UTILE

Pour la carte générale du Mexique, se reporter au cahier couleur.

ABC DU MEXIQUE

- *Organisation :* Fédération des États-Unis mexicains ; 31 États plus un district fédéral, la ville de Mexico.
- *Population :* environ 112 millions d'hab.
- *Superficie :* 1 964 183 km^2.
- *Capitale :* Mexico.
- *Langues :* espagnol (officielle), 62 langues indiennes.
- *Monnaie :* peso mexicano ($Me).
- *Régime :* présidentiel.
- *Chef de l'État :* Felipe Calderón.
- *Indice de développement humain :* 0,750. Rang mondial : 56e.

AVANT LE DÉPART
Adresses utiles

En France

❶ Conseil de promotion touristique du Mexique : 4, rue Notre-Dame-des-Victoires, 75002 Paris. N° Vert de l'antenne européenne basée à Madrid : ☎ 00-800-11-11-22-66. ● visitmexico. com ● Ⓜ Bourse. Dans le même immeuble que le consulat. Pas de permanence, mais documentation sur place, lun-ven 9h30-13h, 14h-17h30. Sinon, vous obtiendrez tt rens en appelant le n° Vert ou sur leur site internet. Vous pouvez aussi consulter le site ● destinationmexique.com ● Toutes sortes d'articles sur l'actualité touristique du pays.

■ Ambassade du Mexique : 9, rue de Longchamp, 75116 Paris. ☎ 01-53-70-27-70. ● sre.gob.mx/francia ● Publie un mensuel électronique, Le Mexique aujourd'hui, qui présente des actualités économiques, culturelles, etc. franco-

mexicaines.

■ Instituto de México (service culturel de l'ambassade) **:** 119, rue Vieille-du-Temple, 75003 Paris. ☎ 01-44-61-84-44. ● mexiqueculture.org ● Ⓜ Filles-du-Calvaire. Lun ap-m ; mar-ven 9h30-13h, 14h30-18h ; sam ap-m. Fermé dim, j. fériés et vac scol de Noël. Organise des expos mensuelles d'artistes contemporains mexicains.

■ Consulats mexicains :
– Paris : 4, rue Notre-Dame-des-Victoires, 75002. ☎ 01-42-86-56-20. ● consularmex@wanadoo.fr ● Ⓜ Bourse. Lun-ven 9h-12h. Adresse utile si vous envisagez une expatriation au Mexique (études ou travail), pour laquelle vous aurez besoin d'un visa de long séjour et des précieuses FM-3, les cartes de séjour du Mexique. Les autres lecteurs se reporteront ci-dessous à la

rubrique « Formalités d'entrée », car les ressortissants français n'ont pas besoin de visa.
– *Barcelonnette : 7, av. de la Libération, 04400.* ☎ *04-92-81-28-82.*
– *Bordeaux : 11-15, rue Vital-Carles, 33080.* ☎ *05-56-79-76-55.*
– *Dijon : 11 bis, cours du Général-de-Gaulle, 21000.* ☎ *03-80-68-20-19.*
– *Le Havre : 34, av. René-Coty, 76600.* ☎ *02-35-42-37-72.*
– *Lyon : 6, pl. Bellecour, 69002.* ☎ *04-78-38-06-17.*
– *Marseille : 2, rue Corneille, 13001.* ☎ *04-91-54-70-50.*
– *Toulouse : 34, rue d'Aubuisson, 31000.* ☎ *05-34-41-74-40.*
– *Fort-de-France : 31, rue Moreau-de-Jones.* ☎ *05-96-72-58-12*
■ *Mexique Tourisme :* ☎ *04-50-27-62-57.* ● *mexique@altiplano.org* ● *altipla*

no.org ● *Lun-ven 9h-18h.* Association de spécialistes du Mexique qui répondent à vos questions par téléphone ou par mail. Envoi gratuit de documentation. Également réservation de vols, hôtels, voitures, excursions. Possibilité de combiner avec le Guatemala.
■ *Le Mexique Autrement :* ☎ *(52) 55-56-65-96-23 (bureau).* ▯ *(52) 1-55-22-45-70-39.* ● *lemexiqueautrement. com.mx* ● Benjamin, installé au Mexique depuis 2002, et son amie Diana, organisent des séjours à la carte et proposent plusieurs circuits modulables dans tout le Mexique. L'accent est mis sur le tourisme durable, la rencontre avec les Mexicains et les contrastes sous toutes leurs coutures. Logements de charme, balade dans la jungle, sites archéologiques, observation de la faune et de la flore, plage...

En Belgique

■ *Ambassade et consulat : av. Franklin-Roosevelt, 94, Bruxelles-Ixelles 1050.* ☎ *02-629-07-77.* ● *embamex.* *eu* ● Pas de visa pour les routards belges (voir ci-dessous « Formalités d'entrée »).

En Suisse

■ *Section consulaire de l'ambassade du Mexique : Weltpoststrasse 20, 3015 Berne.* ☎ *(031) 357-47-47.* ● *sre. gob.mx/suiza* ●
■ *Consulat honoraire du Mexique : rue de Candolle 16, 1205 Genève.* ☎ *(022) 328-39-20.* Pas de visa pour les routards suisses (voir ci-dessous « Formalités d'entrée »).
■ *Consulat honoraire du Mexique : Aeschenvorstadt 21, 4051 Basel.* ☎ *(061) 283-06-30.*

– Plus d'office de tourisme, mais possibilité de contacter l'antenne européenne basée à Madrid par téléphone (n° Vert) ou par Internet (voir plus haut « En France »).

Au Canada

▯ *Conseil de promotion touristique du Mexique à Montréal :* ☎ *01-800-446-3942.* ● *contact@visitmexico. com* ● *visitmexico.com* ● Infos touristiques seulement par téléphone ou par mail.
■ *Consulat général du Mexique : 2055, rue Peel, # 1000, Montréal H3A-* *1V4.* ☎ *(514) 288-2502.* ● *consulmex. qc.ca* ● *Lun-ven 9h-13h ; permanence téléphonique jusqu'à 17h.*
■ *Consulat honoraire du Mexique : 380, chemin Saint-Louis, # 1407, Québec G1S-4M1.* ☎ *(418) 681-3192. Fax : (418) 681-7100.*

Formalités d'entrée

– Pour les Européens et les Canadiens, aucun visa n'est nécessaire. Vous remplirez simplement un document d'immigration (*FMT* ou *carte touristique*) que l'on

LES ÉTATS DU MEXIQUE

vous remettra dans l'avion ou à la frontière. Ce papier, le FMT, permet de rester au Mexique durant 180 jours maximum (sauf pour les ressortissants des DOM-TOM, pour qui la durée de séjour autorisée n'est que de 30 jours). Lors de votre entrée dans le pays, ce document FMT est tamponné et **doit être conservé précieusement,** car il vous sera demandé à la sortie du territoire. Bien vérifier que le douanier a écrit 180 jours. Être en possession d'un *passeport,* valable au moins 6 mois après la date de retour.

– À l'entrée du Mexique, on acquitte une *taxe* d'environ 25 US$, quel que soit le moyen de transport utilisé. Tout comme la taxe d'aéroport à la sortie du pays, elle est incluse dans le billet d'avion.

– *Pour ceux qui passent par les États-Unis :* en cas d'escale, par exemple à Miami ou Houston, il n'y a plus besoin de visa. En revanche, depuis janvier 2009, pour faciliter le passage à l'immigration américaine, **il est obligatoire de vous inscrire au moins 72h à l'avance par Internet sur la page ●** *http://esta.cpb.dhs. gov* ● (gratuit ; réponse environ 72h après). Ce système s'appelle « Electronic System for Travel Autorisation (ESTA) ». Fiche valable 2 ans.

Attention, un vol avec escale aux États-Unis peut entraîner un retard tel que vous risquez de manquer votre correspondance pour le Mexique : donc, au moment des réservations, prévoyez au minimum 3h entre vos correspondances.

– *Permis de conduire :* votre permis national suffit.

> Pensez à scanner passeport, visa, cartes bancaires, billets d'avion et vouchers d'hôtel. Ensuite, adressez-les-vous par mail, en pièces jointes. En cas de perte ou de vol, rien de plus facile pour les récupérer dans un cybercafé. Les démarches administratives seront bien plus rapides. Merci tonton Routard !

Avoir un passeport européen, ça peut être utile !

L'Union européenne a organisé une assistance consulaire mutuelle pour les ressortissants de l'UE en cas de problème en voyage.

Vous pouvez y faire appel lorsque la France (c'est rare) ou la Belgique (c'est plus fréquent) ne disposent pas d'une représentation dans le pays où vous vous trouvez. Concrètement, elle vous permet de demander assistance à l'ambassade ou au consulat (pas à un consulat honoraire) de n'importe quel État membre de l'UE. Leurs services vous indiqueront s'ils peuvent directement vous aider ou vous préciseront ce qu'il faut faire.

Leur assistance est, bien entendu, limitée aux situations d'urgence : décès, accidents ayant entraîné des blessures ou des lésions, maladie grave, rapatriement pour raison médicale, arrestation ou détention. En cas de **perte** ou de **vol de votre passeport,** ils pourront également vous procurer un **document provisoire** de voyage.

Cette entraide consulaire entre les 27 États membres de l'UE ne peut, bien entendu, vous garantir un accueil dans votre langue. En général, une langue européenne courante sera pratiquée.

Ariane, le fil à suivre

Ariane est un nouveau service gratuit mis à disposition par le centre de crise du ministère des Affaires étrangères et européennes. Il permet aux voyageurs français qui le souhaitent de s'enregistrer à l'occasion de leurs séjours à l'étranger. Les informations déposées sur Ariane sont utilisées en cas de crise, par exemple pour contacter des voyageurs dans l'hypothèse où des opérations de secours sont organisées, ou encore pour joindre rapidement les familles ou les proches en France si une situation le nécessite. Être inscrit sur Ariane, c'est voyager l'esprit tranquille. Pour en savoir plus : • *diplomatie.gouv.fr/fr/conseils-aux-voyageurs_909/index. html* •

Assurances voyage

■ *Routard Assurance :* c/o AVI International, *106, rue La Boétie, 75008 Paris.* ☎ *01-44-63-51-00.* • *avi-international.com* • Ⓜ *Saint-Philippe-du-Roule ou Franklin-Roosevelt.* Depuis 1995, *Routard Assurance,* en collaboration avec *AVI International,* spécialiste de l'assurance voyage, propose aux routards un tarif à la semaine qui inclut une assurance bagages de 2 000 € et appareils photo de 300 €. Pour les séjours longs (de 2 mois à 1 an), il existe le *Plan Marco Polo.* Depuis peu, également un nouveau contrat pour les seniors, en courts et longs séjours. *Routard Assurance* est aussi disponible en version light (durée adaptée aux week-ends et courts séjours en Europe). Vous trouverez un bulletin de souscription dans les der-

nières pages de chaque guide.
■ *AVA :* 25, rue de Maubeuge, 75009 *Paris.* ☎ *01-53-20-44-20.* • *ava.fr* • Ⓜ *Cadet.* Un autre courtier fiable pour ceux qui souhaitent s'assurer en cas de décès-invalidité-accident lors d'un voyage à l'étranger, mais surtout pour bénéficier d'une assistance rapatriement, perte de bagages et annulation. Attention, franchises pour leurs contrats d'assurance voyage.
■ *Pixel Assur :* 18, rue des Plantes, 78600 Maisons-Laffitte. ☎ 01-39-62-28-63. • *pixel-assur.com* • RER A : Maisons-Laffitte. Assurance de matériel photo et vidéo tous risques dans le monde entier. Devis basé sur le prix d'achat de votre matériel. Avantage : garantie à l'année.

Formalités de sortie

– Il faut présenter le document migratoire (FMT) que l'on vous a remis à l'arrivée.
– Vous devez payer la taxe d'aéroport si celle-ci n'est pas déjà incluse dans le prix du billet (cas rarissime).

– S'il vous reste des pesos, changez-les dans un des bureaux de change de l'aéroport (avant de passer la douane), car aucun change n'est possible en France.

Carte internationale d'étudiant (carte ISIC)

Elle prouve le statut d'étudiant dans le monde entier et permet de bénéficier de tous les avantages, services, réductions étudiants du monde, concernant les transports, les hébergements, la culture, les loisirs, le shopping... C'est la clé de la mobilité étudiante !

La carte ISIC donne aussi accès à des avantages exclusifs sur le voyage (billets d'avion, hôtels et auberges de jeunesse, assurances, cartes SIM, location de voitures...).

Pour plus d'informations sur la carte ISIC ou pour la commander en ligne, rendez-vous sur le site ● *isic.fr* ●

Pour l'obtenir en France

Pour localiser le point de vente le plus proche de chez vous : ☎ 01-40-49-01-01. ● *isic.fr* ●

Se présenter au point de vente avec :
– une preuve de son statut d'étudiant (carte d'étudiant, certificat de scolarité...) ;
– une photo d'identité ;
– 12 €, ou 13 € par correspondance, incluant les frais d'envoi des documents d'information sur la carte.

Émission immédiate sur place, ou envoi à votre domicile le jour même de votre commande en ligne.

En Belgique

La carte coûte 9 € (+ 1 € pour les frais d'envoi) et s'obtient sur présentation de la carte d'identité, de la carte d'étudiant et d'une photo auprès de :

■ ***Connections :*** *rens au* ☎ *070-23-33-13 ou 479-807-129.* ● *isic.be* ●

En Suisse

La carte s'obtient dans toutes les agences *STA Travel (*☎ *058-450-40-00 ou 058-450-49-49),* sur présentation de la carte d'étudiant, d'une photo et de 20 Fs. Commande de la carte en ligne : ● *isic.ch* ● *statravel.ch* ●

Au Canada

La carte coûte 20 $Ca. Elle est disponible dans les agences *TravelCuts/Voyages Campus,* mais aussi dans les bureaux d'associations étudiants. Pour plus d'infos : ● *voyagescampus.com* ●

Carte d'adhésion internationale
aux auberges de jeunesse (carte FUAJ)

Cette carte, valable dans plus de 90 pays, vous ouvre les portes des 4 000 AJ du réseau *Hostelling International* réparties dans le monde entier. Les périodes d'ouverture varient selon les pays et les AJ. À noter, la carte est obligatoire pour séjourner en auberge de jeunesse, donc nous vous conseillons de vous la procurer avant votre départ.

– Il n'y a pas de limite d'âge pour séjourner en AJ. Il faut simplement être adhérent.

– La FUAJ offre à ses adhérents la possibilité de réserver en ligne grâce à son système de réservation international • *hihostels.com* • jusqu'à 12 mois à l'avance, dans plus de 1 600 auberges de jeunesse dans le monde. Et si vous prévoyez un séjour itinérant, vous pouvez réserver plusieurs auberges en une fois.
Ce système permet d'obtenir toutes informations utiles sur les auberges reliées au système, de vérifier les disponibilités, de réserver et de payer en ligne.
– La carte donne également droit à des réductions sur les transports, les musées et les attractions touristiques dans plus de 90 pays. Ces avantages varient d'un pays à l'autre, ce qui n'empêche pas de la présenter à chaque occasion. Liste de ces réductions disponible sur • *hihostels.com* • et les réductions en France sur • *fuaj. org* •

Vous pouvez adhérer :

– En ligne, avec un paiement sécurisé, sur le site • *fuaj.org* •
– Directement dans une auberge de jeunesse à votre arrivée.
– Auprès de l'antenne nationale : *27, rue Pajol, 75018 Paris.* ☎ *01-44-89-87-27.* • *fuaj.org* • Ⓜ *Marx-Dormoy ou La Chapelle.* Horaires d'ouverture du point accueil sur le site internet, rubrique « Nous contacter ».
– Dans l'une des trois antennes régionales de la FUAJ. Coordonnées sur le site internet, rubrique « Nous contacter ».

Les tarifs de l'adhésion 2011

– Carte internationale FUAJ moins de 26 ans : 11 €.
Pour les mineurs, une autorisation parentale et la carte d'identité du parent tuteur sont nécessaires pour l'inscription.
– Carte internationale FUAJ plus de 26 ans : 16 €.
– Carte internationale FUAJ Famille : 23 €.
Seules les familles ayant un ou plusieurs enfants de moins de 16 ans peuvent bénéficier de la carte « Famille » sur présentation du livret de famille. Les enfants de plus de 16 ans devront acquérir une carte individuelle.

En Belgique

La carte d'adhésion est obligatoire. Son prix varie selon l'âge : entre 3 et 15 ans, 3 € ; entre 16 et 25 ans, 9 € ; au-delà de 25 ans, 15 €.

■ *LAJ :* rue de la Sablonnière, 28, Bruxelles 1000. ☎ 02-219-56-76. • *info@laj.be* • *laj.be* •
■ *Vlaamse Jeugdherbergcentrale (VJH)* : Van Stralenstraat, 40, Antwerpen B 2060. ☎ 03-232-72-18. • *info@vjh.be* • *vjh.be* •

– Votre carte de membre vous permet d'obtenir de 3 à 20 € de réduction sur votre première nuit dans les réseaux LAJ, VJH et CAJL (Luxembourg), ainsi que des réductions auprès de nombreux partenaires en Belgique.

En Suisse

Le prix de la carte dépend de l'âge : 22 Fs pour les moins de 18 ans, 33 Fs pour les adultes et 44 Fs pour une famille avec des enfants de moins de 18 ans.

■ *Schweizer Jugendherbergen (SJH) :* service des membres des auberges de jeunesse suisses, Schaffhauserstr. 14, 8042 Zurich. ☎ 44-360-14-14. • *booking@youthhostel.ch* • *contact@youthhostel.ch* • *youthhostel.ch* •

Au Canada

La carte coûte 35 $Ca pour une durée de 16 à 28 mois et 175 $Ca pour une carte valable à vie. Gratuit pour les enfants de moins de 18 ans qui accompagnent leurs parents.

■ *Auberges de jeunesse du Saint-Laurent / St-Laurent Youth Hostels :*
– *À Montréal : 3514, av. Lacombe, (Québec) H3T-1M1. ☎ (514) 731-1015. N° gratuit (au Canada) : ☎ 1-866-754-1015.*
– *À Québec : 94, bd René-Lévesque Ouest, (Québec) G1R-2A4. ☎ (418) 522-2552.*
■ *Canadian Hostelling Association :* 205 Catherine St, bureau 400, Ottawa, (Ontario) K2P-1C3. ☎ (613) 237-7884. ● info@hihostels.ca ● hihostels.ca ●

ARGENT, BANQUES, CHANGE

– *La monnaie mexicaine* est le *peso*. Elle est quasiment indexée sur le dollar américain, ce qui revient à dire, lorsque le dollar chute, que le Mexique est moins cher pour les Européens. En 2011, le cours moyen pour 10 pesos avoisinait 0,60 € (soit 1 € autour de 16,50 $Me). Son symbole est similaire à celui du dollar, mais il n'y a qu'une barre verticale et il est placé avant le préfixe du pays : $ ($Me dans ce guide). D'où parfois des confusions, surtout dans les zones touristiques, où beaucoup de prix sont affichés en dollars !

– Le Mexique étant le pays de la *propina* (« pourboire », voir plus loin la rubrique qui lui est consacrée), il faut toujours avoir de la monnaie (*cambio*) sur soi. Les pièces en circulation sont celles de 1, 2, 5, 10 et 20 pesos (rarissimes). Pour les billets : 20 (bleu), 50 (rose), 100 (rouge), 200 (vert), 500 (violet) et même des billets de 1 000 $Me (presque de la même couleur que ceux de 20 $Me ; à ne pas confondre !).

Précaution : lorsqu'on vous rend la monnaie en billets, vérifiez qu'ils sont en bon état. Il est difficile d'écouler des billets déchirés !

– *L'IVA :* c'est la TVA locale, d'environ 16 % (11 % dans l'État du Quintana Roo). En général, les prix l'incluent, mais dans certains grands hôtels (ainsi que dans les restaurants les plus chic ou les supermarchés alimentaires), les prix sont donnés hors IVA. Il faut donc être vigilant. Lorsque c'est le cas, on peut parfois l'éviter si l'on paie en espèces et qu'on ne veut pas de facture. À négocier sur place. Dans certains coins, il convient d'ajouter une surtaxe locale de 2 %.

– Les banques telles que *Banamex* ou *Bancomer* pratiquent le taux de change le plus intéressant et acceptent les euros en espèces, sauf dans certaines villes (nous le signalons). Pour le change, en général les guichets sont ouverts du lundi au vendredi 10h-16h ; le samedi jusque vers 14h.

– *Les bureaux de change* (casas de cambio) sont nombreux dans les grandes villes et les endroits touristiques. Comparer leurs taux, souvent inférieurs à ceux des banques lorsqu'il y a le choix. Avantages : on ne fait pas de queue interminable et les horaires sont plus étendus.

– Les banques possèdent toutes des *distributeurs de billets* qui acceptent les cartes de paiement *Visa* et *MasterCard,* parfois aussi *American Express.* En plus de la commission appliquée par votre banque, la banque mexicaine s'octroie aussi souvent une commission lors du retrait (le distributeur vous l'indique). Mieux vaut donc éviter de multiplier les petits retraits, qui multiplient aussi les commissions. Attention cependant : même si le montant des retraits n'est limité qu'à 450 € par semaine (voire plus avec accord de votre banque), il arrive que certains distributeurs ne vous délivrent qu'un maximum de 3 500 $Me pour des raisons de sécurité. Donc, si le distributeur automatique peut se révéler très utile, mieux vaut ne pas compter seulement sur lui. Quand vous retirez de l'argent, évitez de le faire de nuit ou dans un endroit isolé.

– Si l'on est à court d'argent, il reste la solution du retrait au guichet d'une banque, sur présentation de sa carte de paiement et de son passeport. Moyennant une commission, bien sûr.

Cartes de paiement *(tarjetas de crédito)*

Le paiement par carte n'est pas aussi répandu qu'en Europe. Les Mexicains utilisent encore beaucoup les espèces pour leurs transactions. Ne comptez pas utiliser votre carte pour régler un billet de bus local, l'addition d'un resto de quartier ou votre nuit dans une *posada* bon marché. En revanche, pour un hôtel plus chic, un grand restaurant, des courses dans un supermarché appartenant à une chaîne, voire un billet de bus en 1re classe (pas partout), c'est possible... avec souvent une commission de l'ordre de 3 à 7 %, parfois plus du moins pour les cartes françaises (pas pour les belges, en revanche leur carte de débit n'est pas acceptée pour retirer de l'argent dans un distributeur, sauf autorisation préalable de leur banque). Une carte de paiement est indispensable pour louer une voiture. Dans les restaurants, pensez à remplir (comme aux États-Unis) la case « pourboire » *(propina)* et inscrivez-vous-même le total en bas ; sinon, le restaurateur peut remplir lui-même cette case...

Quelle que soit la carte que vous possédez, chaque banque gère elle-même le processus d'opposition et le numéro de téléphone correspondant ! Avant de partir, notez donc bien le numéro d'opposition propre à votre banque (il figure souvent au dos des tickets de retrait, sur votre contrat ou à côté des distributeurs de billets), ainsi que le numéro à 16 chiffres de votre carte. Bien entendu, conservez ces informations en lieu sûr et séparément de votre carte. Par ailleurs, sachez que l'assistance médicale se limite aux 90 premiers jours du voyage et l'assistance véhicule aux cartes haut de gamme (renseignez-vous auprès de votre banque).

– *Carte Visa internationale : assistance médicale ; n° d'urgence* (Europ Assistance) *: ☎ 00-33-1-41-85-85-85. ● visa-europe.fr ● Pour faire opposition, contactez le numéro communiqué par votre banque ou, à défaut, si vous êtes en France, faites le ☎ 0892-705-705 (0,34 €/mn).*

– *Carte MasterCard : assistance médicale ; n° d'urgence : ☎ 00-33-1-45-16-65-65. ● mastercardfrance.com ● En cas de perte ou de vol, composez le numéro communiqué par votre banque pour faire opposition.*

– *Carte American Express : téléphonez en cas de pépin au ☎ 00-33-1-47-77-72-00 (numéro accessible 24h/24). ● americanexpress.fr ● Au Mexique, faites le ☎ 01-800-504-04-00 (n° gratuit).*

– *Pour ttes les cartes émises par **La Banque postale**, composez le ☎ 0825-809-803 (0,15 €/mn) depuis la France métropolitaine ou les DOM. Depuis l'étranger, le ☎ 00-33-5-55-42-51-96.*

– *Également un numéro d'appel valable **quelle que soit votre carte de paiement** : ☎ 0892-705-705 (serveur vocal à 0,34 €/mn). Ne fonctionne ni en PCV ni depuis l'étranger.*

En résumé

Pour votre voyage, on vous suggère d'emporter des euros en espèces (éventuellement des chèques de voyage), une carte de paiement internationale pour les retraits et les gros achats.

Un tuyau : pensez à retirer des devises avec une carte de crédit de préférence hors week-end et dans un distributeur situé dans une banque ou attenant à celle-ci. En cas de pépin (carte avalée, erreur de numéro, etc.), vous aurez un interlocuteur dans l'agence, pendant les heures ouvrables du moins.

Dépannage

Pour un **besoin urgent d'argent liquide** (perte ou vol de billets, chèques de voyage, cartes de paiement), vous pouvez être dépanné en quelques minutes grâce au système *Western Union Money Transfer*. Pour cela, demandez à quelqu'un de vous déposer de l'argent en euros dans l'un des bureaux *Western Union*. Les correspondants en France sont : *La Banque postale (fermée sam ap-m, n'oubliez pas !* ☎ *0825-00-98-98 ; 0,15 €/mn)* et *Travelex* en collaboration avec la *Société financière de paiement (SFDP ;* ☎ *0825-825-842 ; 0,15 €/mn)*. L'argent vous est transféré en moins de 15 mn. La commission, assez élevée, est payée par l'expéditeur. Possibilité d'effectuer un transfert en ligne 24h/24 par carte de paiement (*Visa* ou *MasterCard* émise en France). ● *westernunion.com* ●

Au Mexique, vous trouverez, selon la ville, un guichet *Western Union* auprès de la banque *Banamex* ou une autre banque. Dans de nombreux autres lieux aussi. Avoir une pièce d'identité.

ACHATS, ARTISANAT

Le Mexique, pays des arts populaires, possède l'une des plus grandes variétés d'objets artisanaux de l'Amérique latine. Les artisans sont extrêmement créatifs et, à côté de la production traditionnelle, chaque année voit apparaître son lot d'innovations.

Même si, sur les grands marchés, on trouve de l'artisanat en provenance de tout le pays, une bonne partie de la distribution reste très locale. Il n'est pas certain que vous trouviez à Mexico les plateaux laqués de Pátzcuaro ou la poterie aperçue à Oaxaca. Autrement dit, le meilleur moyen d'éviter les regrets, c'est d'acheter dès que vous voyez quelque chose qui vous plaît.

Ce qui suit est une liste non exhaustive de ce que vous pourrez rapporter du Mexique.

– ***Alebrijes :*** à Mexico et Oaxaca. Les *alebrijes* sont des créatures imaginaires (un peu comme les gargouilles en Europe), en papier mâché, qui trouvent leur origine dans les contes et histoires du sud du Mexique. Contrairement à une idée répandue, les *alebrijes* sont nés à Mexico dans les années 1950, grâce à l'imagination et au savoir-faire de la famille Linares, précurseurs de cet art. À Oaxaca, les *alebrijes* sont en bois. Ce ne sont pas les « traditionnels » et la peinture y est beaucoup moins travaillée, mais ils ont l'avantage d'être moins chers et moins fragiles. De toute façon, à acheter juste avant le départ.

– ***Arbres de vie*** *(árboles de la vida) :* ce sont ces structures en céramique en forme de chandelier, de deux à six branches, voire huit pour les plus grands, qui peuvent dépasser 1,50 m de hauteur. « L'arbre » est recouvert d'une multitude de petites figurines en argile : des fleurs, les personnages d'Adam et Ève, des animaux (notamment l'éléphant, la girafe et le serpent)... Sur certains, au sommet de l'arbre, trône Dieu, le père de la création, qui donne la vie à l'ensemble. À l'origine, les thèmes étaient en effet religieux, mais les artisans commencent à faire preuve de plus de créativité, d'abord dans l'utilisation des couleurs, ensuite dans le choix des motifs. Les lieux de production sont principalement Acatlán (dans l'État de Puebla), Izucar de Matamoros (entre Puebla et Cuernavaca) et Metepec (près de Toluca). En dehors de ces endroits, il n'est pas courant de voir des arbres de vie sur les marchés d'artisanat. En revanche, vous en trouverez dans les magasins d'artisanat *Fonart* (gouvernementaux) ou certaines galeries d'art. Et bien sûr, dans tout musée des Arts populaires qui se respecte.

– ***Bijoux en argent :*** à Taxco, la ville de l'argent par excellence. Mais aussi à Cuernavaca et à Zacatecas (où se trouve la plus grande mine d'argent du monde).

– ***Céramique talavera :*** dans le style des azulejos du Portugal. Le centre traditionnel de fabrication de la Talavera est à Puebla (cruches, jarres, tasses, assiettes...), mais aussi à Dolores Hidalgo.

– ***Coffrets et coffres :*** les plus célèbres (qu'on trouve très facilement à Mexico) sont en bois peint laqué, fabriqués à partir de ce bois délicieusement odorant caractéristique d'Olinalá.

– *Hamacs :* un peu partout sur la côte (Yucatán ou côte Pacifique). Prenez un *matrimonial* (deux personnes) : c'est nettement plus confortable, même pour une personne seule. Le choisir en nylon ; le coton, même s'il est plus agréable, est trop fragile.

– *Huipil :* blouse typique (en forme de camisole), richement brodée, portée par les femmes indiennes.

– *Masques en bois :* dans l'État de Guerrero, à Taxco et Oaxaca.

– *Objets en cuivre :* à Pátzcuaro et le village d'à côté, Santa Clara del Cobre.

– *Plateaux, assiettes en laque :* à Morelia, Pátzcuaro et Uruapán.

– *Poteries :* un peu partout, mais spécialement à Morelia, Pátzcuaro, Guadalajara. À Oaxaca, on trouve la typique poterie noire, aux reflets argentés, fabriquée dans la région, notamment dans le village de San Bartolo Coyotepec.

– *Vannerie :* les Mixtèques (État d'Oaxaca) sont particulièrement doués en la matière. Superbes paniers aux motifs géométriques bicolores. Au nord du pays, dans les villages tarahumaras, on trouve de fines vanneries en feuilles de palmier très parfumées.

– *Tapis et couvertures (sarapes) :* une autre spécialité de la vallée d'Oaxaca et plus particulièrement du village de tisserands de Teotitlán del Valle, où certains artisans utilisent encore des teintures naturelles. De nombreux textiles viennent en fait du Guatemala.

– *Rebozos :* grands châles tissés rectangulaires, en coton ou même en soie. Un classique ! Vous en trouverez partout. Le cadeau-souvenir idéal : joli, multiusage et ça ne pèse pas lourd. Un des hauts lieux de la production se trouve à Santa María del Río, dans l'État de San Luis Potosí.

– *Sombreros de mariachi :* à l'aéroport ! À choisir au moins aussi larges que vos épaules. C'est pour se protéger du soleil ma bonne dame !

BUDGET

Pour vous aider à préparer votre voyage et à établir votre budget, nous vous donnons les prix des fourchettes en pesos mexicains et en euros. Attention, quelques hôtels dans certaines zones touristiques affichent leurs prix en dollars, voire demandent le paiement en dollars.

Hôtels

Les prix suivants s'entendent pour 2 personnes.

– *Très bon marché :* moins de 300 $Me (18 €).

– *Bon marché :* 300-400 $Me (18-24 €).

– *Prix moyens :* 400-800 $Me (24-48 €).

– *Chic :* 800-1 200 $Me (48-72 €).

– *Plus chic :* au-dessus de 1 200 $Me (72 €).

Pour les villes très touristiques (notamment dans le Yucatán et sur la côte pacifique), les prix sont bien sûr plus élevés ; de même en haute saison (Pâques, juillet, août et surtout de mi-décembre à début janvier), ils peuvent augmenter de 30 à 60 %. En réalité, chaque établissement en fait un peu à sa tête ! Si la fréquentation est importante, les prix augmentent ; sinon, ils restent sages... Ce n'est pas plus compliqué que cela et c'est finalement très logiquement mercantile.

En basse saison, ne pas hésiter à jeter un coup d'œil sur le site internet des établissements des catégories « Chic » et supérieures, qui proposent parfois des promotions intéressantes. Pour les destinations plage, il peut parfois s'avérer intéressant de consulter les offres des compagnies aériennes qui proposent des *packages* avec billets d'avion et séjour en demi-pension ou tout compris dans des établissements autrement très chers. C'est l'idéal pour les familles.

Restaurants

Il s'agit de fourchettes moyennes sur la base d'un repas complet. Comme pour les hébergements, les fourchettes doivent être revues à la hausse dans certaines villes touristiques et à Mexico. N'oubliez pas d'inclure dans votre budget les *propinas* (pourboires) : entre 10 et 15 % de la note totale.
– *Bon marché :* moins de 80 $Me (4,80 €).
– *Prix moyens :* 80-250 $Me (4,80-15 €).
– *Chic :* 250-370 $Me (15-22,20 €).
– *Plus chic :* plus de 370 $Me (22,20 €).

CLIMAT

Il y a deux saisons au Mexique : la saison sèche, qui s'étend de novembre à mai, et la saison des pluies durant l'été (de juin à octobre). Il tombe alors des trombes d'eau, mais heureusement plutôt en fin d'après-midi ou durant la nuit, et généralement sur une courte durée. Pendant toute l'année, il faut compter avec l'influence de l'altitude. Dans les régions montagneuses, au-dessus de 2 000 m, il fait froid durant les mois d'hiver lorsque le soleil a disparu. C'est le cas, par exemple, de Mexico, à 2 240 m d'altitude. Les zones comprises entre 1 000 et 2 000 m d'altitude qui se trouvent à l'intérieur du pays bénéficient d'un climat tempéré avec une température moyenne de 18 °C et des soirées assez fraîches en hiver. En revanche, grosse chaleur, jour et nuit, le long des côtes et dans les terres chaudes qui vont jusqu'à 1 000 m d'altitude (température moyenne : 25 °C). Dans la partie nord du pays (sierra Tarahumara), où les pluies sont plus rares, le climat est franchement continental avec des hivers froids, voire enneigés, et des étés très chauds et orageux, particulièrement de juillet à septembre.
À noter que la période d'ensoleillement moyenne s'étend environ de 6h à 18h.
Consulter sur Internet le site ● *climatiempo.com.mx* ● avant de partir. Vous aurez ainsi le bulletin météo de la région que vous allez parcourir.
Voir également « Géographie » dans « Hommes, culture et environnement ».

Quand partir ?

Tout dépend de la partie du pays que vous comptez visiter. En général, on considère que la bonne période s'étend d'octobre à avril, c'est-à-dire pendant la saison sèche. Très agréable : du soleil, mais pas trop chaud, presque pas de pluie et pas trop de monde. Mais durant les mois d'hiver, il faut savoir qu'il fait frais dès que le soleil se couche dans les villes en altitude, comme Mexico, Puebla, Oaxaca, Querétaro, San Miguel de Allende, Zacatecas, Guanajuato, Guadalajara, Morelia, Pátzcuaro et au Chiapas... Par ailleurs, de décembre à février, le temps est souvent nuageux dans les Caraïbes et donc dans le Yucatán, il peut alors pleuvoir. De plus, la descente des vents du nord, les *nortes,* peut rendre les soirées franchement frisquettes : en conséquence, prévoir des lainages et une cape de pluie. Notez enfin que sur le littoral des Caraïbes et du golfe du Mexique, les mois de septembre et d'octobre sont propices aux cyclones : un puissant tourbillon, siège de vents violents (118 km/h au moins pour recevoir l'appellation d'origine cyclonique...), pluies torrentielles, vagues impressionnantes. Satellites météo et scientifiques gèrent, prévoient et calculent tout ça sur l'échelle de Saffir-Simpson (celle de Beaufort s'arrêtant avant).
La vie quotidienne durant les vacances de Pâques (la Semaine sainte) est perturbée : banques fermées, hôtels et transports complets. C'est le meilleur moment pour visiter la capitale : la ville se vide, le stress disparaît, la pollution baisse, et pendant quelques jours on peut profiter de la clarté du ciel.

MEXIQUE UTILE

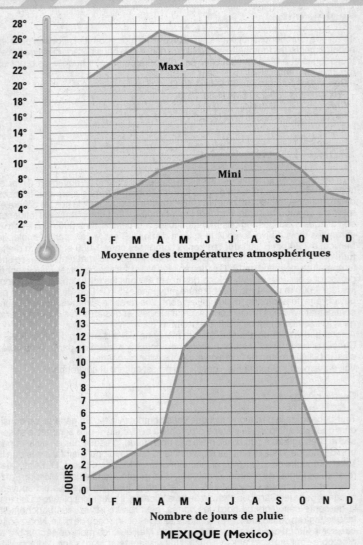

Moyenne des températures atmosphériques

Nombre de jours de pluie

MEXIQUE (Mexico)

Autres périodes difficiles pour les déplacements et réservations : Noël, les ponts du mois de mai et le jour des Morts *(día de los Muertos)*, l'une des fêtes les plus pittoresques d'Amérique latine (voir plus loin « Fêtes et jours fériés »).

Qu'emporter ?

– Vêtements d'été pour les côtes (maillot de bain).

– Lainages pour les régions en altitude et le Yucatán en hiver (voir rubrique ci-dessus).

– Une cape de pluie, mais on peut en acheter sur place, un peu partout, à un prix dérisoire. Absolument indispensable.

– Le sac de couchage peut se révéler utile en hiver, surtout si vous comptez dormir dans de petits hôtels bon marché (les couvertures y sont très légères ou inexistantes !).

– Une tente légère. Les terrains de camping sont souvent envahis en hiver par les immenses camping-cars nord-américains et peu attrayants, mais on peut essayer d'y planter sa tente en passant. De même, certains restos de plage disposent d'un emplacement réservé pour les tentes. Voir la rubrique « Hébergement ». Une solution pas chère sur la côte : le hamac, car de nombreux petits hôtels disposent de *cabañas* ou de *palapas* où le suspendre.

– *Remarque :* si vous vous baladez dans les régions indiennes comme le Chiapas, évitez de porter les chemises et tuniques typiques que vous aurez achetées sur le marché. En effet, ces habits ont des coloris qui évoquent l'origine et le clan de ceux qui les portent. Les Indiens sont plutôt vexés de voir les touristes faire les guignols avec leurs costumes traditionnels.

DANGERS ET ENQUIQUINEMENTS

Voici la liste des pépins qui ne vous arriveront jamais une fois que vous aurez lu ces lignes !

Avant de partir, vous pouvez faire un tour sur le site du ministère des Affaires étrangères : ● *diplomatie.fr/fr/conseils-aux-voyageurs_909/index.html* ● Bref récapitulatif des derniers événements dans le pays, conseils de sécurité, numéros de téléphone des consulats sur place, etc.

Entourloupe

Si les « grands » pratiquent la corruption à grande échelle (le Mexique est l'un des pays les plus corrompus d'Amérique latine), pas étonnant que les « petits » fassent de même. Attention donc, comme partout dans le monde, au truandage, même dans les endroits les plus officiels : banques (faire les calculs de change avant), compagnies de cars, stations-service, restaurants, taxis (vérifier que le chauffeur mette le compteur en marche... quand il y en a un)...

L'ESSENCE DU POMPISTE PRESTIDIGITATEUR

Sur la Riviera maya, le pompiste a un don : celui de faire passe-passe sur vos billets. Il vous fait le plein d'essence : « 192 pesos por favor ». Vous donnez un billet de 200 pesos à Garcimore et... tac y tactac, manœuvre de diversion, petit mouvement du poignet et il tient innocemment un billet de 20 pesos en main en disant : « Désolé, Señor, ce n'est pas assez ! » Bredouillant quelque excuse penaude, vous reprenez SON billet de 20 et lui en redonnez un de 200... Magique, non ?

Fausses antiquités

En ce qui concerne les antiquités au Mexique, sachez que l'exportation des pièces originales est strictement interdite, par les lois du Mexique et par de plus en plus de pays qui luttent contre le trafic d'art. En revanche, rien n'empêche d'acheter des reproductions, vendues soit à la sauvette sur les sites archéologiques (de qualité généralement médiocre, mais qui servent de souvenirs), soit dans les grands musées, qui proposent de très belles pièces, mais chères.

Vols, brigandages !

Les grands centres urbains, Mexico en tête, ne sont pas les endroits les plus sûrs du pays. Les Mexicains se sont habitués à cette situation et ont intégré à leur mode de vie tout un ensemble de précautions. Mais, on vous rassure, la plupart du temps, vous passerez de bonnes vacances sans le moindre pépin ! Il suffit simplement de respecter un certain nombre de règles élémentaires et de bon sens.

– Faites des photocopies de tous vos papiers (passeport, permis de conduire, billets d'avion, etc.). Ce sera beaucoup plus facile pour les faire refaire en cas de perte. Une photocopie de votre carte de paiement peut s'avérer aussi très utile si vous devez faire opposition. Laissez vos originaux dans le coffre de l'hôtel si c'est possible et n'emportez que le strict minimum.

– Dans les grandes villes, évitez les quartiers non touristiques.

– Ne laissez rien en vue dans votre voiture, même le temps d'une simple halte.

– Dans le bus, gardez votre appareil photo à portée de main. Dans le métro, ayez votre sac devant vous. Pas d'argent dans les poches arrière de votre pantalon. Les pickpockets sont habiles.

– Si vous vous baladez à Mexico, dans des quartiers populaires ou des zones isolées, évitez de porter sur vous votre chaîne en or Cartier, vos diam's en rivière ou la dernière Rolex au poignet.

– Dans les taxis, fermez le loquet de sécurité de la portière (de nombreux chauffeurs le font automatiquement) et la fenêtre. Idem si vous êtes en voiture. Dès que la nuit tombe, ne prenez jamais un taxi à la volée, mais appelez un taxi de *sitio*, plus cher mais beaucoup plus sûr.

– N'acceptez jamais de la nourriture ou des boissons proposées par des inconnus : on n'est jamais mieux servi que par soi-même... et elles peuvent contenir des somnifères. Des cas ont été signalés, en particulier dans des boîtes de nuit.

– En cas d'agression, donnez tout, calmement, sans essayer de jouer au héros. Certains ne cherchent qu'un peu de liquide... et se contenteront de 100 ou 200 pesos.

Si vous avez un problème, c'est à la police touristique ou aux bureaux de l'office du secrétariat au tourisme que vous devrez vous adresser. Ils sont présents dans la plupart des grandes villes et on y parle généralement au moins l'anglais.

La *mordida*

Une institution au Mexique. La *mordida* a en réalité deux significations. Pour le fonctionnaire ou le policier corrompu qui la reçoit, c'est le moyen d'arrondir ses fins de mois. Pour celui qui la donne, c'est un moyen d'éviter les lenteurs administratives ou les tracasseries policières. Le gouvernement a décidé de lutter contre ce fléau de la société mexicaine. Mais pas toujours facile car, pour qu'il y ait un corrompu, il faut un corrupteur. Et vice versa !

DÉCALAGE HORAIRE

Il y a trois fuseaux horaires au Mexique. Heureusement, la majeure partie du pays est sur un seul fuseau (UTC – 6). Dans ce cas (c'est le plus courant), compter 7h de décalage avec la France (quand il est 12h à Mexico, il est 19h à Paris). Mais attention, lors du passage à l'heure d'été ou d'hiver, il faut compter parfois 8h durant quelques jours (en mars-avril et en octobre), car le Mexique ne change pas ses horaires en même temps que la France. L'autre fuseau horaire concerne le nord-ouest du Mexique (États de Sonora, Sinaloa, Chihuahua, une bonne partie du Nayarit et la Basse-Californie du Sud) : dans cette zone, on est à UTC – 7 en hiver et UTC – 6 en été. Enfin, le troisième fuseau concerne seulement la Basse-Californie du Nord (UTC – 8 en hiver ; UTC – 7 en été).

DROGUE

La drogue, même la marijuana que de nombreux Mexicains cultivent par-ci par-là, est interdite au Mexique. Le gouvernement n'autorise la consommation du *peyotl* et des champignons hallucinogènes qu'aux tribus pour leurs rituels traditionnels.

Sur les routes du pays, en particulier celles menant aux plages discrètes, il y a souvent des contrôles de véhicules de la part des militaires ou de la police fédérale. Ils sont effectués avec courtoisie, mais mieux vaut éviter que les forces de sécurité trouvent de la drogue au fond de votre sac. Et franchement, vu leur équipement façon GIGN, on n'a pas vraiment envie d'être pris en flagrant délit : casque, cagoule, gilet pare-balles et fusil mitrailleur au poing. Dites M. l'agent, c'est par où la calle Suárez ? Blague à part, n'oubliez pas que le sujet est particulièrement sensible depuis quelques années. Le président Felipe Calderón a fait de la lutte contre la drogue la priorité numéro un de son mandat.

La guerre des cartels

Il est vrai que la situation est devenue préoccupante. Parce que qui dit drogue dit crime organisé. Autrement dit violence, délinquance, insécurité... Au point que certains n'hésitent pas à comparer la situation à celle de la Colombie d'il y a quelques années.

Le problème numéro un du Mexique n'est pas la production, mais le transit de la drogue entre l'Amérique du Sud et les États-Unis. Le Mexique est un point de passage obligé, la porte d'entrée de la drogue vers le plus gros consommateur du monde. Imaginez un peu : 70 % de la cocaïne consommée aux États-Unis est passée par le Mexique. Les sommes en jeu sont colossales. Et la bataille des cartels pour contrôler ce commerce occulte n'en est que plus âpre, notamment dans le Nord, aux abords de la zone frontière.

Pendant longtemps, la violence n'était liée qu'à des règlements de compte entre chefs de gangs. La situation s'autocontrôlait et les cartels (2, 8 ou 30 selon les sources) se maintenaient grâce à la corruption de hauts fonctionnaires du monde judiciaire et politique. Parfois, pour donner le change au « gendarme » américain, le gouvernement mexicain lançait de vastes opérations spectaculaires. Mais rien de bien méchant. La donne a radicalement changé en 2007, lorsque le nouveau président de la République a déclaré officiellement la guerre au narcotrafic.

Vers un narco-État ?

Pour la capture de l'un des 24 chefs de cartels les plus recherchés, le gouvernement offre désormais jusqu'à 2,4 millions de $Me. L'un d'entre eux a été abattu fin 2010 au cours d'une fusillade qui a causé cinq morts dans les rangs de la police. En septembre 2007, c'est la narcotrafiquante Sandra Avila Beltran, dite « la Reine du Pacifique », qui avait été arrêtée à Mexico, dans l'une de ses 265 propriétés

MÚSICA Y NARCOTRAFICANTES

Les cartels de la drogue n'hésitent pas à se donner une bonne image, en finançant plusieurs groupes musicaux, à leur solde. On y encense la drogue (lutte contre la pauvreté), les trafiquants (des héros) et les règlements de compte (actes de courage bien machistes).

disséminées dans le pays. Fille de plusieurs générations de trafiquants de drogue, son cartel est spécialisé dans le transport de la drogue entre la Colombie et le Mexique. Comme elle, plusieurs autres *capos* sont tombés, et certains envoyés en prison aux États-Unis, où il y a plus de chance qu'ils restent derrière les barreaux.

Les prisons mexicaines font plutôt passoire. Comment El Chapo, le chef du cartel de Sinaloa, l'un des deux narcotrafiquants les plus importants du pays, a-t-il pu s'enfuir de la prison de haute sécurité où il était emprisonné depuis 1993 ? On a même assisté à des règlements de compte à coup d'armes à feu entre bandes rivales à l'intérieur d'une même prison ! Seule explication : le noyautage de la haute fonction publique par le crime organisé. Directeurs de prison destitués, chefs de police arrêtés, hauts fonctionnaires inculpés... En 2008, c'est au tour du directeur d'Interpol Mexique d'être mis en cause, puis de l'ancien président du Parquet, le numéro un de la lutte antidrogue (rien que ça !)...

Peu à peu, on découvre avec stupeur le niveau d'infiltration du narcotrafic dans les rangs de la police, au sein de la justice, dans les milieux politiques ; et même chez les militaires, un bastion considéré incorruptible jusqu'alors.

À côté de la police fédérale, c'est donc maintenant l'armée qui combat au quotidien les narcotrafiquants, avec des méthodes dénoncées par les défenseurs des Droits de l'homme. La violence explose. Face au démantèlement des réseaux et à la logique de confrontation directe, les représailles de la part des cartels de la drogue sont allées crescendo. Ainsi, le 15 septembre 2008, en pleine fête nationale de l'Indépendance, une bombe explose au milieu de la foule, faisant sept morts et une centaine de blessés. On s'attaque désormais aux civils... Le bilan des violences ne cesse de s'alourdir : en 2010, les autorités ont comptabilisé 15 000 homicides, le double de 2009, le triple de 2008... tous liés au crime organisé. Cette fameuse guerre contre le narcotrafic ne semble pas pour autant en passe d'être gagnée.

ÉLECTRICITÉ

110 volts et prises à fiches plates. Apportez un adaptateur.

FÊTES ET JOURS FÉRIÉS

Voici les principales fêtes du Mexique. Vu le nombre, c'est bien le diable si vous ne tombez pas sur une petite fiesta lors de votre séjour. Lorsqu'il s'agit de jours fériés officiels, les banques et administrations sont fermées, mais de nombreux magasins restent ouverts.

– *1ᵉʳ janvier :* jour férié et rues désertes.

– *6 janvier :* jour des Rois mages. Ce sont eux, au petit matin, qui apportent les cadeaux aux enfants. Le Père Noël *(Santa Claus),* lui, est arrivé au Mexique bien plus tard et s'occupe surtout des enfants des familles aisées, qui doublent ainsi la mise. Quant aux adultes, ils partagent ce jour-là l'équivalent de la galette des rois, la *rosca,* sorte de brioche en forme de couronne, comme on peut en trouver dans le sud de la France. Celui qui tire la fève est obligé d'organiser une fête le 2 février suivant et devra servir à ses invités des *tamales.* Eh oui, tout est prétexte à faire la fête !

– *2 février :* día de la Candelaria ou Chandeleur. Pas de crêpes, mais des *tamales,* un must de la cuisine mexicaine (voir « Cuisine » dans « Hommes, culture et environnement »). Côté église, une drôle de tradition veut qu'on habille le petit Jésus de vêtements très élégants (les marchés se remplissent d'habits de poupée). Puis toute la famille l'apporte à la messe, où il est béni par le prêtre.

– *5 février :* fête de la Constitution. Jour férié officiel.

– *24 février :* jour du Drapeau (voir la rubrique « Drapeau mexicain » dans « Hommes, culture et environnement »).

– *Fin février :* le carnaval, qui dure plusieurs jours. Celui de Veracruz est particulièrement chaud et coloré. Mais ceux de Mazatlán, Villahermosa et Mérida valent également le coup si vous êtes dans les parages. Les dates sont fluctuantes. Se renseigner à l'office de tourisme. Réservez votre hôtel bien à l'avance, surtout à Veracruz.

– 21 mars : commémoration de la naissance (en 1806) de Benito Juárez, Indien zapotèque d'Oaxaca devenu président du Mexique. Un cas unique dans l'histoire du pays ! Il n'y a pas eu d'autres présidents indiens depuis. Jour férié officiel.

– Mars-avril : les fêtes de Pâques. La *Semana santa* (Semaine sainte), qui précède le dimanche de Pâques, est la principale période de vacances pour les Mexicains. Mexico se vide et les stations balnéaires s'engorgent. Attention, les transports et les hôtels de la côte sont souvent complets. En revanche, c'est l'époque de l'année où la capitale est le moins polluée et où l'on peut enfin apercevoir les volcans des alentours. Les jeudi et vendredi saints sont fériés. Le pays entier semble être arrêté. Durant ces quelques jours, vous verrez de nombreuses processions religieuses, notamment les *via crucis* du vendredi saint, représentations « en chair et en os » du chemin de croix. Un homme barbu porte une lourde croix de bois, des soldats le fouettent, des femmes pleurent... on s'y croirait. C'est parfois impressionnant de réalisme comme à Taxco ou à Ixtapalapa, près de Mexico, où le *via crucis* dure toute la journée, suivi par une foule de quelques millions de personnes.

– 1er mai : fête du Travail et jour férié officiel.

– 5 mai : commémoration de la bataille de Puebla, où l'armée mexicaine l'emporta sur les troupes de Napoléon III. Les Mexicains en sont très fiers. C'est le seul jour où vous éviterez de crier sur les toits que vous êtes français(e).

– 10 mai : fête des Mères. Prise très au sérieux par les Mexicains, qui peuvent même ne pas aller au boulot ce jour-là.

– 15 mai : jour du prof. Les enseignants sont de repos. Et les élèves aussi par la même occasion.

– 13 août : commémoration (non officielle et informelle) de la chute de Mexico-Tenochtitlán aux mains de Cortés. Si vous êtes à Mexico, vous pouvez faire un petit tour place des Trois-Cultures (appelée aussi place de Tlatelolco) : vous y verrez une triste plaque qui se veut l'acte de naissance du pays : « Le 13 août 1521, héroïquement défendue par Cuauhtémoc, Tlatelolco est tombée aux mains de Hernán Cortés. Ce ne fut ni un triomphe ni une défaite, mais la naissance douloureuse du peuple métissé qui est celui du Mexique d'aujourd'hui. » Quelques danses aztèques traditionnelles et beaucoup de nostalgie.

– Septembre : mois de la patrie. Chacun y va de son drapeau mexicain. On le suspend aux fenêtres, on l'installe sur les façades des immeubles, dans les voitures, sur les autobus. Les chauffeurs de taxi en recouvrent leur capot. Les façades des édifices autour du *zócalo* se couvrent de guirlandes aux couleurs de la bannière mexicaine, bref, tout est vert, rouge et blanc.

– 1er septembre : rapport présidentiel annuel.

– 15 septembre : c'est ce soir-là que commence la célébration de l'indépendance. À 23h, le président de la République, depuis la fenêtre centrale du palais présidentiel, face à l'énorme foule réunie sur le *zócalo*, crie trois fois : *¡ Viva México !* C'est ce qu'on appelle *el Grito* (« le cri »), en souvenir de l'appel du curé Miguel

> **ATTENTION, JOURS D'IVRESSE**
>
> *N'oubliez pas : jour de paie = jour d'ivresse. Or, au Mexique, les salaires sont versés deux fois par mois ! Le 15 et le 30, c'est la paie de la quinzaine. Si ça tombe un vendredi ou un samedi, soyez sûr qu'il y aura fête... et bien arrosée !*

Hidalgo, qui, en 1810, déclencha la guerre d'indépendance contre l'Espagne. Sur tous les *zócalos* du pays, dans le moindre petit village, le maire lance le même cri au milieu de la liesse populaire. C'est surtout amusant dans une petite ville. Dans les grandes agglomérations, et surtout à Mexico, l'exaltation populaire liée à l'alcool dégénère parfois.

– 16 septembre : fête de l'Indépendance. Défilé militaire, etc. Jour férié.

– 12 octobre : *día de la Raza,* qui commémore la « découverte » du Nouveau Monde et le métissage des peuples.

– *2 novembre :* *día de los Muertos* ou jour des Morts. Sans doute la fête la plus traditionnelle du Mexique, qui date de l'époque préhispanique. Dans chaque foyer est installé un autel, superbement décoré avec des objets ayant appartenu aux défunts. On y dépose aussi des offrandes : les fameuses têtes de mort en sucre, le traditionnel pain de *los muertos,* des fruits ou des plats particulièrement appréciés par le défunt. Le 1er novembre est le jour des enfants morts et le 2 novembre est dédié aux adultes disparus. Les familles mexicaines, accompagnées des amis, se rendent au cimetière avec le pique-nique. Sur place, on nettoie la tombe, on la décore avec des fleurs, on repeint la croix, on plante un nouvel arbuste, puis on pique-nique, assis sur les dalles de marbre chaud ou à l'ombre d'une sépulture. Les mariachis se mettent de la partie. On se met à chanter. C'est la fête des Morts. Et les cadavres de bouteilles s'amoncellent... Certains resteront au cimetière toute la nuit, à la lumière vacillante des bougies.

– *20 novembre :* anniversaire de la révolution mexicaine qui a commencé en 1910. Jour férié officiel.

– *12 décembre :* fête de la Vierge de la Guadalupe. La fête religieuse la plus importante du pays (voir « Religion » dans « Hommes, culture et environnement »).

– *Du 16 au 24 décembre :* les *posadas.* Encore une tradition mexicaine très respectée dans les villages. Tous les soirs, durant les 9 jours précédant Noël, une procession reconstitue la pérégrination de Joseph et Marie à la recherche d'un toit lors de leur arrivée à Bethléem. Chaque soir, c'est une famille différente qui offre la *posada,* c'est-à-dire l'hébergement, et qui, symboliquement, accueille la crèche jusqu'au lendemain. Chaque procession se termine par le rituel de la *piñata :* les enfants, les yeux bandés, tentent de rompre avec un bâton une figure d'argile ou de papier mâché qui représente les sept péchés capitaux. Elle est garnie de friandises et de sucreries.

– *24 décembre :* le soir, messes et dîner familial de la *noche buena.* Le pays se pare alors de poinsettias, la plante verte aux jolies feuilles rouges que les Mexicains appellent... *noche buena.*

– *25 décembre :* Navidad. Jour férié officiel.

FRONTERA

3 200 km de frontière séparent les États-Unis d'Amérique du Mexique. On comprend pourquoi, malgré une surveillance de plus en plus serrée des Américains, nombreux sont encore les Mexicains qui arrivent à passer du côté de « l'Eldorado ». La *Frontera,* zone frontière entre « l'État impérial » et le tiers-monde latino-américain, est un univers à part.

En 1848, la conquête par l'armée nord-américaine du Nouveau-Mexique, de l'Arizona, du Texas et de la Californie divise en deux des villages mexicains. Des familles entières se retrouvent séparées.

Côté mexicain, la zone frontière a connu à partir des années 1970 un boom économique et démographique avec l'arrivée des *maquiladoras,* ces usines appartenant à des multinationales nord-américaines ou japonaises qui ont délocalisé leur production pour profiter de la main-d'œuvre mexicaine bon marché. Résultat : Laredo, El Paso, Matamoros, Ciudad Juárez ou Tijuana ont connu des records de croissance... mais se sont aussi rapidement transformées en villes de Far West, avec des ambiances glauques comme on peut en voir dans les films de Quentin Tarantino ou de Robert Rodriguez. Des milliers de Mexicains se sont déplacés vers la frontière, attirés par des salaires bien au-dessus de la moyenne nationale.

Mais le rêve ne fut que de courte durée. Sous l'effet conjugué de la mondialisation, du ralentissement de l'économie nord-américaine, de la crise, les *maquiladoras* ont déménagé en Chine (les salaires chinois sont beaucoup plus compétitifs que ceux des Mexicains !). Ces dernières années, des centaines d'usines ont fermé, laissant des milliers d'ouvriers sur le carreau...

Le mur de la honte

Côté américain, plus de 10 000 soldats de la *border patrol* contrôlent jour et nuit la *Frontera* pour éviter que les paysans pauvres du Mexique (et de toute l'Amérique centrale) ne déferlent sur le sanctuaire de l'Amérique blanche. Ce « rideau de tortillas » aligne clôtures électriques, détecteurs de mouvement... En 2006, George W. Bush a même fait scandale en annonçant la construction d'un mur le long de la frontière (oui, oui, comme celui de Berlin !).

On estime qu'il y a chaque année environ 1,5 million de candidats au départ ; ils seraient entre 400 000 et 600 000 à atteindre leur objectif. Les passeurs, peu scrupuleux, demandent jusqu'à 2 000 US$ aux pauvres en quête du Graal américain pour, parfois, les abandonner en plein désert. Un véritable business ! Des centaines de Latino-Américains périssent ainsi chaque année dans ce *via crucis* du pauvre (3 000 morts entre 1995 et 2006). Pour y remédier, le gouvernement mexicain a décidé la construction de tours comme des phares en plein désert visibles la nuit à 10 km de distance. À leur pied, des bonbonnes d'eau et, parfois, des agents des services de l'immigration qui reconduisent ces émigrés perdus de l'autre côté de la frontière !

Cependant, ni le « rideau de tortillas » ni la répression n'ont réussi à freiner les *wetbacks*, « dos mouillés », comme on les a baptisés aux USA, en référence à ceux qui traversent à la nage le río Grande. Qu'ont-ils vraiment à perdre ? D'ailleurs, côté américain, d'autres aussi ont tout à gagner au maintien de cette situation. Comme souvent, l'afflux de cette population « illégale » sert de nombreux intérêts. Les travailleurs clandestins d'origine latino-américaine sont aujourd'hui à la base de l'économie agricole de la Californie et du Texas. Un vivier de main-d'œuvre malléable à merci, sans droits ni protection, vivant dans la peur de l'expulsion, est ainsi en permanence disponible. Des travailleurs qui ne risquent pas de faire des vagues... Pour une vengeance fictive mais jubilatoire, on pourra toujours regarder le film de Robert Rodriguez, *Machete,* où l'on suit les tribulations sanguinolentes d'un Mexicain clandestin qui se rue tuer les milices de la frontière...

Quoi qu'il en soit, Los Angeles s'affiche désormais comme deuxième ville latino du monde après Mexico ! En 2002, la population latino-américaine est devenue officiellement la principale minorité des États-Unis (dépassant en nombre les Noirs), avec près de 39 millions d'hispanophones, dont 67 % sont d'origine mexicaine... Les hommes politiques courtisent désormais cet électorat. La revanche des pauvres ?

> ### LE ROUTARD DU CLANDESTIN
>
> *Les candidats à l'émigration illégale aux USA sont si nombreux que les autorités mexicaines ont publié un guide à leur attention, pour les informer et les prévenir des dangers qu'ils encourent. Mise en garde contre les passeurs, précautions pour ne pas se perdre dans le désert (« suivre les poteaux électriques »), savoir que faire en cas d'arrestation, connaître les droits des étrangers aux USA... On y donne aussi quelques conseils pour éviter de se faire prendre une fois installé aux États-Unis : « S'abstenir de faire des fêtes bruyantes » et même, « Ne pas commettre de violences conjugales » ! Un petit Routard du clandestin en somme...*

GRINGOS

L'origine du mot remonte à 1846, lors de la guerre entre le Mexique et les États-Unis. Les troupes nord-américaines allaient au combat en entonnant la chanson populaire *Green grows the grass*... que les Mexicains comprenaient comme « gringos the grass »... À priori, le Mexicain vous considérera comme un *gringo,* c'est-à-dire comme un Nord-Américain, et les contacts seront peut-être difficiles, surtout si vous ne parlez pas espagnol. On n'arrache pas à un pays une partie de son territoire, on ne l'annexe pas économiquement, sans créer quelques rancunes. Voilà pourquoi il faut parler anglais le moins possible à un Mexicain. Dans les boutiques, les prix ne seront pas les mêmes ! Les Européens sont mieux accueillis, même si le mot *gringo* signifie aujourd'hui plus généralement « étranger ».

HÉBERGEMENT

Une petite typologie des hôtels s'impose. Les appellations **hotel** ou **posada** ne marquent pas vraiment de différence. Les **casas de huéspedes** (ou **pensión**) sont généralement des hôtels très bon marché. Quant au terme **hostal** (ou **hostel**), il est utilisé par la nouvelle génération des auberges de jeunesse (AJ).

Remarque : si vous êtes seul(e) et demandez une *single,* vous aurez rarement droit à un lit *(cama)* individuel, mais à une *matrimonial,* c'est-à-dire avec un grand lit, qui peut même être *king size* ! Dans les AJ, en dortoir, les lits restent individuels. Il existe de moins en moins de chambres doubles avec deux lits simples. Une double (*doble* ou *twin*) compte, comme aux États-Unis, deux grands lits et revient plus chère que la *matrimonial.* Les hôtels disposent même parfois de chambres avec trois ou quatre grands lits (vive la colo !). Pensez-y lorsque vous voyagez à plusieurs, entre amis ou avec des enfants par exemple. Le prix par personne devient alors très intéressant.

Il est d'usage de payer d'avance la première nuit, ou, dans les hôtels plus chic, de laisser son passeport ou l'empreinte de sa carte de paiement. On doit en principe libérer la chambre vers 13h ; si l'hôtelier est sympa, il accepte de garder les bagages à la réception jusqu'au soir.

Dans les régions humides et chaudes, inspecter son lit avant de dormir et l'éloigner des murs. Les scorpions ne sont pas si agréables que ça, surtout cachés entre les draps.

Dans la plupart des hôtels, on peut déposer argent et autres objets de valeur dans un coffre *(caja fuerte)* ; cela s'appelle un *depósito de valores.* Demander un reçu où tous les détails des valeurs sont inscrits.

– **Les AJ :** voir aussi en début de chapitre la rubrique « Avant le départ ». Les AJ publiques d'autrefois ont définitivement disparu. Vive l'AJ new look ! Cette nouvelle génération d'AJ privées fait parfois partie du réseau *Hostelling International* (affilié à la *International Youth Hostel Federation*). Elles se nomment *hostal* ou *hostel*. Elles sont modernes et bien équipées (cuisine commune), généralement bien tenues, et offrent des dortoirs avec lits superposés et des chambres privées. On peut parfois même y suspendre son hamac. Il y règne une bonne ambiance routard ; on y noue des contacts intéressants. Une liste est disponible sur le site ● *hos tels.com/mx.html* ● Mais de toute façon, on vous les indique chaque fois qu'il y en a.

– Certains **hôtels très bon marché** proposent des chambres *sin baño*, c'est-à-dire sans salle de bains individuelle, mais avec douches communes. L'hôtelier ne songera pas toujours à vous les proposer. Pensez à lui demander.

– Dans la catégorie au-dessus, on trouve en centre-ville une foule d'**hôtels de bon marché à prix moyens.** Sans grand luxe mais au confort suffisant, et même du charme pour certains. Une chambre avec clim vous coûtera davantage que si vous vous contentez d'un ventilo, parfois jusqu'à 40 % de plus !

– **Les hôtels chic :** le confort se fait plus cossu, la déco plus recherchée. On atteint les standards internationaux ou on les dépasse pour le haut du panier. Ce sont les hôtels de **gran turismo,** c'est-à-dire les hôtels de luxe. Mention spéciale pour les **haciendas** et **hôtels coloniaux,** lieux historiques, qui gardent le charme et parfois les meubles d'époque. Les prix ne sont pas forcément exorbitants pour des chambres de quatre personnes ou plus. Même si vous pensez que votre budget ne vous le permet pas, n'hésitez pas à jeter un petit coup d'œil sur le site internet de ces établissements, car ils y affichent régulièrement des réductions conséquentes. Pour à peine quelques pesos supplémentaires, on bénéficie alors d'un rapport qualité-prix nettement meilleur que celui d'un établissement de catégorie « Prix moyens ». Le charme en prime.

– **Les campings** (le plus souvent appelés *Trailers Park*) : avec l'afflux des Nord-Américains qui fuient plusieurs mois leur rigoureux hiver, des terrains ont été aménagés à proximité des côtes pour accueillir leurs énormes camping-cars *(trailers)* qui arrivent en convois (train jusqu'à la frontière mexicaine, puis route). Ce sont souvent d'anciens terrains vagues ou des espaces peu attrayants pour le simple campeur. De plus, le camping sauvage est très dangereux, donc à éviter absolument. En revanche, sur certaines plages, on plante facilement sa tente sous la paillote d'une petite *posada,* moyennant quelques pesos.

– Une solution très économique consiste à acheter un **hamac,** notamment pour voyager sur la côte ou au Yucatán. Certains hôtels prévoient des espaces pour les accrocher (avec parfois possibilité d'en louer).

– On peut dormir aussi dans les **gares routières.** En effet, il arrive fréquemment que le car parvienne à destination en pleine nuit. Bon nombre de routards préfèrent dormir dans le terminal pour économiser une nuit d'hôtel. Il y a des lavabos et des w.-c. S'il y a un terminal de 1re classe dans le coin, ne pas hésiter à y aller. C'est nettement plus confortable ! Et surtout plus calme. Déposez vos bagages à la consigne *(guardería de equipaje),* car les rôdeurs rôdent, et demandez un reçu.

ITINÉRAIRES SUGGÉRÉS

L'itinéraire parfait au Mexique n'existe pas, ou si... mais il faudrait 6 mois au moins. Voici cependant quelques suggestions qui peuvent vous aider à élaborer votre parcours. Dans vos choix de destinations, n'oubliez pas que certaines régions du Centre et du Nord sont superbes, authentiques et nettement moins fréquentées que le Sud. Le Mexique ne se résume pas à des temples mayas sur fond de cocotiers. D'ailleurs, de nombreuses villes mexicaines inscrites au Patrimoine mondial de l'Unesco se trouvent au centre : Mexico, Guanajuato, Morelia, Zacatecas, Tlacotalpán, Querétaro, San Miguel de Allende, Puebla, Guadalajara, Teotihuacán.

La route maya

Mérida – Uxmal – Ruta – Puuc – Chichén Itzá – Tulum – Río Bec – Palenque – Yaxchilán – Bonampak – Comitán – San Cristóbal de Las Casas.

Le Mexique colonial

Cet itinéraire permet d'admirer les splendeurs de l'époque de la vice-royauté de la Nouvelle-Espagne et de l'art baroque :
Mexico – Tepotzotlán – Querétaro – San Miguel de Allende – San Luis Potosí – Zacatecas – Guanajuato – Morelia – Pátzcuaro.

Boucle côte pacifique nord – Barranca del Cobre

Mexico – Guadalajara – Manzanillo – Barra de Navidad – Puerto Vallarta – Los Mochis – El Fuerte – Creel (Barranca del Cobre) – Chihuahua – Mexico.

La route olmèque-maya

De Mexico-Tenochtitlán à la Riviera maya en passant par le territoire olmèque :
Mexico – El Tajín – Xalapa (Musée olmèque) – Veracruz – Villahermosa – Palenque – Campeche – Mérida – Uxmal – Chichén Itzá – Tulum.

De la sierra aux plages du Pacifique sud

Mexico – Puebla – Oaxaca – Monte Albán – Palenque – San Cristóbal de Las Casas – Puerto Ángel – Puerto Escondido – Acapulco – Taxco – Cuernavaca – Mexico.

LANGUE

Seul l'espagnol est reconnu comme langue officielle au Mexique, alors qu'on y parle aussi 62 langues indiennes ! Voici un extrait de *Patas Arriba, la escuela del mundo al revés,* d'Eduardo Galeano : « En 1986, un député mexicain visita la prison de Cerro Hueco, au Chiapas. Là, il rencontra un Indien tzotzil, qui avait égorgé son père et avait été condamné à 30 années de prison. Mais le député découvrit aussi que le défunt père apportait tous les midis des tortillas et des *frijoles* à son fils emprisonné ! Ce prisonnier tzotzil avait été interrogé et jugé dans la langue castillane, qu'il comprenait peu ou pas, et, encouragé par une bonne rossée, avait avoué être l'auteur du parricide. »

Si le mixtèque, le maya, le zapotèque ou le nahuatl vous paraissent trop difficiles, essayez au moins d'apprendre quelques rudiments d'espagnol avant le départ. Ce sont ceux-ci qui feront toute la différence et l'agrément pendant le séjour.
Pour vous aider à communiquer, n'oubliez pas notre *Guide de conversation du routard* en espagnol.

Prononciation

Les mots se lisent comme ils s'écrivent, sachant qu'il existe quelques particularités de prononciation...
– *u,* toujours prononcé *ou*.
– *j,* jota, prononcé comme *rh,* son très guttural.
– *ll,* prononcé comme *ill* ou *ye*.
– *r,* prononcé presque comme un l.
– *rr,* r très fortement roulé.

Accentuation

N'oubliez pas que dans tout mot espagnol, il y a une syllabe prononcée plus fortement que les autres. Il s'agit de l'avant-dernière syllabe lorsque le mot se termine par un s, un n ou une voyelle, de la dernière lorsque le mot se termine par une des autres consonnes. L'accent n'est écrit que pour constater une exception à ces deux règles.
Exemples :
– *por favor* se prononce por faVOR ;
– *Francia* se prononce FRANcia, mais *francés* se prononce franCÈS ;
– *turístico* se prononce tuRISTico (et non pas turisTIco).
Courage, ce n'est pas si difficile !

Vocabulaire espagnol de base utilisé au Mexique

Oui	*sí*
Non	*no*
D'accord, ok	*ya*

Politesse

Ouf ! vous ne serez pas obligé d'utiliser le « vous ». Une conjugaison de moins à apprendre ! Au Mexique, c'est le « tu » qui prévaut dans la plupart des relations (à un serveur, par exemple), sauf si vous parlez à une personne beaucoup plus âgée. Sans doute l'influence du « you » nord-américain.

Merci	*gracias*
S'il vous plaît	*por favor*
Excusez-moi	*disculpe, permiso* (quand on veut passer à côté de quelqu'un)
Salut	*hola*
Bonjour	*buenos días* (matin), *buenas tardes* (à partir de midi pétant)
Bonsoir	*buenas noches* (à la nuit tombée)
Au revoir	*adios, hasta luego* (ou, plus simple, *ciao* ou *bye* !)

Expressions courantes

D'où viens-tu ?	*¿ de dónde vienes ?*
Je suis français(e), belge, suisse	*soy francés, francesa, belga, suizo(a)*
Je ne comprends pas	*no entiendo*
Comment dit-on ?	*¿ cómo se dice ?*
Avec / sans	*con / sin*
Plus / moins	*más / menos*

Vie pratique

Portable	*celular*
Centre-ville	*el centro (centro histórico)*
Bureau de poste	*Correos*
Lettre, enveloppe	*una carta, un sobre*
Timbre	*timbre postal*
Office de tourisme	*la oficina de turismo*
Un plan	*un mapa*
Banque	*un banco*
Bureau de change	*una casa de cambio*
Police	*policia*
Téléphoner	*llamar por teléfono*
Entrée / sortie	*entrada / salida*
Les toilettes	*los baños*
Mon sac à dos, ma valise	*mi mochila, mi maleta*

Transports

Gare des bus	*la terminal de autobuses* (ou *central camionera*)
Billet, ticket de bus	*un boleto*
À quelle heure y a-t-il un bus pour... ?	*¿ a qué hora hay un autobus para... ?*
Aller-retour	*ida y vuelta*
Voiture	*un carro, un coche*
Vol (d'avion)	*un vuelo*

Argent

Argent	*el dinero*
Billet, monnaie	*billete, cambio*
Payer	*pagar*
Prix	*el precio*
Combien ça coûte ?	*¿ cuánto vale ?*
Cher / bon marché	*caro / barato*
Prenez-vous la carte *Visa* ?	*¿ acepta la tarjeta Visa ?*

À l'hôtel

Chambre simple, double	*habitación (cuarto) para una persona, para dos personas...*
On peut voir une chambre ?	*¿ se puede ver una habitación ?*
Eau froide, eau chaude	*agua fría, agua caliente*

Au restaurant

Le petit déjeuner	*el desayuno*
Le déjeuner	*la comida*
Le dîner	*la cena*
Eau plate, gazeuse	*Agua natural (sin gas), agua minéral (con gas)*
Des légumes	*unas verduras*
L'addition, s'il vous plaît !	*¡ la cuenta, por favor !*
Le pourboire (non inclus)	*la propina (no incluida)*

Jours de la semaine

Lundi	*lunes*
Mardi	*martes*
Mercredi	*miércoles*
Jeudi	*jueves*
Vendredi	*viernes*
Samedi	*sábado*
Dimanche	*domingo*

Nombres

1	*uno*	8	*ocho*
2	*dos*	9	*nueve*
3	*tres*	10	*diez*
4	*cuatro*	20	*veinte*
5	*cinco*	50	*cincuenta*
6	*seis*	100	*cien* (ou *ciento*)
7	*siete*	500	*quinientos*

Quelques expressions spécifiquement mexicaines

– *¿ Mande ? :* comment ?
– *¿ Bueno ? :* allô ?, au téléphone.
– *¡ Órale ! :* une expression vraiment polysémique. Selon le ton, peut exprimer l'approbation (ok, d'accord), l'étonnement (ah bon ?) ou encore le défi (chiche ?). À vous de découvrir la bonne intonation !
– *¡ Ándale ! :* comme *vamos,* allons-y !
– *¡ Híjole ! :* zut alors !
– *Buey* (ou *güey*) : mec. Littéralement, un bœuf (sic !). Un enfant est un *escuintle* (une ancienne race de chiens aztèques sans poils ; c'est joliment imagé, non ?). Un adolescent est un *chavo* (une *chava* pour une ado).
– *Vieja :* nana. Littéralement, une vieille (re-sic !). Comme quoi, avoir de la bouteille est une valeur sûre au Mexique !
– *¡ Que padre !* (ou *¡ que chido !*) : c'est super, génial ! C'est le pied ! (très utilisé par les jeunes).
– *La chamba :* le boulot.
– *La lana :* fric, pèze (littéralement la laine).
– *Ahorita :* tout de suite, dans une heure, quand on aura le temps...
– *Buen provecho, provechito :* bon appétit.
– *Tortilla :* galette de maïs. Aussi courant sur une table mexicaine que le pain sur une table française.

– *Camión* : autocar ou bus.
– *Güero* (« huero ») : les personnes à la peau blanche (en opposition aux métis). L'équivalent sympathique de *gringo*.
– *Fresa* : bourgeois, snob, fils à papa. Le routard lui paraît un extraterrestre.
– *Jóven* : jeune. N'y voyez pas d'offense ni de familiarité, c'est comme ça qu'on vous interpellera si vous titrez moins de 35 ans...
– *Mordida* : au sens propre du terme, la morsure. Celle que vous inflige le douanier ou le policier quand vous lui glissez quelques pesos (parfois plus) pour résoudre un petit contentieux...
– Les langues indigènes ont apporté leur contribution à l'espagnol du Mexique : *huaraches* pour *sandalias* (sandales), *huipil* pour *túnica* (tunique ou robe) ou encore *guajolote* pour *pavo* (dindon).
– Plein de mots venant du grand voisin du Nord ont été « hispanisés » ou plutôt « mexicanisés » : *pie* (gâteau) devient *pay* ; *biscuit* se transforme en *bisquet*, *pancake* en *panqué*, *donut* en *dona*... On dit aussi *carro* (car) pour voiture et *rentar* (to rent) au lieu de *alquilar* (louer). À l'inverse, la *barbacoa*, un plat d'origine préhispanique, est devenue le célèbre *barbecue* !
– Et bien sûr, plein de diminutifs et de superlatifs, employés très couramment pour adoucir le discours ou lui donner plus d'emphase. N'oubliez pas que dans le castillan du Mexique, on passe souvent par la périphrase et toutes sortes de politesses quelque peu baroques pour éviter d'être trop direct dans ses réponses (ressenti ici comme quelque chose d'agressif). Enfin, surtout pas de blasphèmes, on ne touche jamais au sacré !
– Pour conclure, méfiez-vous du verbe *chingar*, très fréquent... et très injurieux ! Essayez de ne pas répliquer sur le même ton... À ce propos, se référer au chapitre que Paz lui consacre dans *Le Labyrinthe de la solitude*. Une vraie leçon de sémantique.

LIVRES DE ROUTE

Histoire et essais

– **Le Jade et l'Obsidienne,** d'Alain Gerber (éd. Le Livre de Poche, 1986). L'Empire aztèque, les sacrifices, les dieux et les guerres.
– **Histoire de Mexico,** de Serge Gruzinski (éd. Fayard, 1996). L'histoire de Mexico-Tenochtitlán écrite par un spécialiste du Mexique. Certes, c'est un pavé, mais vous saurez tout sur les tribulations de la capitale mexicaine, depuis sa fondation par les Aztèques jusqu'à nos jours. Avec, en plus, des photos, une monstrueuse bibliographie, une filmographie et même une discographie.
– **Le Destin brisé de l'Empire aztèque,** de Serge Gruzinski (éd. Gallimard, coll. « Découvertes », 1988). Du même auteur, mais avec des images ! L'histoire des Mexicas, guidés par leur dieu Huitzilopochtli, et l'arrivée de Cortés. Riche et ludique.
– **Marcos, la dignité rebelle – Conversations avec le sous-commandant Marcos,** d'Ignacio Ramonet (éd. Galilée, 2001). Peu après la Marche pour la dignité indienne, Ignacio Ramonet (à l'époque rédacteur en chef du *Monde diplomatique*) et Daniel Mermet (producteur de l'émission *Là-bas, si j'y suis* sur France Inter) sont allés rencontrer le *subcomandante* Marcos dans la forêt Lacandone. Série d'entretiens avec celui qui est devenu l'une des grandes figures (masquées !) du mouvement de l'antiglobalisation.
– **La Rébellion indigène du Mexique,** de Carlos Montemayor (éd. Syllepse, 2001). Par une analyse des luttes indigènes et des guérillas récentes au Mexique, l'auteur explique les origines du mouvement zapatiste actuel. Clair et très intéressant.
– **Histoire des Indes,** de Bartolomé de Las Casas (éd. du Seuil, 2002, 3 vol. – vol. 2 et 3 épuisés). Né en Espagne en 1474, cet évêque du Chiapas, qui a consacré sa vie à la défense des communautés indiennes, consigne avec précision un ensemble de témoignages, d'expériences vécues qui dénoncent la brutalité et les crimes

de la conquête espagnole. Plus de quatre siècles après sa mort, Las Casas demeure toujours une figure emblématique auprès de la population indienne.

– *Histoire véridique de la conquête de la Nouvelle-Espagne,* de Bernal Díaz del Castillo (éd. Maspero, La Découverte, 1987, 2 vol.). Premier découvreur espagnol de la terre mexicaine en 1517, compagnon d'armes d'Hernán Cortés lors de la conquête de Mexico-Tenochtitlán, Bernal Díaz del Castillo raconte la chronique détaillée des événements dont il a été acteur et témoin de 1517 à 1521, 4 années décisives qui marquent la fin du monde aztèque et le début de la colonisation espagnole au Mexique. Son récit décrit le quotidien des conquistadors avides d'or et de puissance, leur admiration devant la splendeur de Mexico et de l'Empire aztèque, mais aussi leur effroi devant les rites sacrificiels. Si, comme nous, vous vous posez la question « Comment une poignée de soldats espagnols a-t-elle réussi à s'approprier un empire ? », lisez ce livre !

– *Le Dictionnaire amoureux du Mexique,* de Jean-Claude Carrière (éd. Plon, 2009). Une sélection de lieux mythiques ou non, de personnages, de coutumes… traités avec tendresse et bienveillance par cet amoureux indéfectible du Mexique depuis près de 50 ans.

Romans

– *Au-dessous du volcan,* de Malcolm Lowry (Folio, 1973). Roman dont l'action se situe à Cuernavaca. Longue plainte frénétique, exaltée, violente, démoniaque, sur l'amour, l'alcool, la mort, la déchéance, l'impossibilité de communiquer.

– *Le Serpent à plumes,* de D. H. Lawrence (éd. du Rocher, 2009). Le spectacle terrifiant et inoubliable d'une corrida mexicaine ouvre ce roman, histoire d'une jeune femme arrivant au Mexique et tombant sous le charme de cet étrange pays.

– *Azteca,* de Gary Jennings (éd. Le Livre de Poche, nº 6929). LA saga par excellence avec pour toile de fond le Mexique sous l'Empire aztèque. Massacres, sacrifices, rebondissements en tout genre. Un excellent roman historique !

– *Cosa fácil,* de Paco Ignacio Taïbo II (éd. Rivages/Noir, 1995). Mexicain « pur jus » d'origine espagnole, l'auteur nous conte les insomnies d'un privé entre un meurtre sur fond de conflit syndical, le racket de la fille d'une actrice X et la quête de la nouvelle identité de Zapata ; c'est toute la sensualité irrationnelle de Mexico qui vous envahit au fil des pages. « Putain de merde ! Cette ville est vraiment magique. Il s'y passe des saloperies incroyables. » Si vous êtes séduit, sachez que Taïbo a écrit d'autres polars tout aussi croustillants.

– *Puerto Escondido,* de Pino Cacucci (éd. 10/18, 1998). Mais en voilà un routard ! Ne demandant rien à personne, le voici pourchassé d'Italie au Mexique après un épique détour par Barcelone et sa « movida ». On piste ensuite notre aventurier dans ses tribulations de Mexico DF à Oaxaca et Puerto Escondido. Conçu tel un *road book* avec de l'humour, de l'action, de la défonce et de l'amour. À dévorer les pieds en éventail dans un hamac sur la plage de Puerto Escondido.

– *Ixchel, Enfant de la Lune :* de Elsa Hughes et Gwenaële Thoumine (éd. Siloë, coll. Terre de Mômes, 2010). Ixchel est une joyeuse petite fille élevée dans les coutumes mayas de son village. Le jour de ses 9 ans, âge où elle est désormais considérée comme jeune fille, ses parents lui apprennent qu'elle va pouvoir aller à l'école de la grande ville proche. Elle va y découvrir le rejet de sa culture par ses compagnes avant d'être acceptée, puis les différences de coutumes et d'éducation qui, confrontées les unes aux autres, enrichissent la société. À la fin de l'ouvrage, un petit glossaire se rapportant à la culture maya ou au Yucatán, région du Mexique où se déroule l'histoire de Ixchel.

Auteurs mexicains

Octavio Paz (poète et essayiste, prix Nobel de littérature en 1990), Carlos Fuentes (dont un des ses livres, *Contre Bush,* paru en 2004, fustige l'ancien président américain), Elena Poniatowska, Ángeles Mastretta, Castañeda, Rulfo…

MARCHANDAGE

Il est une loi non écrite, au Mexique, qui prescrit de marchander sur tous les marchés (surtout pour les produits artisanaux). Si vous parlez l'espagnol, ne serait-ce que quelques mots, les artisans vous considéreront autrement que comme un *gringo* et ils baisseront les prix. Après que le commerçant vous aura annoncé son prix, répondez-lui « *¿ Y por lo menos ?* ». Cela dit, il faut éviter de trop en faire : bien souvent, on mégote auprès des artisans pour trois fois rien, alors que l'on ferme son bec dès que l'on se trouve dans une boutique chic de Cancún ou du quartier Polanco à Mexico... En réalité, l'artisanat demande du temps, beaucoup de travail et de savoir-faire – sans parler de la matière première –, et c'est souvent l'unique source de revenus d'une famille. Les superbes œuvres des artisans mexicains, achetées pour deux bouchées de pain dans les villages de production, sont souvent vendues 10 fois leur prix d'achat dans des boutiques de décoration de New York ou Paris. Et là, on ne marchande pas...

POSTE

Le réseau postal fonctionne de façon très aléatoire. Compter 2 à 3 semaines, voire 2 mois, pour qu'une lettre arrive en France. Dans l'autre sens, c'est pire. En général, il y a une poste par ville et les horaires sont à peu près similaires partout *(lun-ven 8h-16h ou 18h, sf j. fériés et parfois le sam mat).* Heureusement, car c'est le seul endroit où l'on trouve des timbres (ou bien à la réception de certains grands hôtels).
– Pour affranchir vos cartes, il est plus simple d'acheter tous vos timbres en une fois.
– Ceux qui disposent d'une carte *American Express* se feront adresser leur courrier aux agences (dans les grandes villes et les centres touristiques).
– Sinon, ayez recours à la poste restante *(lista de correo),* où parfois les lettres s'égarent.
– Pour un envoi sûr ou urgent, l'idéal est de s'adresser à un service express de type DHL, Fedex ou UPS. Votre envoi prendra 2 jours ouvrables pour arriver en Europe et 1 jour ouvrable pour les États-Unis.
– Prix d'un timbre pour l'Europe : 13 $Me (0,80 €).

POURBOIRE *(PROPINA)*

À l'image des États-Unis, le Mexique est l'autre pays de la *propina...* Le pourboire est INDISPENSABLE dans les **cafés et les restaurants.** Il est au minimum de 10 % de l'addition, jusqu'à 15 % si vous êtes content du service. C'est très facile : pour une addition de 80 pesos (4,80 €), il faut laisser 8 pesos de pourboire, voire 10 pesos si le serveur est sympa. Prévoyez-le dans votre budget. Les Français, bien vus par ailleurs, ont une réputation à refaire dans ce domaine. Pensez que le salaire fixe des serveurs est ridicule, et qu'ils s'en sortent grâce aux pourboires. En plus, le service au Mexique est particulièrement aimable. Attention, dans les régions touristiques, comme le Yucatán par exemple, certains restos échaudés par les « oublis » des touristes européens incluent le pourboire dans l'addition. Dans ce cas, pas de surpourboire, bien sûr.
En revanche, pas de pourboire aux **chauffeurs de taxi** sans compteur. D'autant que quand on arrive dans une ville où l'on ne connaît pas les tarifs en vigueur, on paie plus cher que les locaux. Dans les taxis avec compteur (que vous trouverez surtout à Mexico), on a coutume d'arrondir au peso supérieur. Aux **stations-service** Pemex, vu qu'ici il y a encore des personnes qui vous servent l'essence, le pompiste a droit à 4 ou 5 pesos, un peu plus s'il vous lave le pare-brise ou vérifie la pression des pneus.

SANTÉ

Les recours médicaux peuvent être bons à Mexico D.F. (coûteux), aléatoires ailleurs ; les problèmes graves seront mieux traités aux États-Unis : prévoir une assurance assistance internationale.

Le réseau des pharmacies est assez bon, et les officines généralement bien approvisionnées.

Dès l'arrivée, à Mexico, les asthmatiques, allergiques, insuffisants respiratoires ou cardiaques peuvent voir leur état aggravé par l'intense pollution. Voir aussi, au chapitre Mexico, « Adresses utiles. Urgences ».

■ *Urgences médicales :* ☎ 8.

Vaccinations

Il convient que soient à jour les vaccinations universelles : tétanos, poliomyélite, diphtérie, coqueluche (Repevax®), hépatite B. Vaccins contre l'hépatite A et la fièvre typhoïde très, très recommandés (les infections d'origine alimentaire sont très fréquentes). Rage en cas de séjours ruraux ou prolongés.

Pour les centres de vaccinations partout en France, consulter le site : ● http://astrium.com/centres-de-vaccinations-internationales.html ● Tous les centres de vaccinations sont disponibles sur ● routard.com ●

Problèmes de santé rencontrés : prévention et remèdes

Hormis des phénomènes exceptionnels comme la grippe porcine apparue au début de l'année 2009, il n'y a pas, au Mexique, beaucoup de maladies spécifiques graves qui menacent le touriste. Bonne nouvelle : le sida et les MST ont une fréquence relativement faible (de toute façon, préservatifs systématiques).

Les maladies transmises par les insectes

– Le paludisme est confidentiel pour le voyageur (zones reculées du Chiapas et du Yucatán), et toujours dans sa forme mineure, à *Plasmodium vivax* : médicaments préventifs inutiles en pratique, mais moustiquaire imprégnée, imprégnation des vêtements et répulsifs cutanés.

– Pas de fièvre jaune (pour commencer à en trouver, il faudrait descendre du côté sud du canal de Panama !).

– En revanche, il y a de la dengue, et de plus en plus, mais pas partout et pas toujours. Se renseigner avant de partir : toutes les protections antimoustiques sont alors nécessaires, de jour comme de nuit.

– Également transmise par les insectes, la leishmaniose, y compris dans sa forme grave (mais zones rurales seulement).

– Enfin, ne pas marcher pieds nus à la campagne (puces, chiques) ni sur les plages fréquentées par les chiens *(larva migrans).*

– Présence d'« abeilles tueuses » dans tout le pays. Tarentules, veuves noires, scorpions, serpents à sonnette. Risques quasi absents dans les sites les plus touristiques.

– Vous entendrez peut-être parler de la maladie de Chagas, en augmentation : mais cette maladie, transmise par des punaises, ne concerne pas les touristes.

N'utilisez pas de lotions achetées au hasard dans un supermarché ou une pharmacie. Recommandées par l'OMS et le ministère de la Santé : celles qui contiennent du DEET à 30-50 % (adultes), type Insect Écran.

Les maladies transmises par l'alimentation et les boissons

Elles sont omniprésentes. Fièvre typhoïde, volontiers résistante aux antibiotiques. Hépatite A : partir vacciné. Hépatite E, amibes, etc., pour lesquelles la seule prévention est une hygiène alimentaire scrupuleuse : désinfection de l'eau par *Micropur DCCNa®* ou filtration microbienne type *Katadyn.*

NOUVEAUTÉ

ISRAËL, PALESTINE (mai 2012)

Enfin un guide *Israël, Palestine* ! Malgré les apparences, les conditions d une paix durable semblent enfin se dessiner dans la région. De chaque côté, on découvre des opposants à la haine et au racisme. Partout; des gens de bonne volonté, plus proches les uns des autres qu'on ne le pense. Ils font entendre leur volonté de paix. D'une façon assourdissante. Voici un guide qui permet de découvrir une région dont les identités sont si fortement imbriquées... outre les lieux branchés, les hébergements pour tous les budgets, les gastronomies (tant de plats typiques et délicieux en commun), les cultures... Et puis aussi, de Tel-Aviv à Ramallah, des endroits inouïs. Une vraie mosaïque passionnante et foisonnante qui compose cette Terre sainte... trois fois sainte.

La probabilité d'une *turista* (la « revanche de Moctezuma ») est très élevée : selon certaines études, 40 % des voyageurs. Le traitement d'une diarrhée simple, sans fièvre, sans pus ni sang, repose sur l'association d'un antibiotique en une prise, une seule fois (*Ciflox, Oflocet* ou *Zitromax* : deux comprimés) et d'un ralentisseur du transit intestinal, le lopéramide (*Imodium* : deux gélules puis une gélule après chaque selle non moulée, sans dépasser 6/24h).

Les produits et matériels utiles aux voyageurs, assez difficiles à trouver, peuvent être achetés par correspondance sur le site ● *sante-voyages.com* ●

Infos complètes toutes destinations, boutique en ligne en paiement sécurisé, expéditions Colissimo Expert ou Chronopost. ☎ *01-45-86-41-91 (lun-ven 14h-19h).*

■ *Dépôt-vente :* AccesProVisas, 26, | *43-40-11-34.* ● *accespro-visas.fr* ●
rue de Wattignies, 75012 Paris. ☎ 01- | Ⓜ *Dugommier* ou *Daumesnil.*

– Routard souffreteux, hypocondriaque ou tout simplement curieux, mettez-vous donc entre les mains d'un *curandero,* guérisseur traditionnel (souvent le chaman ou le sorcier bienveillant) qui possède une connaissance approfondie des plantes médicinales. Dernier conseil, fuyez le sorcier *brujo,* confrère maléfique du *curandero,* avant qu'il ne vous jette un mauvais sort.

SITES ARCHÉOLOGIQUES ET MUSÉES

La plupart des *sites archéologiques* sont ouverts tous les jours. Le prix d'entrée varie selon le degré de célébrité du site (la gratuité le dimanche est généralement réservée aux Mexicains, tout comme les réductions étudiants). Il y a parfois des tarifs réduits pour enfants et personnes âgées ; tentez votre chance. Comme dans les musées, l'utilisation d'un appareil photo ou vidéo est payante (à partir de 30 $Me, soit 1,80 €). Les sites ferment vers 17h ; en revanche, ouverture tôt le matin, vers 8h. Profitez-en si vous le pouvez : il n'y a pas grand monde avant le milieu de la matinée. C'est fou la différence entre un site désert et un site bondé... De plus, de 11h à 13h, le soleil est presque à la verticale, donc mauvaise lumière pour les photos. *Attention :* pour la visite des sites archéologiques en altitude, ne pas oublier chapeau et crème protectrice (écran total), car ça cogne fort, surtout à 2 000 m ! Les *musées* sont en principe fermés un jour par semaine, le lundi ou le mardi. Lisez bien les tarifs affichés pour ne pas vous retrouver à payer des prix fantaisistes au guichet !

À noter qu'en 2007 le gouvernement a demandé aux Mexicains d'élire les 13 merveilles naturelles et les 13 merveilles créées par l'homme. Pour les connaître : ● *maravillasdemexico.com* ●

SITES INTERNET

Le Mexique est peut-être le pays le plus « Internet » d'Amérique latine. Depuis le site de l'armée zapatiste (l'EZLN) à ceux des services et des institutions gouvernementales, il est très facile d'obtenir des infos fraîches sur le pays. Voici quelques sites pour ceux qui ont besoin d'un peu de virtuel avant la réalité.

● *routard.com* ● Rejoignez la plus grande communauté francophone de voyageurs ! Échangez avec les routarnautes : forums, photos, avis d'hôtels. Retrouvez aussi toutes les informations actualisées pour choisir et préparer vos voyages : plus de 200 fiches pays, une centaine de dossiers pratiques et un magazine en ligne pour découvrir tous les secrets de votre destination. Enfin, comparez les offres pour organiser et réserver votre voyage au meilleur prix. Routard.com, le voyage à portée de clics !

● *mexique-voyage.com* ● Site généraliste offrant d'intéressants articles de présentation culturelle et touristique.

- *tiempolibre.com.mx* ● La page de l'hebdomadaire qui recense les expositions, concerts et événements culturels à Mexico.
- *chiapas.indymedia.org* ● Site d'informations indépendantes et alternatives sur le combat des communautés indiennes du Chiapas, et sur les différentes luttes en cours pour la reconnaissance des minorités.
- *schoolsforchiapas.org* ● Site d'une chouette ONG pour ceux qui veulent soutenir la mise en place d'un réseau éducatif au Chiapas.

TÉLÉPHONE ET TÉLÉCOMS

Les numéros de téléphone sont à sept chiffres, sauf à Mexico, Monterrey et Guadalajara, où ils sont à huit chiffres. Pour téléphoner d'une ville à l'autre, il faut composer un indicatif que l'on vous indique pour chaque ville (en intro à côté de son nom). Ce sont des communications *larga distancia*.

Communications internationales

Elles sont assez chères. Depuis la France : environ 1,10 €/mn en heures pleines, 0,86 €/mn en heures creuses. Autour de 10 $Me (0,60 €) la minute depuis le Mexique (beaucoup plus cher si vous téléphonez depuis votre hôtel).
– Il existe de petites boutiques *(casetas telefónicas)* d'où l'on peut téléphoner (appel local ou international). Cela revient en général moins cher que de téléphoner d'une cabine téléphonique (qui sont désormais à carte à puce ; on achète les cartes téléphoniques dans les épiceries, pharmacies, kiosques à journaux et grands magasins type *Sanborn's*). Les cartes à puce s'avèrent peu efficaces pour appeler l'étranger, optez donc pour une carte avec PIN à gratter que l'on achète dans les kiosques à journaux ou les tabacs. Par exemple, la *Saluda* d'Ecofon de 100 $Me (6 €) permet de téléphoner plus de 3h vers la France depuis un fixe. Il y en a bien d'autres comme la *Bueno,* la *Sigutel...* Elles fournissent plus ou moins de minutes de communication vers un fixe ou un mobile, à vous de comparer selon votre destination. On peut aussi appeler via Internet dans certaines boutiques, c'est encore moins cher.
– Fax publics dans de nombreuses papeteries.
– *Mexique ➙ France :* 00 + 33 + n° du correspondant (sans le 0 initial). Pour téléphoner en PCV *(por cobrar),* composer le 09.
– *France ➙ Mexique :* 00 + 52 + indicatif de la ville + n° du correspondant.

Communications intérieures

Autant vous le dire, c'est assez compliqué. Mêmes les Mexicains s'y perdent.
– De téléphone fixe à fixe : composer le 01 + indicatif de la ville *(clave)* + n° du correspondant. On signale l'indicatif de la ville dans le bandeau-titre de chaque ville. Exemple : l'indicatif de Mexico est 55 ; celui de Puebla est 222.
– De fixe à portable : composer le 045 + indicatif de la ville *(clave)* + n° du correspondant (attention, si votre correspondant a un numéro qui dépend de la même zone que vous, composez le 044 à la place du 045).
– De portable à portable : si votre correspondant appartient à la même zone, composez le n° du correspondant. Si votre correspondant appartient à une région différente, composez l'indicatif de la ville *(clave)* + le n° du correspondant.
– Bon à savoir : de plus en plus d'adresses disposent d'un n° gratuit qui commence par 01-800..., valable à l'intérieur du pays.

Numéros utiles

– Renseignements téléphoniques : ☎ 040.
– Appel national via une opératrice (ou pour les PCV) : ☎ 020.
– Appel international via une opératrice bilingue (ou PCV) : ☎ 090.

Téléphones portables

Le routard qui ne veut pas perdre le contact avec sa tribu pourra alors utiliser son propre téléphone portable au Mexique avec l'option « Europe » ou « Monde ». Mais gare à la note salée en rentrant chez vous ! On conseille donc d'acheter à l'arrivée une carte SIM locale prépayée chez l'un des nombreux opérateurs (*Ladatel* pour les appels nationaux, ou *Ladafon* pour l'étranger), représentés dans les boutiques de téléphonie mobile des principales villes du pays et souvent à l'aéroport. On vous attribue alors un numéro de téléphone local et un petit crédit de communication, généralement pour un montant de 150 $Me (9 €) dont 70 $Me de communication. Avant de signer le contrat et de payer, essayez donc, si possible, la carte SIM du vendeur dans votre téléphone – préalablement débloqué – afin de vérifier si celui-ci est compatible. Si besoin vous pouvez communiquer ce numéro provisoire à vos proches par SMS. Ensuite, les cartes permettant de recharger votre crédit de communication s'achètent dans ces mêmes boutiques, ou en supermarché, stations-service, tabacs-journaux, etc. C'est toujours plus pratique pour trouver son chemin vers un *B & B* paumé, réserver un hôtel, un resto ou une visite guidée, et bien moins cher que si vous appeliez avec votre carte SIM personnelle. Malin, non ?
Pour info : la bande passante au Mexique n'est pas la même qu'en Europe. Pour capter le réseau mexicain, votre portable doit donc être « tribande ». Vérifier sur la notice de l'appareil ou demander à un vendeur spécialisé.
Il est difficile de reconnaître un numéro de portable au Mexique. Faites-vous préciser s'il s'agit d'un numéro fixe (*fijo*) ou portable (*cellular*) : la marcation est différente (et le coût aussi !).

Urgence : en cas de perte ou de vol de votre téléphone portable

Suspendre aussitôt sa ligne permet d'éviter de douloureuses surprises au retour du voyage ! Voici les numéros des trois opérateurs français, accessibles depuis la France et l'étranger :
– **SFR** : depuis la France : ☎ 1023 ; depuis l'étranger : ▯ + 33-6-1000-1900.
– **Bouygues Télécom** : depuis la France comme depuis l'étranger : ☎ 0-800-29-1000 (remplacer le 0 initial par + 33 depuis l'étranger).
– **Orange** : depuis la France comme depuis l'étranger : ▯ + 33-6-07-62-64-64.
Vous pouvez aussi demander la suspension depuis le site internet de votre opérateur.

Internet

Les cybercafés et centres Internet sont légion. La plupart restent ouverts tard le soir. Compter entre 10 $Me/h (0,60 €) pour les moins chers et 20 $Me (1,20 €) dans les endroits touristiques.

TRANSPORTS

Le bus

C'est le seul vrai moyen de transport au Mexique. Les bus circulent absolument partout, dans des conditions de confort très variables selon les régions et les parcours.
Dans les grandes villes, les compagnies de bus sont généralement regroupées dans un même **terminal de autobuses (ou Central Camionera),** à l'extérieur de l'agglomération. Il faut donc bien souvent prendre un taxi pour rejoindre le centre. Souvent des bus urbains font la liaison, mais pas toujours. Ces gares routières sont généralement spacieuses et bien aménagées, avec les mêmes services et boutiques que dans une aérogare.

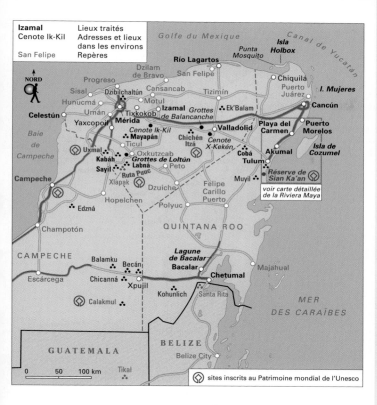

LE YUCATÁN

LE MEXIQUE

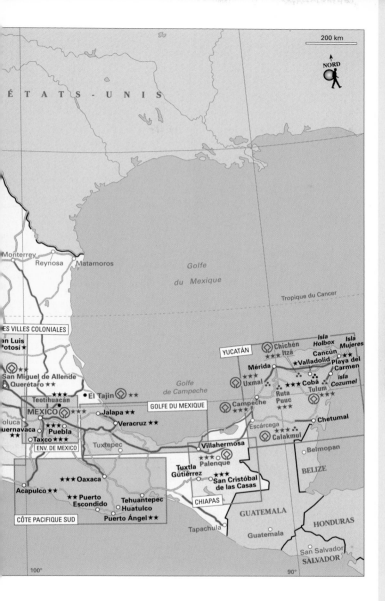

200 km

NORD

ÉTATS-UNIS

Monterrey
Reynosa   Matamoros

Golfe

du   Mexique

Tropique du Cancer

ES VILLES COLONIALES

an Luis
Potosí ★

San Miguel de Allende ★★
Querétaro ★★

Teotihuacán ★★★

• El Tajín ★★

YUCATÁN

Isla
Holbox   Isla
Mujeres

Chichén
Itzá ★★★

Cancún
★Valladolid   Playa del ★★
Carmen

Mérida

Uxmal ★★

Isla
Cozumel ★★★

Cobá ★★★

Ruta
Puuc
★★★

Isla
Tulum ★★★

Golfe
de Campeche

GOLFE DU MEXIQUE

Campeche ★★★

oluca
uernavaca ★★

MEXICO ★★★

Jalapa ★★

Veracruz ★★

Chetumal

Puebla ★★★

Taxco ★★★

ENV. DE MEXICO

Escárcega

Calakmul ★★★

Tuxtepec

Villahermosa

Belmopan

BELIZE

★★★ Oaxaca

Tuxtla
Gutiérrez

Palenque ★★★

San Cristóbal
de las Casas ★★★

Acapulco ★★

★★ Puerto
Escondido

Tehuantepec

Huatulco

Puerto Ángel ★★

CÔTE PACIFIQUE SUD

CHIAPAS

GUATEMALA

Tapachula

Guatemala

HONDURAS

San Salvador

SALVADOR

100°   90°

LE MEXIQUE

MEXICO (PLAN D'ENSEMBLE)

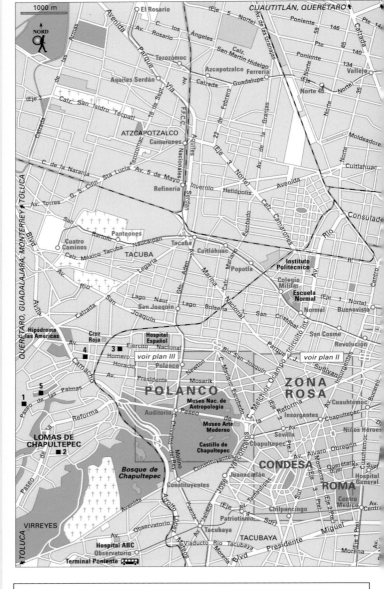

■ **Adresses utiles**

🚌 Terminal Norte
🚌 Terminal Sur (Tasqueña)
🚌 Terminal Oriente (Tapo)
🚌 Terminal Poniente

1 Ambassade et consulat de Suisse
2 Ambassade et consulat du Guatemala
3 Instituto Nacional de Migración
4 British Airways
5 Lufthansa

MEXICO (PLAN D'ENSEMBLE)

MEXICO – CENTRO HISTÓRICO (PLAN I)

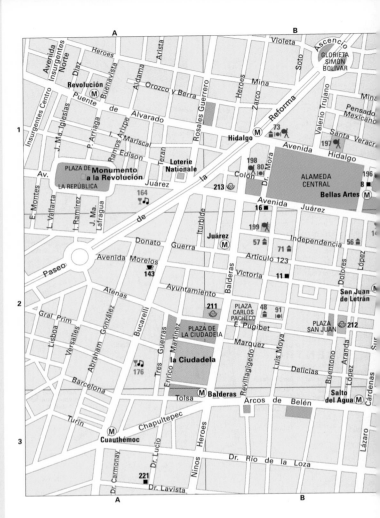

MEXICO – CENTRO HISTÓRICO (PLAN I)

MEXICO – CENTRO HISTÓRICO (PLAN I)

REPORTS DU PLAN DE MEXICO – CENTRO HISTÓRICO (PLAN I)

REPORTS DU PLAN DE MEXICO – CENTRO HISTÓRICO (PLAN I)

REPORTS DU PLAN DE MEXICO – ZONA ROSA (PLAN II)

10

MEXICO – ZONA ROSA – CONDESA – ROMA (PLAN II)

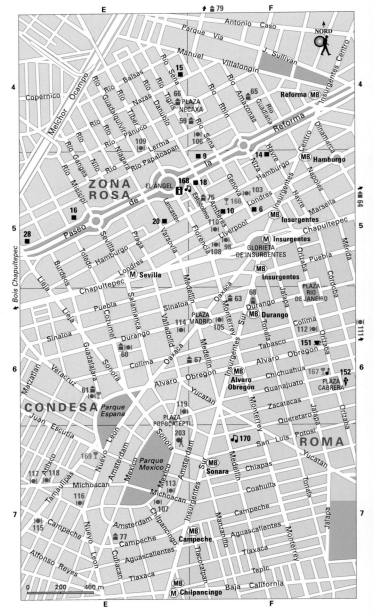

MEXICO – ZONA ROSA – CONDESA – ROMA (PLAN II)

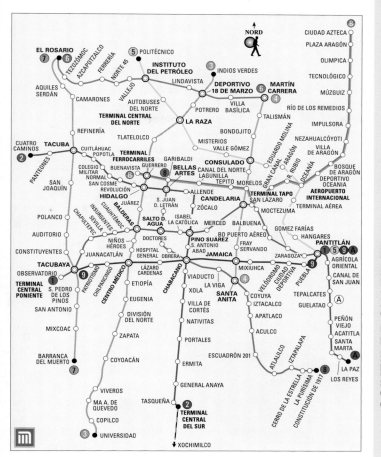

LE MÉTRO DE MEXICO

CANCÚN

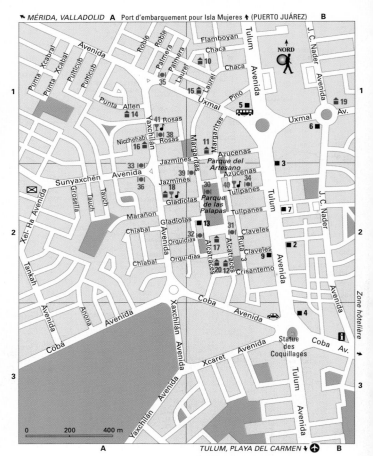

MÉRIDA, VALLADOLID **A** Port d'embarquement pour Isla Mujeres ↑ (PUERTO JUÁREZ) **B**

CANCÚN

TULUM, PLAYA DEL CARMEN ↓

CANCÚN

■ **Adresses utiles**

ℹ Direction du tourisme municipal
2 Bancomer
3 Scotiabank
5 Station de taxis
6 Immigration
7 Banamex
9 Pharmacie
13 Laverie

🛏 **Où dormir ?**

10 The Weary Traveler's
   Hotel Oceanic
11 Río Cancún
12 The Nest Backpackers Hostel
14 Hotel Cancún Allen
15 Hotel Alux
16 Casa Luna
17 Hotel Suites Cancún Center

18 Hotel Xbalamqué
19 Hotel El Rey del Caribe
20 Hotel Sol y Luna

|○| **Où manger ?**

30 Kiosques du parc de las Palapas
31 Los Huaraches de Alcatraces
32 Iki
33 El Caribeño
34 Gory Tacos
35 El Tapatio
36 100 % Natural
38 La Parilla
39 Labná

🍷♪ **Où boire un verre ? Où sortir ?**

18 El Pabilo Cafebreria
40 Jazz Club Root's
41 Los Arcos

REPORTS DU PLAN DE OAXACA (PLAN GÉNÉRAL)

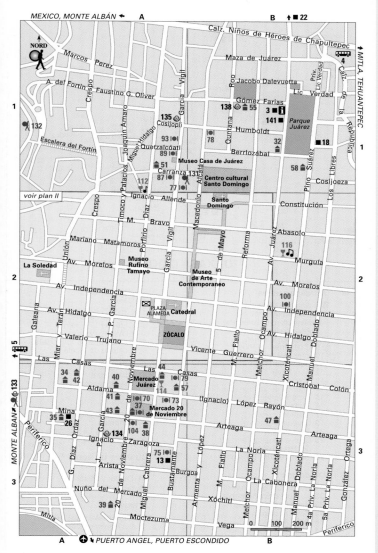

OAXACA (PLAN GÉNÉRAL)

Calz. Niños de Héroes de Chapultepec

NORD

Marcos Perez

→ MITLA, TEHUANTEPEC

A. del Fortín   Crespo   Faustino G. Oliver

Maza de Juárez

Roo Jacobo Dalevuetta

Priv. Lic. Verdad

Calz. de la República

4

Lic. Verdad

Gómez Farías

138 ⊕≜ 55   3 ■🛈

135
Cosijopii

78

141 ■

Parque Juárez

132

93 |●| Humboldt

89 |●| Quetzalcóatl   32

■18

Escalera del Fortín

Berriozábal

51 ▲   Museo Casa de Juárez

Joaquín Amaro   Miguel Hidalgo

Palacios

Carranza 131🛈   58 ≜

Cosijoeza

87 ▲   Centro cultural Santo Domingo   Pino Suárez   Los Libres

112   77 |●|

voir plan II   Ignacio Allende   Santo Domingo

Constitución

Timoco y Palacios   Crespo

M. Bravo   Díaz   Vigil   Macedonio Alcalá

Abasolo

Mariano Matamoros   Juárez   116 ♪♫

Unión   Av. Morelos   Museo Rufino Tamayo   Reforma   Murguía

La Soledad   García   5 de Mayo

Museo de Arte Contemporaneo   Av. Morelos

Av. Independencia

100 |●| Independencia

Galeana   Av. Tere   Av. Hidalgo   P.   García   PLAZA ALAMEDA Catedral   Ocampo   Av. Hidalgo   Doblado

Valerio Trujano   ZÓCALO   Xicotencatl   Manuel

5   Las   Casas   Vicente Guerrero   Fiallo   Melchor   Colón

MONTE ALBÁN ⊕ 133   34 ≜   Las   44   Casas   Cristobal

42   40   Mercado Juárez |●| 79   57   (Ignacio) López Rayón

Aldama   114   47 ≜   Arteaga

41 ≜ |●| 70 |●| 73

43 ≜   37   Mercado 20 de Noviembre   Arteaga

Mina   35 ■   104 38   Arteaga   Ortega

26   Ignacio   Zaragoza   La Noria

Periférico   134   75 |●| López   Xicotencatl   Manuel Doblado   González

Arista   13 ■≜   Bustamante   La Cabonera   Priv. La Noria

G. Díaz Ordaz   Burgoa   Flallo   4a Priv. La Noria

Nuño del Mercado   Armenta y   Ocampo   5a Priv. La Noria

39 ≜   Miguel Cabrera   Xóchitl

Mitla   Moctezuma   Melchor   Vega   0   100   200 m   Periférico

A ⊕↘ PUERTO ANGEL, PUERTO ESCONDIDO   B

OAXACA (PLAN GÉNÉRAL)

16

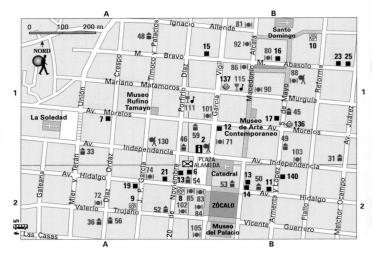

OAXACA (ZOOM)

OAXACA (ZOOM)

MEXIQUE UTILE

Distances entre les villes (en km)	Campeche	Cancún	Cuernavaca	Chetumal	Chihuahua	Guadalajara	Guanajuato	La Paz	Manzanillo	Mérida	Mexico	Morelia	Oaxaca	Puebla	Querétaro	San Luis Potosí	Tuxtla Gutiérrez	Veracruz	Villahermosa	Xalapa	Zacatecas
Acapulco	1513	2007	306	1703	1882	889	760	4701	697	1690	395	697	828	481	606	810	967	760	1126	684	1000
Campeche		494	1207	424	2642	1697	1520	5467	1997	177	1155	1457	996	1032	1366	1570	652	879	387	981	1760
Cancún			1701	388	3136	2191	2014	5961	2491	317	1649	1951	1490	1526	1860	2064	1146	1373	881	1475	2254
Cuernavaca				1576	1710	631	454	4401	931	1384	89	391	522	175	300	504	1067	454	820	378	694
Chetumal					3047	1887	1710	5657	2187	388	1345	1647	1186	1222	1556	1760	770	1069	577	1171	1950
Chihuahua						1202	1194	3047	1502	2819	1487	1329	1957	1610	1315	1072	2502	1889	2255	1809	882
Guadalajara							277	3770	290	1874	542	302	1012	665	377	340	1557	944	1310	864	320
Guanajuato								4047	577	300	365	180	835	488	154	215	1380	767	1133	687	312
La Paz									4002	5844	4312	4072	4782	4435	4147	4119	5327	4714	5080	4634	3929
Manzanillo										2174	842	602	1312	965	677	640	1664	1244	1610	1164	620
Mérida											1332	1634	1173	1209	1543	1747	829	1056	564	1158	1937
Mexico												302	470	123	211	415	1015	402	768	322	605
Morelia													772	425	192	395	1317	704	1070	624	447
Oaxaca														347	681	885	545	395	609	380	1075
Puebla															334	538	892	279	645	203	728
Querétaro																208	1226	613	979	533	433
San Luis Potosí																	1430	817	1183	737	190
Tuxtla Gutiérrez																		671	284	773	1620
Veracruz																			492	102	1007
Villahermosa																				594	1373
Xalapa																					927
Zacatecas																					

Ça se complique lorsque les compagnies possèdent leur propre terminal... Ce qui n'est pas si rare. Entre les deux, il y a aussi des villes avec un terminal pour les bus de 1re classe et un autre pour les bus de 2e classe.

Il existe trois classes.

– **Bus de 2e classe :** ils s'améliorent de jour en jour, vu que ce sont de plus en plus souvent les anciens bus de 1re classe reconvertis. Ce sont les moins chers et les plus folklos. On voyage avec le Mexique populaire et l'on peut faire des rencontres sympas. Les Mexicains

> **VITESSE « UNDER CONTROL »**
>
> Bienvenido à bord des bus mexicains. Des bestioles modernes affichant leur credo sécuritaire : « vitesse contrôlée par satellite ». De fait, un boîtier compare la limita de velocidad de la route (selon la position GPS) avec la velocidad du bus. Et ça sonne s'il va trop vite. Super sioux, rassurant et moins brutal qu'un méchant flash de radar ! Seulement voilà : les panneaux routiers sont toujours 20 à 40 km/h en dessous de la vitesse autorisée par le petit boîtier ! À quand la mise à jour ?

les appellent les guajoloteros, de guajolote, le dindon. On voyage donc entre des cages à poulets, des seaux remplis de poissons, des sacs de cochonnaille...

– **Bus de 1re classe :** là, on atteint des niveaux de confort franchement agréables (TV, w-c, sièges inclinables, rideaux aux fenêtres, AC). Moins folklos mais plus rapides. Ils font en principe moins d'arrêts. Plus cher, évidemment. Idéal pour les longs trajets ou les parcours de nuit. Cependant, la clim est parfois tellement efficace qu'il vaut mieux prévoir un pull, un pantalon long, voire un duvet ou une couverture comme le font les Mexicains.

– **Bus de luxe** (de lujo ou ejecutivo) : le top ! Du super luxe, mais assez cher. En plus des services de la 1re classe, on a droit à un minibar (à volonté en général) et surtout à des sièges très larges et super inclinables (qui se transforment presque en couchette). Le grand pied pour dormir (avec parfois de petits oreillers fournis). Et on enregistre les bagages à l'avance, comme pour l'avion. Principales compagnies : ETN et Primera Plus (destinations au nord de Mexico), ADO GL, Futura et UNO (dans le Sud). Pour les longues distances, comparez quand même avec les tarifs des compagnies aériennes à bas prix.

Vous pouvez consulter les sites des principales compagnies, réserver et payer en ligne (sécurisé), ou les appeler gratuitement à l'intérieur du pays.

Voici les coordonnées des principales compagnies de bus qui desservent le territoire :

■ **ADO :** ☎ 01-800-702-80-00. ● ado.com.mx ● Bus de 1re classe.

■ **ADO GL :** ☎ 01-800-702-80-00. ● ado.com.mx ● Bus de luxe (GL = Gran Lujo).

■ **Autovías :** ☎ 01-800-622-22-22. ● hdp.com.mx ● Service de 1re classe de la compagnie HP, Herradura de Plata.

■ **Chihuahenses :** ☎ 01-800-507-55-00. ● estrellablanca.com.mx ● Membre du groupe Estrella Blanca. Service de 1re classe.

■ **Cristobal Colón (OCC) :** ☎ 01-800-822-23-69. ● occbus.com.mx ● Membre du groupe ADO. 2e classe.

■ **Estrella Blanca :** ☎ 01-800-507-55-00. ● estrellablanca.com.mx ● Services de 2e classe.

■ **Estrella de Oro :** ☎ 01-800-900-01-05. ● estrelladeoro.com.mx ● Rien à voir avec la compagnie précédente. Services grand luxe (diamante) vers Acapulco, sinon 1re classique.

■ **Estrella Roja :** ☎ 01-800-712-22-84. ● estrellaroja.com.mx ● Dessert principalement la ligne Mexico-Puebla avec des bus de tous niveaux de confort.

■ **ETN :** ☎ 01-800-800-03-86. ● etn.com.mx ● Le choix le plus haut de gamme : seulement 24 sièges par bus.

■ **Futura Plus :** ☎ 01-800-507-55-00. ● estrellablanca.com.mx ● Un autre service de luxe ; groupe Estrella Blanca.

■ **Omnibus de México :** ☎ 01-800-765-66-36. ● odm.com.mx ● Service de 1re classe malgré le nom.

■ *Primera Plus :* ☎ 01-800-375-75-87. ● primeraplus.com.mx ● Groupe Flecha Amarilla.
■ *Pullman de Morelos :* ● pullman. com.mx ●
■ *Uno :* ☎ 01-800-702-80-00. ● uno.com.mx ● Service de luxe appartenant au groupe *ADO*.

– *Boletotal :* système de réservation national pour les billets de bus et les billets d'avion ; et même les hôtels et les spectacles. On réserve en ligne ou par téléphone. Également des petites officines en ville (on les indique) ce qui évite d'avoir à se rendre au terminal pour réserver. Très pratique, il suffit de donner son numéro de carte de paiement. ☎ 01-800-009-90-90 ; ou à Mexico : ☎ 51-33-51-33. ● boletotal.mx ●

– Lors des vacances scolaires mexicaines, certaines compagnies offrent d'importantes réductions sur présentation de la carte d'étudiant... mexicaine ! Vous pouvez toujours essayer de présenter votre carte, mais si vous obtenez le *descuento*, ce ne sera qu'une question de chance. En revanche, réduction (jusqu'à 50 %) pour les enfants (l'âge varie selon les compagnies), les plus de 60 ans et les personnes handicapées. Mais attention, rien de systématique.
Comme les paysages sont très souvent les mêmes sur des centaines de kilomètres, on a souvent intérêt à partir tard le soir et à rouler de nuit (prenez des boules Quies en raison de la musique ou de la TV). On économise ainsi une nuit d'hôtel et on gagne du temps.

Le train

Il n'existe plus que deux lignes célèbres, qui valent vraiment le coup :
➤ Los Mochis-Chihuahua : c'est le fameux train *Chihuahua al Pacífico* qui traverse le magnifique Cañon del Cobre (canyon du Cuivre) et la sierra des Tarahumaras.
➤ Guadalajara-Tequila. Avec le *Tequila Express*.

L'auto-stop

L'auto-stop, pour des raisons d'insécurité, ne se pratique quasiment pas au Mexique. Toutefois, on peut s'aventurer à *pedir un aventón* (faire du stop) dans certains coins très spécifiques (que l'on vous indique), pour des petits trajets, sans bagage et en prenant les précautions d'usage avant de monter.

La location de voitures

C'est cher : entre 450 et 650 $Me (27 et 39 €) par jour selon le modèle, kilométrage illimité et assurance responsabilité couvrant 90 % des frais. En fait, le prix de la location varie pas mal d'une région à l'autre et selon la saison. Par exemple, à Cancún, cela revient plus cher qu'à Mérida. Si vous êtes quatre ou cinq, c'est une solution envisageable. De même, à partir de six personnes, la location d'un minibus peut parfaitement être rentabilisée. L'essence n'est pas chère (60 % de moins qu'en France). En revanche, si vous voulez vous fondre dans le paysage, on ne saurait que vous conseiller de dégoter un pick-up voire une bonne vieille coccinelle VW, *la voiture mexicaine par excellence*.
Il est conseillé de louer à partir de la France, prix beaucoup plus intéressants qu'au Mexique. Les compagnies mexicaines n'acceptent généralement pas de louer des voitures aux moins de 25 ans, parfois 22 ans. La plupart exigent le passeport, le permis de conduire (votre permis national suffit au Mexique) et une carte de paiement pour la caution (souvent prohibitive). Vérifier soigneusement l'état général du véhicule avant le départ. Et bien se faire préciser la couverture de l'assurance *(el seguro)*.

Attention au fait que certaines agences ne reçoivent pas les véhicules le week-end. Un excellent moyen pour rouler les clients inattentifs. Avec certaines agences, il est possible de laisser sa voiture dans une autre ville que celle du départ, mais cela coûte assez cher.

Faites gaffe aux tracasseries à la frontière. Pour réaliser un *circuit Mexique-Guatemala-Belize* à partir de Mexico, il faut obtenir une autorisation écrite de la société de location. *Hertz, Budget* et *Avis* refusent de la donner. En revanche, la société *Sarah Rente Autos* accepte de fournir ledit document *(Sullivan no 69, Lobby San Rafael, 06470 Mexico City, à 100 m de la tour de la Loterie nationale ;* ☎ *55-66-60-88).* Il est à noter que les douaniers du Belize insistent pour que l'on souscrive une assurance spécifique, étant donné qu'on perd toutes les autres en passant la frontière. Ce n'est pas obligatoire, tout dépend de la durée du séjour.

■ *Auto Escape :* ☎ 0820-150-300 *(0,12 €/mn).* ● *autoescape.com* ● *Vous trouverez également les services d'*Auto Escape *sur* ● *routard.com* ● L'agence *Auto Escape* réserve auprès des loueurs de véhicules de gros volumes d'affaires, ce qui garantit des tarifs très compétitifs. Il est recommandé de réserver à l'avance. *Auto Escape* offre 5 % de remise sur la location de voiture aux lecteurs du *Guide du routard* pour toute réservation par internet avec le code de réduction « GDR5AE ».

■ *BSP Auto :* ☎ 01-43-46-20-74 *(tlj).* ● *bsp-auto.com* ● Les prix proposés sont attractifs et comprennent le kilométrage illimité et les assurances. *BSP Auto* vous propose exclusivement les grandes compagnies de location sur place, vous assurant un très bon niveau de services. Les plus : vous ne payez votre location que 5 jours avant le départ + réduction spéciale aux lecteurs de ce guide avec le code « routard ».

Et aussi :
■ *Hertz :* ● *hertz.com* ● ☎ 0825-030-040 (0,15 €/mn).
■ *Europcar :* ● *europcar.fr* ● ☎ 0825-358-358 (0,15 €/mn).
■ *AVIS :* ● *avis.fr* ● ☎ 0820-050-505 ou 0821-230-760 (0,12 €/mn).

L'art de conduire

Cauchemar des automobilistes ! Cause d'épouvantables jurons ! Bienvenue au pays des dos-d'âne, les *topes,* aussi appelés *reductores de velocidad* ou encore *vibradores* ! On en trouve un peu partout en travers des routes. Peu ou mal annoncés. Redoutables de nuit. Destinés à faire respecter les limites de vitesse (une expression vue comme une impolitesse par le conducteur mexicain !), ils achèvent surtout les suspensions. Et le gras de la fesse !

Sachez que n'importe qui conduit au Mexique, souvent sans permis ni assurance et dès l'âge de 14 ou 15 ans (de toute façon, le permis ne veut pas dire grand-chose puisqu'il s'achète, tout simplement...). Autant dire que la logique de la conduite est assez particulière. Quelques trucs à savoir.

– *Attention,* les *feux* sont placés APRÈS le carrefour, comme aux États-Unis. Quand on n'a pas l'habitude, on peut croire qu'il n'y a pas de feux ou alors on s'arrête en plein carrefour (ben oui, juste avant le feu). Funeste erreur !

– Aux carrefours sans feu, il n'y a souvent ni stop ni priorité. On passe alors *« uno a uno »,* c'est-à-dire un par un (sans blague !), dans l'ordre d'arrivée : on cède le passage à un premier véhicule, puis on s'engage.

– Les lignes blanches et panneaux sont peu respectés. Attention aux sens interdits qui ne sont presque JAMAIS signalés, où aller mollo en tournant dans une rue, elle peut s'avérer à sens unique ! D'ailleurs des policiers malins (à Acapulco par exemple) se cachent au bout de la rue, prêts à recevoir la *mordida* du contrevenant ignorant, un touriste bien sûr. Essayer de repérer la flèche bleue qui indique le sens de la rue.

– Peu d'automobilistes savent se servir du *clignotant.* Donc, souvent des surprises. À ce sujet, il est bon de savoir que si un camion ou un véhicule lent qui vous précède met son clignotant à gauche, cela peut signifier deux choses : qu'il va tourner à gauche (logique !) ou qu'il vous indique que vous pouvez le doubler. À vous de deviner !

– **Stationnement :** en ville, de nombreux parkings *(estacionamientos),* heureusement moins chers qu'en Europe. Ils sont indiqués par un E. Il vaut mieux les utiliser plutôt que de se garer dans la rue. D'abord, on ne sait jamais bien si c'est autorisé ou non. Et ensuite, on n'est jamais sûr de retrouver son véhicule (pas à cause de la fourrière, mais des vols). Ça fait beaucoup d'incertitudes !

Dans les parkings, il faut souvent laisser sa voiture avec la clé de contact, et les gardiens la garent eux-mêmes. Dans ce cas, les Mexicains ne laissent aucun objet de valeur à l'intérieur. On peut les mettre dans le coffre si l'on dispose d'une clé à part (qu'on garde sur soi, évidemment).

Dans certains centres urbains, il y a des parcmètres. Mais le plus courant est de tomber sur un jeune garçon qui s'est approprié un bout de trottoir et qu'il « loue » moyennant une *propina* (5 à 10 pesos). En échange de quoi, il surveille votre véhicule. L'insécurité aura au moins fourni du travail à quelques futés ! Vous ne pouvez pas les louper, ils agitent un foulard rouge.

– **Mauvais stationnement :** ne vous inquiétez pas le jour où vous retrouvez votre véhicule avec une plaque d'immatriculation en moins ou un sabot accroché à l'une de ses roues. Vous vous êtes sans doute mal garé (en principe, les stationnements interdits sont indiqués par un E barré d'un trait rouge oblique). Il faut aller au *Tránsito* le plus proche (c'est la police municipale) et payer une contravention. Prévoyez un tournevis, ils ne remettront pas la plaque eux-mêmes... En cas de mauvais stationnement à Mexico, les voitures sont souvent enlevées par la fourrière. Là, bon courage !

– **Les abords des grandes villes :** on quitte et on entre dans les grandes métropoles (en particulier Mexico) par une série de voies rapides à sens unique, qui parfois se chevauchent, s'entrecroisent... Un vrai casse-tête. Les panneaux sont rares et souvent placés au dernier moment, à hauteur de la sortie (pas 100 m avant, ce serait trop simple). On a donc vite fait de louper le coche et de s'embarquer sur une autoroute pour Pétaouchnoko. Ne pas désespérer et guetter sur la voie de gauche les panneaux « *Retorno* », qui indiquent où faire demi-tour. À Mexico, la circulation est particulièrement dense et les embouteillages fréquents. Seule solution pour ne pas péter une durite, rester attentif, avoir de bons réflexes et surtout conserver son flegme.

– **Quatre-Voies** et **Autoroutes** (*autopistas* et *carreteras de cuota*) **:** n'allez surtout pas imaginer que parce que vous roulez sur une quatre-voies, vous êtes en sécurité. Elles sont diversement fréquentées : piétons sortis du néant, cyclistes chargés d'énormes ballots qui zigzaguent en tous sens, chiens errants, cageots de fruits, ouvriers mal signalés... On en a même vu qui se sont trouvés nez à nez avec des vaches. À 120 km/h, la rencontre est douloureuse.

Attention aussi aux camions. Ils roulent comme des dingues. D'une manière générale, c'est la jungle. On double par la droite, on fait des queues-de-poisson et, si ça ne va pas assez vite, on prend la bande d'arrêt d'urgence... Les panneaux de distance sont souvent fantaisistes. La destination se rapproche, puis s'éloigne à nouveau quelques kilomètres plus loin... Étrange. Rassurez-vous, on finit toujours pas arriver !

Quant aux autoroutes à péage *(de cuota)* elles sont chères et donc bien moins fréquentées. Prévoir du cash pour le péage. Heureusement, elles sont souvent doublées par des nationales *(carreteras libres)* ; si on n'est pas pressé, on peut préférer prendre ces dernières. Un avantage cependant de l'autoroute : le ticket de péage inclut une assurance spéciale. Et en cas de pépin, on est secouru par les *angeles verdes* (« anges verts »), patrouille spéciale d'aide aux conducteurs.

Sur les **routes à une voie,** il est de coutume de se rabattre sur la bande d'arrêt d'urgence, ou le bas-côté, pour se laisser doubler. Attention cependant aux piétons qui marchent au bord de la route !

– *Conduite de nuit :* déconseillée dans certaines régions peu fréquentées. À Mexico, la pratique veut qu'on ne s'arrête ni aux feux ni aux stops (insécurité oblige). Mais ralentissez quand même et regardez bien de tous côtés avant de brûler le feu rouge !

– *Essence :* c'est *Pemex* qui détient le monopole. On trouve des stations-service partout, mais il y en a peu le long des autoroutes. Demandez de l'essence *magna* (sans plomb), sauf indication contraire du loueur. Des pancartes placées dans les stations-service invitent la clientèle à vérifier si le compteur de la pompe à essence a bien été remis à zéro avant que le pompiste ne procède à une nouvelle distribution. Certaines régions touristiques sont même propices à des arnaques bien rodées de substitutions de billets après une diversion (voir plus haut la rubrique « Dangers et enquiquinements »). Soyez positivement méfiant. Plutôt que de demander le plein, prenez pour 100 ou 200 $Me de carburant avec en main la somme exacte déjà préparée pour éviter le retour de monnaie, et ne vous laissez pas distraire. Bien sûr, ensuite, n'oubliez pas le pourboire de 3 à 5 pesos au pompiste.

– *Accrochages ou accidents :* en cas d'accident, ne bougez pas ! C'est la règle. Téléphonez immédiatement au loueur, qui préviendra l'assurance, qui enverra un de ses agents sur les lieux. Ce dernier se charge de tout. Le seul problème qui peut surgir, c'est que l'autre véhicule ne soit pas assuré. Dans ce cas, soit il fuit à toute vitesse, soit il vous propose un règlement amiable. Ne traitez pas avec lui, attendez l'arrivée de l'agent d'assurances.

Le taxi

Le taxi est un moyen de transport très pratique et très économique. Il faut distinguer Mexico du reste du pays.

– En province, les taxis n'ont presque jamais de compteur. Or, n'oubliez pas que vous êtes *gringo* (ou *gabacho,* si cela vous vexe moins...), normalement ça développe une inflation galopante. Demandez le prix de la course et divisez-le au moins par deux. Évidemment, si l'on s'est renseigné avant sur les tarifs en vigueur dans le coin, on peut se montrer beaucoup plus ferme pour négocier. Dans certaines villes, les taxis disposent d'une liste de tarifs en fonction de la distance parcourue ; la consulter.

– À Mexico, les taxis ont un compteur, donc pas de problème de ce côté-là. Pour les autres recommandations, voir au chapitre sur Mexico « Comment se déplacer ? ».

– Pour éviter les arnaques, les terminaux des bus et les aéroports ont désormais tous une station de taxis intégrée. On achète son billet dans une guérite à l'intérieur du terminal et l'on paie selon la longueur du parcours. Il est vivement conseillé de prendre ces taxis « officiels » plutôt que d'aller en chercher un dans la rue. La sécurité est garantie.

L'avion

L'arrivée de quelques compagnies *low-cost* a permis une petite baisse des tarifs aériens, significative surtout pour les trajets entre villes de province. Cela dit, l'avion permet d'éviter de longs trajets monotones en bus et n'est parfois pas beaucoup plus cher, surtout en basse saison (il faut quand même ajouter les transferts entre l'aéroport et la ville, qui sont parfois coûteux). Pour les vols en correspondance, prévoir environ 2h pour le transit.

Voici les compagnies charter et *low-cost* relativement stables :

– *Aeromar :* ☎ 01-800-237-66-27. ● aeromar.com.mx ●

– *Interjet :* ☎ 01-800-011-23-45. ● interjet.com ● A également des vols au départ de Mexico, mais attention, parfois le retour est à Toluca.

– *Volaris :* ☎ *01-800-122-80-00.* ● *volaris.com.mx* ● Vols pour Merida, Cancún entre autres.
– *Magnicharters :* ☎ *01-800-201-14-04.* ● *magnicharters.com* ●
– *Vivaaerobus :* ☎ *(33) 47-77-07-70 à Guadalajara ou (55) 47-77-50-50 à Mexico.* ● *vivaaerobus.com* ●
Les coordonnées et destinations de toutes les compagnies d'aviation sont regroupées dans « Quitter Mexico ».

Transport de bagages par bateau

Si l'on est trop chargé, on peut renvoyer par bateau une partie de ses affaires. S'adresser au **Central de Aduanas** (*Dinamarca 83, à Mexico ;* ☎ *55-25-76-60).* Minimum : 10 kg.

TRAVAIL BÉNÉVOLE

■ *Concordia :* 17-19, rue Etex, 75018 Paris. ☎ 01-45-23-00-23. ● *info@concordia.fr* ● *concordia-association.org* ● Ⓜ *Guy-Môquet.* Envoi gratuit de brochure sur demande par téléphone ou mail. Logé, nourri. Chantiers très variés : restauration du patrimoine, valorisation de l'environnement, travail d'animation... Places limitées. Également des stages de formation à l'animation et des activités en France. Sachez toutefois que les frais d'inscription coûtent entre 126 et 180 € selon la destination et que le voyage, l'assurance et les formalités d'entrée sont à la charge du participant. Week-end de formation, en région parisienne, obligatoire avant le départ pour les chantiers « Pays du Sud ».

« Le seul pays au monde instinctivement surréaliste... »

André Breton.

Ce pays mythique d'Amérique latine évoque instantanément les civilisations préhispaniques, l'aventure, la révolution, l'exotisme et des fêtes joyeuses et colorées. Le Mexique garde dans ses terres l'une des plus denses et des plus magnifiques concentrations de civilisations. À lui seul, il peut justifier de passer toute une vie à admirer et étudier les connaissances des Mayas, l'esthétisme des Olmèques, l'esprit sportif des Toltèques ou l'organisation militaire des Aztèques. Riche de sites archéologiques monumentaux, de plages somptueuses, de villes coloniales éblouissantes, le Mexique est l'une des plus belles expressions de la démesure de l'Amérique latine. À l'image de Mexico, le pays est cosmopolite, bruyant, bourré de monde, tout simplement fascinant. Au Mexique, venez faire la fête avec les mariachis, suivre les traces du commandant Cousteau dans les récifs de Cozumel, découvrir le tombeau de Pacal, le roi maya de Palenque, ou encore vous payer une « séquence frisson » dans les *cenotes* du Yucatán. Un séjour sur cette terre surréaliste et magique ne peut être comparé qu'à un voyage initiatique, comme ceux qu'évoquent les livres de Castañeda.

Pour couronner le tout, l'influence économique et culturelle du puissant voisin du Nord donne un univers de pensée et un mode de vie où se rejoignent les divinités aztèques et Internet, la traditionnelle fête des Morts et Halloween. Comme le disait Carlos Fuentes : « Le Mexique est un mélange bien dosé de Quetzalcóatl et de Pepsicóatl avec quelques gouttes de tequila en plus... »

ARCHITECTURE

Architecture précolombienne

La structure de base du monde précolombien est la pyramide. Étonnamment, celle-ci a fait son apparition très tôt : les Olmèques en édifiaient déjà en terre ! Quant à la célèbre pyramide du Soleil à Teotihuacán (près de Mexico), elle était dressée vers l'an 100 en vis-à-vis de la non moins célèbre pyramide de la Lune, annonçant le développement du premier centre urbain de l'Amérique centrale (plus de 200 000 habitants).

Les pyramides mexicaines n'ont rien à voir avec celles de l'Égypte ancienne. Elles n'ont pas de vocation funéraire mais sont destinées à se rapprocher des dieux et/ou à démontrer la grandeur du souverain. Construites au cœur de ce qu'on appelle le centre cérémoniel, ce sont avant tout des bases sur lesquelles étaient dressés des temples. De là-haut, les prêtres accomplissaient leurs rites religieux face à la foule amassée en bas. Les temples ont systématiquement disparu parce qu'ils étaient construits avec des matériaux périssables, à l'inverse des pyramides édifiées en pierre. Au sommet de la pyramide, on trouvait également des autels et des sculptures représentant les dieux. Par exemple, lors des sacrifices humains, le célèbre dieu maya *Chac-mool* recevait en offrande le cœur palpitant de la victime.

Exceptionnellement, les pyramides ont pu servir de tombe – comme dans le cas du seigneur Pacal à Palenque –, comme base d'observatoire astronomique ou même, parfois, comme poste de défense...

Ce sont les Mayas qui édifièrent les plus grandes pyramides : le temple IV de Tikal (Guatemala) domine la forêt tropicale de ses 65 m (72 m à l'origine) ! Les escaliers qui mènent au sommet sont abrupts (pente de 45 à 60°). Un véritable exploit lorsqu'on considère le caractère rudimentaire des outils de pierre et le recours exclusif à l'homme pour transporter les matériaux !

On distingue deux types d'architecture urbaine. D'une part, les centres cérémoniels regroupant, autour de vastes *plazas,* pyramides, édifices religieux et administratifs, palais où résidaient principalement les prêtres, les monarques et leur famille. D'autre part, en périphérie, les zones d'habitation où les habitants vivaient de manière très organisée dans des quartiers en fonction de leur activité.

L'architecture était avant tout une représentation de la cosmogonie. À La Venta, les Olmèques avaient déjà défini un plan nord-sud, de sorte que les portes des édifices s'ouvraient à l'est et à l'ouest, dans l'axe du soleil. Ce principe a été repris par toutes les civilisations ultérieures.

Phénomène étonnant, les peuples précolombiens du Mexique ne détruisaient jamais pour reconstruire : ils « enrobaient » plutôt les monuments existant, notamment lors de l'avènement d'un nouveau souverain. C'est ainsi que, d'agrandissements en commémorations, le Templo Mayor de Tenochtitlán (Mexico) en est venu à compter 11 « couches » architecturales ! Pratique pour les archéologues, qui n'ont souvent eu qu'à dépecer les monuments pour voir l'évolution des structures au fil du temps.

Architecture coloniale

Les Espagnols ont naturellement exporté au Mexique les styles architecturaux prévalant en métropole. Rappelons donc les différentes influences de l'architecture castillane puisque ce sont celles-ci que l'on retrouvera dans le Mexique colonial, parfois teintées d'indigénisme. En Espagne, le XVIe s a d'abord été marqué par le gothique avant d'être rapidement influencé par la Renaissance italienne. C'est alors que se développa le style plateresque, un style décoratif rappelant le travail de l'orfèvrerie – d'où son nom, *plata* signifiant « argent » – : colonnes en forme de candélabres ornementées de motifs en arabesques et surmontées de chapiteaux corinthiens, intégration de motifs floraux et de sculptures, usage ornemental de blasons héraldiques et d'enroulements... très enroulés.

Au début du XVIIe s, en réaction à une recherche de plus en plus austère (style de Herrera), le baroque fit son apparition. Stucs et sculptures polychromes, angelots potelés et dorés, coquillages et guirlandes, moulures végétales et balustrades entrèrent en fanfare dans les églises. D'abord plutôt sage, le baroque explosa au XVIIIe s sous la forme du rococo. Celui-ci connut son apogée sous l'égide de l'architecte espagnol Churriguera (1665-1725) qui laissera d'ailleurs son nom pour décrire l'ultra-baroque, le style churrigueresque. De nombreuses façades d'églises mexicaines, superbement sculptées et extrêmement chargées d'ornements, sont de magnifiques exemples du style churrigueresque, comme à Mexico, Taxco, Zacatecas, Querétaro, Guanajuato, Puebla, Oaxaca, San Cristóbal...

On n'oubliera pas non plus que l'Espagne fut occupée par les Arabes dont l'influence, du coup, se fait sentir jusqu'au Mexique. Rien d'étonnant donc à découvrir l'influence maure dans l'architecture tropicale de l'Amérique latine. C'est le style mudéjar. L'utilisation des azulejos, ces fameux carreaux de faïence peints, en est une manifestation. Enfin, il y a l'influence propre des Indiens que les colons, faute de main-d'œuvre, utilisèrent comme artisans, surtout au début de la Conquête. Ces derniers, talentueux mais sans formation, ont utilisé leurs propres références cosmogoniques pour la décoration des églises. Et il n'est donc pas rare de voir des angelots avec des traits indigènes ou des guirlandes de fruits... mais tropicaux !

BOISSONS

Dès qu'on s'installe à la table d'un resto, une question revient, telle un métronome : « ¿ Y de tomar ? » (Qu'est-ce que vous prenez ?). Ne croyez pas qu'il s'agit du choix de votre plat, la question se réfère à la boisson. Trois réponses possibles : *una cerveza* (une bière), *un refresco* (un soda) ou *una agua fresca* (jus de fruits allongé). Mais

LA CEINTURE DE SOBRIÉTÉ

La ley seca ? Non, ce n'est pas une boisson typique du Mexique. C'est un décret qui interdit la vente d'alcool la veille des élections ou des fêtes nationales. Littéralement, « la loi sèche » ! Résultat : l'avant-veille, les boutiques sont dévalisées !

dans les stations touristiques, c'est à plusieurs que les serveurs se mettent pour vous poser la fameuse question et avancer carrément une autre proposition : tequila, margarita ?

– **La bière :** presque une boisson nationale. Certes, Jacques Chirac a rendu célèbre la *Corona*. Et l'on connaît aussi la *Sol* qui est servie dans le monde entier. En réalité, il existe des dizaines d'autres marques de bière mexicaine, qu'on rencontre selon les régions traversées : la *Victoria* ou la *Bohemia*, à la saveur inégalée de fleurs, la brune *Negra Modelo* ou la *Dos X* (prononcer « Dos Equis »), ou encore la *Montejo* que l'on trouve surtout dans le Yucatán, la *León,* presque ambrée, et la *Pacífico* (surtout dans le Nord). Comme pour la tequila (lire plus bas), les Mexicains accompagnent souvent leur mousse d'un quartier de citron vert.

– Principaux concurrents de la bière, les innombrables *sodas* et autres boissons gazeuses, parfois énergétiques, aux saveurs chimiques, inondent littéralement le marché mexicain. Les *refrescos,* en grande partie responsables de la bedaine des Mexicains (avec la bière !), occupent la moitié du frigo de n'importe quelle famille. Le Mexicain consomme 200 l de *soft drink* par an et caracole donc en tête du classement avec les Nord-Américains. Le Coca-Cola règne en maître, omniprésent depuis les fins fonds de la jungle du Chiapas jusqu'à la plus petite épicerie perdue dans le désert du Chihuahua. On le trouve aussi bien dans les églises des Indiens tzotziles (qui l'utilisent pour provoquer des rots et ainsi expulser leurs péchés !) que sur les tables des restos chic de Polanco.

– **Les jus de fruits :** une heureuse alternative aux *refrescos.* On les rencontre sous plusieurs formes, à tous les coins de rue pour trois fois rien chez les vendeurs ambulants, ou en bouteille, en berlingot ou en canette dans les épiceries. Les meilleures marques (mais très sucrées tout de même) sont *Jumex* et *Del Valle.* Les **licuados** sont des fruits mixés avec du lait, la version mexicaine du milkshake.

– **L'agua fresca :** une autre boisson fameuse et typique, appelée aussi *agua de sabor* (eau de saveur). Elle est servie notamment avec le menu du jour dans les restos populaires. C'est tout simplement un jus de fruits allongé d'eau plate. Un délice ! Les plus courantes sont les *agua de piña* (à l'ananas), *de limón* (donc une citronnade), *de naranja* (orangeade), *de melón, de horchata* (orgeat), *de sandia* (pastèque) ou *de jamaica* (fleur d'hibiscus, parfait antiseptique rénal). Bref, il y en a pour tous les goûts, c'est super rafraîchissant et très bon marché. Demandez bien quand même qu'on vous la prépare avec de l'eau minérale *(agua sola).*

– **L'eau :** autant le savoir, l'eau est une boisson bizarre que les Mexicains ne consomment presque pas. En tout cas, jamais au restaurant. On ne boit pas celle du robinet, qu'on se le dise ! Elle n'est pas potable, au sens occidental du terme. Même les Mexicains évitent de la boire et achètent plutôt de grosses bonbonnes de 10 l. On trouve de l'eau minérale en bouteille dans n'importe quelle épicerie ou supermarché. Bien sûr, évitez de boire de l'eau dont vous ne connaissez pas la provenance. Si vous commandez une eau minérale, on doit vous apporter la bouteille parfaitement capsulée. L'eau plate se dit *agua sola.* L'eau gazeuse se dit *agua mineral.*

– Ne quittez pas le Mexique sans avoir goûté à la *tequila,* LA boisson nationale. Dès maintenant, habituez-vous au changement de genre, *tequila* est masculin en espagnol. Selon la légende, il y a très longtemps, un coup de foudre coupa un cactus duquel gicla un liquide que les Indiens trouvèrent particulièrement dopant. Mais ce n'est que lorsque l'usage de la distillation fut introduit par les Espagnols que la tequila vit le jour. Comme vous le constaterez, il y a l'embarras du choix avec plus de 500 marques et autant de bouteilles, plus originales les unes que les autres (avis aux collectionneurs !). L'important, lors du choix, est que *el* tequila soit *reposado* ou *añejo,* cela signifie qu'elle a été vieillie dans des fûts pendant plusieurs années (une année pour *el reposado,* cinq pour *el añejo*) : elle est bien meilleure. Si vous avez l'occasion d'aller à Tequila (berceau de l'alcool du même nom, près de Guadalajara), on vous expliquera tout ça. Quelques très bonnes tequilas : *Don Julio* (l'une des meilleures... et des plus chères), *Cazadores, Tres Generaciones.* L'étiquette doit indiquer « 100 % agave ». Les autres sont à éviter.

Boire la tequila est une véritable cérémonie : mettre une pincée de sel sur le revers de la main (dans le creux entre les tendons du pouce et de l'index), puis l'avaler. Ensuite, boire la tequila cul sec. Terminer en suçant un quartier de citron vert. Une autre manière consiste à la boire en alternance avec de la *sangrita* (composée de jus d'orange, jus de tomate, citron, sauce Tabasco, sauce anglaise et condiments) de la façon suivante : tequila puis *sangrita.* Mais c'est surtout en cocktail, dans la margarita, que vous la trouverez le plus souvent.

– À Oaxaca, la boisson du coin est le *mezcal,* et vous leur ferez plaisir en le préférant à la tequila. Cependant, cet alcool est très fort et monte vite à la tête ; on dit même qu'il a tendance, au bout de quelques verres, à rendre fou. Le *mezcal,* comme la tequila, est un alcool d'agave, le *maguey,* obtenu à partir du cœur de ce cactus. Le titre alcoolique s'établit autour de 40°. Très souvent, on trouve dans la bouteille le *gusanito,* c'est-à-dire un ver blanc ou rouge qui vit dans le *maguey.* À croquer ! Allez-y, ce n'est pas mauvais mais c'est très fort.

> **QUESTION DE GOÛT**
>
> *Contrairement aux idées reçues, l'intro-duction du petit ver, en fait une che-nille, qui flotte dans les bouteilles de mezcal, n'a rien d'une ancestrale cou-tume ni d'une garantie d'appellation. Ce n'est qu'en 1940, qu'un certain mon-sieur Lozano Páez et un ami, qui goû-taient le fameux breuvage, tombèrent d'accord pour trouver que la bestiole lui donnait un meilleur goût.*

– L'alcool préhispanique s'appelle le *pulque.* Il est fait à base de *maguey,* fermenté au lieu d'être distillé. On peut le boire nature ou fruité dans des *pulquerías,* débit de boissons traditionnellement réservé aux hommes. C'est le seul alcool qui existait au temps des Aztèques, qui avaient, à de très rares occasions, le droit de boire (en dehors de ces moments, s'enivrer était puni de mort...). Le *pulque,* c'est un peu comme l'absinthe des surréalistes, il enivre plutôt qu'il ne soûle.

– *Les vins* mexicains sont nombreux et proviennent pour la plupart de Basse-Californie et de l'Hidalgo. Ceux qui sont de bonne qualité sont coûteux.

– Côté *cocktails,* il en existe de très bons : le *coco loco,* mélange de coco et de rhum. Il est surtout servi sur les plages. La *cucaracha,* mélange de tequila, d'alcool de café *(kalhua)* et d'autres liqueurs, le tout flambé. Une vraie bombe, à boire avec une paille ! Dans toutes les fêtes ou ferias, vous pourrez goûter aux *cantarritos,* délicieux mélange de tequila, jus de citron, grenadine, orange, ananas et *Squirt* (boisson gazeuse à base de pamplemousse, genre Sprite), avec du *chile* (piment) et du sel, le tout servi dans des pots en terre. Cocktail populaire excellent. Enfin, il y a la traditionnelle *cuba* (rhum et Coca-Cola), qui au Mexique n'est pas *libre,* l'éternelle et délicieuse *piña colada* et, bien sûr, la très mexicaine *margarita* : trois mesures de tequila, une mesure de cointreau, une mesure de jus de citron, de la glace pilée ; et les rebords du verre recouverts de sel.

– Quant au *café,* bien que le Mexique soit producteur, il est plutôt délavé, « jus de chaussette » en bon français et *café americano* en espagnol. Heureusement, on commence à trouver des *espresso* et *cappuccino* dans les bons restos et dans les cafés branchés qui font leur apparition dans les grandes villes et les endroits touristiques. On trouve en outre partout du Nescafé. Une des spécialités du Mexique traditionnel est le *café de olla,* café préparé dans de grandes jarres en terre et parfumé à la cannelle. Très sucré et excellent. Il est servi dans les restos populaires et sur les marchés.

– Ne pas oublier de goûter l'*atole,* sorte de bouillie liquide à base de maïs. On le trouve souvent sur les marchés.

– *Le lait :* on trouve partout du lait pasteurisé longue conservation. Aucun problème.

– *La hora feliz :* en quelque sorte, le contre-pied de la *ley seca* ! C'est la traduction littérale de l'*happy hour.* Deux boissons pour le prix d'une dans les bars en début de soirée. ¡ Salud !

CINÉMA

Le Mexique, source d'inspiration pour Hollywood

Avec ses révolutions, ses bandits de grand chemin et ses généraux idéalistes et barbares mal rasés, le Mexique passionna très tôt les metteurs en scène de Hollywood. Dès 1912, ceux-ci franchirent le río Grande avec Raoul Walsh et son projet de film *La Vie de Villa,* qui donna naissance à l'extraordinaire épopée des westerns mexicains. Pancho Villa et ses hordes de bandits, avec sombreros et cartou-

PANCHO VILLA ET HOLLYWOOD

Pour gagner la Révolution, Pancho Villa avait besoin de gagner d'abord l'opinion publique américaine. Il signa un contrat avec D. W. Griffith qui autorisa une équipe à le filmer lors de ses attaques contre les propriétaires terriens. Le film parut mais Pancho Villa n'alla jamais le visionner. Depuis, les bobines ont disparu.

chières en bandoulière, chevauchant sans répit les sierras et les déserts aux immenses cactus, devint le héros principal de ces « West movies » des tropiques. Le mythe dépassa vite le personnage, à tel point qu'il attira tous les grands du cinéma, d'Eisenstein (¡ *Qué viva México !,* 1931) à Sergio Leone (*Il était une fois la révolution,* 1971) en passant par John Ford (*Dieu est mort,* 1947), Louis Malle (*Viva Maria,* 1965) et Sam Peckinpah (*La Horde sauvage,* 1969).

Son rival, Emiliano Zapata, n'inspira quant à lui que Kazan en 1952 (¡ *Viva Zapata !*) avec, aux côtés d'Anthony Quinn, un Marlon Brando inoubliable dans le rôle de Zapata. Un nouveau *Zapata,* du réalisateur mexicain Alfonso Arau, est sorti en 2004, mais, trop romanesque, le film fit un flop.

Bizarrement, l'épopée de Cortés, sans doute trop éloignée des poncifs nord-américains, n'intéressa pratiquement personne. Cependant, l'excellent *Aguirre ou la colère de Dieu* (1972), de Werner Herzog avec Klaus Kinski, *La Controverse de Valladolid,* de Jean-Daniel Verhaeghe avec Jean-Pierre Marielle, Jean-Louis Trintignant et Jean Carmet, ou *1492,* avec Gérard Depardieu, donnent une certaine idée des rêves des conquistadors et des souffrances des populations locales. Enfin, *También la lluvia* (2011) d'Icíar Bollaín avec Gael García Bernal, s'essaie avec justesse à faire entrer en résonance colonisation d'hier et néocolonialisme d'aujourd'hui, guerres indiennes contre les conquistadors et luttes sociales indigènes.

Le Mexique sert également de toile de fond à quatre chefs-d'œuvre internationaux : *Los Olvidados,* de Buñuel (1950), qui retrace la vie des enfants pauvres des faubourgs de Mexico ; l'inoubliable *Nuit de l'iguane* (1963), de John Huston, avec Richard Burton et Ava Gardner, qui mit fin définitivement à la tranquillité du lieu de tournage, le petit village de pêcheurs de Puerto Vallarta ; *Au-dessous du volcan* (1983), du même metteur en scène, tiré du roman culte de Malcolm Lowry, avec

Albert Finney et Jacqueline Bisset, qui a pour cadre la ville de Cuernavaca. Le plus récent, *Traffic,* de Steven Soderbergh, oscar du meilleur réalisateur en 2001, met le doigt sur la corruption et les difficultés du démantèlement des cartels de la drogue, servi par Michael Douglas, Catherine Zeta-Jones et surtout Benicio del Toro.

Le timide renouveau du ciné mexicain

Alors que le Mexique contrôlait autrefois le marché du cinéma latino-américain, produisant même davantage de films que les États-Unis (150 tournages annuels dans les années 1950), l'industrie est aujourd'hui atone. Depuis le milieu des années 1990, on assiste à un certain renouveau, mais la production reste faible (à peine une quinzaine de films par an). La qualité est toutefois à nouveau au rendez-vous, avec des films qui portent un regard aiguisé et sans concession sur la société mexicaine moderne, ses tabous et ses contradictions : *Como agua para chocolate* ; *Santitos* ; *Sexo, Pudor y Lágrimas* ; *Y tu mamá también*...

Des films au caractère social marqué apparaissent sur les écrans. Leur réalisme est brutal et parfois insoutenable, comme par exemple *De la calle,* qui décrit la violence de la vie des enfants de la rue à Mexico, ou *Amar te duele,* qui, à travers l'histoire d'amour entre une gosse de riche et un jeune métis de quartier populaire, évoque douloureusement le racisme de classe.

Après des années de censure ou d'autocensure, les cinéastes mexicains s'en donnent désormais à cœur joie, dénonçant tous les abus de pouvoir : la corruption du monde politique avec *La Ley de Herodes,* la corruption de la police avec *Todo el Poder,* l'hypocrisie de l'Église (et ses collusions d'intérêt avec les narcotrafiquants) avec le magnifique *Padre Amaro* (2002), un film qui s'est attiré les foudres des autorités religieuses (il a même été interdit dans certaines salles de province) mais qui représente le plus grand succès du box-office mexicain de ces dernières années. Gael García Bernal, qui interprète le père Amaro, est devenu du même coup la coqueluche du cinéma mexicain. C'est d'ailleurs lui qu'Almodovar a choisi pour jouer le troublant personnage de *La Mala Educación (La Mauvaise Éducation).* On le retrouvera aussi en jeune Ernesto Guevara dans *Carnets de voyage.*

En 2000, la nouvelle vague mexicaine commence à recevoir ses premiers galons : le film d'Alejandro González Iñárritu, *Amores Perros (Amours chiennes)* – où s'illustre également Gael García Bernal –, remporte le prix de la Quinzaine des réalisateurs à Cannes. Ce même réalisateur, après avoir signé l'excellent *21 grammes* (2004), obtient à nouveau les faveurs de Cannes en 2006 avec *Babel* (prix du meilleur réalisateur). Il termine ainsi en beauté cette trilogie, trois films de la même veine cruellement réaliste, qui laisse en bouche l'amertume et l'inconfort de la confrontation à une certaine réalité humaine. Son film suivant, *Biutiful* (2010), toujours aussi noir, sera servi par l'excellent Javier Bardem.

Reste qu'Iñárritu et d'autres artistes mexicains (l'actrice Salma Hayek par exemple) ont quitté le Mexique pour Hollywood, où se trouvent les financements et les opportunités... C'est aussi le cas de Guillermo del Toro, un autre réalisateur mexicain de talent, qui a signé en 2006 le magnifique long-métrage *El Laberinto del fauno,* une coproduction mexicaine-espagnole. Autre exemple, Alfonso Cuarón, qui a réalisé à Hollywood *Harry Potter et le prisonnier d'Azkaban* et *Les Fils de l'homme.* Resté cependant fidèle à sa patrie, il a sorti en 2006 un film sur les sanglantes révoltes estudiantines, intitulé *Mexico 68.*

CUISINE

Au Mexique, on déjeune très tard, entre 14h et 16h30. Mais il faut dire qu'à la place de notre petit déj, on prend un repas consistant sur les coups de 10h ou 11h : l'*almuerzo.* Le soir, les restos servent le dîner jusqu'à 21h ou 22h, plus tard dans les grandes villes. En réalité, les Mexicains ne mangent guère au dîner. Ils déjeunent tellement tard qu'ils se contentent généralement d'un en-cas léger. Que ces horaires ne vous inquiètent pas : dans la pratique, les Mexicains n'ont pas vraiment d'heure fixe pour manger. On grignote dès qu'on a faim, c'est-à-dire à toute heure du jour. C'est bien pratique parce que les restos sont toujours ouverts.

Les Mexicains sont des pros du **petit déj**, qui est servi de 8h à 12h (voire 13h) dans presque tous les restos. C'est donc super pour bruncher, et ensuite on dîne tôt. Il existe en version *continental* (avec

DES BOULANGERS DU SOIR

Hormis chez les familles cosmopolites, le dîner n'existe pas au Mexique. En revanche, partout les habitants perpétuent une vieille coutume qui consiste à terminer la journée par une sorte de « petit déjeuner » à l'envers : un café au lait ou un chocolat accompagné de brioche bien chaude. Voilà pourquoi, dans les boulangeries le pain frais est livré à partir de 18h et non le matin !

toasts et marmelade), *mexicano* (viande ou œufs et piments !) ou encore *americano* (œufs, muffins et pancakes). À la carte, jus et/ou cocktail de fruits, et beaucoup d'œufs : *huevos a la mexicana* (œufs brouillés avec tomates, piment et oignons), *huevos rancheros* (œufs au plat posés sur une tortilla, avec sauce tomate et pas mal de piment). Ils sont accompagnés de *frijoles,* les inévitables haricots noirs, de bananes plantain frites *(plátanos),* de *chilaquiles* (voir plus loin « Les plats les plus communs ») ou d'une viande grillée. Que du léger, quoi ! À noter, une spécialité pour les couples, les *huevos divorciados…*

Les restaurants

On trouve au Mexique des restaurants pour toutes les bourses et tous les goûts. Du moins cher au plus chic :

– **les puestos,** petits bouis-bouis ambulants qui proposent des *tacos* (galettes de maïs garnies de viande ou de poulet), des *quesadillas* (tortillas garnies de fromage, champignons ou autres) ou des *tortas* (sandwichs) ;

– dans chaque ville ou même village, il y a un **mercado de la comida** à l'intérieur du marché principal, concentration de petits étals (les *comedores*) qui servent une nourriture typique et bon marché. Un truc pour choisir le meilleur stand : observer celui qui a le plus de clients, c'est tout bête ;

– **les fondas,** petits restaurants traditionnels qui servent des menus complets, la fameuse *comida corrida* : soupe, riz, plat de résistance avec *frijoles* (haricots rouges), dessert, le tout accompagné d'une *agua fresca.* On y mange généralement une bonne cuisine familiale, pour trois fois rien ;

– **les restaurants de chaîne,** genre *Vip's, Sanborn's, 100 % Natural* ou autres *Wing's.* C'est plus soft, plus cher mais parfait pour mettre l'estomac en vacances.

– Il y a enfin une grande variété de **restaurants** : quelques restos très classe proposent de la « nouvelle cuisine mexicaine », cuisine internationale (plats d'inspiration française), végétarienne (dans les villes et les endroits touristiques), des restos italiens, des pizzerias (attention, les pizzas sont chères au Mexique et rarement très italiennes au goût…), des japonais (bof, vous êtes venu pour ça ?), quelques chinois (rares) et les inévitables fast-foods.

La patrie du *xocoatl*

Lorsque le conquistador Hernán Cortés rencontre pour la première fois un *cahuaquahitl* (cacaoyer), se doute-t-il qu'il va faire déferler sur le monde une redoutable et délicieuse friandise : le chocolat ? Le cacao servait à préparer le *xocoatl* (d'où « chocolat »), une boisson d'origine divine, aphrodisiaque et fortifiante. Moctezuma en était tellement friand qu'il en aurait bu une cinquantaine de tasses par jour ! Initialement, les Aztèques grillaient les fèves, les pilaient et les mélangeaient dans une marmite avec de l'eau, du poivre, du gingembre, du piment, de la cannelle et du miel. Le tout était porté à ébullition et battu fortement pour obtenir une mousse onctueuse à laquelle on ajoutait du jus de maïs.

Cette exquise boisson était réservée aux riches et aux seigneurs. Car qui d'autre aurait songé à boire son argent ? En effet, les fèves de cacao servaient de monnaie dans tout l'Empire aztèque. Pour votre information, sachez qu'un esclave valait 100 graines de cacao. On a même retrouvé des falsifications : des cabosses de cacao vidées de leurs graines et remplies de terre !

Bien avant les Aztèques, les Mayas cultivaient déjà le cacao et savaient même préparer le beurre de cacao, qui servait de remède et de crème hydratante.

Cortès, fasciné par cette graine-argent, développa les plantations de cacao et en envoya régulièrement à la cour de Charles Quint. Il ne restait plus qu'à introduire des reines espagnoles en France pour populariser le nouveau produit, ce qui fut fait avec l'infante d'Espagne Anne d'Autriche, lorsqu'elle épousa Louis XIII, et avec Marie-Thérèse, qui convola avec le jeune Louis XIV (on disait d'elle qu'elle avait deux passions : le roi et le... chocolat). On lui trouva même à l'époque des vertus thérapeutiques. La marquise de Sévigné écrivait à sa fille : « Je veux vous dire, ma chère enfant, que le chocolat vous flatte un temps, puis vous allume tout d'un coup d'une fièvre continue... » Cette excellente attachée de presse y gagna sûrement, ce jour-là, l'honneur de donner son nom à l'une des plus prestigieuses boutiques de chocolat parisiennes !

Pas de cuisine mexicaine sans *chile*

Vous n'y couperez pas ! À un moment ou à un autre, vous aurez la bouche en feu ! Pas de panique, ce n'est qu'un peu de capsaïcine. C'est la substance qui confère son piquant au *chile,* le fameux piment mexicain. Il paraît qu'il y en a plus de 250 variétés ! Les Aztèques en avaient bien compris les enjeux. Ils les classaient en trois catégories : brûlant, très brûlant et... brûlant à se sauver en courant ! Le moins

« brûlant » est le *chile Poblano,* qu'on utilise farci de viande. L'un des plus forts est le *chile Tabasco,* ingrédient majeur de la célèbre sauce américaine du même nom, inventée en 1868.

N'hésitez pas à manger épicé. Cette nourriture est parfaitement adaptée au pays : elle fait transpirer, élimine les toxines et chasse les moustiques. Et les piments désinfectent, en plus d'être une bonne source de vitamines A et C. Les Mexicains s'en servent également pour guérir la *cruda* (gueule de bois) ! Avertissement : les *chiles* les plus brûle-gorge sont souvent les plus petits.

Quelques plats courants

Certains parmi les plus typiques ont une origine précolombienne. De toute façon, en ce qui concerne la cuisine mexicaine, les avis sont très partagés. Certains la trouveront variée, d'autres plutôt roborative. Dans le centre du pays, on pourrait dire qu'il s'agit d'une cuisine de paysans pauvres, à base de farine de maïs, qui peut atteindre un certain raffinement. Au Yucatán, les saveurs deviennent plus variées. Dans le Nord, on mange de bonnes viandes bovines, et sur les côtes beaucoup de poisson et quelques fruits de mer... Commençons par la base de tout : la *tortilla*.

La tortilla

On ne sait pas depuis quand elle est fabriquée, mais ça remonte loin. C'est la base de la cuisine mexicaine et elle accompagne la plupart des plats, à l'égal de notre pain. Préparée avec des grains de maïs (ou plus rarement de blé) détrempés dans une mixture de chaux et d'eau, on lui donné la forme d'une galette. Les tortillas sont utilisées pour la confection des tacos, *enchiladas, quesadillas,* en fait un nombre impressionnant de plats. Traditionnellement, les tortillas sont faites à la main. C'est d'ailleurs tout un spectacle que d'observer les femmes prendre une boule de pâte, l'aplatir avec les paumes avant de la mettre à cuire sur le *comal* (la plaque chauffante). Dans les villes, les Mexicains les achètent toutes faites, à la *tortillería* ou, pire, au supermarché, sous vide.

Les plats les plus communs

– **Le taco :** c'est une tortilla garnie de viande de bœuf, de porc, de poulet, de foie ou encore de cervelle. Le sandwich du Mexicain, quoi ! À goûter absolument : le *taco al pastor,* qui s'inspire du *shawarma* (kebab) moyen-oriental. C'est un taco garni de viande de porc (cuite à la broche, comme le kebab donc) avec de l'ananas, de l'oignon et du *cilantro* (sorte de persil). Délicieux !
– **L'enchilada :** tortilla fourrée de viande ou de poulet, avec du fromage, mijotée dans une sauce au piment *(chile),* avec de la tomate et des oignons. Il y a des *enchiladas verdes* ou *rojas,* en fonction du piment utilisé. Ne vous laissez pas abuser par le code couleur : les vertes sont plus fortes que les rouges. Les *enchiladas suizas* sont servies nappées de crème aigre et de fromage fondu.
– **La quesadilla :** tortilla garnie au choix de fromage, viande, champignons, *flor de calabaza* (fleur de courgette), cervelle... Elle peut être frite dans l'huile ou simplement cuite sur une plaque.
– **Le guacamole :** purée froide d'avocat additionnée d'oignons et de coriandre fraîche, à peine relevée de piment, avec un filet de citron vert. Un vrai délice, un must. Souvent servi gratuitement en hors-d'œuvre dans les bons restos avec des chips de maïs (on les trempe dedans).
– **Les chilaquiles :** morceaux de tortillas frites avec des oignons, du fromage râpé, du *chile* rouge et de la crème fraîche. C'est un remède de choc pour en finir avec la gueule de bois... Assez lourd.
– **Les tostadas :** tortilla garnie de purée de haricots rouges, de viande ou de poulet. Salade, avocat et crème fraîche. Pas spécialement light mais très bon.
– **Les gorditas :** « petites grosses » en bon français. Petites galettes épaisses, nature ou fourrées au fromage, à garnir de l'accompagnement de son choix (viande, œufs, *guacamole*...). Idéal pour combler un petit creux.

Autres plats traditionnels

– **Le nopal :** les feuilles de nopal (variété de cactus *Opuntia,* comme le figuier de Barbarie) se mangent crues en salade, bouillies ou frites (sans les épines, évidemment !). Goût à mi-chemin entre le haricot vert et l'artichaut.
– **Les soupes :** tout repas mexicain commence par une soupe. Il en existe de toutes sortes et elles sont généralement très bonnes. La plus connue est peut-être la *sopa azteca,* avec des morceaux de tortilla frite et du fromage. Il y a aussi les *caldos* (bouillons), de poulet le plus souvent.

– *Le pozole :* sorte de potée traditionnelle avec maïs, viande de porc ou parfois de poulet, pois chiches. Très apprécié des Mexicains, qui se retrouvent souvent le jeudi dans des restos spécialisés (le jeudi, c'est *pozole* !). À essayer absolument.

– *Les tamales :* sortes de papillotes à base de semoule de maïs, de piment, de viande en ragoût, le tout cuit à la vapeur dans des feuilles d'épi de maïs ou de bananier. Salé ou sucré. Là encore, un plat traditionnel très apprécié.

– *Les tortas :* sandwich ovale, servi chaud, avec une base toujours identique d'avocat, de *frijoles,* de fromage fondu, de salade, d'oignons, de *chiles,* et qui peut être garni de poulet, de jambon, de viande panée... Très consistant, pas cher et très bon.

Quelques spécialités

– *Huachinango a la veracruzana (façon Veracruz) :* filet de vivaneau (le *red snapper* anglais) cuit avec des piments, des oignons, des olives et des tomates. Ça ressemble à la daurade.

– *Chile en nogada :* c'est un gros poivron farci à la viande hachée, avec des raisins secs et une sauce à base de noix pilées. Ne se mange qu'en été et à l'automne ; en dehors de ces saisons, vous n'en trouverez que dans les restos éminemment touristiques.
La légende raconte que le *chile en nogada* a été inventé en 1821 par des religieuses de Puebla en l'honneur d'Agustín de Iturbide (l'empereur éclair du Mexique). Il reprend les trois couleurs du drapeau mexicain : vert (le poivron), blanc (la sauce) et rouge (les graines de grenade qui saupoudrent le plat). Dieu, que leur avait donc fait cet empereur ?

– *Mole poblano :* la grande spécialité de Puebla. C'est avant tout une sauce, totalement baroque, à base de cacao, d'amandes et de dizaines d'autres ingrédients dont, bien sûr, différents piments. Elle accompagne généralement un morceau de poulet. À Puebla, on en trouve facilement en pot, pour essayer chez soi !

– *Mole oaxaqueño (ou mole negro) :* le *mole* de Puebla mais version Oaxaca. La sauce est noire : c'est la réduction d'une purée de poivrons avec du millet, des oignons et des bananes caramélisés.

– *Gusanos de maguey :* petits vers (!) que l'on trouve sur le *maguey,* variété d'agave. Servis rissolés avec du sel et du citron à l'heure de l'apéritif ou en entrée. Bon, mais c'est un plat que vous trouverez plus dans les grands restaurants que dans les *cantinas.*

– *Escamoles :* œufs de fourmis préparés dans une sauce de piments et de tomates vertes. Pas souvent à la carte...

– *Chapulines :* sauterelles grillées et servies avec quelques gouttes de citron. Il y en a des petites et des grandes, à vous de choisir. Sous la dent, ça craque comme des pralines. Rien que d'y penser, on en a l'eau à la bouche !

– Sur la côte, on déguste le délicieux **ceviche,** du poisson cru macéré longtemps dans du jus de citron, avec oignons et tomates.

– *Cochinita pibil :* une spécialité du Yucatán. Morceaux de poulet ou de viande de porc marinés dans une sauce à base de jus d'orange amère, d'ail et de cumin, puis cuisinés à l'étouffée dans une feuille de bananier. La plupart du temps servi dans une tortilla.

LA PÊCHE AUX ESCAMOLES

Los escamoles, ce sont de minuscules œufs de fourmis dont les Aztèques se délectaient à l'apéritif. On les trouve dans des grottes, entre février et mai. Après s'être bouché les narines et les oreilles, les « pêcheurs » pénètrent tout nu dans la grotte, et leur corps se couvre alors de milliers de fourmis qui y déposent leurs œufs. À la sortie leurs camarades n'ont plus qu'à les balayer avec des branchages pour récupérer les petits œufs blancs.

– **Poc chuc :** tranches de porc grillées, là encore marinées dans un jus d'orange amère, et accompagnées de haricots, d'oignons et d'une sauce tomate. Une spécialité du Yucatán.

– **Papadzules :** tacos mous, farcis avec des œufs durs et nappés de sauce tomate et graines de courge. Au Yucatán également.

– **Dzotobichay :** *tamal* enrobé dans des feuilles de *chaya* (l'épinard des Mayas) farci aux œufs durs et cuit au bain-marie. Une autre spécialité yucatèque.

– **Barbacoa :** l'ancêtre du barbecue (*barbacoa* prononcé à l'américaine !). Une viande de mouton cuite au fond d'un trou, dans des pierres chauffées à blanc pendant 24h.

– Ne cherchez pas désespérément du **chili con carne,** c'est une spécialité purement texane.

Les fruits

Le Mexique est le paradis des fruits tropicaux : ananas, bananes (les plus petites sont les meilleures), mais aussi papaye *(papaya),* fruit de grande consommation, mangue *(mango),* l'un des fruits les plus savoureux, goyave *(guayaba)* ; et d'autres moins connus comme la *mamey,* le *chico zapote* (sapotille), le *guanábano* (corossol), la *chirimoya* (pomme-cannelle), la *tuna* (figue de Barbarie), la grenade, etc., en plus de tous les fruits classiques. Évitez les fraises, que les amibes affectionnent... On conseille, bien sûr, de peler les fruits ou de désinfecter ceux que vous achetez sur le marché (avec du *Micropur DCCNa®*). Les fruits achetés au supermarché n'ont besoin que d'un bon lavage.

DRAPEAU MEXICAIN

Vous l'apercevrez souvent, surtout si vous êtes au Mexique en septembre, « le mois de la patrie ». Il est alors arboré absolument partout, sur les voitures, aux fenêtres des maisons, dans les restos, et décliné sous toutes ses formes, guirlandes aux couleurs nationales, aigle en néons... jusqu'à certaines spécialités culinaires composées en vert, blanc et rouge.

Le vert représente la foi du peuple mexicain en son destin ; le blanc, la pureté de ses idéaux ; et le rouge, le sang des martyrs de la patrie.

Au centre se trouve le fameux écusson figurant un aigle royal posé sur un nopal (figuier de Barbarie) en train de dévorer un serpent. Cette scène s'inspire directement du glyphe préhispanique marquant la fondation de la capitale de l'Empire aztèque, la ville de Mexico-Tenochtitlán. Selon la légende, le dieu Huitzilopochtli avait ordonné aux Aztèques de partir à la conquête du monde. Ils étaient donc à la recherche d'une terre où s'installer et que les dieux leur indiqueraient par un aigle mangeant un serpent. Alors que la tribu errante arrive sur les rives des lacs de la vallée de Mexico (la vallée de l'Anáhuac), la prophétie se réalise. Et c'est ainsi qu'un matin ensoleillé de l'été 1325, les Aztèques s'installent sur un îlot du lac, zone inhospitalière s'il en est, marécageuse, insalubre et infestée de moustiques, pour y fonder ce qui va devenir la plus grande ville du monde. Sur un plan plus symbolique, l'aigle représente la force cosmique du soleil ; le nopal, les forces de la nature ; et le serpent, les potentialités de la terre.

DROITS DE L'HOMME

« *Estamos hasta la madre !* » (Nous en avons assez !) : depuis avril 2011, des dizaines de milliers de Mexicains ont manifesté pour dénoncer les crimes liés au narcotrafic et la corruption des institutions judiciaires et policières. Initié par le poète et journaliste Javier Sicilia – dont le fils a été assassiné en mars – ce mouvement a donné lieu à de vastes marches à travers tout le pays. Mais c'est un peu l'histoire du pot de terre contre le pot de fer. Les cartels continuent en effet de faire régner un climat de terreur dans le pays. En trois ans, la lutte contre le narcotrafic et les conflits entre cartels ont fait près de 38 000 morts, dont 15 000 en 2010. De nombreux journalistes ont également été assassinés ou menacés de mort. 50 000 militaires sont aujourd'hui déployés dans tout le pays, avec des résultats plus que mitigés... et de nombreux dérapages (arrestations arbitraires, torture, exécutions extrajudiciaires...). Les prisons sont bien sûr pleines de « narcos » – qui y continuent leur guerre interne – et la surpopulation carcérale, génératrice de violences, y est généralisée. Mais le crime organisé ne se limite pas au trafic de drogue. Pays d'immigration et d'émigration, le Mexique est en effet la proie des trafics humains les plus divers. Si les autorités ont décriminalisé l'immigration illégale, les migrants sont toujours exploités dans des conditions proches de l'esclavage dans des maquilas ou paient des fortunes pour (tenter de) passer la frontière états-unienne. Bien que très pauvres, ces « Invisibles » (appelés ainsi par Amnesty parce qu'ils n'osent jamais porter plainte), ces candidats au rêve américain peuvent être victimes d'enlèvements de masse et sont libérés en échange de rançons extorquées auprès de leurs familles. Lorsqu'ils ne peuvent pas payer, ils sont assassinés, d'où la découverte récentes de charniers. Les *feminicidios* font désormais l'objet d'une loi, qui reste néanmoins peu appliquée, et de nombreux enlèvements, viols et assassinats de femmes ont encore été perpétrés cette année. Les populations indigènes, particulièrement dans les États du sud du Mexique, doivent toujours faire face à de nombreuses discriminations, même si leur solidarité et leurs combats courageux portent parfois leurs fruits.

■ *Fédération internationale des Droits de l'homme (FIDH) :* 17, passage de la Main-d'Or, 75011 Paris. ☎ 01-43-55-25-18. ● fidh.org ● Ⓜ Ledru-Rollin.

■ *Amnesty International (section française) :* 72-76, bd de la Villette, 75940 Paris Cedex 19. ☎ 01-53-38-65-65. ● amnesty.fr ● Ⓜ Belleville ou Colonel-Fabien.

N'oublions pas qu'en France aussi, les organisations de défense des Droits de l'homme continuent de se battre contre les discriminations, le racisme et en faveur de l'intégration des plus démunis.

ÉCONOMIE

Le Mexique en chiffres

– *PIB :* 1 143 milliards de dollars (estimation 2009).
– *PIB par habitant :* 13 800 US$ (estimation 2010).
– *Inflation :* en 1996, 27,5 % ; en 2010, 4,1 %.
– *Taux de croissance :* 5 % (estimation 2010).
– *Salaire minimum :* autour de 50 $Me (3 €) par jour, variable selon la région.
– *Exportations :* vers les États-Unis, 80,2 % (chiffres 2009).
– *Importations :* en 2009, des États-Unis, 48 %.
– *Espérance de vie :* 76 ans (2010).
– *Taux de natalité :* 19,39 % (2010).
– *Analphabétisme :* 14 %.
– *Pauvreté :* 18,2 % de la population sous le seuil de pauvreté.
– *Répartition de la population active :* services, 62 % ; agriculture, 13 % ; industrie, 23 %.
– *Taux de chômage :* 5,6 % (2010).
– 20 millions de Mexicains, en situation régulière ou irrégulière, travaillent aux États-Unis.

Une économie qui joue au yo-yo

Pour ceux qui, au bac, ont fait l'impasse sur le Mexique, voilà une bonne occasion de combler vos lacunes. Un peu de concentration dans les rangs ! On va essayer de faire simple. C'est dans les années 1940 que le Mexique entame véritablement son industrialisation. Les années 1960 sont celles du miracle mexicain, avec une croissance annuelle d'environ 7 %. Depuis les années 1970, l'économie alterne les périodes de croissance et les crises. Le krach de 1976 (dévaluation du peso de 45 % par rapport au dollar) peut être surmonté grâce à la découverte d'importants gisements de pétrole. En revanche, la crise de 1982 laisse le pays exsangue. Une inflation galopante, la chute des prix du pétrole et la fuite des capitaux obligent le gouvernement à dévaluer le peso à trois reprises. En décembre 1994, nouvelle crise : le gouvernement dévalue à nouveau le peso, qui perd la moitié de sa valeur tandis que des milliards de pesos courent se réfugier aux États-Unis. C'est la fatale *error de diciembre,* qui plonge une fois de plus le pays dans la dépression et lamine les classes moyennes. Imaginez que, du jour au lendemain, le taux du crédit de votre voiture ou de votre maison, que vous êtes péniblement en train de rembourser, double... Des milliers de Mexicains se retrouvent sur la paille, tandis que les banques récupèrent des milliers de voitures et enrichissent (considérablement) leur patrimoine immobilier !

L'intégration à l'économie mondiale

Les gouvernements des années 1980 et 1990 s'attachent à désengager l'État par le biais des privatisations. Mais la grande affaire du Mexique à cette époque, c'est la politique d'ouverture commerciale tous azimuts. La globalisation est en marche, le Mexique veut en être. On réduit le déficit public, on stimule les exportations et l'on ouvre le pays aux investissements étrangers. Surtout, on signe avec un nombre croissant de pays des accords de libre-échange, dont le plus célèbre est le *Tratado de Libre Comercio* (TLC ou Alena) avec les États-Unis et le Canada. Les résultats ne se font pas attendre. Les exportations de biens mexicains, qui s'élevaient à 20 milliards de dollars en 1986, font un bond impressionnant pour atteindre 158,4 milliards de dollars en 2001. Le Mexique devient le premier marché d'Amérique latine. Le revers de la médaille, c'est l'étranglement des petits paysans. L'Alena abat les barrières douanières entre États-Unis, Canada et Mexique, sans prendre en compte le fossé qui sépare les secteurs agricoles de ces trois pays. D'un côté, une agriculture paysanne de pays en voie de développement, de l'autre un secteur agricole parmi les plus productivistes et subventionné du monde... Les paysans mexicains ne peuvent pas lutter. Depuis la mise en œuvre de l'accord, les importations agroalimentaires au Mexique ont bondi de plus de 70 %.
L'essentiel des échanges est réalisé avec le voisin du Nord, qui absorbe 80 % des exportations. Pour tenter de rompre cette dépendance, le Mexique signe en juillet 2000 un traité commercial avec l'Union européenne (voir plus loin). Le Mexique devient alors le pays qui compte le plus grand nombre de traités de libre-échange (avec plus de 30 pays !).

Une économie toujours fragile

Durant les années 1980, l'inflation atteignait des taux de 70 %, voire 160 % en 1987 ! Une spirale infernale. L'un des succès de la politique du PRI dans les années 1990 est d'avoir réussi à juguler l'inflation, qui a retrouvé des taux décents, aux alentours de 4 % aujourd'hui. Reste que la trop grande dépendance de l'économie mexicaine vis-à-vis des États-Unis continue de peser lourd. On l'a vu par exemple lorsque les entreprises nord-américaines ont décidé de délaisser leur partenaire de toujours pour délocaliser leurs usines en Chine (salaires inférieurs). Et plus récemment, en 2008-2009, l'économie mexicaine a subi de plein fouet le ralentissement économique de son voisin du Nord.

Un coût social élevé

Les quelques bons résultats de ces dernières années ne sauraient occulter les problèmes de fond, notamment les inégalités structurelles qui touchent la société mexicaine. Les gouvernements successifs ne prennent aucune mesure sérieuse pour réduire la pauvreté. La Banque mondiale estime que 18 % des Mexicains vivent dans un état de grande pauvreté, avec moins de 2 US$ par jour, le chiffre atteignant 28 % en moyenne dans les zones rurales. On estime même que 5 à 10 % de la population ne disposerait pas de plus de 1 US$ par jour, signe d'un dénuement extrême.

Ces chiffres font réfléchir quand on sait que quelques Mexicains comptent parmi les plus grosses fortunes du monde (sans parler des narcotrafiquants ; l'un d'entre eux, en prison, a même proposé en échange de sa liberté de payer cash la dette extérieure du Mexique !). Carlos Slim, milliardaire touche-à-tout, est ainsi considéré comme l'homme le plus riche du monde. La fortune des 11 familles les plus riches du Mexique représente le PIB de plus de 5 millions d'habitants. L'inégalité dans la distribution de la richesse est l'un des problèmes majeurs du Mexique, l'écart entre le salaire le plus bas et le salaire le plus haut étant l'un des plus élevés du monde.

À cette inégalité, il faut ajouter le déséquilibre régional. Le fossé se creuse dangereusement entre le Nord (nouvel État américain ?), où affluent les investissements, et le Sud sous-industrialisé et à l'agriculture sinistrée. On attend toujours la décentralisation promise depuis des générations.

L'économie souterraine : une soupape de sécurité

Autre point noir de l'économie mexicaine : l'emploi. Le chômage déclaré est faible ; mais en réalité, le concept de chômage n'a pas grand sens au Mexique puisque ici, point de Pôle Emploi, encore moins de RMI. Autrement dit, sans travail, on meurt de faim. Donc, on trouve un job, quel qu'il soit. On se débrouille comme on peut, quitte à faire de multiples petits travaux. Ou bien à faire travailler les enfants ! On évalue à 5 % le nombre d'enfants (de 10 à 14 ans) qui travaillent, ce qui est interdit par la Constitution.

Sous-emploi et bas salaires sont à l'origine de l'économie souterraine qui se développe en dehors de toute structure légale. Pour les autorités, il est difficile d'y remédier, sous peine de supprimer une soupape de sécurité indispensable à des millions de personnes. L'OCDE considère que ce secteur de l'économie emploie le tiers de la population active ! Il ne s'agit pas seulement du million de vendeurs ambulants que l'on croise dans les rues. Le travail clandestin touche aussi le bâtiment, les transports, le travail domestique, les artisans, la petite industrie et le commerce en général. L'INEGI (Institut mexicain de la statistique) estime que 60 % des micro-entreprises ne sont pas enregistrées, échappant ainsi au fisc mexicain. Chiffres énormes qui représentent une perte fiscale annuelle de 60 milliards de pesos (3,6 milliards d'euros).

Les secteurs de l'économie

Agriculture, pêche, forêt

L'agriculture reste un secteur important de l'économie mexicaine, mais sa participation au PIB diminue régulièrement. Alors que 14,3 % des terres sont cultivables, seulement 10 % le sont effectivement. Et le Mexique, alors même qu'il pourrait être autosuffisant, doit importer des produits agricoles dont du maïs et des haricots rouges *(frijoles)*. Un comble ! En fait, l'Accord de libre-échange (Alena) a surtout profité aux États-Unis (lire plus haut). Depuis la réforme agraire dans les années 1930, l'agriculture mexicaine n'a fait l'objet d'aucune politique de fond. Alors que la production agricole représentait encore 9 % du PIB en 1985, elle n'est plus que de 3,9 % aujourd'hui (et occupe 13 % de la population active). Les principales productions destinées à l'exportation sont la canne à sucre (6e rang mondial), le café (6e rang mondial, 1er pour le café bio), le sorgho, les fruits tropicaux (1er producteur mondial d'avocats et de citrons, 2e de papayes, 3e d'oranges, etc.). Seul le nord du pays a réellement investi (systèmes d'irrigation) pour créer d'immenses exploitations agricoles à haut rendement qui destinent la majeure partie de leur production à l'exportation (principalement nord-américaine). Le reste du pays se contente d'une culture vivrière, une multitude de petites parcelles où l'on utilise des techniques traditionnelles (brûlis, absence de mécanisation) et dont les récoltes servent à la consommation familiale. Les pouvoirs publics ont laissé l'agriculture en jachère, et ce manque de soutien et d'investissement se reflète dans la productivité agricole, qui est l'une des plus faibles d'Amérique latine.

L'élevage à grande échelle est également concentré dans le Nord mexicain et la viande est exportée aux États-Unis. La production de bétail augmente progressivement.

La pêche est carrément sous-développée. Un paradoxe pour un pays qui compte près de 11 500 km de littoral. La principale zone de pêche se trouve sur la côte pacifique, en Basse-Californie avec le port d'Ensenada et, dans une moindre mesure, le port d'Acapulco. Côté atlantique, le principal port de pêche est Veracruz. Les exportations concernent surtout la crevette, le thon et les anchois.

Côté forêt, c'est la débandade. Depuis 1993, le taux annuel de déforestation s'est élevé à plus d'un million d'hectares, plaçant ainsi le Mexique en 2e position mondiale (après le Brésil) dans la perte de ses bois. Sous l'effet des incendies de forêt, du déboisement de la jungle par les paysans en quête de terres et de la contrebande du bois (coupe interdite et sans contrôle), le déboisement a des conséquences dramatiques sur l'écosystème. Certaines régions sont durement touchées, comme la jungle du Chiapas, le Yucatán, qui a perdu 35 % de sa forêt entre le début des années 1990 et l'an 2000, l'État de Campeche 100 %, le Tabasco 58 %, le Querétaro 30 %...

Industrie pétrolière et mines

Le Mexique dispose de ressources minières importantes : l'argent (1er producteur mondial, 15 % de la production mondiale), la fluorine (2e producteur mondial), l'arsenic (4e producteur mondial), le plomb et le zinc (5e producteur mondial), le sel, l'or, le manganèse... L'industrie minière a longtemps souffert d'un manque d'investissements. Cependant, en partie grâce à la loi de 1993 qui a ouvert le secteur aux capitaux étrangers, l'exploitation des mines a renoué avec une bonne croissance, mais bien souvent au détriment de l'environnement.

À cette exploitation traditionnelle s'est ajoutée la production d'hydrocarbures. Le Mexique est le 6e producteur mondial de pétrole, mais l'industrie pétrolière, entre les mains du secteur public depuis 1938 via la société nationale Pemex, souffre de plusieurs maux : des réserves qui s'épuisent, une production à la baisse, des infrastructures obsolètes, le manque d'investissements lourds, notamment pour l'exploitation de nouveaux gisements offshore, une gestion douteuse, et comme si cela ne suffisait pas, des affaires de corruption à haut niveau. Le statut de cette vache à lait (Pemex assure près de 40 % des recettes de l'État) a régulièrement été mis en cause, mais le débat houleux en 2007 sur la privatisation et la modernisation de ce monopole d'État a accouché d'une souris.

L'industrie

Dans les années 1970 et 1980 s'est développée une industrie de sous-traitance à vocation exportatrice (États-Unis) qui a employé jusqu'à 13 % de la population active. Ce sont les *maquiladoras*, principalement localisées le long de la frontière américaine, qui se contentent de faire de l'assemblage, qu'il s'agisse d'appareils électriques ou électroniques, de vêtements ou de véhicules. Une fois montés, les produits repassent la frontière, sont marqués du label « made in USA », puis exportés dans le monde entier. Un simple tour de passe-passe facilité à partir de 1994 par la signature de l'Alena, le traité de libre-échange avec les États-Unis. En 1999 par exemple, alors même qu'il n'existe aucune marque mexicaine de véhicule, la production de voitures a atteint 1,5 million d'unités ! En réalité, 71 % d'entre elles sont parties à l'étranger, principalement aux États-Unis. Aujourd'hui, la concurrence chinoise et les délocalisations dans des pays où la main-d'œuvre est moins chère menacent.

Le tourisme

C'est une importante source d'emplois et de devises. Septième pays le plus visité dans le monde, le Mexique reçoit plus de 20 millions de visiteurs par an – près de 90 % de *gringos* pour à peine plus de 4 % d'Européens. Dans les faits, les Américains restent de préférence au nord du pays (Basse-Californie et côte du Pacifique nord) ou bien se contentent d'un séjour à Acapulco, Cancún ou Playa del Carmen. Les Européens, eux, préfèrent explorer le Sud, d'Oaxaca au Yucatán puis les villes coloniales au nord de Mexico. Les pouvoirs publics, via Fonatur, sont à l'origine de la création et du développement de cinq grandes stations balnéaires : Manzanillo, Cancún, Huatulco, Ixtapa et San José del Cabo. Conçues avant tout pour des mentalités américaines (mais aussi au goût des touristes mexicains), avec des rangées de *resorts* qui occultent la façade maritime, des quartiers sous haute surveillance avec maisons luxueuses et des voies de circulation rapide ; bref, un côté artificiel qui manque d'âme et de charme. On préfère encore les stations qui se sont développées autour d'un village préexistant comme Puerto Vallarta, Puerto Escondido, Zihuatanejo, Playa del Carmen, voire Acapulco, qui, malgré son gigantisme, recèle les charmes désuets de la gloire passée.

Les échanges avec l'Europe

L'influence de la France au Mexique remonte à la fin du XIXᵉ s, sous la présidence de Porfirio Díaz, un francophile passionné. Si les Francs-Comtois de Champlitte eurent peu d'influence sur l'histoire du Mexique, en revanche les Haut-Provençaux de Barcelonnette eurent une importance sensible dans le monde des affaires. De 1884 à 1914, près de 4 000 personnes de cette région s'installèrent au Mexique ; elles créèrent un véritable empire industriel et commercial dans le textile. Elles sont à l'origine du premier grand magasin, *El Palacio de Hierro* à Mexico, puis elles se lancèrent avec succès dans des activités industrielles (papeteries, brasseries, etc.) et, enfin et surtout, dans la banque.

En 1914, beaucoup de « Barcelonnettes » retournèrent se battre en Europe. Leur influence déclina, pour être remplacée par celle des Yankees, qui n'a cessé de se développer depuis la Seconde Guerre mondiale. Les États-Unis absorbent aujourd'hui 80 % des exportations mexicaines, alors que la part européenne et française dans le commerce mexicain ne dépasse pas 4 %. Afin de ne pas mettre tous ses œufs dans le même panier, le Mexique a entamé à la fin des années 1990 un rapprochement avec l'Union européenne, notamment par l'entremise de la France, qui s'est concrétisé par la signature d'un accord de libre-échange avec l'Union européenne en 2000. C'est une aubaine pour les grands groupes européens, qui ont vu s'ouvrir une formidable porte d'accès au marché nord-américain via le Mexique. Du coup, on assiste au retour sur la terre mexicaine des grands groupes, comme Gaz de France, Renault et Peugeot, qui viennent rejoindre d'autres entreprises déjà bien implantées comme Alcatel, Thalès, Total Fina Elf, Aventis, Saint-Gobain... Au total, plus de 700 entreprises françaises sont présentes au Mexique.

FAUNE ET FLORE

La multiplicité des milieux naturels, du désert à la forêt humide, vaut au Mexique d'abriter une faune et une flore d'une grande diversité. Certaines espèces se rattachent au monde nord-américain, d'autres, au contraire, à celui de l'Amérique tropicale. Elles ne se rencontrèrent qu'après la formation, il y a environ trois millions d'années, du pont naturel (en grande partie volcanique) reliant les deux parties du continent, Nord et Sud. Conséquence : le pays est le cinquième au classement mondial du plus grand nombre d'espèces !

Au nord, deux déserts dominent : Sonora et Chihuahua. C'est le domaine des cactus (tuyaux d'orgue, *saguaros,* figuiers de Barbarie, *ocotillos,* etc.), mais aussi d'une faune spécifiquement adaptée à ce milieu hostile – à l'exemple du pic des saguaros ou de la petite chevêchette des saguaros (une minichouette), qui creusent leurs nids dans les troncs des cactus... L'étonnant lièvre à queue noire a d'immenses oreilles à forte vascularisation, qui l'aident à se rafraîchir ! En tout, 90 % des espèces du désert mexicain sont endémiques.

Au centre du pays, les chaînes montagneuses se couvrent de pins. C'est là que, l'hiver, on peut assister à un spectacle unique en son genre : des centaines de milliers de papillons monarques, venus de l'est des États-Unis et même du Canada (4 000-5 000 km), se retrouvent pour hiverner. Ils s'agglutinent pour ne pas succomber au froid nocturne, recouvrant entièrement les branches des arbres ! Ils repartiront au printemps, léguant à leurs descendants cette mémoire génétique qui leur permettra de retrouver les forêts mexicaines quatre ou cinq générations plus tard. Un vrai mystère de la nature. Les zones d'altitude abritent bien d'autres animaux, et des plus gros : daims, mouflons, coyotes, renards, *bobcats,* pumas.

Passé l'isthme de Tehuantepec, un monde nouveau se dessine, plus chaud, plus humide. Dans la jungle tropicale, à l'approche du Petén guatémaltèque, vivent encore tapirs, fourmiliers, singes araignées et singes hurleurs, coatis, tatous, aras, perroquets, ocelots et même de rarissimes jaguars. La déforestation constitue ici une grave menace.

Le littoral pacifique, lui, est bordé en partie par une très belle forêt sèche. Là où se jettent les rivières, des lagunes se sont formées, abritant une très riche avifaune. De très nombreux oiseaux migrateurs y nidifient. Parmi les plus gros et les plus beaux : spatules roses au bec plat, ibis au long bec effilé, tantales (cigognes d'Amérique). Les plages mexicaines, celles du Pacifique en particulier, sont aussi réputées pour accueillir 10 des 11 espèces de tortues marines recensées ! Les plus fréquemment observées sont les tortues olivâtres *(golfinas),* mais il arrive de croiser d'énormes tortues-luths (500 kg). Incitées par des ONG, de plus en plus de communautés villageoises ont abandonné le ramassage des œufs pour se lancer dans l'écotourisme. À encourager ! Au large, les baleines à bosse sillonnent les eaux dans leur quête incessante de nourriture. L'hiver en Basse-Californie, l'été en Alaska.

Les tortues menacées

Si, pour le routard, trouver un petit coin tranquille le long de la Riviera maya relève de la mission impossible, il partage son triste sort avec les tortues marines (notamment la tortue *caguama,* en voie d'extinction). Celles-ci ont coutume, depuis des temps immémoriaux, de venir déposer leurs œufs sur ces plages ou celles de la côte pacifique. Désormais, les bébés tortues, lorsqu'ils naissent (de nuit), se précipitent vers les hôtels, confondant les lumières de la ville

UN DESTIN TORTUEUX

Sortis du nid, les bébés sont d'abord la proie des oiseaux marins (sur la plage) avant de devoir affronter quelques gros poissons. Seulement 1 % arriveraient à l'âge adulte. Adultes, les tortues se nourrissent surtout de méduses que, malheureusement, elles confondent souvent avec des sacs en plastique transparent... pas très digestes, quand ils ne les étouffent pas. Dur, dur d'être tortue !

avec le reflet de la lune sur la mer. Certes, tout ce qui affecte la nidification des tortues est un délit. Mais bien peu nombreux sont les hôtels qui jouent le jeu et éteignent leurs lumières durant la période de ponte (de mai à septembre) ou qui rangent les chaises longues durant la nuit pour permettre aux tortues d'avancer sur la plage. Que dire de ces pêcheurs de la côte pacifique qui, pour inciter les touristes à se faire prendre en photo avec l'animal, bafouent les précautions élémentaires ? Les tortues n'aiment ni le bruit ni la foule. Alors, au lieu de déposer leurs œufs dans le sable, elles les lâchent dans la mer où ils disparaissent aussitôt dans l'estomac des prédateurs. À propos : le sexe des bébés tortues varie selon la chaleur du sable : les œufs enfouis au plus profond, bien au frais, donnent des mâles, ceux plus proches de la surface, des femelles.

FOLKLORE

Il existe une culture populaire toujours très vivante chez les Mexicains. Vous la rencontrerez certainement au cours de votre voyage.

– **Les mariachis :** pantalon noir ajusté au plus près, brodé d'or ou d'argent, veste très courte, brodée elle aussi, lavallière bouffante, sombrero et bottes à talons... Mais oui, bien sûr, vous avez déjà vu ce costume, au cinéma ou sur une scène d'opérette ! Petits groupes de musiciens mariant guitares, violons et trompettes, les mariachis sont omniprésents et les Mexicains en raffolent, dépensant des sommes considérables pour entendre quelques airs tradition-

ACCORDS ET DÉSACCORD
Mais d'où vient donc le nom mariachi *? Du mot « mariage » clament les Français, toujours prompts à s'attribuer toutes sortes d'inventions. Ces petits groupes de musiciens jouaient pour les noces de l'occupant napoléonien. Il leur aurait donc légué leur appellation, ainsi qu'un certain appétit pour la révolution. D'autres origines du mot existent toutefois...*

nels. On fait régulièrement appel à eux pour qu'ils aillent jouer la sérénade sous le balcon d'une bien-aimée. Entre 1 500 et 3 500 pesos la prestation !

– **Les marimbas :** il s'agit d'un groupe musical composé principalement d'un ou de plusieurs marimbas, une sorte de grand xylophone en bois qui trouve son origine au Guatemala et dans le Chiapas. On les croise aussi à Veracruz.

– **Les ferias :** elles ont lieu un peu partout dans le pays (Puebla, Aguascalientes, San Luis Potosí) et marquent en général la pleine saison d'un fruit (ananas, raisin, etc.). Elles donnent lieu à des concours de beauté, des corridas, des courses de chevaux, des combats de coqs. Ambiance populaire torride garantie.

– **Les corridas :** héritage de la présence espagnole, la corrida, bien que moins populaire au Mexique que les combats de coqs, a ses adeptes. Mexico possède la plus vaste *plaza de toros* au monde, avec 50 000 places ! Les « vraies » corridas, celles des professionnels, ont lieu de novembre à mars et sont de grands rendez-vous familiaux où tout le monde se réunit. Rite barbare ou art sublime ? Chacun se fera son idée.

– **Les combats de coqs :** encore un spectacle cruel que ces *peleas de gallos,* assez répandus dans les campagnes. Ils ont lieu dans des arènes spéciales *(palenque).* Les paris montent à toute allure, les plumes volent, les propriétaires vocifèrent leurs encouragements... Lisez la superbe nouvelle de Juan Rulfo, *Le Coq d'or.*

– **Les piñatas :** à l'origine en terre cuite, celles d'aujourd'hui sont le plus fréquemment en papier mâché et sont très répandues lors des fêtes (anniversaires, Noël, etc), au plus grand plaisir des petits et des grands. Ce sont des figurines multicolores, de toutes formes, suspendues au bout d'une corde et renfermant toutes sortes de friandises. Pour en obtenir le contenu, il faut les briser les yeux bandés, à tour de rôle et après avoir tourné plusieurs fois sur soi-même avant de frapper. Les missionnaires espagnols introduisirent les piñatas pour convertir les Aztèques qui les adoptèrent rapidement, ces derniers ayant déjà un jeu assez proche. Il n'y avait plus qu'à donner un sens religieux à cette coutume ludique.

GÉOGRAPHIE

Il n'a pas l'air comme ça, mais le Mexique est un grand pays. Presque quatre fois la superficie de la France. Près de 3 500 km à vol d'oiseau entre le point le plus au nord et Cancún au sud. Pays de transition entre l'Amérique du Nord et l'Amérique centrale : c'est l'isthme de Tehuantepec (225 km de large) qui marque la jonction. Deux énormes chaînes de montagnes traversent le pays du nord au sud : la *sierra Madre* occidentale, côté pacifique, et la *sierra Madre* orientale, côté atlantique. Entre ces deux épines dorsales : les hautes terres, ce qu'on appelle le haut plateau central *(altiplano),* dont les altitudes varient entre 1 000 et 3 000 m, et qui abrite les deux plus grandes villes du pays : Mexico et Guadalajara.

Le voyageur ne cesse donc de monter et de descendre, de quitter sa chemise et de la remettre selon les microclimats et les fluctuations de la température. Le Mexique est en réalité un pays de montagnes et de forêts. Entre Tepic et Veracruz, une barrière volcanique vient ceinturer le haut plateau. Elle voit s'aligner les plus hauts sommets du pays comme le volcan Popocatépetl (5 452 m) ou le Pico de Orizaba (5 700 m), aux cimes couvertes de neiges éternelles. Conclusion pratique : ne jamais oublier que la moitié du Mexique est à plus de 1 500 m d'altitude.

Pour la chaleur et la végétation tropicale, il faut descendre vers les *tierras calientes,* les « terres chaudes », comme les ont appelées les Espagnols, c'est-à-dire les deux régions côtières. Rien que du côté pacifique, le Mexique aligne plus de 7 000 km de côtes. On y trouve les principales stations balnéaires du pays : Puerto Vallarta, Manzanillo, Zihuatanejo, Acapulco, Puerto Escondido et Huatulco. Les plages sont belles et étendues mais battues par des vagues énormes, idéales pour le surf. La côte atlantique, avec ses plages de sable gris, est moins développée. Pour trouver des eaux turquoise et du sable blanc, il faut descendre jusqu'à la péninsule du Yucatán, bordée à l'est par la mer des Caraïbes.

Après l'isthme de Tehuantepec commencent la *sierra Madre* du Chiapas et sa forêt tropicale, puis la péninsule du Yucatán.

Quant aux étendues désertiques, aux rocailles et aux cactus, vous les trouverez principalement dans le nord du pays (États de Sonora ou Chihuahua), en Basse-Californie ou même dans l'ouest du pays (État de Jalisco). De toute façon, en saison sèche (8 mois dans l'année), l'ensemble du pays devient aride et semi-désertique.

HISTOIRE

Les origines

Parfois la ressemblance est étonnante : on pourrait facilement confondre certains Mexicains avec des Asiatiques, notamment des Chinois du Nord ou des Mongols. Pas étonnant puisque le Mexique, comme le reste du continent américain, a été peuplé par des tribus venues de Mongolie, qui traversèrent le détroit de Béring il y a environ 40 000 ans, lorsque le niveau de la mer était bien en dessous de ce qu'il est actuellement, une grande partie des eaux étant retenue par les glaces. Entre 25000 et 16000 av. J.-C., une partie de ces tribus effectua une lente migration vers le sud, traversant l'actuel Mexique. Certaines s'y établirent, d'autres franchirent l'isthme de Panamá. Dès le XXe s av. J.-C., des cultures dites « archaïques » existaient dans la vallée de Mexico.

Logiquement, on a longtemps pensé que la sédentarisation en Méso-Amérique était liée à la domestication du maïs (entre 5000 et 3000 av. J.-C.). Mais des découvertes récentes laissent à penser que non seulement l'homme se serait sédentarisé avant de pratiquer l'agriculture, mais en plus que ce serait la citrouille le premier légume cultivé. Quoi qu'il en soit, en 2000 avant notre ère, il existait déjà des hameaux dont les habitants pratiquaient l'agriculture et qui travaillaient la poterie et la vannerie. C'est dans ce contexte que s'est développée la première grande civilisation méso-américaine.

Les Olmèques : première civilisation en « -èque »

La civilisation olmèque est née sur la côte du golfe du Mexique, dans une région qui comprend les États actuels de Veracruz et de Tabasco (à partir de 1500 avant notre ère). Elle va influencer toutes les civilisations qui vont suivre, notamment la culture maya, et créer l'unité culturelle du monde préhispanique. La ville de Lorenzo se développe d'abord, puis c'est la grande cité de La Venta (près de Villahermosa) qui prend le dessus, s'épanouissant entre 1200 et 600, voire 400 av. J.-C. C'est là qu'on a retrouvé les célèbres têtes colossales aux traits négroïdes. Elles ont été sculptées dans le basalte, car les Olmèques manquaient de certaines ressources importantes comme la pierre, l'obsidienne ou le jade. Cela signifie, bien sûr, des échanges commerciaux avec d'autres régions de Méso-Amérique, ce qui a conduit certains à voir là les prémices d'un empire olmèque... En revanche, les Olmèques étaient environnés d'arbres à caoutchouc dont ils tiraient la précieuse substance pour fabriquer les balles du traditionnel *juego de pelota*. D'où le nom d'olmèque qui signifie « habitants des terres du caoutchouc ».

Les civilisations dites classiques

La civilisation de *Teotihuacán* (50 km au nord de Mexico) apparut vers le Ier s av. J.-C., lorsque de nombreux villages de la région, qui avaient en commun la langue et les rites, commencèrent à bâtir des édifices religieux. Ce sont eux qui répandirent le culte de *Quetzalcóatl* (« le Serpent à plumes ») dans presque toute la Méso-Amérique. La ville de *Teotihuacán* (« la cité des dieux ») s'étendait sur 20 km, avec de très nombreux temples, et a dû atteindre une population de 200 000 habitants vers l'an 600. La chute brutale de Teotihuacán reste un mystère. L'hypothèse la plus vraisemblable est que cette civilisation aurait plié au VIIIe s de notre ère sous la poussée de barbares venus du nord : les *Chichimèques,* qui eux-mêmes se virent bousculés entre les Xe et XIe s par les *Toltèques,* dont le centre guerrier se trouvait à Tula.

Plus au sud, dans la région d'Oaxaca, le peuple *zapotèque* – dont l'apogée se situe entre les IVe et VIIIe s – était composé d'agriculteurs sédentaires, adeptes d'une religion centrée sur le culte de la mort, comme en témoignent les vestiges de leur art, notamment à Monte Albán. Ils furent chassés par les Mixtèques (XIe s), qui durent finalement se soumettre eux-mêmes aux Aztèques (XVe s).

L'Empire maya ou la vie paisible des tropiques

Mythologie

À son apogée (600-900 apr. J.-C.), cette brillante civilisation s'étendait sur presque tout le territoire actuel du Yucatán, du Chiapas, du Guatemala et du Honduras. La chronologie de l'ancien Empire maya (jusqu'au IXe s) a pu être établie grâce à des stèles datées par un calendrier très compliqué, qui démontre les connaissances mathématiques et astronomiques de ce peuple. Cette civilisation de cités (Chichén Itzá, Palenque, Bonampak, Tikal... et des centaines d'autres villes) correspond à un ensemble relativement homogène. On en connaît les aspects essentiels grâce au *Popol Vuh,* un poème épique et symbolique écrit en langue quichée peu après l'arrivée des Espagnols et retraçant la création du monde et les aspects de la vie religieuse des Mayas. Le dieu-créateur était le serpent à plumes : *Kukulcan* (*kukul* = l'oiseau-quetzal ; *can* = serpent), l'équivalent de Quetzalcóatl (pour les Aztèques). Un autre dieu maya fut *Itzamna* (le dieu Ciel), qui correspondait un peu au dieu grec Zeus. Mais le dieu le plus populaire – et dont il reste le plus grand nombre de représentations artistiques – était Chac, le dieu de la Pluie.

Aspects de la civilisation

Selon les conceptions religieuses des Mayas, il était primordial d'alimenter les dieux par diverses offrandes, notamment le cœur et le sang des animaux et des hommes.

D'où des sacrifices humains et autres rites, comme le perçage des oreilles, des lèvres ou de la langue (à nouveau à la mode quelques siècles plus tard !). Il semblerait que les Mayas anciens étaient un peuple pacifique gouverné par des prêtres. Plus tard, les cités-États se mirent à se faire la guerre. Elles disposaient d'une écriture hiéroglyphique élaborée, mais c'est surtout grâce à des fresques comme celle de *Bonampak* que l'on a pu avoir connaissance de leur histoire. Elles ignoraient le fer et l'usage de la roue pour le travail (y compris le tour de potier), et leurs outils étaient de type néolithique : l'obsidienne tenait la place qu'avait occupée le silex sur le vieux continent.

Malgré cela, l'agriculture était très développée. Autour des cités s'étendaient des champs de maïs, de patates douces, de tomates, de haricots, de manioc et des arbres fruitiers comme l'avocatier. En revanche, il n'y avait pas d'élevage, et les seuls animaux domestiques étaient la dinde et le chien. Bien qu'ayant bâti de grandes maisons, les Mayas ignoraient le principe de la clé de voûte, primordial pour faire évoluer l'architecture : ils en étaient à peine à l'encorbellement.

L'apogée de leur savoir et de leur art correspond aux VIIe, VIIIe et IXe s. Les Mayas possédaient une littérature assez riche (brûlée par les Espagnols). L'invention du zéro (comme les Arabes) permit de faire avancer mathématiques et astronomie et leur donnèrent une maîtrise du temps qui permettait non seulement d'écrire l'histoire, mais aussi et surtout, de prédire l'avenir grâce à l'observation astronomique. Pour cela, les Mayas utilisaient deux calendriers, un solaire de 365 jours et un rituel de 260 jours. Ils pouvaient indiquer les cycles lunaires, les éclipses et d'autres phénomènes astronomiques. Les Mayas naviguaient tout au long du Yucatán et des côtes de l'Amérique centrale, établissant ainsi des relations commerciales entre les différentes cités-États.

Déclin, renouveau et fin

De nombreuses hypothèses tentent d'expliquer le déclin des Mayas. Il est probablement dû à l'épuisement des sols, parallèlement à une crise de surpopulation. Vers le Xe s, des envahisseurs venus du nord, les *Toltèques*, occupèrent le Yucatán et donnèrent un second souffle à la civilisation maya. Ce nouvel empire, basé à Chichén Itzá, est à l'origine d'une nouvelle culture mixte toltèque-maya, où l'orfèvrerie et la ferronnerie sont désormais acquises, mais où l'on voit se banaliser les sacrifices humains. Ces derniers sont l'une des causes qui firent que, vers 1200, commença une période de divisions et de révoltes de la part des Mayas. Elles aboutirent à la chute de Chichén Itzá et à l'effondrement, en 1441, de la cité de Mayapán, alors le siège de la ligue qui dominait le nouvel empire. En 1697, quand les Espagnols prirent la dernière ville maya indépendante à Tayasol, au Guatemala, les autres cités avaient été détruites ou abandonnées depuis bien longtemps.

Les Aztèques, deux siècles d'histoire

La première junte latino-américaine

Le mythe de la fondation de Mexico-Tenochtitlán n'a rien à envier à celui de la Rome antique. Après avoir quitté leur ville mythique d'Aztlán (certains la situent à Mexcaltitán, une petite île perdue dans les marais, au nord de Tepic, près de Tuxpan, sur la côte pacifique), les Aztèques (ou Mexica) errèrent durant un siècle et demi à la recherche d'une terre à la hauteur des ambitions décrétées par leur dieu Huitzilopochtli. Ce dernier, incarné en colibri, guida leurs pas jusqu'à la vallée de l'Anáhuac, l'immense bassin de Mexico protégé par des montagnes et des volcans, recouvert en grande partie par trois immenses lacs (disparus aujourd'hui). C'est là, sur l'un des îlots, qu'ils virent le fameux aigle posé sur un cactus nopal dévorer un serpent. C'était le présage tant attendu, l'augure du dieu qui leur ordonnait de s'établir dans ce lieu marécageux, au milieu des joncs et des bambous. En l'an Deux-Roseau, 1325 de notre ère, les Mexica installèrent donc là leur capitale, en réalité une misérable bourgade de huttes construites en roseaux. Mais les dés étaient jetés. Dès lors, les Mexica s'attachèrent à accomplir la prophétie divine – jusqu'à l'arrivée des Espagnols.

Derrière le mythe fondateur, destiné à octroyer à la capitale impériale ses lettres de noblesse, la réalité paraît bien prosaïque. Les Aztèques ne sont en fait que l'une des nombreuses tribus barbares venues du nord pour s'installer dans la vallée au cours du XIIe s (comme les Chichimèques). Ils étaient même les derniers arrivants... La vallée était alors déjà occupée par des villes puissantes, dont les princes se flattaient de descendre de l'ancienne Teotihuacán ou de Tula. Tolérées tout au mieux, les tribus errantes vivaient de la pêche et de la chasse du gibier aquatique. Plus d'un siècle s'écoula avant que les Aztèques se sédentarisent (à partir de 1325), puis un autre siècle, encore, d'efforts, d'opiniâtreté et d'ingéniosité pour qu'ils parviennent à dompter cette topographie hostile. Enfin, ils commencèrent à jouer un rôle politique dans la vallée.

Au début du XVe s, sous le commandement de leur quatrième roi historique, *Itzcóatl*, les Aztèques profitèrent de conflits entre les autres villes de la vallée pour fonder une triple alliance en s'alliant aux rois des cités-États de Texcoco et de Tacuba. Très vite, ils prirent les rênes de cette ligue tricéphale, le souverain aztèque intervenant de plus en plus dans les affaires dynastiques et politiques de ses deux alliés, à tel point que Mexico-Tenochtitlán en arriva à répartir à sa guise les tributs de guerre et les impôts des provinces de l'empire qui se constituait.

De la pêche à la guerre

Pêcheurs et chasseurs à l'origine, les Mexica devinrent peu à peu un peuple de guerriers. Il en fallut en effet des batailles pour constituer l'empire ! Synthèse des cultures toltèques et classiques (Teotihuacán), la civilisation aztèque s'en distingue par une évolution particulière : son caractère guerrier omniprésent. L'arc, par exemple, n'était pas connu par la civilisation maya, mais des documents (codex) montrent les Aztèques habillés de peaux d'animaux, armés d'arcs et de flèches, en train d'attaquer les autres tribus de la vallée. L'Empire aztèque n'était pas vraiment centralisé, mais plutôt structuré comme une confédération de cités et de provinces répondant à un pouvoir militaire.

À la fin du règne de Moctezuma II, l'empire comptait 38 provinces, soit un territoire s'étendant du Michoacán (au nord) jusqu'aux régions mayas, et de l'Atlantique au Pacifique. Le statut de ces « États » était assez variable (disposant souvent de l'autonomie administrative et politique), mais ils devaient tous verser l'impôt et bien souvent fournir des hommes qui venaient rejoindre les rangs de l'armée de la capitale impériale. Et il fallait beaucoup d'hommes... Car tout était prétexte à la guerre. En règle générale, toute cité qui n'acceptait pas l'autorité de Mexico-Tenochtitlán était considérée comme rebelle. L'aspect le plus important de cette civilisation était donc le cérémonial de guerre, d'ailleurs étroitement lié à la religion puisque ce sont les dieux eux-mêmes qui réclamaient les combats et qui finalement décidaient du sort de la bataille. Huitzilopochtli, le dieu aztèque de la Chasse, prit de plus en plus d'importance et fut associé à la guerre.

Abreuver la terre-mère

Pour les Aztèques, la création du monde et de l'homme n'est pas un don mais le fruit d'un sacrifice des dieux. L'homme se voit donc dans l'obligation de rétribuer ce don de la création par une adoration constante. La manière de s'élever à la hauteur de l'effort divin, c'est de lui offrir son propre sang. C'est pour cette raison que les sacrifices humains sont essentiels, puisque l'homme n'existerait pas sans les dieux. Mais, à l'inverse, les dieux n'existeraient pas sans les hommes, puisqu'ils ont besoin de la substance de vie représentée par leur sang et leur cœur. À travers le cycle de la vie et de la mort, un lien intime les unit. Cette cosmogonie complexe explique les nombreux rituels de sacrifices humains qui, avec l'accroissement de l'empire, prirent de plus en plus d'importance dans la vie sociale et religieuse des Aztèques.

La vie de l'homme dépendant des battements de son cœur, c'est donc l'offrande de ce cœur encore palpitant, arraché à vif de la poitrine de la victime à l'aide d'un couteau d'obsidienne puis présenté au soleil, qui était le point culminant des cérémonies. Les décapitations permettaient en revanche d'étancher la soif de la terre-mère par le flot de sang qui jaillissait. Les corps étaient ensuite dépecés et certaines parties offertes en nourriture aux parents des plus valeureux guerriers. L'ennemi tué était considéré comme un messager que l'on envoyait aux dieux. L'anthropophagie existait donc sous forme rituelle.

À l'origine, la guerre avait des visées expansionnistes, mais très vite elle devint essentiellement religieuse, destinée à faire des prisonniers... pour les sacrifices humains. Les promotions militaires étaient déterminées par le nombre de captures, et une période de paix se transformait en une véritable catastrophe religieuse ! Il faut dire que les sacrifices humains étaient de mise lors de chaque fête religieuse et que leur nombre atteignait parfois des proportions délirantes. Ainsi, pendant le règne du roi *Auitzotl* (1486-1503), à l'occasion de la consécration de la *grande pyramide du Soleil* de Tenochtitlán (le *Templo Mayor,* à côté de l'actuelle cathédrale de Mexico), pas moins de 20 000 captifs furent immolés... Une sacrée fête, certes, mais qui n'a rien à envier au caractère également sanguinaire de la conquête espagnole et à la barbarie d'un Cortés rasant en 1521 l'une des plus belles cités du monde.

> ## ILS N'AVAIENT PAS LES MÊMES VALEURS
>
> *Pour « recruter » des prisonniers à sacrifier, les cités de la vallée de Mexico organisaient des batailles dans l'unique but de récupérer un maximum de futures victimes à immoler au sommet des pyramides. C'est ce qu'on appelait « la guerre fleurie ».*

Pour la fête du *Toxcatl,* organisée en l'honneur du grand dieu *Tezcatlipoca,* un jeune homme était choisi et vivait durant un an en état de « grâce divine » au milieu de tous les plaisirs et les honneurs, car il était essentiel qu'il ne soit pas corrompu par les tâches et les devoirs des simples mortels. Une fois « purifiée », la victime devenait non seulement le représentant du dieu, mais son véhicule de communication avec l'humanité, ce qui permettait d'assurer la prospérité de la communauté. Au bout d'un an, le jeune homme était sacrifié dans l'allégresse générale.

Dans l'imagerie aztèque, certaines morts valaient plus que d'autres. On l'a vu, la mort sur l'autel du sacrifice était un honneur et assurait une place au soleil. Les femmes mortes en couches avaient un paradis qui leur était réservé, car leur mort était aussi prestigieuse que la mort sur le champ de bataille. Ceux qui mouraient noyés ou accidentés étaient assurés d'un billet d'entrée pour un paradis géré par *Tlaloc,* le dieu de la Pluie et de la Fertilité. En revanche, les gens qui mouraient « normalement » avaient un avenir triste dans l'univers sombre du dieu de la Mort. Ce sont ces arguments de poids qui permettaient au système politico-religieux de se maintenir.

La Venise des Amériques

Les Aztèques, qui avaient commencé les pieds dans la vase, se nourrissant de gibier d'eau et de poissons, réussirent en un siècle à bâtir une ville somptueuse, digne capitale de l'empire. À l'arrivée des Espagnols, Mexico-Tenochtitlán comptait au moins 300 000 habitants (plus de 500 000 selon Jacques Soustelle). C'était probablement la plus grande cité du monde, devant Constantinople ou Paris. Excellents ingénieurs et bâtisseurs, les Aztèques avaient réussi à créer une ville flottante qui éblouit les Espagnols par sa grandeur et sa beauté. L'un des compagnons d'armes de Cortés, Bernal Díaz del Castillo, raconte : « En voyant tant de villes et de villages établis dans l'eau, nous fûmes frappés d'admiration, et nous disions que c'étaient là des enchantements comme ceux dont on parle dans le livre d'Amadis, à cause des grandes tours, des temples et des pyramides qui se dressaient

dans l'eau, et même quelques soldats se demandaient si ce n'était pas un rêve. »
(Histoire véridique de la conquête de la Nouvelle-Espagne.)
Dans sa description, il oublie les énormes digues qui servaient à réguler les eaux du
lac à la saison des pluies, le magnifique aqueduc qui transportait l'eau depuis Chapultepec jusqu'au cœur de la cité et les larges chaussées qui reliaient la ville à la
terre ferme, entrecoupées de ponts qui permettaient le passage des barques chargées de marchandises. Sur la place centrale, près de la grande pyramide du Soleil,
se dressait l'immense palais de Moctezuma : des salles richement décorées, dont
l'une pouvait accueillir jusqu'à 3 000 personnes, de vastes cours intérieures avec
fontaines, des jardins dont l'un était entièrement consacré aux plantes médicinales, un zoo personnel avec tous les animaux de l'empire... et toutes sortes de
« monstres humains ». Ils étaient censés avoir des pouvoirs surnaturels.
La ville était un exemple de propreté, à l'image de ses habitants particulièrement
soucieux de l'hygiène, qui se baignaient quotidiennement dans des bains alimen-
tés par l'eau courante. On comprend que les Aztèques aient été horrifiés devant la
puanteur et la crasse des conquistadors. À cela s'ajoutait la grâce des jardins remplis de fleurs et d'arbres fruitiers, qui séduisirent même les Espagnols, pourtant
habitués aux raffinements des parcs mozarabes.

Le calendrier aztèque

La représentation la plus belle et la plus célèbre est au musée d'Anthropologie de
Mexico. C'est un colossal disque de pierre de 24 t et 3,50 m de diamètre, connu
sous le nom de « pierre du Soleil », peint à l'origine de couleurs vives, conçu comme
hommage au dieu solaire Tonatiuh. Les Aztèques, qui n'ont fait d'ailleurs que
reprendre les calculs des Toltèques, avaient deux types de calendriers : l'un religieux, composé d'une année de 260 jours et qui servait surtout aux prêtres pour
décider de la date des sacrifices, des fêtes religieuses et des dates des batailles...
L'autre solaire, qui rythmait la vie agricole et civile et qui comptait 365 jours. L'année
était divisée en 18 mois de 20 jours chacun. Si vous comptez bien, il reste 5 jours.
C'étaient 5 jours néfastes et inutiles, chômés bien entendu, et qu'on passait dans
la terreur d'une calamité naturelle comme la disparition du soleil.
Le temps aztèque était également organisé en ères de 52 ans chacune. Chaque fin
de cycle représentait le moment d'une possible destruction du monde. Les Aztèques s'y préparaient en détruisant les temples et les objets usuels, ainsi qu'en étei-
gnant tous les feux. Quand les Espagnols arrivèrent, les Aztèques vivaient sous
l'ère du Cinquième Soleil.

Le panthéon des dieux

De nombreux dieux régissaient la vie quotidienne des Aztèques jusque dans ses
moindres détails. Ce polythéisme religieux, fruit d'une synthèse de toutes les
croyances antérieures, est extraordinairement complexe. Les Espagnols firent disparaître une énorme quantité de codex (les « livres » des Aztèques), si bien que la
principale source d'information est orale et postérieure à la conquête. Les croyances préhispaniques sont donc un véritable puzzle aux pièces manquantes.
Essayons d'y voir un peu plus clair, sachant que l'on trouve de nombreuses ver-
sions parfois contradictoires.
D'où viennent les dieux ? À l'origine de tout, il y a un couple primordial qui représente le double principe créateur : le féminin et le masculin. De leur union naissent
quatre fils. Ce sont eux qui créeront les dieux mineurs ainsi que le monde et les hommes. Au sein de la création, l'acte fondamental est évidemment la naissance du Soleil. Deux des fils jouent un rôle extrêmement important pour les peu-
ples de Méso-Amérique et, bien sûr, pour les Aztèques. Il s'agit de Quetzalcóatl
(dieu de la Vie et de l'Air) et Huitzilopochtli (dieu du Soleil et de la Guerre). Il faut y
ajouter Tezcatlipoca (le méchant de l'histoire).
Si l'humanité est créée par les dieux, elle peut aussi être anéantie par eux. C'est ce
qui est d'ailleurs arrivé plusieurs fois ; il y a eu au moins quatre créations. Ainsi,

pour les Aztèques, le destin des hommes est fragile et l'existence n'a rien de définitif. C'est une lutte permanente qui dépend du combat entre les deux dieux créateurs, Quetzalcóatl, le dieu bienfaiteur, et Tezcatlipoca, le dieu nocturne et souvent jaloux de son frère.

– *Quetzalcóatl :* son nom signifie « serpent à plumes ». On le retrouve constamment, et à toutes les époques, même chez les Mayas où il porte le nom de Kukulcan. Et pour cause, c'est le dieu créateur de l'humanité et donc le grand bienfaiteur. Son originalité, c'est que, non content d'être un dieu, il est aussi le roi des Toltèques, qui règne sur Tula. On comprend qu'il soit vénéré : il est même allé jusqu'in enfer pour récupérer les os des morts afin de créer un nouveau monde. Alors qu'il tente d'échapper au dieu des Enfers, il fait tomber les os ; mais au lieu de fuir, il s'arrête au péril de sa vie pour les ramasser, les arrose de son sang et donne ainsi naissance aux hommes. Les humains sont donc les fils de Quetzalcóatl qui, en bon père, leur offre le maïs, leur enseigne l'agriculture et la science, leur apprend à polir le jade, invente le calendrier, etc. La vie de ce dieu bienfaisant est celle d'un saint qui jeûne et fait pénitence. Mais, bien entendu, son frère Tezcatlipoca (qui, sur un plan symbolique, représente son ombre ou ses aspects obscurs) le fait tomber dans le péché de la chair. Quetzalcóatl doit alors abandonner son trône et fuir Tula en direction de la côte du golfe du Mexique, où il prend la mer. Le Mexique est alors livré aux maléfices du dieu noir Tezcatlipoca et aux autres dieux qui réclament des sacrifices humains. On attend avec impatience le retour du prince de Tula...

– *Huitzilopochtli :* on lui attribue une naissance prodigieuse, sa mère ayant été fécondée par une boule de plumes qui renfermait l'âme d'un sacrifié. Il naît déjà armé et chasse les ennemis de sa mère, c'est-à-dire ses frères les étoiles et sa sœur la Lune. Huitzilopochtli est donc vraiment le créateur du jour, c'est-à-dire le dieu Soleil. Mais ce combat contre l'obscurité se répète tous les matins. Or, pour que le Soleil puisse triompher et se lever chaque jour, il a besoin de forces régénératrices. C'est donc un devoir pour l'homme – ou plutôt une nécessité vitale – de l'alimenter en lui offrant son sang, principe de vie. On voit comment le sort du peuple aztèque est lié à celui du dieu Soleil ; et combien étaient indispensables les sacrifices humains. On peut aussi aisément s'imaginer l'effet que pouvaient produire les éclipses ! Huitzilopochtli ne cesse de lutter pour maintenir en vie l'humanité, les hommes ont besoin de lui pour survivre, et ils meurent donc en son nom. Une dialectique étrange mais incontestable.

– *Tlaloc :* enfin un dieu au nom prononçable ! Important, lui aussi. À tel point qu'il règne sur un pied d'égalité avec Huitzilopochtli et qu'on le trouve à ses côtés dans les temples. C'est qu'il représente la pluie, l'eau et l'orage ; autrement dit, c'est à lui qu'appartient le maïs. C'est évidemment le dieu suprême des paysans. Son culte est très ancien.

– *Les autres dieux :* autant le confesser, on fera l'impasse sur les innombrables dieux du ciel. Simplement pour mémoire, on vous en cite un, « le seigneur de l'Aube », le dieu Tlahuizcalpantecuhtli. Ne l'oubliez pas ! Chaque élément de la nature a également son dieu. Mais là, ça devient carrément compliqué, vu qu'ils portent plusieurs noms et que certains ont les mêmes fonctions.

Une société cloisonnée et disciplinée

Une ville construite sur un site instable (tremblements de terre et inondations), une population nombreuse, un état de guerre permanent, un univers fragile soumis à la volonté des dieux... tout cela requérait une organisation sociale sans faille et une autorité incontestée. On l'a vu, la religion – et donc les prêtres – jouait un rôle clé dans le maintien de cette structure sociale. La société aztèque était ainsi parfaitement organisée en castes.

L'agriculture tenait, bien sûr, une place extrêmement importante. Les Aztèques avaient compris et développé le principe de la fertilisation de la terre (ils récupéraient par exemple les excréments humains). Ils avaient notamment mis au point la technique des *chinampas,* des îlots artificiels construits à l'aide de branchages, de pierres et de vase, qui servaient de champs (on peut encore en avoir une idée approximative en se baladant sur les canaux de Xochimilco, au sud de Mexico). Hormis le maïs et la citrouille, on cultivait le haricot *(frijol),* la courge, la tomate et le *chile* (piment). Du cactus *maguey,* les Aztèques utilisaient non seulement les fibres pour confectionner des cordes, des textiles et des chaussures, mais aussi les feuilles qui servaient à fabriquer les toitures des maisons, et la sève dont était tirée une boisson plus qu'euphorisante appelée *octli* (*pulque* de nos jours). Mais bien d'autres ingrédients en provenance des confins de l'empire arrivaient chaque jour au grand marché de Tenochtitlán : le très recherché cacao dont on tirait une boisson, le *tchotcolatl,* censée avoir des vertus aphrodisiaques et qui était réservée à la noblesse (il coûtait très cher) ; la neige que des coureurs de fond allaient ramasser sur la cime du volcan Popocatépetl et rapportaient à toute vitesse pour la servir recouverte de sirop, l'ancêtre du sorbet. Tous les chroniqueurs, y compris les conquistadors, s'émerveillent de la profusion du marché et de son organisation.

Au sein de la société, les artisans formaient une classe nombreuse et à part. Ceux qui travaillaient l'or, l'argent et le cuivre, l'obsidienne et le jade, ou qui se consacraient à l'art de la plume étaient suffisamment considérés pour qu'on les appelle Toltecas, en référence à la civilisation toltèque née de Quetzalcóatl. Certains orfèvres ou plumassiers réalisaient de véritables œuvres d'art, pour lesquelles ils étaient bien rémunérés.

Pour cette ville lacustre, sans autres ressources que celles du lac, la soumission des provinces de l'empire était une nécessité vitale puisqu'elle permettait non seulement de récupérer des butins de guerre et de lever des tributs, mais aussi et surtout d'assurer la sécurité des routes commerciales. Car le commerce était vite devenu essentiel pour la société aztèque, toujours plus avide de produits rares et exotiques. On comprend pourquoi la corporation des marchands, les *pochtecas,* disposait d'un statut particulier et jouissait d'importants privilèges. D'énormes caravanes partaient régulièrement vers les provinces les plus reculées et revenaient à Tenochtitlán chargées de produits de luxe : du jade, des coquillages, des émeraudes, des écailles de tortues, des bois précieux, de l'ambre et surtout les longues plumes caudales du fameux quetzal des forêts du Guatemala. Tout au long de leurs déplacements, les marchands ne faisaient pas que propager la civilisation aztèque, ils servaient aussi d'espions militaires et d'informateurs. Ce sont probablement eux qui rapportèrent à Moctezuma les premiers témoignages de ces étranges oiseaux blancs flottant sur les eaux le long des côtes du Yucatán. En effet, depuis plus de 10 ans, les caravelles espagnoles croisaient dans les parages (les Espagnols étaient implantés à Cuba, au Honduras et dans la région de Panamá). L'une d'elles, avec à son bord un certain Hernán Cortés, n'allait pas tarder à accoster sur la côte du golfe du Mexique.

La conquête espagnole

Éléments du succès

Comment la petite armée de Cortés, à peine 600 hommes, put-elle venir à bout d'un empire, vaincre la majestueuse Tenochtitlán et soumettre ce peuple de guerriers ? L'histoire de la conquête est celle d'un vaste malentendu, d'un quiproquo tellement énorme qu'on pourrait presque croire que les Aztèques ont tout fait pour accomplir leur tragique destin tel qu'il était prophétisé par de nombreux augures. La méprise commence par une série de funestes présages qui sèment la peur et provoquent une sensation de cataclysme imminent dans les esprits : le temple de Huitzilopochtli prend feu et tombe en ruine, une comète passe dans le ciel, l'eau de la lagune s'agite brusquement avec furie sans raison apparente... Il y a bien là de quoi tourmenter des esprits dominés par l'attente de la fin du monde. Le malentendu, c'est aussi et surtout cette vieille légende datant de la période toltèque qui prévoit le retour d'exil de Quetzalcóatl à cette période. Celle-ci impressionne fortement le roi aztèque Moctezuma II, hanté par des rêves annonciateurs d'apocalypse. Or, précisément, une rumeur circule dans son empire sur l'apparition de mystérieux étrangers sur les côtes du Yucatán. Cette nouvelle, d'abord propagée par les Mayas puis relayée par les négociants aztèques, renforce le monarque dans sa conviction d'un retour imminent de l'ancien dieu Quetzalcóatl, chassé de son royaume par la magie noire de son frère Tezcatlipoca. Moctezuma ne fut sans doute pas surpris d'apprendre, en mars 1519, la nouvelle du débarquement, dans la rade de l'actuelle Veracruz, d'une étrange race d'hommes barbus. Les prophéties annonçant le retour de Quetzalcóatl s'étaient donc réalisées et Cortés fut, selon toute vraisemblance, considéré tout d'abord comme un émissaire de l'ancien dieu toltèque, sinon comme la divinité elle-même.

Un autre malentendu est évidemment l'évaluation des forces de Cortés, qui se résumaient pourtant à bien peu de chose. Mais les Indiens, conditionnés par les prophéties, se laissèrent fortement impressionner par les 11 navires, l'artillerie, les quelques bruyants canons et les 16 chevaux de Cortés. Ils crurent d'ailleurs que les cavaliers ne formaient qu'un seul et même personnage au corps de cerf et buste d'être humain. Lors des batailles, Cortés ordonnait le retrait immédiat des cadavres des soldats afin de maintenir intacte la croyance qu'ils étaient immortels. Lorsque les Aztèques se rendirent compte de la supercherie, il était déjà trop tard. Cortés avait déjà ses alliés parmi les populations autochtones !

Cette stratégie d'alliance fut d'ailleurs l'autre clé du succès des conquistadors. De nombreux peuples soumis aux Aztèques ne pensaient qu'à une chose : se venger de leurs maîtres sanguinaires, qui venaient en permanence chercher chez eux des prisonniers pour leurs sacrifices et réclamer des impôts. Le machiavélique Cortés a su parfaitement tirer parti de cette situation pour sceller des alliances avec les ennemis de

> ## LA TRAHISON DE LA MALINCHE
>
> *Cette jeune femme fut offerte aux Espagnols par les Mayas. Séduit par sa beauté, Cortés la prit comme maîtresse. Trahie par les siens, La Malinche joua un rôle capital dans la conquête du Mexique, notamment avec sa connaissance des langues locales. Grâce à elle, l'Empire aztèque sera conquis par 600 Espagnols et quelques chevaux.*

l'empire et renforcer ainsi sa maigre armée. Mais aucun de ces alliés, hypnotisés par cette chance inespérée de revanche sur les Aztèques, ne pouvait imaginer qu'en se débarrassant d'un pouvoir despotique, ils s'offraient en fait en holocauste à un nouvel oppresseur plus terrible encore, qui allait les anéantir définitivement, eux et leur culture.

Un autre facteur déterminant fut le fait que les Aztèques se battaient non pas pour tuer mais pour faire des prisonniers (destinés aux sacrifices humains). Une énorme perte de temps dont tirèrent avantage les Espagnols, qui ne s'embarrassaient pas de telles considérations. Enfin, le massacre fut relayé, vers la fin de la conquête, par les maladies importées, notamment la variole, qui furent fatales aux populations locales non immunisées.

La fin d'un empire

À son arrivée, Hernán Cortés fonda la ville de Veracruz. Puis, après avoir beaucoup appris sur l'Empire aztèque grâce à ses premiers contacts avec les Indiens de la côte, il en « embaucha » plusieurs centaines et, avec quelques Espagnols seulement, commença sa marche sur la capitale Tenochtitlán.

Moctezuma le reçut avec tous les honneurs, lui offrant même une coiffure de plumes de quetzal, emblème de la double dignité, royale et divine, de Quetzalcóatl (envoyée en Espagne, cette coiffure fait actuellement partie des collections du Musée ethnographique de Vienne et fait l'objet de réclamations permanentes du ministère des Affaires étrangères mexicain). Mais, à peine confortablement installé dans un palais proche de celui de Moctezuma, Cortés apprit que les Aztèques avaient attaqué Veracruz, où il avait laissé une partie de ses troupes, et qu'ils étaient sur le chemin du retour avec, comme trophée, la tête d'un des soldats espagnols. La situation était donc critique et l'immunité terminée. Fin stratège, le conquistador se rendit immédiatement auprès du roi aztèque avec ses soldats, et exigea qu'on lui remît les guerriers aztèques responsables du massacre. Il les fit brûler vifs devant les portes du palais, ce qui ne manqua pas d'impressionner favorablement les Indiens ! De plus, il obligea Moctezuma II à reconnaître le roi Charles Quint et à lui payer une rançon en or et en bijoux.

Mais les ennuis de Cortés ne faisaient que commencer. Peu de temps après, il apprit qu'une force espagnole commandée par Narvaez – envoyée par le gouverneur de Cuba, qui lui avait déjà mis des bâtons dans les roues – avait débarqué dans le but de lui retirer le commandement. Cortés laissa 200 hommes à Tenochtitlán sous le commandement d'Alvarado, puis partit affronter Narvaez. Après ce règlement de compte fratricide, les soldats vaincus vinrent gonfler la troupe de Cortés, et tout le monde regagna vivement Tenochtitlán. Car entre-temps, le peuple s'était soulevé contre les occupants et Moctezuma II avait été tué lors d'une émeute.

L'arrivée de Cortés ne fit qu'envenimer les choses. Durant la dramatique bataille de la nuit du 29 au 30 juin 1520, la *Noche Triste*, il perdit près de la moitié de ses troupes, composées d'Espagnols et de nombreux indigènes. Décidément, depuis la mort de Moctezuma de Cuba, rien n'allait plus entre les Aztèques et Cortés. Ce dernier trouva donc des alliances avec des tribus ennemies des Aztèques et entreprit le démantèlement de l'empire. La bataille décisive contre la capitale eut lieu le 13 août 1521, au terme d'un long

LE VOLEUR VOLÉ

En 1522, Cortés dérobe le fabuleux trésor du dernier empereur aztèque. Il remplit trois caravelles destinées à Charles Quint. Tout cet or fut intercepté en mer par le grand armateur normand Jehan Ango, ami de François Ier. Outre cette extraordinaire capture, la plus importante de l'histoire maritime, on découvrit les cartes espagnoles qui avaient repéré les Antilles. Ce fut l'origine de la conquête de la Martinique et de la Guadeloupe. Bonne pêche.

siège commencé le 30 mai précédent. L'Espagnol, aidé de ses alliés, en sortit vainqueur, sonnant ainsi le glas des civilisations en « -èque »... et, pour faire bonne mesure, il fit raser la merveilleuse cité lacustre de Tenochtitlán. C'est sur son emplacement même que fut fondée Mexico en 1522.

La couronne espagnole, soucieuse de conserver les trésors du Nouveau Monde sans avoir à fournir d'efforts supplémentaires, oublia l'aspect franc-tireur de Cortés, qui n'hésita pas à déclarer à son roi Charles Quint : « Qui je suis ? Je suis l'homme qui vous a donné plus de provinces que vos ancêtres ne vous ont laissé de cités ! » Sa petite rébellion fratricide fut donc rangée dans les pertes et profits, et il hérita du titre de gouverneur jusqu'en 1527. Toutefois, dès son retour en Espagne en 1541, il tomba en disgrâce.

L'occupation espagnole et ses séquelles

Le Mexique devint une vice-royauté de la Nouvelle-Espagne en 1535. Malgré l'action de l'Église, notamment les décrets du pape Paul III, les Indiens furent exploités, maltraités et pratiquement réduits en esclavage. En théorie, ils étaient considérés comme des « pupilles de la nation » que la couronne espagnole devait protéger, éduquer et convertir... en échange de quoi ils devaient travailler gratuitement pour le compte des colons ! Ce système s'appelait l'*encomienda*. Sous la pression du clergé, il fut peu à peu allégé à partir de 1542 et disparut officiellement à l'indépendance, mais dans les faits, il fallut attendre la révolution. Les Espagnols importèrent aussi très rapidement des esclaves noirs d'Afrique pour les travaux agricoles, sous prétexte de sauvegarder les Indiens – la vérité étant que du point de vue

du rendement, « un Noir valait quatre Indiens ». Lorsque le père dominicain Bartolomé de Las Casas arriva au Nouveau Monde, il se rendit compte qu'il assistait à
une vraie politique d'extermination. Il se fit alors l'apôtre des Indiens et, grâce à son
action et à celle de quelques autres ecclésiastiques, leur sort fut adouci. Un des
premiers défenseurs des droits humains (voir le film *La Controverse de Valladolid*).
Il n'en reste pas moins que la colonisation brutale ainsi que les maladies « européennes » eurent pour conséquence l'anéantissement des cultures et des civilisations indiennes. Vers 1650, la population indigène était réduite à 1,5 million, alors
que leur nombre était certainement supérieur à 5 millions au moment de la conquête
en 1520 (voir plus loin « Population »).

L'indépendance

L'indépendance du Mexique actuel trouve ses fondements dans la Révolution française et la vague des doctrines philosophiques qui balaya l'Europe sous la bannière « Liberté, Égalité, Fraternité ». Les créoles, tout comme les Indiens et les métis,
espéraient, face aux *gachupines* (les Espagnols d'Espagne), une égalité raciale et
politique, ainsi qu'une libération économique.
Pendant que les créoles et les *gachupines* se chamaillaient, un grand soulèvement
populaire se préparait sous les directives d'un simple prêtre très versé dans la littérature révolutionnaire, Miguel Hidalgo. Il en donna le signal le 16 septembre 1810,
célébré depuis comme jour anniversaire de l'Indépendance. Ce fut surtout le départ
d'une révolution avortée, suivie d'un chaos inextricable. Entre 1821 (date où le vice-
roi Odonojú signa avec le général Iturbide le traité de Córdoba assurant l'indépendance du Mexique) et 1876 (date de l'arrivée au pouvoir du dictateur Porfirio Díaz),
il y eut deux régences, deux empereurs, plusieurs dictateurs et suffisamment de
présidents pour que le Mexique connaisse pas moins de 74 gouvernements !

Les guerres du Mexique

Dans les années 1820-1830, des colons américains, de plus en plus nombreux,
s'installèrent au Texas. Devenus majoritaires, ils manœuvrèrent pour détacher le
territoire du Mexique : après une courte guerre, la république indépendante du
Texas fut proclamée en 1836. Neuf ans plus tard, la jeune nation intégra officiellement l'Union. La ratification du traité mit le feu aux poudres, le 13 mai 1846. Après
une guerre courte mais pénible, après la prise de Veracruz en mars 1847, puis de
Mexico, un traité fut signé le 2 février 1848 par Santa Anna : contraint et forcé, il
vendait le Texas aux États-Unis pour 15 millions de dollars, leur donnait la Californie et laissait le Nouveau-Mexique libre de choisir son statut (il opta plus tard pour
les États-Unis d'Amérique). Le río Grande se mua en frontière naturelle.
Dès 1848, à la demande du gouvernement du Nicaragua, qui souhaitait le perce-
ment d'un canal interocéanique, Louis-Napoléon Bonaparte formula un projet de
mise en valeur des contrées inexplorées d'Amérique centrale. Son arrière-pensée :
créer une nation latine sous influence française pour faire face au bloc anglo-saxon
des États-Unis. Le prétexte allait bientôt lui être fourni de tenter d'imposer sa vision.
Après une guerre civile entre partisans conservateurs et libéraux qui vit l'avènement de ces derniers au Mexique, le président Benito Juárez décida de suspendre
le paiement des dettes intérieures et extérieures du pays. Craignant pour les intérêts de leurs ressortissants, les gouvernements anglais, espagnol et français lui
envoyèrent une lettre de protestation, appuyée par des troupes qui débarquèrent
fin 1861 à Veracruz : l'expédition du Mexique venait de débuter. Si l'Angleterre et
l'Espagne signèrent rapidement avec Juárez la convention de Soledad, les Français, eux, décidèrent de rester. Napoléon III pensait enfin pouvoir réaliser le rêve
d'une présence française en Amérique latine. Son projet : établir au Mexique un
empire sur le trône duquel il placerait Maximilien d'Autriche.
Le corps expéditionnaire français arriva devant Puebla le 5 mai 1862. Après un
siège de près d'un mois, la ville capitula, et Mexico suivit son exemple le 10 juin.

Proclamé empereur en 1864, Maximilien de Habsbourg s'attira très rapidement des problèmes en raison de sa politique libérale opposée aux intérêts de l'Église et des riches propriétaires terriens. Pas très malin, il perdit ainsi son seul soutien, celui de la droite réactionnaire... Au même moment, les États-Unis commencèrent à appuyer les troupes libérales de Juárez, qui regagna peu à peu du terrain, jusqu'à la bataille de Querétaro, où Maximilien fut fusillé le 19 juin 1867 (sur Maximilien, voir aussi « Personnages »).

« *Dictadores y revolución* » : soubresauts d'une république

De 1876 à 1911, le dictateur Porfirio Díaz apporta au pays une stabilité politique suffisamment forte pour attirer les investisseurs étrangers (voir « Personnages »). Mais c'est tout ce qu'on peut dire pour sa défense. Le mécontentement qui grondait dans l'ombre prit le visage de Francisco Madero, un grand propriétaire terrien partisan d'une ouverture démocratique, qui appela à l'insurrection générale, renversa Porfirio Díaz en 1911, puis se fit élire président de la République. Mais Madero ne sut pas concilier les attentes des différents courants révolutionnaires, fit des compromis désastreux et se mit à dos les capitaux américains. De fait, le nouveau régime était instable. Menées par Pancho Villa et Emiliano Zapata, les révoltes paysannes continuaient de secouer le pays. Leurs leaders, ne se satisfaisant pas d'un régime parlementaire, combattaient pour la mise en place d'une réforme agraire assurant la juste redistribution des terres aux petits paysans. Favorisé par cette situation insurrectionnelle, le contre-révolutionnaire Huerta, d'abord général de Madero, conspira contre lui avec l'aide des américains. Il le fit renverser puis, à peine arrivé au pouvoir, le fit assassiner, lui et son vice-président, Pino Suárez. Une nouvelle dictature commença, pas pour longtemps. Huerta dut non seulement lutter contre les troupes révolutionnaires, mais aussi faire face à l'hostilité des Américains qui, finalement, se retournèrent contre lui. Le nouveau président Wilson, mécontent de la politique économique de Huerta plus favorable aux capitaux européens qu'américains, soutint alors Pancho Villa et Venustiano Carranza, un « constitutionnaliste », ancien ministre de Madero. Ce dernier devint à son tour président (1915) et fit promulguer une nouvelle constitution empreinte de réformisme social et d'anticléricalisme. Mais le pays était encore loin d'être pacifié. Carranza mena la guerre durant 5 ans contre les conservateurs et les grands propriétaires d'une part, et contre les guérilleros de Villa et de Zapata d'autre part (voir « Personnages »). Ce n'est qu'en 1920 que la guerre civile prit fin. Zapata, Carranza puis Pancho Villa furent assassinés.

Le XXᵉ s : népotisme et corruption

L'histoire politique contemporaine du Mexique est celle d'un régime plus qu'original : la démocratie à parti unique ! De 1928 à 2000, tous les présidents sont sortis des rangs du PRI, le Parti révolutionnaire institutionnel (il faut le faire !), qui cherche à concilier toutes les tendances en même temps... en se prétendant démocratique, bien entendu. Une hégémonie qui s'est maintenue durant plus de 70 ans grâce au clientélisme, à la corruption et à la fraude électorale. La machine est parfaitement huilée. Comme le mandat présidentiel n'est pas renouvelable, c'est le président sortant qui, à la fin de son mandat de 6 ans, désigne le prochain candidat, autrement dit le futur président. C'est le fameux *dedazo*, mot qui vient de « doigt », le président indiquant de son index tout-puissant son dauphin au cours d'une réunion du conseil des ministres. Cette coutume est d'une efficacité machiavélique. Elle assure la continuité du système tout en donnant l'impression d'un changement : le nouveau président est plus jeune, il incarne une nouvelle génération et les aspirations du renouveau. Il est chargé de régénérer le pouvoir. En réalité, ce n'est qu'un héritier fidèle et soumis, garant du maintien de cette « dictature parfaite », selon l'expression de l'écrivain Mario Vargas Llosa. Si le poulain se montre par trop rebelle ou progressiste, il disparaît, comme ce fut le cas de Luis Donaldo Colosio, candidat officiel du PRI, retrouvé assassiné au cours de la campagne de l'élection présidentielle de 1994.

« La dictature parfaite »

À l'actif du PRI : la stabilité politique. Durant le premier versant du XXe s, le président Lázaro Cárdenas a mené à bien la réforme agraire. Celle-ci, achevée en 1936, a distribué 17 millions d'hectares aux paysans regroupés en coopératives *(ejidos)*. Autre mesure d'importance : la nationalisation des compagnies pétrolières en 1938, suivie de l'entrée en guerre contre le fascisme en 1942 (quelques escadrons furent envoyés en Europe). Après la guerre, la politique d'industrialisation fut poursuivie, soutenue par une opération « portes ouvertes » aux capitaux étrangers. Cependant, l'arrivée au pouvoir de Luis Echeverría (1970-1976) marqua un virage vers la gauche, avec un programme de nouvelles réformes agraires et de nationalisations dans le secteur des matières premières. Les banques suivirent, mais cette mesure n'eut pas de résultats notables sur la stabilité de l'économie.

L'élection en 1982 d'un nouveau président, Miguel de la Madrid, a marqué un retour en force de l'aile droite du parti avec son cortège de privatisations, une politique d'austérité et de rigueur sociale, qui n'ont guère mieux marché. À la même époque, une série de catastrophes naturelles (dont le tremblement de terre de Mexico en 1985) n'arrangea rien...

En 1988, Carlos Salinas de Gortari a été élu avec à peine plus de 50 % des voix. Ce n'est pas seulement son élection qui se trouva contestée, mais son mandat tout entier. Que pouvait attendre le Mexique d'un président qui tua son cheval d'une balle de revolver pour avoir perdu aux Jeux olympiques ? Pas grand-chose, sinon de la corruption à grande échelle. Le temps d'un sexennat, l'homme devint multimilliardaire. Son frère est actuellement en prison, et lui en exil « volontaire » à l'étranger. Son sexennat s'est terminé par une grave crise économique (« l'erreur de décembre », en 1994) qui a annulé d'un coup les quelques résultats obtenus dans le domaine financier : en quelques jours, le peso perdit 50 % de sa valeur (coût estimé à 60 milliards de dollars).

Schizophrénie à la mexicaine

Le Mexique bouge, mais presque malgré lui. Ce paradoxe atteint son paroxysme durant les années 1990. Alors que le système institutionnel essaie de maintenir la façade coûte que coûte, le peuple mexicain y croit de moins en moins tout en voulant y croire encore. L'image est trop belle pour l'abandonner si vite. Les *telenovelas* et la publicité, omniprésentes à la TV, représentent l'archétype de la réussite et ne montrent, dans un racisme simpliste (ou vice versa), que des Blancs, rien que des Blancs. Quand les indigènes apparaissent, c'est dans des rôles de voleurs, malfrats ou tout simplement d'idiots du village. Il y a pourtant près de 500 ans que la colonisation a eu lieu, mais la situation des indigènes n'a toujours pas évolué. Quant au Mexicain moyen, il n'a toujours pas digéré son métissage, écartelé entre ses origines préhispaniques et l'influence occidentale, particulièrement nord-américaine.

Depuis belle lurette, le Mexique est soumis à une nouvelle colonisation, celle des États-Unis. L'influence nord-américaine est de plus en plus forte. Et le *Tratado de Libre Comercio* (Alena) signé en 1994 n'a fait que renforcer ce processus de fascination-rejet. Pour résumer la situation, les Mexicains utilisent le dicton de Porfirio Díaz : *Pobre México, tan lejos de Dios y tan cerca de los Estados Unidos* (« Pauvre Mexique, si loin de Dieu et si près des États-Unis »).

Le malinchismo

Si les pauvres essaient justement de fuir le désarroi où Dieu les a laissés et de passer au nord du río Grande pour trouver du travail, les riches, eux, imitent carrément le style de vie américain, avec les mêmes grosses bagnoles, les mêmes piscines tape-à-l'œil et les mêmes maisons au gazon bien tondu.

C'est certes un paradoxe, mais, pour l'élite du pays, tout ce qui est mexicain est objet de rejet plus ou moins conscient. C'est ce qu'on appelle ici le *malinchismo*, du nom de la Malinche (ou Malintzín), cette fameuse Indienne qui s'est jetée dans les bras de l'envahisseur Cortés pour devenir sa maîtresse et sa traductrice. Tout le drame du Mexique s'est joué là, dans cette liaison que d'aucuns nomment trahison. Il en est né l'un des premiers métis du continent, fils de la Malinche l'autochtone et de Cortés le conquérant blanc.

Désormais, les riches vont faire leurs emplettes à Houston, s'amuser à Las Vegas et se reposer à Miami. Les indigènes, eux, fournissent une main-d'œuvre bon marché et inépuisable pour les entreprises mexicaines et étrangères, tandis que leurs femmes, en jupe bleu layette et petit tablier de dentelle, travaillent comme servantes dans les maisons de la bourgeoisie.

L'entrée dans le XXIᵉ s : vers la démocratie

Les Mexicains ne peuvent plus nier les drames qui se jouent au quotidien dans un pays qui compte environ 20 millions de pauvres sur 108 millions d'habitants. Conséquence directe de cette pauvreté : la violence, ce fléau dont est victime le citadin, sous la forme d'enlèvements, braquages, arnaques, etc. Cette montée de l'insécurité n'est pas sans rapport avec le laxisme de la police et la corruption du système policier et judiciaire. Et puis il y a la question indigène, qui a éclaté comme une bombe en 1994 avec la révolte des Indiens du Chiapas, menés par le sous-commandant Marcos (voir plus loin « Zapatistes »). Le mouvement zapatiste réveille le Mexique du mirage de l'Alena, de l'OCDE et du gouvernement tape-à-l'œil de Salinas de Gortari.

Le signal d'alarme a été entendu. Le président Ernesto Zedillo, élu en 1994, commence à lâcher du lest et réalise des réformes qui ont permis au Mexique de s'ouvrir au jeu démocratique. La plus significative est celle de l'organisation politique du district fédéral (Mexico). Auparavant nommé par le président de la République, le maire de Mexico est désormais élu au suffrage universel. Depuis les premières élections en 1997, c'est d'ailleurs le PRD, parti d'opposition (gauche modérée), qui occupe la mairie.

L'année 2000 marque un tournant dans l'histoire politique du Mexique. Après 71 ans de domination du PRI, l'élection présidentielle voit la victoire de Vicente Fox, du Parti d'action nationale (PAN, démocratie chrétienne de droite). Ce tribun populiste, ancien PDG de Coca-Cola Mexique, doit affronter une immense tâche. C'est un pays ankylosé depuis des décennies qu'il lui faut sortir de l'ornière. De toute évidence, Fox a trop promis : réforme de l'État, éradication de la pauvreté, lutte contre la corruption, combat contre la violence, réforme de l'éducation, accords de paix au Chiapas, redistribution des revenus, rééquilibrage Sud-Nord... À la fin de son mandat, en 2006, la déception est partagée par tous.

Lors de la campagne pour la présidentielle de 2006, tout prêtait à croire que c'était enfin la gauche, menée par Manuel López Obrador (PRD), qui allait, pour la première fois de son histoire, remporter la victoire. Mais à la fin de sa campagne, López Obrador dérape et se radicalise, faisant fuir une bonne partie de l'électorat modéré qu'il avait réussi à convaincre lorsqu'il gouvernait la ville de Mexico. C'est finalement le candidat du PAN (droite libérale), Felipe Calderón, qui est élu, mais avec seulement 234 000 voix d'avance ! Il n'en faut pas moins (ou pas plus !) pour que le résultat soit contesté par la gauche. Il fallut attendre plus de 2 mois pour connaître le verdict définitif émis par le tribunal électoral : Calderón vainqueur avec 35,71 % des voix contre 35,15 % pour López Obrador. Durant tout l'été 2006, López Obrador et ses sympathisants, en guise de protestation, organisent un immense campement sur l'avenue Reforma, la plus prestigieuse et la plus importante artère de Mexico, provoquant un chaos urbain monstrueux durant plusieurs semaines. Ce qui termine de le discréditer aux yeux de la classe moyenne et de la gauche modérée. La fin de l'année est secouée par d'importants mouvements sociaux, en particulier à Oaxaca, où le centre-ville fut tenu pendant 6 mois par une coalition d'opposants d'extrême gauche et de syndicalistes. La troupe passée, tout est rentré dans l'ordre... sans rien régler. Et c'est aujourd'hui un Mexique divisé et désabusé que gouverne Felipe Calderón.

Repères

– *1400 av. J.-C. à 300 av. J.-C.* : période préclassique.
– *300 av. J.-C. à 700 apr. J.-C.* : c'est l'âge des civilisations dites classiques, telles que Teotihuacán, El Tajín, les Zapotèques (dans la vallée d'Oaxaca) et les Mayas (Tikal, Palenque). La plupart de ces civilisations connaissent une fin brutale vers l'an 1000.
– *935-947 :* les Toltèques s'installent au Yucatán.
– *1168 :* chute de Tula, ville symbole des Toltèques ; apparition de la tribu des Mexica ou Aztecas.
– *1325 (environ) :* les Aztèques s'installent le long de la rive ouest du lac de la vallée de Mexico.
– *1519 :* Cortés débarque sur la côte du golfe du Mexique (vers Veracruz) et atteint Tenochtitlán (Mexico).
– *1521 :* chute de la capitale de l'Empire aztèque, Mexico-Tenochtitlán, qui tombe aux mains des Espagnols.
– *1524 :* conquête du Guatemala par Pedro de Alvarado.
– *1598 :* les Espagnols sont implantés sur tout le territoire du Mexique actuel.
– *1810 :* un groupe de créoles, sous la conduite de Miguel Hidalgo, organise un complot contre les Espagnols. C'est le début de la guerre d'indépendance.
– *1811 :* défaite de l'armée d'Hidalgo, qui sera fusillé. Morelos et Guerrero reprennent les combats contre les royalistes.
– *1821 :* traité de Córdoba, qui consacre l'indépendance du Mexique.
– *1846-1848 :* guerre entre le Mexique et les États-Unis d'Amérique. Perte du Texas, du Nouveau-Mexique et de la Haute-Californie.
– *1861 :* Benito Juárez est élu président de la République. Voir « Personnages ».
– *1864-1867 :* l'archiduc Maximilien d'Autriche est sacré empereur du Mexique et gouverne grâce à l'occupation militaire française. Voir « Personnages ».
– *1876-1910 :* long règne dictatorial de Porfirio Díaz (le « Porfiriato »). Voir « Personnages ».
– *1910 :* début de la révolution. Francisco Madero amorce une réforme sociale et agraire.
– *1913 :* Madero est trahi par le général Huerta et assassiné. Luttes intestines, parfois féroces, entre les différents protagonistes de la révolution : Huerta, Venustiano Carranza, Pancho Villa, Emiliano Zapata...
– *1923-1934 :* le président Carranza et ses amis anticléricaux déclenchent la guerre civile contre les catholiques ; les conflits *(christiades)* culminent en 1926 avec les lois Calles. Ces guerres très meurtrières vont durer plus de 10 ans.
– *1934-1940 :* sous la présidence du général Cárdenas, importante réforme agraire et nationalisation des compagnies pétrolières. Création de *Petroleos Mexicanos* (Pemex), qui deviendra l'une des cinq plus grandes compagnies de pétrole du monde.
– *1942 :* après maintes hésitations, le Mexique déclare la guerre à l'Axe.
– *1964-1970 :* présidence de Gustavo Díaz Ordaz.
– *1968 :* massacre de Tlatelolco ; suivant l'exemple de Paris, des révoltes étudiantes se terminent par un bain de sang le 2 octobre, sur la place des Trois-Cultures. Des centaines de morts. Le président Díaz Ordaz semble impliqué, mais plus encore son Premier ministre Luis Echeverría. Les Jeux olympiques ont lieu 4 jours après, sans que personne ne trouve rien à redire.

– *1970-1976* : présidence de Luis Echeverría.

– *1982* : élection de Miguel de la Madrid à la présidence. Crise financière, point de départ d'un virage néolibéral.

– *1985* : terrible tremblement de terre à Mexico. Plus de 750 édifices (immeubles, hôpitaux, hôtels...) s'écroulent. Des dizaines de milliers de morts. Le pays est traumatisé.

– *1988* : élection contestée de Carlos Salinas (PRI). Commencent 6 ans de privatisation massive et de corruption à grande échelle.

– *1994* : soulèvement des Indiens zapatistes de l'État du Chiapas, menés par Marcos. Le même jour, le 1er janvier, signature de l'Accord de libre-échange nord-américain (Alena) qui libère les frontières commerciales entre le Canada, les États-Unis et le Mexique. Le Mexique devient le premier pays du tiers-monde à accéder à l'OCDE. Le candidat à l'élection présidentielle, Luis Donaldo Colosio, est assassiné (on ne saura jamais par qui ni le mobile). Élection à la présidence d'Ernesto Zedillo.

– *1998* : l'année des désastres écologiques. Graves incendies de forêt. La pollution bat tous les records. Inondations dans le Chiapas. L'ouragan *Mitch* frappe le sud du pays (et une grande partie de l'Amérique centrale).

– *2000* : fin d'une grève étudiante de plus de 1 an à l'UNAM (la plus grande université d'Amérique latine). Alternance historique avec l'élection de Vicente Fox (PAN) à la présidence. Entrée en vigueur du traité de libre commerce avec l'Union européenne.

– *2002* : cinquième visite du pape à Mexico. Il canonise Juan Diego, le « petit indigène » à qui est apparue la Vierge de la Guadalupe. Énorme affaire de corruption chez Pemex, qui met en cause les dirigeants et les syndicats.

– *2005* : après Stan au Chiapas, la saison des cyclones culmine avec l'ouragan Wilma (en octobre), qui ravage la Riviera maya. La guéguerre des cartels de la drogue met en évidence la complicité à très haut niveau de la police avec les narcotrafiquants, et en particulier la protection dont bénéficie le cartel de Sinaloa de la part de l'Agence fédérale d'investigation (AFI).

– *2006* : nouvelle marche des zapatistes à travers le pays. La mort de 65 mineurs dans une mine de charbon révèle plusieurs scandales dont l'immense fortune du leader syndical des mineurs ! La droite gagne la présidence de la République avec Felipe Calderón du PAN. En revanche, c'est la gauche (PRD) qui remporte la mairie de Mexico avec Marcelo Ebrard. Une grève des profs et des maîtres d'école dans l'État d'Oaxaca dégénère en immense mouvement de protestation contre le gouverneur, ce qui immobilise littéralement l'État d'Oaxaca durant plusieurs mois.

– *2007* : Calderón inaugure son mandat par une vaste opération contre les cartels de la drogue (lire la rubrique « Drogue » dans « Mexique utile »). À Mexico, création de l'équivalent du pacs et légalisation de l'avortement. À Oaxaca, le gouverneur présente ses excuses aux manifestants qu'il avait durement réprimés en 2006. Dans l'État du Tabasco, inondation sans précédent, laissant plus d'un million de personnes sans abri durant plusieurs semaines.

– *2008* : à Mexico, plus de 200 000 personnes habillées en blanc manifestent pour protester contre l'insécurité. En novembre, crash en pleine ville de Mexico de l'avion qui transportait le Premier ministre et plusieurs hauts fonctionnaires.

– *2009* : la revue *Forbes* fait scandale en introduisant à la 701e place, dans sa liste des personnes les plus riches du monde, Joaquin Guzman dit El Chapo, le trafiquant de drogue le plus recherché du Mexique. À l'aube du printemps 2009, un virus grippal encore non identifié provoque une panique mondiale « la grippe porcine » ou grippe A. Devenue panendémique, elle s'avère moins meurtrière qu'annoncée, mais reste sous surveillance.

– *2010* : une fois de plus, le Mexique se distingue au travers de la revue *Forbes*. Mais cette fois il s'agit de son ressortissant Carlos Slim, sacré homme le plus riche du monde. La guerre contre le narcotrafic bat son plein. Plusieurs chefs de cartels sont tués ou arrêtés.

– *2011* : le pourvoi en cassation de Florence Cassez, une Française condamnée à 60 ans de prison pour complicité d'enlèvement, est rejeté par la justice mexicaine. L'affaire entraîne de vives tensions diplomatiques entre le Mexique et la France. Le gouvernement français soutient la jeune femme qui se dit innocente et dénonce un « déni de justice » par la voix de la ministre des Affaires étrangères. Nicolas Sarkozy annonce que l'« année du Mexique en France », qui vient de débuter, sera dédiée à Florence Cassez, que les Mexicains refusent de transférer dans une prison française. Mécontent de ce dénigrement de sa justice, le gouvernement mexicain se retire de l'organisation de l'événement. Il était censé célébrer l'amitié entre les deux pays...

HUMBOLDT, PREMIER GRAND ROUTARD

La vie des pays latino-américains pendant la colonisation espagnole reste l'un des thèmes les moins connus de l'histoire. Un Allemand sera l'un des principaux chroniqueurs du Mexique de cette période. Né à Berlin en septembre 1769, Alexandre von Humboldt est un grand voyageur. Associé au botaniste français Aimé Bonpland, il entreprend des études de la faune et de la flore aux Amériques. Mais cet aventurier, grand érudit curieux de tout, s'intéresse aussi à la sociologie (avant l'heure), à la démographie et à la géographie. Bref, tout ce qui se présente devant ses yeux est digne d'analyse et de réflexion. Il visite Cuba, le Venezuela et l'Équateur entre 1799 et 1802. Puis commence l'aventure mexicaine.

À cette époque, la Nouvelle-Espagne est la province la plus grande, la plus développée et la plus peuplée (5 millions d'habitants) de l'Empire espagnol. Mexico est déjà la ville la plus importante du continent, avec 130 000 âmes. Fin observateur, Humboldt fera des études sur la démographie, les mines, la défense (il anticipe même une invasion via Puebla !), et prévoit déjà la construction d'un canal dans l'isthme d'Amérique centrale entre l'océan Atlantique et le Pacifique. Il prendra aussi une part active aux études hydrauliques concernant la ville de Mexico, qui, à l'époque, est régulièrement confrontée à de terribles inondations. Humboldt insiste beaucoup sur les rapports entre classes sociales et note aussi le fossé qui existe entre les Blancs, qui contrôlent l'économie de la région, et le reste du pays.

MÉDIAS

Votre TV en français : TV5MONDE

TV5MONDE est reçue partout dans le monde par câble, satellite et sur IPTV. Voyage assuré au pays de la francophonie avec films, fictions, divertissements, sport, informations internationales et documentaires.
En voyage ou au retour, restez connecté ! Le site internet • *tv5monde.com* • et son application iPhone, sa déclinaison mobile • *m.tv5monde.com* • offrent de nombreux services pratiques et permettent de prolonger ses vacances à travers des blogs et des visites multimédia.
Demandez à votre hôtel sur quel canal vous pouvez recevoir TV5MONDE et n'hésitez pas à faire vos remarques sur le site • *tv5monde.com/contact* •

Journaux

Outre la presse régionale, on trouve quelques grands quotidiens de référence à diffusion nationale. Ouvertement à gauche et proche des zapatistes, *La Jornada* symbolise peut-être le mieux la liberté de ton acquise depuis 1994. Nombre de ses collaborateurs sont attachés à l'université de Mexico. Plus modéré, le quotidien de centre droit *Reforma* est l'un des plus lus et une référence en matière de couverture de l'actualité internationale. On citera encore *El Universal,* le quotidien le plus lu (300 000 exemplaires), sérieux et complet, sans véritable affiliation politique, ainsi que l'*Excélsior,* longtemps proche du PRI. Dans la presse hebdomadaire, *Proceso* tient toujours le haut du pavé grâce à un journalisme d'enquête et à la qualité de ses reportages. Créé en 1976, cet hebdo est le vétéran de la presse d'opposition, mais il a du mal à rajeunir son image.

Télévision

Deux groupes privés se partagent le petit écran : TV Azteca et (surtout !) le groupe Televisa. Ce dernier compte quatre chaînes nationales, dont la célèbre Canal 2, qui affiche le record d'audience dans le pays. Géant de l'audimat, Televisa est aussi un colosse de la production dans de nombreux domaines : TV, radio, musique, cinéma, sport... Ses investissements dans le câble et le satellite lui permettent de diffuser ses programmes dans toute l'Amérique latine, et même aux États-Unis, bénéficiant de l'audience de l'importante communauté hispanique.

Cela dit, autant Televisa que TV Azteca sont passées maîtresses dans l'art de gaver les téléspectateurs de divertissements lourds, de reality shows gras et de JT non moins toxiques... Au programme de la petite lucarne : *telenovelas, telenovelas* et *telenovelas* ! Ces feuilletons mettent en scène des héros qui doivent surmonter d'innombrables obstacles pour survivre aux coups du destin, le tout se terminant par un (inévitable) happy end où triomphent l'amour et la justice. Ils tiennent en haleine le pays entier, toutes classes confondues. Un véritable phénomène de société quand on sait qu'en moyenne une *telenovela* compte... 160 épisodes ! La concurrence avec Televisa a conduit TV Azteca à diffuser des *telenovelas* à caractère plus social. Cette nouvelle génération aborde des thèmes plus actuels comme la corruption des milieux politiques, la violence urbaine, l'homosexualité, les droits de la femme...

L'information est l'autre champ de bataille de la concurrence. La ligne éditoriale des journaux télévisés, après avoir été soumise durant des années à la loi de l'autocensure (voire à la censure politique), obéit dorénavant à la recherche de l'audimat. Autrement dit, le ton est passé de celui de la propagande à celui de la presse à sensation ! Heureusement, il existe quelques bonnes chaînes à caractère culturel, comme la Canal 22 et l'excellente Canal 11. La TV par câble est très répandue. Dans les hôtels, vous aurez donc accès à de nombreuses chaînes américaines (dont CNN, en anglais ou en espagnol).

Liberté de la presse

Le Mexique figure parmi les pays les plus dangereux du continent pour les médias. La présence des cartels de la drogue et l'inefficacité et la corruption des autorités expliquent pour beaucoup ce panorama.

Depuis 2010, huit professionnels des médias ont été assassinés en lien direct avec leur profession : **Carlos Alberto Guajardo Romero** du quotidien *El Expreso de Matamoros* (État de Tamaulipas), **Luis Carlos Santiago Orozco** du quotidien *El Diario* (Ciudad Juárez), **Marco Aurelio Martínez Tijerina** de la station de radio *XEDD Radio La Tremenda,* (Nuevo León), **Guillermo Alcaraz Trejo** de *DHNET Tv* (Chihuahua), **Juan Francisco Rodríguez Rios** des quotidiens *El Sol de Acapulco* et *Diario Objetivo* (Guerrero), **Jorge Ochoa Martínez** directeur du quotidien *El Sol de la Costa* (Guerrero), **Valentín Valdés Espinosa** du quotidien *Zócalo de Saltillo* (Coahuila) et **Luis Emanuel Ruíz Carrillo** du quotidien *La Prensa* (Nuevo León).

Depuis 2000, 71 journalistes ont été assassinés et 13 autres ont disparu depuis 2003. Plus de la moitié d'entre eux enquêtaient sur des affaires liées au narcotrafic. Aucun commanditaire de ces crimes n'a jamais été arrêté ni jugé dans la plupart des cas.

Le nord du Mexique, au cœur des batailles entre cartels pour le contrôle du trafic de drogue, représente la zone géographique la plus exposée, même si la violence affecte l'ensemble du territoire. Les cartels de Sinaloa, du Golfe et de Juárez font partie de la liste annuelle des prédateurs de la liberté de presse de Reporters sans frontières. L'offensive fédérale contre le narcotrafic, engagée en décembre 2006, se solde aujourd'hui par un bilan de plus de 40 000 morts dans tout le pays. La presse demeure une cible privilégiée : la guerre physique se double d'une guerre de l'image impliquant d'importantes pressions sur les médias, en plus des attaques physiques contre les journalistes.

Police et armée portent également une lourde responsabilité dans les violations des droits de l'homme et les atteintes à la liberté d'expression. Les menaces contre les rédactions ne mobilisent pas suffisamment les autorités, fréquemment impliquées elles-mêmes. La corruption des élus, parfois de mèche avec les narcotrafiquants, ou les violations des droits de l'homme attribuées à la police ou à l'armée sont autant de sujets à très haut risque pour les médias mexicains, en particulier locaux.

Face à l'escalade de la terreur, le choix de l'exil s'offre de plus en plus souvent à des journalistes condamnés à exercer sous la menace, et pas seulement celle des cartels.

■ **Reporters sans frontières** : *47, rue Vivienne, 75002 Paris.* ☎ *01-44-83-84- 84.* ● *rsf.org* ● Ⓜ *Grands-Boulevards ou Bourse.*

MUXE ET HOMOSEXUALITÉ

Les mentalités dans ce pays de machos sont beaucoup plus tolérantes qu'on ne pourrait le penser. Peut-être parce que dans certaines régions du pays, l'homosexualité masculine est une tradition culturelle extrêmement ancrée dans les mœurs. Dans l'isthme de Tehuantepec par exemple, les communautés zapotèques, organisées sur le modèle du matriarcat, intègrent dans leur organisation sociale les *muxe* (prononcez « muché », issu du mot « mujer », femme en espagnol, devenu par extension « homosexuel » en zapotèque), qui sont souvent les derniers fils de la famille, éduqués en conséquence. Ils s'habillent parfois, mais pas toujours, avec des vêtements féminins, le *huipil* brodé traditionnel. En tout cas, l'un de ces *muxe*, représentant des communautés indiennes à l'Unesco, voyage ainsi vêtu. On trouve des bars et des discos gays dans toutes les grandes villes (Mexico détient sans doute un record en la matière) et les stations balnéaires, notamment à Puerto Vallarta. Par ailleurs, dans l'État de Coahuila et à Mexico, le gouvernement local a adopté en 2007 une « loi de vie en commun » (sorte de pacs) qui permet la légalisation des unions homosexuelles.

PERSONNAGES

– *Cuauhtémoc (1503-1525)* : le dernier chef aztèque, l'ultime empereur à lutter contre les conquistadors. Il a sa statue sur l'un des ronds-points de l'avenue Reforma à Mexico. Après la mort de Moctezuma II (celui qui a reçu Cortés), son neveu Cuitláhuac lui succède, mais il meurt peu après de la variole introduite par les Espagnols. Cuauhtémoc, un autre neveu, âgé de 18 ans, prend alors la relève en 1521. C'est à lui qu'incombent les derniers combats pour défendre Mexico-Tenochtitlán assiégé par les Espagnols. Après quelques mois d'une bataille désespérée, alors que les soldats aztèques sont épuisés par la famine et les maladies, Cuauhtémoc est finalement vaincu par Cortés, qui rase littéralement la ville aztèque. Cuauhtémoc est fait prisonnier, puis torturé pour lui faire dévoiler la cachette du trésor aztèque. Alors que le jeune Aztèque réclame la mort, celle-ci lui est refusée et il doit accompagner Cortés jusqu'au Honduras, où il est finalement exécuté sous prétexte de trahison.

– *Bartolomé de Las Casas (1474-1566)* : 92 ans ! À l'époque, c'est un record de longévité exceptionnel pour un personnage qui aura connu tant d'aventures, de combats, d'engagements. Né sous les remparts de Séville, il effectuera une quinzaine de traversées entre le vieux continent et le (tout) Nouveau Monde. Un exploit à l'époque, où chaque voyage transatlantique est une aventure. Après avoir été colon vers 1503, il entre dans les ordres en 1506. Frère dominicain à Cuba, il devient évêque du Chiapas, participe à l'élaboration des lois de Burgos, parcourt les Amériques (Panamá, Saint-Domingue, Guatemala...). Mais sa grande bataille est sans conteste la défense du droit des Indiens. Un cheval de bataille qu'il mène paci-

fiquement mais ardemment à la cour d'Espagne. Sans parvenir à juguler les exactions des conquistadors et colons, il fait avancer la cause. En 1542, il préside avec l'empereur Charles Quint une commission qui édicte des lois sur la liberté des Indiens, leurs droits au travail, leur libre propriété. Les révoltes de colons qui s'ensuivent dans les colonies auront raison de ces lois fugitives. Rentré définitivement en Espagne au couvent dominicain de Valladolid (la capitale espagnole d'alors), Las Casas continue son œuvre de défense des Indiens auprès du Conseil des Indes. Las Casas : premier routard aux Amériques ? Premier défenseur des Droits de l'homme ?

– **Porfirio Díaz** (1830-1915) : 34 ans à la tête du Mexique ! Un record. Originaire d'Oaxaca, il naît dans une famille modeste et, dès 16 ans, s'engage dans l'armée. Il y fait toute sa carrière, et ses succès militaires (notamment contre les troupes françaises et anglaises) le hissent au rang de général. Il s'oppose à Maximilien aux côtés des libéraux. Peine perdue, c'est Benito Juárez qui remporte les élections après la chute de l'éphémère empire. En 1877, Porfirio Díaz est élu à la présidence de la République et commence ainsi son long règne de dictateur. Culturellement tourné vers la France, politiquement soumis aux États-Unis. Il supprime le principe constitutionnel de la non-réélection, ce qui lui permet d'être réélu six fois de suite ! Puis c'est le cortège habituel de mesures autoritaires : suppression des libertés publiques, censure de la presse, répression. Il s'appuie sur la grande bourgeoisie et les capitaux étrangers (notamment européens) qui permettent l'industrialisation du pays : exploitation des mines, ports, développement du chemin de fer, urbanisme. Le pays connaît une forte croissance économique. Mais à quel prix ! Le fossé s'élargit de plus en plus entre les classes moyennes et la bourgeoisie, les ouvriers et les paysans vivent dans la misère, les indigènes n'existent carrément pas. Des mouvements en faveur de la justice sociale, soutenus par l'Église, sont sauvagement réprimés. Cette opposition au « porfiriat » se fait de plus en plus virulente et se transforme, sous l'impulsion de Madero, de Zapata et de Villa, en révolution (1910). Porfirio Díaz renonce au pouvoir en 1911 et se réfugie à Paris, où il mourra quelques années plus tard.

– **Miguel Hidalgo** (1753-1811) : le grand héros de l'indépendance du Mexique. En septembre 1810, ce « brave » curé de province lance son fameux appel aux armes contre la vice-royauté espagnole depuis le parvis de sa paroisse de Dolores (près de Guanajuato). C'est le début de la guerre d'indépendance. On comprend que l'on retrouve son nom un peu partout sur les plaques des rues. Aujourd'hui encore retentit, tous les 15 septembre à 23h, l'appel de Dolores : le président de la République, depuis la fenêtre centrale du Palais national donnant sur un *zócalo* envahi par la foule crie trois fois : ¡ *Viva Mexico* ! Jusqu'au moindre petit village, tous les maires en font autant. Bien entendu, ça fait belle lurette que la formule originale a été édulcorée et qu'a été supprimée la dernière partie : « Mort aux Gachupines » (Espagnols).

– **Benito Juárez** (1806-1872) : le seul président du Mexique d'origine indigène. Benito Juárez, Indien zapotèque d'Oaxaca, n'apprit à lire et à écrire qu'à l'âge de 13 ans. D'abord gouverneur de l'État d'Oaxaca, il devient un acteur politique important durant la période confuse de l'après-indépendance. À la tête du parti libéral et d'une petite armée, il se lance dans la lutte contre les conservateurs, installant son gouvernement à Veracruz. Il est élu une première fois à la présidence de la République en 1858. Mais il doit affronter les troupes françaises de Maximilien de Habsbourg et, tandis que ce dernier monte sur le trône, il se réfugie dans le nord du pays, à Ciudad Juárez. Soutenu par les États-Unis, il reprend la lutte contre l'empire jusqu'au siège de Querétaro, qui sera fatal à Maximiliano (voir ci-dessous). Après la chute de l'empire, il est élu premier président de la République restaurée et poursuit la mise en place de réformes progressistes : constitution libérale, nationalisation des biens de l'Église, laïcité de l'école...

– **Maximiliano** (1832-1867) : le dérisoire symbole des ambitions impérialistes de Napoléon III. Pauvre Maximilien de Habsbourg ! Il n'en demande sans doute pas tant, cet archiduc autrichien, frère de l'empereur François-Joseph, qui passe des jours tranquilles dans un château près de Trieste. En revanche, sa femme, Charlotte (Carlota), fille du roi de Belgique, a beaucoup plus d'ambition et rêve de devenir impératrice comme sa belle-sœur Sissi. C'est Charlotte qui pousse Maximilien à accepter l'offre de Napoléon III. Ce dernier prétend étendre l'influence de la France en Amérique latine. Soutenu par le parti conservateur mexicain en lutte contre le régime libéral de Benito Juárez, il offre la couronne du Mexique à une marionnette, Maximilien, qui, plein de bonnes intentions pour ce peuple qui lui tombe du ciel, s'installe en 1864 sur le trône impérial au château de Chapultepec de Mexico. Son règne sera de courte durée. Maximiliano Ier est un idéaliste mais d'une grande naïveté. Il trouve le moyen de se mettre à dos son seul allié, la droite conservatrice et cléricale, en conduisant une politique libérale ; il maintient les réformes de Benito Juárez et va même jusqu'à introduire la liberté de la presse et à nationaliser une partie des biens de l'Église. Pour corser la difficulté, Napoléon III décide de rapatrier les troupes françaises afin d'éviter un affrontement avec les États-Unis (qui soutiennent les libéraux). Les supplices de Charlotte, qui parcourt l'Europe entière à la recherche d'un soutien, n'y feront rien. Le couple impérial est abandonné à son triste destin. Maximilien doit affronter seul les troupes de Benito Juárez, qui assiègent Querétaro. Après la chute de la ville, il est fait prisonnier et fusillé en 1867. Quant à Charlotte, elle devient folle et termine sa vie dans un asile en Belgique.

– **José María Morelos** (1765-1815) : curé, héros de la guerre d'indépendance (1810-1821). Habile tacticien, il réussit à occuper une grande partie du sud-ouest du pays. Il a laissé son nom à un État.

– **Emiliano Zapata** (1883-1919) : avec **Pancho Villa,** Zapata est l'un des grands protagonistes de la révolution. Le premier agissant dans le nord du pays, notamment dans l'État de Chihuahua, le second bataillant au sud-ouest, dans les États de Guerrero et de Morelos. Emiliano Zapata, issu de la paysannerie métisse, prend la tête d'une armée de paysans indiens au nom de *tierra y libertad* (« terre et liberté »). Leur but est de récupérer la terre pour la rendre à ceux qui la travaillent. Sur leur passage, ils ravagent les grandes haciendas avec leurs plantations de canne à sucre et redistribuent la terre aux *peones*. Zapata met en place une réforme agraire dans l'État de Morelos. En 1914, Zapata et Villa parviennent à entrer dans Mexico. Mais peu après, ils doivent se replier, et Zapata continue sa lutte contre l'armée du gouvernement de Carranza (soutenu par les États-Unis). Ce dernier décide d'en finir une fois pour toutes avec Zapata et lui tend un piège où « le héros des paysans » est assassiné en 1919. Zapata reste aujourd'hui le symbole de la lutte paysanne contre la misère et pour la répartition équitable de la terre. D'ailleurs, ce n'est pas par hasard que les zapatistes actuels y font référence. Voir aussi le paragraphe « ¡ Viva Zapata ! » dans le chapitre sur Cuernavaca.

– **Marcos** : mais qui se cache donc sous cette cagoule ? Il s'agirait de Rafael Guillén, né en 1957 dans le nord du Mexique. Licencié en philo et en sociologie, il aurait enseigné dans une université de Mexico et aurait même étudié un temps à la Sorbonne. Le port de la cagoule, outre le fait d'être une formidable image médiatique, revêt bien d'autres significations : « Nous autres, Indiens, nous étions invisibles, il a fallu que nous nous cachions le visage pour que l'on nous voie. » Marcos a rejoint en 1984 le noyau de l'EZLN dans la forêt lacandone. Dix années s'écouleront donc avant le soulèvement zapatiste de janvier 1994. Dix années durant lesquelles il vit avec les Indiens, apprend leur langage, leurs symboles, leur histoire. Il n'est d'ailleurs que le *subcomandante,* car le mouvement politique appartient avant tout aux indigènes. Marcos n'en est que le porte-parole et le chef de la branche militaire qui leur est aussi subordonnée.

La guérila de janvier 1994 ne dure qu'une dizaine de jours. Très vite, c'est la plume de Marcos qui devient l'arme principale. Le mouvement a déjà produit une grande quantité de textes politiques et littéraires, des communiqués, des déclarations, des lettres, des réflexions, des rêveries, des contes... Une littérature originale et bourrée d'humour, qui se colore d'une mosaïque d'influences et de références, de Carlos Fuentes à Shakespeare, de Galeano à García Lorca, de Serrat à Sabina. « Contre l'horreur, l'humour : il faut rire beaucoup pour faire un monde nouveau, dit Marcos, sinon ce monde nouveau naîtra carré, et il n'arrivera pas à tourner. » Lire aussi « Zapatistes ».

– **Diego Rivera** *(1886-1957) :* le père du muralisme mexicain et de l'art engagé. Diego Rivera est né à Guanajuato. Il raconte que c'est sur les murs de sa chambre d'enfant qu'il peignit ses premières fresques. Il poursuit sa formation de peintre en Espagne et à Paris, où il se nourrit de l'influence des cubistes, de Mondrian et surtout de Picasso. Il développe son propre style, plus réaliste, fortement teinté de mexicanité, introduisant des figures et des symboles aztèques dans ses peintures. Il revient au Mexique en 1921, peu de temps après la révolution, alors que naît le mouvement pro-indigène fondé sur la recherche et la reconnaissance des racines préhispaniques et des cultures traditionnelles. À la même époque, le ministre de l'Éducation, Vasconcelos, philosophe de formation, lance le concept de *muralismo* afin de mettre l'art à la portée du peuple. Les fresques, peintes sur les édifices publics, devraient illustrer les thèmes de l'identité mexicaine. Diego Rivera peint son premier *mural* en 1922, *Creación.* Il peindra des dizaines d'autres fresques gigantesques dans les bâtiments publics. Membre du parti communiste (il voyage en Russie en 1927), ses fresques murales deviennent de plus en plus engagées politiquement, alors même qu'elles sont financées par le gouvernement mexicain ou par de riches commanditaires américains comme Rockefeller. En plus de ses nombreuses amantes, il eut trois épouses principales : Angelina Beloff, Guadalupe Marín et surtout la peintre Frida Kahlo. Diego Rivera est considéré par beaucoup comme l'initiateur de l'identité mexicaine. Toute sa vie, il collectionnera des figurines et objets d'origine préhispanique.

– **Frida Kahlo** *(1907-1954) :* une vie sous le signe de la douleur physique. Frida Kahlo, la grande artiste mexicaine, trouva son exutoire dans la peinture. De père juif allemand et de mère métisse originaire d'Oaxaca, elle naît à Coyoacán (aujourd'hui quartier de Mexico). À l'âge de 6 ans, elle est atteinte de poliomyélite et, à 18 ans, un terrible accident d'autocar la laisse en partie paralytique, stérile et l'oblige à utiliser un fauteuil roulant durant les dernières années de sa vie. Elle subit plus de 30 opérations. Sa peinture, largement autobiographique, reflète toutes ces blessures à son intégrité corporelle. Forte personnalité, elle milite au parti communiste, s'habille avec les vêtements des Indiens, défend la cause des femmes. Sa relation passionnée avec Diego Rivera, qui lui est infidèle, est une autre source de souffrances. Elle meurt à l'âge de 47 ans dans la maison bleue *(casa azul)* de Coyoacán. Le film *Frida* (2002), avec Salma Hayek, n'est malheureusement qu'un pâle reflet de la vie passionnée et passionnante de la plus célèbre artiste du Mexique.

– **Carlos Slim :** avec Bill Gates, c'est à qui des deux chaque année sera l'homme le plus riche du monde. Selon la revue *Forbes,* la fortune de Carlos Slim est évaluée à plus de 53 milliards de dollars, soit l'équivalent de 7 % du PIB du Mexique ! Ce

HOMMES, CULTURE ET ENVIRONNEMENT

magnat des télécommunications est né en 1940 au sein d'une famille modeste d'émigrants libanais. Il est réputé pour son flair exceptionnel et démarre son ascension en rachetant des entreprises en difficulté qu'il redresse. Son amitié avec le président Carlos Salinas, chantre des privatisations, lui permet d'asseoir sa fortune. En 1990, il acquiert à un prix en dessous du marché l'entreprise de téléphonie Telmex, qui contrôle aujourd'hui 90 % des téléphones fixes et 80 % des portables (à travers Telcel). Et la liste est longue...

CARLOS SLIM, OU COMMENT FAIRE FORTUNE ?

Non content de posséder les télécommunications mexicaines, l'empire de Carlos Slim, s'est diversifié : il rassemble aussi bien la chaîne des magasins San-born's et les plates-formes pétrolières, que la production de disques, des infrastructures routières et même un musée. Il a été calculé que chaque jour, chaque Mexicain apporte au moins un peso de bénéfice à l'empire Slim. Faut bien manger !

Comme la plupart de ses riches confrères, Slim possède aussi des fondations de bienfaisance, finance la création d'écoles dans le pays et le musée d'art Soumaya à Mexico.

POLITIQUE

C'est très simple. Même pour ceux qui n'ont pas fait Sciences-Po. Tout d'abord, il faut distinguer la théorie et la pratique. Côté théorie, la Constitution mexicaine organise un régime de type présidentiel, du genre de celui des États-Unis, avec séparation des pouvoirs. Le président de la République est élu au suffrage universel direct pour 6 ans. Il est non rééligible. ¡ No reelección ! Depuis la révolution, c'est la devise de la République mexicaine... et aussi le nom de nombreuses rues. Le président nomme ses ministres (appelés *secretarios*), lesquels sont directement responsables devant lui. Traduisez : il a le pouvoir de les congédier comme il l'entend. Du côté du pouvoir législatif, le parlement comporte deux chambres : la Chambre des députés (500 membres), élue pour 3 ans au suffrage universel, et un Sénat composé de deux membres par État. En effet, le Mexique est une fédération composée de 31 États. À quoi il faut ajouter le district fédéral (DF) de Mexico. Chaque État est dirigé par un gouverneur nommé par le président de la République, et dispose également d'une Chambre des députés.

Organisation parfaite s'il en est. Au moins sur le papier. Dans la pratique, il en va tout autrement. La vie politique mexicaine a été dominée de 1929 à l'an 2000 par le PRI, le tout-puissant Parti révolutionnaire institutionnel (sic !), avec tout ce que cela signifie de concentration du pouvoir dans les mains du seul chef suprême de la nation. Pas besoin d'être grand clerc pour comprendre comment une telle absence de contre-pouvoir a pu favoriser le népotisme, le copinage, les collusions d'intérêt, les trafics d'influence, en un mot la corruption, qui est considérée aujourd'hui par les Mexicains comme le fléau numéro un du pays (voir aussi plus haut « Histoire »).

POPULATION

Concentration urbaine

112 millions d'habitants. Il suffit de se promener dans les rues pour constater que la population est jeune. La moitié des Mexicains a moins de 25 ans. Ce qui donne une pyramide des âges à la base élargie, typique des pays en voie de développement. Question densité, on est très loin des chiffres habituels en Europe : la densité est de 55 hab./km^2. En effet, le Mexique dispose encore d'immenses espaces quasiment vierges comme le nord du pays (États de Sonora, Chihuahua, Basse-Californie), à

peine peuplé de 13 hab./km^2. À l'extrême opposé, on trouve la ville de Mexico avec 5 799 hab./km^2 ! Le centre du pays est le plus peuplé puisqu'il rassemble 60 % de la population. La capitale est l'objet de toutes les migrations. Depuis des décennies, les zones rurales ne cessent de se dépeupler au profit des grands centres urbains comme Monterrey, Guadalajara et, bien sûr, Mexico. À elles seules, ces villes regroupent le quart des Mexicains.

Une soixantaine d'ethnies indigènes

On estime les Indiens à 10 millions de personnes, dont environ 7 millions ont conservé leur langue. Véritable mosaïque ethnique, puisqu'elle se divise en une soixantaine de communautés... et autant de langues différentes ! Et puisqu'on en parle si rarement, en voilà quelques-unes : Amuzgo, Cochimi, Cora, Chinantèque, Chocholtèque, Chol, Chontal, Cuicatèque, Guarijio, Guaycuri, Huastèque, Huave, Kikapu, Kukapa, Kumiai, Mame, Matlazinca, Maya Yucatèque, Mayo, Mazahua, Mazatèque, Mixe, Mixtèque, Ñahñu, Nahua, O'odham, Pame, Pericuri, Popoluca, Purépecha, Raramuri, Tenek, Tlahuica, Tlapanèque, Tojolabal, Totonaque, Triqui, Tzeltal, Tzotzil, Wixaritari-Huichol, Yaqui, Zapotèque, Zoque.
Les principales langues préhispaniques en usage sont le *nahuatl*, l'ancienne langue des Aztèques, parlé par 16,6 % de la population indigène, essentiellement dans le centre du pays, le *maya* (8,9 %) utilisé au Chiapas et au Yucatán, le *zapotèque* (5 %) parlé dans les États d'Oaxaca et de Veracruz, et le mixtèque (5 %), dans la même région.

L'avenir incertain des Indiens

Les historiens sont loin d'être d'accord sur le nombre d'habitants qui vivaient en terre mexicaine avant l'arrivée des Espagnols. Les chiffres varient entre 4,5 et 25 millions ! Ce qui est certain, c'est que cette population indigène a dramatiquement décru après la conquête ; tueries, guerres, travail forcé, épidémies et maladies d'importation (la variole notamment) ont fait des ravages.
Cependant, alors que commençait le grand brassage des races, les Indiens sont restés durant les trois premiers siècles de domination nettement plus nombreux que les Espagnols (18 % de la population au XVIIIe s). Durant cette époque, la population métisse augmenta de manière exponentielle. C'est au XIXe s que la démographie indigène entama son déclin : juste avant la guerre d'indépendance, en 1800, les Indiens représentaient 60 % de la population du Mexique. Un siècle plus tard, ils n'étaient déjà plus que 37 %.
Actuellement, les principales communautés indigènes, notamment celles des États d'Oaxaca, de Veracruz, du Chiapas et du Yucatán, se maintiennent. Mais d'autres ont un avenir beaucoup plus incertain, comme les Huicholes (État de Nayarit) ou les Tarahumaras (voir le chapitre « La sierra Tarahumara et la Barranca del Cobre »).
Comme on le constate aisément en se baladant dans les coins reculés du pays, les indigènes sont les laissés-pour-compte. Cette population, sans conteste la plus pauvre, est restée en marge du développement, sans accès à la santé ni à l'éducation.
Face à la misère, la réponse de cette population a été la mobilité. Les indigènes ne cessent de voyager, émigrant vers les sources de travail que sont les zones urbaines ou le sud des États-Unis pour les travaux agricoles. Il s'agit en général d'une migration temporaire, le temps de gagner de l'argent avant de rejoindre la communauté d'origine. Ces phénomènes migratoires, qui n'ont longtemps concerné que les hommes, touchent désormais les femmes, qui partent travailler comme ouvrières agricoles dans les grandes exploitations du Nord, dans les centres touristiques pour y vendre leur artisanat ou, dans le meilleur des cas, comme domestiques à Mexico.

RELIGION

Le Mexique est un État laïque, et la Constitution garantit la liberté de confession. N'allez surtout pas croire que tout le monde est catholique. Le nombre de fidèles est passé de 93 % en 1993 à 88 % aujourd'hui. Cette baisse est surtout due à l'apparition des « sectes » dans les années 1960, comme les témoins de Jehova, les adventistes, les mormons ou les *cristianos*, qui gagnent de plus en plus d'audience. On compte en tout 7,3 % de protestants, 0,05 % de juifs et 3,5 % d'athées.

La Vierge de Guadalupe

Elle représente le signe de ralliement du peuple mexicain, la véritable religion nationale. L'histoire est assez simple. Dix ans seulement après la conquête, le 12 décembre 1531, le jeune indigène Juan Diego, pauvre bien sûr, baptisé évidemment, et d'une grande humilité, comme le remarquent volontiers les chroniqueurs de l'époque, reçoit l'apparition de la Vierge Marie sur le mont Tepeyac, à quelques kilomètres de Mexico (là où se trouve actuellement la basilique de la Guadalupe). L'endroit n'est pas neutre. Au sommet de cette même colline, les Aztèques avaient construit un temple dédié à Tonatzín, c'est-à-dire « la mère des dieux » ou « notre mère ». Éberlué, l'*Indito* Juan Diego entend la Sainte Vierge lui ordonner d'aller voir l'évêque de Mexico pour lui demander de faire construire une église en son honneur sur le lieu même de son apparition. Il se rend à l'évêché, mais sa requête ne rencontre, bien entendu, aucun succès. Alors, la Vierge fait pousser de splendides roses de Castille au sommet de la colline (un endroit désertique, et nous sommes en plein hiver) et demande à Juan Diego d'en cueillir de pleines brassées pour l'évêque. Aussitôt dit, aussitôt fait, l'Indien s'en retourne à l'évêché, sa tunique chargée de roses. Reçu par monseigneur Zumárraga, il ouvre son manteau, et toutes les merveilleuses roses se répandent sur le sol, tandis que, sous les yeux émerveillés de l'évêque agenouillé, l'image de la Vierge s'imprime sur la tunique. Une chapelle est rapidement construite sur la colline de Tepeyac, en lieu et place de l'ancien temple aztèque. La basilique ne viendra que plus tard (1555, puis 1609). On y exposera la fameuse tunique à l'effigie de la Sainte Vierge.

Beaucoup d'historiens tentent de comprendre l'origine de ce suaire, voire de contester l'authenticité du miracle. Certains ecclésiastiques ont même nié l'existence de Juan Diego. Mais les Mexicains se moquent de ces querelles d'experts, et toutes les remises en question n'y feront rien : les Indiens, dans leur désespérance de peuple vaincu et soumis, ont besoin d'une protectrice. La Guadalupe est désormais leur Bonne Mère. Au début de la conquête, sa dévotion se confondit d'ailleurs avec le culte de Tonatzín, la déesse de la Terre et de la Protection ; de fait, les pèlerinages à la Guadalupe avaient lieu à la même période que

> ## UNE VIERGE LATINO-AMÉRICAINE
>
> *En 1737, la Vierge de Guadalupe devient patronne de Mexico, exemple rapidement suivi par d'autres villes du pays. En 1910, l'Église la nomme patronne de toute l'Amérique latine. Mais le Mexique continue de s'approprier jalousement la Guadalupe, symbole de la revanche de l'indigène sur l'Espagnol (elle est noire). Cette vierge est, d'une certaine manière, le symbole d'une continuité entre les cultures préhispanique et hispanophone à travers un même culte à la Madre. Subtile stratégie pour intégrer les rites anciens...*

les fêtes préhispaniques de Tonatzín, au mois de septembre (ce n'est que depuis le XVIIIe s. que la procession de la Guadalupe a lieu le 12 décembre).

En 2002, le pape Jean-Paul II, en visite au Mexique, canonise solennellement Juan Diego. C'est le premier saint indien du calendrier chrétien. Pour la foule en liesse, notamment les indigènes, c'est la revanche de l'histoire. Ironie de la situation, le portrait du « petit Indien », qui envahit alors les rues, présente les traits d'un Espagnol ! L'épiscopat s'est justifié en expliquant que c'était la seule gravure existante de Juan Diego dont ils disposaient, datant du XVIIᵉ s...

SAVOIR-VIVRE ET COUTUMES

Tâche ardue que de parler des Mexicains en général. Quoi de commun entre le descendant maya perdu entre deux dindons et cinq plants de maïs dans les tréfonds de la jungle du Chiapas, et le cadre sup' d'origine espagnole, peau blanche et costume noir, sillonnant le 2ᵉ étage du *periférico* de Mexico dans un 4x4 américain dernier modèle, téléphone portable collé à l'oreille ? Le Mexique est une vraie mosaïque de cultures, de coutumes et d'arts de vivre.
Néanmoins, il existe quelques grands traits communs.
– *La Guadalupe :* plus encore que le drapeau national, c'est elle qui représente le vrai symbole de l'unité mexicaine. Objet de consensus dans tout le pays, toutes classes confondues. Lire ci-dessus « Religion ».
– *La familia :* autre objet de culte. Mais on aurait tort d'y voir seulement l'influence de la religion ou des relents de valeurs morales. En réalité, la force des rapports familiaux tient beaucoup aux conditions de vie et à la pression économique. Pour les parents, les enfants représentent tout bêtement la garantie d'une vieillesse décente dans un pays où les retraites sont quasi inexistantes. Quant aux enfants, ils ne quitteront le domicile parental qu'au moment du mariage, là encore pour des raisons financières. Il n'est donc pas rare de voir trois générations se côtoyer dans la même maison. Certes, la pudeur mexicaine interdit de dévoiler ces motivations socio-économiques, et l'on préfère conserver intacte l'illusion de la mystique familiale chère au cœur de tout Mexicain. N'empêche, la famille mexicaine est tout aussi éclatée qu'ailleurs, si ce n'est plus. Le nombre de divorces est en hausse depuis des années. Les mères célibataires sont légion. On se remarie, on fait élever les enfants par la grand-mère... En revanche, le jour de la fête des Mères, il ne viendrait à l'idée d'aucun Mexicain d'oublier de célébrer sa chère *mamá*.
– *La fiesta :* le Mexique est le pays de la fête. Tout est prétexte à décorer les rues du village, à suspendre les *piñatas* et les guirlandes multicolores, à sortir les drapeaux, à fleurir la maison et à préparer le fameux *mole* ou les traditionnels *tamales*. Baptême, première communion, anniversaires, mariage... jusqu'à la mort, qui se fête dans l'allégresse tous les 2 novembre. Ainsi, où que vous soyez dans le pays, vous aurez toutes les chances d'assister à une fête (voir aussi « Fêtes et jours fériés » dans « Mexique utile »).
À la campagne et dans les milieux populaires, la fête la plus importante est celle des 15 ans, véritable rite de passage entre l'état de jeune fille et celui de femme. Sans doute un résidu de la tradition du premier bal des jeunes donzelles de l'aristocratie espagnole à l'époque coloniale. De nos jours, les familles économisent de longs mois et se saignent aux quatre veines pour pouvoir payer la somptueuse robe de l'héroïne du jour, sa couronne de strass, le smoking des garçons d'honneur, le repas offert à pratiquement tout le village, l'immense pièce montée de 3 m de haut, sans oublier l'orchestre de mariachis sans lequel on ne saurait imaginer une fête mexicaine. Tout ça coûte une petite fortune, et il est donc de tradition de faire appel à des « parrains » qui participent financièrement. Ainsi, si vous sympathisez avec une famille mexicaine et que celle-ci vous propose d'être *padrino*, vous saurez à quoi vous en tenir. Attention, ça peut revenir très cher. Mais en contrepartie de votre généreuse obole, le père de famille vous fera l'honneur de vous appeler *compadre,* autrement dit « compère », titre d'amitié à toute épreuve : vous ferez désormais partie de la famille.

– **La mort :** un étrange rapport unit les Mexicains avec la *muerte,* qu'ils ont baptisée de multiples noms : la *flaca* (la maigre), la *Catrina*... Le Mexique est probablement un des seuls endroits au monde où l'on peut habiter barranca del Muerto (précipice du Mort), faire son jogging sur calzada del Hueso (avenue des Os) ou boire une tequila au bar *La Calavera* (Le Squelette). La fête des Morts est un voyage au plus profond de l'identité mexicaine. Dans la plupart des maisons, on dresse un autel durant les premiers jours de novembre. Bref, si vous êtes à Mexico durant cette période, préparez-vous à être témoin de l'une des fêtes les plus spectaculaires du pays.

– **Le machisme :** tout le monde le dit, le Mexique est le pays des machos. Typique, le cliché du Mexicain à la fière moustache, installé à une table de *cantina,* descendant tequila sur tequila. Dans cet antre interdit aux femmes, il se sent roi, *El Rey,* un classique chanté par les mariachis et auquel il s'identifie pleinement : « Avec ou sans argent / Je fais toujours ce que je veux / Et ma parole, c'est la loi / Je n'ai ni trône ni reine / Mais je continue d'être le roi. » Le macho fanfaronnant cherche ainsi à conforter sa masculinité à travers la compagnie des hommes, l'amoncellement des cadavres de bières, les blagues largement sexuées, la capacité à siffler les minettes dans la rue... Dans les villages de campagne, les femmes ne mangeront qu'après avoir servi le repas aux hommes. Dans les classes moyennes, l'homme est le pourvoyeur, la femme se cantonne dans le rôle de *madre* et de femme au foyer. De la virilité somme toute baroque. Car, pour conquérir sa dulcinée, le macho n'hésite pas à vider sa bourse pour lui faire jouer la sérénade sous sa fenêtre par une demi-douzaine de mariachis. Ensuite vient la *casa chica,* la « petite maison » : tout mâle digne de ce nom doit fournir gîte et couvert à sa (ses) maîtresse(s), puis aux enfants naturellement. Dût-il se saigner aux quatre veines. Messieurs les routards, vous savez ce qu'il vous reste à faire...

– **¡ Es tu casa !** : rien à voir avec notre « Fais comme chez toi ». C'est carrément : « Voici ta maison ! » Ne le prenez quand même pas au pied de la lettre ! C'est une phrase que les Mexicains répètent à loisir et qui en dit long sur leur sens de l'hospitalité et leur amabilité. L'hospitalité, vous aurez plus de chances de la rencontrer dans les petits villages de province et dans les milieux populaires que dans les grands centres urbains, où elle tend à disparaître. En revanche, l'amabilité et une incroyable gentillesse sont quasi générales (à nuancer évidemment dans les endroits très touristiques). Les Mexicains, plutôt joviaux en général, émaillent leur langage de tournures courtoises et dramatiquement soumises : *A sus ordenes. Para servirle* ou *¿ En que le puedo servir ? ¡ Que Dios le bendiga !* Ce qui donne littéralement : « À vos ordres. En quoi puis-je vous servir ? Que Dieu vous bénisse ! » Dans les magasins ou les restaurants, n'ayez jamais peur d'en faire trop dans les formules de politesse. Les Mexicains adorent.

– **¡ Tranquilo !** : pour les mentalités européennes et cartésiennes, les occasions de s'irriter ne manquent pas : le robinet de la douche qui vous reste entre les mains, la musique jusqu'à 4h dans la chambre voisine, les horaires de bus approximatifs, etc. ; à chacun ses points sensibles et ses petites raisons de se fâcher. Pourtant, s'énerver ne mène à rien dans ce pays où la colère et les scandales sont très mal vus. Par conséquent, la règle d'or est de ne jamais s'énerver. Si tel était le cas, la pauvre guichetière ou le réceptionniste vous regarderaient les yeux tout ronds, paralysés par la surprise et bien souvent incapables de réagir. Au contraire, en jouant la carte de l'amabilité, agrémentée d'un brin de séduction, vous mettrez toutes les chances de votre côté pour qu'une solution apparaisse. N'oubliez jamais : au Mexique, la gentillesse ouvre des portes insoupçonnées. Et puis, vous êtes en vacances après tout !

– **Le temps :** pas celui de la météo ni celui des calendriers aztèques, mais celui que s'octroient leurs descendants. Ce temps-là n'a aucun repère, aucune précision.
Ainsi, un séjour au Mexique est-il aussi un voyage à travers le temps... vu différemment. Alors, ne soyez pas surpris des horaires changeants, des départs retardés

et des rendez-vous manqués. Malgré la proximité des États-Unis, ici, le temps n'est pas encore de l'argent. Profitons-en, ça se fait rare sur la planète.

Corollaire de ce comportement, c'est le flou artistique des adresses et des informations données. « C'est par là », vous répondra-t-on avec d'immenses gestes de bras, sans autre précision. Quelle importance, puisque, ici, on a le temps de chercher, de demander.

ALORS ? C'EST POUR QUAND ?

L'unité de mesure des Mexicains, c'est le fameux mañana *(demain), utilisé des dizaines de fois par jour, et qui signifie souvent dans 2 ou 3 jours, voire 1 semaine. Mais pourquoi donc faire aujourd'hui ce qu'on peut faire demain, on vous le demande ? Et si, parfois, vous entendez un* ahorita *(dans un instant), ce n'est qu'une façon de parler...*

– *La plática :* c'est-à-dire la conversation ou l'art de bavarder. C'est un des grands plaisirs des Mexicains, une activité en soi. Si vous parlez quelques mots d'espagnol, vous aurez maintes occasions de tailler la bavette. Mais attention à ne pas critiquer le pays où vous êtes. Profitez-en plutôt pour écouter le point de vue de votre interlocuteur. Par ailleurs, il y a des sujets sensibles, comme la religion, la corruption, le narcotrafic, les États-Unis, la situation au Chiapas... En général, les Mexicains que vous rencontrerez aimeront surtout savoir d'où vous venez et comment ça se passe chez vous. Enfin, pour ceux qui auraient la fibre militante, il faut savoir que l'article 33 de la Constitution mexicaine interdit aux étrangers, sous peine d'expulsion, de critiquer le gouvernement ou d'avoir une activité militante (!).

– *L'albur :* ce mot, qui désigne les expressions à double sens, vient du français « calembour ». Dans un Mexique encore pudibond en ce début de XXIe s, l'*albur* permet un exutoire masqué par l'humour en donnant au moindre mot ou à la moindre phrase une connotation sexuelle. Tout un art pour les initiés. Mais plusieurs années de pratique sont nécessaires pour y exceller.

– *La mendicité :* il y a très peu de clochards dans les villes, ou même de mendiants faisant la manche. Quand on en voit, ce sont surtout des enfants, et seulement dans les endroits touristiques ou les quartiers chic de Mexico. En revanche, vous rencontrerez dans la rue une multitude de personnes qui vendent des babioles diverses, des friandises, des peluches aux couleurs du drapeau mexicain... D'autres vous proposeront de laver votre pare-brise, de surveiller votre voiture... N'hésitez pas à leur donner une pièce, c'est la rémunération de leur service.

– *Naturisme :* si vous avez oublié votre maillot de bain, vous avez tout faux. On ne vient pas au Mexique pour faire du naturisme. Les plages où l'on se dénude sont rarissimes. Et ce sont surtout les touristes étrangers qui donnent la note. Les Mexicains, eux, sont 100 % textile. Quant au monokini, il n'est pas non plus très en usage, sauf peut-être sur quelques plages de Cancún.

SITES INSCRITS AU PATRIMOINE MONDIAL DE L'UNESCO

Organisation
des Nations Unies
pour l'éducation,
la science et la culture

En coopération avec
le centre du patrimoine mondial de l'UNESCO

Pour figurer sur la liste du Patrimoine mondial, les sites doivent avoir une valeur universelle exceptionnelle et satisfaire à au moins un des 10 critères de sélection. La protection, la gestion, l'authenticité et l'intégrité des biens sont également des considérations importantes. Le patrimoine est l'héritage du passé dont nous profitons aujourd'hui et que nous transmettons aux générations à venir. Nos patrimoines culturel et naturel sont deux sources irremplaçables de vie et d'inspiration. Ces

HOMMES, CULTURE ET ENVIRONNEMENT

sites appartiennent à tous les peuples du monde, sans tenir compte du territoire sur lequel ils sont situés. Pour plus d'informations : ● *whc.unesco.org* ●
Dans ce guide sont concernés :
– Centre historique de *Mexico* et *Xochimilco* (1987).
– Cité préhispanique et parc national de *Palenque* (1987).
– Cité préhispanique de *Teotihuacán* (1987).
– Centre historique d'*Oaxaca* et zone archéologique de *Monte Albán* (1987).
– Centre historique de *Puebla* (1987).
– Réserve de *Sian Ka'an* (1987).
– Ville historique de *Guanajuato* et mines adjacentes (1988).
– Ville précolombienne de *Chichén Itzá* (1988).
– Centre historique de *Morelia* (1991).
– *El Tajín,* cité préhispanique (1992).
– Centre historique de *Zacatecas* (1993).
– Ville précolombienne d'*Uxmal* (1996).
– Zone de monuments historiques de *Querétaro* (1996).
– *Hospice Cabañas,* Guadalajara (1997).
– Zone de monuments historiques de *Tlacotalpán* (1998).
– Zone de monuments archéologiques de *Xochicalco* (1999).
– Ville historique fortifiée de *Campeche* (1999).
– Ancienne cité maya de *Calakmul,* Campeche (2002).
– Paysages d'agaves et anciennes installations industrielles de *Tequila* (2006).
– *San Miguel de Allende* et le sanctuaire de *Atotonilco* (2008).
– *Réserve de biosphère du papillon monarque* (2008).
– *Grottes préhistoriques de Yagul et Mitla,* vallée de Oaxaca (2010).

SPORTS ET LOISIRS

– *La plongée et le snorkelling :* les eaux de la mer Caraïbe en particulier, avec leurs poissons multicolores, et les *cenotes* du Yucatán sont réputés internationalement pour s'adonner à la plongée ou au snorkelling.
– *Les randonnées pédestres, cyclistes ou équestres :* de nombreux sites et réserves naturels offrent la possibilité de pratiquer ces loisirs. Que ce soit pour observer la faune et la flore (réserve des papillons monarques ou de Calakmul), aller à la rencontre des populations locales (villages tzotziles du Chiapas ou tarahumaras au nord), admirer les paysages grandioses de la Barranca del Cobre, etc.
– *Le catch :* né en 1933, le catch à la mexicaine a désormais atteint ses lettres de noblesse. Après quelques années d'oubli, la *lucha libre,* grande tradition populaire par excellence, est revenue en force ces dernières années. Sur le ring, des malabars masqués, vêtus d'un costume méga kitsch, luttent au nom du bien et du mal, chaque lutteur incarnant l'une de ces forces éternelles. Autant dire que l'issue du combat est connue d'avance. C'est toujours le gentil qui gagne, tandis que le méchant doit quitter le ring sous les huées. Le héros est certes victorieux, mais après avoir reçu bien des coups et subi des prises spectaculaires qui laisseraient exsangue n'importe quel autre mortel. Les lutteurs portent d'ailleurs des noms évoquant leur origine supranaturelle : Astro, Super Ecolo, Ángel, Éclair, Démon bleu... et Místico, le plus célèbre d'entre eux aujourd'hui. On trouve son masque en vente dans tous les stands de rue aux abords des bouches de métro. Pour ces héros d'un autre âge, le masque est bien sûr essentiel, au point qu'un célèbre lutteur ne l'a jamais enlevé – il est mort avec, et personne n'a jamais vu son vrai visage. La foule est en liesse. Les billets sont très bon marché. C'est le spectacle populaire par excellence, qui attire toutes les générations.

ZAPATISTES

La révolte des Indiens

Le 1er janvier 1994, le président du Mexique, Carlos Salinas de Gortari, célèbre l'entrée en vigueur de l'Accord de libre-échange nord-américain (Alena), qui associe économiquement le Mexique à ses voisins du Nord, États-Unis et Canada. Ce même jour, dans la stupeur générale, les paysans indiens se soulèvent et prennent les armes, avec pour modèle Emiliano Zapata (d'où leur nom, EZLN, *Ejercito Zapatista de Liberación Nacional*). Cette guérilla, qui compte à peine 3 000 à 5 000 indigènes, réussit à occuper San Cristóbal de Las Casas, au Chiapas. Ils revendiquent le droit à la terre, au logement, à la santé, à l'éducation, au travail et à la justice, mais aussi la reconnaissance de leur identité et de leur culture en tant que peuple indigène.

Depuis la conquête espagnole, l'histoire des populations indigènes rime avec extermination, exploitation et humiliation. La Constitution du Mexique ne reconnaît toujours pas l'existence des Indiens, alors qu'ils représentent près de 10 % de la population, soit environ 10 millions de personnes ! Un sentiment résumé par Marcos : « Ils nous "civilisèrent" hier et veulent aujourd'hui nous "moderniser". »

La contre-offensive du gouvernement

Aussitôt, le gouvernement déclenche une contre-offensive qui fait plusieurs centaines de morts. Mais, sous la pression de l'opinion publique, des négociations sont ouvertes entre le mouvement zapatiste et le gouvernement, avec la médiation de l'évêque Samuel Ruiz.

Le 16 février 1996 est une date porteuse d'espoir : EZLN et le gouvernement signent les accords de San Andrés sur les droits des cultures indigènes. Mais rien ne se concrétise. Au contraire, le climat s'envenime, surtout après la tragédie d'Acteal : en 1997, quelques jours avant Noël, dans le petit village d'Acteal (Chiapas), des gens se sont réunis pour prier. Un groupe de paramilitaires leur tirent dessus, les poursuivent, achèvent les blessés... Bilan : 45 morts, dont des femmes et des enfants. On apprendra par la suite que la police a protégé les paramilitaires, tentant même de faire disparaître des corps. Peu après démarrent une vague d'expulsions de dizaines d'observateurs étrangers présents au Chiapas et une série d'agressions de l'armée contre plusieurs communes zapatistes.

Faux espoirs

Avec l'investiture du nouveau président Vicente Fox en 2000, l'espoir renaît. Fox promet de « résoudre le conflit en 15 mn », et les zapatistes organisent alors une immense marche pacifique vers Mexico (3 000 km), qui reçoit l'appui de personnalités du monde entier. On aperçoit Danielle Mitterrand, Bernard Cassen (ATTAC), Wolinski, Alain Touraine. Anecdote symbolique, José Bové et Marcos s'échangeant même leurs pipes !

Mais en 2001, c'est la trahison. Le Parlement vote une loi bâtarde, vidée de tous les amendements que les Zapatistes étaient venus défendre à Mexico, notamment ceux en faveur de l'autonomie des communautés indigènes. Les contacts sont rompus, et le silence retombe sur la jungle du Chiapas. Le bilan aujourd'hui est plutôt maigre : certes, le mouvement zapatiste a réussi à redynamiser la société civile, à réactiver les mouvements sociaux et à faire entendre la parole des communautés indiennes. Mais en réalité, il n'y a eu aucune avancée concrète et les accords de San Andrés restent lettre morte. Comme le souligne un rapport de l'ONU (2004), les peuples indiens ne comptent toujours pas politiquement. En fait, ils n'existent dans la conscience nationale que lorsque Marcos organise une manifestation ou une marche zapatiste à travers le pays... ce qui devient de plus en plus rare.

ZÓCALO

Le *zócalo*, c'est la place principale d'une ville, lieu privilégié d'animation autour duquel tout s'ordonne. *Zócalo* veut dire « socle ». Si la place la plus importante de Mexico s'est appelée ainsi, ce serait à cause du socle de la statue équestre de Carlos IV, qui resta longtemps sans statue, d'où le surnom ironique de *zócalo* pour désigner cette place. Par extension, on surnomma toutes les autres places mexicaines ainsi.

NUS SUR LE *ZÓCALO*

En 2007, le zócalo de Mexico a été le théâtre d'une étrange scène, juste avant le lever du soleil : 20 000 personnes, hommes et femmes, étaient rassemblés nus sur l'immense place, face au Palais national. Tout ça pour trois photos prises par le photographe Spencer Tunick !

MEXICO
ET SES ENVIRONS

MEXICO   20 millions d'hab.   IND. TÉL. : 55

> Pour les plans de Mexico et celui du métro, se reporter au cahier couleur.

La capitale du Mexique est une introduction incontournable à la compréhension du pays. Car si le Mexique est surréaliste, Mexico en est la quintessence. La ville rassemble tous les excès. Par sa démesure déjà. C'est d'abord la plus grande agglomération du monde, en compétition permanente pour ce titre de gloire avec Tokyo et São Paulo. La conurbation s'étend sur 60 km du nord au sud, 40 km de l'est à l'ouest... Inutile de vous dire que vous allez avoir du travail si vous voulez tout connaître du D.F., comme on l'appelle communément (pour *Distrito Federal*).

Mexico a peu à peu conquis la majeure partie de la vallée, bornée de toutes parts par les montagnes. À l'est, les volcans culminent à plus de 5 000 m avec, en ligne de mire, le fameux Popocatépetl, la « montagne qui fume » des Aztèques. Il fume, oui, mais il se cache aussi la plupart du temps derrière le voile grisâtre de la pollution... Coincée dans sa cuvette, peu aérée, la ville se situe à 2 240 m d'altitude en moyenne et l'on manque parfois un peu de souffle en parcourant ses artères qui n'en finissent pas. Cela dit, on se promène surtout dans le magnifique centre historique aux accents coloniaux, inscrit au Patrimoine mondial de l'Unesco en 1987.

Le menu est aussi copieux que le paysage urbain hétéroclite. Au programme, quelque 113 musées (plus que dans toute autre ville au monde, mais rassurez-vous nous avons établi une sélection des meilleurs !), des palais datant de la vice-royauté, des places coloniales entourées d'arcades, des ruines aztèques surgissant d'entre les immeubles sociaux des années 1960, des cathédrales penchées sombrant avec le fond de la vallée, des jardins flottants (Xochimilco), des gratte-ciel de verre et d'acier, la plus longue avenue du monde (*Insurgentes* et ses impressionnants 40 km), des concerts et spectacles de classe mondiale et une vie nocturne effrénée...

En quelques mots, l'une des métropoles les plus dynamiques d'Amérique latine, en mouvement perpétuel, avec des manifestations quasi hebdomadaires, des vendeurs à la sauvette à tous les coins de rue, des commerces ouverts 24h/24, des restos où l'on mange à n'importe quelle heure... Une singulière sensation de liberté.

Il faut aller à la rencontre de ce Mexico, humer l'air de ses quartiers, s'engouffrer dans le métro aux heures de pointe et écouter les boniments des vendeurs de journaux, de CD piratés, de chewing-gums et de toutes sortes de breloques selon les arrivages de Chine.

Bref, l'ancienne capitale de l'Empire aztèque offre tout ce que peut désirer le routard le plus exigeant. C'était d'ailleurs écrit : la légende aztèque dite « des migrations » prévoyait il y a 500 ans que *Tenochtitlán* deviendrait la ville la plus grande et la plus peuplée au monde. Étonnant, non ?

CLIMAT ET POLLUTION

Mexico bénéficie de plus de 200 jours d'ensoleillement par an. À cause de l'altitude, il fait chaud dans la journée mais frais dès que le soleil disparaît, voire froid les soirs d'hiver. En été, grosso modo de juin à octobre, c'est la saison des pluies. Heureusement, celles-ci ne tombent qu'en fin de journée. Ce sont des trombes d'eau de courte durée qui viennent rafraîchir l'atmosphère, nettoyer la ville... et créer de monstrueux embouteillages (à cause des inondations de la chaussée) !
La pollution ! Sujet intarissable des *capitalinos*. Deux indicateurs la mesurent en permanence (indiqués au journal météo). Dès que l'indice IMECA atteint 240 ou l'indice PM^{10} 180, le maire déclare l'état d'alerte. En octobre 1999, les pigeons tombaient du ciel, victimes de l'air contaminé ! Au même moment, Mexico était votée « ville la plus dangereuse du monde pour les enfants »... Aujourd'hui, le taux d'ozone reste supérieur à la norme fixée par l'Organisation mondiale de la santé 300 jours par an.
Outre sa position dans une cuvette, la capitale souffre aussi de l'altitude : à 2 240 m, le carburant brûle imparfaitement en raison de la moindre quantité d'oxygène dans l'air, produisant davantage de monoxyde de carbone et d'oxyde d'azote. Et pour couronner le tout, le soleil, très présent, favorise leur transformation en smog. Une étude approfondie réalisée dans le cadre du programme Proaire 2002-2010 a permis de chiffrer à 760 millions de dollars les économies annuelles qui pourraient être réalisées si le taux d'ozone dans l'air était réduit de seulement 10 % ! Troubles respiratoires et allergies sont la plaie des services médicaux de Mexico.
Seul problème : personne n'est prêt à faire le moindre effort... Les automobilistes (75 % de la pollution) accusent les usines, qui s'en fichent et continuent de recracher des métaux lourds... Et que dire des 92 000 taxis qui sillonnent constamment les rues et du ballet des avions qui atterrissent en pleine ville ? Les autorités ont mis en place un système de circulation automobile alternée en semaine, mais cela n'a fait que pousser les habitants à acheter une seconde voiture ! Neuve pour les plus aisés, vieille guimbarde encore plus polluante pour les autres... Mieux encore, le vélo a retrouvé droit de cité le dimanche (7h-14h), lorsque l'immense et belle avenue Reforma est fermée à la circulation jusqu'au centre historique. Deux-roues, poussettes et rollers s'emparent du pavé... une vraie révolution ! Et depuis 2010, certains quartiers (Condesa, San Rafael...) ont mis en place un système de vélos à disposition (style Vélib'), malheureusement inutilisable pour les courts séjours car il faut d'abord acheter une carte magnétique annuelle.

UN PEU D'HISTOIRE

Imaginez un peu la stupeur des Espagnols quand ils découvrent, en 1519, la capitale de l'Empire aztèque, construite au milieu d'un lac bordé de majestueux volcans. Une merveilleuse ville flottante couverte de palais gigantesques, de pyramides flamboyantes, entourés de jardins enchanteurs, de marchés, de canaux et d'immenses aqueducs qui alimentent la ville en eau. Tout est propre, ordonné, régi par des règles et des rites stricts.
Ce bel ordonnancement est bouleversé par l'arrivée de Cortés et de ses hommes. Mexico-Tenochtitlán tombe aux mains des Espagnols à l'issue d'un siège de plusieurs mois, qui affame la population. En 2 ans, l'ensemble de l'Empire aztèque est soumis.
Cortés prend alors une décision qui nous paraît aujourd'hui monstrueuse et absurde : il fait tout simplement raser la ville, qui est enterrée sous plusieurs millions de mètres cubes de terre. Les pierres des pyramides en ruine servent à construire les premiers édifices coloniaux (lire aussi la rubrique « Histoire » dans le chapitre « Hommes, culture et environnement »).
Mexico devient, pour près de 400 ans, la capitale de la puissante vice-royauté de la Nouvelle-Espagne, et le Mexique la province la plus importante de l'Empire espagnol pendant le XVIIIe s. En effet, après la conquête des Philippines, le pays est le passage obligé des marchandises asiatiques transitant vers l'Europe. Elles débar-

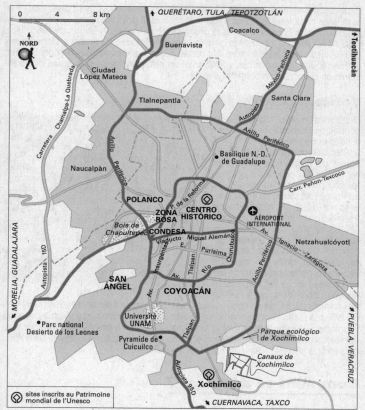

LA CONURBATION DE MEXICO

quent à Acapulco, sur le Pacifique, pour rembarquer à Veracruz, côté golfe du Mexique. De grandes foires commerciales sont alors organisées à Mexico.

Le 19 septembre 1985... 8,2 sur l'échelle de Richter !

Ce matin-là, deux violentes secousses sismiques frappent Mexico de plein fouet à quelques minutes d'intervalle. Si certains quartiers périphériques restent étonnamment intacts, d'autres connaissent d'importants dégâts, comme le centre-ville et le quartier Roma. Étrange, d'autant que l'épicentre est situé en plein océan Pacifique, à près de 10 000 km de distance... Comment expliquer ce phénomène ? Une fois encore, Mexico est victime de sa situation géographique : les sédiments lacustres sur lesquels la ville a été construite répercutent idéalement les ondes sismiques basses fréquences (typiques d'un épicentre lointain). Tout autour, les roches rigides ont peu ou pas bougé. Disons, pour comparer, que c'est un peu comme si l'on secouait un pot de confiture : la gelée résonne nettement plus que le pot...
Bilan : plus de 8 000 morts et 50 000 immeubles détruits ou endommagés. De nombreux hôpitaux se sont effondrés, révélant l'étendue de la corruption : les bâtiments publics n'avaient pas été bâtis selon les normes de construction.

Seule consolation au milieu du désarroi : un immense mouvement de solidarité se manifeste chez les Mexicains et dans le monde. Il préside même à une forme de renaissance de la société civile, la première depuis les répressions de 1968. Mais aujourd'hui encore, 1985 reste dans toutes les mémoires mexicaines. Conscientes de l'enjeu, les autorités locales ont réussi à imposer des normes de construction antisismiques strictes. Vous verrez ainsi un peu partout les structures des bâtiments en construction corsetés d'acier.

Mexico, un développement monstrueux

Depuis les années 1950, Mexico connaît une croissance exponentielle que rien ne semble pouvoir arrêter. L'un des rares effets bénéfiques du tremblement de terre de 1985 a été de ralentir pour un temps l'immigration intérieure, qui atteignait pas moins de 8 000 arrivées par jour avant la catastrophe – surtout des familles de paysans. On les appelle les « parachutistes ». Ils débarquent pleins d'espoir, construisent leurs baraques en quelques nuits. Le moindre espace disponible est squatté par les bidonvilles. Le flot a connu un nouveau ralentissement à la suite

> ### DES « PARACHUTISTES » PAS VRAIMENT DORÉS
>
> *Au Mexique, les « parachutistes », ce sont les émigrants qui débarquent dans les bidonvilles de la périphérie. Il suffit ensuite de quelques élections et des « achats » de votes pour que des rues soient tracées, l'eau courante installée. Et voilà en quelques années, un pan de colline verdoyant transformé en zone urbaine. Juste avant la visite du pape Jean-Paul II, la zone de Nezahuatcóyotl a soudain eu droit à l'électricité... Un luxe miraculeux !*

des réformes agraires du début des années 1990, mais il est encore loin d'être tari. On imagine facilement les maux engendrés par cette concentration urbaine, entre la pollution, le trafic automobile et la délinquance. Les autorités ont pris le taureau par les cornes. Elles ont même recruté Rudolf Giuliani, l'ancien maire de New York, qui rendit la sécurité à sa ville, pour les conseiller !

Comment se déplacer ?

Le métro

Troisième réseau en taille au niveau mondial. Très pratique et on s'y sent en sécurité. Une nouvelle ligne est en construction, la « 12 dorée du bicentenaire » ; elle suivra un axe orienté est-ouest au sud de la ville. Fonctionne du lundi au vendredi de 5h à minuit ; samedi de 6h à minuit ; dimanche et jours fériés de 7h à minuit. Prix du billet : 3 $Me (0,20 €). Achetez plusieurs tickets à l'avance pour éviter de faire la queue à chaque fois. Attention, aux heures de pointe et sur certaines lignes, les têtes de train sont réservées aux femmes et aux enfants ! Pas d'hommes autorisés dans ces wagons, mais, à contrario, rien n'interdit aux femmes de s'entasser avec les hommes (pour ne pas voyager séparés).

Le *microbus* (ou *pesero*)

C'est un moyen de transport très courant, mais pas toujours simple à utiliser quand on ne connaît pas la ville. Ce sont des petits bus vert et blanc qui dévalent à toute allure les grandes artères, tandis que le chauffeur klaxonne, invective, boit, fume et vous rend la monnaie. Pour le prendre, placez-vous après le carrefour et hélez-le d'un signe de la main. Pour descendre, rendez-vous à l'arrière (enfin, si vous pouvez bouger) et appuyez sur la sonnette, en hauteur près de la porte. Si ça ne marche pas : prenez votre respiration, appuyez à nouveau sur la sonnette et criez « Baaajaaa ! ».

Une *pancarte sur le pare-brise indique la destination finale* et les principaux points de passage. Vous trouverez des dizaines de *microbuses* à chaque sortie de métro. Très pratique pour descendre (ou remonter) les grandes avenues. Il vous en coûtera environ 4 à 6 $Me (0,25 à 0,40 €).

Le *metrobús*

Créé en 2005, c'est un double bus à accordéon, qui dispose de son propre couloir (au centre de l'avenue) et s'arrête systématiquement à toutes les stations, comme le métro. Il existe 3 lignes, mais la plus utile est la n° 1 car elle emprunte l'avenue Insurgentes sur toute sa longueur, l'immense artère qui traverse la ville du nord au sud, depuis la station de métro Indios Verdes jusqu'à la sortie de la ville pour Cuernavaca, en passant par l'université UNAM. La n° 2 traverse la ville d'est en ouest entre Tacubaya et la banlieue est. Quant à la ligne 3, elle présente l'intérêt d'avoir quelques arrêts aux alentours du *centro histórico*. Pour la liste des arrêts, consulter la page ● *metrobus.df.gob.mx* ● Fonctionne du lundi au samedi de 4h30 à minuit ; dimanche de 5h à minuit. Trajet : 5 $Me (0,30 €), quelle que soit la distance. Mais attention, pas de vente de billet à l'unité, il faut acheter une carte magnétique dont le coût minimum est de 15 $Me (0,90 €). Ensuite, on la recharge à volonté dans les stations de *metrobús*.

Le taxi

Les taxis sont omniprésents dans les rues et ils sont bon marché. Ils sont de couleur rouge et or, marqués du logo de la ville (le fameux ange sur la colonne). Ils portent des plaques minéralogiques commençant par la lettre L ou S. Voici quelques recommandations :
– Les taxis doivent obligatoirement avoir un compteur. Vérifiez qu'il a été remis à zéro (env 7 $Me, soit 0,40 €, de prise en charge le jour ; 10 $Me après 22h).
– Les chauffeurs doivent tous afficher leur permis avec photo sur le pare-brise. Prenez le temps de vérifier avant de monter. La lumière intérieure doit être obligatoirement allumée la nuit. Ne pas prendre de taxi sans compteur ou sans le permis affiché.
– Ne payez qu'après avoir récupéré les bagages. Et attendez-vous, de temps en temps, à un petit détour... Cela dit, à ce prix, ce n'est pas bien grave. On traverse la ville pour 80 $Me (4,80 €), disons quand il n'y a pas d'embouteillage.
– Dès la tombée de la nuit, ne jamais prendre un taxi dans la rue, mais appeler ou prendre un *taxi de sitio* (voir plus loin les adresses par quartier et les téléphones dans « Adresses utiles générales. Services »), c'est-à-dire dans une station. Deux fois plus cher, mais les prix restent abordables et c'est beaucoup plus sûr. Les routards prudents feront d'ailleurs la même chose durant la journée.
– *Attention :* par temps de pluie, les veilles de jours fériés et le vendredi, réserver à l'avance par téléphone (notamment en cas de départ à l'aéroport), car les taxis sont pris d'assaut.

Arrivée à l'aéroport

L'arrivée

L'arrivée sur Mexico, de jour comme de nuit, est incontestablement l'une des visions les plus surréalistes qui soient ! Essayez d'avoir un siège côté hublot. Comme l'aéroport est en pleine ville, le survol de la mégapole à quelque 500 m de hauteur est impressionnant.
– *Formalités à l'arrivée :* il y a de fortes chances que Mexico soit votre porte d'entrée au Mexique. Vous devrez donc remplir le formulaire FMT *(Forma Migratoria para Turista),* qui vous est remis dans l'avion. Gardez-le *précieusement,* car ce document vous sera demandé lors de la sortie du territoire mexicain. En cas de perte, consultez nos informations à la fin de la rubrique « Quitter Mexico ». Il vous faudra également remplir le formulaire des douanes (fourni dans l'avion).

L'aéroport

✈ *Aéroport (Benito Juárez) de Mexico* (plan couleur d'ensemble) est situé à l'intérieur de la ville (à l'est), à 8 km du centre historique. Il est constitué de deux terminaux reliés par un aérotrain *(aerotren)* gratuit qui passe toutes les 10 mn. Il faut être muni de son billet d'avion pour pouvoir l'emprunter. Le *terminal 1* est réservé aux vols internationaux (Air France, Aeroméxico, British Airways, Iberia...) et certains vols nationaux comme ceux de *Mexicana*. Le *terminal 2* est dédié aux vols nationaux et quelques liaisons avec les États-Unis.

Depuis le terminal 1, le départ de l'aérotrain se fait au niveau des portes 5 et 6 des arrivées, après le passage de l'immigration et de la douane. Depuis le terminal 2, le prendre au niveau des départs.

– *Renseignements :* ☎ 24-82-24-24.

🛈 *Point d'infos touristiques :* un peu caché, dans la zone A du terminal 1, au niveau des arrivées des compagnies nationales. ☎ 57-86-90-02. ● *mexicocity.gob.mx* ● *Tlj 7h-22h.* Un autre guichet identique au terminal 2.

✉ @ *Poste :* 2 bureaux au terminal 1, l'un au niveau départs, près du couloir menant à l'aérotrain (lun-ven 8h-17h30), l'autre au niveau des arrivées, zone A (horaires plus réduits). Dans tout l'aéroport, on trouve des boîtes aux lettres. Plus d'accès Internet en tant que tel, mais de nombreux points wifi.

■ *Change :* banques et bureaux de change *(casas de cambio)* en grand nombre dans tout l'aéroport (y compris aux carrousels de livraison de bagages). Le taux est aussi avantageux qu'en ville et vous pourrez faire jouer la concurrence. Évitez de changer de grosses sommes, des cas d'agression ayant été signalés. Également de nombreux distributeurs automatiques pour cartes *Visa* et *MasterCard*.

■ *Consigne :* aux repères A, D et E du terminal 1. Ouv 24h/24 (casiers ou lockers). Compter 80-110 $Me/j. (4,80-6,60 €) selon taille du bagage. Aussi une consigne manuelle pour les bagages volumineux.

■ *Guichets pour réservation d'hôtels :* pratique pour ceux qui arrivent un peu tard et sans avoir prévu d'hébergement. On en trouve deux au terminal 1, l'un entre les portes 1 et 2 (zone A), l'autre au niveau de la porte 7.

Comment quitter l'aéroport ?

On peut rejoindre le centre en métro ou en taxi.

– *Taxis :* il faut prendre un taxi « autorisé » *(taxi autorizado),* blanc et jaune, avec le logo d'un avion peint sur les portières. Ils sont situés aux deux extrémités du terminal 1, zones E (porte 10) et A (porte 1). Mais avant, il faut acheter le ticket à l'un des guichets situés soit juste après la sortie de la zone douanière, soit près des départs des taxis. S'il y a beaucoup de monde qui fait la queue à la première, préférer cette seconde option. Plusieurs compagnies sont présentes (entre autres *Sitio 300* et *Portotaxi*), toutes pratiquant les mêmes tarifs, officiels. ☎ 55-71-93-44. Compter environ 150 $Me (9 €) pour le centre, et 170 $Me (10,20 €) pour la Zona Rosa. Si vous êtes très nombreux, vous pouvez demander une camionnette *(van),* deux fois plus chère. Attention à ne pas vous en faire refiler une d'autorité... Ne jamais prendre un taxi non autorisé, pour des raisons de sécurité.

– *Métro :* la station de métro est Terminal Aerea (ligne n° 5). Elle se trouve à 200 m environ à l'extérieur, en sortant à gauche de l'aérogare par la porte 1 (zone A) – suivez le trottoir en arc de cercle (illuminé la nuit). En principe, l'accès du métro est interdit aux porteurs de gros bagages et de valises encombrantes aux heures de pointe : 7h-10h et 17h-20h. En dehors de ces heures, le passage est toléré. Plan du métro gratis aux guichets... enfin, quand il y en a (sinon, voir le plan dans le cahier couleur de ce guide). Pour le centre historique, prendre la direction Pantitlán (terminus de la ligne n° 5) et ensuite la correspondance avec la ligne n° 1 (direction Observatorio). Changer une fois de plus à la station Pino Suárez pour la ligne n° 2 en direction de Cuatro Caminos et descendre au *Zócalo*.

– *Bus :* pour ceux qui veulent éviter Mexico, sachez que l'on peut rejoindre quelques villes de province directement depuis l'aéroport international : Puebla, Cuernavaca, Toluca, Querétaro. Les départs ont lieu au 1er étage du terminal 1 (zone E).

➤ *Pour Puebla :* avec *Estrella Roja,* départs à 6h, puis ttes les heures 8h-20h, 22h et 23h.

➤ *Pour Cuernavaca :* avec *Pullman de Morelos,* ttes les 30 mn à 1h, 6h40-0h30.

➤ *Pour Querétaro :* ttes les 30 mn à 1h, 6h15-22h30.

– *Voiture :* si vous avez réservé une voiture de location, vous trouverez les guichets des compagnies zone E, juste après le passage de la douane. De là, une navette vous conduira au garage, où est généralement établi le contrat. Au retour, prévoyez large (un bon 30 mn, voire 45 mn).

Adresses utiles générales

Représentations diplomatiques

■ *Consulat de France* (plan III, G6, 21) : *Lafontaine 32.* ☎ 91-71-97-00. En cas d'extrême urgence, ☎ 91-71-97-07 ou ▯ 55-54-06-86-64 (24h/24). ● consulfrance-mexico.org ● Ⓜ Auditorio. Accueil du public lun-jeu 9h-13h ; ven 9h-11h30 ; accueil téléphonique lun-jeu 15h30-18h. En cas de difficultés financières, médicales et juridiques, le consulat peut vous assister pour résoudre vos problèmes (pas les régler !).

■ *Ambassade de Belgique* (plan III, G6, 22) : angle de Horacio et Musset 41. ☎ 52-80-07-58. ● diplomatie.be/mexico ● Ⓜ Polanco. Lun-ven 8h30-13h.

■ *Ambassade et consulat de Suisse* (plan couleur d'ensemble, 1) : paseo de Las Palmas 405, edificio Torre Optima, 11e étage. Col. Lomas de Chapultepec. ☎ 91-78-43-70. En cas d'urgence pour les citoyens suisses, ▯ 55-22-71-26-12. ● eda.admin.ch/mexico ● Ⓜ Polanco ou Auditorio, (puis prendre le microbus marqué « Palmas »). Accueil du public : lun-ven 9h-12h ; accueil téléphonique : lun-mar 8h-14h, 14h30-17h, mer-ven 8h-14h.

■ *Ambassade et consulat du Canada* (plan III, H6, 23) : Schiller 529 ; à l'angle de Tres Picos. ☎ 57-24-79-00. En cas d'urgence pour les citoyens canadiens : ☎ 01-800-706-2900 (nº gratuit) 24h/24. ● canada.org.mx ● Ⓜ Polanco ou Auditorio. Accueil du public : lun-ven 9h-12h ; accueil téléphonique : lun-ven 16h-16h30.

■ *Ambassade et consulat du Guatemala* (plan couleur d'ensemble, 2) : av. Explanada 1025, quartier Lomas de Chapultepec. ☎ 55-40-75-20. ● embajadaguatemalamx.mex.tl ● Ⓜ Observatorio, puis prendre un microbus qui indique « Olivo ». Accueil du public : lun-ven 9h-13h. Pour les Belges, les Canadiens, les Français, les Suisses et les Mexicains, pas de visa nécessaire, le passeport suffit. Par contre, ne pas oublier votre FMT (Formulaire migratoire mexicain de touriste) pour pouvoir sortir du Mexique.

■ *Ambassade des États-Unis* (plan couleur II, F5, 9) : Reforma 305. ☎ 50-80-20-00. Rens sur les visas, il faut obligatoirement composer le numéro payant (eh oui !) : ☎ 01-900-849-4949 (7h-minuit). ● usembassy.gov ● Ⓜ Insurgentes. Réception slt sur rdv.

Infos touristiques

▯ *Points d'infos touristiques :* ☎ 01-800-008-90-90. ● mexicocity.gob.mx ● Tlj 9h-18h. Dans tous les endroits touristiques (Zócalo, musée d'Anthropologie, Bellas Artes, Zona Rosa...), vous verrez des petites guérites. Également à l'aéroport (tlj 7h-22h) et dans les 4 gares routières de la ville. Infos en espagnol et en anglais, plans, etc. Personnel très disponible et sympa.

■ *Instituto Nacional de Migración* (plan couleur d'ensemble, 3) : Ejército Nacional 862 et Homero 1832. ☎ 53-87-24-00. ● inami.gob.mx ● Ⓜ Polanco. Au nord-ouest de Polanco. Lun-ven 9h-13h. Si vous avez perdu votre

Formulaire migratoire de touriste (FMT) ou si vous voulez prolonger votre séjour, c'est là qu'il faut venir. Munissez-vous d'un maximum de documents : votre passeport bien sûr, votre FMT, ou si c'est le cas, le formulaire de déclaration de vol auprès de la police. Pour une « *prórroga* » de séjour, vous devrez prouver votre solvabilité écono-

mique en présentant une carte de crédit internationale ou des chèques de voyage. Pour un remplacement de FMT, prévoyez en outre un coût de 265 \$Me (16 €). Séjour maximum autorisé : 180 jours dans l'année. Se rendre au guichet D. Y aller dès l'ouverture, il y a beaucoup de monde.

Argent, banques, change

■ Toutes les banques disposent de *distributeurs de billets* pour cartes *Visa* et *MasterCard*. Évitez de sortir de l'argent d'un guichet non surveillé ou isolé, et encore moins de nuit.
– Autrement, plein de petits bureaux de change dans les zones touristiques (autour du *Zócalo*, Zona Rosa, avenue Reforma).
■ *American Express :* 2 agences sont

installées à Polanco. L'une se trouve à *l'hôtel Nikko (plan III, H6,* **12**) : Campos Elíseos 204. ☎ 52-83-19-00 et 10. Ⓜ *Auditorio*. Lun-ven 9h-18h ; sam 9h-13h. L'autre se situe dans le magnifique *hôtel Camino Real (plan III, G6,* **13**) : Mariano Escobedo 700, au rdc. ☎ 52-03-96-36 et 52-54-45-72. Ⓜ Polanco ou Auditorio. Lun-ven 9h-18h ; sam 9h-13h.

Services

✉ *Poste centrale (Correo Mayor ; plan couleur I, C1) : angle Tacuba et Cárdenas.* ☎ 55-10-29-99. Ⓜ *Bellas Artes.* Lun-ven 8h-20h ; w-e 8h-16h. On y va surtout pour l'intérieur en marbre et la magnifique façade qui rappelle les palais vénitiens (lire notre petit laïus dans la rubrique « À voir »). Pour le courrier urgent, passez votre chemin ; comptez au moins 3 semaines pour vos cartes postales !
■ *Apprendre l'espagnol :* au CEPE, à *la UNAM ; av. Universidad 3002 ;* ☎ 56-22-14-70 ; ● *cepe.unam.mx* ●). Définitivement, ce sont les cours les plus intéressants qui ont lieu ici, au *Centro de Enseñanza para Extranjeros (CEPE)* qui dépend de l'Université nationale autonome de Mexico (UNAM). Chaque niveau dure 6 semaines. Cours tous les matins : espagnol, grammaire... mais aussi architecture coloniale, art mexicain, histoire préhispanique, danse, etc. Âge minimum : 18 ans.
■ *Sanborn's :* on trouve les principaux hebdos américains dans cette chaîne de grands magasins et parfois des journaux français.
■ *Librairie française « Temps de Lire » :* av. Insurgentes Sur 1971, dans le Plaza Inn, *peu avt d'arriver à San*

Angel. ☎ 56-62-14-69. Lun-ven 10h-20h ; sam 11h-17h. Littérature, revues, livres d'art, etc.
■ *Taxis :*
– Radio-taxi 24h/24 : ☎ 55-66-00-77 et 09-68 *(Radio-Taxi),* 52-71-25-60, 52-82-14-28 et 55-16-60-20 *(Servi Taxi),* 55-19-76-90 et 55-38-14-40 *(Taxi-Mex)* ou 55-60-11-22 *(Elite-Taxi).* Sinon, taxis *de sitio* par quartiers.
– Centre historique : *Servi Taxi base 1, cerrada 2 de Abril,* ☎ 55-26-48-92 ; *Sitio de Taxis del Hotel Holiday Inn Zócalo, av. 5 de Mayo 61,* ☎ 51-30-51-30 ; *Sitio de Taxis del Hotel Best Western Estoril, calle Luis Moya 93,* ☎ 55-18-03-74 ; *Sitio de Taxis del Hotel Catedral, calle Donceles 95,* ☎ 55-18-52-32.
– À Zona Rosa : *Sitio Niza, calle Marsella s/n,* ☎ 52-07-41-42 ; *Sitio 221, Liverpool 149,* ☎ 55-14-01-95 ; *Unión de Taxistas Independientes Grupo Sevilla, calle Londres 227,* ☎ 52-07-11-16.
– Quartier Polanco et musée d'Anthropologie : *Servi Taxi base 7, à l'angle de Newton et Arquímedes,* ☎ 52-82-14-28 ; *Sitio Polanco, calle Anatole France 114,* ☎ 52-82-05-40 ; *Taxis Moliere, calle Molière 22,* ☎ 52-82-34-57 ; *Sitio*

Cuauhtémoc 154, calle Horacio s/n, ☎ 52-82-18-83 ; *Grupo Escorpión, av. Constituyentes s/n,* ☎ 55-16-16-42.
– Coyoacán : *arrêt sur la plaza del Centenario.* ☎ 56-84-00-77 ou 24-24.
– Colonia Condesa : *Servi Taxi base 5, angle Parque España et Juan de la Barrera,* ☎ 55-53-50-59 ; *Sitio 188, Parque México, av. México, angle Michoacán,* ☎ 52-86-71-29 ; *Sitio 152, Parque España,* ☎ 55-16-60-20.
– Colonia Roma : *Servi Taxi base 12,* angle Jalapa et León de los Aldamas. ☎ 55-74-73-56.
– Colonia San Ángel : *base Monumento Álvaro Obregón, av. La Paz s/n,* ☎ 56-62-13-95 ; *Sitio Fénix, av. Revolución s/n,* ☎ 55-50-50-26.
– Xochimilco : *Sitio De la Noria 133, av. Guadalupe I Ramírez s/n, Villa Xochimilco.* ☎ 56-76-04-09.
– Pour l'aéroport : ☎ 55-71-91-06 et 93-44 ou 84-21-37-01.

Urgences

■ *Urgences :* ☎ 080.
■ *Policía (plan couleur I, B2, 11) :* urgences : ☎ 061. Dans le centre historique : Victoria 76, angle Luis Moya. ☎ 060, 53-45-50-46 ou 30-94-67-49. Ⓜ Bellas Artes. Ouv 24h/24. Pour les pertes, vols ou agressions. Dans la Zona Rosa : Amberes 54, angle Londres (plan couleur II, F5, **10**). Tlj 9h-19h.
■ *Santé :* vous pouvez consulter le site du consulat de France qui recommande des professionnels de la santé dans de nombreuses spécialités, en général français ou parlant français. ● *consulfrance-mexico.org* ● Cherchez dans le menu : « Expatriation au Mexique. Informations pratiques » puis « Santé-assistance ».
■ *Médecins parlant le français : Dr* *Manuela Alberro,* généraliste et gastro-entérologue. ☎ 55-45-99-35 (cabinet à l'Hospital Español, voir ci-dessous). *Dr Alberto Aznar,* Ejercito Nacional 373-801. ☎ 55-45-85-55. ▯ 85-81-21-18. *Dr Raymundo Núñez* (à l'Hospital Español). ▯ 55-54-09-16-94.
■ *Hospital Español (hors plan III par H6, 24) :* av. Ejército Nacional 613. ☎ 52-55-96-00 ou 52-55-96-45 (urgences). ● *hespanol.com* ● Ⓜ Polanco. CB acceptées. Immense hôpital privé fréquenté par la communauté française expatriée. Toutes sortes de spécialistes et service d'urgence (caution demandée dans ce cas). Efficace et cher, mais les soins sont remboursés ultérieurement sur facture par votre assurance.

Agences de voyages

■ *Mundo Joven (plan couleur I, C1, 42) : República de Guatemala 4.* ☎ 55-18-17-26. ● *mundojoven.com* ● Lun-ven 9h-19h ; sam 10h-14h. *Agence située dans les locaux de l'Hostal Catedral.* Adresse intéressante pour les vols internationaux (tarifs spéciaux pour étudiants) et pour se faire une carte d'étudiant internationale ISIC (plus chère qu'en France). Elle donne droit à des réductions dans les musées.
■ *Le Mexique Autrement :* voir dans « Mexique utile », la section « Avant le départ ».

Culture, sorties, tourisme

Pour organiser vos sorties (théâtre, ciné, expos, concerts, musées, loisirs, etc.), procurez-vous dans tous les kiosques de la ville les revues *Tiempo Libre* (● *tiempolibre.com.mx* ●) qui sort le jeudi ou *Dónde Ir* (● *donde-ir.com* ●) qui sort chaque mois.

■ *Ticket Master :* il s'agit du système de réservation des billets pour presque tous les spectacles qui ont lieu à Mexico. Très pratique. On peut acheter les billets par téléphone : ☎ 53-25-90- 00, sur Internet (● *ticketmaster.com.mx* ●) ou bien aux modules *Ticket Master* (tlj 11h-20h) qui se trouvent dans les magasins de disques *Mix Up.* 2 adresses pratiques parmi d'autres : *Genova*

76, à *Zona Rosa* (plan couleur II, F5, **6**) ; *Madero 51, dans le centre historique* (plan couleur I, C2, **6**). *Également dans le grand magasin* Liverpool*, Venustiano Carranza 92 ; tlj 11h-20h.* Payable en espèces de préférence. Les billets achetés sur Internet et par téléphone ne peuvent être retirés qu'à l'adresse *Liverpool* et dans la librairie *Gandhi,* Madero 32.

■ *Turibus :* ☎ *51-41-13-60 ou 01-800-280-88-87.* ● *turibus.com.mx* ● *Départs 9h-21h, ttes les 30 à 40 mn env. Achat des billets dans le bus. Prix : 125 $Me (7,50 €) lun-ven ; 145 $Me (8,70 €) le w-e ; réduc ; moins cher pour les tours de nuit. Commentaires en français grâce à des écouteurs.* Bus panoramique pour un parcours à travers Mexico, bien au-delà du centre historique. 2 trajets possibles : la *Ruta Centro* vers l'avenida Reforma, les quartiers Roma et Condesa, le bois de Chapultepec et Polanco (boucle en 3h et 24 arrêts) ; le *Circuito Sur* vers Coyoacán et la pyramide de Cuicuilco (4h, 17 arrêts). C'est très sympa, et on peut descendre à n'importe quel arrêt de l'un des circuits et reprendre le bus suivant. Prévoir donc la journée ou même 2 jours consécutifs (plus cher). On peut aussi changer d'une ligne à l'autre dans la Roma, plaza Madrid. Attention, quand il fait nuit, on voit moins bien les monuments. Nous conseillons de prendre le départ sur le *Zócalo* (sur le côté gauche de la cathédrale quand on la regarde de face). Pour les adeptes de la vie nocturne (bars et discos), il existe également un *circuit nocturne.* Également un *turibus* qui va jusqu'aux *pyramides de Teotihuacán* (assez cher mais pratique).

Topographie

Les différents quartiers *(colonias)*

Mexico est une pieuvre gourmande qui a grandi en avalant les villages des alentours. Un phagocytage anarchique mais efficace. Résultat : la ville est une mosaïque de quartiers très différents les uns des autres et souvent distants de plusieurs dizaines de kilomètres. La visite de Mexico demande un minimum d'organisation pour profiter au mieux de cette mégalopole hallucinante. Nous avons donc divisé la ville par quartiers *(colonias)* et, à l'intérieur de chacun, vous trouverez nos rubriques « Adresses utiles », « Où dormir ? », « Où manger ? », etc. Voici dans l'ordre d'apparition les *colonias* les plus intéressantes, à commencer par le *centre historique,* où se regroupent les plus beaux édifices, les marchés et les hôtels les plus abordables. Plus à l'ouest se trouve la *Zona Rosa,* quartier de la vie nocturne, prolongé vers le sud par la *Condesa* et la *Roma.* Plus à l'ouest, à l'orée du grand parc de Chapultepec, le *quartier Polanco* qui regroupe les ambassades et les sièges sociaux des entreprises. Enfin, au sud de la ville, *Coyoacán* et *San Ángel* forment de délicieuses oasis.

CENTRO HISTÓRICO (plan couleur I)

◉ Le cœur historique juxtapose de manière un peu anarchique de superbes bâtiments datant de l'époque coloniale et quelques lambeaux de l'ancienne Tenochtitlán. Plusieurs avantages à loger là : facilité d'accès (beaucoup de métros), nombreux hôtels pas chers, proximité des musées et des sites intéressants. Le centre historique, inscrit au Patrimoine mondial de l'Unesco, fait l'objet depuis quelques années d'une vaste opération de sauvegarde. La réhabilitation de la partie ouest, terminée, a vu la restauration des édifices coloniaux, la rénovation des immeubles d'habitation, la création de rues piétonnes et l'élimination des vendeurs ambulants... Des milliards ont été investis, avec l'espoir de faire du *centro histórico* un quartier à la mode. Mais le mouvement est lent. Pour le moment, seuls quelques artistes et intellectuels s'aventurent à vivre ici. En fait, il reste encore la partie nord à rénover, notamment autour de la place Garibaldi, sans doute la zone la plus pauvre...

Adresses utiles

■ *Laverie la Maquina (plan couleur I, C1, 7)* : Donceles 87, à l'angle avec República de Brasil ; au 2ᵉ étage de la plaza Bialos. Lun-ven 9h-18h ; sam 9h-14h. ☎ 55-12-23-67. Depuis le temps qu'on l'attendait, la voici. Enfin une laverie dans le *centro histórico* ! Service efficace et rapide.

■ *Tranvía (bus touristique ; plan couleur I, B1, 8)* : terminus devant le Palacio de Bellas Artes. ☎ 54-91-16-15 ou 55-12-10-12, poste 0230. Guichet ouv tlj 10h-17h. En sem, départ à 11h, 13h, 15h et 17h (selon remplissage du bus !). Le w-e, départ en principe ttes les heures. Prix : 38 $Me (2,30 €) ; réduc. Durée : 45 mn. Visite du centre historique dans un genre de trolleybus ouvert, réplique des modèles des années 1920. Également une visite spéciale *cantinas* traditionnelles le jeudi soir à 20h (110 $Me, soit 6,60 €), sur résas uniquement.

Où dormir ?

Les hôtels bon marché ont souvent été rénovés, mais la déco n'a pas passé le cap des années 1970... Les chambres avec lit double, même *king size,* sont généralement plus économiques que les chambres à deux lits. Celles-ci intéresseront toutefois ceux qui voyagent à trois ou quatre : le tarif s'applique normalement en fonction du nombre de lits, pas du nombre de personnes. Parfait pour s'entasser, donc !

AUBERGES DE JEUNESSE

Depuis quelque temps, les AJ ont tendance à se laisser aller, et la maintenance/propreté laisse parfois à désirer. En outre, les prix sont plus élevés *(150-220 $Me, soit 9-13,20 €)* que dans les AJ de province ; à deux, les chambres reviennent aussi cher, plus que si vous prenez un petit hôtel. Souvenez-vous également qu'une AJ n'est pas l'endroit le plus calme du monde ; il y a souvent des fêtes ! Par contre, si vous êtes seul et que vous souhaitez des rencontres et de l'animation, ça reste bien sûr l'idéal. Les termes *hostel* ou *hostal* ne marquent aucune différence.

■ *Hostal Centro Histórico Regina (plan couleur I, C2-3, 43)* : calle 5 de Febrero 53 ; angle avec Regina. ☎ 57-09-78-15 et 41-90. ● hostalcentrohisto ricoregina.com ● Ⓜ *Isabel la Católica ou Pino Suárez. Petit déj inclus. Internet, wifi.* De loin notre AJ préférée, même si c'est la plus éloignée du Zócalo. C'est d'ailleurs la plus récente. Installée dans une immense demeure coloniale dont l'entrée donne sur une rue piétonne. Rénovation sympa, dans un style urbain branché. 3 étages et une superbe terrasse. Les chambres sont spacieuses, impeccables, dotées de meubles modernes et fonctionnels. Les dortoirs sont quand même un peu grands, de 12 à 16 lits. Belles pièces communes au 1ᵉʳ étage (cuisine, sanitaires...). On prend le petit déj au resto d'à côté *Las Canallas* (voir « Où manger ? »). Très bonne ambiance dans un quartier sympa.

■ *Hostel México City (plan couleur I, C1, 44)* : República de Brasil 8. ☎ 55-12-77-31 ou 55-12-36-66. ● mexicocity hostel.com ● Ⓜ *Zócalo ou Allende. Tt près du Zócalo. Petit déj inclus. Internet.* Installée dans un bel immeuble colonial, cette AJ propose des dortoirs de 8 à 12 lits et une dizaine de chambres doubles. Sanitaires communs, fonctionnels et généralement propres. Grande cuisine équipée, salle de TV, laverie. Tranquille et calme. Accueil souriant.

■ *Hostel Catedral (plan couleur I, C1, 42)* : República de Guatemala 4. ☎ 55-18-17-26 ou 01-800-823-24-10. ● ho stelcatedral.com ● Ⓜ *Zócalo. Internet.* Membre du réseau *Hostelling International.* C'est la plus courue, sans doute pour son emplacement exceptionnel derrière la cathédrale. Du coup, fait un peu « usine » à routards, même si elle offre un bon niveau de confort et d'innombrables services (excursions, sorties foot ou lutte, lave-linge, etc.). Le prix comprend même petit déj et dîner léger ! Chaque dortoir, de 4 à 6 lits, dispose de sa propre salle de bains et certains ont même une vue sur le *Zócalo*. Bref, tout serait parfait si le bar n'était pas aussi animé. Ce n'est pas un mal en soi, bien au contraire, mais ça peut le devenir si l'on envisage de se coucher tôt...

🛏 *Hostal Moneda (plan couleur I, D2, 46)* : Moneda 8. ☎ 55-22-58-03 ou 01-800-221-72-65. ● hostalmoneda. com.mx ● Ⓜ *Zócalo. Petit déj et dîner léger inclus. Internet.* À quelques pas du *Zócalo*, dans l'une des plus belles rues du centre, très animée. Membre d'un groupe de 6 AJ réparties à travers le pays, dont 2 à Mexico (avec l'*Hostel Amigo*). Les dortoirs sont mixtes, et le prix dépend de leur taille (3 à 6 lits) ; chacun dispose de sa salle de bains. Une douzaine de chambres doubles, la plupart du genre cellule de moine, sombres côté intérieur, bruyantes côté rue. Aurait besoin d'une petite cure de réno-

vation. Ne vous plaignez pas non plus de l'épaisseur des draps qui ressemblent à du papier à cigarette. Gros plus : les 2 terrasses, dont une très vaste sur le toit avec une vue superbe (ascenseur !). C'est là que se déroule la vie de l'AJ : on y prend le petit déj ou un verre le soir, et on y écrit ses mails.

🛏 *Hostel Amigo (plan couleur I, C2, 45)* : Isabel la Católica 61 A. ☎ 55-12-34-64 ou 01-800-746-78-35. ● hostela migo.com ● Ⓜ *Isabel la Católica. Petit déj inclus. Internet.* C'est le petit frère de l'*AJ Moneda*. On trouve ici près de 150 lits répartis dans des dortoirs de 4 à 10 personnes (prix en fonction de la taille) ; l'un est réservé aux femmes, les autres sont mixtes. Sanitaires spacieux, corrects. Cuisine collective, grande salle TV, billard à l'étage et bar au rez-de-chaussée, très relax, avec de gros poufs et des matelas par terre. Les soirées y sont animées, mais la plupart des dortoirs sont assez éloignés pour bien dormir quand même. *Pasta night* (nuit des pâtes) vendredi soir. Excursions dans le centre historique, au spectacle de lutte et à Teotihuacán.

HÔTELS

Très bon marché (moins de 300 $Me, soit 18 €)

Dans cette catégorie, le tarif de la chambre avec lit double *(matrimonial)* est systématiquement inférieur à celui des chambres avec deux lits.

🛏 *Hotel Juárez (plan couleur I, C1, 40)* : 1a cerrada de 5 de Mayo 17. ☎ 55-12-69-29 ou 55-18-47-18. Ⓜ *Zócalo ou Allende.* Le meilleur rapport qualité-prix de sa catégorie. Situé à deux pas du *Zócalo*, cet hôtel calme, où domine la tonalité verte, dispose de chambrettes confortables, sombres mais toutes avec sanitaires privés en marbre ! TV et téléphone. Et pour ne rien gâcher, propreté assurée et bon accueil. Arrivez tôt pour avoir une chambre avec fenêtre. Évitez celles qui donnent dans la ruelle où résonne la rumeur des restos.

🛏 *Hotel Congreso (plan couleur I, C1, 50)* : Allende 18. ☎ 55-10-44-46. Ⓜ *Allende. Garage gratuit.* Façade des années 1950, assez laide il faut l'avouer,

mais intérieur rénové. Chambres à prix très compétitifs, propres, avec moquette, téléphone et TV câblée, assez agréables. Bonne literie. Calme si vous évitez la rue. Apprécié aussi des couples en goguette.

🛏 *Hotel Monte Carlo (plan couleur I, C2, 41)* : Uruguay 69. ☎ 55-21-25-59. Fax : 55-10-00-81. Ⓜ *Zócalo.* La plupart des chambres, spacieuses, donnent sur un grand patio que traversent les voitures pour aller se garer à l'arrière... Évitez celles sur rue, très animée. Beaucoup sont sombres et assez vieillottes, mais celles *sin baño* offrent un très bon rapport qualité-prix. Accueil bon enfant et standard téléphonique d'un autre âge (on aurait presque pu le mettre dans la rubrique « À voir » !).

De bon marché à prix moyens (300-400 $Me, soit 18-24 €)

⌂ Hotel Conde (plan couleur I, B2, **48**) : Pescadito 15 ; à l'angle de Revillagigedo. ☎ 55-21-10-84 ou 35-20. Ⓜ Balderas ou Juárez. Garage gratuit. Grandes chambres confortables très propres, avec du mobilier fonctionnel récent, la TV et le téléphone. Excellent rapport qualité-prix pour les chambres à lit king size, les moins chères. Belle vue sur une charmante petite place, dans un quartier tranquille. Une de nos adresses préférées. Dommage que ce soit un peu excentré.

⌂ Hotel Rioja (plan couleur I, C2, **62**) : 5 de Mayo 45. ☎ 55-21-83-33. Ⓜ Zócalo ou Allende. Wifi dans le lobby. Quoique sans charme, cet hôtel central a été bien rénové, avec des chambres propres donnant au choix sur le patio (calmes mais plus sombres) ou sur la rue (inversement). Elles disposent de la TV et du téléphone. Attention, les moins chères n'ont pas de fenêtre.

⌂ Hotel Isabel (plan couleur I, C2, **49**) : Isabel la Católica 63 ; à l'angle de Salvador. ☎ 55-18-12-13. ● hotel-isabel.com. mx ● Ⓜ Isabel la Católica. Légère hausse des prix en hte saison. Wifi. Une bonne adresse située dans un bel immeuble ancien. Les chambres, disposées autour d'un vaste atrium coloré et fleuri, sont grandes et hautes de plafond. Celles avec salle de bains commune (bien tenue) sont à un bon prix. Mobilier vétuste. Préférer le 3ᵉ ou le 4ᵉ étage pour le calme, la clarté et la vue sur les toits. Évidemment, il y fait plus chaud en été et plus froid en hiver... Resto ouvert jusqu'à 23h.

⌂ Hotel Antillas (plan couleur I, C1, **52**) : Belisario Domínguez 34. ☎ et fax : 55-26-56-74 à 56-78. Ⓜ Allende. CB acceptées. Wifi (à l'accueil). Parking. Les chambres rénovées, aux 1ᵉʳ et 2ᵉ étages, sont nettement plus agréables que les autres. Vu la faible différence de prix, n'hésitez pas... sauf si vous préférez les peintures écaillées et l'électricité qui part à vau-l'eau ! Toutes ont la TV et le téléphone. Bruyant côté rue, sombre à l'arrière, comme souvent. Bar-resto. Ascenseur.

⌂ Hotel Washington (plan couleur I, C2, **51**) : 5 de Mayo 54 (ex-92). À côté de l'incontournable resto El Popular. ☎ 55-21-11-43. Ⓜ Allende ou Zócalo. Wifi. Belle façade, avec balcons sur rue. Chambres propres et rénovées, avec salles de bains correctes, TV et téléphone. Demandez-en une avec fenêtre, mais évitez la rue, très bruyante.

⌂ Hotel Azores (plan couleur I, C1, **53**) : Brazil 25. ☎ 55-21-52-20. ● hotelazores. com ● Ⓜ Zócalo ou Allende. Internet. Wifi. Parking payant à 2 rues de là. Tout près de la jolie place Santo Domingo. Ce bel hôtel rénové, au hall d'entrée en marbre, propose des chambres très propres, aux tonalités chaudes, avec mobilier moderne, TV, téléphone, coffre-fort et bouteilles d'eau. Certaines avec lit king size. Préférer celles donnant sur la rue, plus claires (mais attention au bruit) et généralement plus grandes. Resto. Bon rapport qualité-prix.

⌂ Hotel Roble (plan couleur I, D2, **54**) : Uruguay 109. ☎ 55-22-78-30. ● hotelroble.com.mx ● Ⓜ Zócalo ou Pino Suárez. Wifi. Parking à proximité, payant mais pas très cher. Hôtel moderne, sans charme particulier, aux chambres impeccables, avec TV et téléphone. Demandez-en une avec fenêtre et lit king size (elles sont parfois plus grandes). Ascenseur. Bar et petit resto (réduc pour le petit déj). Bonne adresse.

De prix moyens à chic (350-800 $Me, soit 21-48 €)

⌂ Hotel Monte Real (plan couleur I, B2, **57**) : Revillagigedo 23. ☎ 55-18-11-49. ● hotelmontereal.com.mx ● Ⓜ Juárez. Souvent des tarifs promotionnels en basse saison. Gratuit pour les moins de 12 ans. Internet. Wifi. Parking. Immeuble moderne à la façade d'alu et de verre. Les chambres, rénovées, ont tout le confort, avec TV et téléphone. Celles de l'intérieur sont calmes mais sombres et plus petites. Personnel accueillant. Bar-resto ouvert 24h/24. Idéal pour un couple avec enfants.

⌂ Hotel Catedral (plan couleur I, D1,

70) : Donceles 95. ☎ *55-18-52-32.* ● *ho telcatedral.com.* ● Ⓜ *Zócalo. Tarifs qui incluent ou pas le petit déj. Réduc si vous payez en espèces. Wifi. Parking.* Vous en rêviez, l'*Hotel Catedral* l'a fait : des chambres propres, confortables, abordables, à un jet de pierre du *Zócalo*. Pour ne rien gâcher, le personnel est agréable, le resto est bon *(7h-22h30)* et la terrasse dominant la place offre une vue époustouflante. Demandez une chambre dans les étages supérieurs pour en bénéficier.

🏨 *Hotel Gillow (plan couleur I, C2, 58) : Isabel la Católica 17.* ☎ *55-10-07-91.* ● *hotelgillow.com.* ● Ⓜ *Allende ou Zócalo. Gratuit pour les moins de 6 ans.* Hôtel rénové, à la belle façade 1930, appartenant au même groupe que le *Catedral.* Les chambres se répartissent autour d'un patio tout en longueur. Confortables, avec TV câblée, elles se déclinent en tonalités orange et brun très seventies. Préférez celles avec terrasse au 6e étage, bien plus claires. Bon rapport qualité-prix et bon accueil.

🏨 *Hotel Metropol (plan couleur I, B2, 71) : Luis Moya 39.* ☎ *10-85-08-30.* ● *ho telmetropol.com.mx* ● Ⓜ *Bellas Artes. Gratuit pour les moins de 6 ans. Parking.* Accueillant de nombreux groupes (français en particulier), cet hôtel sans surprise offre un bon rapport qualité-prix dans des chambres avec TV câblée, sèche-cheveux et même un fer à repasser pour les maniaques du faux pli... Grandes douches. Ventilo, mais pas d'AC. Resto très correct, avec parfois de la musique mexicaine *en vivo* le week-end.

🏨 *Hotel Marlowe (plan couleur I, B2, 56) : Independencia 17.* ☎ *55-21-95-40.* ● *hotelmarlowe.com.mx* ● Ⓜ *Bellas Artes.* Une *cuadra* au sud des jardins de l'Alameda. Bel hôtel moderne où abondent le marbre et le travertin. Vastes chambres tout confort, agréables et impeccables, avec de superbes salles de bains. Bref, un très bon rapport qualité-prix et un accueil sympa. Resto.

🏨 *Chillout Flat (plan couleur I, C1, 55) : Bolívar 8. Pas d'enseigne, on entre par le grand lobby de l'immeuble Santa Clara.* ☎ *59-48-70-48.* ● *chilloutflat. com.mx* ● Ⓜ *Zócalo. Réserver à l'avance. Doubles 750-1 000 $Me, petit déj inclus. Internet. Wifi.* Pas vraiment une AJ, plutôt une chambre d'hôtes tenue par David. On loge au 1er étage d'un appartement privé dans un immeuble des années 1940. Les 5 chambres, dont 3 avec salle de bains, sont de bonne taille, avec lit *king size* ou 2 grands lits. La plupart donnent sur la rue (calme la nuit). Petite salle commune, avec télé et ordinateur. Vous pourrez aussi préparer vos repas dans la cuisine attenante. Ambiance légèrement feng shui et une page internet très sympa.

Beaucoup plus chic (plus de 2 200 $Me, soit 132 €)

🏨 *Gran Hotel (plan couleur I, C2, 72) : 16 de Septiembre 82.* ☎ *10-83-77-00.* ● *granhotelciudaddemexico.com* ● Ⓜ *Zócalo. Presque 2 fois moins cher que le prix affiché si vous faites votre résa par tél. Wifi. Parking payant.* Cet incontournable, 1er édifice Art nouveau de Mexico, se dresse à quelques mètres du *Zócalo*. Sa grande verrière (1908) façon Tiffany est un vrai joyau, ses fers forgés et ses ascenseurs datent du XIXe s et ses chambres, avec lit à baldaquin, sont belles et grandes. Cela dit, le *Gran Hotel* a un inconvénient majeur : chaque week-end, le lobby est loué pour bals et mariages, avec musique tonitruante jusqu'à l'aube. Venez plutôt en semaine... ou contentez-vous de jeter un coup d'œil aux intérieurs et admirer les grandes cages à oiseaux qui ornent le lobby. Brunch le week-end : voir « Où prendre le petit déj ? ».

🏨 *Hotel boutique de Cortés (plan couleur I, B1, 73) : Hidalgo 85.* ☎ *55-18-21-81.* ● *boutiquehoteldecortes.com* ● Ⓜ *Hidalgo. Petit déj inclus. Service de stationnement. Wifi.* Cet hospice des Augustins du XVIIe s, à l'architecture éblouissante et au portail richement sculpté, a été entièrement rénové. Revisité sur des notes modernes, il abrite aujourd'hui l'un des plus beaux hôtels de Mexico. Chambres très confortables, aux parquets de bois sombre et aux salles de bains design. Resto le *1620* dans le patio central (voir « Où manger ? »).

Où manger ?

Bon marché (moins de 80 $Me, soit 4,80 €)

|●| **Mercado de alimentos San Camilito** (plan couleur I, C1, 86) : pl. Garibaldi. Ⓜ Garibaldi. Tlj 24h/24. Un immense marché couvert et tout en long, qui donne sur la place des mariachis. Succession de petits restos identiques et alignés, aux murs de brique rouge. Ne vous laissez pas impressionner par les rabatteurs, mais choisissez le local où il y a le plus de clients, surtout ceux où mangent les mariachis, ce sont les meilleurs ! Vérifiez bien l'addition et la monnaie.

|●| **Gili Pollos** (plan couleur I, C2, 87) : angle 5 de Mayo et Isabel la Católica. Ⓜ Allende ou Zócalo. Tlj 10h-18h. Rôtisserie de poulets. Servis rôtis. Bon et pas cher du tout. On mange debout ou au comptoir en compagnie des employés du quartier. Chaud, chaud dedans !

|●| **Tacos de Canasta** (plan couleur I, C2, 88) : calle 5 de Febrero, au niveau du n° 17. Ⓜ Zócalo. Un petit creux et pas de temps à perdre ? Faites comme les employés du coin et mettez le cap sur cette taquería qui attire foule. On s'entasse sur le trottoir pour déguster tacos de mole verde (poulet sauce verte), de viande grillée ou en daube (carne adobada), etc. Le tout sur une assiette en plastique et pour trois fois rien.

|●| **Café El Popular** (plan couleur I, C2, 81) : av. 5 de Mayo 50 et 52. ☎ 55-18-60-81. Ⓜ Allende. Tlj 24h/24. Il y en a 2 l'un à côté de l'autre. Menu pas cher pour le déjeuner. Formules pour le dîner à des prix intéressants. Il y a toujours du monde, jour et nuit. C'est l'une des adresses les plus traditionnelles du quartier.

|●| **Pastelería Madrid** (plan couleur I, C2, 82) : 5 de Febrero 25. Ⓜ Zócalo ou Isabel la Católica. Tlj 7h30-21h. Un véritable supermarché de viennoiseries en tout genre. Pour la pause déjeuner, on s'installe au comptoir : délicieux sandwichs ; ou bien prendre un paquete, menu complet pour pas cher. Quelques gourmandises à se damner !

|●| **La Isla del Dragón** (plan couleur I, C2, 85) : Filomeno Mata 15. ☎ 55-10-10-80. Ⓜ Bellas Artes ou Zócalo. Tlj 11h30-23h. Les Mexicains adorent les restos chinois – et surtout leurs buffets à volonté affichant de tous petits prix. Avantage supplémentaire : la terrasse donnant sur une agréable rue piétonne, très animée en fin de semaine. La queue est alors parfois longue de 20 m, mais elle avance vite...

|●| **Trevi** (plan couleur I, B1, 80) : Colón 1 ; à l'angle de Dr Mora. ☎ 55-12-30-20. Ⓜ Hidalgo. Tlj 8h-23h. Voilà plus d'un demi-siècle que ce diner à l'américaine a été ouvert. Cadre sympathiquement désuet, avec des banquettes et des chaises en skaï rouge, et des serveurs qui semblent là depuis toujours... Commande prise, ils jetteront une grande nappe blanche sur votre table. Le menu du jour comprenant 5 plats est à prix imbattable (plus cher le dimanche). Service rapide et accueillant.

Prix moyens (80-250 $Me, soit 4,80-15,30 €)

|●| **Los Canallas** (plan couleur I, C2-3, 43) : Regina 58, à côté de l'hostal Regina. ☎ 57-09-12-00. Ⓜ Isabel la Católica. Tlj 7h-2h. Un p'tit bout de resto, bien chaleureux, qui attire les fausses canailles du quartier. Si le temps le permet, on mange en terrasse, dans cette agréable rue piétonne. Au milieu des dessins sur le thème de la ville, le tableau noir annonce le menu. Salades composées pour démarrer et ensuite une bonne pièce de viande avec des empanadas dans le style argentin. Ou pizza pour les enfants. Très bien pour les 3 repas de la journée. Et le soir, pour l'ambiance de la rue, en sirotant une bière.

|●| **Las Jerónimas** (plan couleur I, C3, 83) : San Jerónimo 40, à côté de la Hostería la Bota. ☎ 57-09-59-88. Ⓜ Isabel la Católica. Lun-sam 8h30-22h. Sis dans une rue piétonne calme et tran-

quille, face à l'immense mur de l'université du Claustro de Sor Juana. Les étudiants (et les profs) y viennent faire leurs devoirs en profitant du wifi. Déco minimaliste et futuriste, dans les tons blancs. On s'y installe avec plaisir pour y savourer des petits plats aux noms de films. Snacks, sandwichs. Et pour la digestion, ciné-club au fond.

●I *Hostería La Bota (plan couleur I, C3, 84) : San Jerónimo 40, presque au coin avec Isabel la Católica.* ☎ *57-09-90-16.* **Ⓜ** *Isabel la Católica. Lun-sam 13h30-2h ; dim 13h30-23h.* En voilà une drôle de taverne ! Grande ouverte sur la rue piétonne, on a envie d'y entrer de s'installer à l'une des grandes tables en bois pour discuter avec les habitués, des jeunes de tous horizons, de tous les styles, de tous les looks. Une clientèle de bric et de broc, à l'image de l'incroyable déco qui croule sous un amoncellement d'objets hétéroclites, façon collage : vélo suspendu au plafond, énorme tête de taureau surplombant une Vierge de Guadalupe qui clignote, vieilles affiches, photos en noir et blanc, graffitis... Un vrai capharnaüm et une ambiance très sympa, simple et décontractée. On aime aussi bien en fin d'après-midi autour d'une bière, que le soir entre copains, en partageant un bon et copieux plat de pâtes et une bouteille de vin (pas cher).

●I *Coox Hanal (plan couleur I, C2, 92) : Isabel la Católica 83.* ☎ *57-09-36-13.* **Ⓜ** *Isabel la Católica. Au 2ᵉ étage, au-dessus d'une salle de billard. Tlj 11h-18h (donc pour le déj slt).* Excellente cuisine du Yucatán, avec à la carte les meilleures spécialités de la péninsule. Soupe de *lima* (gros citron) et tacos de *cochinita pibil* (viande de porc marinée et cuite à l'étouffée dans une feuille de bananier) à goûter absolument. Musique *en vivo* le week-end (allez en terrasse si la musique est trop forte). Très fréquentée par les Mexicains.

●I *La Terraza (plan couleur I, D1, 93) : Guatemala 18.* ☎ *55-21-19-25.* **Ⓜ** *Zócalo. Mar 10h-22h ; mer-sam 10h-2h ; dim 10h-18h.* C'est le resto-cafétéria du

Centro cultural de España. Installé au 2ᵉ étage, en terrasse, vous l'aviez deviné. Belle vue sur l'arrière de la cathédrale. Décor moderne, tables et chaises métalliques, fresques B.D. aux murs. Les fanas d'expos monteront à pied plutôt que par l'ascenseur. Carte de tapas à grignoter dans une ambiance branchée le soir. Idéal pour une pause durant la journée. On peut se contenter d'y prendre un verre. Le week-end, la terrasse se transforme en boîte de nuit (voir « Où sortir ? Où danser ? »).

●I *Casa de los Azulejos (plan couleur I, C2, 94) : Madero 4.* ☎ *55-18-66-76.* **Ⓜ** *Bellas Artes. Tlj 7h-1h.* Abrite le resto de la chaîne *Sanborn's*. Vous l'aurez sans doute déjà vu de l'extérieur : ce superbe bâtiment colonial du XVIᵉ s est recouvert, comme son nom l'indique, d'azulejos. C'est le 1ᵉʳ endroit où Pancho Villa est allé avec sa troupe, quand il a pris Mexico. Le patio couvert intérieur est somptueux avec sa colonnade et ses murs peints et décorés de céramiques, surmontés par des linteaux en pierre sculptée. Belle fresque d'Orozco dans l'escalier qui monte au 1ᵉʳ étage. On mange à toute heure une cuisine aseptisée et standard qui a le mérite de tranquilliser les estomacs paranoïaques. Service tantôt agréable, tantôt désagréable (mieux vaut parler espagnol), par des serveuses en costume chamarré. Vérifiez bien votre note et le montant du pourboire si vous payez par carte !

●I *El Cuadrilatero (plan couleur I, B2, 91) : Luis Moya 73.* ☎ *55-18-18-21.* **Ⓜ** *San Juan de Letran ou Balderas. Lun-sam 8h-20h.* Cette gargote façon cafétéria familiale appartient à un ancien catcheur baptisé « Super Astro », dont les masques et costumes décorent la salle. La spectaculaire *torta gladiator* (30 cm de long pour 1,3 kg) est gratuite si vous réussissez à l'ingurgiter en moins d'un quart d'heure ! Assez cher, mais on en a pour son argent. À emporter ou à manger sur place. Le *cuadrilatero* ? C'est le ring, bien sûr !

Chic (250-370 $Me, soit 15-22,20 €)

Précisons qu'un nombre grandissant de restaurants de cette catégorie ont pris la mauvaise habitude de facturer le couvert...

lol *Hostería de Santo Domingo* (plan couleur I, C1, **95**) : Belisario Domínguez 72. ☎ 55-26-52-76. Ⓜ *Allende. Tlj 9h-22h30 (21h dim). Résa conseillée le w-e.* L'un des plus anciens restos du Mexique, fondé en 1860. On est dans la grande tradition : beaucoup de couleurs, *papel picado* suspendu au plafond, diplômes culinaires affichés avec orgueil. Les autographes et les graffitis des convives de renom tapissent les murs. Cuisine ultra-typique. Il faut bien sûr goûter à la spécialité de la maison, le *chile en nogada,* qui est servi ici toute l'année (c'est normalement un plat d'été). Il s'agit d'un gros piment vert (rassurez-vous, il ne pique pas vraiment !) garni de viande de porc et de bœuf, d'amandes, de raisins secs et de citron doux mexicain, le tout baignant dans une sauce aux noix et aux graines de grenade. Un classique !

lol *Danubio* (plan couleur I, C2, **99**) : Uruguay 3. ☎ 55-12-09-12. Ⓜ *San Juan de Letrán. Tlj 13h-22h. Menu déjeuner lun-sam 185 $Me, un peu plus cher dim.* Un très bon resto de fruits de mer, fondé en 1936, à l'ambiance un peu désuète et guindée. Grande salle aux murs couverts de dédicaces de célébrités mexicaines. Au menu, c'est raisonnable, mais à la carte, ça grimpe très vite. On y va surtout pour le déjeuner, en compagnie des cadres sup' du quartier ou, le week-end, des familles de la haute. Le soir, il n'y a pas grand monde et c'est morne.

lol *La Ópera* (plan couleur I, C1, **101**) : 5 de Mayo 10. ☎ 55-12-89-59. Ⓜ *Bellas Artes. Lun-sam 13h-minuit ; dim 13h-18h.* Une institution. Très beau resto typique de l'époque du Porfiriato, recouvert de boiseries sculptées, moulures dorées au plafond et banquettes en velours rouge. Ça rappelle un peu le style de certaines brasseries parisiennes. Pancho Villa, après y avoir débarqué à cheval, y joua du revolver (l'impact de la balle au plafond est l'une des attractions de l'endroit). La carte navigue entre le Mexique et l'international. Mais les avis sont partagés sur la qualité de la cuisine. Souvent bondé pour le déjeuner, surtout le week-end.

lol *El Cardenal* (plan couleur I, C2, **104**) : Palma 23. ☎ 55-21-30-80 et 55-21-88-15. Ⓜ *Allende. Lun-sam*

8h-18h30 ; dim 9h-18h (donc pour le petit déj ou le déj). Installé dans un bel édifice début de siècle, ce restaurant est fréquenté par bon nombre d'hommes politiques, surtout de gauche (l'assemblée législative du district fédéral est toute proche). La cuisine, très réussie, est on ne peut plus mexicaine, traditionnelle et rurale. Pain, tortillas, chocolat et même fromage, bien des choses sont faites maison. Arrivage de fleurs de cactus au printemps et de *gusanos* (vers) en été... Préférer la salle de l'étage à celle du rez-de-chaussée.

lol *Café de Tacuba* (plan couleur I, C1, **97**) : Tacuba 28. ☎ 55-21-20-48. Ⓜ *Allende. Tlj 8h-23h30.* Tout le monde se fait un devoir d'y manger au moins une fois... La maison, fondée en 1912, occupe une très belle *casona* du XVIIᵉ s. On s'installe dans une salle voûtée au cachet intemporel : superbe décor d'azulejos, bois sculptés, lustres hollandais, fresques et toiles de l'école de Cuzco. Le lieu est réputé hanté par le fantôme d'une nonne ! La cuisine, traditionnelle, est toutefois de qualité variable ; essayez les *enchiladas* et le *mole poblano.* La préparation du café au lait (style Veracruz) est toute une cérémonie. Délicieux chocolat à boire. Le soir, un groupe de musique anime le repas.

lol *Centro Castellano* (plan couleur I, C2, **100**) : Uruguay 16. ☎ 55-18-60-80. Ⓜ *San Juan de Letrán. Lun-sam 13h-23h ; dim et j. fériés 13h-20h. Menu déjeuner 175 $Me lun-sam, un peu plus cher dim. Le soir, c'est à la carte.* Cet immense resto de cuisine espagnole, sur plusieurs niveaux, est l'un des rares établissements du *centro histórico* qui réussissent à attirer des habitants d'autres quartiers. Un nombre incroyable de célébrités a mangé ici. Leurs photos tapissent les murs, de Castro à Aznar, en passant par Thalia et Zidane ! Plein de salles différentes. Beau plancher en bois noir, murs en pierre, énormes poutres, meubles lourds, jambons pendus au-dessus du bar... Les 2 salles en étage servent un menu déjeuner très copieux. Au rez-de-chaussée (cadre plus agréable), c'est à la carte, donc un peu plus cher, sauf du lundi au samedi, entre 19h et 21h, lorsqu'on peut commander le même menu qu'à l'étage... Spécialités de fruits de mer.

|●| *Los Girasoles* (plan couleur I, C1, **96**) : Tacuba 8 et 10 ; à l'angle de la pl. Manuel Tolsá. ☎ 55-10-06-30. Ⓜ Bellas Artes. Mar-sam 13h-minuit ; dim-lun 13h-21h. Couvert facturé 20 $Me. Dans une belle demeure coloniale, face au *Munal*. Le cadre est chaleureux, coloré, et le menu propose des spécialités mexicaines que l'on ne trouve pas forcément ailleurs. Cuisine typique orientée touristes, parfois bonne, parfois très moyenne. Pour les beaux jours, vaste et agréable terrasse.

Plus chic (plus de 370 $Me, soit 22,20 €)

|●| *1620* (plan couleur I, B1, **73**) : dans l'hôtel de Cortés, av. Hidalgo 85. ☎ 55-18-21-81. Ⓜ Hidalgo. Tlj 8h-22h. L'un des plus beaux cadres de Mexico pour un dîner en amoureux. On s'installe dans le grand patio à arcades, revisité sur des notes modernes, pour apprécier une cuisine raffinée mêlant les influences mexicaines et espagnoles. Calme et sérénité assurés ; à la lueur des bougies le soir. Voir « Où dormir ? Beaucoup plus chic ».
|●| *Casa de las Sirenas* (plan couleur I, D1, **102**) : República de Guatemala 32, juste derrière la cathédrale. ☎ 57-04-33-45. Ⓜ Zócalo. Lun-sam 11h-23h ; dim 10h-19h. Couvert facturé 20 $Me le soir. Dans une magnifique demeure du XVIIᵉ s, ancienne dépendance du presbytère (admirez la façade avec des sirènes sculptées dans la pierre). Le resto est au 2ᵉ étage, avec une terrasse qui surplombe l'arrière de la cathédrale. Nouvelle cuisine mexicaine de qualité. Spécialité de la maison : la *gallinata en mole de mango*, une poule dans une sauce épaisse à la mangue. Cher, mais quelle vue ! Ambiance féerique le soir.

Où prendre le petit déjeuner ?

La plupart des restaurants mentionnés ci-dessus ouvrent tôt et servent le petit déj mexicain typique : des œufs (sous toutes leurs formes) accompagnés de haricots noirs *(frijoles),* un jus ou une petite salade de fruits et un café *americano*. Pour une fois, les lève-tard sont favorisés puisqu'il est servi jusqu'à 12h, voire 13h. On vous indique dans cette rubrique quelques endroits qui sortent (un peu) de l'ordinaire. Par ailleurs, sachez que vous trouverez des *pastelerías* (spécialisées dans les viennoiseries) un peu partout. Très économique pour le petit déj, mais on ne peut pas toujours s'y asseoir.

☛ *Pastelería Madrid* (plan couleur I, C2, **82**) : 5 de Febrero 25. Voir « Où manger ? ».
☛ *Pastelería Ideal* (plan couleur I, C2, **140**) : 16 de Septiembre 21. Ⓜ Bellas Artes. Tlj 6h30-21h30. Pays des merveilles. Surprenante vitrine de pièces montées géantes, recouvertes de crème en veux-tu en voilà. Pour mariages, anniversaires ou communions. Ne manquez pas de faire un tour à l'étage : les plus hautes pièces montées exposées font bien 2,50 m ! Immense choix de viennoiseries et petits gâteaux.
☛ @ *Bertico Café* (plan couleur I, C2, **141**) : Madero 32. ☎ 55-10-93-87. Ⓜ Allende. Tlj 9h-21h30. Formules de petit déj classiques dans un cadre clair. Présente l'avantage de faire aussi café Internet. Également une annexe au n° 66.
☛ *Café La Habana* (plan couleur I, A2, **143**) : angle Bucarelli et Morelos. ☎ 55-35-26-20. Lun-sam 7h-23h ; dim 8h-22h. Grande salle typique du Mexique des années 1950. Ce café a à peine changé depuis cette époque, quand un jeune Cubain prénommé Fidel rencontra un médecin argentin répondant au nom de Guevara. Besoin de vous en dire plus ? Ils étaient chauffeurs de bus ! Hauts plafonds, ventilos, odeurs de café, de Cuba bien sûr. Grandes photos en noir et blanc du Mexico d'antan. Très bon café, même l'*americano* ! Plein de formules pour le petit déj.
☛ *Hotel Majestic* (plan couleur I, C2, **144**) : Madero 73. ☎ 55-21-86-00.

Ⓜ Zócalo. Petit déj (sous forme de buffet) 130 $Me en sem ; 160 $Me sam-dim ; moins cher pour les enfants. Servi 7h-12h. Pour le déjeuner, également formule buffet le w-e (13h-18h) 200 $Me. Le reste du temps, c'est à la carte. En fait, on vient surtout ici pour le panorama et le fun. De sa magnifique terrasse sur le toit, on jouit d'une vue plongeante sur le Zócalo. Par bonne visibilité (assez rare, il faut bien l'avouer), on aperçoit au loin les cimes des vieux vol-

cans (le Popocatépetl en particulier) et on imagine facilement la beauté de cette ville sous la vice-royauté. On ne peut pas prendre un simple verre sur la terrasse qui est réservée aux repas. Le bar est à l'intérieur.

☛ **Gran Hotel** (plan couleur I, C2, **72**) : brunch 250 $Me. En terrasse (un peu étroite), avec vue sur le Zócalo, brunch-buffet sam-dim servi 9h-18h (sic !). Voir « Où dormir ? Beaucoup plus chic ».

Où faire une pause dans la journée ?

🍴 |●| **Café del Mumedi** (plan couleur I, C2, **142**) : Madero 74. Ⓜ Zócalo. Installé au rdc du musée du Design. Entrée libre. Lun 11h30-21h ; mar-dim 8h-21h. Entre la pause capuccino, les salades, les sandwichs et quelques pâtisseries, notre cœur balance... Le café épouse un long comptoir et déborde sur une mezzanine bien agréable. En attendant d'être servi, on furète dans la jolie boutique attenante : vente d'objets de jeunes designers.

🍴 **Jugos Canada** (plan couleur I, C2, **145**) : 5 de Mayo 47. Ⓜ Allende. Contre l'hôtel Canada. Un choix invraisemblable de jus de fruits. Toutes les combinaisons sont possibles. De délice en délice. Prenez la piña colada, un régal. Également des salades de fruits.

|●| **Dulcería de Celaya** (plan couleur I, C2, **146**) : 5 de Mayo 39. ☎ 55-21-17-87. Ⓜ Allende. Tlj 10h30-19h30. Pour les gourmands, magnifique confiserie fondée en 1874. Le décor est resté tel quel. Turrón, fruits confits, mazapán, macarons aux amandes, à la cannelle, aux noix... Pour le plaisir des yeux et du palais.

|●| **El Mayor Deli** (plan couleur I, D1, **147**) : República de Argentina 15. Entrée par la librairie Porrúa et prendre l'ascenseur jusqu'au dernier étage. ☎ 57-04-75-80 et 84. Ⓜ Zócalo. Cafétéria ouv tlj 10h30-20h ; resto ouv mar-sam 9h-18h. Si vous n'avez pas encore visité le Templo Mayor, grimpez d'abord ici, sur cette terrasse sur le toit qui domine le site. Vue spectaculaire sur les ruines, avec le Zócalo en toile de fond, bordé d'édifices coloniaux. Les tables sont disposées sur un deck en bois,

protégées du soleil par des parasols blancs ; mais attention à votre chapeau, le vent souffle. Petits prix pour des sandwichs et salades mixtes. Sympa aussi pour prendre un verre en fin d'après-midi.

🍴 **Café Sears** (plan couleur I, B2, **148**) : Juárez 14. ☎ 55-21-00-41. Ⓜ Bellas Artes. Sur la terrasse du 8e étage du grand magasin Sears. Tlj 11h-20h. Vaut vraiment la peine pour la vue (la peine, c'est beaucoup dire puisqu'il y a un ascenseur). On domine le palais des Beaux-Arts et le jardin de l'Alameda, avec les montagnes en toile de fond. Pâtisseries, mais aussi chocolat chaud, cappuccino, espresso...

🍴 **Café Jekemir** (plan couleur I, C2, **149**) : Isabel la Católica 88 ; à l'angle de Regina. ☎ 57-09-70-38. Ⓜ Isabel la Católica. Lun-sam 8h-21h. Le meilleur café du coin, grand ouvert sur la rue. Espresso, cappuccino, frappuccino froid ou chaud... la bonne odeur du café flotte jusque dans la rue. Quelques encas de vague origine libanaise, croissants garnis, sandwichs, génoises. Très fréquenté.

🍴 **La Risa** (plan couleur I, C2, **150**) : Mesones 71. Ⓜ Isabel la Católica. Lun-sam 9h-19h30. Aucune indication dans la rue : poussez les battants jaunes à l'angle de la ruelle. Voici une pulquería. C'est très rare. Pour les aventuriers qui voudraient essayer le pulque, le suc de l'agave fermenté. Ça donne un alcool épais et laiteux, entreposé dans de grands bidons en plastique à la propreté un peu douteuse (voir « Boissons » dans « Hommes, culture et environnement »)... Cette boisson de grand-père est revenue à la mode chez les jeunes depuis quelques années. Il y en a de toutes les saveurs, à l'ananas, à la goyave... ; ou prenez-le nature *(blanco)*.

Ceux qui viennent entre amis, l'après-midi, en commandent souvent un seau (ceci n'est pas qu'une figure de style) ! Ambiance joyeuse *(la risa,* le rire !).

Où sortir le soir ? Où danser ?

♟ *Hostería La Bota (plan couleur I, C3, 84) : San Jerónimo 40 ; presque au coin avec Isabel la Católica.* ☎ 57-09-90-16. Ⓜ *Isabel la Católica. Lun-sam 13h30-2h ; dim 13h30-23h.* Parfait pour prendre un verre après le dîner ou avant de démarrer une longue nuit blanche. Voir « Où manger ? ».

♟ *Cantina Río de la Plata (plan couleur I, C1, 160) : Cuba 39 ; au coin avec Allende.* ☎ 55-21-72-47. *Tlj 11h-3h.* Petite plongée dans le Mexico sans touriste, avec cette *cantina* typique, presque séculaire (on exagère un peu), mais très fréquentée par la jeunesse estudiantine. Bar à l'entrée, tables en bois et un escalier en colimaçon pour grimper au 1ᵉʳ étage où on s'entasse comme on peut. Beaucoup de monde. Il est vrai que la bière est vraiment bon marché (en bouteille et à la pression !). Chaude ambiance décontractée. Chanteur de rock ou de salsa vendredi et samedi à partir de 19h.

♟ *Tenampa (plan couleur I, C1, 161) : pl. Garibaldi 12.* ☎ 55-26-61-76. Ⓜ *Garibaldi. Tlj 13h-2h (3h le sam).* Le temple des mariachis. Fiesta garantie ! C'est l'une des plus anciennes *cantinas* de la ville (fondée en 1912). Grandes fresques ringardes aux murs, qui représentent les vedettes de la chanson d'antan. Après quelques tequilas, vous ne résisterez pas au plaisir de faire jouer les mariachis à votre table (chanson à prix fixe : 80 $Me). Parmi les grands classiques : *Mexico lindo, El Rey, Cielito lindo...* Ambiance d'enfer le week-end, surtout quand plusieurs groupes se mettent à jouer en même temps !

♫ *Salón Tropicana (plan couleur I, C1, 163) : pl. Garibaldi, sur le côté droit.* ☎ 55-29-72-35. Ⓜ *Garibaldi. Mar-sam 20h-3h. Cover ven et sam : 50 $Me, mais gratuit si vous arrivez avt 22h ; ajoutez les consos et de quoi grignoter (c'est obligatoire).* Le typique *salón de baile* où les Mexicains, toutes générations confondues, se retrouvent dans les vapeurs de la tequila pour danser sur des rythmes tropicaux : salsa, samba, merengue, cumbia... On surnomme les lieux « cathédrale de la rumba » ! Le *Tropicana* est l'un des derniers de ces salons dansants qui ont fait la réputation du Mexico nocturne des années 1940. On y vient encore endimanché. Ici, c'est le royaume des classes populaires, sur lequel règnent des orchestres qui comptent parfois jusqu'à 10 musiciens. Mesdames, vous serez certainement invitées à danser par un Mexicain qui vous le demandera avec beaucoup de courtoisie. N'hésitez pas à accepter, car, ici, on vient avant tout pour danser.

♪ *Zinco Jazz Club (plan couleur I, C2, 162) : Motolinia 20 ; presque à l'angle de 5 de Mayo.* ☎ 55-12-33-69. ● *zincojazz. com* ● Ⓜ *Allende. Mar-sam 21h-3h. Résa conseillée pour les fins de sem (résa par Internet lun-sam 10h-15h ou par tél jusqu'à 19h). Entrée : 50-300 $Me selon concert. Comptez en plus les boissons ou le repas si vous souhaitez dîner sur place.* C'est le meilleur club de jazz de Mexico, voire du Mexique. Un p'tit bijou ! Salle *bajocentro* (en sous-sol), chaleureuse comme tout, installée dans les anciennes salles des coffres d'une banque ! Excellente programmation qui change chaque semaine, avec des musiciens du monde entier. Regardez le programme sur leur site. Sortie absolument incontournable pour les amateurs de jazz.

♪ *Pasagüero (plan couleur I, C2, 165) : Motolinia 33, entre Madero et 16 de Septiembre.* ☎ 55-21-61-12. ● *pasague ro.com* ● Ⓜ *Allende. Jeu-sam à partir de 22h. Entrée : 70-300 $Me selon groupe.* En quelques années, c'est devenu une référence dans le centre historique. Groupes de rock *en vivo*, indie, techno, ultrason tropical. DJ certains soirs. La bière est bon marché. Clientèle jeune et hétéroclite, décomplexée et relax. Super pour faire des rencontres. Ici, on n'est pas dans le paraître. Durant la journée, la boîte se transforme en bar-terrasse (avec parfois des expos).

♫ *La Terraza* (plan couleur I, D1, **93**) : voir « Où manger ? ». ☎ 55-21-19-25, poste 118. Au 2ᵉ étage du *centre culturel espagnol*, sur une superbe terrasse en plein air, avec vue sur l'arrière de la cathédrale. C'est l'endroit branché en ce moment, avec des concerts *en vivo* ou des DJ invités (électro, house, jazz, underground, rock, folk...). Ça se passe le vendredi et le samedi de 22h à 2h environ, parfois le jeudi soir. Passer dans la journée pour vérifier la programmation ou regarder sur le site internet : ● myspace.com/terrazaccemx ● En général, pas de droit d'entrée, d'où une clientèle jeune et diversifiée. Très bonne ambiance. Arrivez vers 23h si vous voulez éviter de faire la queue. Beaucoup de monde, et la terrasse n'est pas bien grande.

♫ *Bleú* (plan couleur I, A1, **164**) : Reforma 35 ; à côté de l'hôtel Melia ; col. Tabacalera. ☎ 55-92-62-22 et 44-70. ● bleuclub.com.mx ● Ven-sam 22h-6h. Entrée : 200 $Me. Plus de 2 000 personnes peuvent tenir ici, dans une des plus belles boîtes de nuit de Mexico. Immense piste de danse. Le grand pied pour danser sans se cogner les coudes. Très belle déco glamour-chic aux accents fifties pour les couleurs. Jeux de lumière et son parfaits. Musique électro-pop. Soirées à thème et des DJ's invités régulièrement. Très prisé aussi pour les *afters* du *Living*.

♫ *Living* (plan couleur I, A2, **176**) : Bucarelli 144 ; col. Juárez. ☎ 55-18-29-07. ● living.com.mx ● À 10 mn en taxi de la Zona Rosa. Ven-sam 22h-6h. Entrée à partir de 250 $Me. Le temple des nuits gays. Immense, avec même un jardin. La meilleure musique électro de la ville avec des DJ's internationaux régulièrement invités, des drags trapézistes dans la salle électro. La salle de musique pop est en comparaison beaucoup plus sage. À ne pas manquer. Attention, le quartier n'est pas des plus sûr. Prendre un taxi, même pour aller à l'*after* alors que le soleil se lève.

Achats

Ah, les marchés de Mexico ! Ils fascinaient déjà les conquistadors à l'époque de Tenochtitlán. Ils sont immenses et innombrables. Dans le centre-ville, chaque corporation a aussi son quartier : les bijoutiers sont autour du *Zócalo*, les bouquinistes dans la calle Donceles, les imprimeurs autour de la plaza Santo Domingo. Puis il y a la rue des robes de mariées (étonnant), celle des carrelages, des papeteries, etc.

⚜ *Bazar de la Fotografía Casasola* (plan couleur I, C2, **210**) : Isabel la Católica 45 (appart 201) ; au 2ᵉ étage. ☎ 55-21-51-92. Lun-ven 10h-19h ; sam 10h30-15h30. Vieilles photos de la révolution et du Mexico du début du siècle dernier avec le *paseo de la Reforma* en pleine campagne ! Près d'un million de négatifs. Possibilité d'acheter des retirages et même de se faire tirer le portrait à l'ancienne en costume de Pancho Villa !

⚜ *Mercado de la Ciudadela* (plan couleur I, B2, **211**) : angle Balderas et pl. de la Ciudadela. Ⓜ Balderas. Tlj 10h-19h. Notre marché préféré, calme, aux innombrables allées. Le meilleur endroit de la ville pour acheter de l'artisanat mexicain de bonne qualité et à des prix raisonnables. En provenance de toutes les régions du pays. On peut encore marchander un peu, mais cela devient de plus en plus difficile de faire descendre les prix de manière significative. Au centre du marché, resto sympa pour se requinquer.

⚜ *Mercado San Juan* (plan couleur I, B2, **212**) : sur la pl. San Juan. Ⓜ San Juan de Letrán. Lun-sam 9h-19h ; dim 9h-16h. Centre commercial d'artisanat couvert. Moins agréable que celui de la Ciudadela, donc beaucoup moins de monde, donc plus de possibilité pour marchander. CQFD !

⚜ *Magasin FONART* (plan couleur I, B1, **213**) : Juárez 89. ☎ 55-21-01-71. Ⓜ Hidalgo. Lun-ven 10h-19h ; sam 10h-18h ; dim 10h-16h. C'est l'une des boutiques de la chaîne des magasins d'État pour la promotion de l'artisanat. Superbes céramiques, jouets en bois, vannerie, tissages, etc. Les pièces sont de qualité et les prix dans l'ensemble très abordables. Mais attention, ici, on ne marchande pas ! Il y a parfois aussi des soldes.

⚜ ***Mercado de la Merced*** *(hors plan couleur I par D3,* **214***) :* Ⓜ *Merced.* Le marché le plus vaste de Mexico, un des plus anciens. Absolument immense. Tous les ingrédients possibles et imaginables. Un chaos de couleurs et d'odeurs. Le ***Mercado Sonora,*** tout proche, av. Fray Servando, est le marché aux fleurs. Toutes sortes de plantes et autres grigris pour faire de la sorcellerie.

⚜ ***Mercado de la Lagunilla*** *(hors plan couleur I par C1,* **215***) : av. Reforma entre Allende et Matamoros.* Ⓜ *Garibaldi.* Marché aux puces qui se tient le dimanche. De la brocante pas très ancienne, des objets en cuivre, des vieux bouquins et des meubles que vous aurez du mal à transporter.

⚜ ***Plantes médicinales*** *(plan couleur I, D1,* **216***) : pasaje Catedral.* Ⓜ *Zócalo. Petit passage couvert derrière la cathédrale, qui relie les rues Guatemala et Donceles.* Enfilade de boutiques pleines de remèdes indiens, très anciens. Chose étonnante, ces boutiques alternent avec des échoppes de bondieuseries. Quand une méthode ne marche pas, on essaie l'autre.

À voir

Autant vous prévenir, la visite du centre historique est assez épuisante. À cause de l'altitude sans doute, mais aussi de la chaleur, du bruit, des embouteillages et de la foule. Il y a beaucoup de monde dans le *centro histórico,* quartier populaire par excellence, où s'affairent petits employés, commerçants, vendeurs à la sauvette et clients en quête d'une bonne affaire. Dans la journée, on dirait une immense fourmilière qui grouille de partout, mais le soir et la nuit, les rues se vident soudain et le quartier devient désert. Même chose le dimanche, lorsque les magasins sont fermés. Si vous craignez la foule, c'est donc ce jour-là que vous choisirez pour vous balader dans le centre. Mais bien sûr, il y a moins d'ambiance.

Conseils pratiques

– Les ***musées*** sont fermés le lundi. Certains sont gratuits le dimanche. La plupart proposent des réductions pour les étudiants (carte ISIC) et les plus de 60 ans, mais dans certains cas, seulement pour les Mexicains. Généralement gratuit pour les enfants.
– On peut aussi visiter le centre en ***bus touristique*** *(tranvía)* en 45 mn. Voir plus haut, les adresses utiles du *centro histórico.*

Autour du Zócalo (Ⓜ *Zócalo*)

Commençons donc la visite par la place centrale, officiellement plaza de la Constitución, mais que tous désignent sous le nom de *Zócalo,* puisque c'est le centre de Mexico, le métronome de la vie politique de la nation, le cœur d'un pays ultracentralisé comme l'était déjà l'Empire aztèque. Quand on visite le *centro histórico,* il faut se souvenir qu'il aura fallu moins de 3 ans pour que Tenochtitlán, l'ancienne capitale des Aztèques, soit détruite et que sur ses ruines soit fondée une ville totalement espagnole. Le sous-sol du centre historique est donc truffé d'anciens temples aztèques. Il y en aurait au moins 80, mais une quarantaine seulement a été identifiée.

🎇🎇🎇 🏃 ***Zócalo*** *(plan couleur I, C-D2) :* d'une grande unité architecturale, c'est l'une des plus belles places au monde, la troisième par la taille après la place Rouge de Moscou et la place Tian'anmen de Pékin, et l'une des plus anciennes. Cortés décida que le centre de la nouvelle cité espagnole devait s'élever là, sur l'emplacement du marché aztèque *(tiangui)* de l'ancienne Mexico-Tenochtitlán. Les pierres des pyramides servirent à paver l'esplanade et à construire les églises et les nouveaux édifices coloniaux. Si le *Zócalo* a conservé ses dimensions anciennes, il a subi au cours des siècles de nombreuses transformations. Au XIX⁰ s, il abritait de beaux jardins avec un kiosque.

Aujourd'hui, tous les grands événements du pays s'y déroulent ; toutes les manifestations s'y achèvent, face au palais présidentiel *(palacio nacional)*. Des armées de manifestants peuvent même y camper des semaines entières. Mais le président ne vit pas là, il habite et travaille dans la maison de Los Pinos, un quartier excentré particulièrement bien gardé. À l'aube du 6 mai 2007, 20 000 personnes, entièrement nues, se sont réunies sur le *Zócalo* et ont été prises en photo par le célèbre photographe Spencer Tunick.

Côté nord, entre la cathédrale et le Templo Mayor, face au Sagrario, se rassemblent bien souvent des groupes de danse aztèque. Les battements des tambours vous guideront. Rites préhispaniques dans des halos de fumée, odeur de copal (l'encens mésoaméricain), superbes costumes et de fantastiques coiffes de plumes. Une vraie transe. On s'y croirait. Les enfants adorent !

☆☆☆ ♦ *Palacio nacional* (plan couleur I, D2) : *c'est le palais présidentiel, magnifique édifice qui borde le côté est du Zócalo.* ☎ *36-88-15-56. Mar-dim 9h-17h (dernière entrée 16h30). Entrée gratuite, mais pièce d'identité exigée. Visite guidée gratuite en espagnol ttes les heures, parfois aussi en anglais (sf pdt les vac). Mais on peut aussi se promener librement.*

Construit en 1523 sur les ruines du palais de l'empereur aztèque Moctezuma, ce fut la résidence des vice-rois d'Espagne, puis des présidents de la République jusqu'à la fin du XIX⁰ s. Tout au long de son histoire, le palais a subi de nombreuses transformations, reconstructions et remaniements, jusqu'à l'adjonction d'un 3⁰ étage, il y a 50 ans. Au-dessus du balcon principal, remarquez la cloche. Il paraît que c'est celle que Miguel Hidalgo sonna le 16 septembre 1810 dans le village de Dolores pour lancer le mouvement d'indépendance du Mexique. Depuis, tous les 15 septembre à 23h, le président de la République refait le même geste et crie trois fois ¡ Viva México ! C'est le *grito*, le cri de l'indépendance, repris par la foule en liesse.

À l'intérieur, on trouve les *fresques* extraordinaires de Diego Rivera, peintes de 1929 à 1935 et représentant toute l'histoire du Mexique. On commence, à gauche en entrant dans le palais, autour du grand escalier, par l'immense *Mexique à travers les siècles*. Sur le côté droit est illustrée la vie avant l'arrivée des Espagnols, âge d'or glorieux avec le cacaoyer. Au centre, on retrouve la scène de l'aigle sur un cactus, mythe fondateur de Tenochtitlán. Sur le côté gauche, l'admirable tableau intitulé *La Lucha de Clases (La Lutte des classes)*. En haut, Marx indique à un paysan, à un ouvrier et à un soldat le futur radieux de l'humanité. Juste en dessous de lui, description sans complaisance de la société capitaliste, avec des portraits des maîtres de Wall Street de l'époque : John D. Rockefeller, Vanderbilt, Morgan... qui fascinaient bizarrement le communiste Rivera. La tête de Frida Kahlo et celle de sa sœur sont cachées quelque part, à vous de les trouver.

Le long du corridor du 1ᵉʳ étage, d'autres peintures murales évoquent les différentes cultures préhispaniques, en commençant par une vue de Tenochtitlán. Au passage, la récolte des cabosses de cacao, puis de l'agave. Enfin débarquent les Espagnols au nez de cochon et l'esclavage dans les *encomiendas* (grandes propriétés type latifundia). Ensuite, on visite l'ancien Parlement. Pour le voir de face, montez par l'escalier à droite de la porte d'entrée. Puis levez les yeux : au plafond brille un soleil de 33 rayons dorés. C'est l'œil de Dieu, l'architecte de l'univers, symbole clé de la franc-maçonnerie. Étonnant bonnet phrygien au-dessus de la tribune principale. *Revolución*, quand tu nous tiens ! Ceux qui ont le temps iront encore jeter un coup d'œil à la chambre du président Benito Juárez (il est mort ici), transformée en musée hagiographique. Jardin botanique au fond de la cour du fond.

🚶 **Palacio de Gobierno** *(plan couleur I, C-D2) : ce sont les 2 beaux édifices qui bordent le côté sud du Zócalo.* ☎ 53-45-80-00, poste 1652. *Slt des visites guidées (fréquentes), mar-dim 10h-18h. Entrée gratuite, mais pièce d'identité exigée.* C'est le siège de l'administration du district fédéral de Mexico, en fait la mairie. Autrefois, le maire, appelé *regente*, était nommé par le président de la République. Depuis 1997, il est élu au suffrage universel direct, et depuis cette époque, c'est la gauche qui détient la mairie. La visite permet de voir une galerie de portraits des vice-rois de 1535 à 1821, puis la salle du Conseil, décorée en 1893 dans le style en vogue sous le Porfiriato. Au plafond, une allégorie de la construction de Mexico.

🚶🚶 **Catedral** *(plan couleur I, C-D1-2) :* elle domine le *Zócalo* de son immense et magnifique façade. Vous n'avez pas la berlue, oui, elle est franchement penchée... Durant des années, un plomb gigantesque suspendu au toit de la coupole centrale permettait de mesurer son degré d'inclinaison ! La situation a enfin été stabilisée grâce à l'injection de tonnes de béton dans le sous-sol. Cette opération de redressement a duré des années, ce qui a d'ailleurs permis de retrouver sous la cathédrale plusieurs petits temples aztèques.

Construite à partir de 1571, la cathédrale ne fut finalement achevée qu'en 1813. Cela explique ses différences de styles, notamment le baroque de la façade et le néoclassique des balustrades et pinacles qui la surmontent. Du côté droit de la cathédrale s'élève le *Sagrario*, église du XVIIIᵉ s, à la magnifique façade churrigueresque.

L'intérieur de la cathédrale n'est pas fascinant, à part, derrière le chœur, l'*altar de los Reyes*, superbe retable churrigueresque foisonnant d'angelots, de motifs floraux et de dorures. Il est encadré par l'autel *del Pardón* et par celui de *Nuestra Señora de Zapopan*. Il faut quand même préciser qu'un grave incendie en 1967 causa beaucoup de dégâts.

La **sacristie** *(entrée : 10 $Me),* au fond à droite, abrite de superbes et monumentales peintures de Juan Correa : *L'Entrée du Christ à Jérusalem* et *L'Assomption de la Vierge.* Également un *Saint Michel terrassant le dragon* de Cristóbal de Villalpando, l'un des principaux peintres de la Nouvelle-Espagne à la fin du XVIIᵉ s.

– 🚶 Une visite guidée sympa *(15 $Me ; ttes les 30 mn à 1h, 10h30-18h)* permet de voir **les toits de la cathédrale** et d'approcher les tours et les cloches. Il y a 56 espaces prévus, mais seulement 30 cloches ; la plus grosse pèse 13 t. Privilégier la visite de 11h30 pour voir sonner l'angélus (à la main !). Vue dominante sur le *Zócalo* et le centre-ville.

🕯 **Monte de Piedad** *(plan couleur I, C1-2, 180) :* sur le côté ouest du Zócalo, à l'angle de 5 de Mayo. *Lun-ven 8h30-18h ; sam 8h30-13h. Entrée gratuite.* C'est le mont-de-piété, une institution chère au cœur de nombreux Mexicains puisqu'elle prête de l'argent sur dépôts d'objets précieux. Files importantes les veilles de fêtes ! Le bel édifice colonial a été construit en 1521 sur l'emplacement d'un ancien palais aztèque, celui-là même où furent somptueusement logés Cortés et ses hommes à leur arrivée à Tenochtitlán en 1519. L'ingrat !

🕯🕯🕯 **Templo Mayor** *(plan couleur I, D1-2, 181) :* au nord-est du Zócalo. ☎ 55-42-47-84. ● templomayor.inah.gob.mx ● *Mar-dim 9h-17h. Entrée : 51 $Me ; réduc enfants ; gratuit pour les étudiants (si c'est un bon jour !) et le dim pour les Mexicains et les résidents. Audioguide en espagnol et en anglais (payant) pour la visite du musée.*

Le site archéologique n'est pas très spectaculaire en soi, mais il possède une grande valeur historique et symbolique : on y trouve les vestiges du monument le plus important de l'Empire aztèque. Selon la cosmogonie *mexica,* c'était même le centre du monde. Durant longtemps, on a pensé que le Templo Mayor se trouvait sous la cathédrale, au point qu'en 1900 un canal d'égout a été percé à travers les ruines préhispaniques sans que personne ne se doute qu'on était tout simplement en train de perforer la fameuse grande pyramide de Tenochtitlán !

C'est finalement en 1978 que le banal coup de pioche d'un terrassier mit au jour un chef-d'œuvre de la sculpture aztèque : le *monolithe de Coyolxauhqui* (présenté dans le musée). D'autres sculptures furent découvertes dans la foulée, notamment celle d'un *Chac-Mool,* un soldat allongé destiné à recevoir les cœurs arrachés, avec la plupart de ses couleurs originales. Des ruines émergent aussi des serpents à plumes, les têtes de la maison des Aigles et ses bas-reliefs peints, puis un *tzompantli,* le « mur aux crânes », avec 240 d'entre eux sculptés dessus.

La pyramide du Templo Mayor, pour revenir à elle, mesurait 45 m de haut (à titre de comparaison, les tours de la cathédrale culminent à 67 m). Elle représentait le point de convergence des éléments ciel, terre et inframonde, ainsi que l'axe des quatre points cardinaux. C'est la raison pour laquelle aucun gouvernant aztèque n'aurait envisagé de la changer de place. Pour marquer leur règne, ils préféraient construire par dessus. La pyramide a ainsi été entièrement recouverte sept fois, sans compter cinq remodelages de façade. Sur le site, on se rend très bien compte de cette juxtaposition de couches. L'édifice était surmonté de deux temples. L'un était dédié à Tlaloc, le dieu de la Pluie et de l'Agriculture ; l'autre à Huitzilopochtli, dieu de la Guerre et divinité suprême des Aztèques. C'est là qu'étaient conduites les funérailles des grands personnages de l'État.

La grande pyramide a été détruite juste après la chute de Tenochtitlán et les pierres furent utilisées pour construire le palais de deux frères, compagnons de Cortés. Ironie du sort, ils n'en jouirent pas bien longtemps, car ils furent accusés de conspiration contre la Couronne et exécutés. Dans la foulée, leurs demeures furent détruites, les terrains laissés à l'abandon... et les ruines du Templo Mayor oubliées.

– *Musée du site :* splendide et passionnant. Il renferme des pièces de toute beauté qui ont été retrouvées lors des fouilles du Templo Mayor et plus récemment sous la cathédrale. À voir en particulier : le disque de Coyolxauhqui (3,20 m de diamètre), mentionné ci-dessus, dont les couleurs vives sont restituées par projection ; les statues en terre cuite de Xipe Totec, le dieu chauve-souris ; les sculptures à taille humaine de dieux guerriers ; les poignards de pierre à œil d'obsidienne utilisés pour les sacrifices ; le brasero à tête de Tláloc, dieu de la Pluie sans oublier ce magnifique disque incrusté de 15 000 tessons de turquoise ! Et puis, il y a le nouveau clou du musée : un immense bas-relief de 12 t qui représente Tlaltecuhtli, la déesse aztèque de la Terre. Cette superbe sculpture, datant de 1502, a passé 5 siècles sous la terre ; elle n'a été découverte qu'en 2006 sur le site même du Templo Mayor. Elle conserve ses couleurs d'origine (les pigments de l'époque étaient l'ocre, le rouge, le bleu, le noir et le blanc). Une pièce unique, de même valeur archéologique que le soleil aztèque exposé au musée d'Anthropologie.

🏃 *Museo de la Ciudad de México (plan couleur I, D2, 182) :* Pino Suárez 30. ☎ 55-22-47-75. Ⓜ Pino Suárez. Mar-dim 10h-17h30. Entrée : 22 $Me ; réduc pour étudiants ; gratuit mer.

Le musée de la Ville est installé dans un beau palais baroque, une fois de plus construit sur les ruines d'un édifice aztèque ! L'une des pierres d'achoppement de l'immeuble est d'ailleurs une gueule de serpent, le *coalt.* On peut la voir au niveau du trottoir, à l'angle de Pino Suárez et República de Salvador. Une bonne manière pour le régime colonial d'affirmer sa suprématie sur l'ancienne culture *mexica.* Une fois à l'intérieur, il faut aussi regarder en l'air : surprenants canons qui servent de gouttière et beaux lions de pierre encadrant l'escalier. Notez enfin la lourde porte en cèdre blanc, provenant des Philippines.

On peut visiter la salle de musique avec quelques beaux meubles coloniaux, la chapelle et la sacristie (quelques pièces d'art sacré). Montez aussi au dernier étage, là où se trouvait l'atelier du peintre Joaquín Clausell. On l'appelle la *torre de las mil ventanas,* la « tour des mille fenêtres » : en effet, les murs sont entièrement recouverts de petites peintures impressionnistes enchevêtrées, réalisées par le peintre lorsqu'il nettoyait ses pinceaux sur les murs. Expositions temporaires.

Petit bain de foule (Ⓜ *Zócalo*)

À l'est du *Zócalo* s'étend le secteur colonial qui n'a pas encore été rénové. Une foule de petites boutiques s'y pressent, leurs haut-parleurs déversant en continu annonces assourdissantes et musique tonitruante. On y croise aussi pas mal de vendeurs ambulants. C'est un quartier très populaire. Évitez d'y aller avec votre Rolex ; ici, des gens survivent en vendant des tampons Jex d'occasion. Si vous êtes agoraphobe, allez-y tôt le matin ou le dimanche (moins de monde).

🚶 Du *Zócalo*, prendre **Corregidora** vers l'est *(plan couleur I, D2)*. C'est l'ancienne rue « des Barques ». À l'époque aztèque, un canal s'y écoulait. Il permettait aux barges de transporter les denrées alimentaires et les marchandises vers le grand marché.

🚶 **Plaza de la Alhóndiga** *(plan couleur I, D2) :* prendre à gauche dans *Alhóndiga.* Là encore, il y avait autrefois un canal. En remontant, on découvre des tas de magasins d'uniformes scolaires.

🚶🚶 **Templo de la Santísima Trinidad** *(plan couleur I, D2, 183) :* à cause de son poids, l'église s'est peu à peu affaissée et se situe désormais 2 m plus bas que le niveau de la rue. Magnifique façade churrigueresque. Clocher richement sculpté, en forme de tiare. De là, remonter vers le *Zócalo* en prenant la rue Emiliano Zapata qui devient Moneda.

🚶🚶 **Calle de La Moneda** *(plan couleur I, D2) :* l'une des plus belles rues du centre historique. Magnifique alignement de palais aux façades coloniales, qui témoigne d'une remarquable homogénéité architecturale.
– À l'angle avec Academia, on tombe sur une belle église, **Santa Inés** *(plan couleur I, D2, 184) :* portes finement sculptées de scènes religieuses. Intérieur sans intérêt. Elle jouxte le couvent du même nom, désormais **museo José Luis Cuevas** *: entrée sur Academia, au n° 13.* ☎ 55-42-61-98. ● *museojoseluiscuevas.com.mx* ● *Mar-dim 10h-17h30. Entrée : 20 $Me (1,20 €) ; gratuit dim.* Le musée, installé dans l'ex-couvent Santa Inés (1600), rassemble la collection du peintre et sculpteur mexicain J. L. Cuevas, exposée autour d'un beau patio calme où trône l'une de ses sculptures monumentales. On y découvre d'autres de ses œuvres, aux influences cubistes, et les toiles de José García Ocejo (assez surréalistes) et Fernando Gamboa. Une curieuse salle sombre expose des dessins érotiques autour d'un lit à baldaquin tendu de rouge !

🚶🚶 **Museo nacional de las Culturas** *(plan couleur I, D2, 185) : Moneda 13.* ☎ 55-42-01-87. *Mar-dim 10h-17h. Entrée gratuite.* Beau musée didactique consacré aux grandes cultures du monde. C'est ici que l'on frappait la monnaie autrefois (d'où le nom de la rue). Magnifique patio avec sa fontaine centrale.

🚶 **Centro cultural ex-Teresa Arte Actual** *(plan couleur I, D2, 186) : prenez à droite dans l'impasse Lic Verdad. Tlj 10h-18h ; entrée gratuite.* Au fond de l'impasse, voici l'ancienne *église Santa Teresa La Antigua* qui a été reconvertie en centre culturel avec des expos temporaires d'artistes alternatifs : performances, happenings, art sonore, parfois très underground urbain... L'église est tellement penchée, qu'à l'intérieur, on a presque l'impression de faire du ski ! À l'angle de l'impasse et de la calle Moneda, observez l'édifice de la première imprimerie d'Amérique.

🚶 **Palacio de la Autonomía Universitaria** *(plan couleur I, D1-2, 187) : au fond de l'impasse Lic Verdad, sur la droite, après avoir franchi les grilles. Mar-dim 10h-18h. Fermé j. fériés. Entrée libre.* Ce très bel immeuble, construit en 1910 sous le régime de Porfirio Díaz, a été aménagé en musée de l'Autonomie universitaire... Le sujet ne vous passionnera peut-être pas, mais n'hésitez pas à entrer pour jeter un coup d'œil aux éléments architecturaux. Belle rotonde avec deux escaliers en marbre, sous une coupole. Plus loin, des sols en verre permettent de voir les vestiges (soubassements) de l'ancien couvent et d'un ancien hôtel particulier. Pour les routards dentistes, petite salle d'expo sur l'odontologie !

🏃 ***Antiguo Palacio del Arzobispado*** (plan couleur I, D2, **188**) : Moneda 4. ☎ 36-88-16-02. Mar-dim 10h-17h. Entrée gratuite. L'ancien palais de l'archevêché est aujourd'hui le *musée du ministère des Finances (Secretaría de Hacienda y Crédito público, ou SHCP)*. Bel édifice datant de 1530. Nombreux espaces différents consacrés principalement à des expos temporaires d'artistes mexicains. Aussi une section d'art des XVIIIᵉ-XIXᵉ s et... une collection de machines à écrire et de caisses enregistreuses !

Autour de Santo Domingo (Ⓜ *Allende*)

🏃 ***Nuestra Señora del Pilar*** (plan couleur I, D1, **200**) : Donceles 104. Cette église, aussi connue sous le nom de Templo de la Enseñanza, forme un bel ensemble baroque avec ses huit retables dorés des XVIIᵉ-XVIIIᵉ s.

🏃🏃 ***Colegio San Ildefonso*** (plan couleur I, D1, **189**) : Justo Sierra 16. Mer-dim 10h-17h30, nocturne mar 10h-20h. Entrée : 45 $Me ; réduc ; gratuit mar. Visite guidée des fresques gratuite tlj à 11h et 16h30 (en espagnol) ; durée : 40 mn à 1h. Ce magnifique et immense édifice abritait l'ancien collège jésuite. Transformé en musée, il reçoit des expos temporaires de qualité. Allez y admirer les fresques d'Orozco, réparties sur trois étages. Celles de Siqueiros se trouvent dans un autre bâtiment : demander la *filmoteca*.

🏃 Par la calle Justo Sierra, on atteint la ***plaza Loreto*** (plan couleur I, D1), une jolie place verdoyante avec une grande fontaine, l'*église Nuestra Señora de Loreto* de style néoclassique et l'ensemble conventuel *Santa Teresa la Nueva*.

🏃🏃🏃 Puis prendre la calle San Ildefonso, traverser Argentina pour découvrir la ***plaza Santo Domingo*** (plan couleur I, C1) : très belle place, paisible et charmante, qui a conservé tout son caractère colonial. Au fond, le templo ***Santo Domingo,*** bel édifice de style baroque. Du côté est, la place est bordée de beaux palais, dont l'*Antiguo Palacio de la Inquisición*, désormais *museo de la Medicina mexicana* (*República de Brasil 33*) et celui de la SEP (*au n° 31* ; voir ci-dessous). Sur le côté ouest de la place, sous les arcades, des petits imprimeurs exécutent toutes sortes de menus travaux sur des presses à main. C'est là que l'on se procure tous les faux documents dont on a besoin : factures, diplômes, titres universitaires...

🏃🏃 ***Secretaría de Educación pública*** (SEP ; plan couleur I, C-D1, **191**) : República de Brazil 31 (entrée parfois sur Argentina 28). Lun-ven 9h-16h. Entrée gratuite. Pour les amateurs de peinture murale, à ne pas manquer. Malheureusement, on n'y pénètre de moins en moins facilement à cause des manifestations constantes des professeurs : c'est le siège du ministère de l'Éducation nationale ! Situé dans le couvent de la Inmaculada Concepción (fin XVIᵉ s). Pas moins de 200 panneaux exécutés par Diego Rivera, entre 1922 et 1928. Au 2ᵉ étage, la série *Les Martyrs de la Révolution* établit une synthèse entre deux faits fondateurs du Mexique : la révolution (Zapata, Villa, Obregón...) et le culte des morts. Une fête de couleurs au contenu politico-historique. La magnifique expression de l'art mural mexicain.

🏃 Prendre, sur le côté gauche de l'église, la ruelle Leandro Valle. Au n° 20 se trouve le ***centro cultural del México contemporáneo*** (plan couleur I, C1, **190**) : ☎ 55-

29-15-67. ● *ccmc.org.mx* ● *Mar-dim 10h-18h. Entrée gratuite*. Un incroyable mélange d'architecture coloniale et contemporaine. Très réussi ! Les murs anciens ont été conservés mais rehaussés d'éléments architecturaux d'avant-garde. Au centre, un bosquet de palmiers. Pas grand chose d'autre à voir à part de maigres expos temporaires un peu ennuyeuses.

Petite promenade coloniale

🎎🎎🎎 *Calle Madero* (*plan couleur I, C2*) : désormais piétonne, elle part du *Zócalo* et rejoint le jardin de l'Alameda en alignant quelques beaux monuments.

– *Museo del Estanquillo* (*plan couleur I, C2, 201*) : à l'angle de Madero et Isabel la Católica. ☎ 55-21-30-52. ● *museodelestanquillo.com* ● *Tlj sf mar 10h-18h. Entrée libre*. Ce musée inauguré fin 2006, grâce à la collection de l'écrivain Carlos Monsivais (décédé en 2010), raconte l'histoire de Mexico à travers le portrait et ses déclinaisons – des photos de famille aux caricatures politiques en passant par les « photosculptures » typiques des années 1940-1960, façon 3D médiévale... Grande terrasse sur le toit.

– *Palacio Borda* (*plan couleur I, C2, 202*) : Madero 27. Immeuble imposant, avec un long balcon en fer forgé. Construit en 1775 par le fameux Béarnais José de la Borda (celui des mines d'argent de Taxco).

– *Palacio Iturbide* (*plan couleur I, C2, 192*) : au n° 17 de Madero. ☎ 12-26-02-81. *Tlj 10h-19h. Entrée gratuite. Visites guidées à 12h, 14h et 16h (en espagnol).* Construit en 1780 pour le comte de Valparaíso, puis résidence principale d'Iturbide en 1822 au moment où il devint empereur. C'est aujourd'hui le centre culturel de la banque *Banamex*. Superbe patio à arcades de style colonial. Deux grandes expositions temporaires par an. En hiver, l'expo porte sur le thème de la crèche. Visiblement, le comte de Valparaíso aimait bien les palais, il en a fait construire un second au 44 de la calle Isabel la Católica.

– *Templo San Francisco de Asis* (*plan couleur I, C2, 193*) : église en retrait de la rue Madero, penchée et enfoncée dans le sol. Construite en 1716 par les franciscains, elle arbore une superbe façade de style churrigueresque. À l'intérieur, immenses peintures sur les murs et un somptueux retable doré. Assez pompeux.

– Juste en face, Madero 4, l'étonnante *casa de los Azulejos* (*plan couleur I, C2, 94*) est entièrement recouverte de carreaux de faïence (azulejos) bleu et blanc. La perspective est malheureusement gâchée par un bâtiment administratif très laid. À l'intérieur, superbe patio à colonnade. Ne manquez pas la grande peinture murale d'Orozco, baptisée *Omniscience*, dans l'escalier central (1925).

🎎 *Museo nacional de Arte* (*Munal ; plan couleur I, C1, 194*) : Tacuba 8. ☎ 51-30-34-03. ● *munal. com.mx* ● *Mar-dim 10h30-17h30. Entrée : 33 $Me (env 2 €) ; réduc étudiants ; gratuit dim. Visite gui-

TU N'AURAS JAMAIS DE MAISON EN CÉRAMIQUE, MON FILS...

Ce sont ces mots, lancés par son père au comte de la vallée d'Orizaba durant sa jeunesse turbulente, qui serait à l'origine de la décoration de la splendide casa de los Azulejos. Fortune faite, grâce au mariage avec une jeune héritière, il retapa entièrement la maison reçue en dot et la tapissa de pied en cap de céramiques de Puebla (en essayant de faire croire qu'elles venaient de Chine !). Juste pour conjurer la malheureuse prédiction paternelle qui voulait qu'il n'arrive à rien dans la vie.

dée gratuite tlj à 12h et 14h. Très bel édifice du XIXe s dominant la statue équestre de Carlos IV (elle se trouvait à l'université jusqu'en 1852). La collection permanente occupe 33 salles consacrées à la peinture et l'art mexicain, entre 1550 et 1950. Trois parties : « Assimilation de l'Occident », « Construction d'une nation » et « Stratégie plastique pour un Mexique moderne ». Un beau musée.

Autour du parc de l'Alameda (Ⓜ *Bellas Artes*)

🚶🚶 🚶♿ **Torre Latino** *(plan couleur I, C2, 195)* : angle Lázaro Cárdenas *(eje central)* et Madero. ☎ 55-18-74-23. ● *torrelatino.com* ● *Tlj 9h-22h. Entrée : 60 $Me (3,60 €) ; réduc enfants.* Impossible de la louper ! Cette tour de 138 m de haut (sans l'antenne) est tout un symbole pour les Mexicains. Ce fut le premier gratte-ciel d'une ville dont le sous-sol ne cesse de bouger. Construite en 1956 par la société qui a édifié l'Empire State Building à New York, la tour a résisté à tous les tremblements de terre, notamment à celui de 1985. On y va pour le *mirador,* installé tout en haut (44ᵉ étage). Assurez-vous qu'il y ait une bonne visibilité. De toute façon, le panorama sur la ville (360º) est exceptionnel. Cafétéria et boutique de souvenirs au 37ᵉ étage. Resto panoramique au 41ᵉ étage *(tlj 13h30-23h, 1h pour le bar ven-sam.* ☎ 55-18-17-10). Petit musée sur l'histoire de la ville au 38ᵉ étage. Et enfin, au 36ᵉ étage, le dernier né : le *Museo del Bicentenario,* petit musée du Centenaire de la révolution (1910-2010) à base de photos et de faits historiques *(tlj 9h-22h ; entrée : 20 $Me, soit 1,20 €).*

🚶 **Correo Mayor** *(plan couleur I, C1)* : c'est la poste centrale. Construit comme un palais Renaissance vénitienne. La façade est très belle, mais entrez aussi à l'intérieur pour voir la verrière, l'escalier et les guichets en cuivre. Le marbre vient de Carrare. Superbe. Un James Bond fut tourné ici.

🚶🚶🚶 **Palacio de Bellas Artes** *(plan couleur I, B1, 196)* : à l'est du parc de l'Alameda. ☎ 55-12-25-93. ● *bellasartes.com.mx* ● *Mar-dim 10h-18h (dernière entrée 17h30). Entrée libre dans le hall, mais musée payant : 35 $Me (2,10 €) ; gratuit dim.* Ce palais possède une curieuse histoire. Commandé par le dictateur Porfirio Díaz comme théâtre à un architecte italien, il devait symboliser la puissance et la gloire du régime. L'architecte, qui le surnomma lui-même « l'éléphant blanc », le conçut dans un style hybride Art nouveau belge et néoclassique, entièrement en marbre de Carrare. Des éléments de décoration mexicaine, comme les gargouilles en forme de singes et de jaguars, ont été ajoutés. Commencé au début du siècle dernier, le théâtre devait en principe être achevé en 1910, pour le centenaire de la guerre d'indépendance mexicaine. Mais il ne connut que des vicissitudes. Pendant la construction, on s'aperçut d'abord qu'il s'enfonçait dans le sol trop meuble. Les travaux prirent du retard, puis furent interrompus après la révolution. L'architecte mourut et les plans changèrent avec ses successeurs. Les travaux s'achevèrent enfin en 1934. Federico Mariscal, le dernier maître d'œuvre, en accord avec son époque, conçut l'intérieur en style Art déco.
– *Musée :* aux 1ᵉʳ et 2ᵉ étages. Il passionnera tous les fans des muralistes mexicains. Fresques remarquables de la « bande des quatre » : Orozco, Rivera, Siqueiros et Tamayo ; auxquels il faut ajouter Juan O'Gorman. Plein de symboles à déchiffrer et de personnages à identifier. Également des expos temporaires.
– *Salle de théâtre :* slt en visite guidée (gratuite) : lun-ven 13h et 13h30. Très beau rideau de scène en mosaïque de cristaux, représentant la vallée de Mexico, réalisé par le célèbre Tiffany de New York (celui des lampes).
– *Ballet Folklórico de México :* à ne pas manquer. C'est un très beau spectacle, de grande qualité. *Rens :* ☎ 55-12-25-93. ● *balletamalia.com* ● *Séances mer 20h30 ; dim 9h30 et 20h30. Prix : 300-700 $Me (18-42 €) selon place. Carte de paiement acceptée, sf* American Express. *Achat des billets sur place durant la journée, jusqu'à 30 mn avt le spectacle (lun-sam 11h-19h ; dim 9h-19h).* Ou achat avec le système Ticket Master *(voir « Adresses utiles générales »).*
– Au rez-de-chaussée, resto assez chic et boutique-librairie.
– À l'extérieur, sur le côté ouest du palais, vision étonnante d'une bouche de métro à la parisienne, de style Guimard. C'est une réplique (d'assez mauvaise qualité, avouons-le) offerte par Jacques Chirac lors de sa visite en 1998.

🚶🚶🚶 **Parque de la Alameda** *(plan couleur I, B1)* : grand parc, joliment dessiné et très arboré, lieu favori des promenades populaires dominicales. Vendeurs de ballons et autres breloques s'y pressent alors. On y a même vu un concours du plus long baiser ! Moins romantique, l'Inquisition y exécutait jadis ses basses œuvres... Du côté de l'avenida Juárez se dresse un grand mémorial dédié à Benito Juárez. Du côté opposé, sur l'avenida Hidalgo, voir la superbe façade baroque de l'**hôtel de Cortés** (plan couleur I, B1, **73**).

🏃🏃 **Museo Franz Mayer** (plan couleur I, B1, **197**) **:** Hidalgo 45. ☎ 55-18-22-66.
● franzmayer.org.mx ● Mar-ven 10h-17h, sam-dim 11h-18h. Entrée : 45 \$Me (2,70 €) ; réduc ; gratuit mar.
Une belle bâtisse en contrebas, encadrée de deux vieilles églises inclinées. Très beau musée consacré aux arts décoratifs, surtout de l'époque coloniale mexicaine. On doit cette impressionnante collection à Franz Mayer, financier d'origine allemande venu faire fortune au Mexique. Il a débarqué en 1905, à l'âge de 23 ans, et a eu la bonne idée d'investir, non seulement en Bourse, mais aussi dans l'art. Il a légué au gouvernement mexicain plus de 10 000 pièces : une magnifique collection de céramiques (porcelaine de Chine et talaveras mexicaines), des meubles magnifiques en marqueterie datant de la Nouvelle-Espagne, des tapisseries, des sculptures sur bois polychromes de toute beauté, des textiles anciens (rebozos et sarapes), de l'argenterie religieuse (calices et crucifix), des coffres et des toiles de l'école espagnole (Juan Correa, Zurbarán). Ne manquez pas, dans la salle consacrée au XVIe s, l'étonnante petite sculpture en ivoire destinée aux études anatomiques... Regardez bien, le ventre s'ouvre ! Juste après, ciseaux géants et belle pharmacie avec tous ses pots bien alignés.
Autour du cloître, à l'arrière, quelques pièces d'habitation, de celles qu'on trouve dans les haciendas, ont été reconstituées. De quoi rêver un peu. Quant à l'édifice lui-même, construit au XVIe s, il eut, entre autres vocations, celle d'hôpital pour « filles de joie », quand l'empereur Maximilien légalisa la prostitution. Expos temporaires.
– En fin de visite, faites une pause pour grignoter un sandwich ou une salade dans la cafétéria du cloître. Agréable et très calme.

🏃🏃🏃 **Monumento a la Revolución** (plan couleur I, A1) **:** plaza de la República. ☎ 55-46-21-15 et 55-66-19-02. Ⓜ Revolución. Metrobús : Revolución. Mar-dim 10h-18h. Entrée : 22 \$Me (1,40 €) ; réduc ; gratuit dim.
La construction de cet imposant édifice a démarré en 1910, sous les auspices du dictateur Porfirio Díaz qui voulait en faire le palais législatif. Mais, révolution aidant, le chantier fut abandonné. Ce n'est qu'en 1933 qu'on décida de faire de cet éléphant blanc un mausolée en l'honneur des héros de la Revolución. Massif et sans grâce, mais avec des accents Art déco, ce monument est resté longtemps oublié des citadins et des touristes. À l'occasion des fêtes du Centenaire de la révolution, il a été entièrement rénové, ainsi que l'immense esplanade et les quatre accès cardinaux. L'ensemble a été inauguré en grande pompe en novembre 2010 par le maire de la ville dans la liesse populaire. Opération réussie. Tout ce quartier, autrefois à l'abandon, en a été revigoré, et le mausolée (63 m de haut) a retrouvé force et présence. Impressionnant, et même beau ! On peut désormais y monter grâce à un ascenseur extérieur. Vue spectaculaire. À ne pas manquer. Au sous-sol, petit musée consacré à la révolution ; pour les passionnés.

🏃 **Museo mural Diego Rivera** (plan couleur I, B1, **198**) **:** Colón ; angle Balderas. ☎ 55-12-07-54. Mar-dim 10h-18h. Entrée : 17 \$Me (1 €) ; gratuit dim.
Ce petit musée a été construit en 1986 pour recevoir la vaste fresque (15 x 4 m) peinte par Rivera en 1947 pour l'hôtel Prado, intitulée Songe d'un après-midi dominical dans le parc de l'Alameda. Elle avait été gravement endommagée par le tremblement de terre de 1985. Elle représente tous les personnages illustres du pays se promenant dans le parc, d'Hernán Cortés à Frida Kahlo en passant par Maximilien et de simples travailleurs et des zapatistes. Une bonne leçon d'histoire en B.D. Il y a des panneaux explicatifs en espagnol et en anglais. En haut à gauche, vous remarquerez la représentation du martyre de Mariana de Carvajal, une jeune juive brûlée par l'Inquisition au XVIe s.

Quelques dessins de Rivera et peintures coloniales sont exposés à l'étage. De là, vue d'ensemble sur la fresque.

🏃🏃🏃 **Museo de Arte popular** (MAP ; plan couleur I, B2, **199**) : angle Independencia et Revillagigedo. ☎ 55-10-22-01. ● map.org.mx ● Ⓜ Juarez. Mar-dim 10h-17h (21h jeu). Entrée : 50 $Me (3 €) ; gratuit dim. Ce magnifique musée consacré à l'art populaire mexicain occupe un immeuble Art déco construit en 1928 pour héberger la caserne des pompiers. Très endommagé par le tremblement de terre de 1985, il a été abandonné durant plus de 10 ans. Superbement restauré, il abrite depuis 2006 une très belle collection d'artisanat. On y trouve plus de 1 000 pièces de grande qualité artistique, réparties sur trois étages. Le 1er est consacré aux expositions temporaires. Au 2e étage, superbes animaux fantastiques fabriqués en papier mâché ou en bois (alebrijes), masques impressionnants et 1 000 représentations de la mort à la mexicaine (la catrina)... Le 3e étage se consacre à l'artisanat et à la vie quotidienne, avec des costumes et des vêtements brodés, des jouets, des bijoux, etc. À ne manquer sous aucun prétexte.

Et puis encore...

🏃🏃 **Plaza Garibaldi** (plan couleur I, C1) : sur Lázaro Cárdenas Norte. Ⓜ Garibaldi. Dans un quartier un peu craignos. Un endroit symbolique de Mexico : c'est le repaire des mariachis. Beaucoup de vrais machos aux moustaches noires et au costume ajusté, sombrero et bottes en cuir blanc ou noir. La place a bénéficié récemment d'un lifting et héberge depuis peu un musée de la Tequila et du Mezcal. Sans grand intérêt pendant la journée, on y va surtout le soir pour se réconcilier avec sa dulcinée en lui faisant jouer la sérénade par des trios de guitaristes ou des bandes de mariachis. Plus tard dans la nuit, à la cantina Tenampa, quelques tequilas dans le gosier vous aideront à saisir le charme sensuel de la vie nocturne du Mexique populaire.

– **La lucha libre :** c'est le fameux catch à la mexicaine (voir « Sports et loisirs » dans le chapitre « Hommes, culture et environnement »). Avec des lutteurs masqués, portant capes et slips à paillettes. Il s'agit de l'une des meilleures expressions de la culture populaire, et, partant, atteint l'un des sommets du kitsch mexicain. Ambiance garantie. La Mano Negra a même dédié l'une de ses chansons (Super Chango) à ces héros du ring. C'est à mourir de rire, et c'est toujours le gentil qui gagne. En plus, les billets ne sont pas très chers.

■ **Arena Coliseo** (plan couleur I, C1, **220**) : Perú 77. ☎ 55-26-16-87. Ⓜ Allende. Combats mar et dim 17h ou 19h30 (à vérifier). Billets 40-170 $Me (2,40-10,20 €) selon emplacement et lutteurs. Choisir une séance l'après-midi, quartier un peu limite le soir.
■ **Arena México** (plan couleur I, A3, **221**) : à l'angle de Dr Lucio et de Dr Lavista, dans la colonia Doctores. ● arenamexico.com.mx ● Ⓜ Cuauthémoc. En général, combats mar à 19h30, ven à 20h30 et dim à 17h ; il y en a 5 ou 6 à la suite. Achat des billets sur place. Vous pourrez même y trouver des masques en souvenir ou des belles baskets avec des lacets aux couleurs du Mexique !

À voir au nord du centre historique

🏃🏃 **Les deux basílicas de la Guadalupe** (plan couleur d'ensemble) : Ⓜ La Villa-Basílica (ligne n° 6), puis suivre le flot humain.
Cap au nord de la ville ! Vous avez bien lu : il y a maintenant deux basiliques de la Guadalupe pour le même prix ; de quoi réjouir le routard le plus exigeant ! La première, celle qui se prend pour la tour de Pise, date de l'époque coloniale. L'intérieur est entièrement corseté de piliers de soutènement métalliques pour éviter qu'elle ne s'effondre.

Les choses sérieuses se déroulent dans la basilique new-look, juste à côté, style palais des congrès. C'est là, sous l'autel, que l'on peut voir le suaire sacré (l'image de la Vierge de la Guadalupe), qui date de 470 ans. On l'admire depuis un tapis roulant, dans un sens, puis dans l'autre, ce qui empêche les foules de s'amasser devant l'effigie durant des heures ! Cette tunique reste une véritable énigme pour les scientifiques ; le vêtement ne s'est jamais dégradé et l'on ne

> ## SAINTE COMMUNICATION, PRIEZ POUR NOUS
>
> *La religiosité mexicaine, tout attachée aux traditions qu'elle soit, ne refuse pas le modernisme. Pour preuve, la papamobile conservée en souvenir de la visite de Jean-Paul II, sur le parvis de la basilique de la Guadalupe, et ces étonnants confessionnaux alignés sur les côtés de la basilique moderne, comme autant de cabines de téléphone...*

connaît pas l'origine des pigments utilisés. Il fait l'objet de toutes les dévotions, et c'est le but d'innombrables pèlerinages qui viennent de tout le pays. Certains pèlerins s'y dirigent à genoux depuis la grande avenue qui mène à la basilique, notamment le 12 décembre, jour de la fête de la Vierge de Guadalupe. Des millions de Mexicains se pressent alors ici, venus de tout le pays. Le voyage, à pied ou à vélo, dure plusieurs jours, voire des semaines. L'esplanade est remplie d'une foule immense et compacte. Vous côtoierez le Mexique profond, au milieu des danses préhispaniques, des processions et des messes qui sont célébrées en permanence durant toute la journée. Pour les photographes, c'est vraiment le paradis. Lire aussi la rubrique « Religion » dans « Hommes, culture et environnement ».
– À gauche au fond, accès au *musée d'Art religieux (mar-dim 10h-18h ; entrée symbolique)*, avec de belles pièces pour les amateurs. On y accède par un long couloir recouvert d'ex-voto peints à la main par les pèlerins sur des plaques de tôle, représentant les circonstances dans lesquelles la Vierge les a aidés. On y voit même des dollars pliés en forme de croix, façon origami ! Élégant *Salon del Cabildo.*
– Ne manquez pas de visiter, à l'extrême droite, les beaux jardins et les cascades avec la reproduction, en statues plus grandes que nature, de l'apparition. Au-dessus, la *chapelle de Tepeyac* ; c'est là où tout a commencé. Très beau point de vue.

🐾 *Plaza de las Tres Culturas* (plan couleur d'ensemble) : Ⓜ *Tlatelolco.* Prendre la sortie de droite, puis remonter la rue *Manuel Gonzalez* (à droite) sur 600 m jusqu'au carrefour de *Lazaro Cardenas.* La place est à 300 m sur la droite, derrière le *Teatro Isabela Corona.* Cette esplanade possède une valeur symbolique parce qu'elle présente sur le même lieu les trois grandes cultures du Mexique : aztèque, coloniale et moderne. L'aztèque est représentée par les ruines assez étendues de l'*ancien marché de Tlatelolco,* l'espagnole par l'*église de Santiago* (1610), en pierre de lave, et la moderne par les affreux bâtiments administratifs qui entourent le site. Pour beaucoup d'autres, la place symbolise désormais la répression du régime autoritaire à l'époque du PRI : c'est en effet sur cette place qu'a eu lieu le « massacre de Tlatelolco », lorsqu'en 1968, à l'époque des révoltes étudiantes, une grande manifestation s'est terminée en boucherie. Des centaines d'étudiants et de manifestants ont été tués. Paradoxe douloureux, les Jeux olympiques de Mexico furent inaugurés une semaine après, avec lâcher de colombes de la paix dans le stade universitaire. Si vous êtes pressé ou contre-révolutionnaire, vous pouvez sans regret vous dispenser de cette visite.

ZONA ROSA *(plan couleur II)*

Quartier d'affaires le jour, particulièrement aux abords de l'avenue Reforma, la Zona Rosa devient plus canaille à la tombée de la nuit, s'animant autour de nombreux bars et boîtes – notamment gays. Le jour, l'ambiance se concentre dans la rue piétonne Génova, avec ses vendeurs ambulants et des chanteurs de rue. Le soir, c'est la calle Amberes qui s'enflamme, entre Reforma et Hamburgo.

La Zone rose est idéalement située entre le centre historique (à l'est en continuant sur Reforma), le musée d'Anthropologie à l'ouest, et les restos des *colonias* Condesa et Roma au sud (car le plus grand péché de Zona Rosa est son manque de bons restos...). Concernant l'hébergement, à côté des hôtels de chaînes américaines, on trouve, un peu à l'écart, quelques petites adresses charmantes.

Si vous restez faire la fête tard (après la fermeture du métro), ne rentrez jamais tout seul et ne hélez pas un taxi dans la rue. Demandez au portier de la boîte de vous

MAIS POURQUOI UN QUARTIER ROSE ?

Mécontent du développement anarchique de la ville dans les années 1950, le maire de Mexico de l'époque entend remettre de l'ordre dans l'urbanisation. Trouvant aussi la vie nocturne trop débridée, il limite la fermeture des commerces à 22h. Et pour que les touristes n'aient pas à pâtir de ces restrictions, il leur affecte un quartier où les lieux de sortie pourront rester ouverts bien plus tard. Pour circonscrire ce quartier, ses façades seront peintes... en rose, même si aujourd'hui ce rose a disparu.

appeler un de leurs taxis affiliés ou bien de téléphoner à un taxi *de sitio*. Sinon, allez prendre votre taxi au grand hôtel *Sheraton Maria Isabel* (disponibles 24h/24) : traversez Reforma au niveau de la place de l'Ange. Plus cher, mais c'est le prix de la sécurité.

➤ **Pour y aller :** le cœur de la Zona Rosa se situe entre l'av. Reforma et la Glorieta Insurgentes. Ⓜ *Insurgentes.* Metrobús : *Glorieta Insurgentes, Hamburgo ou Reforma.*

Adresses utiles

🛈 **Point d'infos touristiques** (plan couleur II, E5) : ● mexicocity.gob.mx ● (page en français). Petite guérite sur le rond-point de l'Ange de l'Indépendance. Tlj 9h-14h et 15h-18h.

@ **Internet** (plan couleur II, F5) : plein de petits cybercafés autour de la Glorieta de Insurgentes, à la sortie du métro Insurgentes. Compter env 15 $Me/h (0,90 €).

■ **La Casa de Francia** (plan couleur II, F5, **14**) : Havre 15. ☎ 55-11-31-51, poste 1110. ● casadefrancia.org.mx ● Ⓜ *Insurgentes.* Ouv 10h-20h, fermé mar et dim. Au 1er étage d'une belle mai-

son rénovée avec goût, vous trouverez : bibliothèque, Internet et médiathèque. Événements et fiestas de temps en temps. Également le resto d'application (cher) du *Cordon bleu*, école de cuisine française.

■ **IFAL – Institut français d'Amérique latine** (plan couleur II, E4, **15**) : Río Nazas 43. ☎ 55-66-07-78, 79 ou 80. Fax : 55-66-86-13. ● ambafrance-mex. org ● Ⓜ *Insurgentes.* Lun-ven 7h-21h. Ciné-club gratuit mar et jeu 20h. Films sous-titrés en espagnol. Service Internet et café-resto *Le Préau.* Cuisine française bien sûr !

Où dormir ?

De bon marché à prix moyens (300-800 $Me, soit 18-48 €)

🛏 **El Castro** (plan couleur II, F6, **63**) : Sinaloa 32 ; angle Monterrey. ☎ 55-11-13-06 ou 14-26. Ⓜ *Insurgentes.* Metrobús : *Durango. Parking. Wifi.* Un guichet en verre fumé fait office de réception. Passé cette austère entrée

en matière, vous découvrirez des chambres très propres, sobres mais avec tout le confort, certaines avez jacuzzi... et même des préservatifs discrètement placés sur la table de nuit. Quand on dit « jacuzzi », ce n'est pas pour rire : on pourrait y tenir à 4 ! Préférer les chambres donnant sur l'arrière, calmes et néanmoins lumineuses. L'un des hôtels les plus abordables de la Zona Rosa qui est chère. Bon rapport qualité-prix. D'ailleurs, il est bien connu des couples fervents des 5 à 7.

🛏 *Posada Viena (hors plan couleur II par F5,* **64***) : Marsella 28, angle Dinamarca.* ☎ 55-92-73-12. ● *posadaviena hotel.com.mx* ● Ⓜ *Cuauhtémoc. Les prix varient selon les mois ; promos régulièrement (voir sur le site). Parking.*

Internet et wifi. Curieux nom pour ce grand cube de béton crépi, à l'intérieur coloré très « colonial *mejicano* ». Chambres confortables, assez petites pour les standards. Les suites, par contre, sont immenses, avec salon et 2 grands lits. Certaines ressemblent même à de petits apparts. Parfait pour 4 personnes. Bon rapport qualité-prix, même si certains meubles sont un peu élimés. Grande salle de resto à la déco ranch ; spécialités argentines. Bar. Une bonne adresse.

Chic (800-1 200 $Me, soit 48-72 €)

🛏 *María Cristina (plan couleur II, F4,* **65***) : Río Lerma 31 ; Amazonas.* ☎ 57-03-1212 ou 55-66-96-88. ● *hotelmaria cristina.com.mx* ● Ⓜ *Insurgentes.* Metrobús : *Reforma* ou *Hamburgo. Résa impérative à Pâques en et été. Internet. Parking. Wifi.* Un hôtel croquignolet, de style colonial. Vaste hall de réception chaleureux, avec cheminée. Bel escalier intérieur et charmant patio fleuri. Fort belles chambres, décorées sobrement, avec ventilo ou AC, téléphone, TV câblée. Les plus chères, dans l'aile du fond, sont un peu plus grandes et ont de très belles salles de bains en marbre. Les plus agréables ont une vue sur le jardin intérieur ou un patio avec fontaine. Une valeur sûre du quartier.

🛏 *Bristol (plan couleur II, E4,* **66***) :* pl. *Necaxa 17.* ☎ 55-33-60-60. ● *hotelbris tol.com.mx* ● Ⓜ *Insurgentes.* Metrobús : *Reforma. Petit déj-buffet 130 $Me servi tlj jusqu'à midi. Parking. Wifi payant.* Si le *María Cristina* est complet, allez jeter un coup d'œil à cet hôtel fonctionnel dont les tarifs sont moins élevés. Le bâtiment en béton, typique des années 1970, est moche, c'est vrai,

mais le hall est élégant et les chambres, récemment remodelées, sont tout confort (AC, TV câblée, coffre-fort, sèche-cheveux, fer à repasser), voire cosy. Pratique et dans un coin calme.

🛏 *Casa González (plan couleur II, E-F4,* **59***) : Río Sena 69.* ☎ 55-14-33-02. ● *ho telcasagonzalez.com.mx* ● Ⓜ *Insurgentes.* Metrobús : *Reforma. Petit déj inclus ; repas sur demande. Internet et wifi.* Cette grande maison d'hôtes, située dans un quartier résidentiel, abrite une trentaine de chambres – certaines dans la maison originelle de 1920, d'autres dans celle datant de 1940. Les moins chères donnent côté rue, donc bruyantes. Beaucoup de charme, vieux meubles, parquet et portraits de voyageuses croqués par un artiste peintre américain ayant logé à la *Casa* dans les années 1940-1950. Beau jardin avec courettes pour se prélasser. Snack-bar. Le petit déj est servi dans une jolie salle avec une verrière : tous autour de la même table. Accueil francophone du patron, qui a fait ses études au lycée français. Attention, pas d'enseigne à l'entrée.

Plus chic (plus de 1 000 $Me, soit 60 €)

🛏 *Valentina (plan couleur II, F5,* **75***) : Amberes 27.* ☎ 50-80-45-00 et 01. ● *room-matehotels.com* ● Ⓜ *Insurgentes.* Metrobús : *Insurgentes. Petit déj inclus (servi jusqu'à midi). Service de parking payant (env 6 €/j.). Wifi.* Un nouvel hôtel de la chaîne espagnole *Room Mate.* Situé au cœur de la Zona Rosa,

en plein dans la rue des bars chauds. Animation assurée le week-end. Pourtant, à l'abri des immenses vitres du lobby, on se sent transporté ailleurs, dans un espace totalement futuriste dessiné par l'architecte Tomás Alía. Meubles design aux lignes pures et simples, mais aux couleurs osées qui évoquent le Mexique : rose fuchsia, turquoise, bleu intense. Les chambres sont à cette image, ultra-contemporaines, nettes et lumineuses, où le blanc domine. Tout le confort : écran plat pour la télé, téléphone, minibar ; salle de bains spacieuse et superbement équipée. Cafétéria.

🏠 *El Patio 77* (hors plan couleur II par F4, 79) : Icazbalceta 77 ; colonia San Rafael. ☎ 55-92-84-52. ● elpatio77. com ● Ⓜ San Cosme. Metrobús : Revolución. Un peu excentré, mais à 4 stations de métro du centre historique et à 15 mn à pied de la Zona Rosa. Petit déj inclus. Pas de parking. Wifi. Diego et Alan ont ouvert ces chambres d'hôtes dans une belle et majestueuse maison ancienne. Située dans un quartier populaire, loin des sentiers touristiques habituels, où coexistent avec nostalgie les vieilles demeures bourgeoises du XIXᵉ s semi-abandonnées et ateliers des petits artisans (menuisiers, ferronniers...). Ce B & B de charme dispose de 8 chambres, certaines partagent une salle de bains. Chacune est décorée avec beaucoup de créativité. C'est d'ailleurs Alan, artiste, qui a réalisé la plupart des magnifiques lampes et de nombreux meubles à base de matériel de récupération. Une atmosphère amicale et relax, dans un quartier traditionnel de la capitale. Unique en son genre.

Où manger ?

Bon marché (moins de 80 $Me, soit 4,80 €)

|●| *Café Mangia* (plan couleur II, F4, 106) : Río Sena 85. ☎ 55-33-45-03. Ⓜ Insurgentes. Metrobús : Reforma. Derrière l'ambassade des États-Unis. Lun-ven 8h-18h ; petit déj jusqu'à midi à partir de 45 $Me. Sympa pour faire une pause dans le quartier ou pour le petit déj : 5 variétés allant du *light* au *mexicano* avec *chilaquiles*, servies dans un cadre aéré, tout blanc. Goûter les jus de fruits *combinados*. Très bon café. Le midi, de bonnes salades, plats du jour et snacks (soupes, paninis avec pain bio...). Très fréquenté au déjeuner. On paie à la caisse.

|●| *La Casa de Toño* (plan couleur II, F5, 110) : Londres 144 ; entre Florencia et Amberes. Au 1ᵉʳ étage. ☎ 53-86-11-25. Ⓜ Insurgentes. Metrobús : Glorieta Insurgentes ou Reforma. Tlj 24h/24. Cuisine mexicaine typique, de celle qui a l'art de rassembler toutes les classes sociales. On y savoure un délicieux *pozole* à toute heure du jour et de la nuit, une soupe à base de maïs, viande de porc ou poulet, fleur de courgette, radis, etc. Mais aussi des *quesadillas* de viande hachée et des *sopes* bien garnies et recouvertes de crème. Toujours du monde. Pratique, bon et efficace. Pour une fois, le pourboire est inclus dans l'addition.

Prix moyens (80-250 $Me, soit 4,80-15 €)

|●| *Konditori* (plan couleur II, F5, 103) : Genova 61. ☎ 55-11-07-22. Ⓜ Insurgentes. Dans une rue piétonne, en face du McDo. Tlj 7h (9h dim)-23h30. Brunch dim 9h-13h30, 150 $Me. Un grand classique où l'on finit toujours par atterrir. Sans doute à cause de sa terrasse (rouge danois) sur le trottoir, imprenable point de vue sur la faune du quartier. Le jour, on y rencontre les cadres des banques voisines. Le soir, ce sont les noceurs qui s'y collent avant d'aller se frotter aux pistes de danse. Et le dimanche, les touristes s'y pressent pour le buffet brunch. Au menu, tacos, crêpes, pâtes et quelques plats bien troussés et copieux. Mais la spécialité de la maison, ce sont quand même les sandwichs danois. Bien vérifier l'addition.

|●| *Café del Arrabal* (plan couleur II, E4-5, 109) : río Lerma 171. ☎ 55-33-34-66. Ⓜ Insurgentes. Tlj 8h30-23h. Les restos argentins sont très à la mode à Mexico. Celui-ci penche plutôt du côté de l'Uruguay, avec une belle allure de petit bistrot de quartier. Entre Paris et Montevideo, vous mangerez entre tables en marbre, banquettes et sol car-

relé de noir et de blanc. Cuisine à la hauteur des lieux. Au menu, *empanadas* pour les petites faims, excellentes grillades, brochettes et viandes. Salades aux noms de tango. Quelques desserts pas mauvais du tout. Choisissez une table en terrasse.

|●| *Los Murales* (*plan couleur II, F5, 98*) : Liverpool 152 ; à l'angle d'Amberes. ☎ 57-26-99-11. Ⓜ Insurgentes. Au *rdc de l'hôtel* Century. Tlj 7h-23h. Buffet de cuisine végétarienne tlj 13h30-17h. Voici enfin un lieu qui conviendra aux végétariens ! Prisé par les employés du quartier. Salle fonctionnelle, avec des banquettes confortables. Au mur, une fresque murale pour justifier le nom, ou vice versa. Évitez le soir, c'est vide et tristounet.

Chic (de 250 à 370 $Me, soit 15-22,20 €)

|●| *Fonda El Refugio* (*plan couleur II, F5, 108*) : Liverpool 166 (près de Florencia). ☎ 52-07-27-32. Ⓜ Insurgentes. Tlj 13h-23h. Résa conseillée ven et sam soir. À l'entrée, un autel dédié à la Vierge, changé à chaque fête religieuse. Aux murs blancs, des casseroles et des ustensiles en cuivre. Et au milieu, une poignée de tables pour cette taverne un peu chic proposant une bonne cuisine du Yucatán – et des plats mexicains plus classiques. Spécialité : le *filete El Refugio*, mariné et tendre à souhait. Pour démarrer, le guacamole est délicieux. Essayez les *margaritas*, très réussies.

Où boire un verre ? Où sortir ? Où danser ?

🍸 *El Péndulo* (*plan couleur II, F5, 166*) : Hamburgo 126. ☎ 52-08-23-27. Ⓜ Insurgentes. Tlj 7h30-23h. Wifi. Atmosphère cosy dans ce *cafebrería* (café doublé d'une *librería*), pour siroter une *michelada* (bière, sel et citron) dans les grands fauteuils en osier de l'étage, au milieu de beaux livres. Des œufs à toutes les sauces pour le petit déj, pas mal de gâteaux et quelques plats pour grignoter, mais on vous le conseille plutôt pour faire une pause. Bonne ambiance. Musique sympa.

♫ *Lipstick* (*plan couleur II, E-F5, 168*) : Amberes 1 ; angle Reforma. ☎ 55-14-49-20. Ⓜ Insurgentes. Metrobús : Glorieta Insurgentes. Mer 22h-2h, jeu-sam 22h-4h. Entrée : 70-150 $Me (4,20-9 €), parfois plus cher le w-e. L'une des nombreuses boîtes gays du coin. Le jeudi, c'est jour des filles. 2 étages, chacun avec DJ. Pop au 1er et dance-pop-électro au 2e. De la terrasse supérieure, vue sur l'Ange de Reforma.

🍸 ♫ Succession impressionnante de bars et de boîtes homos dans la calle Amberes, entre Reforma et Hamburgo. Clientèle très jeune qui déborde sur la rue, tout comme les décibels. Y aller le samedi soir pour voir l'ambiance, chaude, libérée et décontractée. Assez étonnant. Rappelons que la ville de Mexico a légalisé le mariage homosexuel en 2009.

CONDESA ET ROMA (*plan couleur II*)

Ces deux quartiers sont très tendance depuis quelques années. La Condesa, la plus chic, se trouve à l'ouest de l'avenida Insurgentes ; la Roma à l'est. On y croise la jeunesse branchée de Mexico et pas mal d'expats. Quelques beaux immeubles Art déco, des rues bordées de palmiers, des boutiques minimalistes, des bars plus design les uns que les autres et plein de restos sympas avec des terrasses sur le trottoir, qui proposent de la bonne cuisine du monde entier.

➢ *Pour aller à la Condesa :* quatre stations de métro entourent littéralement le quartier : Sevilla, Chapultepec, Juanacatlán et Chilpancingo. En *metrobús*, descendre à : Álvaro Obregón, Sonora, Campeche ou Chilpancingo (correspondance avec le métro).

➤ *Pour aller à la Roma :* Ⓜ Insurgentes. En *metrobús,* descendre aux arrêts Durango, Álvaro Obregón (le plus central) ou Sonora.
Pour les taxis, voir plus haut « Adresses utiles générales. Services ».

Où dormir ?

Peu d'hôtels dans la Condesa, sinon très chic, mais quelques *guesthouses* pas désagréables du tout, et même des AJ.

Bon marché (300-400 $Me, soit 18-24 €)

🏠 **Hostel Home** (plan couleur II, E-F6, 67) : Tabasco 303 ; entre Valladolid et Medellín ; à la Condesa. ☎ 55-11-16-83. ● hostelhome.com.mx ● Ⓜ Sevilla, puis 10 mn à pied vers le sud par Salamanca et Oaxaca. Metrobús : Álvaro Obregón. Petit déj inclus. Les prix grimpent un peu en hte saison. Internet. Une AJ très sympa, membre du réseau *Hostelling International,* installée dans une belle maison du XIXe s. 3 dortoirs de 6 à 8 lits et 3 salles de bains. Grand salon blanc au plafond à moulures et cuisine collective. Bon accueil et ambiance super cool.
🏠 **Bed and Breakfast Mexico** (plan couleur II, F6, 68) : Durango 145 ; à l'angle avec Tonála ; dans la Roma. ☎ 52-07-55-85 et n° gratuit : 01-800. ● bedandbreakfastmex.com ● Ⓜ Insurgentes. Metrobús : Durango. Petit déj inclus. Internet et wifi. Une belle maison typique du quartier Roma avec ses accents européens. 2 dortoirs mixtes d'une dizaine lits. Et quelques chambres avec lit *matrimonial.* L'ensemble est propre et bien tenu, Cuisine à disposition, salon TV, terrasse sur le toit pour prendre le petit déj. Peuvent venir vous chercher à l'aéroport si vous avez réservé.

Très très chic (plus de 1 250 $Me, soit 75 €)

🏠 **Red Tree House** (plan couleur II, E7, 77) : Culiacán 6 ; à la Condesa. ☎ 55-84-38-29. ● theredtreehouse.com ● Ⓜ Chilpancingo. Metrobús : Campeche. Double 94 US$, plus cher pour les suites. Petit déj inclus. Wifi. L'arbre rouge, c'est celui qui se dresse devant la maison. Ce *B & B* haut de gamme, installé dans une belle demeure des années 1930, est un must (ça, c'est pour continuer avec l'anglais). Ses 14 chambres sont d'un excellent niveau de confort, spacieuses, élégantes, contemporaines, colorées. Toutes ont des salles de bains, certaines carrelées de *talaveras,* d'autres refaites à neuf. Le *penthouse,* à l'étage supérieur, est une immense suite avec 2 chambres, salon, cuisine et terrasse privée. Les propriétaires sont très accueillants et toujours prêts à aider ; le soir, ils proposent à leurs hôtes de prendre un verre dans le patio. Possibilité de chauffeur pour des balades en ville.
🏠 |●| ▼ **La Casona** (plan couleur II, E6, 60) : Durango 280 ; à l'angle de Cozumel ; dans la Condesa. ☎ 52-86-30-01 ou 01-800-849-83-74 (n° gratuit). ● ho tellacasona.com.mx ● Ⓜ Sevilla. Metrobús : Durango. Double 2 100 $Me, petit déj inclus pour 2 pers. Wifi. Belle bâtisse de style français, construite sous le Porfiriato, en 1923 ; classée Monument historique. Une trentaine de chambres de taille variable mais toutes assez vastes et bien décorées dans le style européen en vogue à l'époque. Murs jaunes, saumon ou pistache. Des gravures ornent les murs du petit salon bourgeois. Parquets et mobilier en bois bien ciré, salles de bains avec baignoire... Bref, pas mal de charme dans tout ça et reposant. On a du mal à se croire à Mexico. Le resto, très agréable avec sa petite allure provinciale, est ouvert pour les 3 repas. Cuisine d'inspiration française.
🏠 |●| ▼ **Condesa DF** (plan couleur II, E6, 61) : Veracruz 102 ; en face du Parque España ; dans la Condesa. ☎ 52-41-26-00. ● condesadf.com ● Ⓜ Se-

villa. Metrobús : *Álvaro Obregón. Doubles 3 000-4 600 $Me. Wifi.* En 2005, cette imposante demeure du quartier de la Condesa a été transformée en hôtel de luxe, l'un des plus en vue de Mexico, grâce au travail subtil de l'architecte designer française India Mahdavi. Les références en hommage aux architectes de renom se lisent partout : les murs vert émeraude en clin d'œil à Luis Barragán, tout comme l'utilisation de boiseries massives ; les lavabos qui rappellent les formes de Bran-cusi, ou encore les tables de chevet et tabourets proches de l'univers de Charlotte Perriand. Les 40 chambres sont tout aussi réussies que les espaces de circulation. Au resto du rez-de-chaussée, grand retour des matières naturelles, mais dans les lignes fifties, avec des chaises en rotin ou paille et des peaux de vache. Bref, un superbe endroit, même si le resto est cher et les portions peu copieuses. Bar sur le toit. Voir « Où boire un verre ? Où danser ? ».

Où manger ?

Un grand choix dans le coin. Beaucoup de restos sont rassemblés autour du carrefour Michoacán et Tamaulipas, centre névralgique de la Condesa. Attention, beaucoup de ceux appartenant à la catégorie chic (et même quelques autres) ont la mauvaise habitude de facturer le couvert, à l'italienne...

Bon marché (moins de 80 $Me, soit 4,80 €)

|●| *El Tizoncito (plan couleur II, E7, 115)* : *Tamaulipas 122 ; à l'angle de Campeche ; à la Condesa.* ☎ *52-86-73-21.* Ⓜ *Chilpancingo.* Metrobús : *Campeche. Tlj 24h/24.* L'incontournable *taquería* de Mexico, qui s'autoproclame l'inventeur des fameux *tacos al pastor.* Y goûter absolument. La viande de porc est cuite sur une broche verti-cale, à la mode turque. On y ajoute de l'ananas, des oignons hachés, du persil et l'une des nombreuses sauces piquantes proposées. Un délice. Et un super remontant à la sortie de la disco, avant d'aller au lit. Toujours du monde, même à 4h ! *Nachos, quesadillas* et grillades pour les plus grosses faims.

Prix moyens (80-250 $Me, soit 4,80-15 €)

|●| *Mog (hors plan couleur II, par F6, 111)* : *Álvaro Obregón 40 ; entre Mérida et Frontera ; dans la Roma (presque à la limite du plan).* ☎ *52-64-00-16.* Metrobús : *Álvaro Obregón. Mar-dim 13h-23h.* Peu à peu, ce sympathique resto, tenu par une (grande) famille asiatique, s'est fait une place dans le quartier. Déco chaleureuse à base de vieux meubles de récup'. Fauteuils un peu défoncés, tables à la peinture écaillée, dessertes en ferronnerie, cadres à la dorure patinée. On s'installe là où l'on se sent bien, entre un vieux poste télé et un jukebox inutile. Le soir, les petites lampes sur les tables créent une ambiance intime. La cuisine trône au centre de l'espace. Pour pas cher, on savoure des plats aux saveurs de toute l'Asie, depuis le Japon jusqu'à la Malaisie en passant par la Chine et la Thaïlande. Attention, pas d'alcool.

|●| *Frutos Prohibidos (plan couleur II, E7, 113)* : *sur Michoacán ; à l'angle d'Amsterdam ; à la Condesa.* ☎ *52-64-58-08.* Metrobús : *Campeche. Lun-ven 8h-22h ; sam 9h-18h ; dim 10h-18h ; j. fériés 9h-19h.* Un endroit charmant avec ses bancs en bois sur le trottoir et son comptoir tourné vers la rue pour savourer un divin jus de fruits (plusieurs combinaisons) ou un *lacteo* revigorant. Et pour les petits creux, des salades et des sandwichs très originaux, en forme de rouleau (!), accompagnés d'une saine verdure. On aime bien. Succursale à la colonia Roma (angle Orizaba et Chihuahua ; mêmes horaires).

|●| *La Buena Tierra (plan couleur II, E7, 118)* : *Atlixco 94 ; à l'angle de Mi-*

choacán ; à la Condesa. ☎ 52-11-42-29. Metrobús : Campeche. Tlj 8h-23h30. Wifi. Chaîne de restos qui se veut écolo et à la cuisine plus ou moins bio ; et qui rencontre un franc succès auprès des Mexicains branchés pour ses grandes salades composées, des sandwichs et des paninis faits avec du bon pain complet. Il y a même un menu bio (orgánico) pour le déjeuner. Mais on y va surtout pour le petit déj-brunch servi jusqu'à 12h20. Agréable terrasse protégée de la rue par des bacs de plantes.

|●| **Café La Gloria** (plan couleur II, E7, **117**) : Vicente Suárez 41 ; à l'angle d'Amatlán (pas indiqué) ; à la Condesa. ☎ 52-11-41-85. Metrobús : Campeche. Dim-mer 13h-minuit ; jeu-sam 13h-1h. Lun-ven 13h-15h, formule soupe, agua del día, plat et café. Un des plus anciens restos de la Condesa, au cadre assez sobre pour le quartier, mais joliment patiné, avec un carrelage en damier rouge et blanc, et des murs semés de portraits. Bonne ambiance. Demandez la carte, en bois et longue de 1 m (!), pour faire votre choix parmi les plats italo-franco-mexicains. Ou allez directement vers le plateau de fromages accompagné d'une carafe de rouge, ou une soupe à l'oignon. Une valeur sûre depuis des années, aussi agréable en terrasse qu'à l'intérieur.

|●| **El Péndulo** (plan couleur II, E7, **116**) : Nuevo León 115 ; à l'angle de Vicente Suárez ; dans la Condesa. ☎ 52-86-94-93. Metrobús : Campeche. Lun-ven 8h-23h ; sam 9h-23h ; dim 9h-22h. Wifi. Cette cafebrería, installée dans une grande maison jaune et vert qui se veut le centre culturel du quartier, regroupe sous un même toit resto, librairie et disquaire sur 2 niveaux. Atmosphère chaleureuse et conviviale. On mange au milieu des livres et des disques, ou on se vautre sur les canapés. Bien pour une pause-café, mais très plaisant pour le déjeuner ou le dîner : les plats sont bien préparés, avec des produits de qualité. Très fréquenté dès le matin pour le petit déj. Succursale dans la Roma (Álvaro Obregón 86, entre Orizaba et Córdoba ; mêmes horaires).

|●| **El Ocho Café Recreativo** (plan couleur II, E7, **107**) : av. Mexico 111 ; presque à l'angle avec Chilpancingo ; dans la Condesa. ☎ 55-84-00-32. Metrobús : Chilpancingo ou Campeche. Lun-ven 8h-24h (1h ven et sam) ; dim 8h-23h. Wifi. Idéalement placé, en face du parc Mexico où les habitants du quartier viennent courir ou promener leur chien. Comme son l'indique, c'est un resto récréatif. On vient y passer bon moment, affalé dans un fauteuil en feuilletant des revues ou en pianotant sur son portable. Plein de jeux à disposition en attendant d'être servi. Il y a même une table tactile et une salle de télé. Belle cheminée linéaire sur la terrasse. Ambiance branchée et joyeuse. Un endroit vraiment sympa, comme à la maison, et en plus, on y mange bien.

Chic (250-370 $Me, soit 15-22,20 €)

|●| **Olivia** (plan couleur II, F6, **112**) : Orizaba 95 ; à l'angle de Tabasco ; dans la Roma. ☎ 55-25-11-00. Ⓜ Insurgentes. Metrobús : Álvaro Obregón. Dim-mar 8h-22h ; mer-sam 8h-24h30. Dans une splendide demeure des années 1930, s'est installé ce nouvel hôtel boutique, le Brick, avec 2 restaurants, rien que ça. Rénovation faite sans faute, beaucoup de cachet. On aime bien l'Olivia pour sa grande terrasse qui surplombe la rue et sa carte de cuisine internationale avec quelques plats de nouvelle cuisine mexicaine. Un endroit frais, service aimable. Les nostalgiques de la cuisine française iront directement à la brasserie La Moderna, au fond de l'hôtel (mais beaucoup plus cher).

|●| **La Tecla** (plan couleur II, F6, **105**) : Durango 186 ; à quelques pas de la glorieta de Cibeles ; à la Condesa. ☎ 55-25-49-20. Ⓜ Insurgentes. Metrobús : Durango. Lun-sam 13h30-minuit ; dim 13h30-18h. Petit bistrot de quartier avec une quinzaine de tables réparties entre la mezzanine et le contrebas. Au menu : une cuisine mexicaine aux touches novatrices dans la présentation et l'usage des condiments. Succulente entrée de gorditas (galettes de haricot) fourrées au cochon de lait, des tacos de canard sauce verte, ou encore un filet

de poisson à la fleur de courge. Délicieux, ça change des préparations habituelles. Portions très satisfaisantes. Une bonne adresse.

|●| *La Bodega (plan couleur II, E6, 119)* : Popocatépetl 25 ; à l'angle d'Amsterdam ; à la Condesa. ☎ 55-25-24-73 ou 55-11-73-90. ● labodega.com.mx ● Metrobús : *Álvaro Obregón. Tlj 13h30-23h (2h ven-sam).* Grande bâtisse abritant sur 3 niveaux un bar, un resto chic et un cabaret-théâtre *(mar-sam vers 21h).* Belle décoration originale dans le style capharnaüm mexicain. Même les toilettes n'y ont pas échappé ! Cuisine traditionnelle qu'on accompagne de tequila. Spécialités : *hongos* (champignons) *a la Bodega* cuits au vin rouge et *res* (bœuf) *à la tampiqueña.* Du mardi au samedi soir, groupe de musique cubaine (*cover* 70 \$Me) à partir de 21h15 (dès 15h30 vendredi). Une adresse typique, avec beaucoup d'ambiance le soir en fin de semaine, super pour les amateurs de musique tropicale.

Plus chic (plus de 370 \$Me, soit 22,20 €)

|●| *Contramar (plan couleur II, E6, 114)* : *Durango 200 ; à la Condesa.* ☎ 55-11-73-90. *Slt pour le déjeuner : tlj 13h30-18h. Résa conseillée.* Les Mexicains l'ont élu meilleur resto de Mexico, toutes catégories confondues. On y vient avant tout pour le poisson et les fruits de mer, impeccables, mais aussi pour le service stylé et les fauteuils en cuir semés dans la rue pour attendre une table confortablement... Beaucoup de monde le week-end. En semaine, la salle est tapissée de costumes-cravates. Essayez les *tostadas de atún* (tortillas frites au thon) avec leur mayonnaise au *chipotle* (piment *jalapeño* fumé) et les tacos de poisson *al pastor.*

Où boire le thé ? Où goûter ?

☕ *Caravanseraï (plan couleur II, F6, 151)* : *Orizaba 101 ; à l'angle d'Álvaro Obregón ; dans la colonia Roma.* ☎ 55-11-28-77. Metrobús : *Álvaro Obregón. Lun-ven 11h-21h30 ; sam-dim 12h-21h30.* Situé à l'entresol d'un immeuble des années 1920, ce coquet salon de thé joue la carte de l'intime et des voyages à travers la déco et les breuvages des 4 coins du monde. Salle boudoir où atmosphère orientale, avec canapés et coussins, côtoie *Mariage Frères.* Ne cherchez donc pas le Mexique folklo et foncez tout droit sur le gâteau du jour.

Où déguster une glace ?

🍦 *Neve e Gelato (plan couleur II, F6, 152)* : *pl. Luis Cabrera 16 ; à Roma.* Metrobús : *Álvaro Obregón. Tlj 8h-22h.* Glaces à la mode italienne à déguster appuyé sur des petites tables en teck, avec la fontaine du jardin public en ligne de mire. Le *chocolate* (noir) et le *selva negra* (choco au lait onctueux) ont notre faveur. Une bonne note aussi pour la mandarine et la mangue.

Où boire un verre ? Où danser ?

🍸 *Condesa DF (plan couleur II, E6, 61)* : *av. Veracruz 102 ; en face du Parque España, dans la Condesa.* Ⓜ *Sevilla.* Metrobús : *Álvaro Obregón.* Voir « Où dormir ? Très très chic ». Très belle terrasse sur le toit, au niveau de la cime des arbres. Musique *lounge.* DJ le dimanche après-midi.

🍸🎵 *Travazares-Atrio (plan couleur II, F6, 167)* : *Orizaba 127 ; à Roma.* ☎ 52-64-14-21. Metrobús : *Álvaro Obregón. Tlj 8h-1h.* Ce resto-bar à quelques mètres de la jolie place Luis Cabrera dispose d'une poignée de tables en terrasse et d'une succession de salles en quincone. Déco bric-à-brac, bancs en bois et canapés bien patinés par le temps. Clientèle jeune et universitaire débordant du centre culturel voisin. Concerts de jazz mercredi et samedi à 21h, parfois blues dimanche soir. De toute façon, toujours de l'ambiance.

Y *Patanegra (plan couleur II, E7, 169) : Tamaulipas 30 ; à l'angle de Juan Escutia et de Nuevo León, dans le bloc dit* Plaza Condesa *(un ancien ciné).* ☎ 52-11-46-78. Metrobús : Sonora. Tlj 13h30-1h (3h jeu-sam). Entrée libre.* Très bonne ambiance pour ce bar chaleureux et sans les prétentions branchées de certains de ses voisins. Les prix tout doux de la bière à la pression y sont bien sûr pour quelque chose. Clientèle hétéroclite et sympa. Musique

en vivo certains soirs (flamenco, modern jazz, salsa cubaine), généralement à partir de 20h au bar et de 23h au *salón*, à l'étage.

♫ *Mama Rumba (plan couleur II, F7, 170) : Querétaro 230 ; à l'angle de Medellin ; à Roma.* ☎ 55-64-69-20. Metrobús : Sonora. Mer-sam 21h-3h. Entrée libre.* Le week-end, arrivez tôt impérativement pour avoir une table ! Immense maison d'angle genre colonial. Intérieur aux couleurs chaudes et mobilier en bois. Très sympa et bonne ambiance ouverte à tous les publics. Au programme : salsa, rumba et *cumbia* en live. Peu à peu, la *Mama* entre en ébullition ! Bientôt, on n'arrive presque plus à danser tant la foule est compacte. Offrez-vous un *mojito* pour vous rafraîchir, mais inutile de commander à manger.

À voir

👀 *Promenade dans la Condesa (plan couleur d'ensemble) :* pour ceux qui passent plusieurs jours à Mexico, cette petite balade permettra de découvrir un autre visage de la capitale, loin du centre historique populaire. Se promener dans la Condesa, c'est humer le charme de l'Art déco transplanté à Mexico. Ce quartier, né au début du XXe s, dispense avec nostalgie les souvenirs de la prospérité de l'époque de Porfirio Díaz. Commencez par le ravissant *parc México*, très vert, très arboré (l'un des plus jolis de la ville). En flânant dans les rues adjacentes, le nez en l'air, vous pourrez voir quelques édifices des années 1930, notamment, au nord-est du parc, l'immeuble **Basurto** *(av. México 187 ; plan couleur II, E7, 203)*. L'escalier du hall d'entrée est un chef-d'œuvre de l'Art déco (malheureusement, c'est une résidence privée, mais on le devine à travers la porte).

POLANCO

À l'ouest de la Zona Rosa, en continuant l'avenue Reforma, on tombe sur Polanco, qui comme tous les quartiers chic du monde est bordé par un bois, le très grand *bosque de Chapultepec*. Polanco, c'est le quartier résidentiel, où vivent la bourgeoisie aisée, les expats et où voisinent de nombreuses ambassades. On pourrait se croire dans n'importe quelle grande ville européenne. Vous y retrouverez des boutiques aux noms célèbres : *Vuitton, Saint Laurent, Cartier, Lacoste* etc. Les magasins huppés côtoient des restaurants pour cadres, des banques, et les sièges des grandes sociétés. Encore un peu plus à l'ouest et sur les hauteurs des collines, les *colonias* Lomas de Chapultepec, Bosques de las Lomas et Santa Fe *(plan d'ensemble couleur)* abritent jalousement la très haute bourgeoisie de Mexico (et c'est un euphémisme). Bref, rien de vraiment dépaysant dans ce quartier. C'est pourtant là que l'on trouve le fameux musée d'Anthropologie, le musée d'Art moderne et le château de Chapultepec : des hauts lieux de la vie culturelle mexicaine. Incontournables ! Et désormais, le tout nouveau musée Soumaya (la dernière folie du multimilliardaire Carlos Slim) inauguré en avril 2011.

➤ *Pour y aller :* Ⓜ Polanco (ligne n° 7) pour le quartier de Polanco. Pour les musées, descendre aux stations Auditorio (ligne n° 7) ou Chapultepec (ligne n° 1).

MEXICO ET SES ENVIRONS

Mieux encore, prendre n'importe quel bus sur l'avenue Reforma en direction de l'ouest : vous passerez obligatoirement devant le musée d'Anthropologie, le musée d'Art moderne et l'entrée du parc de Chapultepec.

Adresse utile

■ *Alliance française (hors plan III par G6, 25)* : *Socrates 156 ; à l'angle de Homero.* ☎ *10-84-41-90.* ● *alianzafran cesa.org.mx/polanco* ● *Pas très loin du lycée français.* La médiathèque pourra intéresser ceux qui restent quelque temps à Mexico. Una carte annuelle permet d'y accéder : littérature française, vieux films français et mexicains sous-titrés. *Ouv lun-jeu 9h-18h ; ven 9h-16h ; sam 9h-14h.*

Où dormir très très chic ?

🏨 🍸 *Habita (plan III, G6, 69)* : *av. Presidente Masaryk 201.* ☎ *52-82-31-00.* ● *hotelhabita.com* ● *Double à partir de 3 100 $Me (186 €) lun-ven, petit déj inclus ; beaucoup moins cher le w-e, mais sans petit déj.* Membre des *Leading Small Hotels of the World.* Chambres spacieuses, très contemporaines, avec une dominante de blanc, gris béton et bois clair. Moquette couleur mastic, salle de bains avec baignoire, petit balcon avec agave minimaliste. Les amateurs de design apprécieront les chaises fourmi de Jacobsen et les fauteuils Eames. Petits salons aux murs couverts d'art moderne. Si vous n'y logez pas, faites au moins un tour à l'un des 2 bars (dont l'un avec DJ et écran géant). Terrasse avec piscine au 5e étage. Service aimable et pas prétentieux.

Où manger ?

Dans le pavé formé par Masaryk, A. Dumas, O. Wilde et J. Verne, on trouve toute une flopée de restaurants à l'européenne (déco moderne recherchée, cuisine internationale).

Prix moyens (80-250 $Me, soit 4,80-15 €)

|●| *Takos Takos (hors plan III par G6, 120)* : *dans la calle Ludovico Ariosto, entre Edgar Allan Poe et Campos Eliseos.* ☎ *52-80-89-48. Lun-sam 13h-22h (20h dim). CB acceptées.* Au menu : des tacos, comme le nom l'indique. Spécialité de la maison, le *taco el niño envuelto* (« l'enfant dans ses langes »), un délicieux taco de viande et de fromage fondu. Copieux. Quelques soupes également. Terrasse aux beaux jours.

|●| *Non Solo Pasta (plan III, G6, 121)* : *Julio Verne 89.* ☎ *52-80-97-06. Lun-sam 13h-minuit ; dim 14h-19h.* Dans le style resto de quartier, une petite adresse franco-italienne qui se remplit vite, tant la salle est riquiqui (attention à l'attente). Heureusement, il y a la terrasse sur le trottoir. Mis à part les *penne*, gnocchis et autres *fusilli*, salades copieuses très abordables et viandes pas mauvaises (pas seulement des pâtes, comme l'indique le nom du resto !).

|●| *Saks (plan III, G6, 122)* : *Campos Eliseos 133 ; à l'angle de Lamartine.* ☎ *55-45-65-60. Lun-sam 8h-minuit ; dim 8h-19h. Saks* est une chaîne de restos naturels présente à plusieurs endroits en ville. L'établissement de Polanco offre un cadre moderne, agréable. On y croise des dames chic du quartier venues s'offrir une salade fraîche nappée d'une bonne vinaigrette à la framboise et accompagnée de *nopales asa-*

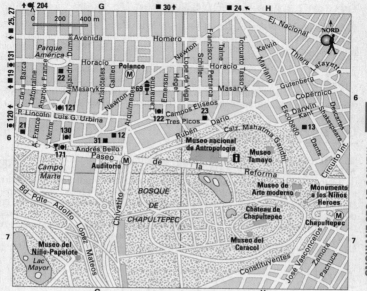

MEXICO – POLANCO (PLAN III)

■ **Adresses utiles**		🛏 **Où dormir ?**

■ **Adresses utiles**

- 12 American Express (Hotel Nikko)
- 13 American Express (Hotel Camino Real)
- 19 Air France et Delta Airlines
- 21 Ambassade et consulat de France
- 22 Ambassade de Belgique
- 23 Ambassade et consulat du Canada
- 24 Hospital Español
- 25 Alliance française
- 27 Interjet
- 30 Iberia
- 31 Continental Airlines

🛏 **Où dormir ?**

- 69 Habita

|●| **Où manger ?**

- 120 Takos Takos
- 121 Non Solo Pasta
- 122 Saks
- 130 El Bajio
- 131 Izote

🍸 **Où sortir le soir ?**

- 171 Hard Rock Café

☆ **À voir**

- 204 Museo Soumaya

dos (cactus grillés). L'option santé des végétariens. Les autres y viendront prendre le petit déj : les viennoiseries sont délicieuses (hmm, le pain au chocolat !) et les jus de fruits (mandarine) excellents.

|●| **El Bajio** (*plan III, G6, 130*) **:** *Alejandro Dumas 7.* ☎ *52-81-82-45.* Ⓜ *Auditorio. Lun-sam 8h-23h ; dim 9h-22h.* La proprio a écrit de nombreux livres de recet-

tes. Il en vient de partout : golfe du Mexique, Yucatán, Puebla, etc. La salle est grande, le cadre est plaisant et la cuisine plutôt réussie – en particulier les *garnachas* (tacos au bœuf, pommes de terre et sauce verte aigre), les *carnitas* et les *moles* (noir et vert). Bref, un bon choix pour combler une envie de mexicain sans prétention.

Très chic (plus de 600 $Me, soit 36 €)

|●| *Izote* (hors plan III par G6, **131**) : Presidente Masaryk 513 ; entre Sôcrates et Platón. ☎ 52-80-16-71. Lun-sam 13h-minuit ; dim 13h-18h. Résa impérative (peu de tables). Voici l'une des stars culinaires de Mexico ! Un resto où tous les ingrédients traditionnels mexicains retrouvent leur place comme l'*izote* (fleur de yucca), le *nopal* (cactus) ou les *escamotes* en saison (œufs de fourmis) ; sans oublier bien sûr le *mole* noir de Oaxaca. Le tout revu et corrigé en version moderne par la chef Patricia Quintana, sur fond de décor aztèque. Attention à ce que l'addition ne provoque pas un problème de digestion !

Où sortir le soir ?

|●| ♟ *Hard Rock Café* (plan III, G6, **171**) : Campos Eliseos 290 ; à l'angle de Reforma. ☎ 53-27-71-00 ou 01. ● hardrock.com ● Tlj 13h-2h. Pour côtoyer la jeunesse branchée ou dorée de Mexico. À voir, à l'étage, la chemise de Jimi Hendrix, la robe violette de John Lennon et plein de souvenirs de U2, des Rolling Stones... Le tout dans une ambiance musicale *a tope* (à fond). Souvent, de très bons concerts le week-end (vendredi et samedi soir). Certains grands noms s'y sont produits, de Lenny Kravitz à Zucchero en passant par Yes et Guns and Roses. N'oubliez pas qu'on y mange aussi de gros hamburgers avec des frites.

À voir

🚶 👫 *Bosque de Chapultepec* (plan III) : ouv 5h-17h.
Poumon vert de Mexico, ce bois semé de plusieurs lacs et sillonné par de grandes avenues attire chaque fin de semaine des foules de famille. On peut louer des barques et des embarcations à pédales sur le lac ou se balader en petit train. On peut emmener les enfants au *parque infantil* (côté avenue Constituyentes ou au sympathique zoo, au milieu du parc. La visite du château de Chapultepec, est aussi très sympa pour les enfants et les plus grands.
Dans la section la plus éloignée du *bosque*, à l'ouest du périphérique, se trouve le *Museo del Niño-Papalote* (voir ci-dessous) et la *fête foraine de Chapultepec* (mar-ven 10h-18h, sam 10h-19h, dim et j. fériés 10h-20h, lun aussi pdt les vac). Manèges et montagnes russes.

👫👫👫 *Museo nacional de Antropología* (plan III, H6) : dans le bois de Chapultepec, à 1,5 km du métro. ☎ 55-53-19-02. ● inah.gob.mx ● Ⓜ Auditorio (ligne n° 7) ou Chapultepec (ligne n° 1). Mar-dim 9h-19h. Entrée : 51 $Me (3,10 €). Consigne obligatoire façon casier de piscine (sous l'esplanade). Vous pouvez bénéficier d'un guide gratuit en français si vous êtes min 6 pers, mar-sam, sur rdv ; ☎ 55-53-63-86 ou 81 (à partir de 10h30). Loc d'audioguides (60 $Me, soit 3,60 €). Les guides qui proposent leurs services à l'extérieur n'appartiennent pas au musée ; ils sont payants. Photos autorisées (sans flash), mais vidéo payante (35 $Me, soit 2,10 €). Le resto du musée avec sa terrasse est très agréable (buffet à volonté autour de 140 $Me, soit 8,40 €, ou à la carte). Comme il est fréquenté par bon nombre de *gringos,* bien faire attention à la monnaie. Service plutôt gentil et rapide.
Le musée d'Anthropologie de Mexico est le plus important du genre au monde. Il a été construit dans les années 1960 par Pedro Ramirez Velasquez dans un style moderne. Le gigantesque parapluie d'acier et d'aluminium de 4 400 m² dressé au centre de l'esplanade est une vraie prouesse architecturale. Sa forme originale draine les eaux de pluie vers le bassin entourant la colonne. Et l'édifice n'a pas bougé d'un pouce lors du séisme de 1985.
Outre l'intérêt unique des pièces d'art précolombien, un tas de maquettes, cartes et dessins permettent de replacer les antiquités dans leur cadre ethnique ou histo-

rique. Si vous avez peu de temps, sautez de préférence les quatre premières salles (introduction à l'anthropologie, etc.). Voici une présentation, salle par salle, en commençant la visite par la droite de la cour.

– **Salle des expos temporaires :** jetez-y un œil, elles sont très bien faites.

– **Salle d'introduction à l'anthropologie :** mélange de reconstitutions et de pièces archéologiques allant des australopithèques à l'homme de Neandertal. Collections consacrées également à l'ethnologie et à la linguistique, de manière à éclairer le reste de la visite.

– **Salle des origines préhistoriques :** où l'on apprend que les différentes civilisations précolombiennes sont issues d'une série de migrations provenant très logiquement d'Asie, durant la dernière période de glaciation survenue entre 100 000 et 10 000 ans av. J.-C.

– **Salle préclassique du centre du Mexique :** durant 1 500 ans, l'Altiplano central voit apparaître progressivement les premières formes de vie sédentaire. Ce sont les débuts de l'agriculture, des villages permanents et de l'artisanat (poterie), puis l'apparition des premières pyramides, de l'écriture et du calendrier. C'est une époque cannibale : on mange de la cervelle humaine et de la moelle ! Les échanges commerciaux se développent, permettant des progrès plus rapides et l'émergence de cultures plus puissantes. Ne manquez pas les magnifiques statuettes en terre, dont le splendide *Acrobate contorsionniste* trouvé à Tlatilco, considéré comme l'une des œuvres les plus importantes du musée (face à l'entrée). Belle reconstitution de tombes, où l'on apprend que les morts étaient enduits de pigments rouges. Pas mal de céramiques zoomorphes assez rigolotes.

– **Salle de Teotihuacán :** l'émergence de Teotihuacán, vers le Ier s, annonce la période classique. Représentation des temples du Soleil et de la Lune. En face, reconstitution du *temple de Quetzalcóatl,* le fameux serpent à plumes. Il s'agit du dieu tutélaire le plus connu du Mexique précolombien ; et pour cause, il serait à l'origine de l'homme et de la nature. Il alterne avec des masques de Tláloc, dieu de la Pluie et de l'Agriculture. À gauche, la sculpture monumentale de *Chalchiuhtlicue* (déesse de l'Eau) provenant de la place de la Lune. Entre les deux, à gauche, on franchit une porte dont les fresques reconstituées, à dominante rouge, représentent le *paradis de Tláloc,* uniquement réservé aux hommes. On ne manquera pas non plus la jolie collection de masques dans un renfoncement de la salle.

– **Salle Tolteca :** la première section est consacrée à la ville de *Xochicalco* et à ses fameuses stèles, la seconde au site de *Tula,* d'où fut rapporté un atlante de près de 5 m de haut. Apparaît un premier *chac-mool,* sculpture d'un homme sur le dos, appuyé sur les coudes. Sur son ventre, une sorte de plateau, où étaient placés les cœurs des victimes immolées. On a désespérément essayé de reproduire sa position, pas facile !

– **Salle Mexica :** notre salle préférée, la plus grande aussi, dédiée aux fondateurs de Tenochtitlán. Juste à l'entrée, se dresse un jaguar avec un récipient où l'on déposait le sang et les cœurs des victimes humaines sacrifiées. Penchez-vous à l'intérieur : deux dieux se sacrifient en se coupant eux-mêmes le lobe de l'oreille ! Également un *temalacatl,* énorme cylindre de pierre de 2,65 m de diamètre, orné de reliefs. Au centre, au fond, une sculpture similaire, la *pierre du Soleil,* connue sous le nom de calendrier aztèque, pèse 24 t. Tout en basalte, elle a été découverte sous le Templo Mayor en 1790. La pierre du Soleil est celle du Cinquième Soleil, symbolisé par les deux serpents de feu qui l'encerclent, chargés dans la cosmogonie aztèque de provoquer la rencontre des quatre premiers soleils : l'eau, l'air, la terre et le feu. La salle abrite de nombreux autres objets de culte, certains en obsidienne, toujours en provenance du Templo Mayor. Côté gauche, reconstitution d'une coiffure de plumes (celle de Moctezuma), parmi lesquelles les vertes sont celles du quetzal, oiseau sacré devenu très rare.

– **Salle d'Oaxaca :** c'est dans la vallée de l'actuelle ville du *mezcal* que se développèrent les importantes civilisations zapotèque (vers 200-600) et mixtèque (1000-1500), auxquelles on doit Monte Albán et Mitla. Un escalier permet d'accéder à une cave où a été reconstituée la célèbre *tombe 104 de Monte Albán.* On remarque également, dans une vitrine, un *Gran Jaguar* en terre cuite peinte, servant d'urne funéraire. Et juste à gauche, un splendide masque du dieu chauve-souris en jade. La section mixtèque regroupe d'intéressants codex (manuscrits) et bijoux.

– *Salle du golfe du Mexique :* on y retrouve l'évocation des mystérieux Olmèques (XIIIe-VIe s av. J.-C.), la première civilisation à avoir émergé au Mexique, des Totonaques (qui édifièrent El Tajín) et celle des Huastèques, moins connus. Plein de *baby faces*, des statuettes d'enfants joufflus et deux *têtes monumentales,* chefs-d'œuvre monolithiques, légués par les Olmèques.

– *Salle maya :* dans le jardin, superbe reproduction grandeur nature du *temple de Hochob* (Campeche). Au milieu, grand masque du dieu de la Pluie Chac, typique du style *chenes.* À droite, reconstitution d'un *temple de Bonampak,* orné de ses célèbres peintures murales. Dans la salle en elle-même, en sous-sol, ne manquez pas la reconstitution du tombeau de Kin Pakal, monarque de Palenque, avec un très beau masque funéraire en jade et des offrandes. Sculpture de Chac-Mool trouvée à Chichén Itzá.

– *Salle du Nord et salle de l'Occident :* on commence par l'ouest pour remonter vers le nord, jusqu'au domaine des Anasazis, qui vivaient sur l'actuel territoire américain. La première partie présente quelques figurines intéressantes. Beaucoup de céramiques rouges aux motifs variés – en particulier celles, zoomorphes, de Colima. Impressionnantes reconstitutions d'intérieurs et de tombes.

– *Au 1er étage :* on y trouve la section ethnologique du musée, précédée par une intéressante salle d'orientation. Pour chaque peuple sont présentés habits, religion, magie, danse, artisanat, habitat, etc. Un ensemble très riche, représentatif de la diversité culturelle du Mexique, où vous apprendrez qu'on parle encore 56 langues indigènes. Voir, entre autres, la superbe maison tarasque avec sa véranda sculptée.

– Devant le musée, on peut voir régulièrement les démonstrations des *voladores,* des danseurs acrobates totonaques qui s'élancent dans le vide du haut d'un grand poteau, corde attachée à la taille. La cérémonie avait à l'origine pour vocation de favoriser la fertilité des terres. Les hommes, au nombre de quatre, effectuent chacun 13 tours du poteau (soit 52 à eux quatre) avant d'atterrir en douceur.

🏃🏃🏃 *Château de Chapultepec et Museo nacional de Historia* (plan III, H7) : dans le bois de Chapultepec. ☎ 40-40-52-14 et 55-15•63-04. ● castillodechapultepec.in ah.gob.mx ● Ⓜ Chapultepec (ligne n° 1). Mar-dim 9h-17h. Entrée : 51 $Me (3,10 €) ; gratuit moins de 13 ans, plus de 60 ans et étudiants avec la carte ISIC ; gratuit dim.
Le château *(castillo),* perché au sommet de la « colline des sauterelles » *(chapultepec),* semble voguer, serein, au-dessus du bois, dominant l'avenue Reforma, exactement dans son axe (on peut prendre un petit train pour y accéder, car la montée est rude ; départ toutes les 12 mn). Pourtant, l'histoire du *castillo* est peu glorieuse. C'est un vice-roi espagnol qui, en 1785, entreprit le premier de faire construire ici une résidence de campagne, jamais achevée, et qui fut transformée en collège militaire en 1833. De 1864 à 1867, l'édifice trouva enfin sa place dans l'histoire du Mexique en devenant le palais du couple impérial Maximilien et son épouse Charlotte et qui lui donnèrent son lustre (lire dans « Hommes, culture et environnement » les rubriques « Histoire » et « Personnages »). C'est d'ailleurs à cette époque que fut tracée la principale artère de Mexico, pour relier le palais au centre-ville. On l'appela d'abord *Paseo de la Emperatriz* (en l'honneur de l'impératrice Carlota), puis *Paseo de la Reforma* après la guerre du même nom (1857-1861). Abandonné à nouveau, le château fut occupé plus tard par toute une série de présidents, à commencer par le dictateur Porfirio Díaz qui entreprit plusieurs transformations, en ajoutant par exemple deux ascenseurs (le dernier cri à l'époque !). Le château fut transformé en musée en 1939. C'est là qu'ont été tournées certaines scènes de *Roméo et Juliette* avec Leonardo di Caprio et Claire Danes...
Dans la première aile du château, on trouve le *Museo nacional,* avec ses 15 salles magistrales retraçant l'histoire de la ville du XVIe s à la révolution de 1910. Au gré de la visite se révèlent des souvenirs de la conquête espagnole, de la vice-royauté,

puis des périodes de l'indépendance, de l'empire et de la révolution. Plusieurs fresques, de Juan O'Gorman et José Clemente Orozco. Ça vaut un bon livre d'histoire. Les explications sont lisibles et très instructives, mais en espagnol seulement.

L'autre partie est plus amusante puisqu'on visite le château lui-même, avec ses pièces de réception, la chambre de l'empereur, celle de Carlota avec sa salle de bains attenante... On est d'abord accueilli par le carrosse impérial incroyablement baroque construit en Italie. Suivent les splendides appartements, finement décorés dans le style napoléonien : céramique d'Iznik, tentures, lourdes pièces d'argenterie dans la salle à manger, boiseries travaillées... Magnifique ! Chaque pièce s'ouvre sur une immense terrasse courant autour du bâtiment et de laquelle on jouit d'un superbe panorama sur la ville ; ne manquez pas la vue sur l'immense perspective du Paseo de la Reforma. Au 1er étage, visite des appartements de Porfirio Diaz et de son épouse, où on remarquera les nombreuses importations de mobilier Art déco d'origine française.

🚶 *Museo del Caracol* (ou galerie-musée de l'Histoire de la lutte du peuple mexicain pour la liberté ; plan III, H7) : ☎ 52-41-31-40. Mar-dim 9h-16h15. Entrée : 32 $Me (2 €). Le surnom d'« escargot » lui a été attribué à cause de sa forme en spirale. Il est situé juste en contrebas du château de Chapultepec (voir ci-dessus), sur le côté droit du chemin d'accès (en montant). Visite intéressante pour compléter vos connaissances historiques sur le Mexique. Super didactique. Nombreux documents, photos, maquettes, montages pittoresques pour exalter toutes les dates clés de l'histoire du pays et les étapes de la lutte pour l'indépendance, de la République et de l'invasion américaine, de la Réforme, du Porfiriato et de la révolution. Tous les héros sont là : Hidalgo, Mina, Morelos, Juárez, Villa, Zapata... À la sortie, un exemplaire de la Constitution devant laquelle les Mexicains se recueillent religieusement.

🚶🚶 *Museo de Arte moderno* (plan III, H7) : paseo de la Reforma ; angle Gandhi. ☎ 52-11-83-31. Ⓜ Chapultepec (ligne n° 1). Le long du bois de Chapultepec, pas loin du métro. Mar-dim 10h30-17h30. Entrée : 22 $Me (1,30 €) ; gratuit dim. Visites guidées gratuites mar-sam à midi (durée : 1h à 1h30). Ce très bel édifice circulaire est consacré aux artistes mexicains modernes les plus célèbres. Il abrite au rez-de-chaussée des œuvres de peintres et de sculpteurs mexicains : Frida Kahlo (dont son fameux tableau *Las Dos Fridas*), Siqueiros, Diego Rivera, Orozco, Rufino Tamayo et Gerardo Murilo (alias Dr Atl), peintre spécialisé dans les volcans du pays. À l'étage et dans le bâtiment au fond du jardin, expos temporaires d'art contemporain international et parfois mexicain. Agréable jardin avec des sculptures. Librairie et cafétéria.

🚶 *Museo Tamayo* (plan III, H6) : paseo de la Reforma ; angle Gandhi. ☎ 52-86-65-19 et 29. ● museotamayo.org ● Également à l'entrée du bosque de Chapultepec, en face du musée d'Art moderne, à 200 m du musée d'Anthropologie. Mar-dim 10h-18h. Entrée : 15 $Me (1 €) ; gratuit dim et pour les étudiants et les plus de 60 ans. Le grand peintre Rufino Tamayo était un collectionneur avisé. Il a donné tout ce ce luxueux musée d'Art contemporain à l'architecture d'avant-garde. Les expos, temporaires, changent tous les 3 mois, présentant une partie de la collection personnelle de Tamayo. Sur les cimaises, on retrouve régulièrement De Chirico, Dalí, Miró, Picasso, Léger ou Irving Penn. Et Tamayo lui-même.

🚶🚶 *Museo Soumaya* (hors plan III par G6, **204**) : plaza Carso, dans le Nuevo Polanco (entre les rues Presa Falcón et Cervantes Saavedra). ☎ 56-16-37-31 et 61. Ⓜ Polanco. Se renseigner sur les horaires. Entrée libre. Vous ne pourrez pas louper cet étrange édifice, sorte d'immense navire pour les uns, coupe gigantesque ouverte vers le ciel pour les autres, recouverte d'aluminium. C'est le nouveau joujou du milliardaire Carlos Slim, déjà surnommé « le muscle des Vanités ». Ouvert au public en 2011, totalement avant-garde, il abrite la collection de la Fondation Carlos Slim (plus de 66 000 pièces) ; en particulier la plus grande collection de sculptures de Rodin en dehors de France. Ce bâtiment spectaculaire, déjà devenu une icône de l'urbanisme du DF, compte plus de 6 500 m². Il a été dessiné par l'architecte Fernando Romero, l'époux de Soumaya, la fille du magnat Slim (voir la rubrique « Personnages » au début du guide). Une histoire de famille. Mais tout le monde en profite !

🏃 👫 *Museo del Niño-Papalote* (plan III, G7) : bosque de Chapultepec, partie ouest (2e section). ☎ 52-37-17-73. ● papalote.org.mx ● Ⓜ Constituyentes. Lun-ven 9h-18h (23h jeu) ; w-e et j. fériés 10h-19h. Entrée : 120 \$Me (7,20 €). Forfait famille : env 600 \$Me (36 €). Tout pour l'éveil intellectuel de l'enfant, qui est roi au Mexique. À l'entrée, il est accueilli par Sócrates, tout un programme ! Salle de ciné Imax. Soirée jazz le jeudi.

COYOACÁN

Au début du XXe s, ce n'était qu'un petit village colonial à 10 km au sud de Mexico, entouré de champs et d'étables ; le refuge des artistes et des intellectuels. Bien avant, à l'époque de la conquête, Cortés y avait installé ses quartiers après la chute de Tenochtitlán.

Aujourd'hui englouti par la mégapole, Coyoacán (« le lieu des coyotes » en nahuatl) a néanmoins gardé son charme bohème. Dans les rues pavées, entre les belles demeures peintes en bleu et ocre, planent les ombres de Frida Kahlo, de Diego Rivera et de leur copain Trotski. Le Mexique comme vous en rêviez, avec son architecture coloniale, de grandes portes en bois sculpté, des façades qui croulent sous les bougainvilliers, des fenêtres protégés par des ferronneries. On se croirait dans un film d'époque. Depuis quelques années, le quartier de Coyoacán est devenu l'une des promenades favorites des citadins durant le week-end. Sur la place principale : musiciens, artistes, cireurs de chaussures, vendeurs d'artisanat, diseuses de bonne aventure... Mais en semaine, et surtout tôt le matin quand il n'y a per-sonne, c'est un ravissement que de se balader ici. Cafés avec terrasse, librairies, galeries d'art, jolies boutiques.

➢ *Pour y aller :* Ⓜ Coyoacán (ligne n° 3), mais il faut marcher pas mal ; le plus simple est de descendre au métro General Anaya (ligne n° 2) et de prendre un *micro-bús* marqué « Coyoacán » ou un taxi (20-30 \$Me).

Adresses utiles

🛈 *Point d'Infos touristiques* (plan IV, I8) : jardín Hidalgo 1, côté nord, au sein du Palacio municipal. ☎ 56-58-02-21. Tlj 9h-19h. Accueil gentil, mais peu d'infos.

■ *Train touristique tranvía* (plan IV, I8) : ☎ 56-59-71-98. ● tranviadecoyoa

can.com.mx ● Départ dans la rue Carillo Puerto, entre les 2 places, face à l'église, quand le tranvía est plein ; env ttes les 90 mn en sem (10h-17h), ttes les 30 mn le w-e (11h-18h). Tour du quartier en 45-50 mn (commentaires en espagnol slt).

Où dormir ?

Pour les amoureux du Mexique colonial et ceux qui recherchent le calme, on vous a déniché une petite pension. Mais attention, long trajet pour gagner le centre.

🛏 *Hostal Frida* (plan IV, I8, *78*) : Francisco Javier Mina 54, entre Madrid et Viena (pas d'enseigne). ☎ 56-59-70-05. ● hostalfridabyb.com.mx ● Ⓜ Coyoacán. Double 650 \$Me (39 €), mais attention, pas de petit déj. Wifi. Le zócalo est à 800 m, le métro à 10 mn à

pied. Cette belle maison ancienne, revi-sitée sur des touches modernes, abrite 5 très grandes chambres lumineuses, chacune avec salle de bains et cuisi-nette. Agréables et tout confort (TV câblée, machine à café, nettoyage quo-tidien). Seul petit hic : rien que des lits

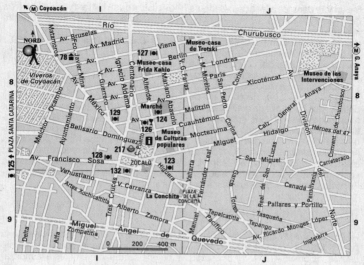

MEXICO – COYOACÁN (PLAN IV)

MEXICO ET SES ENVIRONS

■ **Adresse utile**

🛈 Point d'infos touristiques

🛏 **Où dormir ?**

78 Hostal Frida

|◉| **Où manger ?**

123 El Mercadito
124 Le marché
125 Mesón Santa Catarina

126 Cantina La Bipolar
127 La Vienet
128 Moheli
129 La Casa del Pan
132 Los Danzantes

🍸 **Où boire un verre ?**

126 Cantina La Bipolar

⚜ **Achats**

217 Marché d'artisanat

simples. Le patron, qui a fait des études d'hôtellerie en Suisse, parle le français. D'ailleurs, il accueille souvent des profs du lycée français. Certains y restent des mois : pensez donc à réserver ! Service impeccable.

Où manger ?

Tout autour du *zócalo* de Coyoacán, il y a pléthore de restaurants, *taquerías,* cafés, pâtisseries, glaciers... sans compter les vendeurs ambulants qui vous proposent, entre autres, des *chicharrones* (peau de porc en beignet). Les Mexicains en raffolent. Vous n'êtes pas obligé d'y goûter ! En revanche, vous pouvez essayer les *esquites* servis dans un verre à emporter : une préparation de maïs, avec ou sans piment *(chile)* et citron.

Bon marché (moins de 80 $Me, soit 4,80 €)

|◉| *Le marché* (plan IV, I8, **24**) : à l'angle de Malitzin et Allende. Tlj 9h-18h. C'est LE *mercado* de Coyoacán, vraiment typique, et en plus propre et joyeux. Fai-

tes un tour dans les allées des vendeurs de fruits et légumes. Comme d'hab', plein de bouis-bouis à l'intérieur pour manger assis sur un banc. Mais nous, on préfère l'extérieur, sur le trottoir du coin Malintzin/Allende. C'est là que se sont rassemblés les restos de fruits de mer. On y savoure de délicieuses *quesadillas de ceviche*, de thon ou de poulpe, des cocktails de crevettes, des soupes de poisson. Une grande tradition du quartier. Beaucoup de monde, on s'installe autour de grandes tables.

|●| **El Mercadito** (plan IV, I8, **123**) : au début de Higuera. Tlj 8h-23h. Un ensemble de petits stands locaux où l'on savoure des *quesadillas* frites devant vous. Ultra-typique et très bonne ambiance. Délicieux et petits prix.

|●| **La Casa del Pan** (plan IV, I8, **129**) : av. México 25B ; à l'angle de Xicoténcatl. ☎ 30-95-17-67. Lun-ven 8h-22h ; w-e 9h-22h. Petit resto-viennoiserie-pâtisserie avec intérieur minuscule et tables sur le trottoir. La bonne odeur de pain vous guidera les yeux fermés. Tout est bio et à prix doux. Bien pour un hamburger-salade avant de visiter la maison-musée de Mme Kahlo, ou pour un thé-gâteaux après le rendez-vous chez M. Trotski. Bonne ambiance. Juste à côté, *El Jarocho* fait un bon café, torréfié sur place.

Prix moyens (80-250 $Me, soit 4,80-15 €)

|●| **Mesón Santa Catarina** (hors plan IV par I8, **125**) : pl. Santa Catarina, face à l'église. ☎ 56-58-48-31. Tlj 8h-22h30. Atmosphère sereine pour ce resto joliment décoré dans l'esprit colonial de Coyoacán. Très agréable, surtout si vous vous installez sur la terrasse ombragée, à l'étage. Bonne cuisine mexicaine (soupe à la fleur de courgette, mousse de *mole* !) et service attentionné.

|●| **La Vienet** (plan IV, I8, **127**) : angle Viena et Abasolo, près de chez Léon Trotski. ☎ 55-54-45-23. Tlj 8h-21h. Petit déj servi jusqu'à 12h30. Menu pour le déjeuner. Cette adorable maison de style colonial, aux murs tout bleus, coiffée d'un clocheton, est une vraie oasis de sérénité. On y sert quelques bons petits plats, dont une paella le week-end. Idéal aussi pour déguster une excellente pâtisserie après la visite de la maison de Frida Kahlo.

|●| **Moheli** (plan IV, I8, **128**) : Francisco Sosa ; à 20 m du zócalo. ☎ 55-54-62-21. Jeu-sam 8h-23h ; dim-mer 8h-22h30. Les tables débordent sur le trottoir. Très sympa pour casser la graine avec un bagel au saumon fumé ou une salade, de tomates à la mozzarella, au poulet, au saumon, au fromage... Belle carte de pâtisseries maison aussi, dont un exquis croquant aux noix et aux mûres (boule glace vanille en option).

|●| **Cantina La Bipolar** (plan IV, I8, **126**) : Malintzin 155. ☎ 54-84-82-30. Dim-mar 13h-21h ; mer-sam 13h-minuit. Les habitués l'appellent la Bipo. Pourtant, rien à voir avec le trouble maniaco-dépressif. Bien au contraire, ici, on vient prendre un bain d'énergie et de bonne humeur. L'endroit a été ouvert par l'acteur mexicain Diego Luna qui a voulu créer une vraie *cantina* comme autrefois, mais revisitée au goût du jour. Les accents kitsch y sont toujours, mais là où on ne s'y attend pas, dans les noms des boissons (des jeux de mot incongrus) ou dans la présentation (extravagante) des plats. Carte appétissante et drôle. Grandes tables en bois encadrés de bancs. Terrasse sur le toit : voir « Où boire un verre ? ».

Chic (250-370 $Me, soit 15-22,20 €)

|●| **Los Danzantes** (plan IV, I8-9, **132**) : Jardín Centenario 12, c'est-à-dire sur le zócalo, juste en face de la fontaine aux coyotes. ☎ 55-54-12-13 et 28-96. Lun-ven 13h30-minuit ; sam-dim 9h-1h. Très jolie décoration inspirée des motifs aztèques. Le ton est donné. Ce resto s'est donné pour mission d'utiliser les ingrédients de la cuisine traditionnelle (incluant ceux qui étaient présents à l'époque préhispanique), mais présentés sous une forme contemporaine.

Tostadas de viande de cerf, fondue de *huitlacoche* (un champignon noir qui se développe sur les grains de maïs), tacos de *chapulines* (une variété de criquets que l'on déguste depuis plus de 3 000 ans)... À accompagner de mezcal, bien sûr. Il y a aussi une très belle carte des vins. On passe une bonne soirée gustative au milieu d'une clientèle d'intellectuels aisés.

Où boire un verre ?

🍸 *Cantina La Bipolar* (plan IV, I8, **126**) : *voir « Où manger ? ».* Dim-mar 13h-21h ; mer-sam 13h-minuit (parfois 1h). Génial pour prendre un verre au milieu d'une clientèle hétéroclite. Le jeudi soir, vers 22h, chaude ambiance sur la terrasse du toit.

Achats

🎐 Le week-end, le *jardín Centenario* (zócalo) est envahi par des **stands d'artisanat hippie.** Ambiance baba, musiciens de rue et odeurs d'encens.
🎐 **Marché d'artisanat** (plan IV, I8, **217**) : *entrée sur Carrillo Puerto, face au jardín Hidalgo (la place du kiosque et du palais de Cortés). Attention, ouv slt w-e et j. fériés. Beaucoup de variété. S'agrandit d'année en année.*

À voir

🎥🎥 **Le zócalo** (plan IV, I8) : il est composé de deux places que sépare la calle Carrillo Puerto.
– D'un côté (ouest), le *jardín Centenario,* construit sur un ancien cimetière. Au centre, la fontaine aux Coyotes.
– De l'autre (est), la *plaza Hidalgo,* bordée par l'*église San Juan Bautista* (un bel édifice dominicain du XVIe s) et par le *palais de Cortés,* qui abrite aujourd'hui la mairie et l'office de tourisme *(palacio municipal).* C'est là que le conquistador Hernán Cortés a torturé le dernier empereur Cuauhtémoc en lui brûlant les pieds (brrr...) pour savoir où était caché le fameux trésor aztèque. Sans succès. Le trésor reste à découvrir...

🎥 **Museo de Culturas populares** (plan IV, I8) : Hidalgo 289. À deux pas du zócalo. ☎ 41-55-09-20. ● culturaspopularesindigenas.gob.mx ● Mar-jeu 10h-18h ; ven-dim 10h-20h. Entrée : 11 $Me (0,70 €) ; gratuit dim. Allez jusqu'au fond, derrière la maison qui abrite la librairie. Petites expositions temporaires sur les arts populaires et la culture amérindienne. Quelques exemples de thèmes parmi d'autres : costumes, représentations de l'Enfant Jésus, symbolisme de la plume, jouets traditionnels, etc.

🎥🎥 **La Conchita** (plan IV, I-J9) : en prenant la rue Higuera qui part de derrière l'église, vous arriverez sur la très arborée *plaza de la Concepción* (la *Conchita* pour les intimes), avec sa chapelle baroque toute mignonne – malheureusement bien souvent fermée. Juste avant, au n° 57 de la calle Higuera, se trouve la *Casa Colorada,* autrement dit la « maison rouge ». Cortés l'a fait construire pour la Malinche, sa traductrice et surtout maîtresse. Ensuite, ce fut son épouse qui l'occupa en arrivant d'Espagne. Mais celle-ci n'en a pas profité bien longtemps, disparaissant sans laisser de traces... On raconte que ce fut encore un coup de Cortés.

🎥🎥 **Plaza Santa Catarina** (hors plan IV par I8) : *partir du jardín Centenario, passer sous l'arche et prendre l'av. Francisco Sosa. Continuer tt droit en rêvant à ce que cachent les somptueuses façades de la rue.* Au bout, une petite église toute jaune, sur une petite place tranquille. Rien de particulier, mais quel charme ! Bon, on vous le dit comme on le pense, c'est l'un de nos coins préférés. Entrez dans les jolis jardins de la Maison de la culture de Coyoacán, très paisibles. On y trouve une cafétéria agréable, face à une fontaine.

🏃🏃🏃 *Museo-casa Frida Kahlo* (plan IV, I8) : *Londres 247 ; à l'angle d'Allende.* ☎ 55-54-59-99. ● *museofridakahlo.org* ● *Mar-dim 10h-17h45. Entrée : 55 $Me (3,30 €) ; réduc pour les étudiants avec la carte ISIC. Audioguide en anglais. Photos et vidéos interdites, sf dans le jardin.* C'est ici qu'est née Frida Kahlo, dans la fameuse « maison bleue » *(Casa Azul)*, et qu'elle vécut plus tard avec son époux, le muraliste Diego Rivera (de 1929 à 1954). Elle y reçut plein de gens connus, comme Trotski ou André Breton.

> ### KAHLO-DOSCOPE
>
> *À sa mort en 1957, Diego Rivera exige par testament qu'une partie des affaires de Frida Kahlo, enfermées dans des coffres et des placards dans des coins plus ou moins secrets de la maison, ne soient pas ouverts avant au moins 15 ans. Sa mécène, Dolores Olmedo, fait mieux que cela : elle n'y touchera jamais. Et ce n'est qu'un an après sa mort à elle, en 2004, que l'on découvre leur contenu : photos, magazines, corsets de Frida, une serviette avec un baiser au rouge à lèvres...*

Ceux qui sont fascinés par la personnalité de la célèbre peintre mexicaine, infirme à cause de la polio contractée dans son enfance et d'un grave accident d'autocar, communiste, féministe et proindigène, seront comblés. On trouve ici son atelier de peinture, une cuisine ultra-colorée, sa chambre, sa chaise roulante, ainsi que les nombreux objets contenus dans les coffres et placards secrets. Partout sont disséminés également des objets précolombiens et d'artisanat populaire, dont une belle collection d'ex-voto et une trentaine de leurs œuvres. Ne ratez pas les titres. Une toile est intitulée *Le marxisme donnera la santé aux malades* ! Beau jardin et petite cafétéria.

🏃🏃 *Museo-casa de Trotski* (plan IV, J8) : *Río Churubusco 410.* ☎ 56-58-87-32. *Mar-dim 10h-17h. Entrée : 40 $Me (2,40 €) ; réduc.*
C'est ici que Trotski passa les 15 derniers mois de sa vie, en 1939-1940. Plus qu'une maison, c'est une forteresse ! Le révolutionnaire exilé fit murer les ouvertures et installer des miradors après un premier attentat organisé par le peintre Siqueiros. Peine perdue, il fut tué quelques semaines plus tard d'un coup de pic à glace (et enterré ici même)... Quelques jours avant, il prononça la phrase qui inspira le film de Roberto Benigni : « Et pourtant la vie est belle. »
Rien n'a changé depuis ce 20 août 1940 : sur son bureau, des notes dactylographiées, et dans la cuisine, des boîtes de thé entamées. L'ambiance est austère, la maison sans chichis, presque rustique. Rien n'y rappelle la Russie. La maison du leader de la révolution d'Octobre est aujourd'hui encore le siège de l'*Institut du droit d'asile*, fondé en 1982.

🏃🏃 *Museo de las Intervenciones* (ex-convento Churubusco ; plan IV, J8) : ☎ 56-04-06-99. Ⓜ *General Anaya. Du métro, prendre la rue 20 de Agosto ; c'est à 100 m. Mar-dim 9h-18h. Entrée : 41 $Me (2,50 €) ; gratuit dim.* Les interventions, ce sont celles des puissances étrangères au Mexique... Au total, depuis son indépendance, le pays a connu six « mutilations du territoire », dont celle due à la France de Napoléon III, qui envoya Maximilien et Carlota au casse-pipe. On y apprend que les Français magouillèrent alors avec les sudistes du général Lee, qui leur fournissaient des armes en échange, espéraient-ils, d'une intervention de la France contre les unionistes... Un musée pour méditer sur les vicissitudes, les obstacles et les influences extérieures qui forgent une nation et une identité culturelle. C'est aussi l'occasion – et une belle – de parcourir cet ancien couvent du XVIIe s, fort bien restauré. Quelques pièces ont été reconstituées, comme la cuisine. Pour vous détendre les neurones, faites un tour dans le jardin : un petit coin de paradis.

SAN ÁNGEL

À 3 km à l'ouest de Coyoacán, ce quartier aujourd'hui très résidentiel conserve lui aussi quelques beaux vestiges de la Nouvelle-Espagne. Jolies promenades à travers les rues pavées bordées par de magnifiques demeures où la bourgeoisie traditionnelle de Mexico a élu domicile. Y aller de préférence le samedi : beaucoup plus d'ambiance à cause du bazar del Sábado (voir plus loin « Achats »).

➤ *Pour y aller :* pas de métro proche. Prendre le *metrobús* sur Insurgentes en direction du sud. Descendre à l'arrêt La Bombilla, puis remonter à pied l'av. de La Paz (rue pavée) et traverser l'av. Revolución pour rejoindre la pl. San Jacinto.

Où manger ?

|●| *Crêperie du Soleil :* Madero 4, pl. del Carmen ; en face de la biblioteca de las Revoluciónes de Mexico. ☎ 55-50-25-85. Tlj 8h-18h. Un tout petit local sympathique. Grand choix de délicieuses crêpes salées et sucrées. Et aussi des petits déj, de bons sandwichs et des salades mixtes pour casser la graine après la visite du *museo del Carmen.*

|●| ▼ *San Ángel Inn :* Diego Rivera 50 ; à l'angle d'Altavista. ☎ 56-16-14-02 ou 22-22. Face au museo Casa Estudio Diego Rivera. Tlj 13h-minuit (22h dim). Env 400 $Me (24 €). C'est dans cet ancien monastère de carmélites du XVIIIᵉ s, connu sous le nom de *Hacienda de los Goicochea,* que fut signé le fameux pacte entre Pancho Villa et Zapata. Parmi ses hôtes célèbres, citons Caruso, Gershwin, le prince Philip d'Angleterre et même Brigitte Bardot. 3 jolis patios verdoyants entourent des petites fontaines. Un endroit vraiment exceptionnel. On peut se contenter de prendre un verre dans le *patio de la Fuente Escultiva,* tandis que les musiciens entonnent les grands classiques de la chanson mexicaine. Beaucoup de monde le week-end.

Achats

🛍 *Bazar del Sábado :* pl. San Jacinto, angle nord-ouest. Attention, comme son nom l'indique, a lieu slt sam 10h-18h. Dans une demeure du XVIIᵉ s, vous trouverez un artisanat très raffiné (mais assez cher et de moins en moins de choix). Heureusement, à l'extérieur, en haut de la place San Jacinto, marché d'artisanat traditionnel : plein de petits objets pour les souvenirs à prix décents.

🛍 *Jardín del Arte :* sur la place San Jacinto, en face du Bazar. Se tient slt sam 11h-17h. Un vrai marché d'art, en plein air, au milieu des jardins. Sur les 2 places, des artistes exposent et vendent leurs œuvres. Beaucoup de peintures, mais aussi des sculptures. Et pas seulement du vite-fait pour touristes. De vrais artistes exposent ici et on y trouve des pièces de qualité.

À voir

🎎 *Museo del Carmen :* av. Revolución ; à l'angle de La Paz. ☎ 56-16-15-04. ● museodeelcarmen.org ● Mar-dim 10h-16h45. Entrée : 41 $Me (2,50 €) ; gratuit dim. Cet ancien couvent de carmélites, fondé en 1615, bien restauré, abrite un vrai dédale de salles (non fléchées) où s'exposent peinture coloniale et sculpture religieuse. Ne manquez pas la chapelle intérieure au retable churrigueresque (1ᵉʳ étage), les cellules des moniales avec leur tronc-oreiller (!), la sacristie pour son magnifique plafond et les lavabos recouverts d'azulejos (rez-de-chaussée). De là, plongez dans la crypte. Douze cadavres momifiés dans leur robe de bure et regardent défiler les touristes... À l'extérieur, admirez encore les coupoles de l'église recouvertes de *talaveras* et faites aussi un tour dans le mignon jardin, désormais coincé entre les deux avenues les plus utilisées de Mexico !

🏃🏃 *Plaza San Jacinto :* traversez l'avenida Revolución vers la plaza del Carmen, puis continuez la grimpette jusqu'à cette charmante place où se trouve l'église du même nom (XVIe s) – avec un ravissant cloître fleuri et verdoyant. Allez aussi jeter un œil dans la cour du *Museo de la Casa del Risco,* au n° 15 *(mar-dim 10h-17h ; entrée libre).* Il y a là une fontaine qui vous laissera coi. Ceux qui aiment les temples thaïs seront aux anges. Expositions temporaires. (Voir aussi « Achats » ci-dessus.)

🏃🏃 *Promenade :* du bazar, prenez vers l'ouest la rue Rivera, bordée d'anciennes maisons enfouies sous les bougainvillées (attention, ça monte) ; puis Reina à droite et, immédiatement à gauche, Lazcano, qui débouche sur le *San Ángel Inn* (voir « Où manger ? » plus haut). Vous pouvez y entrer pour admirer les somptueux patios, les cloîtres et les splendides salons avec mobilier d'époque. C'est là que Pancho Villa et Zapata décidèrent d'unir leur action. Pour tout le parcours : 10-15 mn.

🏃 En face se trouve le *museo Estudio Diego Rivera :* ☎ 55-50-15-18. ● *estudio diegorivera.bellasartes.gob.mx* ● *Mar-dim 10h-18h. Entrée : 11 \$Me (0,70 €) ; réduc ; gratuit dim.* La maison cubique conçue par l'architecte O'Gorman n'a rien d'extraordinaire. Seul l'atelier possède un certain charme. On peut y voir ses pinceaux, des objets préhispaniques de la collection personnelle de Rivera, ainsi que quelques-unes de ses œuvres et de nombreux *judas,* des personnages de carnaval en papier mâché. Le peintre a vécu ici avec Frida Kahlo, installée dans la maison d'à côté, les deux bâtiments étant réunis par une passerelle. Expos temporaires.

À VOIR ENCORE PLUS AU SUD

🏃 ⊚ *Universidad de México (UNAM) :* prendre le metrobús (linea 1) *sur Insurgentes en direction du sud, jusqu'à la station Dr Gálvez ou la station CU pour le MUAC. En métro, descendre à la station Universidad, terminus de la ligne n° 3, et prendre un taxi qu'on partage avec d'autres étudiants jusqu'au campus principal (rectorat). Ensuite pour circuler à l'intérieur de la ville universitaire, emprunter le Pumabus (gratuit). Voir sur le panneau les différents parcours.*
Por mi raza hablará el espíritu (« L'esprit parlera par ma race »), telle est la devise de cette université prestigieuse. L'Université nationale autonome de Mexico (UNAM) est la plus grande du continent et un vrai symbole de l'accès à l'éducation pour tous. Construite entre 1949 et 1952, avec le concours de quelque 60 architectes, ingénieurs et artistes, elle a été classée au Patrimoine mondial par l'Unesco en 2007 pour son caractère « d'espace monumental, exemple du modernisme du XXe s, fusionné avec des éléments issus de la tradition mexicaine préhispanique ». Grand ouvert aux arts, le campus est un phénomène, une ville entière, en vérité. On y trouve une radio (Radio UNAM), 13 musées, 22 facultés, 39 instituts et centres de recherche, 143 bibliothèques, 29 300 professeurs et près de 270 000 étudiants ! Une ville dans la ville ! Enfin, vous pourrez également y manger pour quelques pesos et ainsi discuter avec des étudiants.

– *Bibliothèque :* c'est le bâtiment le plus connu, avec ses fresques de mosaïques exécutées par Juan O' Gorman. Elles représentent l'histoire du Mexique, synthétisée en trois périodes : préhispanique sur le mur nord, coloniale sur le mur sud et moderne sur le mur ouest. Le mur est, lui, nous montre la vision qu'avait l'artiste de l'avenir du Mexique.

– *Centro Cultural Universitario :* au sud du campus, l'université possède également un *centre culturel* impressionnant, avec un espace *escultórico* où l'on découvre des exemples de la sculpture mexicaine contemporaine, au milieu d'une nature sauvage. Et surtout, se trouve ici le *Museo Universitario Arte Contemporáneo* (voir ci-dessous). Ne manquez pas non plus *El Horizonte de las Estrellas* (« l'horizon des étoiles »), une œuvre monumentale autour de la lave volcanique qui recouvre cette zone. C'est lunaire.

🎬🎭 ***Museo Universitario Arte Contemporáneo (MUAC) :*** *Insurgentes Sur 3000.* ☎ 56-22-69-72. ● *muac.unam.mx* ● *Situé dans le Centro Cultural Universitario de la UNAM. Prendre le* metrobús *(linea 1) sur Insurgentes en direction du sud, jusqu'à la station CU. Puis, prendre le* Pumabus *(ruta 10, marron) jusqu'à la* zona cultural. *Ouv mer, ven, dim 10h-18h ; jeu et sam 12h-20h ; fermé lun et mar. Entrée : 40 \$Me (2,40 €) ; réduc 50 % mer et dim ; réduc étudiants.*
Inauguré en 2008, ce musée abrite la plus importante collection publique d'art moderne mexicain (de 1952 à aujourd'hui). Il est installé dans un superbe bâtiment dessiné par l'architecte Teodoro González de León. L'exposition permanente organisée en plusieurs sections, en commençant par celle des fondateurs de la cité universitaire et la présence des peintres muralistes (Siqueiros, Diego Rivera...). Ensuite, c'est la rupture, avec l'émergence de la peinture abstraite géométrique et l'expressionisme abstrait (Jose Luis Cuevas, Toledo...) puis les héritiers du surréalisme. La partie consacrée aux artistes d'avant-garde présente de nombreuses œuvres des années 1990 et celles des précurseurs du langage conceptuel. Une section est réservée à la photographie contemporaine et aux courants les plus récents des arts plastiques et performances dans les arts visuels, sonores et cinétiques. Un magnifique musée, à ne pas manquer ! Ne manquer pas non plus le très beau resto, *Nube Siete*, au design contemporain et un sol vitré qui permet de voir la roche volcanique qui recouvre toute cette zone.

🚶 ***Stade olympique de foot :*** de l'autre côté de l'avenue, c'est l'un des plus beaux au monde (en forme de volcan, comme s'il sortait de la terre) et possède en façade des fresques de Diego Rivera : l'aigle et le condor symbolisant l'Amérique latine. David Guetta y a donné plusieurs concerts.

🚶 ***Cuicuilco :*** *encore plus au sud de l'université, sur Insurgentes, au niveau du* periférico. ☎ *56-06-97-58.* ● *sic.conaculta.gob.mx* ● Metrobús *(ligne 1) : Villa Olímpica. Tlj 9h-17h. Entrée gratuite.*
Le site archéologique de Cuicuilco est l'un des plus anciens du Mexique, entre 1200 av. J.-C. et le début de notre ère. C'est alors que le volcan Xitle se réveilla, projetant à plusieurs reprises ses cendres sur la cité. En l'an 400, catastrophe, une énorme coulée de lave l'engloutit. La pyramide du centre cérémoniel (datant d'environ 800-600 av. J.-C.) a dû être dégagée à la dynamite ! Elle mesure 18 m de haut et 135 m de diamètre. Les observateurs avertis noteront qu'elle est circulaire. Rarissime ! De son sommet, on observe, médusé, les immeubles modernes et les panneaux publicitaires qui bordent le périph'. Lors de la construction du métro, on en a découvert une autre, beaucoup plus petite : on peut la voir dans les couloirs du métro Pino Suárez.
– Petit musée présentant des collections de céramiques et figurines provenant de différents sites de la même période.

QUITTER MEXICO

Vous pouvez réserver vos ***billets de bus et d'avion*** avec Boletotal. *Rens et résas :* ☎ *51-33-51-33, 51-33-24-24 ou 01-800-009-90-90 (n° gratuit). Ou réservez en ligne :* ● *boletotal.mx* ●
Côté autobus, *Boletotal-Ticketbus* travaille avec toutes les compagnies du pays sauf *Estrella de Oro* (vers Acapulco) et *TAP*. Côté avion, *Boletotal* couvre les principales compagnies aériennes : *Aeroméxico, Interjet, Volaris* et *Aeromar*.
On peut réserver par téléphone ou en ligne. Petite commission pour la résa. Choix des sièges et impression du billet possible. Paiement sécurisé par *Visa* ou *MasterCard*. Sinon, deux options : vous notez le numéro de billet et vous vous présentez au départ 1h avant pour le retirer ; ou bien, on vous indiquera le kiosque *Boletotal* le

MEXICO ET SES ENVIRONS

plus proche de votre hôtel (liste des points de vente sur le site web). Le billet n'est pas remboursable, mais transférable jusqu'à 30 mn avant le départ.

Dans le *centro histórico,* point de vente *Boletotal* sur Isabel la Católica 83, dans le garage à droite. *Lun-ven 9h-18h ; sam 10h-14h30.*

Pour de longs trajets (Yucatán par exemple), nous vous conseillons de vérifier les tarifs des vols. Il se peut que la différence de prix avec le bus soit minime, voire moins cher si vous tombez sur une promo.

EN BUS

Il y a **quatre terminaux de bus,** aux quatre points cardinaux, organisés selon les destinations, tous accessibles en métro. Très modernes, ils offrent de nombreux services : cafétérias, consignes, téléphones, distributeurs d'argent, accès Internet, bureau d'infos touristiques.

– Pour la durée du trajet et les horaires, reportez-vous surtout à la rubrique « Arriver – Quitter » de la ville où vous vous rendez.

– Pour connaître la liste des principales compagnies de bus et leurs coordonnées, lire la rubrique « Transports » du chapitre « Mexique utile » en début d'ouvrage.

– N'hésitez pas à vérifier les horaires sur le site web de chaque compagnie. La plupart des compagnies permettent aussi désormais de réserver en ligne avec paiement sécurisé. Changements généralement possibles au guichet du terminal (jusqu'à 3h avant le départ pour certaines compagnies, 30 mn pour d'autres, comme *ADO).* Vérifiez bien quand même...

– Faites-vous bien préciser les horaires. Si vous ratez le bus, votre billet perdra toute validité et vous devrez en acheter un autre.

– Il y a 2 classes (voire 3). Pour les grands trajets, préférez un bus 1re classe. Plus cher, mais vous aurez plus de chance de pouvoir dormir ! Certaines compagnies comme *ETN* ou *ADO GL (Gran Lujo)* proposent des cars super confortables, où les sièges se transforment en couchette.

– Attention, la durée annoncée des voyages doit souvent être augmentée.

– Si vous partez un samedi ou en période de vacances (semaine de Pâques, Noël, ponts), il est prudent de réserver vos billets à l'avance si votre destination n'a pas beaucoup de fréquence.

🚌 **Terminal Norte** *(plan couleur d'ensemble) :* ☎ 55-87-15-52 ou 53-68-81-71. ● *centraldelnorte.com* ● Ⓜ *Autobuses del Norte (ligne n° 5). Pour y aller avec un sac à dos aux heures de pointe, prendre le* microbús *qui indique « Terminal Norte » sur Insurgentes Norte.*

➤ **Pour Teotihuacán (pyramides) :** avec la compagnie *Autobuses Teotihuacán* (☎ 57-81-18-12). Porte 8. Départs ttes les 15 mn, 6h-15h ; dernier retour vers 19h.

➤ **Pour Tula :** avec *Valle del Mezquital* (☎ 55-67-96-91). Porte 8. Ttes les heures, 6h-21h.

➤ **Pour Poza Rica (El Tajín) :** avec *ADO,* ttes les 30 mn à 1h, 6h-1h. Trajet : 5h-6h.

➤ **Pour Querétaro :** liaisons ttes les 10-20 mn, 6h30-23h15 avec les luxueux bus *ETN,* guichet entre les portes 1 et 2. Tarifs variant selon les heures. Moins cher avec *Futura Plus, Transportes del Norte* et *Flecha Amarilla.*

➤ **Pour San Miguel de Allende :** avec *Herradura de Plata (HP),* porte 8, ttes les 40 mn, 5h-13h40, puis ttes les heures 14h30-18h30, à 20h et minuit. 1re ou 2e classe. Également avec *Autovías* à 23h et bus de luxe *Turistar* ou *ETN.*

➤ **Pour San Luis Potosí :** nombreux départs, par ordre de prix et de confort, avec *Transportes del Norte, Futura Plus* et *Chihuahenses, Estrella Blanca* et *Omnibus de México, Turistar* et la luxueuse *ETN.* Trajet : 5-6h.

➤ **Pour Zacatecas :** 14 départs/j. en 1re, 6h-minuit, avec *Chihuahenses* et *Futura,* la plupart via Querétaro et San Luis Potosí. Également avec *Omnibus de México,* 13 bus/j., la plupart le soir. Et encore *Transportes del Norte* et *Turistar.* On vous conseille de faire escale dans une des villes coloniales tellement le trajet est long !

➤ *Pour Guanajuato :* 10 départs/j. avec *Primera Plus,* 6h-minuit et autant avec *ETN,* 7h30-21h15. Également avec *Flecha Amarilla, Omnibus de México, Turistar.* Trajet : 5-6h en 1ʳᵉ ou 2ᵉ classe.

➤ *Pour Morelia :* avec *Autovías,* ttes les 2-3h, 6h20-minuit ; avec *Flecha Amarilla, Omnibus de México, Turistar.*

➤ *Pour Patzcuaro :* également avec *Autovías* (3 bus/j.), *Flecha Amarilla.* Trajet : env 5h30.

➤ *Pour Uruapán :* plusieurs liaisons directes/j. Trajet : env 7h.

➤ *Pour Lázaro Cardenas :* 2 bus directs et 2 avec arrêt à Morelia. Trajet : 8-9h.

➤ *Pour Guadalajara :* 18 bus/j. avec *Futura Plus,* également avec *Flecha Amarilla, Omnibus de México, ETN, Transportes del Norte* et *Turistar.* Trajet : 8-9h.

➤ *Pour Puerto Vallarta :* avec *Futura Plus,* 4 bus/j. le soir ; aussi *ETN,* 2 départs le soir. Ou prendre un bus pour Guadalajara et ensuite pour Puerto Vallarta.

➤ *Pour Los Mochis :* avec *TAP (Transportes y Autobúses del Pacifico)* ; également avec *TNS / Norte de Sonora.* Trajet très long, préférez l'avion !

➤ *Pour Chihuahua :* tarif similaire avec *Estrella Blanca* et *Omnibus de México.* Très très long et parcours assez monotone ! Bon courage !

➤ *Pour les États-Unis :* pour les amateurs de trajets au long cours, avec *Autobuses Americanos,* porte 6. Villes du nord du pays et tout le sud-ouest américain jusqu'à Dallas, Los Angeles et même Denver ! Bonjour les courbatures...

➤ *Pour Veracruz :* 7 bus avec *ADO,* 7h-0h15 dont un avec *ADO GL* à 23h30. Trajet : 5h30-6h30. Beaucoup plus de fréquences depuis le Terminal Oriente.

🚌 *Terminal Sur* (ou *Tasqueña* ; *hors plan couleur d'ensemble*) : ☎ 56-89-97-45. Ⓜ *Tasqueña* (ligne nº 2). En métro, prévoir env 40 mn de trajet depuis le centre. Départs pour Taxco et la côte pacifique principalement.

➤ *Pour Acapulco :* le choix est vaste. *Futura* propose le plus de fréquences, avec 1 bus/h, 24h/24. *Estrella de Oro* assure un départ ttes les heures à 1h30 en *servicio plus* et 6 bus/j. en *diamante* (plus cher). Autre option avec *Costa Line* ttes les 1h30 et avec *Estrella Blanca.* Trajet : 5h-6h30.

➤ *Pour Cuernavaca :* avec *Pullman de Morelos,* départ ttes les 10 à 20 mn, 5h30-22h. Prendre un bus pour le *Centro* (et non pas Casino de la Selva). Également avec *Estrella de Oro.* Trajet : 1h35-2h.

➤ *Pour Taxco :* bus ttes les heures avec *Estrella Blanca,* ttes les 2h env avec *Costa Line* ; et encore 5 ou 6 bus/j. avec *Estrella de Oro.* Tous au même prix. Trajet : 3h.

➤ *Pour Huatulco :* avec *OCC,* 2 bus/j. ; 15h de trajet. Également avec *ADO GL.* Il existe des vols directs. Comparez les prix !

➤ *Pour Pochutla / Puerto Ángel :* avec *OCC* ou *Futura Plus.* Prendre le bus de nuit car le voyage est long. Sachez qu'il y a beaucoup plus de fréquences depuis Acapulco ; donc prendre un bus pour Acapulco, passer l'après-midi sur la plage, puis prendre le bus de nuit pour Puerto Angel ou Puerto Escondido.

➤ *Pour Puerto Escondido :* 1 bus/j. vers 17h avec *OCC,* également avec *Futura Plus* et *Costa Line.* Même remarque que pour Pochutla.

🚌 *Terminal Oriente* (ou *Tapo* ; *plan couleur d'ensemble*) : ☎ 57-62-54-14. Ⓜ *San Lázaro* (lignes nº 1 et B). Principalement pour le sud du pays et la côte du golfe du Mexique. Pour les longs trajets vers le Yucatán, faites une escale au passage ou consultez carrément les tarifs aériens (voir plus bas).

➤ *Pour Puebla :* ttes les 10 à 30 mn avec ADO et ADO GL, 6h20-22h10 ; ttes les 30 mn avec *Estrella Roja.*

➤ *Pour Xalapa :* ttes les 30 mn à 1h30 avec *Uno,* 9 bus/j. avec *ADO,* 6h45-0h45 et autant avec *ADO GL.*

➤ *Pour Veracruz :* env ttes les 30 mn avec ADO, ADO GL ou *AU* (même groupe), 7h-24h. Trajet : 5h30 avec ADO ; 7h avec AU.

➤ *Pour Papantla* (*El Tajín*) *:* 1 bus direct avec *ADO* à minuit. Trajet : 6h30.

➤ *Pour Oaxaca :* 12 bus avec *ADO,* ttes les 1-2h, de 14h à minuit passé. Autres départs avec *OCC* (même prix) et *Sur/Volcanes.*

➤ *Pour Palenque :* un départ vers 18h avec *ADO.* Trajet : au moins 13h30.

➢ *Pour Tuxtla Gutiérrez et San Cristóbal de las Casas :* 2 départs avec *OCC* dans l'ap-m, un 3e avec *ADO GL* à 17h15. Trajet : 11h30 à 12h30 pour Tuxtla, 13h à 14h pour San Cristóbal.

➢ *Pour Campeche :* au moins un départ/j. avec *ADO* et *ADO GL.*

➢ *Pour Mérida et Cancún :* 2 départs le mat avec *ADO*, un autre à 11h avec *ADO GL*. Au moins 19h de trajet pour Mérida et jusqu'à 27h pour Cancún... Regardez les prix des vols ! Hors saison, la différence est minime.

➢ Également quelques départs pour *Huatulco* avec *OCC* et *Uno*, *Pochutla* et *Puerto Escondido.*

🚌 *Terminal Poniente* (plan couleur d'ensemble) : ☎ 52-71-00-38. Ⓜ *Observatorio (ligne n° 1). Traversez la passerelle, puis descendez les escaliers côté gauche. Liaisons vers certaines villes de l'ouest et du nord-ouest du pays.*

➢ *Pour Querétaro :* ttes les 1h15 à 2h avec *Primera Plus*, 7h45-20h30. Également 12 bus/j. avec *Pegasso/HP.* Évitez les bus *Flecha Roja*, qui exigent un changement à Toluca.

➢ *Pour Morelia :* ttes les 20 mn avec *Alegra/Zinacantepec*, 4h30-17h15, puis quelques-uns plus tardifs. Également avec *Plus Autovías*, bus plus rapides, ttes les 30 mn, 5h30-1h. Et encore avec *ETN*, ttes les 30-45 mn, 6h30-21h15. Trajet : 4h.

➢ *Pour Pátzcuaro :* 13 bus/j. avec *Plus Autovías*, la plupart via Morelia. Trajet : 5h-5h30.

➢ *Pour Uruapán :* voir « Arriver – Quitter » à cette ville. Nombreuses liaisons avec ou sans arrêt à Toluca. Trajet : 5h30-6h.

➢ *Pour Lazaro Cardenas :* plusieurs bus/j. Voir « Arriver – Quitter » à cette ville.

➢ *Pour Guadalajara :* 5 départs/j. avec *ETN*, 2 avec *Plus Autovías.*

EN AVION

Rens sur les vols à l'aéroport : ☎ 24-82-24-24.

Remue-ménage après les faillites de *Mexicana* et *Aviacsa*. Il reste en lice *Aeroméxico, Magnicharters, Interjet, Volaris, Vivaaerobus* et *Aeromar.* Pont aérien entre Mexico, Guadalajara et Monterrey. Pour le reste des villes mexicaines, les fréquences varient de 2 à 10 vols/j. (pour Cancún, par exemple).

– *Remarques :* la taxe d'aéroport est en général déjà comprise dans le prix de votre billet, mais si vous voyagez à travers plusieurs pays, en aller simple, vérifiez bien qu'elle est incluse. Si jamais elle ne l'est pas, vous devrez prévoir 25 US$, payable en dollars américains ou en pesos (liquide uniquement).

– *Retour à l'aéroport :* arrivez 2h avant pour les vols internationaux vers l'Europe (3h en période de tension internationale), particulièrement en été, à Noël, durant la fête des Morts et la Semaine sainte. Prévoyez un taxi *de sitio* ou un taxi de l'aéroport (voir coordonnées dans « Adresses utiles générales. Services ») plusieurs heures à l'avance, surtout le vendredi. Si vous n'avez pas de colis encombrants, prenez le métro et descendez à la station Terminal Aérea.

Compagnies aériennes

Vols nationaux

■ *Aeroméxico :* infos et résas : ☎ 51-33-40-00 ou 01-800-021-40-00. Ou résas en ligne : ● aeromexico.com ●
– Agence dans le centre historique : *Juárez 76, près de l'Alameda (plan couleur I, B1, 16).* ☎ 55-12-40-00. Lun-ven 9h-19h.
– Agence dans la Zona Rosa : *av. Reforma 445, face à la place de la fon-* taine de la Diane chasseresse (plan couleur II, E5, **16**). ☎ 90-32-44-75. Lun-sam 9h-19h (sam 18h).
– Également Reforma 80, *dans l'hôtel* Fiesta Americana. ☎ 55-35-44-00. Lun-ven 9h-19h ; sam 9h-17h.
– Agence à Polanco : *Horacio 326 (local 3).* ☎ 26-24-11-36. Lun-sam 10h-19h. Nombreux vols nationaux et internatio-

naux. Membre du réseau *Flying Blue*. Vers la France, vols partagés avec *Air France*.

■ **Interjet :** *infos et résas :* ☎ 11-02-55-55 ou 01-800-011-23-45. *Résas en ligne :* ● *interjet.com.mx* ● *Agence à Polanco (hors plan III par G6, 27) : Ejército Nacional 843B.* Ⓜ *Polanco. Lun-ven 9h-20h ; w-e 10h-18h.* Cette compagnie est basée à l'aéroport de Toluca (1h à l'ouest de Mexico) et pratique donc hors saison des tarifs bon marché ; elle dessert de plus en plus de villes depuis l'aéroport de Mexico.

■ **Aeromar :** *infos et résas :* ☎ 51-33-11-11, ou depuis la province : 01-800-237-66-27. ● *aeromar.com.mx* ● *Agence dans la Zona Rosa (plan couleur II, E5, 28) : paseo de la Reforma 505, dans la Torre Mayor (rdc).* ☎ 52-56-08-77 ou 52-56-08-78 et 08-70. *Lun-ven 9h-15h et 16h-18h ; sam 9h-14h.* Pour des vols vers des villes côtières comme Manzanillo, Veracruz, Huatulco, Acapulco, Puerto Escondido.

Vols internationaux

■ **Air France :** *Mazarik 513 ; à l'angle avec Platón, local 2 ; quartier Polanco (hors plan III par G6, 19). Agence ouv 9h-18h. Infos et résas par tél (lun-ven 8h-19h ; sam 9h-15h) :* ☎ 21-22-82-00 ou 01-800-123-46-60. *À l'aéroport :* ☎ 55-71-45-43. *Résas en ligne :* ● *air france.com.mx* ● Vols directs pour Paris ; en général, en partenariat avec *Aeroméxico*. Membre du réseau *Flying Blue*.

■ **Aeroméxico :** *infos et résas par tél :* ☎ 51-33-40-00 ou 01-800-021-40-00. *Ou résas en ligne :* ● *aeromexico.com* ● Pour les agences, voir ci-dessus la rubrique « Vols nationaux ».

■ **American Airlines** *(plan couleur II, F5, 18) : agence sur Reforma 300. Ouv lun-ven 9h-18h. Infos et résas par tél tlj 24h/24 :* ☎ 52-09-14-00 ou 01-800-904-6000. ● *aa.com* ● Nombreux vols internationaux, mais généralement avec escale à Miami (où il faut récupérer ses bagages et repasser la douane et les services de migration ; donc, prévoyez un temps suffisant de connexion).

■ **British Airways** *(plan couleur d'ensemble, 4) : Jaime Balmes 8, mezzanine local 6.* ☎ 01-866-835-41-33.

Mais aussi Colima, Zacatecas, San Luis Potosí, Poza Rica, Morelia, Jalapa.

■ **Volaris :** *infos et résas :* ☎ 01-800-122-80-00. ● *volaris.com.mx* ● Vols bon marché (hors saison) au départ de l'aéroport de Toluca vers une douzaine de destinations nationales, surtout le Nord : Los Cabos et La Paz en Basse-Californie, Puerto Vallarta, Chihuahua, Zacatecas ; mais aussi Guadalajara, Cancún et Mérida.

■ **Vivaaerobus :** *vente par tél (lun-ven 8h-21h ; sam 9h-18h ; dim 9h-17h) :* ☎ 47-77-50-50. *Ou résas en ligne :* ● *vi vaaerobus.com* ● Dessert Veracruz, Huatulco, Tuxtla Gutiérrez, Monterrey, Guadalajara, Tijuana et Las Vegas, parfois Cancún.

■ **Magnicharters :** *infos et résas (lun-ven 9h-19h ; sam 9h-14h) :* ☎ 51-41-13-51 ou depuis la province : ☎ 01-800-201-14-04. *Résas en ligne :* ● *ma gnicharters.com.mx* ● Spécialiste des séjours bon marché sur les destinations balnéaires (souvent vol + hôtel).

● *britishairways.com* ● *Accueil à l'agence et par tél : lun-jeu 8h-17h ; ven 8h-14h.*

■ **Delta Airlines** *(hors plan III par G6, 19) : Masaryk 513-2 ; Polanco.* ☎ 52-79-09-09 ou 01-800-123-47-10. ● *del ta.com* ● *Lun-ven 9h-18h ; sam 9h-17h.* Appartient au réseau *SkyTeam*.

■ **Iberia** *(hors plan III par G6, 30) : Ejército Nacional 436, 9ᵉ étage ; Polanco (lun-ven 9h-17h30). Infos et résas par tél :* ☎ 11-01-15-15. *Résas en ligne :* ● *iberia.com.mx* ● *À l'aéroport :* ☎ 25-99-02-26.

■ **Lufthansa** *(plan couleur d'ensemble, 5) : paseo de las Palmas 239, col. Lomas de Chapultepec, à côté de l'ambassade de Suisse. Lun-ven 8h30-17h. Infos et résas par tél (lun-ven 8h-18h) :* ☎ 47-38-65-61. *Ou résas en ligne :* ● *lufthansa.com* ●

■ **United Airlines** *(plan couleur II, E5, 20) : dans la Zona Rosa, Hamburgo 213 (9ᵉ étage), près de l'hôtel Galeria Plaza. Lun-ven 9h-18h. Infos et résas par tél (tlj 7h-23h) :* ☎ 56-27-02-22 ou *nᵒ gratuit* 01-800-003-07-77. *Résas en ligne :* ● *uni ted.com.mx* ●

■ **Continental Airlines** *(plan III, G6, 31) :*

Andrés Bello 45, à Polanco. Ⓜ *Auditorio.*
Lun-ven 9h-18h ; sam 9h30-17h. Infos
et résas par tél (lun-ven 8h-23h, w-e | *8h-18h) :* ☎ *52-83-55-00 ou depuis la*
province ☎ *01-800-900-50-00. Résas*
en ligne : ● continental.com ●

En cas de perte de la carte de tourisme

C'est le document **FMT** rempli dans l'avion et que vous avez malencontreusement
jeté après avoir passé la douane. Pas de panique ! Allez tout droit à la police faire
une déclaration de perte ou de vol. Ensuite, muni de votre précieux récépissé et de
votre passeport, rendez-vous aux *servicios de Migración*, soit à l'aéroport, soit à
l'Instituto nacional de Migración (la *Gobernación* pour les usagers ; voir « Adresses
utiles générales » au début de Mexico). L'ambassade de France ne pourra vous
aider que si vous avez aussi perdu votre passeport. Pour ceux qui auraient la mal-
chance de perdre leurs papiers un samedi soir alors que leur avion part le lendemain (le dimanche), tout n'est pas perdu. Le bureau de l'*INM* de l'aéroport
observe des horaires étendus *(lun-ven 7h-22h ; sam-dim et j. fériés 8h-20h).* On le
trouve porte 10. Apportez impérativement votre passeport, la déclaration de perte
ou de vol et au moins 300 $Me en liquide (18 €). Lire aussi dans « Mexique utile » la
rubrique « Formalités d'entrée. Astuces en cas de perte ou de vol ».

LES ENVIRONS DE MEXICO

VERS LE NORD
ET LES VILLES COLONIALES

SITIO ARQUEOLÓGICO DE LAS PIRÁMIDES DE TEOTIHUACÁN

IND. TÉL. : 594

◈ À 50 km au nord-est de Mexico, en direction de Pachuca puis de Poza
Rica. Site inscrit au Patrimoine mondial de l'Unesco en 1987.
Teotihuacán est à l'échelle des divinités qu'elle évoque : le Soleil et la Lune.
Gigantesque. Seuls des dieux ou des géants, pensaient les Aztèques, avaient
été capables d'ériger ces colossales constructions. Dans leur langue, le
nahuatl, le nom de la ville signifie « le lieu où sont nés les dieux » – ou encore,
selon certains, « le lieu où l'on devient dieu ». De fait, Teotihuacán a de quoi en
imposer. Elle fut l'une des villes les plus importantes du monde méso-américain, le grand centre idéologique, économique et religieux de cette partie du
continent entre l'an 150 et 450.
Certains astronomes affirment que sa structure fait écho à une projection terrestre de la constellation d'Orion. À noter également, la racine *teo* qui, comme
en langue grecque, signifie « dieu ». Ce sont les mystères du Mexique... Tout
un programme !

UN PEU D'HISTOIRE

Le destin de Teotihuacán semble intimement lié aux caprices de la nature – et,
surtout, aux colères du volcan Xitle, qui, au Ier s avant notre ère, menace Cuicuilco,
alors principale cité de la vallée centrale. La majeure partie de la population se
déplace vers Teotihuacán, dont le centre cérémoniel est alors en plein essor. La

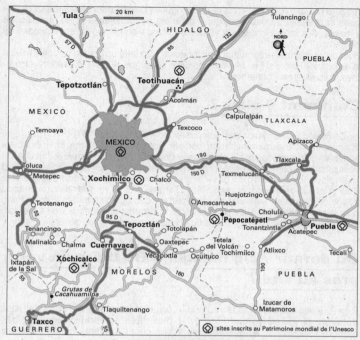

LES ENVIRONS DE MEXICO

cité, construite selon un axe nord-sud autour de la chaussée des Morts (Miccaotli), voit d'abord se dresser la pyramide du Soleil, puis celle de la Lune. Un axe transversal marque une nouvelle phase de développement autour de la citadelle et de la pyramide du Serpent à plumes. Vers l'an 250, Teotihuacán couvre plus de 20 km² et compte probablement quelque 50 000 habitants.

La ville poursuit son développement pour atteindre son apogée entre les Ve et VIe s. À cette époque, elle semble avoir dépassé en taille la Rome antique (150 000 à 200 000 habitants) et entretient de nombreux échanges commerciaux et culturels avec d'autres cités et peuples comme Monte Albán, El Tajín, Cholula, ou encore avec les Mayas. Des quartiers entiers sont occupés par des commerçants et des artisans venus de ces régions.

Alors pourquoi Teotihuacán et sa civilisation fondatrice disparaissent-elles subitement entre les VIIe et VIIIe s ? Plusieurs hypothèses ont été avancées : baisse brutale des ressources et crise économique, invasion de barbares chichimèques venus du Nord ou révolution sociale contre le pouvoir en place. Cette dernière hypothèse semble recueillir la faveur de la plupart des archéologues depuis qu'ils ont découvert que seuls les principaux monuments, symbole du pouvoir, ont été brûlés.

Quoi qu'il en soit, la civilisation de Teotihuacán s'éteint ; la ville est abandonnée. Peu à peu, les édifices s'écroulent et une épaisse couche de terre les recouvre, à tel point que Cortés et ses troupes passent à proximité sans en soupçonner l'existence. Teotihuacán conserve néanmoins une importance rituelle pour les civilisations suivantes. Les Aztèques s'y rendent régulièrement en pèlerinage.

Les premières fouilles sont conduites en 1864, mais, dès le siècle précédent, Alexandre von Humboldt y est passé lors de son exploration des Amériques.

Aujourd'hui, la tradition a repris quelque vigueur. Le site attire de nombreux mystiques et adeptes du new age, qui y déferlent en séminaires et en retraites. Le 21 mars, des foules immenses vêtues de blanc viennent célébrer l'équinoxe de printemps.

Pour de plus amples informations historiques, allez jeter un coup d'œil, plus haut, à la rubrique « Histoire. Les civilisations dites classiques » dans le chapitre « Hommes, culture et environnement ».

Comment y aller ?

➤ **De Mexico :** prendre un bus *Autobuses Teotihuacán* (☎ 57-81-18-12) pour San Juan Teotihuacán au terminal Norte (porte 8). Bus env ttes les 15 mn, 6h-15h. Attention, bien se faire préciser s'il passe par « Pirámides », sinon, arrivé à San Juan, il vous faudra prendre un *combi* pour rejoindre le site (2 km). Tarif : env 35 $Me (1,90 €) aller-retour. Trajet : env 1h. Le bus s'arrête aux portes 1 (près du rond-point), 2 et 3. Pour le retour, dernier départ vers 19h de l'entrée n° 2. Si vous le ratez, revenez au village de San Juan Teotihuacán, d'où partent des bus plus tardifs (*Flecha Roja,* pour le terminal Norte). Autre possibilité : le bus touristique *Turibus* (voir à Mexico, la rubrique « Culture, sorties, tourisme » dans « Adresses utiles générales »).

Où dormir ? Où manger ? Où boire un verre près du site ?

🛏 |●| 🍸 **Villas arqueológicas :** *au sud du site.* ☎ *(55) 58-36-90-20 ou 01-800-00-84-55-27.* ● *villasarqueologicas.com.mx* ● *Doubles env 920 $Me dim-mer ; 1 050 $Me jeu-sam ; familiale 1 800 $Me ; taxes non comprises ; gratuit pour les moins de 12 ans dormant dans la chambre de leurs parents ; petit déj env 140 $Me.* Pour nos lecteurs aisés qui rêvent de contempler le site à l'aube et de l'avoir jalousement pour eux seuls (enfin presque). Cet hôtel-oasis, construit dans le style hacienda, offre des chambres pas très grandes mais très agréables, avec un lit double et un lit simple. Elles entourent toutes une piscine joliment fleurie, sur 2 étages. Les familiales sont en fait des suites de 2 chambres avec salle de bains commune. Cuisine mexicaine et internationale correcte, sans plus. Très nombreux services : bar, jeux pour les enfants, courts de tennis, etc.

|●| Nombreuses petites **comidas** bon marché en retrait de la route circulaire, quelques-unes au nord, près du village de San Martín (entre les portes 3 et 4), les autres regroupées au sud-est du site, entre les entrées n°ˢ 1 et 5.

|●| Au niveau de l'entrée n° 1, l'ancien musée a été transformé en **resto** : au 2ᵉ étage. Belle vue sur le site. Buffet obligatoire cher.

|●| **La Gruta :** *en retrait de l'entrée n° 5 (côté est). Tlj de 11h à la fermeture du site.* Resto installé dans une immense grotte. Fraîcheur garantie l'été. Ambiance très touristique. Assez cher, mais cadre original.

Achats

⊛ **Itz-Yollotzin (Corazón de Obsidiana) :** *au nord du site, contre la route circulaire, au niveau de la pyramide de la Lune.* ☎ *958-24-38.* Centre artisanal proposant un grand choix d'objets, masques et bijoux en obsidienne notamment, cette pierre noire coupante aux reflets étonnants. Meilleure qualité que dans les nombreuses échoppes agglutinées aux entrées, mais plus cher aussi.

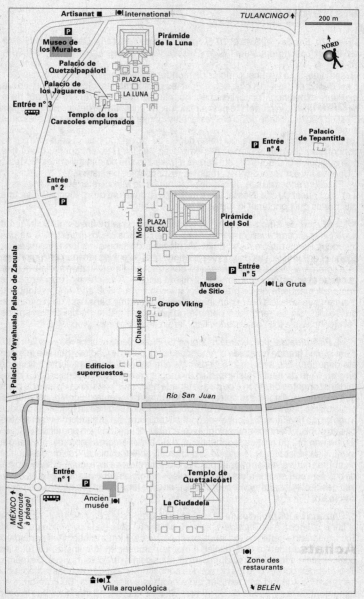

LAS PIRÁMIDES DE TEOTIHUACÁN

Visite du site

Tlj 9h-17h. Entrée : 51 $Me (3,10 €) ; gratuit moins de 13 ans. Caméscope 41 $Me (2,50 €) et parking encore 41 $Me (2,40 €). Visite guidée lun-ven : ☎ *(594) 958-20-81.*

En semaine, il y a beaucoup moins de monde. Y aller le matin le plus tôt possible : c'est désert et deux fois plus beau. Pour les photographes, c'est le moment de la meilleure exposition, particulièrement pour la vue grandiose du site du haut de la pyramide de la Lune. La visite peut s'effectuer en une journée depuis Mexico, mais c'est un peu dommage de ne pas rester plus longtemps pour explorer tous les sites annexes.

Un projet de son et lumière, qui traîne depuis au moins 2008, finira peut-être par se concrétiser, quoique la plupart des employés de l'INAH soient contre. Il faut dire que quelque 8 000 trous ont été percés à travers le site pour installer des diodes... L'Unesco s'y est aussi opposé, mais les responsables persistent.

➢ Plusieurs accès au site : le bus en provenance de Mexico s'arrête aux entrées 1, 2 et 3, à l'ouest du site. Nos lecteurs motorisés trouveront des parkings à chacune des portes qui ponctuent la route qui entoure le site.

🚶🚶🚶 **Museo de Sitio :** *entrée n° 5, en contrebas de la pyramide du Soleil (côté sud). On y accède aussi facilement depuis la Calzada de los Muertos.* À ne pas manquer. Remarquable, avec de belles pièces archéologiques fort bien mises en scène et en lumière. Les principales sections présentent les ressources régionales et le commerce, les grandes phases de construction, l'organisation sociale et économique avec les principaux métiers, puis la religion. À mi-chemin, on survole une immense maquette de ce que fut Teotihuacán il y a 1 500 ans. Impressionnant, d'autant que la salle s'ouvre par une immense baie vitrée dans l'axe de la pyramide du Soleil... On se rend bien compte qu'une toute petite partie seulement de l'ancienne ville a fait l'objet de fouilles. Jardin de sculptures sympa.

🚶🚶🚶 **Pirámide del Sol :** *entrée n° 2 ou n° 5.* Probablement achevée vers l'an 200, c'est la plus grande pyramide d'Amérique après celle de Cholula (qui, elle, n'a pas été dégagée). Elle mesure 215 m de côté à la base et devait atteindre à l'origine environ 63 m de haut ! Respirez bien avant d'entreprendre l'ascension... La pyramide est orientée de façon à ce que sa façade principale soit située en face du point de l'horizon où disparaît le soleil. Tous les autres bâtiments du centre cérémoniel ont la même orientation. En 1971, on a découvert sous l'édifice un tunnel qui conduit à une grotte mystérieuse dont on ne connaît toujours pas l'utilisation véritable (interdite au public). Certains archéologues lui attribuent une fonction primordiale : ils en font le nombril du monde teotihuacano, d'où aurait émergé l'homme. Plus largement, il semblerait que le site de Teotihuacán ait été choisi en raison des quatre chambres naturelles formées ici par d'anciens tunnels de lave (celle-ci s'y écoulant de manière souterraine alors que les coulées refroidissaient en surface). Les ancêtres des Teotihuacanos y virent probablement une représentation des quatre points cardinaux.

🚶 **Calzada de los Muertos** *(la chaussée aux Morts) :* elle s'étend de la pyramide de la Lune, au nord, à la *Ciudadela,* au sud, passant à côté de la pyramide du Soleil. Tout au long de cette majestueuse perspective de 2 km s'alignent les principaux monuments du centre cérémoniel. Il faut la parcourir en imaginant que tous les édifices étaient ornés de sculptures et de stucs peints de couleurs vives. De même, il ne faut pas oublier que les pyramides sont simplement des soubassements qui servaient de support aux temples alors dressés aux sommets. Du côté droit, en remontant de la pyramide du Soleil vers celle de la Lune, ne manquez pas la belle fresque de puma.

🚶🚶🚶 **Pirámide de la Luna :** *entrée n° 3.* Marquant l'extrémité nord de la *calzada de los Muertos,* elle se dessine dans l'ombre du Cerro Gordo (la « grosse colline »), sorte de pyramide naturelle dressée en toile de fond, où les premiers Teotihuacanos vénéraient une déesse de la Fertilité. Quel alignement ! Bien que plus petite que celle du Soleil, la pyramide de la Lune se retrouve au même niveau grâce à une dénivellation d'une trentaine de mètres de la chaussée. Elle aurait été achevée vers l'an 250. Ne manquez pas de grimper jusqu'au premier palier pour une vue imprenable sur l'axe cérémoniel. Sur la *plaza de la Luna,* en contrebas, se dressent d'anciens autels, où tous les prêtres officiaient en même temps. Des tombes contenant de nombreuses offrandes d'obsidienne, de jade, de coquillages et d'animaux sacrifiés (dont plusieurs perroquets et deux jaguars) ont été récemment découvertes sous la pyramide.

🏛🏛 *Palacio de Quetzalpapálotl* (palais de l'Oiseau-Papillon) : *entrée n° 3, sur la pl. de la Luna* (côté ouest). L'édifice a été en partie reconstruit, avec des matériaux et selon des techniques d'origine, mais les recherches récentes tendent à tracer un plan autrement plus complexe que ce qui avait d'abord été imaginé. On a longtemps cru que les grands prêtres y résidaient, mais rien n'est moins sûr... Le patio intérieur est remarquable. Les colonnes sont recouvertes de bas-reliefs, certains représentant le fameux quetzal, cet oiseau aux longues plumes caudales vertes, qu'on peut encore voir, avec beaucoup de chance, dans les forêts du Guatemala et du Costa Rica. Belle peinture murale dans l'une des salles.

🏛 *Palacio de los Jaguares :* à côté du palacio de Quetzalpapálotl. Fresques bien conservées, qui représentent des jaguars à plumes soufflant dans des coquillages.

🏛 *Templo de los Caracoles emplumados* (temple des Escargots à plumes) : *on y accède par un tunnel dans la cour du palais des Jaguars.* Le palais de Quetzalpapálotl a été édifié par-dessus. C'est l'une des plus anciennes constructions de Teotihuacán (IIᵉ ou IIIᵉ s). Une partie seulement de la façade richement décorée est encore visible.

🏛🏛🏛 *Ciudadela* (Citadelle) *et templo de Quetzalcóatl :* face à l'entrée n° 1. Ce sont les Espagnols qui donnèrent son nom à la *Ciudadela,* confondant les plates-formes qui l'encerclent avec les remparts d'une forteresse... Il s'agissait en fait d'un ensemble formé par des bâtiments administratifs, un forum et le temple de Quetzalcóatl. Sa façade, spectaculaire, est greffée de dizaines de têtes de serpent à plumes et de masques de Tlaloc, le dieu de la Pluie (quoique cette attribution soit encore discutée). Belle lumière en fin d'après-midi. Les archéologues ont mis au jour, sous et autour du temple, des fosses communes contenant les squelettes de quelque 139 personnes, visiblement sacrifiées lors de la consécration du sanctuaire. La plupart étaient des hommes, sans doute des prisonniers de guerre. Une hypothèse avance que le temple aurait été construit pour commémorer la création du temps et du calendrier.

🏛🏛 *Tepantitla :* hors de la zone archéologique, au nord de la porte 5 (face à un des parkings). Ceux qui sont en voiture peuvent se garer devant. Des nombreux quartiers d'habitation de Teotihuacán, Tepantitla conserve les plus belles fresques – en particulier celle du *Paradis de Tlaloc,* dont on peut voir une copie au musée d'Archéologie de Mexico.

🏛 *Tetitla et Atetelco :* au sud-ouest, hors de la zone archéologique, chemin d'accès entre les portes 1 et 2. Accès à pied ou en voiture. Ces deux quartiers voisins abritent d'autres vestiges de fresques, plutôt moins bien conservés. Des travaux de restauration sont néanmoins en cours.

🏛🏛 *Museo de los Murales Teotihuacanos Beatriz de la Fuente* (musée des Fresques) : *hors de la zone archéologique, face à la porte 3 (parking).* Ce musée moderne, portant le nom d'une éminente archéologue, est trop souvent oublié par les visiteurs. Il expose pourtant une fort belle collection de peintures murales, mises au jour dans les différents quartiers d'habitation de la ville au gré des fouilles. Les scènes mythologiques et les divinités occupent une place prépondérante.

TEPOTZOTLÁN

IND. TÉL. : 55

À une quarantaine de kilomètres de Mexico en direction de Querétaro. Si vous souhaitez grouper cette visite (environ 2h) avec celle de Tula, on vous conseille de partir de Mexico pour Tula vers 8h, de rentrer par Tepotzotlán pour le déjeuner, avant de regagner Mexico en fin d'après-midi.

Outre son cachet colonial certain, c'est surtout pour son église et son imposant monastère avec ses splendeurs churrigueresques que Tepotzotlán mérite la balade. Il abrite l'immense musée de la Vice-Royauté, l'un des plus beaux musées d'Art colonial du pays, voire d'Amérique latine. Aussi riche que le musée du couvent de Santo Domingo à Oaxaca ou que le couvent San Francisco de Lima en Bolivie, pour ceux qui connaissent.

Comment y aller ?

➤ **De Mexico :** prenez un bus au terminal Norte pour Querétaro (*Omnibus de México, Transportes del Norte, AVM...*) en vous faisant bien préciser qu'il s'arrête à Tepotzotlán. Départs très fréquents. Trajet : env 1h. L'arrêt de bus est situé sur le bord de l'autoroute, juste après la sortie Tepotzotlán, soit à un bon kilomètre du centre-ville et du couvent. Les plus courageux iront à pied, les autres prendront un taxi (sur l'autoroute à l'avant de l'arrêt de bus).

Où manger ?

|●| **Le marché :** *sur le zócalo, en face de l'église.* Plusieurs stands. *Tacos de barbacoa, quesadillas, pozole...* Typiquement mexicain, dans une bonne ambiance populaire.

|●| **Hostería del Convento de Tepotzotlán :** *à côté de l'entrée du monastère.* ☎ 58-76-02-43 ou 16-46. Tlj sf lun 10h-18h. *De prix moyens à chic.* Très beau cadre : on domine un ravissant patio le long des contreforts de l'église. Cuisine préparée à partir de recettes anciennes. Café à l'ancienne (*café de Olla*). Si vous êtes là à Noël, ne manquez pas les fameuses *pastorales* qui ont lieu tous les soirs du 16 au 23 décembre. Ce sont des représentations traditionnelles de la Nativité. Le spectacle est suivi d'une procession avec feu d'artifice et dîner. Cher, mais c'est superbe.

À voir

🎎 **Museo nacional del Virreinato :** ☎ 58-76-02-45. Tlj sf lun 9h-18h. Entrée : 45 $Me (2,70 €). Prévoir env 2h de visite.

Les amateurs de baroque et d'art colonial trouveront la visite passionnante. Installé dans un ancien couvent jésuite, le musée est articulé autour de trois patios aux orangers centenaires. Outre les différentes salles, on visite aussi l'époustouflante église San Francisco Javier et la ravissante *capilla doméstica*.

– **Premier patio :** sur les murs du corridor sont apposés 20 tableaux du grand peintre mexicain Villalpando (1649-1714). Ils retracent la vie de saint Ignace de Loyola, son parcours initiatique, la création de la Compagnie de Jésus. Dans la première salle, beau brasier (*brasero*) polychrome de 1 m de haut. Voir aussi le superbe paravent à huit pans qui représente la *Conquista de México* peinte sur bois avec des incrustations de coquillages (à observer de près).

– **L'intérieur de l'église de Saint-François-Xavier :** construite à partir de 1670, mais la façade et les retables datent du milieu du XVIIIᵉ s. Pléthore d'anges, de feuilles dorées et de symboles cachés... C'est sans conteste l'une des plus belles réalisations de l'art churrigueresque du Mexique. Les murs, entièrement recouverts de 11 retables dorés, colorés et ultra-chargés, forment une vaste galerie d'une exubérance folle. Somptueux et impressionnant ! Près du porche principal (fermé), sur le côté gauche de la nef en regardant le chœur, ne manquez pas la superbe chapelle dédiée à la Vierge de Loreto *(Camarín de la Virgen)* finement ouvragée ; le sol en azulejos qui la précède, protégé par des dalles en verre, est d'origine. À l'arrière de cette chapelle, une autre chapelle, octogonale celle-ci, est coiffée d'une coupole entièrement couverte de fresques. Une bonne idée : un miroir grossissant permet d'en observer les détails !

– *Deuxième patio :* maquettes, art religieux et objets de la vie quotidienne sous la domination espagnole. Dans une vitrine, des silices en fer forgé du XVIIIe siècle.

– *Claustro de naranjos (cloître des orangers) :* on descend pour y accéder. Charmant avec sa fontaine centrale bordée d'orangers. C'était la « cour de récréation » des novices du couvent. De là, on accède à la cuisine *(cocina),* au garde-manger et à l'immense réfectoire. De l'autre côté, une belle porte ouvre sur l'ancien jardin potager *(huerta),* un jardin enchanteur de 3 ha où les jésuites cultivaient légumes, plantes médicinales et arbres fruitiers.

– *Troisième patio :* étonnante salle de christs en ivoire originaires d'Asie. Également de nombreuses pièces en provenance d'Extrême-Orient, quand le Mexique était le point de départ de l'évangélisation du Japon et des Philippines. Splendide bibliothèque avec nombre d'incunables.

– *Capilla doméstica :* un chef-d'œuvre baroque truffé de petites niches abritant des statuettes, de miroirs et d'angelots baladant de lourdes guirlandes dorées.

– *Dernier étage :* on y visite les salles des *Gremios* (l'équivalent des compagnons). Très belles pièces d'ébénisterie. Dans une vitrine, intéressante couverture qui doit être un bel exemple de l'art de la plume (dans lequel les Aztèques excellaient). Salle des nonnes couronnées *(monjas coronadas)* où sont exposées de magnifiques peintures de religieuses coiffées de couronnes de fleurs. Étonnant ! Enfin, n'oubliez pas d'aller admirer la vue depuis la terrasse *(mirador).*

TULA

IND. TÉL. : 773

À une centaine de kilomètres au nord de Mexico, à environ 20 km à l'est de la route de Querétaro. Excursion à faire dans la journée et qu'on peut grouper avec la visite de Tepotzotlán (voir ci-dessus).

Les ruines de Tula sont étagées dans un paysage somptueux, qui rappelle un peu celui de nos sites antiques gréco-romains. Seulement, ici, les agaves et cactus de toutes sortes remplacent chênes verts et oliviers.

➤ *Pour y aller :* le plus rapide est de prendre le bus de la compagnie *AVM (Autotransportes Valle del Mezquital)* pour Pachuca au terminal Norte. Départ ttes les 30 mn, 5h30-20h. Env 60 $Me (3,60 €). Trajet : env 1h30. Arrivé à Tula, prendre un *combi* qui s'arrête juste à la porte du site, devant le petit musée (8 $Me, soit 0,50 €).
– Tlj 9h-17h. Entrée : 41 $Me (2,50 €). Compter à peu près 2h de visite.

La visite

Tout le monde est désormais à peu près d'accord pour admettre que Tula fut la capitale des Toltèques. La cité a sans doute été fondée au début du Xe s, peu de temps après la destruction de Teotihuacán, dont elle est la digne héritière. Mais c'est aussi la ville sur laquelle régna le légendaire Quetzalcóatl de 977 à 999. Quetzalcóatl, dieu et humain tout à la fois, déclara le caractère sacré de la guerre et abolit les sacrifices humains. C'était sans compter sur la présence du Mal, représenté par son frère Tezcatlipoca qui lui fit boire du *pulque* pour l'enivrer et l'entraîner dans la débauche. Plein de remords et de honte, Quetzalcóatl abandonna son royaume et prit le chemin de l'exil vers le pays de l'Aurore (l'Est), tout en prophétisant son retour. Voir aussi la rubrique « Histoire » dans « Hommes, culture et environnement », et notamment le paragraphe « Le panthéon des dieux ».

Il ne reste de cette cité que les fameux *atlantes*, le *mur des Serpents* sculpté, des jeux de pelote *(juegos de pelota),* ainsi que les fondations d'un palais à portique. Des quatre colosses guerriers de pierre, hauts de 4,5 m (plus de 8 t chacun), seuls les deux du centre sont d'origine, mais les couleurs vives qui les recouvraient ont disparu. Installés sur le temple pyramidal qui répond au doux nom de *Tlahuizcalpantecuhtli,* ils dominent le site. Petit musée avec de bonnes explications.

VERS LE SUD
ET LA CÔTE PACIFIQUE SUD

XOCHIMILCO

◉ Le site a été inscrit au Patrimoine mondial de l'Unesco en 1987. Depuis l'époque aztèque, vit à Xochimilco toute une population de maraîchers qui alimentent la capitale en légumes et en fleurs. C'est au printemps (avril-mai) que les champs de fleurs sont les plus beaux. À ce moment-là, l'endroit mérite plus que jamais son nom qui signifie « le jardin des fleurs » en nahuatl. *Xochili* est d'ailleurs le dieu de l'Amour chez les Aztèques. La campagne, avec ses îlots enserrés dans le réseau géométrique des canaux, les lignes croisées des peupliers et des saules, semble presque irréelle, ainsi que ces barques fleuries *(lanchas)* qui tournent et retournent comme dans un manège autour de l'îlot central, face au débarcadère. Ce type de culture sur sol plus ou moins mouvant, composé de débris de végétaux et de glaise, s'appelle *chinampa* (maquette explicative au musée du Templo Mayor).

Comment y aller ?

➤ Prendre la ligne n° 2 du métro jusqu'à la station Tasqueña (au sud de la ville), puis la correspondance *tren ligero* (métro aérien ; même tarif) ou le bus, jusqu'au terminal Embarcadero.

Visite du site

🛈 *Office de tourisme :* à l'embarcadère Nativitas. Tlj 9h-19h. Plans de la ville.
– Les tarifs des différentes prestations sont affichés un peu partout. *Compter env 140-160 \$Me (8,40-9,60 €).*
➤ *Pour la visite,* deux solutions : soit prendre un bateau collectif *(lancha colectiva)* à petit prix mais avec une attente de près de 20 mn et seulement le week-end ; soit louer un bateau privé en entier, solution surtout valable à plusieurs. Compter 200 \$Me/h quelque soit le nombre de personnes.
Les citadins viennent à Xochimilco en famille, pour un déjeuner sur l'eau. Souvent, ils s'offrent les prestations de mariachis dont le bateau vient s'accoster au leur. Ambiance festive garantie, surtout si la tequila fait partie du voyage. Tout autour, nombreuses *lanchas* de vendeurs de fleurs, nourriture, cadeaux et aussi quelques photographes.
La promenade au fil de l'eau, au milieu de dizaines de *lanchas* colorées, dure autour de 1h. À terre, nombreuses échoppes de souvenirs et pléthore de stands de bouffe.
Ne partez pas de ce village sans avoir parcouru le *marché* (consacré aux fleurs et aux poteries) qui s'étend le samedi le long de la calle del 16 de Septiembre.

À voir

🐾 *Parque ecológico de Xochimilco :* au nord du site du même nom, près du périphérique. Pour y aller depuis le site, prendre un pesero indiquant « Villa Capa », jusqu'au rond-point Vaqueritos (demander l'arrêt au chauffeur), puis marcher jusqu'au croisement avec le périphérique et, à droite, prendre un pesero pour Cuemanco jusqu'à l'entrée du parc (demander l'arrêt). Entrée : env 30 $Me (1,80 €). Agréable parc où l'on peut se balader le long de sentiers au milieu des lagunes et d'où l'on bénéficie d'une jolie vue sur la capitale et les montagnes alentour.

CUERNAVACA

350 000 hab.   IND. TÉL. : 777

Situé à 1h20 en bus au sud de Mexico, à 1 550 m d'altitude. On l'appelle la ville au « printemps éternel ». Son climat exceptionnel en a d'ailleurs fait, depuis l'époque préhispanique, le lieu de villégiature des habitants de la capitale. Déjà Moctezuma y avait son palais. Cortés y a fait construire le sien. Aujourd'hui, les classes aisées – politiciens, industriels et... narcotrafiquants – viennent y passer le week-end, protégés des regards indiscrets par les hauts murs de leur résidence secondaire. Certes, le centre-ville est animé et agréable, mais les choses ont quand même bien changé depuis l'avant-guerre, alors que Cuernavaca (*Cuauhnahuac* en aztèque) servait de cadre au livre culte de Malcolm Lowry, *Au-dessous du volcan*. On ne vient plus guère ici pour s'enivrer sur les traces du consul, mais plutôt pour se reposer à l'ombre des bougainvillées avant d'aller visiter le site archéologique de Xochicalco, les haciendas de la région et les villages traditionnels des montagnes splendides et mystérieuses du Tepozteco.
Un bon truc pour ceux qui terminent leur voyage et vont prendre l'avion : on peut éviter une nuit à Mexico en prenant depuis Cuernavaca un bus direct pour l'aéroport.

¡ VIVA ZAPATA !

Pendant la révolution, un petit fermier métis, Emiliano Zapata (né à Anenecuilco le 8 août 1879), parvint à lancer une puissante révolte paysanne, à partir de l'État de Morelos. Zapata avait déjà contribué à la chute de Porfirio Díaz, quand il reprit les armes contre ses successeurs qui n'appliquaient pas la grande réforme agraire promise. Occupant d'immenses territoires dans la montagne, menaçant Cuernavaca, il fut le maître de la sierra jusqu'en 1919, lorsque, attiré dans un guet-apens à l'hacienda de San Juan Chinameca, près de Cuautla, il fut assassiné (le 10 avril 1919). Son souvenir, perpétué par de nombreuses chansons populaires *(corridos)*, est resté encore très vivace dans la mémoire des *peones* du Morelos et des paysans mexicains en général. Les passionnés de la révolution mexicaine pourront aller à Tlaltizapán (une expédition !). À l'intérieur du musée (gratuit), ils verront armes et sombreros, ainsi que les culottes de Zapata. Quant à sa maison natale, à Anenecuito, elle est conseillée aux seuls inconditionnels.

Arriver – Quitter

En bus

Voir la liste des principales compagnies et leurs coordonnées dans la rubrique « Transports » du chapitre « Mexique utile ».
Pour l'achat des billets, voir aussi « Adresses utiles ».

➤ *Pour/de l'aéroport de Mexico :* aller au terminal *Pullman de Morelos,* dit **La Selva** *(plan B1, 2).* Ne pas confondre avec le terminal du même nom qui se trouve dans le centre. S'y rendre en taxi, surtout si vous êtes chargé. Départ ttes les 30-40 mn env de 3h15 à 20h01. Très pratique et fiable. Réserver son billet à l'avance. Trajet : 1h45.

🚌 **Terminal Centro Pullman de Morelos** *(plan A3, 1) : à l'angle d'Abasolo et Net-zahualcoyotl.* ☎ 318-69-85 ou 04-82. ● *pullman.com.mx* ● *Consigne ouv tlj (s'adresser aux guichets).*
➤ *Pour/de Mexico (terminal Tasqueña) :* bus ttes les 15 mn, 5h15-22h. Trajet : 1h20 (jusqu'à 1h35 aux heures de pointe).
➤ *Pour/de Jojutla :* départ ttes les 30 mn, 6h-22h16. Trajet : 1h.
➤ *Pour/depuis le lac de Tequesquitengo et l'hacienda Vista Hermosa :* prendre un bus en direction de Tilzapotla ; départs à 15h, 17h50, 18h50 et 20h.

🚌 **Terminal Estrella Roja** *(plan B3-4, 3) : à l'angle de Galeana et Cuautemotzin.* ☎ 318-59-34.
➤ *Pour/de Tepoztlán :* bus ttes les 15-20 mn, 6h-22h. Trajet : 45 mn.
➤ *Pour/de Puebla :* bus ttes les 30-60 mn, 5h30-19h. Trajet : 3h.
➤ *Pour/de Cuautla :* bus ttes les 15-20 mn, 6h-22h. Trajet : 1h30.
➤ *Pour/de Oaxaca :* soit aller à Cuautla et prendre une correspondance au Terminal Sur (changement de terminal) ; attendez-vous à un voyage folklo : le bus passe par une petite route à travers la *sierra* (typique et très beau). Soit aller à *Puebla* et prendre un bus pour Oaxaca (même terminal) ; dans ce dernier cas, c'est plus confortable vu que le bus prend l'autoroute Puebla-Oaxaca. Dans les deux cas, la durée du trajet est sensiblement la même : 6-7h.

🚌 **Terminal Estrella Blanca-Futura** *(plan A2, 4) : Morelos Norte 329.* ☎ 01-800-507-55-00. *Consigne à bagages ouv 24h/24.*
➤ *Pour/de Acapulco :* bus ttes les heures rondes, 7h-minuit. Trajet : 4h.
➤ *Pour/de Taxco :* bus ttes les heures rondes, 6h-21h. Trajet : 1h30.
➤ *Pour/de Toluca :* (autre guichet) bus ttes les 30 mn, 5h-19h45. Trajet : 2h30.

VERS LE SUD ET LA CÔTE PACIFIQUE SUD

■ **Adresses utiles**

🛈 Office de tourisme municipal
🛈 Office de tourisme de l'État de Morelos
@ Cybercafé
🚌 1 Terminal Pullman de Morelos (centro)
🚌 2 Terminal Pullman de Morelos (La Selva)
🚌 3 Terminal Estrella Roja
🚌 4 Terminal Estrella Blanca-Futura
🚌 5 Bus pour Xochicalco et Tepoztlán
6 Bureau de change Gesta
7 Boletotal-Ticket Bus

🛏 **Où dormir ?**

10 Casa de Huéspedes Marilu
11 Hotel América
12 Hotel Colonial
13 Hotel Roma
14 Hotel España
15 Antigua Posada
16 Hotel Bajo el Volcán
17 La Casa Azul
18 Las Mañanitas

🍴 **Où manger ?**

30 Marché
31 Las Gorditas de Frijol
32 La Comuna
33 Restaurant Taxco
34 Las Viandas
35 Restaurant La Maga Café
36 Marco Polo
38 Casa Hidalgo
39 Gaia

☕🍷 **Où prendre un copieux petit déjeuner ? Où boire un verre ?**

18 Bar de l'hôtel Las Mañanitas
38 Hidalgo Lounge
40 La India Bonita
41 Los Arcos
42 Bars de la plazuela del Zacate

🛍 **Achats**

50 Marché d'artisanat

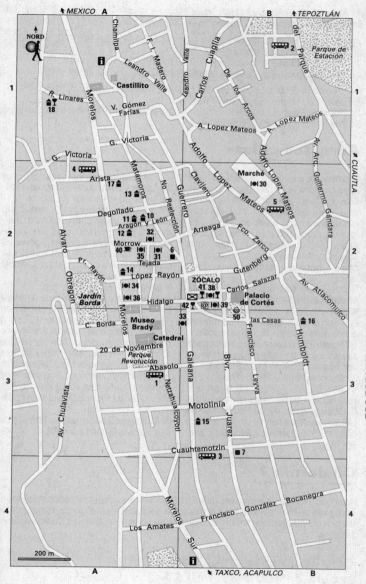

VERS LE SUD ET LA CÔTE PACIFIQUE SUD

CUERNAVACA

➤ *Pour/de Querétaro :* 3 bus/j. Trajet : 5h.
➤ *Pour/de Guadalajara :* bus à 22h et 23h. Trajet : 9h.

🚌 *Terminal Estrella de Oro* *(hors plan par B4) : Morelos Sur 900.* ☎ *01-800-9000-105. À quelques mn du centre.*
➤ *Pour/de Acapulco :* bus ttes les 30-60 mn, 6h-20h. Trajet : 4h.
➤ *Pour/de Taxco :* bus ttes les heures 7h10, 8h10... 18h10. Trajet : 1h30.

🚌 *Terminal ORO* *(hors plan par B4) : bulevar Cuanahuac, km 2,5.* ☎ *320-28-01. En dehors du centre, vers le sud. Prendre un taxi.*
➤ *Pour/de Puebla :* bus ttes les heures rondes 6h-20h (attention, il y a quelques bus de grand luxe, très chers). Trajet : 2h40.

Adresses utiles

🛈 *Office de tourisme municipal (plan A1) : Leandro Valle ; un peu en contrebas du Castillito, face à la fontaine.* ☎ *329-44-04. Tlj 9h-17h. Excentré.* Heureusement, le week-end, il y a parfois un module d'info sur le *zócalo.* Assez bien documenté. Puisque vous êtes là, profitez-en pour faire la promenade aménagée dans le ravin *(barranca).*
🛈 *Office de tourisme de l'État de Morelos (plan B4) : av. Morelos Sur 187.* ☎ *314-38-72.* ● *morelostravel.com* ● *Lun-ven 8h-19h. Également un module d'info calle Hidalgo, à côté du zócalo.*
✉ *Poste (plan B2) : sur le zócalo, dans sa partie sud, à l'entrée du grand escalier. Lun-ven 9h-15h ; sam 9h-13h.*
@ *Cybercafé (plan B2-3) : Hidalgo 7-1.* ☎ *318-80-88. Tlj 9h-21h.* Internet à haut débit et caméras sur certains ordis.
■ *Change (plan A2, 6) : au bureau de change* **Gesta,** *à l'angle de Tejada et de Matamoros. Lun-ven 9h-18h ; sam 9h-14h.*

■ *Distributeurs automatiques :* pour les cartes *Visa* et *MasterCard,* dans toutes les banques autour du *zócalo.*
– *Apprendre l'espagnol :* beaucoup d'étudiants américains viennent à Cuernavaca pour perfectionner leur espagnol. D'où de nombreuses écoles de langues qui apparaissent aussi vite qu'elles disparaissent. Liste disponible à l'office de tourisme.
■ *Boletotal-Ticket Bus (plan B3,* **7***) : bulevar Juárez 29 A ; presque à l'angle avec Cuautemotzin.* ☎ *312-14-63 ou 318-06-04. C'est un petit local juste à côté de l'agence de voyages Aresky ; ne pas confondre, donc. Lun-ven 9h30-13h30, 16h-18h30 ; sam 10h-13h.* Très pratique pour acheter ses billets de bus, au départ de Cuernavaca ou même de Mexico. Quelle que soit votre destination, on vous indiquera toutes les possibilités et les tarifs.
■ *Consigne à bagages :* au terminal de bus Estrella Blanca *(plan A2,* **4***).*

Où dormir ?

Attention, non seulement il est difficile de trouver une chambre pendant le weekend, mais en plus les hôtels ont la mauvaise habitude, vu l'affluence, d'augmenter les prix du vendredi au dimanche. Conclusion : mieux vaut venir à Cuernavaca en semaine.

De très bon marché à bon marché (moins de 400 $Me, soit 24 €)

🛏 *Casa de Huéspedes Marilu (plan A2,* **10***) : Aragón y León 10.* ☎ *318-97-38.* Chambres avec ou sans salle de bains, assez propres. Préférer celles du 1er étage, un peu plus claires. Les salles de bains sont rudimentaires, mais on peut s'en contenter. Spartiate mais vraiment pas cher.

♦ *Hotel América* (plan A2, **11**) : *Aragón y León 14.* ☎ 318-61-27. • *tourbymexi co.com/hotelamerica* • Petit hôtel très bien tenu. Les chambres donnent sur un patio couvert ; celles des étages inférieurs sont donc un peu sombres.

♦ *Hotel Colonial* (plan A2, **12**) : *Aragón y León 19.* ☎ 318-64-14. • *tourbymexi co.com/hotelcolonial* • Petit hôtel

mignon et calme, avec même une touche de style colonial. Les quelques chambres (TV et ventilo) donnent sur un agréable jardinet fleuri. Stationnement (payant) possible en face. Dans cette gamme de prix, c'est notre préféré. Mais attention, souvent complet le week-end.

Prix moyens (400-800 $Me, soit 24-48 €)

♦ *Hotel Roma* (plan A2, **13**) : *Matamoros 17.* ☎ 318-87-78. *Parking.* Chambres très correctes avec 2 lits individuels ou lit matrimonial. La bonne surprise, c'est la piscine (pas bien grande quand même), cachée tout au fond, avec même un bout de gazon et un bar. Cafétéria toute moderne, adjacente à l'hôtel. Pratique pour prendre le petit déj.

♦ *Hotel España* (plan A2, **14**) : *Morelos 190 ; à l'angle de Rayón.* ☎ 318-67-44. Les chambres se trouvent au 1er étage et donnent sur un vaste atrium à ciel ouvert (évitez celles côté rue). Elles sentent le propre. Quelques chambres *sin baño,* très bon marché. Et d'autres grandes qui peuvent loger jusqu'à 6 personnes. Délicieux resto avec un menu pas cher. Accueil souriant.

Chic (800-1 500 $Me, soit 48-90 €)

♦ *Antigua Posada* (plan B3, **15**) : *Galeana 69.* ☎ 310-21-79. • *hotelanti guaposada.com* • *Résa conseillée le w-e. Petit déj continental compris.* Un petit hôtel d'une dizaine de chambres. Chacune dispose d'une terrasse individuelle où est servi le petit déj. Jolie décoration dans le style colonial. Bougainvillées en fleur et plantes vertes abondantes. Belle vue. Petite piscine. Demandez une chambre avec lit *king size* (celle en face de la piscine est vraiment agréable). Pas de parking proche, mais possibilité de stationnement. Une

étape charmante et au calme. En plus, les prix ne jouent pas à l'ascenseur le week-end.

♦ *Hotel Bajo el Volcán* (plan B3, **16**) : *Humboldt 19.* ☎ 318-75-37. • *tourby mexico.com/bajoelvolcan* • *Petit déj inclus. Parking.* Une ancienne grosse maison bourgeoise qui porte le nom du célèbre roman de Malcom Lowry, *Au-dessous du volcan.* Chambres sympathiques avec lit *queen size.* Grande salle de resto cossue et bien aérée. Piscine et terrasses. Un hôtel tranquille mais très fréquenté le week-end.

Beaucoup plus chic (à partir de 1 500 $Me, soit 90 €)

♦ *La Casa Azul* (plan A2, **17**) : *Arista 17.* ☎ 314-21-41 et 05-53. • *tourbymexico. com/casaazul* • *Petit déj continental compris.* Voilà un bel hôtel-boutique pour une nuit de charme. Les chambres, neuves ou rénovées, ont été décorées avec beaucoup de goût par la propriétaire d'origine française. Chacune est décorée dans le style d'une région du Mexique. Elles sont donc toutes différentes. On a un faible pour la chambre

Guanajuato avec son magnifique retable et son minipatio privé, ou pour l'une des chambres Olinala avec des meubles peints spectaculaires. 2 piscines, jardin, salon-terrasse, joli resto avec une grande cheminée. On en oublierait presque qu'il existe une vie au dehors. Essayez de venir en semaine : les prix baissent significativement du dimanche au jeudi.

♦ *Las Mañanitas* (plan A1, **18**) :

Ricardo Linares 107. ☎ *362-00-00.* ● *las mananitas.com.mx* ● *Petit déj compris.* Appartient à la chaîne *Relais & Châteaux.* Le grand luxe dans le cadre splendide d'une hacienda. Un superbe parc exotique parsemé d'œuvres d'art moderne, où se promènent paons, aigrettes, flamants roses. Chambres somptueuses, mobilier d'époque, collections d'objets et d'œuvres d'art. On peut se contenter d'y manger ou d'y prendre un verre dans le jardin pour jouir de ce petit coin de paradis au centre-ville.

Où manger ?

Bon marché (moins de 80 $Me, soit 4,80 €)

|●| *Le marché* (plan B2, **30**) *:* plusieurs *fondas* avec des *comidas corridas* correctes. Pour y aller, c'est déjà toute une aventure. Depuis le *zócalo,* il faut remonter un peu Guerrero et tourner à droite dans l'un des passages qui pénètrent dans le marché aux vêtements et aux bricoles ; ensuite, traverser ce labyrinthe, puis on passe sur un pont où s'agglutinent d'autres points de vente, et enfin on y est. Ambiance garantie.

|●| *Las Gorditas de Frijol* (plan A2, **31**) *:* Morrow. Lun-ven. Tout petit, tout propre, bon et agréable. Idéal pour le déjeuner.

|●| *La Comuna* (plan A2, **32**) *:* Morrow 6. ☎ 314-40-32. Lun-sam 10h-21h. Tenu par une coopérative socioculturelle membre de la commission indépendante des Droits de l'homme de Morelos. Tout un programme ! N'empêche, on y mange une bonne cuisine faite maison dans un cadre accueillant. 7 menus différents vraiment bon marché. Et en plus, des conférences, débats, ateliers de littérature... Pour se tenir au fait des luttes des minorités (zapatistes, diversité sexuelle, écologie...).

|●| *Restaurant Taxco* (plan A-B3, **33**) *:* Galeana 12. ☎ 318-22-42. Tlj 8h-20h. Surtout pour le petit déj et le déj. Resto typique de cuisine mexicaine qui rencontre un franc succès auprès des classes moyennes du quartier. Cuisine savoureuse. Plusieurs menus *(comidas corridas)* à tous les prix. Ne manquez pas les délicieuses tortillas, faites à la main. Devant vous !

De prix moyens à chic (80-200 $Me, soit 4,80-12 €)

|●| *Las Viandas* (plan A2, **34**) *:* Morelos ; angle Rayón ; au 1er étage du Teatro Morelos *(le ciné-club de la ville).* Mar-dim 10h-22h. Grande salle claire et lumineuse au plancher en bois. Jolis canapés, tapis, coussins au sol. Un endroit bien agréable pour prendre un café (très bon) ou manger un sandwich *(baguette)* accompagné d'une salade. Clientèle d'artistes, d'étudiants et de cinéphiles. Les 2 salles de ciné projettent de bons films d'art et d'essai (pas cher du tout).

|●| *Restaurant La Maga Café* (plan A2, **35**) *:* Morrow 9 ; au 1er étage. ☎ 310-04-32. Lun-mer 13h-21h ; jeu-sam 13h-minuit. Fermé dim. Cadre bohème pour une délicieuse cuisine mexicaine. Formule buffet pour le déjeuner (prix très raisonnable). C'est très copieux et il y en a donc pour tous les goûts. Le soir, c'est plutôt pour y siroter un verre en dégustant des *antojitos* mexicains. De bons chanteurs et musique *en vivo* les vendredi et samedi soir, avec donc un droit d'entrée. Un endroit jeune et sympa.

De chic à plus chic (200-370 $Me, soit 12-22,20 €)

|●| *Marco Polo* (plan A2, **36**) *:* Hidalgo 30 ; au 1er étage. ☎ 312-34-84. En face de la cathédrale. Tlj 13h-22h30 (minuit ven-sam). Une grande pizzeria. Le week-end, c'est bourré à craquer et il faut attendre un peu, à moins d'avoir réservé. Il est vrai que les pizzas sont délicieuses (cuites au feu de bois). Si l'on a la chance d'avoir une table sur le balcon, jolie vue sur la cathédrale.

|●| *Casa Hidalgo* (plan B2, **38**) : Hidalgo 6. ☎ 312-27-49. *Sur la partie sud du* zócalo *; on entre soit par Hidalgo, soit par le* zócalo. *Une adresse de charme, de préférence pour le soir. Réservez une table en terrasse ou sur le balcon du 1ᵉʳ étage (encore plus romantique). Belle bâtisse rénovée avec une décoration contemporaine élégante. On mange au pied du* zócalo, *face au Palacio de Cortés illuminé. Nouvelle cuisine mexicaine excellente. Service impeccable.*

|●| *Gaia* (plan B2, **39**) : *Benito Juárez* 102. ☎ 312-36-56. *Lun-sam 13h-23h (minuit ven-sam) ; dim 13h-18h. Dans une très belle demeure du XIXᵉ s, au style colonial. Sans doute l'une des meilleures tables de Cuernavaca, où l'on savoure une cuisine fusion qui mêle les saveurs du Mexique et celles du Bassin méditerranéen. Réservez quand même de la place pour le dessert afin de goûter à l'exquis gâteau tiède au chocolat. Magnifique cave à vins. Admirez aussi la mosaïque de la piscine (attribuée à Diego Rivera), qui représente la déesse préhispanique de la Fertilité.*

Où dormir très chic ? Où manger dans les environs ?

L'État de Morelos compte un nombre impressionnant d'haciendas (près de 60), autrefois dédiées à la culture de la canne à sucre. La plupart ont été transformées en *balnearios* (centres de villégiature avec piscines, toboggans, jeux aquatiques, etc.), d'autres sont carrément abandonnées. Quelques-unes sont devenues des hôtels de grand luxe, avec toute la splendeur que vous pouvez imaginer : anciens aqueducs qui dérivent l'eau jusqu'aux piscines, allées bordées de palmiers royaux, végétation tropicale débordante, et bien sûr ambiance on ne peut plus coloniale.

🛏 |●| *Hacienda de Cortés :* c'est la plus accessible depuis Cuernavaca, à 15 mn du centre en taxi, dans la colonia Atlacomulco. ☎ (777) 315-88-44. *Doubles à partir de 2 700 $Me (160 €). Magnifiques, décorées dans un style colonial, les chambres donnent sur le beau jardin central ou sur de charmants patios intérieurs. Très calme. On mange dans une splendide salle voûtée où s'entremêlent les murs et les troncs des arbres. Belle piscine.*

🛏 |●| *Hacienda de Cocoyoc :* à une trentaine de km de Cuernavaca. ☎ (735) 356-22-11. ● cocoyoc.com.mx ● *En voiture, prendre la route en direction de Cuautla jusqu'à Cocoyoc. Doubles à partir de 1 600 $Me (96 €). Trop grande pour avoir du charme, malgré les belles piscines desservies par des aqueducs. C'est surtout une bonne étape déjeuner pour ceux qui descendent sur Acapulco en voiture.*

🛏 |●| *Hacienda San José Vista Hermosa :* à San José Vista Hermosa (km 7,5). ☎ (734) 345-53-61. ● haciendavistahermosa.com ● *Près du lac Tequesquitengo, à 40 km env au sud de Cuernavaca par l'autoroute. Juste après le péage, prendre en direction de Tequesquitengo ; l'hacienda se trouve à 5 mn avt d'arriver au lac. Ou prendre un bus Pullman de Morelos en direction de Tilzapotla et demander l'arrêt. Doubles à partir de 2 000 $Me (120 €). Forfait w-e autour de 2 100 $Me (126 €), petit déj et déj-buffet inclus. La plus somptueuse hacienda de toutes. Elle fut fondée en 1529 par Hernán Cortés. Exposition de vieux carrosses et de peintures du XVIᵉ s, écuries, aqueduc surplombant la piscine, etc. Pour ceux qui sont en voiture, c'est une autre étape idéale entre Mexico et Acapulco pour un repas-baignade ou, pourquoi pas, une nuit coloniale...*

Où prendre un copieux petit déj ?

🍴 *La India Bonita* (plan A2, **40**) : Morrow 15. ☎ 318-69-67. *Mar-sam 9h-22h.* *Fermé dim et lun soir. Formules petit déj 60-90 $Me (3,60-5,40 €). Traduisez « La*

VERS LE SUD ET LA CÔTE PACIFIQUE SUD

belle Indienne », c'est-à-dire l'amante autochtone de l'empereur Maximiliano quand il venait se la couler douce à Cuernavaca. Superbe cadre à la végétation débordante. Très agréable pour le petit déj, qui est servi de 9h à 13h. Beaucoup d'ambiance, surtout quand les hommes politiques locaux y donnent leur conférence de presse.

Où boire un verre ? Où sortir ?

▼ *Los Arcos* (plan B2, *41*) : sur le zócalo, côté sud, près de la poste. ☎ 312-15-10. *Tlj 8h-minuit.* Terrasse agréable et ombragée qui donne sur le *zócalo*. Le soir, l'ambiance s'échauffe grâce à un groupe de musique tropicale *en vivo*. Les clients se mettent à danser. Contentez-vous d'y prendre un verre (ou plusieurs !), car la nourriture est très médiocre et le service désastreux.

▼ Sur la petite *plazuela del Zacate* (plan B2-3, *42*) et dans la jolie rue piétonne qui la prolonge, vous trouverez quelques *bars* animés avec des tables à l'extérieur. Le soir, les jeunes viennent y gratouiller la guitare. Le week-end, c'est encore plus animé, avec la présence de chanteurs *(bohemia)* et musique *en vivo*. Avec le *zócalo*, c'est le seul endroit où vous trouverez du monde une fois la nuit tombée.

▼ *Hidalgo Lounge* (plan B2, *38*) : c'est le bar du resto Casa Hidalgo *(voir « Où manger ? »).* *Jeu-sam 20h-1h.* Un joli bar contemporain installé sur le toit du resto. On y accède par un ascenseur. Magnifique vue sur le Palacio de Cortés et sur le *zócalo*. DJ maison qui passe une bonne musique *lounge* en début de soirée puis électronique-dance. Fréquentée par la jeunesse dorée de la capitale en week-end à Cuerna.

▼ *Bar de l'hôtel Las Mañanitas* (plan A1, *18*) : voir « Où dormir ? ». On a failli vous le recommander comme resto pour un repas grand style, mais on a eu pitié de votre portefeuille. En revanche, allez y prendre un verre. Vous jouirez de la même manière du décor idyllique.

Achats

⊛ *Marché d'artisanat* (plan B2-3, *50*) : à droite du Palacio de Cortés. *Tlj jusqu'à 20h env.* Grande variété d'artisanat de la région et de l'État de Guerrero et beaucoup de bijoux en argent de Taxco.

À voir. À faire

➤ *Tren turístico :* départ en face du Palacio de Cortés. ☎ 321-71-82. *Lun-ven ttes les 45 mn ; w-e ttes les 20 mn. Env 40 $Me (2,40 €) le w-e (moins cher en sem).* Petit bus touristique qui propose trois parcours différents de visite commentée (en espagnol). Le *recorrido 1* se concentre sur le *centro histórico* (durée : 1h15).

⚘ *Zócalo* (plan B2) : bordé par la façade du *palacio del Gobierno*. Musique des mariachis le premier mardi soir de chaque mois, sous l'horrible statue de José María Morelos. De l'autre côté de la rue, au kiosque central, vous pourrez écouter l'*orchestre local* le jeudi soir et parfois le samedi soir.

⚘⚘ *Catedral* (plan A3) : massive et austère, elle a été construite par les franciscains entre 1529 et 1552. Elle est bordée par une imposante chapelle ouverte qui permettait de célébrer la messe pour les masses indiennes qui n'osaient pas entrer à l'intérieur. Grandes fresques murales qui racontent l'odyssée des missionnaires partis évangéliser le Japon (l'un des martyrs, San Felipe de Jesús, est aussi le premier saint mexicain). Dans le jardin, deux autres églises, dont le temple de la Tercera Orden de San Francisco, avec sa façade du XVIIIe s (1723) réalisée par des Indiens.

🍴🍴 **Palacio de Cortés** *(plan B2)* : ☎ 312-81-71. *Mar-dim 9h-17h30. Entrée :*
39 $Me (2,40 €).

Ce palais-forteresse fut construit
vers 1527 par Hernán Cortés, sur
les ruines d'une ancienne demeure
tlahuica. Cortés n'y séjournait que
lorsqu'il passait à Cuernavaca.
C'est surtout son épouse (délais-
sée) qui en a profité. Il fut pendant
longtemps la propriété des descendants de Cortés. Il a servi aussi
de résidence à Porfirio Díaz.
Aujourd'hui, il abrite le *Musée régional Cuauhnahuac*, qui retrace
l'histoire de l'État de Morelos.
Salles sur la *Conquista* (armures
d'époque), objets relatifs au galion
de Manille (appelé aussi la Nao de

UN SACRÉ PILLEUR, CE CORTÉS

*Le Palacio de Cortés de Cuernavaca et
l'alcazar de Colón à Saint-Domingue
présentent une certaine ressemblance.
Normal, Hernán Cortés n'a pas seulement volé l'or de Moctezuma, il a aussi
piqué les plans du palais que Diego
Colomb, le fils de Christophe, s'était fait
construire en 1510 alors qu'il était gouverneur de l'île de Saint-Domingue, première terre d'Amérique à avoir été
découverte, 29 ans avant la conquête
du Mexique.*

China), cartes des Philippines au XVIIIe s. La salle consacrée à Hernán Cortés présente un buste en bronze du conquistador. Explications intéressantes sur le système colonial hispanique (*encomiendas*, esclavage). Au 1er étage, ne manquez pas
la splendide fresque de Diego Rivera, dénonçant les abus de la conquête. Plusieurs scènes : la conquête de Cuernavaca (sous les arbres), la construction du palais
de Cortés avec le marché en contrebas, la récolte de la canne à sucre dans les
haciendas de la région, la construction de la cathédrale...

🍴🍴 **Jardín Borda** *(plan A2-3)* : entrée par la rue Morelos. ☎ 312-92-37. *Tlj sf lun
10h-17h30. Entrée : 30 $Me (1,80 €) ; réduc ; gratuit dim.* C'est l'ancienne « mai-
son secondaire » du couple impérial, Maximilien et Charlotte. Mais c'est surtout
l'empereur qui y venait seul pour y rencontrer son amante indienne, la *India bonita*.
On se promène dans les jardins qui ont été aménagés par Manuel de la Borda, le fils
de José qui construisit la cathédrale de Taxco. Visite de la maison avec quelques
pièces (pauvrement) meublées. Essayez d'assister le soir à un concert dans les
jardins ou à un spectacle danse.

🍴🍴 **Museo Brady** *(plan A3)* : Netzahualcoyotl 4. ☎ 318-85-54. *Mar-dim 10h-18h.
Entrée : 30 $Me (1,80 €) ; réduc.* Porte le nom de son ancien propriétaire, un col-
lectionneur avisé qui rapporta dans cette belle demeure coloniale des objets d'art
du monde entier.

🍴 **El Castillito** *(plan A1)* : Agustín Güemes Celis 1. ☎ 312-70-81. *Mar-dim 10h-
18h. Entrée libre.* Dans une drôle de maison en brique qui ressemble à un minichâ-
teau, petite expo de photos sur l'ancienne Cuernavaca.

🍴 **Pirámide de Teopanzolco** *(hors plan par B1-2)* : río Balsas. ☎ 314-12-84.
À 5 mn du centre en taxi. Tlj 9h-18h. Entrée : 35 $Me (2,10 €). Vous pouvez éven-
tuellement aller y jeter un coup d'œil. Pyramide double, comme à Tenayuca, au
nord de Mexico.

TEPOZTLÁN
32 000 hab.   IND. TÉL. : 739

**À 35 mn de Cuernavaca. Un joli village pittoresque au pied de l'imposant et
splendide massif montagneux du Tepozteco. Dans les années 1970, les hippies ont commencé à débarquer, entraînant derrière eux la vague touristique, les marginaux new age, les galeries d'artisanat et des boutiques de
bric-à-brac ésotérique. Marché le samedi. Beaucoup de monde le week-
end, mais beaucoup de charme aussi. Belles balades à faire dans les mon-**

tagnes sacrées des alentours. C'est là que serait né Quetzacóatl en 843 av. J.-C. Mais attention, les gens du coin racontent que des forces occultes protègent l'accès au berceau du dieu-serpent...

Comment y aller ?

➤ *Depuis Cuernavaca :* prendre un bus au terminal *Estrella Roja (plan Cuernavaca, B3-4, 3)* ou au marché *(plan Cuernavaca, B2, 5)*. Trajet : 30-45 mn. Voir « Arriver – Quitter » à Cuernavaca.

➤ *Depuis Mexico :* prendre un bus au terminal Sur (Ⓜ Tasqueña). Bonne fréquence. Trajet : 1h20.

Où manger ?

|●| *Le marché :* ça, c'est vraiment ce qu'il y a de plus typique. On s'installe sur des bancs à l'un des nombreux stands (choisir celui où il y a le plus de monde, garantie de qualité) pour déguster des *quesadillas* fourrés aux champignons ou à la fleur de courgette. Ne manquez surtout pas les *quesadillas* à base de maïs bleu.

|●| *Los Colorines :* av. del Tepozteco 13. ☎ 395-01-98. Un resto typique de cuisine mexicaine. Les couleurs vives de la déco sont là pour le rappeler. La nourriture est de bonne qualité et à des prix très raisonnables. Très apprécié par les Mexicains en visite dans le village.

|●| *El Ciruelo :* Zaragoza 17. ☎ 395-12-03. Ouv lun-jeu pour le déj ; ven-sam 13h-23h ; dim 8h-18h. Sans doute le meilleur resto du village. Très joli cadre, avec des tables installées dans un grand patio à l'air libre. Belle vue sur les montagnes et la pyramide. La cuisine est à la hauteur du cadre, tendance fusion mais d'inspiration mexicaine.

Où déguster une glace ?

♥ *Tepoznieves :* difficile de passer à Tepoz sans prendre une glace ici. C'est une institution qui s'est développée dans tout le pays. Il y a au moins 4 ou 5 succursales dans le village dont pas moins de 2 dans l'avenida Revolución (la rue des stands d'artisanat). Des dizaines et des dizaines de parfums, plus originaux les uns que les autres. En plus, on peut goûter avant de passer commande.

À voir. À faire

🚶🚶🚶 Ⓢ *Convento de la Natividad et église :* ☎ 395-02-55. Du genre forteresse, ce couvent a été construit par les dominicains durant la seconde moitié du XVIe s. Inscrit au Patrimoine de l'humanité de l'Unesco en 1994. Belles fresques sur les murs du cloître. De la terrasse du 1er étage, vue spectaculaire sur les montagnes et la vallée.

🚶 *Museo Carlos Pellicer :* González 2 ; derrière le couvent, en contrebas. ☎ 395-10-98. Mar-dim 10h-18h. Entrée pas chère. Petite mais très belle collection d'art préhispanique.

➤ L'ascension jusqu'à la *pirámide del Tepozteco* est parfaitement balisée. Ça grimpe dur, mais la balade est superbe. Comptez 1h si vous avez un bon pas (et si vous ne fumez pas !). *Attention, le site ferme à 16h30. On paie en arrivant au sommet (env 40 $Me, soit 2,40 €)*. La pyramide est dédiée à Tepoztécatl, l'un des dieux de l'Ivresse et du *Pulque*, cette boisson séculaire produite à partir de la fermentation du *maguey*. D'en haut, vue splendide sur la vallée et le village.

XOCHICALCO

⊕ **Entre Taxco et Cuernavaca.** L'un des plus beaux sites archéologiques du centre du Mexique. Inscrit au Patrimoine mondial de l'Unesco en 1999, il n'est pas encore très connu, et on se promène pratiquement seul à travers les ruines de cette ancienne ville fortifiée installée sur une colline. La vue sur la vallée est splendide.

Site ouv tlj 9h-17h. Entrée : 52 $Me (3,20 €). Son et lumière ven-sam 19h-21h en saison (rens : ☎ (737) 374-30-90).

UN PEU D'HISTOIRE

Plus les recherches avancent, plus les archéologues sont convaincus que la cité-État de Xochicalco eut une importance considérable. En seulement 200 ans, entre les VIIe et IXe s, elle parvint à dominer, grâce à sa position stratégique, une grande partie du couloir méso-américain jusqu'à la mer, soumettant de nombreuses villes qui lui payaient tribut. À son apogée, elle comptait plus de 30 000 habitants. La chute de Teotihuacán et la période d'instabilité politique qui suivit obligèrent les peuples à construire des villes faciles à protéger. Ce fut le cas de Xochicalco et, à la même époque, d'El Tajín et de Cholula (près de Puebla). Xochicalco fut donc édifiée sur les hauteurs, selon une urbanisation parfaitement planifiée. Les grandes constructions datent de 700 apr. J.-C. Les bâtisseurs sont allés jusqu'à modifier la topologie de la colline avec des murs de soutènement pour construire des terrasses, tracer les avenues et les places, creuser des escaliers et élever des murailles défensives. Malgré son côté forteresse, Xochicalco entretenait de nombreux contacts avec l'extérieur, ayant même des relations commerciales avec les Mayas. C'était une métropole riche et cosmopolite. C'est autour de l'an 900 que Xochicalco s'éteint brutalement (décidément, c'est une habitude !). Selon les dernières découvertes, une terrible famine aurait provoqué une révolte du peuple contre le pouvoir dirigeant, particulièrement autocratique et étouffant. En quelques semaines, il y eut des milliers de morts, la ville fut saccagée et incendiée. Un véritable massacre. Les quelques survivants abandonnèrent la cité à l'oubli.

Comment y aller ?

➤ **En bus :** 2 options depuis Cuernavaca. Soit prendre un bus *Autobuses verdes de Morelos* sur la place du marché principal *(plan Cuernavaca, B2, 5)* qui indique « Temixco », mais bien vérifier qu'il va à Xochicalco. Soit prendre un bus *Pullman de Morelos (plan Cuernavaca, A3, 1)* en direction de Miacatlán. Trajet : 1h30. Demander l'arrêt au chauffeur à l'embranchement pour Xochicalco. Dans ce dernier cas, il reste 2 km à faire à pied ou en *combi*. Pour repartir, c'est plus subtil. En principe, il est inutile de redescendre au musée. Le bus passe devant la sortie du site ; on dit bien « en principe » ! C'est un peu la roulette russe, et on peut parfois attendre vraiment très longtemps. Prendre alors un taxi jusqu'à l'embranchement avec la route principale.

À voir

🕴 **Musée :** *c'est là qu'on achète le billet pour l'ensemble du site.* Bâtiment à la belle architecture moderne et contenu très instructif. Également une cafétéria et une librairie. Ensuite, on grimpe à la zone archéologique proprement dite.

🕴 **Acrópolis :** c'est la partie la plus haute de la ville. Là, les gouvernants avaient leurs demeures.

🹟 *Pyramide des serpents à plumes : sur la place.* Le clou du site. Sa base est recouverte de bas-reliefs qui représentent huit serpents qui, bien sûr, ont été interprétés comme étant des représentations de Quetzalcóatl. L'édifice aurait été érigé pour commémorer une réunion de prêtres-astronomes venus de toute la Méso-Amérique, et durant laquelle le calendrier préhispanique fut modifié. Ce qui est sûr, c'est que Xochicalco était un grand centre astronomique.

🹟 *Les souterrains :* s'y trouve un observatoire astronomique qui permettait d'observer les mouvements du Soleil. Du 30 avril au 15 août, durant 105 jours, le soleil pénètre par une « cheminée » qui forme comme un puits de lumière. Essayez d'y être entre 12h30 et 13h, surtout les 14-15 mai et 28-29 juillet. Le rayon de soleil apparaît à un moment précis et projette sur le sol une trajectoire tout aussi précise.

🹟 *Jeu de pelote nord* (juego de pelota) : très bien conservé. Les anneaux où devait passer la balle étaient accrochés le long de murs verticaux. En haut, il y avait des tribunes pour les spectateurs de haut rang. En contre haut, une *citerne* et, en face, le *temazcal,* ce fameux bain de vapeur qui servait sans doute aux joueurs pour se purifier avant le jeu sacré.

TAXCO   55 000 hab.   IND. TÉL. : 762

Comment en vouloir à Taxco d'être devenue une ville touristique ? C'est la contrepartie inévitable de son charme colonial et des centaines de boutiques qui se consacrent au commerce de l'argent. Alors, autant profiter sans arrière-pensée des enchantements de cette ville classée Monument national. Car rien ni personne ne peut venir gâcher le bonheur de se perdre dans ce labyrinthe de ruelles et d'escaliers qui dévalent les pentes raides des collines entre les maisons blanches aux toits de tuiles. Taxco n'est pas caractéristique du Mexique profond, mais c'est l'une des plus jolies villes du pays. On conseille de la visiter en semaine car le week-end, c'est souvent bondé. De toute façon, dès que l'on quitte un peu le centre, on rencontre de moins en moins de touristes et plus on grimpe, plus rares se font les voitures, la plaie de ce Montmartre tropical.

L'ARGENT

Quand les Espagnols arrivèrent dans la région en 1522, ils cherchaient de l'étain pour couler des pièces d'artillerie. C'est de l'argent que découvrirent les prospecteurs de Cortés. Mais, bien entendu, ces premiers filons furent vite épuisés. Il faudra attendre le XVIIIᵉ s et l'arrivée de José de la Borda qui découvrit la mine de San Ignacio, près de la ville. La prospection reprit de plus belle, mais les gisements s'épuisèrent à nouveau et l'on oublia Taxco.

Depuis une soixantaine d'années, la ville est redevenue un centre artisanal très actif, où plus de 1 500 artisans fabriquent des bijoux, des pièces d'orfèvrerie, de la vaisselle. Paradoxe, les mines ne produisent pratiquement plus rien depuis longtemps. L'argent provient d'autres régions du Mexique (le pays reste le premier producteur mondial). C'est le Canadien William Spratling qui, dans les années 1930, a relancé l'activité en fondant le premier atelier et en créant des bijoux d'après des modèles indiens. Taxco devait ainsi devenir la capitale de l'argent.

UN BÉARNAIS AU MEXIQUE

José de la Borda est né à Oloron en 1699. À 16 ans, il délaisse la ferme familiale, en quête d'aventures. Celles-ci, sous le signe de la providence, seront au rendez-vous ! Joseph Gouaux Laborde (de son vrai nom) fit trois fois fortune au cours d'une vie pleine de péripéties. La découverte de la mine d'argent de Taxco lui apporte une fortune colossale qui lui permet d'édifier l'église de Santa Prisca. Mais une fois épuisé le filon, il retombe dans le dénuement. À 71 ans, il touche à nouveau le gros lot en découvrant un gisement d'argent à Zacatecas. Très pieux, le « phénix des mineurs », comme on l'a surnommé, consacrera la dernière partie de sa vie à Dieu. Sa fille devient religieuse et son fils est ordonné prêtre. Il meurt à Cuernavaca à l'âge de 79 ans.

Arriver – Quitter

En bus

Voir la liste des principales compagnies et leurs coordonnées dans la rubrique « Transports » du chapitre « Mexique utile ».
Deux terminaux de bus à Taxco, situés à une dizaine de minutes à pied du centre. Pour un départ le dimanche en fin d'après-midi, mieux vaut réserver à l'avance. L'autoroute pour Cuernavaca offre un magnifique panorama (par bonne visibilité) sur le couple des deux majestueux volcans qui dominent Mexico : le Popocatépetl et l'Ixtlaccihuatl (la femme endormie), qui culminent à 5 000 m.

🚌 *Terminal Estrella Blanca* (plan B3, 1) : ☎ 622-01-31. Dispose d'une consigne.
➤ *Pour Mexico* (terminal sud Tasqueña) : bus ttes les heures 4h30-20h. Trajet : 2h40.
➤ *De/pour Cuernavaca* : bus ttes les heures 6h-20h. Trajet : 1h40.
➤ *Pour Acapulco* : 7 bus 8h20-20h10. Trajet : 5h (avec 2 arrêts, à Iguala et Chilpancingo).
➤ *Pour Puebla* : 1 bus direct à 16h. Trajet : 4h30. Sinon, il faut changer à Cuernavaca et continuer avec la compagnie *Estrella Roja*.
➤ *De/pour Oaxaca* : si l'on veut éviter Mexico, il faut changer à Puebla. De Puebla, très grande fréquence pour Oaxaca.

🚌 *Terminal Estrella de Oro* (plan A4, 2) : ☎ 622-06-48 et 04-88. Seulement des autobus de 1re classe.
➤ *De/pour Mexico* (terminal sud Tasqueña) : 5 bus 7h30-19h. Trajet : 2h40.
➤ *De/pour Cuernavaca* : 5 bus 8h-20h. Trajet : 1h40.
➤ *Pour Acapulco* : 7 bus 6h20-19h20. Trajet : 5h (avec 2 arrêts, à Iguala et Chilpancingo).

Adresses utiles

🛈 *Bureaux de tourisme* : 2 officines mal situées, à chaque extrémité de la ville. Une au nord, sur l'av. de Los Plateros (ex-Kennedy), à côté de la station-service « coloniale » Pemex (plan B1). ☎ 622-07-98. Tlj 10h-19h. L'autre au sud, à l'entrée de la ville en venant d'Acapulco (hors plan par A4), avt le terminal Estrella de Oro. Parfois kiosque d'infos sur le zócalo.

✉ *Postes* : dans le centre, il y a un bureau de poste dans l'immeuble du palacio municipal (plan A3). Lun-ven 9h-15h ; sam 9h-13h. Un autre est situé av. de Los Plateros (ex-Kennedy ;

plan A4), à 50 m du terminal Estrella de Oro.
■ *Bancomer* (plan A4, 3) : sur Cuauhtémoc ; presque à l'angle de la plazuela San Juan. Lun-ven 8h30-16h. Change les euros et les dollars. Chèques de voyage acceptés, mais seulement le matin. Distributeur automatique 24h/24
■ *Distributeur automatique HSBC* : sur le zócalo, à droite du bar Berta (plan A3, 41).
@ *Internet XNet* (plan A3, 5) : Juan Ruiz de Alarcón 11. En face de la Casa Humboldt. Tlj 11h-22h.

VERS LE SUD ET LA CÔTE PACIFIQUE SUD

Où dormir ?

Aucun hôtel vraiment très bon marché à Taxco. En contrepartie, ils sont pour la plupart très agréables. Beaucoup d'hôtels augmentent leurs tarifs le week-end et en haute saison. Durant ces périodes, il est prudent de réserver.

De bon marché à prix moyens (350-500 $Me, soit 21,30-30 €)

🛏 **Casa de Huéspedes Arellano** (plan A3, 11) : Pajaritos 23. ☎ 622-02-15. Au cœur même du marché, sur une petite place en bas de grands escaliers, face au marché des argentiers. Pour trouver, il faudra demander. Sur 3 étages, la maison de la famille Arellano sert de refuge à prix sages. C'est l'hôtel le moins cher de notre sélection. Grande et belle terrasse ensoleillée, avec des plantes vertes et des transats. Chambres doubles bien tenues, au mobilier spartiate, avec douches communes impeccables (sur le palier). 4 chambres ont une salle de bains (plus chères). Pour les routards en solo, chambre-dortoir de 6 lits.

🛏 **Pensión Santa Anita** (plan B3, 12) : av. de Los Plateros 320. ☎ 622-07-52. À 100 m à gauche en sortant du terminal des bus Estrella Blanca ; à 10 mn à pied du centre. Bon accueil. Chambres sombres et simples mais propres et correctes (douche-w-c). Un peu bruyant à cause de la proximité de la route.

🛏 **Hotel Melendez** (plan A3, 13) : Cuauhtémoc 6, à 30 m du zócalo. ☎ 622-00-06. Hôtel familial à l'atmosphère religieuse (le patron est un catholique fervent) et au style années 1950. Chambres correctes et propres, lumineuses pour la plupart, mais avec des salles de bains très petites.

Prix moyens (500-700 $Me, soit 30-42 €)

🛏 **Hotel Los Arcos** (plan A3, 14) : Juan Ruiz de Alarcón 4. ☎ 622-18-36. ● hotel losarcos.net ● Prix fixes tte l'année. Réduc pour le parking. Internet. Un bel édifice du XVIIe s avec du cachet. Patio entouré d'arcades, superbe terrasse avec vue sur la vallée. Chambres agréables, propres, claires et bien arrangées,

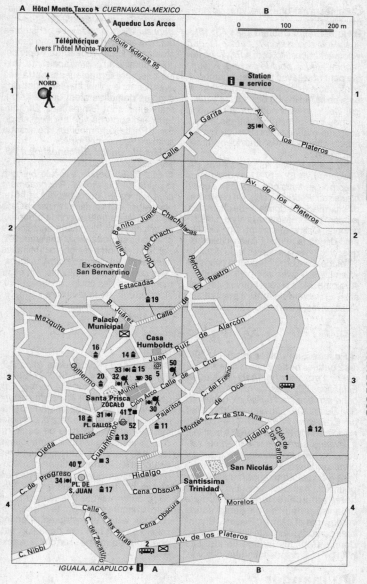

A Hôtel Monte Taxco ↖ CUERNAVACA-MEXICO

Aqueduc Los Arcos

Téléphérique
(vers l'hôtel Monte Taxco)

Route fédérale 95

NORD

B

0   100   200 m

Station
service

35

Calle La Garita

Av. de los Plateros

Av. de los Plateros

Benito Juárez Chachalacas

Cón. de Chach.

Reforma

Calle de Ex Rastro

Ex-convento
San Bernardino

Estacadas

B. Juárez

19

Mezquite

Palacio
Municipal

Calle de Alarcón

Casa
Humboldt

16

14

Juan Ruiz de Alarcón

Guillermo

20

33 15

32 36

5

50

@

Calle de la Cruz

C. del Fresno

de Oca

1

Muñoz

Santa Prisca
ZÓCALO

Cón Arco

Calle Arco

Pajaritos

30

18

PL. GALLOS

31 41

52

11

Montes C. Z. de Sta. Ana

Cón de los Gallos

12

Delicias

Cuauhtémoc

13

Ojeda

40

3

Hidalgo

San Nicolás

C. de Progreso

34

PL. DE
S. JUAN

17

Cena Obscura

Santíssima
Trinidad

Morelos

Calle de las Pilitas

Cena Obscura

C. del Zacatulo

Av. de los Plateros

C. Nibbi

2

IGUALA, ACAPULCO ↓ A

B

VERS LE SUD ET LA CÔTE PACIFIQUE SUD

TAXCO

certaines avec une jolie vue, notamment la n° 18.

🛏 *Hotel Emilia Castillo* (plan A3, **15**) : Juan Ruiz de Alarcón 7. ☎ 622-13-96. ● hotelemiliacastillo.com ● *Prix fixes tte l'année. Réduc pour le parking.* Agréable petit hôtel avec de jolies chambres confortables, décorées d'un mobilier en bois peint. Salles de bains avec azulejos. Celles qui donnent sur la rue sont un peu bruyantes, les autres un peu sombres mais calmes. Bar-*lounge* au rez-de-chaussée avec une douce musique new age.

🛏 *Mi Casita* (plan A3, **16**) : Altos de Redondo 1. ☎ 627-17-77. ● hotelmicasita.com ● *Les tarifs grimpent le w-e et en hte saison. Petit déj inclus.* Un petit hôtel de charme d'une douzaine de chambres joliment décorées dans le style rustico-colonial. Calme et confort. On prend le petit déj dans un petit salon-bibliothèque. Très belle vue depuis le corridor du 1er étage. On a un faible pour la chambre « Les Livres » avec son petit balcon en surplomb. Mais si vous pouvez, choisissez « El Secreto de Amor » avec sa terrasse privée. Un vrai nid d'amour !

🛏 *Hotel Santa Prisca* (plan A4, **17**) : plazuela de San Juan. ☎ 622-09-80. ● htl_staprisca@yahoo.com ● Les chambres donnent autour d'un grand patio central croulant sous la végétation tropicale. Jolie fontaine au centre, apaisante. Belles chambres spacieuses, certaines avec vue sur la vallée. Les salles de bains simples demanderaient une révision, mais elles sont lumineuses. Du toit-terrasse, superbe vue sur l'église de Santa Prisca. Les amoureux choisiront la suite n° 26, avec cheminée.

🛏 *Posada de los Balcones* (plan A3, **18**) : sur la plazuela de los Gallos, n° 5. ☎ 622-02-50. *Depuis le zócalo, prendre la petite rue qui monte. Prix nettement plus élevés en hte saison.* Un hôtel accueillant, installé dans l'ancienne *Casa de la Moneda* (maison de la monnaie) édifiée en 1705. Plus d'une vingtaine de chambres confortables et chaleureuses, portant des noms régionaux. Peintures murales et mobilier mexicain. Quelques-unes donnent sur la rue, avec un charmant balcon ; les choisir de préférence. Notre préférée : la chambre « Ometepec », qui donne sur Santa Prisca.

Chic (700-1 200 $Me, soit 42-72 €)

🛏 *Posada San Javier* (plan A2, **19**) : les 2 entrées ne sont pas faciles à dénicher ; l'entrée principale se trouve Estacadas 32, c'est la ruelle qui descend en face de l'église ex-convento San Bernardino ; un autre accès se fait par Ex-Rastro. ☎ 622-31-77 ou 02-31. ● posadasanjavier.com ● *Résa min 15 j. à l'avance, surtout le w-e et en hte saison. Prix fixes tte l'année, avec petit déj continental inclus. Parking en propre (rare à Taxco).* Bon rapport qualité-prix pour les chambres sans TV. Superbe hôtel à l'architecture néocoloniale organisé autour de plusieurs patios verdoyants et calmes. Piscine. Chambres confortables de tailles différentes, donnant sur les jardins fleuris. Les n°s 6, 7 et 8 disposent d'une jolie vue.

Restaurant.

🛏 *Hotel Agua Escondida* (plan A3, **20**) : pl. Borda 4. ☎ 622-07-26 ou 11-66. ● aguaescondida.com ● *Prix plus élevés ven-sam et en hte saison. Internet.* Ne vous fiez pas à la petite entrée qui donne sur le zócalo. Cet hôtel est un immense dédale de couloirs, d'escaliers et de terrasses imbriquées les unes dans les autres. Chambres confortables, parfois petites mais décorées avec soin. Sur la plus haute des terrasses, bar-resto en plein air *(ouv 12h-23h)*, où l'on sirote une margarita en surplombant l'église Santa Prisca. Piscine sur le toit et restaurant. Parking public payant non loin de là. Un peu cher tout de même, surtout le week-end.

Où manger ?

Beaucoup de restos pour touristes autour du *zócalo*. Il suffit de regarder en l'air pour les identifier à leur terrasse qui donne sur l'église Santa Prisca. Malheureusement, la cuisine n'est pas toujours à la hauteur de leur vue panoramique.

De bon marché à prix moyens (80-250 $Me, soit 4,80-15 €)

|●| Le marché *(plan A3, 30)* : une source inépuisable, où l'on peut manger pour pas cher, notamment dans le coin des *fondas* (demander *el lugar de las fondas*). C'est un endroit aéré et très sympa, où l'on peut découvrir les plats traditionnels de la cuisine mexicaine. Au même endroit, quelques *panaderías*, avec du pain chaud et frais. Si vous êtes amateur de viande, il faut absolument aller au fond du marché dans le coin de la viande *(carne)* ; demander *el lugar de los chivos*. Vous.y mangerez du chevreau *(chivo)* cuit selon la manière traditionnelle de la *barbacoa* (qui a donné le mot américain « barbecue ») : traditionnellement, la viande est recouverte de feuilles de *maguey* et cuite dans un four creusé dans la terre. Pour goûter à la *pansita* (l'estomac du chevreau), il faut aller chez **El Cuate Guizado**, le meilleur resto du marché. On la déguste avec du piment *(chile)*, de la *salsa roja* et du sel.

|●| El Arco *(plan A3, 30)* : Arco 7. Ferme à 18h. Dans la ruelle du marché, un local minuscule qui sert des jus de fruits, des tacos et des sandwichs *(tortas)*. On mange debout ou assis devant le présentoir, ou au 1er étage dans la petite salle.

|●| Borda's Café *(plan A3, 31)* : pl. Borda 6 (zócalo). Tlj 8h-23h. Un petit bar-snack, au 1er étage d'une maison donnant sur la place centrale, tenu par Ephraïm, un aimable monsieur qui parle le français. On y sert de bonnes salades, des *enchiladas*, des petits plats goûteux et économiques, ainsi qu'un bon café *espresso*.

|●| Pozolería Tía Calla *(plan A3, 32)* : sur le zócalo, à gauche de l'église. ☎ 622-56-02. Tlj sf mar 13h30-22h env. Grande salle en sous-sol, du genre *cantina*, au décor banal. Y aller pour goûter au *pozole*, l'un des plats phares de la cuisine mexicaine : une soupe de maïs avec de la viande. On y ajoute au dernier moment de l'oignon, des morceaux de tortilla frite ou du *chicharón* (peau de porc grillée), de l'origan. Ambiance populaire garantie.

|●| Café Sasha *(plan A3, 33)* : Juan Ruiz de Alarcón 1 ; au 1er étage. En face de l'hôtel Los Arcos. Tlj 8h-23h. Y aller de préférence le soir : lumières tamisées et bougies. Déco néobab tendance Katmandou. Salades composées, pâtes, plats d'influence asiatique et délicieux desserts. Pour les routards *musicos*, percussions à disposition. Le samedi soir, musique *en vivo* (guitare sèche, électro, reggae). Très bien aussi pour l'*espresso* du matin ou pour prendre un verre.

|●| Pizzeria Mario *(plan A3, 32)* : pl. Borda 1. ☎ 622-77-97. Entrée par le patio de las Artesanías, sur le zócalo, entre la Pozolería Tía Calla et l'église ; traverser le patio vers la gauche et monter l'escalier sur la gauche. Tlj 10h-23h. Petite pizzeria discrète, avec une grande terrasse donnant sur les toits de Taxco et la vallée. Beau panorama. Mario Esquivel, l'aimable patron, est le fils du musicien Juan Garcia Esquivel (1918-2002), une des figures les plus marquantes des musiques excentriques des fifties, qui fut surnommé le « Van Gogh de la Space Age Pop », le « Duke Ellington mexicain » ou « Dr Jekyll de l'orchestration ». La pièce d'entrée lui est dédiée.

|●| El Adobe *(plan A4, 34)* : plazuela San Juan 13 ; au 1er étage. ☎ 622-14-16. Tlj 8h-23h. Très jolie décoration mexicaine dans le style rustique bohème. La carte, qui propose des spécialités typiques, est traduite en anglais. Cuisine correcte, ambiance chaleureuse et service aimable (un peu lent parfois). Essayez de dégoter une des petites tables qui sont installées sur les balcons. Sinon, vous serez à l'intérieur. Belle carte des vins.

Chic (plus de 250 $Me, soit 15 €)

|●| Restaurant de la Posada de la Misión *(plan B1, 35)* : av. de Los Plateros. ☎ 622-55-19. À 100 m du bureau de tourisme nord. À 15 mn à pied du centre, ou prendre un combi. Ouv tlj 7h30-23h. C'est l'un des hôtels de luxe de Taxco. Superbes jardins et piscine dominée par un imposant mural de O'Gorman. Depuis le resto, vue en contre-haut sur la ville et l'église Santa Prisca. Y aller de préférence pour le déjeuner afin de profiter de la piscine et de la vue. Le soir, ambiance tristou-nette. Les chambres de l'hôtel sont hors de prix, et seules celles du bâtiment *Guerrero* jouissent vraiment d'une belle vue sur Taxco.

Où prendre le petit déj ?

☞ *Del Angel Inn (plan A3, 36) : Celsa Muñoz 4 ; c'est la rue qui longe l'église de Santa Prisca sur la gauche.* ☎ 622-55-25. *Tlj 8h-22h30.* Surtout, ne pas s'installer en salle, mais monter tout en haut et s'installer sur la 2e terrasse (celle du fond). De là, on jouit d'une vue exceptionnelle sur Taxco. On vient d'ailleurs ici pour ça, histoire de commencer la journée en beauté. Plusieurs formules de petit déj à des prix différents proposées jusqu'à 12h.

Où boire un verre ?

🍷 *La Concha Nostra (plan A4, 40) : pl. de San Juan.* ☎ 622-79-44. *Dans le même patio que l'hôtel Casa Grande. Tlj 12h-1h, parfois plus tard sam soir.* Salle au 1er étage, donnant sur la plazuela de San Juan, avec même quelques tables aux balcons. Du jeudi au samedi soir, musique *en vivo* : groupe de rock ou *música romántica.* Cadre chaleureux et bonne ambiance. On peut aussi y gri-gnoter (pizzas et lasagnes).

🍷 *Bar Berta (plan A3, 41) : sur le zócalo, près de Santa Prisca. Tlj sf mer 10h-20h.* Le plus ancien bar de Taxco, fondé en 1930 par Mme Berta Estrada. C'est là qu'elle a inventé son cocktail maison, « la Berta », à base de tequila, jus de citron, miel, feuille de poire et eau minérale. Avec un peu de chance, vous trouverez une table libre sur le balcon.

Achats

🛍 *Marché d'artisanat : il s'étend dans les ruelles qui descendent derrière l'église de Santa Prisca.* Beaucoup d'objets en bois : des masques, des saladiers et des couverts, de très jolis mobiles, des soleils... et des babioles sans intérêt. Mention spéciale pour les *masques.* En bois sculpté et peints, ils représentent des têtes d'animaux, de monstres ou le soleil. C'est un artisanat classique de l'État du Guerrero (région entre Acapulco et Taxco). Si vous êtes amateur, profitez-en car vous n'en trouverez pas nécessairement ailleurs.

🛍 *L'argent :* en veux-tu, en voilà. L'argent, la *plata*, est partout. Avec plus de 300 boutiques, autant dire que vous aurez de quoi faire si vous voulez toutes les visiter. Sans compter le marché, où se trouvent rassemblés des étals de bijoux ; ainsi que la *halle des grossistes (plan A3, 52),* en contrebas du zócalo, juste au début de Cuauhtémoc. Prendre la ruelle qui descend au pied de la banque *Santander* et pénétrer dans le *pasaje Santa Prisca.* 3 étages. Plus on descend, plus les prix baissent. Pour l'argent véritable, ils acceptent de vendre au détail. C'est nettement moins cher que dans les boutiques.
– Le métal utilisé à Taxco est un alliage d'argent et de cuivre. La proportion légale est de 92,5 % d'argent. D'où le poinçon « 925 » qui doit obligatoirement apparaître. En réalité, de nombreuses boutiques – celles qui tiennent à leur réputation et qui exportent – proposent un alliage de 95 %, voire plus. Bien entendu, il y a aussi quelques escrocs. Que cela ne vous arrête pas, le marché de l'argent est très contrôlé à Taxco. Et encore une fois, une boutique qui a pignon sur rue n'a aucun intérêt à tromper la clientèle.

À voir. À faire

🏃🏃 **Zócalo** *(plan A3)* **:** agréablement ombragé par des lauriers d'Inde et bordé de vénérables maisons, dont la **Casa Borda,** celle du fameux propriétaire de mines José de la Borda. Édifiée en 1759, cette demeure coloniale de trois étages abrite aujourd'hui la *Casa de la cultura,* qui accueille expositions et événements culturels (sur la gauche en regardant l'église).

🏃🏃🏃 **L'église de Santa Prisca** *(plan A3)* **:** sur le zócalo. Érigée aux frais de José de la Borda, grâce aux revenus que lui procurait la mine d'argent de San Ignacio. « Dieu donne à Borda, Borda donne à Dieu », avait coutume de dire le riche mécène alors qu'il faisait construire l'église de Santa Prisca. Toute sa fortune y passa. Mais qu'importe, quelques années plus tard, il redécouvrit un filon d'argent à Zacatecas. Construite en seulement 8 ans grâce à une centaine d'artisans, l'église, terminée en 1758, est un chef-d'œuvre de style churrigueresque (baroque mexicain). C'est le fils de José de la Borda qui y célébra la première messe. Façade de pierre rose à l'exubérance tropicale à l'extérieur ; retables sculptés et décorés à la feuille d'or à l'intérieur. L'un des plus beaux monuments d'art religieux du pays. N'oubliez pas d'aller visiter la sacristie, derrière l'église.

➤ **Se balader dans les ruelles :** dur, dur pour les mollets... mais on est récompensé par les superbes points de vue que l'on découvre au détour d'une ruelle *(callejón).* Au petit matin, ou le soir quand la chaleur est tombée, c'est un ravissement. Prendre n'importe quelle rue qui monte, par exemple, au-dessus de l'hôtel *Agua Escondida.* Un des buts de promenade est de grimper jusqu'à l'**église de la Guadalupe.** Prendre la ruelle qui monte depuis le *zócalo,* puis la calle Guadalupe. À l'arrivée, magnifique point de vue et aucun touriste.

➤ **Statue du Christ :** elle domine la ville. Y monter à pied demande du temps (et du souffle !), alors on peut prendre un minibus sur la place de San Juan *(plan A4),* qui indique « Panorámica », le nom du quartier le plus élevé. Ou y aller en taxi. Panorama spectaculaire sur Taxco et la vallée, à découvrir l'après-midi. Redescendre à pied en flânant dans les ruelles pentues.

➤ **Panorama sur Taxco :** les nostalgiques des sports d'hiver pourront prendre le **téléphérique** *(plan A1 ; pour y accéder, prendre un minibus marqué « Los Dos Arcos » ; 7h40-19h ; 37 $Me aller-retour, soit 2,20 €),* qui monte à l'hôtel le plus luxueux du coin, le *Monte Taxco,* situé sur une colline en face de la ville. Vue superbe sur la vallée.

🏃🏃 **Le marché** *(plan A3, 30)* **:** toujours très animé, surtout dans la matinée. C'est un vrai dédale sur plusieurs niveaux. Très authentique, surtout le samedi, jour de la cohue. On y trouve de tout : des fruits et des légumes, des fleurs, des masques et des pièces en bois polychrome, le coin des vendeurs de bijoux en argent, de l'artisanat... Voir aussi « Où manger ? ».

> ## TOUT CE QUI BRILLE...
>
> *En plus de l'argent, on trouve aussi à Taxco de nombreux objets en alpaca, un alliage qui ressemble à l'argent mais qui brille beaucoup moins. Et bien sûr, il n'y a aucun poinçon. Ayez l'œil !*

🏃🏃 **Museo del Arte Virreinal** *(ou Casa Humboldt ; plan A3)* **:** Ruis de Alarcón 12. *Mar-dim 10h-18h. Entrée : 50 $Me (3 €) ; plus cher quand il y a des expos temporaires.* Cette maison du XVIIIe s (magnifique façade de style mudéjar) abrite une petite collection de meubles et d'objets d'époque de la vice-royauté. Également quelques œuvres d'art sacré, provenant des églises de Taxco. Le baron Humboldt, l'un des premiers explorateurs du Mexique, y a passé une nuit en 1803, après plusieurs mois de voyage en Amérique centrale. Voir la rubrique qui lui est consacrée dans le chapitre « Hommes, culture et environnement ».

🍴 *Museo de la Platería* (plan A3, **32**) : *dans le patio de las Artesanías, dont l'entrée donne sur le zócalo, à gauche de l'église. À l'intérieur, prendre à gauche comme pour aller à la pizzeria* Mario *; c'est tt au fond. Mar-dim 9h-18h. Entrée à prix modique.* Un tout petit musée privé, intéressant surtout pour les vrais amateurs du travail de l'argent. Quelques belles pièces primées.

🍴 *Museo Guillermo Spratling* (plan A3, **50**) : *Porfirio Delgado 1.* ☎ 622-16-60. *Mar-sam 10h-17h ; dim 9h-15h. Entrée : 28 $Me (1,70 €) ; gratuit dim et j. fériés.* Du nom de ce Canadien débarqué à Taxco au début du XXᵉ s pour y relancer le travail de l'argent. Il a légué à l'État son immense collection d'objets précolombiens. Le musée en expose une partie (le reste est au Musée national d'anthropologie de Mexico). Quelques belles pièces bien mises en valeur. Au sous-sol, expos temporaires d'artistes locaux.

Fêtes

– *Fête de la sainte patronne de la ville, Santa Prisca :* 2ᵉ *sem de janv.* Avec grand feu d'artifice, et tout et tout. La veille, concours et bénédiction des animaux qui se présentent en costume, même les cochons.

– *Fêtes de Pâques (Semana santa) : elles s'étalent du dim des Rameaux jusqu'au dim de la Résurrection (dim de Pâques).* Ces fêtes, qui datent de l'époque coloniale, sont célèbres dans tout le pays et prennent parfois des aspects spectaculaires. Il y a des processions tous les jours, avec notamment celles des pénitents qui, pieds nus et recouverts d'une capuche noire, se flagellent le dos ou portent une énorme croix en bois. D'autres portent des cactus et des ronces sur leurs épaules nues, tandis que les femmes traînent de grosses chaînes aux pieds. Le jeudi saint et le vendredi saint sont les journées les plus intéressantes parce que plusieurs scènes de la Passion sont représentées par les fidèles, comme le Chemin de croix ou la Crucifixion. Durant le samedi saint, un silence absolu règne dans la ville en signe de deuil ; jusqu'au soir et la messe de Gloria, lorsque les soldats romains tombent à terre au moment de la résurrection du Christ. Pour connaître les dates exactes (variables chaque année), consultez l'un des meilleurs sites sur la question : ● *taxcolandia.com* ●

– *El día del Jumil :* 2 nov. Le *jumil* ? C'est un insecte du genre petit cafard. Tous les ans, des milliers migrent à Taxco et s'installent durant le mois de novembre dans les forêts des alentours, spécialement sur la colline Huixteco. Les habitants de la ville y vont aussi. On campe, on chasse le *jumil* sous les feuilles et on s'en régale. On le déguste vivant ou l'on en fait une sauce pour les tacos. Ça doit certainement être très bon pour la santé, vu que ce charmant coléoptère est particulièrement riche en iode et bourré de protéines.

– *Fête de l'Argent : début déc.* Fête à la mexicaine : avec majorettes, chanteurs et concerts sur le *zócalo,* courses d'ânes, etc. Mais, surtout, concours des plus belles œuvres en argent et exposition. Et puis le clou de la feria : l'élection de Miss Plata (Miss Argent), avec sa ravissante couronne... en argent, bien sûr !

➤ *DANS LES ENVIRONS DE TAXCO*

🍴🍴 *Grutas de Cacahuamilpa : à 30 km au nord de Taxco.* ☎ (721) 104-01-61. *Prendre un bus* Tres Estrellas *pour « las grutas » (trajet : 40 mn). Demander l'arrêt au chauffeur. Du croisement, 10 mn à pied (ou taxi). Tlj 10h-17h. Départ de la visite guidée (obligatoire) ttes les heures. Durée : 2h. Entrée : 63 $Me (38 €) ; réduc.* Ces immenses grottes ont été découvertes en 1835. Elles furent creusées par deux rivières sur près de 70 km, avec des salles d'une hauteur atteignant parfois 80 m de hauteur. Profusion de stalactites et de stalagmites créant des formes plus ou moins figuratives qui sont commentées de manière assez rocambolesque par le guide. Le circuit aménagé sur 2 km permet de parcourir une quinzaine de salles. Celles-ci ont vraisemblablement servi aux Indiens chontales pour leurs rituels religieux. Impressionnant et très beau. Emportez une petite laine, il peut faire assez frais à l'intérieur et c'est très humide.

VERS L'EST
ET LE GOLFE DU MEXIQUE

LES VOLCANS POPOCATÉPETL ET IXTACCÍHUATL

Le volcan Popocatépetl, indissociable des cours de géo, dresse son cône presque parfait à 70 km au sud-est de Mexico. Bien qu'il culmine à 5 452 m, il est rare qu'on puisse le voir depuis la capitale à cause du smog. Pour admirer cette masse imposante, généralement auréolée de neige, il faut aller vers Puebla.

Depuis son éruption de fin 1994, après 75 ans de quiétude, le « Popo » mérite plus que jamais son nom de « montagne qui fume ». Il a récidivé fin 2000, forçant à l'évacuation préventive des villages les plus proches, et a craché en 2007 de la lave et une colonne de cendres de plus de 2 km de hauteur ! Bien qu'il n'en ait pas connu depuis plus de 1 000 ans, une explosion majeure pourrait menacer un demi-million de personnes. Un nuage de cendres épaisses s'abattrait sur Mexico. Inutile, donc, de vous faire rêver en évoquant son ascension fabuleuse, puisqu'elle est absolument interdite. Des nuages de cendres tombent régulièrement sur les villages alentour, qui sont en état d'alerte permanent.

À côté du Popo se découpe la silhouette allongée d'un autre grand volcan, l'Ixtaccíhuatl (5 230 m), surnommé « la femme endormie ».

Aujourd'hui encore, le Popocatépetl conserve une aura mythologique auprès des populations les plus proches. Plusieurs fois l'an, des villageois se rendent sur ses pentes pour faire des offrandes à celui qu'ils surnomment Don Goyo. Le volcan, croient-ils, abrite l'âme de Tlaloc, le dieu de la Pluie, et peut intercéder en leur faveur pour de bonnes récoltes. Il semble que les Aztèques pratiquaient déjà de tels rites.

TRISTAN ET YSEULT CHEZ LES AZTÈQUES

Une légende raconte que l'Ixtaccíhuatl serait l'incarnation d'une princesse, morte de chagrin d'avoir cru tuer au combat le guerrier dont elle était amoureuse. À son retour, celui-ci, désespéré, se suicida à son tour. Non contents de cette fin assez banale, les dieux transformèrent les deux amants en volcans, le Popocatépetl et l'Ixtaccíhuatl. Les éruptions du premier ne seraient jamais que la manifestation de ses accès de rage impuissante...

En 1994, l'Unesco a classé un ensemble de 14 monastères du XVIᵉ s dressés dans un rayon proche du Popocatépetl – preuve s'il en fallait de la volonté espagnole de dompter les dieux aztèques en s'installant sur leur ventre. – Certains sont aisément accessibles, comme à Cuernavaca, Tepoztlán ou Tochimilco, d'autres un peu moins. Tous présentent le même style plateresque (Renaissance).

PUEBLA

1 500 000 hab.

IND. TÉL. : 222

⊘ L'homme est ainsi fait qu'il montre souvent le contraire de ce qu'il est. Puebla est baroque. Ultrabaroque, même, à l'image du *mole poblano,* la spécialité culinaire qu'elle a apportée au pays : des dizaines d'épices, du piment... et du chocolat. Baroque à l'image des angelots et des chérubins dorés qui s'entrechoquent sur les plafonds des églises. Baroque comme ses façades enjouées, fardées de céramiques colorées, les fameuses *talaveras.* Derrière ce visage avenant se cache pourtant une bourgeoisie conservatrice, raide comme les rues tracées en damier. Cette fille de l'Espagne, fière et hautaine, a volé dès le XVIᵉ s la suprématie à sa voisine, l'indigène Cholula. Fondée dès 1531, sous le nom de Puebla de los Ángeles, elle a prospéré grâce au commerce, à mi-chemin du Pacifique et du golfe du Mexique. C'est aujourd'hui la 4ᵉ ville du pays.

Cinq siècles ont passé et le legs de la vice-royauté espagnole est de toute beauté. Le centre historique, inscrit au Patrimoine mondial de l'humanité par l'Unesco, se parcourt à pied : demeures du XVIIIᵉ s, églises baroques à tous les coins de rue, musées somptueux, petites places charmantes, quartiers pittoresques... C'est une belle ville qui s'offre à vous, une ville à la vie culturelle intense. Le Festival international de Puebla (concerts, théâtre et folklore) a lieu autour de la 3ᵉ semaine de novembre.

À 2 160 m d'altitude, le climat est similaire à celui de Mexico : frais le soir, surtout en hiver.

Arriver – Quitter

En bus

Voir la liste des principales compagnies et leurs coordonnées dans la rubrique « Transports » du chapitre « Mexique utile ».

🚌 *Terminal de bus (CAPU ; hors plan par A1) : bulevar Norte, à 4 km du centre, soit 15-20 mn en taxi (comptoirs de prépaiement à l'intérieur et sur le côté du terminal).* ☎ 249-72-11. Très bien équipé, on y trouve cafétérias, boutiques, téléphones, consigne 24h/24, change, distributeur de billets et même une pharmacie ! Dessert pratiquement toutes les villes du pays. On peut réserver ses billets en centre-ville avec *Boletotal* (voir « Adresses utiles »). Pour y aller en bus urbain, prendre sur le bulevar Heroes del 5 de Mayo un *colectivo* avec l'inscription « CAPU » ou un bus bulevar Norte. Pour rejoindre le centreville, le taxi officiel *(autorizado)* revient à moins de 50 $Me (3 €), un peu plus cher entre 22h et 6h du matin.

➤ *De/pour Mexico (Terminal Tapo) :* très grandes fréquences, pas besoin de réserver. Avec *AU* (les cars bon marché du groupe *ADO*), bus ttes les 20 mn, 5h-22h (ttes les 40 à 90 mn durant la nuit), ttes 15 mn le w-e. Avec *ADO,* ttes les 40 mn env, 6h-22h30. Si vous voulez du luxe, choisissez un bus *ADO GL.* Bonne fréquence également avec *Estrella Roja.* Trajet : 2h à 2h30 selon les embouteillages à l'entrée de Mexico.

➤ *Pour Mexico (Terminal Norte) :* avec *ADO,* bus ttes les 60 mn, 5h-21h20. Trajet : 2h30.

➤ *Pour Mexico (Terminal Tasqueña) :* avec *ADO,* bus ttes les 90 mn, 6h-21h30. Trajet : 2h30.

➤ *Pour l'aéroport de Mexico :* avec *Estrella Roja,* à 3h, puis à chaque heure ronde 5h-20h. Il existe aussi un autre petit terminal propre à la compagnie *Estrella Roja :* situé 4 Poniente 2110, entre la 21 et la 23, plus proche du centre que le terminal

CAPU (taxi néanmoins nécessaire) : bus à 2h30, 3h15 puis ttes les 30 mn, 4h-22h30. Précisez si vous descendez au terminal 1 ou 2, les bagages sont étiquetés en conséquence. Terminal 2 desservi en premier. Mêmes fréquences dans le sens inverse, 6h15-24h pour le terminal de 4 Poniente, 8h-23h pour la *CAPU*. Trajet : 2h30.

➤ *De/pour Oaxaca :* avec *ADO,* 14 bus, 7h25-23h50. Résas à l'avance en période de rush. Avec *OCC* (même tarif), 2 bus. Avec *ADO GL,* 2 bus dans la soirée. Le moins cher est *AU,* avec 4 bus. Trajet : 4h45.

➤ *De/pour Cuernavaca :* avec *Oro* et *TER,* ttes les 60 mn, 5h-20h30. Trajet : 3h-3h30 (certains bus font escale).

➤ *De/pour Xalapa :* avec *AU* (le moins cher), ttes les 1-2h. Avec *ADO,* au moins 7 bus 6h45-18h45, davantage le w-e. Avec *ADO GL,* 3 bus. Trajet : 3h-3h30.

➤ *De/pour Poza Rica* (El Tajín) *:* avec *Verdes* (le moins cher), une douzaine de bus. Avec *ADO,* 6 bus. Trajet : 6h.

➤ *De/pour Papantla* (El Tajín) *:* 1 bus avec *ADO* en fin d'ap-m. Trajet : 5h50.

➤ *De/pour Veracruz :* avec les compagnies *AU, ADO* et *ADO GL,* env 25 départs 6h-20h. Trajet : 3h30-4h.

Adresses utiles

🄸 *Office de tourisme municipal* (plan C2) *:* sur le zócalo. ☎ 404-50-08 ou 47. ● visitpuebla.travel ● Tlj 8h-20h. Selon le personnel, on y parle anglais, parfois le français. Avant tout des infos sur la ville (pas mal de doc). Propose des promenades guidées à travers le centre-ville sur résas (se reporter à la rubrique « À voir »).

🄸 *Office de tourisme gouvernemental* (plan B3) *:* av. 5 Oriente 3. ☎ 777-15-19 ou 20. ● sectur.pue.gob.mx ● Lun-sam 8h-20h ; dim 9h-14h. Offre un plan bien fait et des infos sur l'État de Puebla.

■ **Adresses utiles**

🄸 Office de tourisme gouvernemental
🄸 Office de tourisme municipal
1 Bancomer
2 Bureau de change
3 Banamex
4 Laverie
5 Boletotal (Multipack)
@ 6 Internet Villa Rosa
@ 7 Internet Teocalli
9 Banorte

🛏 **Où dormir ?**

20 Hotel Catedral
21 Hotel Victoria
22 Hotel Virrey de Mendoza
23 AJ Hostal Santo Domingo
24 Hôtel San Agustín
25 Hotel Santiago
26 Camino Real
27 Hotel Puebla Plaza
28 Hotel Imperial
29 Hotel San Ángel
30 Hotel Gilfer
31 Hotel Palace
32 Hotel Colonial
33 Hotel Centro Histórico
34 El Sueño
35 Hotel Real Santander

|●| **Où manger ?**

40 Mercado El Alto
41 La Matraca
42 La Fonda
43 Paseo Viejo de San Francisco
44 Celia's Café
45 El Mural de los Poblanos
46 La Zanahoria
47 La Conjura
48 Fonda Santa Clara
49 Mesón Sacristía de la Compañía

☕ **Où prendre le petit déjeuner ?**

26 Camino Real
50 Aries

🍦 **Où déguster une glace ?**

55 Paleteria Michoacan

🍸 🎵 **Où boire un verre ? Où sortir le soir ?**

70 Teorema
71 La Pasita
72 Café Rentoy
73 Musa
74 Las Brujas

VERS L'EST ET LE GOLFE DU MEXIQUE

EL TAJIN

A

B

NORD

10 Poniente

14 Poniente

12 Poniente

11 Norte

8 Poniente

Museo de
Arte popular

6 Poniente

La Merced

1

10 Poniente

Santa Rosa

7 Norte

9 Norte

4 Poniente

8 Poniente

Fabrique de
céramique Uriarte

4

6 Poniente

29

33

2 Poniente

Museo Bello
y Zetina

70

4 Poniente

23

55

Reforma

Santo
Domingo

5 de Mayo

22

2 Poniente

3 Poniente

9

24

Reforma

20 21

Museo Bello
y Gonzalez

3

1

48

25

50

5 Poniente

ZÓCALO

73

Catedral

27

41

Casa
del Deán

26

45

Biblioteca
Palafoxiana

Concepción

35

16 de Septiembre

7

Museo
Amparo

13 Poniente

34

15 Poniente

47

0   100   200 m

A

B

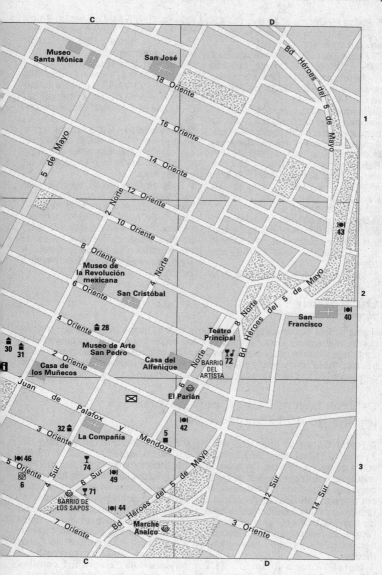

Museo
Santa Mónica

San José

18 Oriente

16 Oriente

14 Oriente

5 de Mayo

12 Oriente

2 Norte

10 Oriente

8 Oriente

Museo de
la Revolución
mexicana

6 Oriente

San Cristóbal

4 Norte

4 Oriente 28

30

31

Museo de Arte
San Pedro

2 Oriente

Casa del
Alfeñique

Casa de
los Muñecos

El Parián

Teatro
Principal

72

BARRIO
DEL
ARTISTA

8 Norte

6 Norte

Juan de Palafox y Mendoza

32

3 Oriente

La Compañía

5 46

Oriente
6

4 Sur

6 Sur

74

49

71

BARRIO DE
LOS SAPOS

44

7 Oriente

Héroes del 5 de Mayo

Marché
Analco

42

5

Bd Héroes del 5 de Mayo

43

San
Francisco

40

12 Sur

3 Oriente

14 Sur

VERS L'EST ET LE GOLFE DU MEXIQUE

PUEBLA

■ *Police* : 9 Oriente et 12 Sur. ☎ 243-10-22. C'est ici qu'il faut venir en cas de vol ou d'agression.

✉ *Poste* (plan B3) : 16 de Septiembre 501 ; à l'angle de 5 Oriente. Lun-ven 8h-19h et sam 9h-16h. Un autre bureau se trouve 2 Oriente 411 (plan C3). Lun-ven 8h-18h ; sam 8h-16h.

■ *Banques* : elles sont regroupées sur Reforma, entre le zócalo et 5 Norte. La plupart ont des distributeurs de billets. 3 changent euros et dollars : *Banamex* (plan B2, **3**) au n° 135, lun-ven 9h-16h ; *Bancomer* (plan B2, **1**) au n° 113, lun-ven 8h-16h ; *Banorte* (plan B2, **9**) au n° 310, lun-ven 9h-17h, sam 9h-14h. Pour du change au guichet, n'oubliez pas votre passeport.

■ *Bureau de change* (casa de cambio ; plan B2, **2**) : dans le passage couvert entre le zócalo et la rue 2 Oriente. ☎ 242-53-85. Lun-ven 9h-18h ; sam 10h-15h.

@ *Internet Teocalli* (plan B3, **7**) : 2 Sur 707. ☎ 232-71-14. Lun-ven 8h-1h du mat ; w-e 9h-1h. Pratique pour ses longues plages horaires. Plus de 30 ordinateurs. Pas cher.

@ *Internet Villa Rosa* (plan C3, **6**) : 5 Oriente 207 ; à l'entrée du resto Villa Rosa. ☎ 232-42-93. Lun-sam 8h30-21h ; dim 9h-17h. Un cybercafé au cadre pas désagréable. On peut imprimer.

■ *Laverie* (plan A1, **4**) : 7 Norte ; entre les rues 4 et 6 Poniente. ☎ 246-35-18. Lun-sam 8h-20h. On laisse son linge avant 13h et on le récupère en fin d'après-midi.

■ *Boletotal* (plan C3, **5**) : Juan de Palafox y Mendoza 604 ; à l'angle de 6 Norte, dans l'immeuble des messageries Multipack. ☎ 01-800-009-90-90. ● boletotal.mx ● Lun-ven 8h-20h30 ; sam 8h-15h. Pour réserver ses billets de bus et d'avion ou même un hôtel. En ligne, par téléphone ou directement à l'agence.

Où dormir ?

N'allez surtout pas imaginer que les hôtels sont à l'image des façades, vous risqueriez d'être déçu. Les chambres donnent souvent sur des cours couvertes et sont donc sombres et sonores. Dans un même établissement, elles peuvent être très disparates ; demandez à en voir plusieurs avant de vous décider. Il est prudent de réserver, surtout le week-end ; indispensable lors des ponts et périodes de fêtes.

De très bon marché à bon marché (moins de 400 $Me, soit 24 €)

🛏 *Hotel Catedral* (plan B2, **20**) : 3 Poniente 310. ☎ 232-23-68. La maison a dû être splendide. On aperçoit encore de vieux carrelages et de belles peintures au plafond ! Maintenant, ils ont tendance à s'écailler de partout... Chaque chambre a désormais sa salle de bains. Certaines, plus claires, à l'étage, donnent sur le patio intérieur qui sert aussi de garage ! Matelas en mousse.

🛏 *Hotel Victoria* (plan B2, **21**) : 3 Poniente 306. ☎ 232-89-92. Un peu tristounet dans l'ensemble, mais les chambres – basiques, avec TV – se révèlent convenables, avec des salles de bains privées propres. Préférer l'étage ; le rez-de-chaussée est vraiment sombre.

🛏 *Hotel Centro Histórico* (plan B2, **33**) : 4 Poniente 506. ☎ 246-89-42. ● hcentrohistorico@hotmail.com ● *Parking gratuit*. Les chambres, au mobilier usé, se dispersent autour d'un long patio avec fontaine. Fonctionnelles, propres, elles disposent d'un assez bon niveau de confort pour le prix (téléphone, TV câblée), quoiqu'elles ne disposent ni de l'AC ni d'un ventilo. Celles du rez-de-chaussée sont plus petites et sombres. Les plus grandes conviendront aux familles ou groupes d'amis.

🛏 *AJ Hostal Santo Domingo* (plan B2, **23**) : 4 Poniente 312. ☎ 232-16-71. ● hostalstodomingo@yahoo.com ● Lit en dortoir 150$Me/pers ou chambre double 350 $Me, petit déj inclus. CB refusées. Internet et wifi. Membre du réseau *Hostelling International*, le lieu se partage entre 2 dortoirs (chacun avec sa salle de bains) et chambres privées. Certaines donnent sur la rue (bruyante) avec un petit balcon et un mobilier vieillot. Reste que l'on préfère le coin AJ, au fond, plus calme et d'un bien meilleur rapport qualité-prix, avec cuisine à disposition (12h-20h). Chaque lit dispose d'un casier. Coin-canapé TV. Cafétéria à l'entrée servant un bon *espresso* et resto dans le patio. Service de laverie, consigne à bagages.

◾ *Hotel San Agustín* (plan A2, **24**) : 3 Poniente 531. ☎ et fax : 232-50-89 ou 01-800-849-27-93. ● *hotelesenpuebla. com* ● *Petit déj continental inclus. Parking. Wifi.* La maisonnette-bar occupant une grande partie de la cour surprend, mais les chambres, aux noms des différentes municipalités du district de Puebla, sont correctes, propres et lumineuses. La plupart ont de petites fenêtres aux vitraux colorés. Évitez celles du rez-de-chaussée, plus sombres. Resto très bon marché. Un bon rapport qualité-prix. Accueil aimable.

◾ *Hotel Virrey de Mendoza* (plan A2, **22**) : *Reforma 538.* ☎ 242-39-03. Une belle demeure coloniale, bien entretenue et propre. Un splendide escalier en bois mène à une verrière très XIXᵉ s abritant un salon. La plupart des chambres donnent sur un patio plein de plantes, quelques-unes côté rue. Préférer le 1ᵉʳ étage, plus lumineux. Grandes et hautes de plafond, elles ont des salles de bains récentes. Une bonne adresse, même si les réservations ne sont pas toujours honorées.

Prix moyens (400-800 $Me, soit 24-48 €)

◾ *Hotel Santiago* (plan B2-3, **25**) : 3 Poniente 106. ☎ 242-28-60. ● *hotel santiago.com.mx* ● *Parking. Wifi.* Presque à l'angle avec le *zócalo*, quasi en face de la cathédrale, bref, super bien placé. Marbre, moquette ou parquet et mobilier élégant, salles de bains nickel, TV câblée, eau minérale… bref, le confort est assuré. N'oubliez pas de grimper jusqu'à la terrasse du dernier étage : vue somptueuse sur la cathédrale. Bon rapport qualité-prix pour les chambres avec lit *matrimonial*, à condition de ne pas s'en faire refiler une de celles du rez-de-chaussée, presque sans fenêtre.

◾ *Hotel Palace* (plan C2, **31**) : 2 Oriente 13, à côté du Gilfer. ☎ 232-24-30 ou 242-40-30. ● *hotelpalace.com.mx* ● *Doubles 500-650 $Me selon 1 ou 2 lits ; compter 810 $Me pour 4 ou 6 pers ; réduc 15 % pour nos lecteurs sur présentation de ce guide. Parking. Ascenseur. Wifi.* Cet hôtel moderne dispose de 60 chambres confortables, parfaitement propres, certaines plus colorées ou plus lumineuses que d'autres. Resto (7h-23h). Un excellent rapport qualité-prix. Mieux vaut réserver à l'avance, surtout le samedi soir.

◾ *Hotel Gilfer* (plan C2, **30**) : 2 Oriente 11. ☎ 309-98-00. ● *gilferhotel.com. mx* ● *Attention, résa conseillée mais gardée jusqu'à 18h slt. Parking gratuit. Wifi et Internet.* Grand hôtel moderne et fonctionnel, sans grand charme mais avec le standing de cette catégorie et certaines chambres donnant sur la cathédrale. Belles salles de bains avec baignoire. Ventilo et AC dans les étages supérieurs. Pour chipoter, mentionnons que certaines chambres sont mal insonorisées ; celles sur la rue sont bruyantes, même au 7ᵉ étage. Resto-bar. Malgré ses 92 chambres, mieux vaut réserver.

◾ *Hotel Puebla Plaza* (plan B3, **27**) : 5 Poniente 111. ☎ 246-31-75 ou 01-800-926-2703. ● *hotelpueblaplaza. com* ● *Parking payant. Wifi.* Dans une vieille demeure à la façade bleue, les chambres (une trentaine) donnent sur une cour intérieure un peu sombre, sur un patio ou sur la rue. Agréablement refaites, confortables, elles disposent de salles de bains carrelées, de parquet et d'un joli mobilier en bois. Préférer celles de l'étage, pour avoir un peu plus de lumière.

◾ *Hotel Imperial* (plan C2, **28**) : 4 Oriente 212. ☎ 242-49-80 ou 01-800-874-49-80. ● *hotelimperialpue bla.com* ● *Doubles 480-550 $Me, petit déj inclus (sf j. fériés) ; réduc de 10 % à 30 % selon saison pour les lecteurs de ce guide. Ah, on allait oublier, l'apéro* est offert le soir de votre arrivée. Parking disponible selon remplissage. Wifi et Internet. Les chambres sont propres et claires, arrangées avec goût, quoique parfois un peu patinées. Salles de bains immaculées et plein de petites attentions pour les clients : billard, table de ping-pong, micro-ondes à disposition, minigolf sur la terrasse du 1er étage ! On peut aussi laver son linge (à la main)... et le repasser. Room service jusqu'à 22h.

🛏 *Hotel San Ángel* (plan B2, *29*) : 4 Poniente 504. ☎ 232-27-66 ou 01-800-849-27-93. ● hotelesenpuebla. com ● Petit déj continental inclus. Parking gratuit. Wifi. Dans un quartier populaire, à côté d'un charmant petit square. Choisissez une chambre dans la nouvelle section (au fond, autour du calme patio avec fontaine), et si possible en hauteur. Mobilier en bois rustique. Les salles de bains ont une baignoire (sabot). Les chambres de la section la plus ancienne, côté rue, sont plus dépouillées, même si elles ont de hauts plafonds et que certaines jouissent d'une terrasse. Bar-resto.

🛏 *Hotel Colonial* (plan C3, *32*) : 4 Sur 105 et 3 Oriente. ☎ 246-46-12 ou 01-800-013-00-00. ● colonial.com. mx ● Résa conseillée (hôtel très souvent complet). Autrefois partie intégrante d'un monastère jésuite (XVIIe s), l'établissement, donnant sur un petit morceau de rue piétonne, a gardé son cachet colonial. Certaines chambres sont spacieuses, d'autres minuscules, certaines sont lumineuses, d'autres très sombres et la plupart assez bruyantes. Bref, soyez exigeant ! Ni AC ni ventilo (pas même sur demande !). Montez sur la terrasse pour voir les volcans Popocatépetl et Ixtaccíhuatl ; magnifique panorama. Si le liftier veut bien, allez-y avec le vieil ascenseur (français) ; il a plus de 100 ans de bons et loyaux services !

Chic (800-1 200 $Me, soit 48-72 €)

🛏 *Hotel Real Santander* (plan B3, *35*) : 7 Oriente 13. ☎ 246-13-44 ou 35-53. ● realsantanderhotels.com ● Petit déj inclus. Parking. Wifi. Ce petit hôtel de charme, sis dans une demeure du XVIIe s, a bénéficié d'une rénovation léchée. Cadre colonial, meubles anciens et quelques belles pièces d'art sacré (les antireligieux passeront leur chemin !). Beaucoup de cachet, avec des poutres apparentes et l'ancien fourneau à bois visible dans la chambre 11. Les chambres ont été refaites à neuf, spacieuses, confortables et douillettes. L'immense hauteur sous plafond maintient la fraîcheur. On a un faible pour la n° 1, au fond, avec son minipatio privatif. Petit déj au son de la fontaine.

Plus chic (à partir de 1 500 $Me, soit 90 €)

🛏 *Camino Real* (plan B3, *26*) : 7 Poniente 105. ☎ 229-09-09 ou 01-800-901-23-00. ● caminoreal.com/ puebla ● Internet et wifi. Le plus beau des hôtels de Puebla, dans un ancien couvent de clarisses du XVIe s. Magnifique cour intérieure inondée de soleil. Mobilier d'époque, salle de bains à l'ancienne avec tout le confort moderne en sus. Une véritable adresse de charme et des prix qui se négocient en hiver (voir aussi les promos sur Internet). Un bar superbe à l'entrée et resto (voir « Où prendre le petit déjeuner ? »).

🛏 *El Sueño* (plan B3, *34*) : 9 Oriente 12. ☎ 232-64-89. ● elsueno-hotel. com ● Prix variant selon les j. de la sem. Petit déj inclus (à la carte). Alliant ultramodernité et décorum du XVIIIe s, cet hôtel a de quoi surprendre. Et l'audace paie, puisque poutres apparentes et design très contemporain créent une ambiance exquise et unique. Chacune des 20 chambres met à l'honneur une femme artiste de langue espagnole, peintre ou écrivain. Dans le prix, hammam et jacuzzi sur le toit-terrasse avec chaises longues sont compris. Le spa ne l'est pas. Accueil prévenant comme il se doit dans cette catégorie.

Où manger ?

N'allez pas dîner trop tard, les restos ferment tôt, surtout en semaine. Puisque vous êtes à Puebla, il faut en profiter pour goûter les spécialités du coin, dont le fameux *mole* (sauce à base de cacao, inventée par les religieuses du couvent Santa Rosa ; voir plus loin), le *chile en nogada* (poivron farci de viande, noix et raisins secs) ou le *pipián,* une sauce que l'on sert avec du poulet ou, plus traditionnellement, avec de la viande de porc. Dans la rue, de nombreux marchands ambulants vendent des *tortillas azul* garnies de fromage, de lardons, de piment, de tomate, au choix. Sans oublier bien sûr les célèbres sucreries (voir plus loin).

Bon marché (moins de 80 $Me, soit 4,80 €)

🍴 **Mercado El Alto** (plan D2, **40**) : 14 Oriente et 12 Norte. De l'autre côté du bd *Héroes del 5 de Mayo.* Ouv 24h/ 24. Marché couvert et tapissé d'*azule-jos,* où une multitude de stands servent de la bonne cuisine typique. Ambiance surtout le soir, sous la lumière crue des néons blancs, au son des TV et de 3 ou 4 groupes de mariachis qui jouent en même temps (leurs quartiers sont juste derrière le marché), sous le regard attendri d'une Vierge de Guadalupe qui clignote en rouge et vert. Les Poblanos, les habitants de Puebla, viennent y déguster des *cemitas,* des *molotes,* des *memelas,* du *pozole* ou du *mixiote* de mouton, arrosé de *virria,* un vrai tord-boyaux (60°)...

🍴 **Paseo Viejo de San Francisco** (plan D2, **43**) **:** à 200 m au nord du marché El Alto. Ne confondez pas avec le centre commercial du *Nuevo Paseo de San Francisco,* ça n'a rien à voir ! Ici, on trouve plusieurs petits restos populaires alignés sous les arbres, en retrait de l'avenue 5 de Mayo, où l'on se nourrit à bon compte et dans la tradition. Au menu : *mole, chalupas, chile en nogada,* tacos, *tostadas...* Les *chalupas ?* Des tortillas frites avec du porc, des oignons et de la sauce. On recommande en particulier *La Abuelita,* excellent et très accueillant, *Las Carmelitas* et, un cran au-dessus, le *Ranchito,* fondé il y a plus d'un demi-siècle, qui reste ouvert le soir. Mais là, le prix du *chile en nogada* saute dans la catégorie suivante.

🍴 **La Zanahoria** (plan C3, **46**) : 5 Oriente 206. ☎ 232-48-13. Tlj 7h30-19h, donc plutôt pour le déjeuner. Menu 55 $Me servi 13h-18h ; le w-e, buffet 85 $Me. Ce grand resto végétarien, très haut sous plafond, propose un bon choix de salades et de jus de fruits. Menu différent tous les jours, avec 7-8 choix. On y trouve même des hamburgers de soja et de la bière sans alcool. Le pain semi-complet fait maison, tout chaud, est un régal. Super petit déj, à la carte ou avec buffet du vendredi au dimanche.

🍴 **La Matraca** (plan B3, **41**) : 5 Poniente 105. ☎ 242-60-89. Tlj 8h-minuit. En sem, menu 50 $Me ; buffet sam-dim. Dans le patio à arcades d'un ancien relais de poste du XVIe s, aux murs délabrés de couleurs chaudes. C'est le rendez-vous obligatoire des familles à petit budget. Et des autres aussi, d'ailleurs, parce que l'ambiance y est décontractée. Ne vous attendez pas quand même à de la grande cuisine. C'est assez basique. En revanche, le soir, on vient y siroter une bière (2 pour le prix d'une entre midi et 21h) en écoutant de la musique *en vivo.* Ça démarre vers 21h (*cover* bon marché, parfois gratuit). Au menu : pop, rock, latino.

🍴 **La Fonda** (plan D3, **42**) : 2 Oriente 801. ☎ 232-44-49. En face du marché d'artisanat el Parián. *Tlj sf dim 8h30-19h.* 3 menus. Cadre typique mais plus modeste que chez ses voisins, avec vue sur les fourneaux autour desquels s'affaire une armée de femmes. Bonne cuisine populaire. Goûter aux *sesinas,* aux *chalupas* et au *mole poblano,* bien sûr.

Prix moyens (80-250 $Me, soit 4,80-15 €)

🍴 **Celia's Café** (plan C3, **44**) : 5 Oriente 608. ☎ 242-36-63. Lun-ven 9h-21h ; sam 9h-minuit ; dim 9h-18h. On entre dans un 1er patio couvert, avec de vieilles

VERS L'EST ET LE GOLFE DU MEXIQUE

machines à coudre en guise de tables et des plantes à foison. La 2e salle est consacrée à la partie vente des céramiques *talaveras* fabriquées par la famille de Celia. Au fond, un autre patio avec des tables et des chaises disparates, et un 4e, encore, adorable, avec 2 bancs en pierre et un air de vouloir s'y oublier. Un endroit plein de charme et qui propose en outre une bonne cuisine (buffet le week-end pour le petit déj et le déjeuner). Le soir, changement de décor à partir de 20h, on dîne au son du piano, de la guitare (*cover* ce jour-là) ou en applaudissant un chanteur de *trova* le samedi. Une adresse coup de cœur.

|●| *Fonda Santa Clara* (plan B2, 48) : 3 Poniente 307. ☎ 242-26-59. Tlj 8h-22h. Un resto (plusieurs en ville) ouvert par une femme qui a voulu remettre au goût du jour la cuisine populaire, avec des recettes qui avaient presque disparu de Puebla. On goûtera bien sûr au *mole poblano* ou au *pipián* (vert ou rouge) ; ou encore, selon les saisons, aux *gusanos de maguey* (avril-mai), ces petits vers qui vivent dans les cactus et qu'on fait griller ; aux *chapulines* (octobre-novembre), des sauterelles frites ; et aux *escamoles*... Rien d'extraordinaire, ce sont simplement des œufs de fourmis ! Déco rustico-chic dans le genre apothéose de la mexicanité. Vous avez dit « kitsch » ? Les non-fumeurs se retrouvent dans la salle du fond, moins sympa.

Chic (250-370 $Me, soit 15-22,20 €)

|●| *Mesón Sacristía de la Compañía* (plan C3, 49) : au n° 304 de la calle 6 Sur, également appelée callejón de Los Sapos. ☎ 242-35-54. ● mesones-sacris tia.com ● Lun-sam 8h-22h30 ; dim 8h-18h. Le cadre est splendide. On mange dans le patio ou dans une des petites salles, au milieu d'œuvres d'art et de mobilier ancien. Tout est couleur : les murs rose malabar et bleu Majorelle, les serviettes jaunes, vertes ou violettes, les coussins rouges, les plantes... vertes ! Bonne cuisine régionale très abordable au regard du cadre, dans une ambiance raffinée. On recommande le *mancha mantel*, viande de porc en sauce, peu épicée, avec bananes plantains, ananas et *camote* (patate douce). Pianiste au déjeuner, musique bolero pour le soir. Les 8 chambres de l'hôtel sont meublées avec des œuvres d'art que les hôtes peuvent acquérir, du lit jusqu'aux candélabres. Un vrai nid d'amour, mais compter quand même 1 600 $Me pour une nuit vice-royale, avec petit déj, plateau de confiseries, journal et lavage de voiture !

|●| *El Mural de los Poblanos* (plan B3, 45) : 16 de Septiembre 506. ☎ 242-66-96. Lun-jeu 13h-21h ; ven-sam 13h-22h ; dim 13h-17h. Le resto est touristique, c'est indéniable, la fresque dépeignant les habitants de Puebla les plus célèbres est sans grand intérêt, mais le service et la cuisine sont tous deux excellents. La fontaine qui gargouille dans son coin a un certain charme. Au menu : cuisine *poblana* et plats aztèques en saison. Pour changer du *mole*, goûtez aux crevettes au mezcal. Au dessert, ne manquez pas l'excellente glace au *turrón* suintant de caramel...

|●| *La Conjura* (plan B3, 47) : 9 Oriente 201. ☎ 232-96-93. Mar-sam 14h-23h, dim-lun 14h-18h. Ce resto espagnol de haute volée, estampillé « *comidas lentas* » (alias *slow food*), a élu domicile sous les voûtes du XVIIe s d'une ancienne fumerie de lard. Déco élégante sous les vieilles pierres rehaussées par un éclairage contemporain. Au menu, de bons produits comme le fameux *jamón de Jabugo*, des préparations bien ficelées comme cette *fideua*, une sorte de paella aux fruits de mer plus élaborée, le tout servi dans un cadre raffiné et le tour est joué ! Également quelques tapas chic. Carte des vins soignée, avec quelques choix au verre, et sélection de cigares. Pour une soirée d'exception.

Où prendre le petit déjeuner ?

Pratiquement tous les restos ouvrent vers 8h et proposent des formules petit déj qui sont servies jusque vers 12h, voire 13h. On vous indique cependant quelques adresses que l'on apprécie.

🦐 *Aries (plan A2-3, 50)* : 5 Sur 504. 📱 497-26-10. Mar-dim 9h-17h. Une *fonda* classique mais avenante, pour un petit déj mexicain vraiment typique et pas cher du tout (servi jusqu'à 13h). Service aimable et bonne cuisine maison. Plusieurs formules qui incluent le jus d'orange et le fameux *café de olla* parfumé à la cannelle.

🦐 *Hotel Camino Real (plan B3, 26)* : 7 Poniente 105. Tlj 7h-13h. Compter env 150 $Me (9 €) en sem, 200 $Me (12 €) le w-e. Dans le somptueux patio colonial de l'un des plus beaux cadres de Puebla. On se croirait presque revenu sous la vice-royauté espagnole. Le petit déj est servi sous forme de buffet. Avec bien souvent un chanteur en prime ; pour commencer la journée dans la bonne humeur. Voir « Où dormir ? Plus chic ».

Où manger des sucreries ? Où déguster une glace ?

La ville est réputée pour ses confiseries, notamment le *camote* (prononcez « camoté »), une patate douce confite qui se présente sous une telle forme qu'elle donne lieu à de nombreux jeux de mots de la part des Mexicains, toujours prompts à la plaisanterie grivoise. Évidemment, les charmantes touristes sont une cible de choix... Il vous faudra donc faire preuve de beaucoup de finesse pour répondre au vendeur qui vous demandera si vous préférez votre *camote* gros ou long !

🍴 *Confiseries (dulces)* : les confiseurs sont rassemblés dans la rue 6 Oriente, entre 5 de Mayo et 4 Norte *(plan C2)*. Le sucre dans tous ses états. *Borrachitos* (pâtes de fruits), *tortitas di Santa Clara* et sauce *mole poblano* si vous voulez vous essayer à la cuisine mexicaine en rentrant. N'oubliez pas le *camote*.

🍦 *Paleteria Michoacan (plan A2, 55)* : angle 7 Norte et 2 Poniente. 📱 246-44-58. Tlj 9h30-21h30. Des glaces en boule ou en bâtonnet, à tous les parfums possibles avec parfois des mélanges étonnants. Beaucoup de choix dans les fruités avec des morceaux dedans. Également des *aguas frescas*. Très rafraîchissant.

Où boire un verre ? Où sortir le soir ?

🍷 *La Pasita (plan C3, 71)* : 5 Oriente 602, pl. de Los Sapos, à l'angle de 6 Sur. 📱 232-44-22. Tlj 13h-17h30. Depuis près d'un siècle, les Poblanos viennent s'offrir un p'tit gorgeon dans cette drôle de cave à vins, où l'on ne trouve pas de vin, mais la fameuse liqueur *Pasita* inventée par le père de l'actuel tenancier. La *Pasita*, à base de raisin sec, est servie dans un petit verre avec un morceau de fromage au fond, à grignoter entre 2 gorgées. Ni chaises ni tables, on boit debout. Vente de bouteilles à emporter.

🍷 *Las Brujas (plan C3, 74)* : 3 Oriente 407. 📱 246-74-81. Tlj 9h-22h. Bien sympa ce petit café-resto avec ses tables rustiques qui débordent en terrasse sur la rue piétonne. Idéal pour se rafraîchir le gosier ou casser une petite graine. Un chanteur vient égayer la soirée avec sa guitare *(ven-dim à partir de 19h)*. Ambiance relax, très animée le week-end quand débarquent les étudiants du Colegio San Jerónimo, juste à côté.

🍷🎵 *Teorema (plan A2, 70)* : 2 Poniente 703 B. 📱 298-00-28. Tlj sf dim 10h-minuit. Cover pas cher du tout 20-30 $Me (1,20-1,80 €). Clientèle hétéroclite d'étudiants et de jeunes couples pour ce café-musique. On y vient en fin d'après-midi pour siroter une bière, mais c'est surtout le soir que l'ambiance s'échauffe, à partir de 21h30, quand sur la scène, les groupes de musique se mettent à jouer. Chanteur de ballades *(bohemia* ou *trova)* du lundi au jeudi, et rock vendredi et samedi. Petite restauration. Galerie d'expositions. Un endroit vivant très sympa.

🍷 *Musa (plan B3, 73)* : 3 Sur 504.

☎ 403-34-09. *Lun-sam 10h-22h (plus tard en cas d'événement)*. Dans le patio d'une ancienne demeure, un endroit consacré aux arts visuels, avec une boutique d'objets de jeunes designers, des expos de peintures ou de photos, et même une minisalle de ciné (apportez vos films ou cherchez dans le catalogue). Clientèle branchée arts graphiques. On s'assoit sur des poufs autour de tables basses. Spectacles ou happenings vendredi et samedi (théâtre, projections, concerts de rock ou même trio de musique classique).

♀ *Café Rentoy (plan D2, 72) :* 8 Norte 602 ; à l'angle de 6 Oriente. ☎ 246-44-59. • *rentoy.com.mex* • *Tlj 8h-2h ou 3h. Wifi.* Donnant sur la place des artistes, l'endroit est idéal pour boire un café ou un cappuccino dans la journée sur la terrasse ensoleillée. À partir de 18h, ambiance plus *caliente* avec musique *en vivo* : jazz, salsa, latin jazz (*cover* de 35 $Me, soit 2,10 €, vendredi et samedi). Grand choix de cocktails, dont certains aux noms très sexe...

♀ Nombreux *bars* sur la ravissante plaza de Los Sapos *(plan C3)*. Ils ouvrent pour la plupart en fin de l'après-midi. Les étudiants viennent s'y défouler le soir et le week-end en buvant de la bière dans des gobelets en plastique (souvent *dos por uno* : une offerte pour une achetée). Musique à fond la caisse (bonjour les oreilles), ambiance totalement survoltée... Le soir, bien jolie illumination de la ruelle 6 Sur (callejón de los Sapos).

Achats

🏺 *Fabrique de céramique Uriarte (plan A1) :* 4 Poniente 911. ☎ 232-15-98 ou 83-68. • *uriartetalavera.com.mx* • *Boutique ouv lun-ven 10h-18h ; sam-dim 11h-17. Visite guidée ttes les heures 10h-14h (espagnol ou anglais). Durée : de 30 mn à 1h. Tarif : 50 $Me (3 €).* Entrez au moins pour voir le patio couvert de *talaveras* et sa belle fontaine, c'est gratuit. La visite, très intéressante, détaille l'histoire de la maison, fondée en 1824, et la fabrication des *talaveras*, nom donné ici aux azulejos. C'est en fait celui d'une petite ville espagnole proche de Tolède, d'où la technique fut importée peu après la conquête. Les couleurs utilisées, au nombre de 6, n'ont pas changé : vert, jaune, orange, noir, bleu pâle et le fameux bleu colonial. En revanche, les motifs ont subi diverses influences, italienne, espagnole (et arabe par conséquent), chinoise aussi lorsque les marchandises venant d'Orient par Acapulco passaient par Puebla avant de rejoindre le port de Veracruz à destination de l'Europe. Avec un peu de chance, c'est le patron qui fera la visite. D'origine basque par sa mère, il parle quelques mots de français. Assiettes, vases, bonbonnières, lavabos (!), carafes... de magnifiques pièces sont présentées, qu'on peut acheter. Mais pensez au transport !

🏺 *Calle de la Talavera (plan C1) :* dans la rue 18 Poniente (entre 3 Norte et 5 de Mayo, près du museo de Santa Monica). *Généralement ouv tlj 10h-20h (18h dim).* Quelques boutiques de vrais objets en *talavera* ; et beaucoup de céramiques partout, même dans les confiseries ! La *talavera* a sa dénomination d'origine depuis 1998 : DO4. Ce sigle est peint sous le dessous de l'objet en céramique. La dénomination « talavera » certifie la méthode artisanale (450 ans d'existence), la production régionale (Puebla) et l'utilisation des 6 couleurs traditionnelles d'origine minérale. Les autres céramiques sont aussi très jolies (moins cher), mais ce n'est pas de la *talavera*.

🏺 *Marché artisanal El Parián (plan D3) : entre les rues 6 et 8 Norte, 2 et 4 Oriente. Les boutiques ferment vers 19h-19h30.* Petit marché et stands d'artisanat et de bibelots dans une agréable ruelle piétonne débouchant sur le Barrio del Artista.

🏺 *Barrio de los Sapos (plan C3) :* autrement dit le « quartier des crapauds ». En réalité, des artisans. On y trouve de belles boutiques d'antiquaires... et des ateliers d'artisanat du bois dans le bas de 5 Oriente et dans le callejón de Los Sapos. Meubles et superbes cadres en bois sculpté.

🏺 *Marché aux puces (plan C3) :* le

week-end (9h-17h), la plazuela de Los Sapos se transforme en marché à la brocante dans une ambiance bon enfant. Bien sûr, les boutiques des antiquaires sont ouvertes.

☸ *Marché Analco (plan C-D3) : dans le* prolongement de 5 Oriente, de l'autre côté du bulevar Héroes del 5 de Mayo, dans le jardin public. Immense marché d'artisanat, mais seulement les samedi et dimanche durant la journée. Populaire et sympa.

À voir

Attention ! Les musées sont fermés le lundi (sauf Amparo qui ferme le mardi). Pour le tarif réduit, essayez la carte étudiant, ça marche parfois.

➤ *Visites guidées : tlj sur résa, départs 9h-12h ; durée 4h env. Possible en français.* L'office de tourisme municipal propose des balades à pied à travers la ville avec un guide. Trois circuits au choix, consacrés au centre historique dans son ensemble, aux édifices les plus remarquables *(recorridos de patios)* ou aux couvents. C'est très intéressant et gratuit (mais n'oubliez pas le pourboire). Une autre option consiste à demander les brochures dans un des deux offices de tourisme et faire les circuits tout seul.

➤ *Tranvía : départ du zócalo, env ttes les heures, 10h-18h, sam et dim à partir de 9h (assez variable en fait, c'est selon l'affluence). Tarif : 45 $Me (2,70 €).* Parcours de 1h10 à travers le centre historique et jusqu'au fort de Guadalupe. Explications en espagnol. Propose également un tour quotidien à Cholula (via la superbe église de Tonanzintla) *: départ à 11h. Trajet : 4h, ce qui inclut la grimpette au sommet de la pyramide. Tarif : 90 $Me (5,40 €).*

➤ *Turibus : départ du zócalo.* ☎ 225-90-25. ● turibus.com.mex ● *Env ttes les heures, 10h-18h (en fait, quand le bus est suffisamment plein). Tarif : 75 $Me (4,50 €).* Parcours similaire à celui du *tranvía,* avec deux monuments en plus (non indispensables). Par contre, gros avantage : on peut demander des audioguides en français.

🏃🏃🏃 *Zócalo (plan B-C2-3) :* le centre historique de Puebla est l'une des plus belles réussites de l'urbanisme espagnol en terre mexicaine. La légende veut que ce soit l'œuvre des anges qui dessinèrent dans le ciel une immense croix pour indiquer le plan de la ville... d'où son ancien nom de *Puebla de los Ángeles.* Et son surnom moderne : Ángelopolis... Au centre du *zócalo,* la belle fontaine de l'archange San Miguel (saint Michel), le patron de la ville, construite en 1777.

🏃🏃 *Catedral (plan B3) : tlj 8h-20h.* Imposante bâtisse de pierre grise. Sa construction a duré 74 ans à partir de 1575, d'où la différence des styles. La façade principale est plutôt Renaissance, mais l'intérieur est néoclassique. Les tours, culminant à 74 m de haut, sont plus tardives encore : l'une a été achevée en 1678, l'autre en 1768... Ce serait les plus hautes du pays. La coupole est recouverte de *talaveras.*

🏃🏃 *Casa de los Muñecos (plan C2-3) :* 2 Norte, près du zócalo. Observez la façade, recouverte de drôles de figurines en céramique. La demeure abrite le *Museo universitario (tlj 10h-17h, entrée : 30 $Me, soit 1,80 € ; réduc étudiant ; gratuit mer).* Des appareils d'optique et de physique du XIXe s ; sans doute passionnant pour les physiciens, nous on n'a pas compris grand-chose. D'autres raretés comme un squelette

---

QUERELLE MUNICIPALE

Pour se venger de la municipalité qui l'avait obligé à murer ses fenêtres parce que sa maison était plus haute que l'hôtel-de-ville, le propriétaire de la Casa de los Muñecos fit installer de grotesques personnages en céramique sur la façade. Il s'agit des caricatures des membres du conseil municipal de l'époque. Une belle vengeance !

de fœtus, une momie mexicaine, des animaux empaillés et la tête réduite d'un indien navajo (oui, comme dans Tintin !). Peintures d'art religieux de l'époque coloniale au dernier étage.

🎨🎨🎨 *Biblioteca Palafoxiana* (plan B3) : 5 Oriente 5 ; au 1ᵉʳ étage de la Casa de la cultura. ☎ 246-36-32. Lun-sam 10h-17h ; dim 10h-14h. Entrée : 30 $Me (1,80 €) ; réduc étudiants ; gratuit mar. L'une des plus prestigieuses bibliothèques d'Amérique latine. Fondée par l'évêque Juan de Palafox. Tout simplement superbe. Une bonne partie des livres anciens a été héritée des collèges des jésuites quand cet ordre a été expulsé du Mexique. Au total, près de 41 600 volumes, dont quelques incunables, un atlas d'Orbelius imprimé en 1548 à Anvers et... une grammaire égyptienne de Champollion. La 2ᵉ salle est consacrée aux livres censurés ou expurgés par l'Église. Dans le patio, des concerts de musique classique ou folklorique parfois le soir (gratuit).

🎨🎨🎨 *Casa del Deán* (plan B3) : 16 de Septiembre 505. ☎ 235-19-23 et 14-78. Mar-dim 10h-17h. Entrée : 31 $Me (1,90 €). Visite commentée en espagnol si la gardienne a le temps (n'oubliez pas le pourboire).
C'est l'une des premières maisons de Puebla, construite à partir de 1575. Elle appartenait au doyen de la cathédrale. D'une surface à l'origine de 1 725 m², la somptueuse Casa del Deán comportait d'innombrables pièces couvertes de magnifiques fresques. Longtemps abandonnée, elle a été en grande partie détruite pour être transformée en cinéma en 1953... Seules la façade et deux pièces ont pu être sauvées.
Des étudiants des beaux-arts ont découvert par hasard des fresques Renaissance profanes, splendides, sous les couches de peinture et de papier peint. C'est un exemple unique dans tout le Mexique. Dans la salle à manger, la peinture murale représente les sibylles prédisant la venue de la Vierge, celle du Christ et sa mort. Vous remarquerez que la première cavalière monte une mule, pas un cheval : elle incarne l'Ancien Testament, aveugle à la loi du Christ, d'où ses yeux bandés... Dans la seconde pièce, splendide illustration picturale du poème de Pétrarque, *Les Triomphes*. On y retrouve les thèmes de l'amour, la pudeur avec son char tiré par des licornes, le temps, la mort et l'éternité. L'ordre d'apparition de ces deux derniers est inversé par rapport à la version de Pétrarque – qui, ne se souciant pas d'immortalité, faisait précéder la mort par la célébrité ! Tout autour, des frises d'angelots, sagittaires, singes, serpents et aigles façon codex, peut-être réalisés par des peintres indigènes.

🎨🎨🎨 *Museo Amparo* (plan B3) : 2 Sur 708 ; à l'angle de 9 Oriente. ☎ 229-38-50. ● museoamparo.com ● Tlj sf mar 10h-18h. Entrée : 35 $Me (2,10 €) ; réduc ; gratuit lun. Visite guidée gratuite dim à 12h. Loc d'audiophones en français (recommandée) 20 $Me (1,20 €). Situé dans un ancien hôpital du XVIIIᵉ s, ce très beau musée abrite l'une des plus importantes collections d'art préhispanique du Mexique. Très didactique, la visite débute avec un immense panorama synchronique des grandes civilisations sur les cinq continents. Le rez-de-chaussée explore d'abord différents thèmes (métiers, techniques), puis l'étage se consacre à l'art à travers le temps. On y découvre des pièces splendides, dont d'étonnantes poteries zoomorphes rarement vues ailleurs : canard, écureuil, raton laveur... Dans un troisième temps, une pièce plongée dans l'obscurité met en valeur les plus beaux objets : collier de crânes miniatures taillés dans l'os, magnifiques bas-reliefs mayas, vases, etc. Enfin, on termine par une section d'art colonial espagnol, avec une cuisine reconstituée, du mobilier et de l'argenterie (principalement des XVIIIᵉ et XIXᵉ s).

🎨🎨 *Museo Bello y Gonzalez* (plan B2) : 3 Poniente 302. ☎ 232-94-75. Mar-dim 10h-17h. Entrée : 30 $Me (1,80 €) ; réduc ; gratuit mar. Dans la maison même de José Mariano Bello (1869-1938), un industriel négociant, qui sans avoir jamais quitté Puebla, a pourtant réuni une magnifique collection d'arts décoratifs du monde entier. Sans descendance, il a fait don de cette collection de plus de 3 000 pièces à la ville, mais à la condition que celle-ci reste dans la maison et soit ouverte au public.

Treize salles. Beaucoup de céramiques *talaveras* bien sûr (avec même la tête de Napoléon III en pot de fleur), mais aussi des porcelaines chinoises de l'époque Ming, des objets sculptés en ivoire, des peintures du XVIIᵉ s. Dans le salon rouge, un coffre aux trésors avec sa fausse serrure sur le devant ; la vraie serrure est cachée ailleurs... Magnifiques meubles en marqueterie dont un secrétaire d'origine indienne de 78 tiroirs. Au 1ᵉʳ étage, vous verrez un orgue baroque mexicain du XVIIIᵉ s et l'un des deux exemplaires au monde d'un piano avec la queue en l'air (sans rire), c'est-à-dire avec le cadre des cordes installé vers le haut. Étonnant. Bref, des pièces rares et très belles.

✹✹✹ *Templo de Santo Domingo* (plan B2) : dans la rue piétonne 5 de Mayo 405. Lun-sam 8h-12h50, 16h-20h30 ; dim 8h-14h, 16h-20h30. Construit entre 1680 et 1720, il présente une façade sans intérêt. Le clou est à l'intérieur, dans le transept gauche : la **chapelle du Rosario** (1690), un joyau du baroque (churrigueresque) luxuriant. C'est une débauche de sculptures dorées en stuc, bois, marbre et onyx. Des angelots semblent surgir de partout. À voir absolument, de préférence le matin, lorsque le soleil fait briller les dorures. Dans le *templo*, n'oubliez quand même pas d'admirer les magnifiques retables du chœur et leurs ribambelles de saints.

✹✹ *Museo Bello y Zetina* (plan B2) : dans la partie piétonne de la rue 5 de Mayo, au nᵒ 409, à côté de l'église Santo Domingo. ☎ 232-47-20. ● museobellozetina. org ● Mar-dim 10h-16h. Entrée gratuite. Installé dans la riche demeure d'une vieille famille de collectionneurs avertis, le musée renferme un nombre impressionnant de belles pièces : une copie du lit gondole de Napoléon Iᵉʳ, son buste par Canova, la réplique en taille réduite de la statue équestre de Louis XIV, des porcelaines de Sèvres, de Chine et du Japon, des meubles de la Renaissance italienne et un splendide salon Napoléon III... Une manière comme une autre de voyager en Europe pour ces riches *poblanos*, marchands d'art. Ne manquez pas non plus l'étonnante pendule française illustrant les *Mille et Une Nuits* ! Vous nous en direz des nouvelles.

✹✹ *Museo de Arte popular poblano-Convento de Santa Rosa* (plan B1) : 3 Norte 1203 ou entrée par le 14 Poniente 305. ☎ 232-77-92. Mar-dim 10h-17h (dernière visite 16h). Entrée : 30 $Me (1,80 €) ; gratuit mar. Installé dans l'ancien couvent Santa Rosa des sœurs dominicaines. Très beau musée d'Art populaire et d'Artisanat de Puebla. Sept salles avec de magnifiques pièces : travail du verre, de la palme, du bois, de la poterie et bien sûr une

CHAUD, CHOCOLAT !

C'est dans la cuisine du musée d'Art populaire de Puebla que sœur Andrea de la Asunción inventa le mole poblano, *la fameuse sauce au cacao relevée de différents piments, amandes, cacahuètes, aromates... Un grand classique de la cuisine mexicaine, qui est en réalité d'origine aztèque : eh oui, Moctezuma buvait déjà son cacao relevé aux épices, avant d'aller au boulot !*

présence importante de la célèbre *talavera* (céramique) de Puebla. Célèbre aussi pour sa superbe cuisine entièrement recouverte d'azulejos. Le week-end, vente d'artisanat dans les patios et les cloîtres. Expos temporaires.

✹✹ *Museo Santa Mónica de Arte religioso* (plan C1) : 18 Poniente 103. ☎ 232-01-78. Mar-dim 9h-17h30. Entrée : 35 $Me (2,10 €) ; réduc ; gratuit dim. Ce très beau musée consacré à l'art religieux colonial occupe l'ancien couvent Santa Mónica, qui a la particularité d'avoir fonctionné dans la clandestinité durant 77 ans, de 1857 à 1934, en violation des lois de la réforme de Benito Juárez – qui imposaient la fermeture des couvents. D'où la façade qui ressemble à celle d'une banale maison ! Cloître magnifique recouvert d'azulejos avec, au centre, une fontaine silencieuse. On ne vient d'ailleurs pas tant pour les collections, assez modestes, que pour le lieu en lui-même. Ne manquez pas la vue sur l'église que les sœurs cloîtrées avaient à travers les œilletons de la jalousie ni, dans la bibliothèque, au rez-de-chaussée, la reconstitution de la Cène avec des mannequins. Mais où est Judas ? Belle cuisine décorée de *talaveras*.

🍴 *Museo de la Revolución mexicana* (plan C2) : 6 Oriente 206, c'est-à-dire la rue des confiseurs. ☎ 242-10-76. *Mar-dim 10h-17h30. Entrée : 30 $Me (1,80 €) ; réduc étudiants ; gratuit mar.* Vous remarquerez sur la façade les impacts de balles, qui datent de la révolution. C'était la maison des frères Serdán, qui initièrent à Puebla le mouvement de 1910 contre le dictateur Porfirio Díaz. Ils y furent tués. On observe avec amusement (ou une certaine nostalgie teintée de gravité) des meubles et des objets de la révolution mexicaine. Certains sont à l'image de la façade, tel ce grand miroir troué d'impacts. C'est aussi l'occasion de visiter une maison de cette époque avec sa cuisine, sa salle à manger, son landau, son salon...

🍴🚶 *Casa del Alfeñique* (plan C-D2) : 4 Oriente 416 ; à l'angle de 6 Norte. ☎ 232-04-58. *Mar-dim 10h-17h. Entrée : 30 $Me (1,80 €) ; réduc étudiants ; gratuit mar.* *Alfeñique* signifie « sucre d'orge ». Ce n'est pas un hasard, car la façade de cette maison semble avoir été décorée à la crème Chantilly – un bel exemple d'architecture churrigueresque de la seconde moitié du XVIIIe s. À l'intérieur, les pièces se répartissent autour d'un petit patio avec fontaine. La valetaille vivait au rez-de-chaussée, tandis qu'au 1er étage se trouvaient les chambres, transformées aujourd'hui en musée : documents historiques, costumes traditionnels et peintures religieuses souvent anonymes. Le 2e étage est sans doute le plus intéressant, avec sa grande pièce de réception, sa salle à manger, sa cuisine et sa somptueuse chapelle privée recouverte de chérubins dorés. Beaux meubles du XVIIIe s.

🍴 *Museo de Arte San Pedro* (plan C2) : 4 Norte 203. ☎ 246-66-18. *Mar-dim 10h-17h. Entrée : 30 $Me (1,80 €) ; plus cher en cas d'expo temporaire ; réduc étudiants ; gratuit mar.* Une petite exposition permanente retrace l'histoire de cet ancien hôpital dont la construction commença vers 1556, et qui ne cessa d'être modifié jusqu'à la fin du XVIIIe s. Sans grand intérêt. En revanche, les expositions temporaires, bien plus vastes, y sont parfois de grande qualité.

🍴 *Barrio del Artista* (plan D2) : angle calle 6 Norte et 4 Oriente. Dans les années 1940, les peintres et sculpteurs de Puebla se sont installés ici, et ils continuent d'y œuvrer. Ateliers ouverts au public. Peintures pas toujours de très bon goût, mais le quartier est charmant et donne prétexte à une paisible promenade. Cafés sympathiques avec terrasses et ambiance bohème.

🍴 *Teatro Principal* (plan D2) : à l'angle de 6 Norte et 8 Oriente. *Tlj 10h-16h30 (en principe). Entrée libre.* Entièrement rénové. Paraît-il le plus vieux théâtre du continent, inauguré en 1760, mais entièrement reconstruit en 1920. Très bonne acoustique.

➤ *La tournée des églises :* plusieurs présentent un intérêt particulier, à commencer par *San José* (plan C1) pour ses splendides retables baroques, son beau dôme recouvert de *talaveras* bleues et jaunes et son étonnant oratoire du Santo Niño de la Sonrisa (à gauche en entrant), à l'autel entassé de jouets et de ballons. Voyez aussi *San Cristóbal* (plan C2), du XVIIe s, pour son architecture baroque, sa coupole ornée de personnages peints et ses deux tours plus tardives, très travaillées ; le *Templo de la Compañía* (plan C3), à la façade churrigueresque (1767) toute blanche surgissant d'entre les arbres d'une placette ; *La Concepción* (plan B3) pour son intérieur néoclassique crème, bleu et or ; et encore *Nuestra Señora del Carmen* (hors plan par B3) pour les *talaveras* de la Capilla del Tercer Orden.

🍴 *Fuertes de Loreto et de Guadalupe :* à la sortie nord-est de la ville, au Centro Cívico 5 de Mayo, sur l'av. Ejercitos de Oriente. En voiture, prendre la direction Loreto dans le prolongement de la 2 Norte et, parvenu en haut de la colline, la 1re des 2 branches indiquant « Jardin de la Biodiversidad ». *Mar-dim 10h-17h. Entrée : 37 $Me (2,20 €) ; gratuit dim.* Les forts n'ont pas un intérêt fou, mais c'est là que, le 5 mai 1862, le corps expéditionnaire français envoyé par Napoléon III échoua dans sa tentative de s'emparer de la ville de Puebla. Il est amusant de constater que cette éphémère victoire est désormais fête nationale et jour férié au Mexique. Cependant, Puebla tomba aux mains des Français un an plus tard, et l'empereur Maximilien put entrer au Mexique en mai 1864 (voir « Hommes, culture et environnement », rubrique « Histoire »). Une exposition retraçant les combats occupe le fort de Loreto.

➤ DANS LES ENVIRONS DE PUEBLA

On peut grouper la visite de Cholula, Tonantzintla et Acatepec dans la même journée. Prendre d'abord le bus pour Cholula au petit terminal de la rue 6 Poniente, entre 11 et 13 Norte *(plan A1, CAR)*. Départ ttes les 5-10 mn, 6h-23h. Visite du couvent et de la pyramide, puis reprendre un *colectivo* au même endroit pour Tonantzintla. Ensuite, jusqu'à Acatepec, on peut marcher ou prendre un *combi*. Pour le retour à Puebla, les bus indiquent « Centro ».

CHOLULA *(85 000 hab. ; IND. TÉL. : 222)*

À 10 km au nord-ouest de Puebla. Habité depuis plus de 3 000 ans, Cholula fut un important centre de pèlerinage précolombien. En 1520, Cortés, dans une lettre à Charles Quint, évoqua une trentaine de « tours de temples » (il voulait dire « pyramides » !). Après la Conquête, Cholula « l'indienne », site d'un grand marché, s'endormit bientôt, éclipsée par Puebla « l'espagnole ». La terre, puis les arbres, recouvrirent sa grande pyramide. Et les autres furent détruites et remplacées par des églises. La petite ville possède un agréable *zócalo*, bordé d'un côté par des arcades et de l'autre par un couvent franciscain du XVIᵉ s. C'est également une ville étudiante, avec beaucoup d'ambiance le soir.

Où dormir ?

⚐ ≜ **Hostal Cholollan** : *Privada de Choyollan 2003, à 12 mn à pied du zócalo. Téléphoner au préalable, car pas facile à trouver.* Situé entre les rues 20 et 22 Oriente depuis le bd Forjadores de Puebla. Peuvent aussi venir vous chercher. ☎ 247-70-38. • mexigo.mx • Compter 100 $Me (6 €) la nuit en dortoir. 2 dortoirs de 5 lits, salle TV, eau chaude. Pas de petit déj, mais on peut utiliser la cuisine collective pour préparer ses repas. Rafael et Ricardo, guides de haute montagne, ont ouvert une agence, *Tonali*, et une auberge pour accueillir les routards sportifs... et les autres. Enfin, si vous êtes là, autant participer à l'une des activités proposées : trekking, escalade, VTT, rafting, etc. Rafael parle le français, il est d'ailleurs responsable

UCPA au Mexique ; il a passé 2 ans sur les plus hautes cimes des Alpes. Une super équipe, qui vous conduira au sommet des grands volcans.
≜ **Villas arqueológicas** : *2 Poniente 601, au sud-est du centre, face à la pyramide.* ☎ 273-79-00 ou 01-800-001-73-33. • villasarqueologicas.com.mx • *Double 1 020 $Me (61,20 €). Resto de cuisine internationale 7h30-22h30.* Un peu isolé, mais près de la pyramide. Un hôtel de style hacienda, avec les chambres réparties sur 2 étages autour d'une piscine centrale. Le cadre est frais, presque paradisiaque, les chambres sont agréables, avec des touches colorées, des lampes en *talaveras*, des gravures aux murs. Confort et détente assurés, jusque sur le court de tennis !

Où manger ?

Nombreuses options tout autour du *zócalo*, en particulier sous les arcades du côté ouest. On aime bien **Los Jarrones,** avec ses serveurs en nœud pap', et le

Café Tal, avec ses fauteuils rose bonbon bien accueillants. Grand choix de salades bon marché, sandwichs, crêpes et paninis.

À voir

🏃🏃 *Mercado :* à *une* cuadra *et demie du* zócalo. Tlj 7h-20h. Le marché de Cholula a gardé un caractère très traditionnel. Typique et coloré. Beaucoup de fleurs. Artisanat en bois et poteries.

🏃🏃 *Convento de San Gabriel :* situé sur le côté est du *zócalo*, il a été bâti en 1549 à l'emplacement d'un ancien temple dédié à Quetzalcóatl. D'aspect extérieur très militaire (ils ne se sentaient pas tranquilles, les religieux ?), il révèle un intérieur mêlant voûtes à nervures gothiques, ornementation baroque et néoclassique. Juste à côté, la *Capilla Real,* appelée aussi « chapelle des Indiens », date de 1540. Très étonnante avec ses 49 coupoles et sa forêt de piliers, elle est typique de l'architecture mudéjare (influencée par l'art arabe andalou).

🏃 *Casa del Caballero Águila :* sur le côté nord du *zócalo, au n° 1. Tlj sf mer 9h-15h. Entrée : 37 $Me (2,30 €) ; gratuit dim.* Vous remarquerez immédiatement le portail : œuvre d'un sculpteur indien inconnu, il est orné de deux extraordinaires bas-reliefs d'homme-aigle. Le bâtiment, des XVIe-XVIIe s, abrite le *Museo de la Ciudad,* avec quelques jolies pièces archéologiques représentant les différentes époques de l'histoire précolombienne. Jolies boucles d'oreilles en obsidienne et photos des rites anciens perdurant de nos jours.

🏃 *Pirámide de Cholula :* la plus grande du Mexique, mais, attention, cette pyramide est enfouie sous une colline et n'a donc rien d'impressionnant ! Même Cortés ne pouvait en imaginer l'existence quand il arriva ici et fit détruire le temple toltèque situé au sommet pour le remplacer par une église. *Nuestra Señora de los Remedios,* c'est son nom, se retrouve désormais sur bien des cartes postales. Le Popocatépetl en toile de fond. Par temps dégagé, on aperçoit aussi l'*Ixtaccíhuatl* (« la femme endormie »), le *Citlaltepetl* (« le verrou de l'étoile ») et la *Malinche* (« celle à la robe bleue »). L'intérieur du sanctuaire n'a pas grand intérêt. Remarquez tout de même l'autel dédié à saint Homobono, patron des modistes avec, à ses pieds, un fer à repasser... Fermeture pour rénovation des galeries souterraines (fermées à 16h30), qui sont de toute façon sans grand intérêt. De quoi se perdre : il y en a 8 km en tout !

🏃🏃🏃 *Tonantzintla et Acatepec :* à 4 et 5 km de Cholula, ces 2 hameaux possèdent chacun une église délirante. Ouv en principe 9h-18h, mais hors saison, Tonantzintla est parfois fermé en sem.
À ne pas manquer. L'intérieur de l'église de Tonantzintla est indescriptible, les Siciliens sont battus ! Angelots, saints, archanges, évêques, rois et autres glorieux personnages peuplent par centaines les murs et les voûtes tapissées de motifs floraux en stuc et d'arabesques dorées. De l'ultrabaroque populaire mâtiné d'indigénisme. Avant l'arrivée des Espagnols, les gens du coin vénéraient Tonantzín, déesse protectrice liée au

> ## COMMENT PRÉSERVER SON IDENTITÉ...
>
> *Si les missionnaires réussirent à imposer la Vierge Marie, ils ne purent empêcher les artistes indigènes de donner des traits indiens aux angelots, de les coiffer de panaches de plumes et de sculpter des guirlandes de fruits tropicaux et surtout des épis de maïs. Juste histoire de rappeler leur ancienne dévotion.*

maïs. Rien de plus facile pour les missionnaires que de remplacer ce culte par celui d'une autre figure maternelle, la Vierge Marie.

Style similaire pour l'église d'Acatepec (à 1 km), avec une magnifique façade recouverte d'azulejos multicolores et un intérieur qui déborde de dorures dans un style un peu moins chargé.

Villages reliés par bus à Cholula et à Puebla (le *tranvía* de Puebla s'arrête à Tonantzintla).

AUTRES SITES DES ENVIRONS

🔫 **Atlixco :** *à 30 km de Puebla. Bus* Erco *ttes les 8 mn, 7h-20h, depuis le terminal* CAPU. Petite ville située au pied du Popocatépetl, avec vue superbe sur le majestueux volcan lorsque la brume de chaleur ne s'en mêle pas. Plusieurs jolies églises à la décoration baroque entourent le *zócalo*. Ne manquez pas non plus, sur les basses pentes de la colline dressée au sud-ouest, l'ancien monastère franciscain *(tlj 10h-14h, 16h-18h),* qui figure parmi les 14 classés par l'Unesco dans la région. Beau portail platéresque. Sur le terre-plein, devant, une cloche pendue aux arbres, comme dans *Zorro* ! À voir encore, un hôpital datant de l'époque coloniale. Le dernier dimanche de septembre, grande fête qui réunit toutes les ethnies de la région.

🔫 **Tochimilco :** *à 15 km en direction du Popocatépetl. En voiture, prendre la direction* Metepec, *puis* Coyula. Ce village paisible, niché sur les pentes du volcan, n'a rien d'extraordinaire, si ce n'est le charme tranquille de son *zócalo*, avec une ravissante fontaine octogonale du XVIe s, de style mudéjar. À voir aussi, l'ancien et austère couvent franciscain.

🔫 **Tecali :** *à env 40 km à l'est de Puebla.* Grand centre de fabrication d'objets en onyx et en albâtre. Le détour vaut aussi pour le spectacle surréaliste des imposantes ruines d'un ancien couvent franciscain, immobilisé depuis 4 siècles contre le *zócalo*, au milieu d'une immense prairie, avec pour seul toit l'azur du ciel. Magnifique architecture Renaissance. Fondé en 1540, le sanctuaire fut abandonné dès 1643, suite à un conflit de l'ordre avec l'archevêque de Puebla *(mar-dim 10h-17h ; entrée : 31 $Me, soit 1,90 €).*

VERS L'EST ET LE GOLFE DU MEXIQUE

SITIO ARQUEOLÓGICO DEL TAJÍN   IND. TÉL. : 788

◎ Site précolombien le plus important et le mieux conservé de la région littorale du golfe du Mexique, El Tajín a été inscrit au Patrimoine mondial de l'Unesco en 1992. Niché entre de petites collines recouvertes par une épaisse végétation tropicale, parfois noyé dans la brume, le site exsude un charme certain. C'est également le grand centre de la culture totonaque, dont les descendants vivent toujours aux alentours.

On ne sait pas très bien qui a fondé la ville (entre 100 et 200 apr. J.-C.). Peut-être les Olmèques ou une branche des Huastèques. Ce qui est sûr, c'est qu'elle connut son apogée assez tard, entre le début du IXe s et le début du XIIIe s, occupant une importance considérable entre la chute de Teotihuacán et l'émergence de Tenochtitlán-Mexico. La ville était alors un grand centre politique et religieux (avec sans doute 25 000 habitants) qui avait assujetti les peuplades voisines. Dédiée au culte de Quetzalcóatl, elle aurait reçu de nombreuses influences de Teotihuacán et répandit les siennes jusque sur l'altiplano et vers les zones mayas.

Lorsque El Tajín déclina au XIIIe s, la civilisation totonaque commença à s'épanouir dans la région. Ce peuple pacifiste, artiste et mystique, qui rêve de voler pour s'approcher du ciel (voir plus loin le rituel des *voladores*), fut soumis par les Aztèques au XVe s, avant de tomber dans l'oubli. Même les Espagnols ignorèrent El Tajín, qui ne fut découvert par hasard qu'en 1785, par un agent du fisc à la recherche de plantations illégales de tabac.

Près de 50 édifices ont été restaurés et sont visibles, ce qui représente à peine plus de 10 % du site. Malheureusement, le dernier grand projet archéologique s'est achevé en 1995. La caractéristique architecturale d'El Tajín, ce sont les fameuses niches, uniques en leur genre, qui recouvrent de nombreux bâtiments et pyramides. Autre particularité : le grand nombre de terrains de jeux de pelote, 17 aux dernières nouvelles. Une véritable obsession. Enfin, n'oubliez pas, en visitant le site, que la plupart des murs étaient peints en rouge, bleu et noir.

Si vous comptez dormir dans le coin, sachez que *Poza Rica* est une grande ville pétrolière sans aucun charme. On préfère de loin *Papantla,* une bourgade étagée sur une colline des contreforts de la sierra Madre, centre de l'ethnie totonaque. À noter, début juin : Fête-Dieu (Corpus Christi).

Les pressés peuvent aussi faire l'excursion dans la journée lors d'un parcours Mexico-Veracruz (ou vice versa !), mais ce sera un peu la course.

Arriver – Quitter

El Tajín se trouve à 300 km au nord-est de Mexico (5h de route en voiture), pas loin de la mer, à 17 km de Poza Rica et à 7 km de Papantla.

➤ Depuis Mexico, seule la compagnie *ADO* dessert Poza Rica et Papantla. De là, un bus local (fréquent) mène au site.

🚌 *Terminal de bus ADO :* à 8 mn à pied du centre de Papantla. De là, il faut grimper ! • ado.com.mx • Attention, une partie des bus est *de paso* (Papantla n'est pas un terminus) et fait escale de nuit. Si tout est complet, demander une résa au départ de Poza Rica et se rendre dans cette ville par l'un des nombreux bus locaux, très fréquents.

➢ *De Mexico (Terminal Norte) à Poza Rica :* départ ttes les 30 mn ou 1h, 6h-1h du mat. Tarif variable en fonction du confort et de la rapidité du bus (5-6h de trajet). C'est l'option pour ceux qui veulent visiter El Tajín dans la journée, avant de poursuivre sur Veracruz : prendre un bus de nuit. En arrivant à Poza Rica, réserver une place dans un bus pour Veracruz dans l'ap-m, laisser ses bagages à la consigne et aller à l'autre terminal (juste à côté) pour prendre un bus pour El Tajín avec la compagnie *Transportes de Papantla (TP)*. L'excursion est faisable en 4-5h, incluant le trajet Poza Rica-El Tajín, la visite des ruines et le retour. Ensuite, compter 4h au moins pour descendre sur Veracruz. Ouf !

➢ *De Mexico (Terminal Norte) à Papantla :* fréquence nettement moindre que pour Poza Rica. 6 bus env avec *ADO* dans les 2 sens, dont 2 de nuit. Depuis le terminal Tapo, 1 bus à 23h59 ; retour à 14h.

➢ *De Poza Rica à Papantla :* départ ttes les 15 mn avec *Transportes de Papantla* dans les 2 sens, 5h-22h30. Trajet : 40 mn. À Papantla, le terminal de *TP* se trouve dans la rue 20 de Noviembre, qui descend depuis le *zócalo*. Une quinzaine de bus avec *ADO* également, en route vers Veracruz.

➢ *De Papantla à El Tajín :* prendre un bus *Tuspa* ou *ATC* en bas de la rue 20 de Noviembre, devant la station *Pemex*. Env ttes les 10 mn. Trajet : 30 mn. Certains poursuivent ensuite sur Poza Rica.

➢ *De/pour Xalapa :* 12 bus, dont 4 de nuit. Trajet : 4h30.

➢ *De/pour Puebla :* 2 bus, vers 11h15 et 22h35. Trajet : 6h30.

➢ *De/pour Veracruz :* 9 bus. Trajet : 4h.

PAPANTLA *(IND. TÉL. : 784)*

Adresse utile

■ *Change :* plusieurs banques sur Enriquez, autour du zócalo. Avec distributeurs automatiques (*Visa* et *Master-*Card). *Santander* et la *Bancomer* changent les euros.

Où dormir ? Où manger ?

De bon marché à prix moyens (400-800 $Me, soit 24-48 €)

🛏 *Hotel Tajín :* José de Nuñez 104. ☎ 842-06-44 ou 01-21. ● hoteltajin@hotmail.com ● Du zócalo, prendre à gauche de la cathédrale. Parking. Wifi. On le choisit avant tout pour les quelques chambres avec vue qui dominent le village, ou la petite piscine. Toutes ont l'AC, la TV câblée et un mobilier en bois blanc. Les *junior suites,* plus chères, sont immenses. Les clients bénéficient d'un accès gratuit à un *centro recreativo* situé sur la route de Poza Rica. Une adresse sympa.

🛏 *Hotel Provincia Express :* Enriquez 103. ☎ 842-16-45. ● provinciaexpress_

papantla@hotmail.com ● Wifi. Membre d'une petite chaîne d'hôtels de province. Merveilleusement bien situé, sur le *zócalo* ; certaines chambres donnent directement sur la place, avec de petits balcons et lit *king size* (les plus chères). Les autres sont modernes et confortables (AC, TV câblée, téléphone). Évitez les quelques chambres sans fenêtre, un peu étouffantes. Bon accueil.

🛏 *Hotel Pulido :* Enriquez 205. ☎ 842-00-36 ou 10-79. Doubles 200-600 $Me avec 1 ou 2 lits, AC ou ventilo, TV ou non. Parking dans la cour, donc plus ou moins bruyant. La façade grise cache

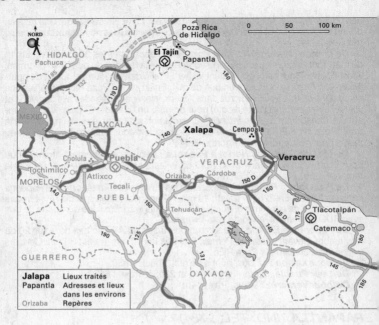

des chambres assez récentes et spacieuses, avec salle de bains, plutôt agréables.

|●| Sorrento : *Enriquez 105.* ☎ *842-00-67. Tlj 7h30-minuit. Menu copieux et bon marché pour le déj.* Grand café-resto face au *zócalo.* Déco mignonette, entre azulejos et nappes semées de fruits multicolores. Cadre authentique.

|●| La Hacienda : *Reforma 100.* ☎ *842-06-33. Tlj 7h30-23h30. Prix moyens.* Cadre colonial bien sûr, avec un nom pareil, dans l'esprit des haciendas mexicaines. Il y fait frais. Savoureuse cuisine mexicaine typique. La terrasse domine le *zócalo* (vue imprenable), et si on a de la chance, on peut même voir les hommes volants, les fameux *voladores* (voir plus loin).

Où dormir près du site ?

🛏 Hotel Campestre : *km 17 carretera Poza Rica.* ☎ *842-82-71 ou 02-58.* ● *ho telcampestretajin.com* ● *Sur la route principale, à 1,5 km de l'entrée du site en venant de Papantla. Doubles 400-600 $Me. CB refusées.* Très claires et confortables (AC, TV), joliment décorées, les chambres sont parfaites pour passer une nuit au calme avant de débuter la visite d'El Tajín. L'hôtel dans son ensemble est plutôt charmant avec sa piscine ressemblant à un bain romain et son accueil vraiment très enjoué. Une bonne escale pour les motorisés.

Où dormir à Poza Rica ?

🛏 Hotel Principal : *4 Oriente 22 ; angle 4 Norte, col. Obrera.* ☎ *(52) 78-28-22-02-35 ou 67-70.* ● *hotelprincipal@prodi gy.net* ● *En plein centre-ville de Poza*

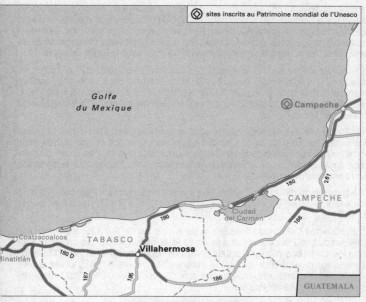

sites inscrits au Patrimoine mondial de l'Unesco

Golfe du Mexique

Campeche

CAMPECHE

Ciudad del Carmen

Coatzacoalcos

TABASCO

Villahermosa

inatitlán

GUATEMALA

LE GOLFE DU MEXIQUE

Rica, près de la gare routière. Doubles 300-500 $Me (18-30 €) selon prestations (ventilo ou clim, TV, etc.). Petit garage. Hôtel raisonnablement confortable, propre et bien tenu, appartenant à un couple franco-mexicain de bon conseil pour découvrir la région. Évitez seulement les chambres sombres sans véritable fenêtre.

Où dormir sur la route de Veracruz ?

Ceux qui sont en voiture pourront faire une halte agréable le long de la Costa Esmeralda, étirée sur une grosse vingtaine de kilomètres entre Tecolutla et Nautla, à 45 mn au sud de Papantla. Au programme : mer, plage et cocotiers à foison. Grand choix d'hébergement, depuis le camping super sympa avec gazon et noix de coco (attention où vous vous installez !) jusqu'à des hôtels à prix moyens, voire chic. En semaine, faites jouer la concurrence, il n'y a personne.

À voir sur le site

Tlj 9h-17h. Entrée : 51 $Me (3,10 €) ; gratuit pour ceux qui ont la carte ISIC (insister). Caméra vidéo : 45 $Me (2,70 €). Sur place : cafétéria, boutiques et consigne à bagages.

🦌 Il faut commencer par le petit ***musée,*** à l'entrée, surtout pour la maquette du site : la première partie de la cité, par laquelle on arrive, est constituée du centre cérémoniel. La zone surélevée (par les urbanistes de l'époque), appelée *El Tajín Chico*, était réservée aux gouvernants et dignitaires.

🏃 **Plaza del Arroyo :** on passe d'abord par cette grande place rectangulaire entourée de quatre édifices. On suppose qu'il s'agissait d'un marché. La vanille devait déjà s'y échanger ! Aujourd'hui, ce sont les petits producteurs voisins qui viennent proposer leurs gousses aux touristes. Elles sont magnifiques mais pas toujours très sèches : aérez-les bien pour qu'elles ne pourrissent pas avant de rentrer.

🏃🏃🏃 **Jeu de pelote sud :** célèbre pour ses bas-reliefs illustrant les rituels de ce jeu sacré. On y voit notamment le sacrifice d'un des joueurs, deux joueurs qui parlent ensemble et l'initiation d'un guerrier allongé sur un banc. Les tableaux centraux, avec une représentation d'un dieu assis en tailleur, qui pourrait être Quetzalcóatl, représentent le but du jeu.

🏃🏃 **Pyramide des Niches :** *située dans la zone centrale, c'est-à-dire le centre cérémoniel.* Le clou du site. Elle comporte sept niveaux et compte au total 365 niches célébrant le calendrier solaire. Aujourd'hui encore, l'équinoxe de printemps est célébré ici. Les niches étaient peintes en noir, tandis que la pyramide était recouverte de rouge.

🏃 **Sanctuaire du dieu Tajín :** *à côté de la pyramide des Niches.* Il est précédé d'un atlante représentant Tajín, dieu de la Foudre et de l'Éclair. Il a été découvert au bas de l'édifice.

🏃🏃 **Édifice des Colonnes :** *dans le quartier résidentiel du Tajín Chico, à l'endroit le plus élevé du site. Pour y accéder, il faut faire le tour par la droite.* Les colonnes sont au musée. Leurs bas-reliefs racontent la vie d'un noble appelé *13 Conejo* (13 Lapin), qui mena aux destinées de la cité. Les maisons du coin étaient jadis toutes ornées de peintures d'animaux mythologiques aux couleurs vives. De là-haut, superbe panorama sur l'ensemble du site.

🏃 **Gran Xicalcoliuhqui :** *tt au fond, à droite.* Un long mur en quinconce, vaguement quadrilatère. Il représenterait le serpent à plumes Quetzalcóatl.

– **Danse des voladores :** *a lieu tlj devant l'entrée du site, mais les danseurs attendent qu'il y ait du monde pour un pourboire consistant (compter 30 $Me/pers, soit 1,80 €). En général, à partir de 11h, 2-3 fois/j. en sem et 4-5 fois/j. le w-e, plutôt en milieu de journée. Autre représentation : sur le mât devant la cathédrale de Papantla, ven vers 9h30 et 19h, sam-dim vers 8h30 et 19h.* Le très beau rituel traditionnel des Totonaques. Ils sont vêtus d'un pantalon rouge brodé, d'une chemise blanche et ils portent une coiffure conique ornée de miroirs et de rubans. Le chef de danse et ses quatre acolytes grimpent au sommet d'un poteau de 30 m. Le chef de danse, du haut d'une petite plate-forme, joue à la flûte une musique dédiée aux quatre points cardinaux, tandis que les quatre *voladores* se jettent dans le vide, retenus par une corde accrochée à la ceinture. Ils descendent la tête en bas et les mains tournées vers le ciel, en décrivant des cercles de plus en plus larges. Superbe. Chaque homme-volant tourne 13 fois autour du poteau, soit 52 tours à eux quatre. Ce chiffre symbolique représente le cycle calendaire de 52 années, au bout duquel les premiers jours des deux calendriers (solaire et rituel) coïncidaient. Ce rituel ancestral, qui était sans doute dédié à la fertilité, au soleil et au vent, est devenu aujourd'hui une attraction touristique. Comme quoi, le saut à l'élastique, on ne l'a pas inventé non plus !

Avant de s'endormir...

En ces temps anciens, Staku-Luhua, le serpent totonaque, était particulièrement aimé et respecté des habitants du royaume d'El Tajín. Il leur avait rendu de grands services. La plus importante preuve de son amitié fut le voyage qu'il fit jusqu'au Soleil pour lui demander la lumière, l'eau et la chaleur en faveur des habitants d'El Tajín. Pour que Staku-Luhua puisse voler, les Totonaques le vêtirent de plumes blanches, couleur de l'habit traditionnel des hommes d'El Tajín. C'est ainsi que le serpent emplumé s'envola plusieurs fois à travers le ciel, jusqu'au seigneur de la

Lumière. Et chaque fois, il revenait avec l'abondance, de la pluie pour le maïs, les haricots et la vanille, de la chaleur pour que sèchent les poteries.

Touchés par les bontés du Soleil, les sages d'El Tajín demandèrent à Staku-Luhua de faire un ultime voyage pour aller remercier l'astre de vie. Cette fois, ils revêtirent le serpent des plus belles plumes de couleur des plus beaux oiseaux de la région. Magnifiquement paré, le serpent prit son envol et, révélant sa magnificence, salua les *voladores,* les *danzantes* et tous les habitants d'El Tajín.

Plusieurs jours passèrent. Les astronomes observaient le ciel, mais Staku-Luhua ne revenait pas. Un jour, alors que le soleil brillait au zénith de la grande pyramide, le ciel soudain s'obscurcit, le tonnerre et les éclairs firent trembler la terre. Les Totonaques, emplis de crainte, cherchèrent refuge pour échapper à une pluie diluvienne. Cependant, le ciel se calma peu à peu. Alors, les gens d'El Tajín virent apparaître dans le ciel une immense frange de couleurs qui allait de montagne en montagne et de vallée en vallée. Elle avait les mêmes couleurs que les plumes de Staku-Luhua : bleu, violet, rouge, jaune, orange et vert. Le serpent ami était revenu. Le Soleil, reconnaissant, avait fait la promesse qu'il y aurait toujours de l'eau pour les champs des Totonaques, et il avait transformé le serpent emplumé en arc-en-ciel, comme témoignage de son amitié pour les fils d'El Tajín.

(Conte de la tradition orale totonaque)

XALAPA (JALAPA)   457 614 hab.   IND. TÉL. : 228

Capitale de l'État de Veracruz, Xalapa est une ville universitaire de montagne. Son grand nombre d'étudiants lui vaut une vie culturelle dynamique et pas mal de bars sympas et animés. Le musée d'Anthropologie est absolument superbe et justifie une halte à lui seul. Il n'y a rien d'autre à voir, quoique les passionnés de VTT, d'alpinisme et de rafting pourront trouver à s'occuper. Côté climat, il fait chaud en été, froid en hiver, avec bien souvent une bruine persistante qui enveloppe la ville. La région est un grand producteur de café, mais celui qu'on boit dans les bars est plutôt insipide...

Arriver – Quitter

Xalapa est très bien desservie depuis Veracruz, Puebla et Mexico. Accessible également depuis El Tajín (Poza Rica ou Papantla).

En bus

Liste des compagnies principales et leurs coordonnées dans la rubrique « Transports » du chapitre « Mexique utile ».

🚌 *Central de Autobuses* (CAXA ; hors plan par B1-2) : av. 20 de Noviembre. ☎ 842-25-00. À 2 km du centre à l'est. Très moderne, avec consigne, guichet de l'office de tourisme (côté *ADO*), distributeurs, boutiques... N'oubliez pas qu'on peut acheter ses billets en ville, à *Boletotal* (voir « Adresses utiles »).
Pour rejoindre le centre-ville depuis le *Central de Autobuses* : sortir du terminal et descendre par la droite jusqu'à l'avenue principale (20 de Noviembre). L'arrêt des bus urbains se trouve à 20 m sur la droite. Prendre un bus qui indique « Centro ». Demander l'arrêt au Parque Juárez (5 mn de trajet).
Pour y aller, prendre un bus au centre-ville qui indique « CAXA ».
Taxi : env 30 $Me (1,80 €) entre la *CAXA* et le centre-ville.
➤ *Pour/de Mexico (Terminal Tapo) :* très bonne fréquence. Avec *ADO, ADO GL* et *AU*, ttes les 30 à 60 mn, 6h-minuit. Pour le terminal Norte, 6 bus ADO, 10h15-minuit. Trajet : 5h.

➢ *Pour/de Veracruz :* avec *AU,* bus ttes les 60 mn env, nuit et jour. Avec *ADO,* ttes les 20 mn à 1h30, départs particulièrement nombreux à la mi-journée. Avec *ADO GL,* 2 à 7 bus. Trajet : 2h.

➢ *Pour l'aéroport de Veracruz :* avec *ADO,* 10 bus, surtout en matinée. Trajet : 2h.

➢ *Pour/de Villahermosa :* avec *ADO,* 5 bus (moins nombreux le sam). Avec *ADO GL,* 1 bus en soirée dans les 2 sens. Trajet : 8h à 10h.

➢ *Pour/de Puebla :* avec *AU* (le moins cher), 13 ou 14 bus. Avec *ADO,* 7 à 9 bus. Avec *ADO GL,* 3 bus sf ven (un seul bus ce jour-là). Trajet : 3h-3h30.

➢ *Pour/de Papantla* (El Tajín) : avec *ADO,* 4 à 6 bus. Trajet : 4h30.

➢ *Pour/de Poza Rica* (El Tajín) : avec *ADO,* 18 bus. Trajet : 4h30.

➢ *Pour/de Yucatán :* 2 bus à 18h et 22h30 pour Ciudad del Carmen (ne pas confondre avec Playa del Carmen) avec *UNO,* via Villahermosa ; un autre à 15h30 avec *ADO.* Également un départ à 18h50 pour Campeche, Mérida et Cancún.

Adresses utiles

🛈 *Office de tourisme* (plan A1-2) : kiosque d'infos devant l'entrée du palacio municipal, *sur Enriquez, sous les arcades.* ● xalapa.net ● *Lun-sam 8h-21h ; dim 11h-19h.* Partage le stand avec un guichet *Ticket Bus.* Également un stand à l'intérieur de la gare routière, à l'arrivée des bus.

✉ *Poste* (plan B1-2) : *à l'angle de Zamora et Leño, dans le palacio federal. Lun-ven 8h-17h ; sam 8h-14h.*

@ *Ciberb@zar* (plan A1-2, **3**) : entrer dans l'étroite galerie commerciale à la hauteur du 26 av. Enriquez ; suivre les flèches jaunes au sol jusqu'à la boutique (tte petite), en étage. *Tlj 10h30-21h.* Gravure CD et DVD possible.

■ *Banque HSBC* (plan A2, **1**) : à l'angle d'Enriquez et de Clavijero. *Lun-ven 9h-17h ; sam 9h-15h.* Change euros et dollars. Plusieurs autres banques avec distributeurs de billets dans Enriquez.

■ *Boletotal-Ticket Bus* (plan A1, **2**) : Enriquez 13. Presque en face de la banque Santander. ☎ 01-800-009-90-90. ● boletotal.mx ● *Lun-sam 8h-21h ; dim 9h-17h.* Pour acheter vos billets de bus ou d'avion. Autre guichet partagé avec l'office de tourisme devant le *palacio municipal* (lun-sam 8h-21h).

■ *Veraventuras :* Santos Degollado 81. ☎ 818-97-79 ou 01-800-888-88-80. ● veraventuras.com.mx ● Un bon spécialiste du tourisme d'aventure : rafting, varappe et *tirolesa* (fil d'Ariane). Ils disposent d'un ranch-auberge à l'arrivée de la descente des rapides ; avec des sources d'eau chaude. Massages pour se remettre...

■ *Alliance française et consulat* (plan A1, **4**) : Juan Álvarez 21. ☎ 817-43-30. *Lun-jeu 9h-20h ; ven 9h-18h ; sam 9h-13h.* Abrite le consulat honoraire (lun-ven 12h-17h ; mais mieux vaut prendre rdv).

Où dormir ?

De très bon marché à bon marché (moins de 400 $Me, soit 24 €)

🛏 *Hostal de la Niebla* (plan B1-2, **11**) : Zamora 24. ☎ 817-21-74 ou 818-28-42. ● delaniebla.com ● *Lits 145-160 $Me selon taille du dortoir. Petit déj inclus. Internet.* AJ moderne, bien propre et pimpante, membre de *Hostelling International.* Dortoirs de 6 personnes avec lits superposés, lavabo dans la chambre et un casier par personne. Un étage pour les garçons, un autre pour les filles, mais on peut aussi être ensemble si on est en groupe. Également quelques chambres doubles et familiales avec salle de bains privée. Cuisine, salle à manger, terrasses ensoleillées. Idéal.

🛏 *Hostal de Bravo* (plan B2, **12**) : Bravo

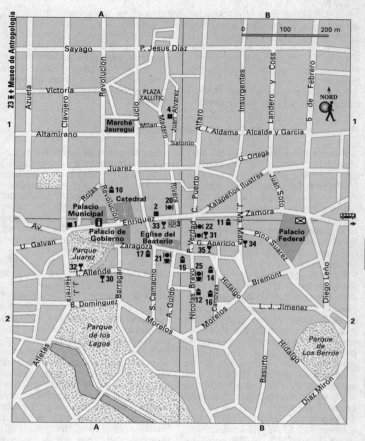

XALAPA

LE GOLFE DU MEXIQUE

■ **Adresses utiles**

- **i** Office de tourisme
- **1** Banque HSBC
- **2** Boletotal-Ticket Bus
- **@ 3** Cyberb@zar
- **4** Alliance française et consulat

🏠 **Où dormir ?**

- **10** Hotel Limon
- **11** Hostal de la Niebla
- **12** Hostal de Bravo
- **14** Posada Casa Regia
- **15** Hotel Salmones
- **16** Posada del Cafeto
- **17** Mesón del Alférez

|●| 🍴 **Où manger ? Où prendre le petit déjeuner ?**

- **20** La Sopa
- **21** La Casona del Beaterio
- **22** Il Postodoro
- **23** Churrería del Recuerdo
- **25** Café Chiquito

🍷 **Où boire un verre ? Où sortir le soir ?**

- **30** Au Petit Café
- **31** Café Lindo
- **32** Don Gusto Cafeteria
- **33** Jugos California
- **34** Cafe Galeria Pub
- **35** Shalom Lounge

11. ☎ 818-90-38. Petit hôtel tout à fait sympathique. 10 chambres en enfilade, lumineuses et guillerettes, plutôt spacieuses, avec salle de bains, carrelage bleu et TV câblée. Une charmante adresse, calme et bien tenue, au bon rapport qualité-prix.

🏠 **Hotel Limon** *(plan A1, 10)* : Revolución 8. ☎ 817-22-04. ● hotellimon@pro digy-net.mx ● *Parking à proximité 55 $Me (3,30 €)*. Cet hôtel fondé en 1894 n'est pas désagréable avec son patio aux murs couverts d'azulejos. Les chambres, avec salle de bains et ventilo, sont simples, propres, sans fenêtre mais avec une porte vitrée. Seules 3, côté rue (bruyante), ont une fenêtre. Dilemme !

Prix moyens (400-800 $Me, soit 24-48 €)

🏠 **Posada Casa Regia** *(plan B2, 14)* : Hidalgo 12. ☎ 817-00-37. ● posadacasaregia.com ● *Réduc si l'on paie en liquide en basse saison. CB acceptées. Parking payant. Wifi.* Ce petit hôtel récent abrite une vingtaine de chambres donnant sur un labyrinthe d'escaliers. Propres et très calmes, elles sont toutefois assez petites et un peu sombres. Mobilier en bois à la mexicaine et TV câblée.

🏠 **Hotel Salmones** *(plan A-B2, 15)* : Zaragoza 24. ☎ 817-54-31 à 36. *Petit déj sur place à partir de 45 $Me (2,70 €). Parking payant.* Bien placé, ce grand hôtel au lobby un peu défait et à la moquette élimée révèle des chambres spacieuses, en meilleure forme que l'on pourrait s'y attendre. La plupart sont meublées en rotin, avec lit *king size* ou 2 lits doubles, ventilo et TV câblée. Très agréable si vous donnez sur le jardin. Ascenseur et bar-resto très abordable. Accueil chaleureux.

🏠 **Posada del Cafeto** *(plan B2, 16)* : Canovas 8. ☎ 812-27-03. ● pradodelrio. com ● *Doubles 540-700 $Me selon saison ; suite spacieuse avec terrasse jusqu'à 1 000 $Me. Internet.* Semées autour de plusieurs petits patios calmes et verdoyants, dans une maison ancienne fort bien rénovée, les chambres sont confortables et fraîches, certaines très hautes de plafond. Excellent niveau de confort : ventilo, TV câblée, sèche-cheveux, cafetière... Charmante cafétéria pour le petit déj continental (7h-11h). Une bien agréable oasis dans le centre-ville.

🏠 **Mesón del Alférez** *(plan A2, 17)* : Sebastiano Camacho 2 ; à l'angle de Zaragoza. ☎ 818-01-13. ● pradodelrio. com ● *Gratuit moins de 10 ans. Parking. Internet. Wifi.* Cet hôtel colonial des plus ravissant (même proprio que la *Posada del Cafeto*), occupe une discrète maison du XVIIIe s. On y trouve 16 chambres très hautes de plafond, réparties autour de puits de lumière, dont 5 suites. Dans celles-ci, poutres apparentes et lits nichés sur de belles mezzanines en bois apportent un cachet supplémentaire. Espace salon très cosy dans chaque chambre et tout le confort moderne (ventilo seulement, pas d'AC). Beaucoup de charme, en plein centre et au calme. Parfait.

Où manger ? Où prendre le petit déjeuner ?

Bon marché (moins de 80 $Me, soit 4,80 €)

|●| ☕ **Café Chiquito** *(plan B2, 25)* : Bravo 3. ☎ 812-11-22. *Tlj 8h-2h.* Cadre très agréable avec patio et fontaine, et feu de cheminée en hiver. Pas cher du tout, surtout le buffet du midi avec plusieurs plats chauds. À chaque table son pichet d'*agua fresca* (eau de fruit). Sinon, *empanadas*, salades, *enchiladas*, tacos, le tout très bien. Musique *en vivo* le soir. Délicieux petits déj.

|●| **La Sopa** *(plan A1, 20)* : dans la ruelle piétonne appelée callejón del Diamante 3A (officiellement calle Rivera). ☎ 817-80-69. *Tlj sf dim 13h30-17h30, 19h30-23h30.* À midi, menu différent chaque jour avec soupe, plat, tortillas maison et eau de fruit 50 $Me (3 €). Dans

une belle salle au plafond voûté du XVIIᵉ s ! Bonne cuisine traditionnelle dans une ambiance populaire où se côtoient toutes les générations.

Prix moyens (80-250 $Me, soit 4,80-15 €)

|●| ☛ *La Casona del Beaterio* (plan A2, **21**) : Zaragoza 20. ☎ 818-21-19. Tlj 8h-minuit. Patio, fontaine, poutres, photos du vieux Xalapa et grandes fenêtres, le cadre est agréable et la cuisine savoureuse. Le midi, menu très abordable et hyper copieux. Viande grillée sous vos yeux. La *parillada Casona* (grillade) pour 2 personnes vous comblera pour plusieurs heures. Service attentif. Musique *en vivo* certains soirs. Bien aussi pour le petit déj. Une bonne maison.

|●| *Il Postodoro* (plan B2, **22**) : Primo Verdad 11. ☎ 841-20-00. Dim-mer 9h-minuit ; jeu-sam 9h-13h. CB refusées. Très bon resto italien dans un décor rustique chaleureux. Grandes variétés de pâtes et énormes pizzas (même la *mediana* suffit à nourrir 2 personnes) servies dans un charmant patio arboré (pour les fumeurs).

|●| *Churrería del Recuerdo* (hors plan par A1, **23**) : Victoria 158. ☎ 841-49-61. À 10 mn à pied du centre par la rue Victoria (toujours tt droit). Juste en face de l'entrée du grand hôtel Misión Xalapa. Tlj 8h30-minuit. Cette drôle de *cantina*, aux plafonds tapissés de papiers découpés colorés, prépare une excellente cuisine typique de Veracruz à partir d'authentiques recettes anciennes qui mitonnent dans des jarres en terre cuite, à l'entrée. Produits frais, belles salades simples, *antojitos* réussis, avec même quelques choix pour les végétariens. Sortie familiale populaire. Dommage que le service soit aussi déplorable. Quel service, d'ailleurs ? On remplit soi-même la commande en cochant une fiche... Absolument incontournable.

Où boire un verre ? Où sortir le soir ?

🍸 *Au Petit Café* (plan A2, **30**) : Allende 23. En contrebas du Parque Juárez. ☎ 817-80-77. Lun-sam 9h-minuit ; dim à partir de 16h. Fauteuils club, canapés, magazines et bande son parfois en français, jeux à disposition, exposition de peintures, que faut-il de plus pour se reposer un moment ? Des sandwichs baguette, des crêpes, des pâtisseries maison, du thé, une bonne atmosphère... et un excellent accueil. *Musica en vivo* sur la terrassette de l'étage en fin de semaine (rythmes plutôt jazzy).

|●| 🍸 *Café Lindo* (plan B2, **31**) : Primo Verdad 21. ☎ 841-91-66. Incontournable, ne serait-ce que pour ses horaires : tlj 8h-2h. Grande salle chaleureuse et beaucoup de monde le soir, vers 20h, pour la musique *en vivo*. Grand choix d'alcools et quelques plats revigorants de cuisine mexicaine.

🍸 *Don Gusto Cafeteria* (plan A2, **32**) : au bout du parc Juárez (monter par les escaliers, juste avt la galerie d'art). ☎ 812-39-58. Tlj 9h30-22h. La terrasse surplombe la ville. Panorama exceptionnel sur Xalapa. Idéal pour prendre un verre, déguster une glace ou se requinquer d'un sandwich ou d'une crêpe.

🍸 *Jugos California* (plan A1-2, **33**) : Enriquez 26. Tlj 7h-22h. Grand choix de jus, eaux de fruits (*aguas frescas*) et milk-shakes. Toutes les saveurs tropicales : melon, mangue, goyave, banane, fraise, *mamey* (sapotille) et même alfalfa ! Un grand bol de vitamines santé ; un peu cher quand même.

🍸 *Cafe Galeria Pub* (plan B2, **34**) : angle José Maria Mata et callejón de González Aparicio. Ouvre tlj vers 18h. Wifi. Les habitués l'appellent *La Chiva*, allez savoir pourquoi. Les étudiants et intellos s'y retrouvent le soir sur fond de bonne musique (rock, électronique, hip hop) et de bière bon marché. Échange de livres et parties d'échecs endiablées.

🍸 *Shalom Lounge* (plan B2, **35**) : callejón de González Aparicio 6B. ☎ 841-58-68. Mar-dim 13h30-minuit. Dans une ruelle piétonne sympa. Pour changer un peu des tacos, glissez-vous sur les canapés rouge moelleux pour grignoter houmous et chiche-kebab ou pour fumer une *chicha*. En fait, toute la ruelle est très animée le soir, bourrée de bars pour tous les goûts, ambiances feutrées ou électrisées, jazzy, tropical ou house. Au bout de la ruelle, ambiance de plus en plus calme.

À voir

🏃🏃🏃 Museo de Antropología *(hors plan par A1) : sur le campus de l'université, à 15 mn en bus du centre-ville.* ☎ 815-49-52. *Pour y aller, prendre le bus qui indique « Tesorería » et/ou « A. Camacho » sur l'av. Enriquez, face au parc Juárez. Descendez quand vous apercevrez sur la gauche un immense bâtiment bas à l'architecture moderne précédé d'une fontaine. Tlj sf lun 9h-17h. Entrée : 50 $Me (3 €) ; réduc étudiants ; gratuit pour les moins de 12 ans. Guide gratuit tlj à 11h30 (en espagnol) ; payant le reste du temps, ce qui vaut le coup si l'on est plusieurs. Parfois possible en français sur résas.* Cafétéria au 1er étage. Librairie. Ce musée ultramoderne, le deuxième en importance du Mexique et l'un des plus beaux, a été inauguré en 1986. Conçu en escalier le long d'immenses pelouses arborées sur plus de 250 m de longueur, il est parfaitement intégré au paysage. Les fenêtres rappellent les niches des pyramides d'El Tajín. Il met superbement en valeur quelque 1 500 pièces d'art préhispanique (les fonds en comptent pas loin de 30 000 !) déroulant 3 millénaires d'histoire. Les civilisations de la côte du golfe du Mexique y occupent logiquement une place prépondérante : olmèque, Huaxteca et centre de l'État de Veracruz. On y admire les fameuses têtes colossales olmèques (ce sont les originaux). Sept au total, qui viennent toutes du site de San Lorenzo, irrémédiablement impassibles à l'exception de la n° 9, qui esquisse un léger sourire... Vous avez dit Mona Lisa ? Des vitrines permettent de voir les pièces sous tous leurs angles. Immenses mais discrets panneaux didactiques qui jalonnent les étapes historiques de toutes les civilisations mexicaines. Intimité pour les petites pièces, vastes patios verdoyants et fleuris pour les énormes sculptures olmèques. Superbe.

🏃 Palacio de Gobierno *(plan A2) : entrée par la calle Leandro Valle. Lun-sam 9h-16h.* Pour les fanas des fresques murales. Celle qui domine l'escalier central est assez intéressante (sur l'histoire de la justice). Mais ne croyez pas ceux qui vous diront qu'elle est de Diego Rivera. Il s'agit d'un homonyme, Orozco Rivera.

🏃 Plaza Xallitic *(plan A1) :* une petite place tranquille, cachée aux yeux des touristes pressés. Un certain charme s'en dégage avec son vieux lavoir du XVIe s. Dommage que l'ensemble ait été un peu trop bétonné.

🏃🏃 Callejón del Diamante *(plan A1) : officiellement calle A. de Rivera (comme indiqué sur le plan).* Petite rue piétonne en pente, pleine du charme de la vie, où il fait bon se promener. S'y sont rassemblés quelques restos sympas, des boutiques et de l'artisanat néobaba. Senteurs mélangées de café et d'encens.

➤ DANS LES ENVIRONS DE XALAPA

🏃 Coatepec *: à 8 km de Xalapa.* Une petite ville coloniale surnommée « le village du café » à cause de son climat idéal pour la culture du café d'altitude. Il fait bon se promener dans ses rues tracées en damier, bordées de maisons coloniales aux toits de tuiles et aux fenêtres en fer forgé. Sa douce atmosphère du passé lui a valu d'être classé parmi la trentaine de *pueblos mágicos* « villages magiques » du pays. Aux alentours, région de végétation luxuriante entre forêts et rivières. Si vous êtes en voiture (ou taxi), allez vous promener à la *cascade de Texolo* près du village de Xico. La passerelle date de 1908. Lieu de tournage favori pour de nombreux films ; vous êtes sur les traces de Michael Douglas, à la poursuite du diamant vert...

VERACRUZ

457 614 hab.   IND. TÉL. : 229

Enfin un port ! Un vrai de vrai, avec des cargos et des bateaux de pêche. C'est le plus important du Mexique. Jusqu'en 1760, Veracruz était le seul port autorisé à pratiquer le commerce avec l'Espagne. C'est aussi ici que Cortés accosta avec ses caravelles et qu'il reçut les émissaires de Moctezuma avant d'entreprendre sa longue marche sur Mexico-Tenochtitlán.

> ## LA GUERRE DES PÂTISSERIES
>
> *En 1838, une pâtisserie française, à Mexico, fut saccagée par des pillards. Dépité, le propriétaire écrivit à Louis-Philippe. Le roi envoya une escadre de 22 navires pour faire le blocus de Veracruz. On ne rigole pas avec l'honneur des Français ni avec la nourriture ! Non mais.*

Il n'y a pas grand-chose à voir à Veracruz, mais la ville possède un certain charme, avec ses places bordées de palmiers et sa promenade sur le *malecón* longeant le port. Il règne, surtout aux alentours du *zócalo,* une chaude ambiance dès que le jour tombe et jusqu'à des heures avancées de la nuit. C'est la ville de la musique et de la danse (influence afro-cubaine) et c'est d'ailleurs là qu'est née la célèbre « bamba ». Si vous y allez en février pendant le carnaval, c'est carrément la folie. Toute la population descend dans la rue pour danser, de 7 à 77 ans...

On ne va pas à Veracruz pour ses plages de sable gris (et sale), qui attirent surtout les Mexicains, mais pour des enchantements qui lui sont propres : ses musiciens ambulants de marimbas, ses danses folkloriques (le *danzón*), ses mariachis, ses marchands de coquillages, sa nonchalance, sa moiteur et sa sensualité. Et aussi pour la gentillesse de ses habitants, les *Jarochos,* gais et ouverts.

UN PEU D'HISTOIRE

L'histoire de la ville est étroitement liée à celle du pays, puisque Veracruz fut longtemps la seule porte d'entrée de la façade atlantique. C'est Cortés qui la baptise en y débarquant un vendredi saint de 1519 : Villa Rica de la Vera Cruz (« ville riche de la Vraie Croix »). Sa croissance est bien sûr due à son activité portuaire. Au XVIe s, l'or et l'argent représentent 80 % des exportations. Le reste, transporté par voie de terre depuis Acapulco, débarque des galions des Philippines : porcelaine, soieries, épices, etc. D'abord organisées à Mexico, les grandes foires commerciales se déplacent à Xalapa, plus proche. Ces trésors sont entreposés ici avant d'être chargés sur des galions à destination de l'Espagne. Quelle tentation pour les pirates ! Les flibustiers de tout poil (dont Francis Drake et John Hawkins) ne s'en privent pas. Ils attaquent régulièrement la ville, au point que celle-ci, pour se protéger, s'enferme à l'intérieur d'une muraille défendue par neuf forts. En mai 1683, Laurens de Graff, Nicholas Van Hoorn, Jan Willems et le chevalier français Michel de Grammont attaquent et prennent Veracruz, alors peuplée par 5 000 habitants. C'est en se présentant à bord de deux vaisseaux espagnols capturés qu'ils ont réussi à approcher sans se faire repérer. Ils sont à la tête d'une véritable petite armée d'une centaine de pirates qui, 3 ou 4 jours durant, pille, saccage et viole. La plupart des habitants de la ville sont pris en otage dans l'espoir d'une rançon – mais le projet est abandonné après l'arrivée d'une flotte espagnole.

Longtemps, Veracruz conserva auprès des Espagnols l'image d'un lieu insalubre et dangereux. Au XVIIIe s, toutefois, elle était devenue un centre commercial à part entière, bénéficiant de la mise en place d'un traité de libre commerce en 1778. Les fortifications ont été détruites à la fin du XIXe s pour faire face à la démographie croissante et accueillir de nouvelles vagues d'immigrants cubains, syriens et libanais.

Arriver – Quitter

En bus

À Veracruz, pour rejoindre le centre-ville depuis le terminal, il y a des bus urbains, sur l'avenue, à 100 m à droite. Ils indiquent « Centro » ou « Diaz Mirón ». On y est en 10 mn. À pied, compter 20-25 mn de marche le long de l'av. Diaz Mirón jusqu'au parque Zamora.
Liste des principales compagnies et leurs coordonnées dans la rubrique « Transports » du chapitre « Mexique utile ».

🚌 *Terminaux de bus 1re et 2e classes* (hors plan par A2) sont dans le même bloc, l'un derrière l'autre. *ADO* (1re classe) est situé sur l'av. Diaz Mirón (à l'angle d'Orizaba) et *AU* (2e classe) sur Lafragua. ☎ 935-07-83 ou 937-29-22. Pour y aller, prendre un bus qui indique « Diaz Mirón » et/ou « ADO ». Consigne et téléphones aux 2 terminaux, distributeur de billets également dans celui de 1re classe. N'oubliez pas que vous pouvez réserver vos billets à l'avance auprès de Boletotal (voir « Adresses utiles »). Sinon, directement sur les sites des compagnies les plus importantes ; voir « Quitter Mexico en bus ».

Terminal 1re classe (ADO)

On y trouve les compagnies *ADO, ADO GL* et *UNO* ● ado.com.mx ●
➤ *Vers Palenque :* il faut changer à Villahermosa. En été, réserver son billet plusieurs jours à l'avance.
➤ *Vers Villahermosa :* avec *ADO*, une vingtaine de départs 7h-2h30 dont 5 bus *ADO GL*. Préférer un bus de nuit, on économise ainsi l'hôtel. Trajet : 6-7h.
➤ *Vers Campeche :* avec *ADO*, 3 ou 4 bus de 18h à 20h35, dont un avec *ADO GL*. Trajet : 12-13h.
➤ *Vers Mérida :* avec *ADO*, 6 bus, 13h-21h30, dont 3 avec *ADO GL*. Trajet : 14-15h env.
➤ *Vers Cancún et Playa del Carmen :* 3 bus avec *ADO GL* pour Cancún, les mêmes que pour Mérida, dont un continue jusqu'à Playa. Avec *ADO*, 2 bus. Trajet : 18-19h pour Cancún et 19-20h pour Playa.
➤ *De/vers Puebla :* avec *ADO*, ttes les 1h30 à 2h30, 6h-2h et 6h45-18h30 dans le sens Puebla-Veracruz ; bus supplémentaires le w-e. Avec *ADO GL*, 7-8 bus, 6h45-20h30. Trajet : 3h30.
➤ *De/vers Oaxaca :* avec *ADO*, 5 bus, 8h-23h35 ; dans l'autre sens, à 22h15 et minuit. Avec *ADO GL* : 1 bus le soir lun, ven et dim. Trajet : 8h30.
➤ *De/vers Xalapa :* avec *ADO*, bus ttes les 15 à 20 mn (moindre fréquence la nuit). Dans l'autre sens, bus jusqu'à env 22h. Avec *ADO GL*, 6-7 bus, 4h45-19h. Trajet : 2h.
➤ *De/vers Papantla* (El Tajín) : 6 bus *ADO*, 7h-19h. Trajet : 4h15.
➤ *De/vers Poza Rica* (El Tajín) : avec *ADO*, bus ttes les 20 à 30 mn ou ttes les heures, et 3 avec *ADO GL*, matin, midi et soir. Trajet : 4h30-5h.
➤ *De/Vers Mexico (Terminal Tapo) :* pas de souci de fréquence. Avec *ADO*, bus ttes les 30 à 60 mn, 6h-2h. Avec *ADO GL*, 9 bus/j. Trajet : 5h30-6h.

Terminal 2e classe (AU)

➤ *De/pour Catemaco :* ttes les 10 mn avec *Tuxtlas*, 5h-22h. Trajet : 3h40.
➤ *De/pour Xalapa :* avec *AU*, départ ttes les 10 à 20 mn. Ttes les heures env avec *TRV*. Trajet : 2h-2h30.
➤ *De/pour Oaxaca :* départ à 23h15. Trajet : 8h-8h30.
➤ *De/pour Puebla :* 13 départs, 6h15-0h30, ttes les 1-2h. Trajet : 4h30.
➤ *De/pour Poza Rica :* ttes les 45 mn à 2h selon tranches horaires.
➤ *De/pour Mexico :* 16 à 19 bus/j., à chaque heure ronde, 6h-16h, puis 21h-1h. Trajet : 7h.

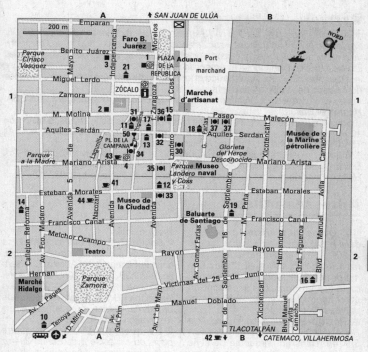

VERACRUZ

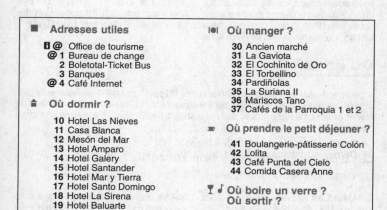

■ **Adresses utiles**

ℹ @ Office de tourisme
@ 1 Bureau de change
2 Boletotal-Ticket Bus
3 Banques
@ 4 Café Internet

⌂ **Où dormir ?**

10 Hotel Las Nieves
11 Casa Blanca
12 Mesón del Mar
13 Hotel Amparo
14 Hotel Galery
15 Hotel Santander
16 Hotel Mar y Tierra
17 Hotel Santo Domingo
18 Hotel La Sirena
19 Hotel Baluarte
21 Hotel Imperial

|●| **Où manger ?**

30 Ancien marché
31 La Gaviota
32 El Cochinito de Oro
33 El Torbellino
34 Pardiñolas
35 La Suriana II
36 Mariscos Tano
37 Cafés de la Parroquia 1 et 2

☕ **Où prendre le petit déjeuner ?**

41 Boulangerie-pâtisserie Colón
42 Lolita
43 Café Punta del Cielo
44 Comida Casera Anne

🍸 ♪ **Où boire un verre ?**
Où sortir ?

50 Salón La República

En avion

✈ **Aéroport** (hors plan par A2) : à 13 km au sud-ouest de Veracruz. ☎ 934-90-08. Prendre le bus « Las Bajadas » sur Zaragoza. Il vous laisse à 500 m de l'aéroport. Vols nationaux avec Aeroméxico, Interjet, Aeromar et VivaAerobus. Vols vers les États-Unis avec Continental et American Airlines.

➤ **Pour Mexico :** avec Aeroméxico et Interjet. Cette dernière compagnie propose hors saison des tarifs intéressants.

Autres villes desservies : **Villahermosa, Mérida, Cancún, Guadalajara** ; aux USA, **Huston** et **Dallas.**

– **Bus :** depuis l'aéroport, il existe des bus ADO directs pour Xalapa, à raison de 10 rotations/j. par sens. Tlj 8h30-23h30. Après la fermeture du guichet ADO (tlj 7h-10h30), on prend le billet dans le bus auprès du chauffeur.

– **Voiture :** plusieurs loueurs de voitures sont représentés : Avis (☎ 932-16-76), Dollar (☎ 938-78-78), Budget (☎ 939-27-05). Généralement ouverts 7h-22h30. Hertz n'a pas de guichet sur place, mais à l'entrée de l'aéroport (☎ 937-47-76).

Adresses utiles

🖩 @ **Office de tourisme** (plan A1) : dans le palais municipal, sur le zócalo. ☎ 200-20-17. ● veracruz-puerto.gob. mx ● Tlj 9h-21h, sf Noël et 1er janv. Pas mal de doc dont un plan de la ville et une carte des environs. Les infos sont du genre approximatives. Accès Internet et cabines téléphoniques.

✉ **Poste principale** (plan A1) : pl. de la República 213. Lun-ven 8h-18h ; sam 8h-14h. Dans un immeuble de style néoclassique, construit par une compagnie anglaise en 1902.

■ @ **Bureau de change** (plan A1, **1**) : Morelos 343. ☎ 931-88-44. Tlj 9h-1h du mat ! Change des euros mais en espèces seulement. Pour les chèques de voyage, aller dans une banque (autour du zócalo). Fait également centre Internet et téléphone longue distance (mais tant qu'à faire, mieux vaut utiliser Skype avec un ordi).

■ **Boletotal-Ticket Bus** (plan A1, **2**) : à l'angle de Molina et Independencia, dans la Farmacia del Ahorro. Lun-sam 8h30-20h30 ; dim 9h-20h. Résas par tél ou en ligne : ☎ 01-800-009-90-90. ● bo letotal.mx ● On peut réserver ses billets de bus ou d'avion, ou même faire une réservation d'hôtel.

■ **Banques** (plan A1, **3**) : aux quatre coins du croisement de Benito Juárez et Independencia, 4 banques avec distributeurs automatiques. **Bancomer** (lun-ven 8h30-16h) et **Banamex** (lun-ven 9h-16h) changent les euros et les chèques de voyage.

@ **Café internet** (plan A1, **4**) : Mariano Arista 719. Lun-ven 8h-22h. Un peu cher mais bien équipé et connexion stable. Possibilité de graver CD et DVD.

Où dormir ?

Attention, durant les vacances de Noël et de Pâques ainsi que les week-ends prolongés, les prix que nous indiquons font un sacré bond. Idem durant le carnaval de février. Mais là, de toute façon, tout est complet. Il faut réserver au moins un mois à l'avance.

De très bon marché à bon marché (moins de 400 $Me, soit 24 €)

🛏 **Hotel Las Nieves** (plan A2, **10**) : Tenoya 159. ☎ 932-57-48 ou 52-05. Excentré, à 10 bonnes mn à pied du zócalo, dans un quartier populaire, près du grand Parque Zamora. Doubles sin baño 100 $Me, 150-200 $Me avec bains, avec ou sans TV. Petites chambres propres et bien tenues (avec douche et ventilo) pour cet « hôtel des neiges »... Un souvenir des montagnes asturiennes, d'où est originaire le proprio. Plus ou moins lumineux et aéré, éclairage au néon. Un tiers des chambres se partagent des sanitaires. Très correct pour le prix, et en plus, c'est calme.

Hotel Galery (plan A2, **14**) : callejón Reforma 145. ☎ 931-38-33. ● hotel_ga lery@hotmail.com ● Un petit hôtel mignon... et calme. Ouf ! On l'a enfin déniché. Il donne sur une petite ruelle piétonne. Un peu excentré mais dans un quartier tranquille. Mention honorable pour l'effort de déco, certes très kitsch avec ses effets de peinture violet, jaune et vert pomme. Petites chambres presque coquettes, avec ventilo et AC. Bonne literie. Très propre. Si vous êtes nombreux, demandez l'immense chambre (n° 11) qui donne sur le toit ; elle peut accueillir jusqu'à 6 adultes et 3 enfants (voire 10 personnes !). Accueil sympa de la patronne, toujours prête à renseigner ses clients. Notre adresse préférée dans cette fourchette de prix.

Hotel Santander (plan A1, **15**) : Landero y Coss 123 ; à l'angle de Molina. ☎ 932-45-29 ou 86-59. ● hotelsantan der.net ● Du simple au double selon saison. Parking payant. Internet et wifi. Les chambres, rehaussées de pointes de couleurs, sont confortables et agréables, avec AC, TV, téléphone et mobilier en rotin ou en bois brun. On préfère celles qui ont un joli carrelage bleu. Certaines avec lit king size. Les chambres à 2 lits sont les plus lumineuses mais elles donnent sur la rue (très bruyante). Un inconvénient de taille : c'est souvent complet et on ne peut pas réserver.

Hotel Amparo (plan A1, **13**) : Aquiles Serdán 482. ☎ 932-27-38. ● hotelampa ro.com.mx ● Plusieurs tarifs selon confort. Parking gratuit. Chambres patinées mais propres et assez calmes côté patio. Au choix, 1 ou 2 lits, avec ou sans TV. Ventilo et eau chaude. Un assez bon rapport qualité-prix pour les moins chères, mais ça se sait, et c'est souvent complet.

Hotel Santo Domingo (plan A1, **17**) : Aquiles Serdan 481. ☎ 931-63-26. Parking payant et un peu cher. Wifi. Combinaison osée en vert et jaune pour cet hôtel bien placé, un peu vieillissant mais néanmoins agréable. Les chambres sont petites et lumineuses, voire colorées et guillerettes. TV et ventilo. Comme d'hab', et surtout à Veracruz, vous éviterez les chambres sur l'extérieur si vous avez l'ouïe sensible (rue bruyante).

Prix moyens (400-800 $Me, soit 24-48 €)

Mesón del Mar (plan A2, **12**) : Esteban Morales 543 ; à l'angle de Zaragoza. ☎ 932-50-43 ou 01-800-581-55-55. ● mesondelmar.com.mx ● Wifi. Voilà une bien belle adresse, nichée dans une maison coloniale. Autour d'un patio fleuri on ne peut plus adorable, des chambres lambrissées avec beaucoup de cachet, le confort en plus : AC, TV câblée et coffre-fort. Spacieuses, avec même une mezzanine pour certaines. Resto. Demandez une chambre au 3e étage, les plus silencieuses. Évitez la chambre sombre du rdc. Très bon rapport qualité-prix. Notre préféré dans cette rubrique.

Hotel La Sirena (plan B1, **18**) : Gómez Farias 45 ; à l'angle de Serdán. ☎ 931-49-86 ou 92. Petit déj sur place à partir de 45 $Me (2,70 €). Parking payant (un peu cher). Le malecón est à deux pas et les chambres, toutes de taille et de configuration différentes, sont dans l'ensemble correctes (certaines avec lit king size). Jaune canari, rose bonbon, vert menthe, choisissez votre couleur, elle s'étale jusqu'au plafond ! Toutes ont l'AC et la TV, certaines une petite vue sur la mer, d'autres un petit balcon, mais parfois pas de fenêtre du tout... Si la chambre qu'on vous présente vous déplaît, demandez à en voir une autre. Intéressant aussi pour des chambres de 4 ou 6 personnes. Accueil charmant.

Hotel Mar y Tierra (plan B2, **16**) : en front de mer, au début du bulevar Manuel A. Camacho ; à l'angle de Figueroa. ☎ 931-38-66 ou 01-800-543-41-68. ● hotelmarytierra.com ● Plus cher dans la partie rénovée ; gratuit moins de 6 ans. *Parking gratuit.* Un peu excentré, mais cet « hôtel de plage » bénéficie d'une situation agréable face à la mer et au *club de yates.* Chambres de taille variable, avec moquette, AC, TV câblée et téléphone. Les « anciennes » sont plus bruyantes. Demandez-en une avec vue sur la mer (plus cher) et évitez celles, très sombres, qui n'ont qu'une lucarne. Piscine sur le toit, avec un magnifique panorama à 360°. Resto. Une bonne adresse.

â *Casa Blanca* (plan A1, 11) : callejón Trigueros 49. ☎ 200-46-24 ou 25. ● *ca sablanca.hotel@hotmail.com* ● *Parking. Internet.* Central et inhabituellement calme. Vous trouverez l'hôtel un peu cher si on vous refile une chambre avec lit matrimonial, et en plus si elle est

sombre. Demandez un lit *king size.* Les chambres sont bien tenues, certaines assez agréables avec leurs touches colorées. Essayez de choisir.

â *Hotel Baluarte* (plan B2, 19) : F. Canal 265 ; à l'angle de 16 de Septiembre. ☎ 932-52-22 ou 42-92. ● *hotel baluarte.com.mx* ● *Parking gratuit. Internet. Wifi.* Presque en face du Baluarte de Santiago, dans un quartier calme, à 4 rues du *malecón.* Chambres confortables, avec lit double (moins cher), 2 lits *matrimonial* ou lit *king size.* Très propres, avec AC, TV câblée, coffre et téléphone. Salles de bains impeccables, avec douche ou baignoire. Grandes chambres pour ceux qui voyagent en famille. Resto et bar (7h30-22h30). Jolie terrasse avec piscine. Sans surprise.

Chic (800-1 200 $Me, soit 48-72 €)

â *Hotel Imperial* (plan A1, 21) : Miguel Lerdo 153 ; sur le zócalo. ☎ 932-12-04 ou 01-800-711-70-31. ● *hotelimperialve racruz.com* ● *Tarifs variables selon les saisons. Parfois, réduc pour les détenteurs de la carte* Hosteling International (sic !). *Pas de stationnement. Wifi.* C'est, dit-on, le plus vieil hôtel d'Amérique, fondé en 1793. On traverse un vaste hall doté d'une verrière magnifique avant d'atteindre la réception, un peu cachée au fond. À droite, un escalier en marbre de Carrare et un splendide ascenseur

Art déco, importé de Suisse en 1904. L'empereur Maximilien et son épouse Carlota sont descendus ici ; et le dictateur Porfirio Díaz, dans sa fuite vers la France. Le lieu est mythique, mais le temps a passé et l'*Imperial* ne cache plus ses rides. Quitte à descendre ici, demandez une *king,* un peu plus chère mais avec vue sur le *zócalo,* lit à baldaquin et baignoire à pattes. Les chambres standard ont perdu toute atmosphère coloniale. Petite piscine et piano-bar au 1er étage.

Où manger ?

Veracruz est célèbre pour ses crustacés et son poisson. Goûtez à la spécialité locale, le *huachinango a la veracruzana,* sorte de daurade cuite au four et nappée d'une sauce à la tomate, aux piments, aux oignons, aux câpres, aux olives... un régal.

Bon marché (moins de 80 $Me, soit 4,80 €)

|●| *Ancien marché* (plan A1, 30) : Landero y Coss. *Fermé le soir.* Comida corrida dès 40 $Me. Il s'agit de l'ancienne criée. Immense espace désormais occupé par les bouis-bouis de fruits de mer. En principe très frais. Bonne ambiance populaire. Marée de chaises en plastique, ballet des ventilos... *Que calor !*

|●| *El Cochinito de Oro* (plan A1, 32) : Zaragoza 190. ☎ 932-36-77. Tlj 7h-16h. Le nom de ce resto populaire vient du fondateur, ancien catcheur qui combattait sous le pseudo de « cochon d'or » ! Il y a de cela 3 générations ! Depuis, tout s'est lentement décati. Grande salle claire et langoureusement aérée par des ventilateurs

d'époque. L'endroit parfait pour déguster une bonne petite cuisine locale. Bon cocktail de crevettes. Bon accueil des petits-enfants du lutteur.

|●| *El Torbellino* (plan A2, 33) : Zaragoza 384 ; à l'angle de Morales. ☎ 932-13-57. Tlj sf mer 11h-19h. Un resto à la façade jaune, qui sert une cuisine veracruzienne *muy buena* : *cócteles,* poissons en tout genre et fruits de mer à l'honneur. *Ceviches,* poulpe, crevettes... Tout est bon. Cadre familial, simple mais aéré, vraiment typique et populaire. D'ailleurs, ça ne désemplit pas.

Prix moyens (80-250 $Me, soit 4,80-15 €)

|●| *Pardiñolas* (plan A1, 34) : au bord de la plazuela de la Campana, côté calle Arista. Tlj sf lun 13h-22h30. On s'installe au choix dans la grande salle bruyante, aux tables et chaises bleues, ou en terrasse, sur la placette. Ce bon resto de fruits de mer prépare crabe, poisson, crevettes et autre poulpe de mille et une manières... Essayez les exquises spécialités maison comme la *piña rellena Don Fallo* : une préparation de fruits de mer gratinés servie dans un demi-ananas. Délicieusement tropical. Service pro et aimable.

|●| *Cafés de la Parroquia 1 et 2* (plan B1, 37) : sur le malecón, et il y en a 2 presque l'un à côté de l'autre. ☎ 932-18-55. Tlj 7h-minuit. C'est une institution à Veracruz depuis presque un siècle. Avant ils étaient installés en face du *zócalo*. Mais la tradition n'a pas changé : si le service tarde, on frappe son verre avec une cuillère. Les salles sont grandes comme un terrain de football. On y sert un délicieux *café con leche,* on y prend le petit déj en terrasse en louchant sur les cargos, on y boit un verre à la fraîche, on y mange à toute heure... Incontournable. Beaucoup de monde, surtout le soir, lorsque débarquent les musiciens de rue. Pour plus de tranquillité, ne prenez pas une table en première ligne sur le trottoir, vous seriez assailli par les vendeurs ambulants.

|●| *La Gaviota* (plan A1, 31) : callejón Trigueros 21. ☎ 932-39-50. Ouv 24h/24 ! Bon menu déj 55 $Me ; plus cher dim. Fondée il y a plus de 30 ans, la maison mitonne une excellente cuisine régionale, servie dans une petite salle plutôt chic, donnant sur une placette tranquille. Nappes blanches sur les tables. Spécialités de fruits de mer ; on a beaucoup aimé le *robalo a la veracruzana.* Mais pas d'inquiétude, les carnassiers ne sont pas oubliés. Une très bonne adresse.

|●| *La Suriana II* (plan A1, 35) : Zaragoza 286 ; à l'angle d'Arista. ☎ 932-99-01. Tlj 9h-19h ; donc surtout pour le déjeuner, mais slt à la carte. Bonne ambiance de resto mexicain, façon tropiques et ventilos. Goûter au *filete relleno* (filet de poisson farci), un vrai délice, à la *sopa de mariscos* ou au poisson *a la veracruzana.*

|●| *Mariscos Tano* (plan A1, 36) : Mario Molina 20. ☎ 931-50-50. Tlj 8h-21h. Délirante collection de poissons-lunes, requins, petits alligators et murènes accrochés au plafond, et pin-up de carnaval des années 1950 sur les murs ! Dans l'assiette, de très bons fruits de mer. Le poisson est bien frais. Spécialité : la *cazuela de mariscos,* un délice. Pour peu qu'un trio se mette à jouer, on est plongé dans la grande tradition *veracruzana.*

Où prendre le petit déjeuner ?

☛ *Boulangerie-pâtisserie Colón* (plan A2, 41) : Independencia 1435. ☎ 932-38-41. Tlj sf dim 7h-21h. La bonne odeur vous y mènera tout droit. De bons petits pains au lait, au jambon et fromage, des croissants et des brioches, des *empanadas* (chaussons) au thon et même des *volovanes* (traduisez « vol-au-vent » !). Faites le plein et allez vous installer à la terrasse de l'un des *Cafés de la Parroquia* (voir « Où manger ? »). Attention, plus rien en vitrine l'après-midi.

☛ *Lolita* (hors plan par B2, 42) : 16 de Septiembre 837 ; à 2 cuadras *hors du plan*. ☎ 932-07-60. Petit déj servi tlj

7h-13h, ferme vers 17h. Pour ceux qui voudraient se lancer à l'assaut d'un vrai petit déj mexicain, dans une ambiance typiquement *veracruzana*. « *Bienvenido en tu casa* », peut-on lire à l'entrée. Le dimanche matin, on y vient en famille pour dévorer des quantités pantagruéliques d'*enchiladas, picadas* et autres *gordas dulce* (délicieux !). Aussi des œufs, sous 14 formes différentes ! Bon et copieux. Bon accueil. Une adresse coup de cœur.

☛ *Café Punta del Cielo* (plan A1, *43*) : angle *Independencia* et *Mariano Arista*. Tlj 8h-23h. C'est une chaîne, mais l'ambiance et le style de celui-ci nous ont vraiment séduits. *Coffee shop* en version latino, climatisé, avec un joli sol en damier noir et blanc, un mobilier un poil design, des journaux à feuilleter et du café mexicain (et uniquement mexicain) à toutes les sauces. Faites votre sélection en fonction de l'acidité, de l'arôme, du corps et de la saveur. *Bagels* ou paninis à grignoter, et des pâtisseries qui font saliver rien qu'à les voir.

☛ *Comida Casera Anne* (plan A2, *44*) : callejón de Nacozari 96. Tlj 8h-18h. Dans une petite ruelle pittoresque, on s'installe chez la patronne, qui habite au-dessus de la salle à manger. Elle vous accueille avec un grand sourire et vous préparera un revigorant petit déj, bien copieux et délicieux. Profitez-en pour goûter aux typiques *chilaquiles rojos* (rouges) faites maison. Un régal, et ça vous calera pour la journée.

Où boire un verre ? Où sortir ?

🍸 Sur le *zócalo*, évidemment. C'est finalement l'une des meilleures options pour prendre un verre le soir. Beaucoup d'ambiance. Au son des marimbas. Et jusque tard dans la nuit. On a l'embarras du choix entre les différentes terrasses sous les arcades. Pour ceux qui ne la connaissent pas encore, c'est l'occasion de goûter à la *michelada* : une bière avec du jus de citron et de la *salsa inglesa* (Worcestershire sauce), servie dans un verre au rebord recouvert de sel, à la manière d'un bloody mary. Quand la *michelada* est dite *cubana*, c'est qu'elle arrache !

🍸🍷 *Salón de la República* (plan A1, *50*) : plazuela de la Campana 115. ☎ 932-04-00. Tlj à partir de 13h jusque tard dans la nuit. On y va pour prendre un verre mais un peu de restauration aussi. Le soir, changement d'atmosphère. À partir de 22h30, musique *en vivo (jeu-dim)* : son cubain, trova, bossa nova... bref, de la bonne musique tropicale comme il se doit à Veracruz, sans doute la ville la plus caribéenne du pays. Jeudi, 2 *mojitos* pour le prix d'un. Et dimanche, paella au programme.

À voir. À faire

– *Musique et folklore :* la musique est partout dans la rue et dans les restos. Qu'il s'agisse des joueurs de marimbas (grand xylophone en bois), des trios de guitares ou des chanteurs accompagnés d'une contrebasse. La danse fait aussi partie de la vie des Veracruzanos. Ils ont créé leur propre style : le *jarocho*. Ce sont également des passionnés du *danzón,* danse traditionnelle, assez lente, d'origine cubaine, mais qui est à Veracruz ce que le tango est à l'Argentine. Soudain la musique change de rythme, les couples font une pause, ce qui autrefois permettait aux femmes de s'aérer d'un coup d'éventail. Malheureusement, le *danzón* n'est plus guère dansé que par les personnes âgées. Des concerts (et danses) gratuits ont lieu tous les jours sauf lundi sur le *zócalo* :
– Mardi : *danzón* sur le *zócalo* (20h-21h).
– Mercredi : atelier de folklore et *jarocho* (20h-21h).
– Jeudi : *danzón* (20h-21h).
– Vendredi : cours de *danzón* (19h-20h), puis démonstration jusqu'à 21h.
– Samedi : *danzón* sur le *zócalo* (19h-21h).
– Dimanche : folklore et *jarocho* (17h30-19h30), puis *danzón* jusqu'à 21h.

➤ **Bus touristique Turibus :** il se prend sur le *malecón*, face au Faro (plan B1), ou autour du zócalo (plan A1). Ttes les 60 à 90 mn selon jour et saison, 10h-21h (là aussi variable). Tarif : 60 $Me (3,60 €) ; réduc. Des vieux bus en bois, tout illuminés la nuit, qui se baladent le long de la côte jusqu'aux plages et dans le centre-ville. Parcours : 1h30.

➤ **Tranvía :** départ au même endroit. Ttes les heures, 10h-22h. Parcours de 40 mn dans le centre historique 35 $Me (2,10 €) 10h-17h. Évitez les tranvías tradicionales de Veracruz, juste à côté, qui font payer plus cher le fait de s'asseoir à l'étage supérieur du bus ! Également un *tranvía* jusqu'à la forteresse de San Juán de Ulúa.

🚶 **El puerto** (plan B1) **:** promenade quasi indispensable sur le *malecón* qui fait face au port et à ses cargos, avec les inévitables marchands de souvenirs. Balades en bateau *tlj* 10h-20h. Durée : 45 mn à 1h. Tarif : 70 $Me (4,20 €) ; 10 $Me de réduc pour ceux qui ont un billet de bus ADO. On passe devant le fort de San Juan de Ulúa, mais on ne s'y arrête pas. Plus loin, le long de la côte, ça devient le *bulevar*, comme on l'appelle ici. Le soir, les jeunes de Veracruz y amènent leur fiancée.

🚶 **Museo de la Ciudad** (plan A2) **:** Zaragoza 397. ☎ 200-22-38. Mar-sam 10h-17h ; dim 10h-15h. Entrée gratuite. Installé dans une belle demeure de style néo-classique des années 1850, ce musée, entièrement rénové en 2000, retrace l'histoire de la ville depuis l'arrivée de Cortés à Veracruz en 1519. Très didactique, des bornes interactives permettent des illustrations sonores. On saisit parfaitement l'évolution de la ville grâce à de grandes maquettes, des gravures et des photos anciennes. Après la terrible attaque du pirate Lorencillo en 1683, la ville fut fortifiée. Nombreux panneaux explicatifs en espagnol. Visite intéressante.

🚶 **Baluarte de Santiago** (plan B2) **:** mar-dim 9h-17h. Entrée : 41 $Me (2,50 €) ; gratuit étudiants et moins de 13 ans. Construit en 1635, c'est le dernier vestige des neuf bastions qui ponctuaient les remparts de la ville pour la protéger des pirates. Quelques vieux canons montent encore une garde incertaine. Il abrite un petit musée de bijoux préhispaniques, appelés « joyaux du pêcheur », car ils furent découverts par un pêcheur de poulpes (et vite confisqués par les autorités). On peut parfaitement se dispenser de cette visite, d'autant que seule l'entrée de l'expo est payante, pas celle du fort.

🚶🚶 **Fortaleza San Juan de Ulúa :** pour y aller, 3 options. En bateau depuis le malecón, face au Café de La Parroquia, aux heures d'ouverture du fort : 35 $Me (2,10 €). Ou en tranvía : 45 $Me, soit 2,70 € (voir ci-dessus). Ou en voiture (ou taxi) en contournant intégralement le port. Du centre, direction Xalapa, puis suivre « San Juan de Ulúa » à travers les installations portuaires ; le fort est en plein milieu... Tlj sf lun 9h-16h30. Pour cause de rénovation, l'entrée est gratuite jusqu'à nouvel ordre. Ceux qui veulent une visite en français contacteront 1 ou 2 j. auparavant Martin Sandoval : ☎ (044) 145-12-31.

La forteresse se dresse au bout d'une presqu'île qui fait face au *malecón*. Autrefois, c'était une île, celle-là même où, un jour de 1518, débarqua l'explorateur Juan de Grijalva, accompagné de 4 navires et 240 hommes. Un an plus tard, Cortés mettait pied à terre à son tour. Ce fut le point de départ de l'incroyable épopée des conquistadors sur le continent américain.

En 1528, les Espagnols y construisirent un arsenal, un fanal et une chapelle. Les premières fortifications, bâties vers 1590, furent graduellement renforcées au XVIIᵉ s pour protéger la ville contre les pirates. Mais la prise de la ville par Laurencillo (Laurens de Graff ; voir plus haut « Un peu d'histoire ») et ses acolytes, en 1683, obligea à de nouvelles modifications. Quatre puissants bastions en étoile et une seconde fortification indépendante, en vis-à-vis, furent érigés pour empêcher tout accès le long du chenal menant au port : impossible désormais de passer, même en force. Longtemps, la forteresse servit de lieu d'échange : les marchandises arrivées d'Europe, huile, blé, papier, fer, vin, y croisaient argent, laine, peaux, plantes médicinales, cochenille, indigo et autres bois précieux en partance. Plus tard, la forteresse devint prison, l'une des plus sinistres de la Nouvelle-Espagne. Durant les grandes marées, châtiment suprême, la mer envahissait les cellules de la prison de San Juan de Ulúa. Parmi celles-ci, la plus crainte, plongée dans l'obscurité totale, était surnommée l'Enfer. Il y a aussi le Purgatoire et le Paradis – qui avait droit à deux minuscules meurtrières laissant passer une faible lumière... De nombreux politiques eurent l'honneur tout relatif d'y être hébergés. Parmi eux, Benito Juárez et Santa Ana. N'oubliez pas de visiter le petit musée. Le fort est une coquille vide. Sans être incontournable, le lieu est néanmoins symbolique et prétexte à une balade dans la rumeur des sirènes de bateaux.

🍴 **Museo histórico naval** (plan B1) **:** Arista 418. ☎ 931-40-78. Tlj sf lun 10h-17h. Entrée gratuite. Dans le bel édifice de l'école navale, construite à la fin du XIXᵉ s. Tout, vous saurez tout sur la marine militaire mexicaine, de l'époque préhispanique à nos jours, en 18 salles climatisées. Explications assez généralistes et beaucoup de copies, mais pas inintéressant pour une vue d'ensemble. Dommage que la période du commerce colonial ne soit pas du tout couverte (on sait, ce n'est pas militaire). Ceux qui ont peu de temps pourront éventuellement se dispenser de l'étage, consacré aux époques plus récentes, sauf s'ils tiennent à voir la maquette géante de la frégate *Chapultepec,* utilisée pour les entraînements par les cadets à partir de 1899.

🍴🍴 🏃 **Acuario de Veracruz** (hors plan par B2) **:** à l'intérieur du centre commercial Plaza Acuario, sur le front de mer. ☎ 931-10-20. ● acuariodeveracruz.com ● Prendre un bus sur Zaragoza qui indique « Boca del Río » ou « Mocambo ». Lun-jeu 9h-19h ; ven-dim et j. fériés 10h-19h. Entrée : 90 $Me (5,40 €) ; réduc. CB acceptées à partir de 150 $Me. C'est le plus grand zoo marin d'Amérique latine. On débute par le milieu amazonien, avec tortues, toucans et aras, loutres et poissons étranges. Suit un très bel aquarium géant, circulaire, où les bestioles océaniques nagent au-dessus de récifs de corail artificiels : barracudas, raies, mérous et requins-nourrices dont certains mesurent plus de 3 m de long. Viennent les poissons tropicaux, d'énormes langoustes, des tortues, des requins-tigres gris (on vous rassure, le verre fait 20 cm d'épaisseur !) et un espace didactique pour les enfants. Très réussi.

➤ DANS LES ENVIRONS DE VERACRUZ

⌂ **Playas :** la Playa Hornos débute au sud du centre-ville (à la limite du plan, B2). Plage aménagée, bordée de *palapas,* noire de monde et très sale le week-end. On vous y proposera une excursion jusqu'à l'îlot de Cancuncito (sic !), avec son phare et sa plage de sable blanc (CQFD). Durée : environ 1h30, dont 1h sur place. Suivent d'autres plages : Villa del Mar, José Martí, puis Mocambo, à 6 km du centre. Accessible par les bus « Boca del Río », depuis la rue Serdan, angle de Zaragoza. Mais soyons clairs : côté plages, Veracruz n'est pas Cancún.

🍴 **Mandinga :** un bus local (depuis le terminal de 2ᵉ classe, derrière le terminal ADO) vous conduit en 40 mn à ce petit village au bord d'une lagune. Attablé dans un restaurant au bord de l'eau, devant un *torito* à base d'alcool de canne, vous dégusterez crevettes et poisson frais. Les Mexicains adorent venir s'y attabler des heures entières pendant que les enfants chahutent au bord de l'eau. Excursion en bateau à moteur sur la lagune. Adressez-vous, par exemple, à la *Palapa de Tomas.* Compter 200 $Me (12 €) pour 45 mn de balade entre mangrove et bancs d'huîtres. Beaucoup de monde le week-end, désert en semaine. Dernier retour à 21h pour Veracruz.

🍴 **Sitio de Cempoala :** à env 40 km au nord de Veracruz en direction de Poza Rica ; prendre la sortie 5 km après Cardel. Tlj 9h-17h. Entrée : 41 $Me (2,50 €). Ce fut l'une des plus grandes villes totonaques (30 000 habitants), conquise par les Aztèques au milieu du XVᵉ s. Plus de 6 000 prisonniers furent emmenés à Mexico-Tenochtitlán pour y être sacrifiés. Toutes les villes de la région durent alors payer un lourd tribut annuel à la capitale de l'Empire. Cortés, à peine débarqué, n'eut donc aucune difficulté à convaincre les Totonaques de Zempoala de s'allier avec lui dans sa marche sur Mexico. Leur soutien, ainsi que celui d'autres principautés, furent décisifs dans les victoires des Espagnols. En effet, à son arrivée, Cortés disposait à peine de 550 hommes. Le conquistador comprit très vite comment il pouvait tirer parti de la haine des peuples soumis par les Aztèques. Par la suite, la ville déclina en raison des destructions dues aux combats et surtout des épidémies. Elle fut abandonnée au début du XVIIe s et tomba dans l'oubli, disparaissant peu à peu sous une épaisse végétation.

Une grande partie du site est enfouie sous le village actuel, mais on peut visiter les ruines de l'ancienne enceinte sacrée, avec quelques temples et autres édifices. Tous étaient à l'origine couverts de stucs peints. C'est sur le Templo Mayor, au fond face à l'entrée, que Cortés, après avoir détruit les idoles païennes de la ville, fit ériger un autel dédié à la Vierge. Peu après, le capitaine Pánfilo de Narváez, envoyé par le gouverneur de Cuba pour arrêter Cortés, en fit un bastion... La bataille entre Espagnols se solda par une dizaine de morts et un œil en moins pour Narváez, qui croupit ensuite 4 ans en prison. Petit musée.

🍖 *San Andrés Tuxtla :* 9 km avt Catemaco. Connu pour ses cigares, qui, pour certains, valent bien des cubains. Quelques petits stands en vendent sur le bord de la route, de toutes les tailles. Deux usines de fabrication juste à la sortie de la ville, une à l'est, l'autre à l'ouest – celle des Puros Santa Clara, fondée en 1830 *(lun-ven 8h-17h ; visite gratuite)*.

🚶 *Catemaco :* à 165 km et 3h30 en bus (compagnie AU ou ADO, *prévoir env 130 $Me, soit 7,80 €), au sud de Veracruz.*
Cette petite ville de 28 200 habitants est installée au bord d'une immense lagune, offrant un agréable paysage de collines verdoyantes tombant dans les eaux bleues. Catemaco est surtout connu pour être le rendez-vous des shamans, des *curanderos* (guérisseurs) et autres *brujos* (sorciers). Ils ont d'ailleurs leur rendez-vous annuel sur les bords du lac (la convention des sorciers en quelque sorte, comme celle de Panoramix). Certains shamans y ont élu domicile toute l'année. Si, donc, vous avez besoin d'une *limpia* pour vous nettoyer de vos mauvaises énergies, vous protéger des personnes qui vous jalousent ou retomber amoureux, allez faire un tour à Catemaco !
On s'y balade en barque à moteur, et de très nombreux « guides » vous proposeront leurs services. Au programme : escale à l'isla de Monos, où s'ébattent quelques macaques introduits par des chercheurs, l'îlot aux aigrettes, les plages, les « jardins marins » et bien sûr, on vous déposera près d'une cabane d'un guérisseur qui vous enveloppera dans la fumée du copal et vous frottera avec des plantes... *Départs tlj 7h-18h. Compter 450 $Me (27 €) pour env 1h et 6 pers max, 600 $Me (36 €) pour 2h.* Cela dit, vu la concurrence féroce, on obtient des rabais importants. Sur le *zócalo,* jeter un coup d'œil sur la *basilica Nuestra Señora del Carmen,* toute de jaune et de brique, avec ses deux clochers et son intérieur baroque. *Palacio municipal* de 1900, aux couleurs assorties.

🏨 *Hotel del Brujo :* sur le *malecón.* ☎ (294) 943-12-05. *Doubles 350-450 $Me (21-27 €) selon 1 ou 2 lits ; les prix sont stables tte l'année.* 4 des chambres possèdent un grand balcon avec vue directe sur le lac, alors pourquoi ne pas choisir celles-là pour le même prix ? Toutes sont spacieuses, claires et propres (ventilo ou AC). Un très bon choix pour se la couler douce 1 jour ou 2.
🏨 *Hotel Berthangel :* Madero 1.

☎ (294) 943-00-89. • *hotelberthangel. com* • *Doubles 420-600 $Me (25,20-36 €) selon taux d'occupation et nombre de lits.* Nombreux hôtels situés autour du *zócalo,* assez chers pour la qualité ; celui-ci est indéniablement le mieux. Les chambres, très propres, sont confortables (AC, TV câblée, téléphone). Les plus agréables, avec 2 lits *matrimonial,* regardent vers la lagune.
🏨 🍽 *Hotel Julita :* Maria Teresa Garcia 10. ☎ (294) 943-00-08. *Entre le zócalo*

et la lagune. Double 150 $Me (9 €) en période creuse ; ça grimpe sec en hte saison. Juste 4 chambres basiques (bains, eau chaude, ventilo) mais bien tenues. Fait aussi resto, avec une agréable terrasse couverte, mais la qualité est en pente descendante. Accueil tristounet.

|●| *Mel Mar : sur le* zócalo, *à droite de la cathédrale. Tlj 8h-22h30.* Dans un environnement qui dégouline de plantes vertes, une super petite adresse très dépaysante. Murs et nappes bigarrés, perroquet, et cette verdure... Carte mi-veracruzana, mi-yucatèque. Les plats sont particulièrement goûteux, entre autres le *taco de cochinita pibil.* Jus frais et même quelques choix pour les végétariens.

|●| *La Ola : sur le* malecón, *face au lac.* ☎ *(294) 943-00-10. Tlj 8h-21h. Prix moyens. CB refusées.* Grande salle prolongée par une belle terrasse sous *palapa* qui surfe jusqu'au rivage. Un cadre agréable pour le déjeuner : délicieuses crevettes grillées à l'ail, savoureuse soupe de poissons (*sopa de mariscos*) ou un filet de poisson farci.

■ *Ecobiosfera : Comunidad Dos Amantes, à env 10 km au nord de Catemaco, sur la route de Sontecomapan.* ☎ *(294) 103-31-12.* ● *ecobiosfera. com* ● Le parc naturel des lagunes de Catemaco préserve de rares forêts primaires. Introduction au milieu tropical et aux mangroves. Tours avec balade en barque sur les lagunes, observation des oiseaux (toucans, oropendolas, colibris, etc.), excursions vers les chutes d'Eyipantla, baignade dans des sources, promenades à cheval, à VTT... Nombreuses excursions, de 3h à 3 jours. On peut même s'y inscrire pour des stages d'ornithologie (certains pour les enfants) ou des stages de photo écologique.

TLACOTALPÁN

8 850 hab.   IND. TÉL. : 288

◎ Ce pittoresque et charmant village, fondé au XVIe s par les conquistadors, a si bien conservé son caractère historique qu'il a été inscrit au Patrimoine mondial de l'Unesco en 1998. En toile de fond, et quelle toile, s'étendent lagune et pâturages, façon Camargue tropicale. En arrivant, on longe des petites baraques sur pilotis en bois peint, donnant sur le río Papaloapán. Tlacotalpán est tellement mignon qu'on le croirait sorti d'un décor de film. D'ailleurs, les producteurs mexicains se l'arrachent : on y tourne des *telenovelas* à longueur de temps... Il est vrai que ce *pueblo* a vraiment tout pour plaire : de belles maisons coloniales aux toits de tuiles rouges, des murs bariolés de couleurs chatoyantes et des fenêtres ouvragées, des placettes romantiques et un ravissant *zócalo* bordé de terrasses, avec son kiosque à l'ancienne où se produisent parfois des mariachis.

Pour ceux qui ont un peu de temps, dormir une nuit à Tlacotalpán est un must.

➤ *Y aller : le village se trouve au sud de Veracruz. Prendre un bus* TVR *au terminal* ADO. *Départ ttes les heures, 5h30-22h30. Trajet : 2h à 2h30.*

Adresse utile

🛈 *Kiosque d'information : à l'entrée du village. Tlj 8h-18h.* Tenu par des guides indépendants qui se relaient.

Où dormir ? Où manger ? Où boire un verre ?

🛏 *Hotel Reforma : Venustiano Carranza 2.* ☎ *884-20-22.* ● *tlacoreforma@ hotmail.com* ● *Doubles 350-500 $Me (21-30 €) selon ventilo ou AC. Ça grimpe* *en hte saison. Parking à proximité. Wifi.* Un hôtel mignon, un peu vieillissant mais relativement confortable (eau chaude, TV). Les chambres nos 23 à 26 possèdent un balcon avec vue sur le *zócalo* : nous vous enjoignons à les demander, bien sûr !

🛏 *Posada D. Diego :* *Gutiérrez Zamora 5 ; entre Carranza et Miguel Lerdo.* ☎ 884-32-21. *Dans une ruelle tranquille à 300 m du zócalo. Doubles 450-550 $Me (27-33 €) selon 1 ou 2 lits ; plus cher en hte saison.* Les 11 chambres de ce petit hôtel familial sont récentes, très propres et d'un bon confort (TV, AC, eau en bouteille). On préfère celles de l'étage, plus lumineuses, en particulier la n° 101, côté ruelle, sympa avec son haut plafond.

🛏 *Hotel Tlacotalpán :* *C. Rodriguez Beltrán 35.* ☎ 884-20-63 et 01-800-72-52-619. *Dans une ruelle tranquille à 300 m du zócalo. Parking. Doubles 650-770 $Me (39-46,20 €) pour un lit king size ou 2 lits matrimonial. Un bon point : les tarifs ne changent pas selon les saisons.* Grande hacienda, peinte de ce fameux bleu un peu électrique, que l'on appelle le bleu colonial (comme la mai-

son de Frida Khalo à Coyoacán). Grand patio central. Et même une petite piscine. Belles chambres spacieuses au mobilier en bois, très mexicain. Allez prendre un délicieux petit déj au *Fandango,* juste à côté.

🍴🍸 *Rokola :* *pl. Zaragoza.* ☎ 884-22-92. *Mer-dim 17h-minuit (parfois ouv lun ou mar).* Pas de la haute gastronomie, mais on dégustera volontiers *(pour env 80 $Me, soit 4,80 €)* quelques crevettes ou du poulet *a la plancha,* rien que pour l'emplacement sur le délicieux *zócalo* où se promènent marchands ambulants et amoureux. On pourrait passer des heures à siroter une bière en regardant là la vie qui passe.

🍸 *Bar Colonial :* *presque sur la pl., av. Venustiano Carranza. Ouvre tlj vers 11h.* Avec de vraies trognes mexicaines et de la salsa à tue-tête. Authentique à souhait. Juste à côté, un autre bar dans le même genre *(El Compadrito)* avec de hauts tabourets et un bel éventail de bouteilles.

À voir. À faire

➤ Se promener dans les ruelles et se croire revenu à l'époque de la vice-royauté...

– Ne manquez pas de jeter un coup d'œil à *l'église de la Virgen de Candelaria,* entièrement peinte couleur de ciel. À l'intérieur, les motifs floraux sont bleus et roses... Pendant une semaine, autour du 2 février (Chandeleur, *candelaria*), c'est la fête patronale. Grande feria avec lâcher de taureaux dans les rues, musique et danses. Pour l'occasion, les habitants ressortent les costumes traditionnels.

– Deux musées aussi. L'un recrée, en musique, l'univers du compositeur Agustin Lara *(tlj 9h-19h sf j. fériés ; entrée 20 $Me, soit 1,20 €),* qui y vécut ; l'autre expose du mobilier local.

– Face à la lagune, le midi, plusieurs restos de poisson, avec des produits de la pêche du jour. Départ de balades en *lancha* sur la lagune (45 mn à 1h) : 200-250 $Me (12-15 €) jusqu'à 8 personnes.

VILLAHERMOSA

560 000 hab.   IND. TÉL. : 993

À 900 km de Mexico et à 630 km de Mérida, la capitale de l'État de Tabasco n'a vraiment rien d'*hermosa* (« belle »). Mais elle est un carrefour souvent obligatoire pour tout routard se rendant au Yucatán ou dans le Chiapas. La ville est immense et curieusement conçue : encadrée par trois fleuves, parsemée de lagunes infestées de moustiques et traversée par de grandes voies rapides ! Au milieu de la chaleur moite, un petit centre-ville perdu sur l'une des rives du río Grijalva. On l'appelle la *zona luz,* la « zone lumière » (sic !). Ses rues piétonnes peuvent cependant être bien agréables le soir. L'atout principal de Villahermosa reste le *Parque Museo La Venta,* un magnifique musée archéologique en plein air, consacré à la culture olmèque.

Arriver – Quitter

En bus

Liste des principales compagnies et leurs coordonnées dans la rubrique « Transports » du chapitre « Mexique utile ».

🚌 *Terminal ADO 1ʳᵉ classe* (hors plan par A1) : *paseo Francisco Javier Mina.* Excentré, au nord du centre-ville. Mais n'oubliez pas que vous pouvez acheter vos billets en ville, à *Ticket Bus* (voir « Adresses utiles »), ou en ligne auprès de la compagnie souhaitée. Grand terminal moderne : restaurants, consigne, téléphone. De là partent et arrivent les bus ADO, *Cristóbal Colón (OCC)* et les cars super-luxueux de *ADO GL* et *UNO*.
Du terminal de bus ADO, compter env 20 mn à pied pour rejoindre le centre (la rue piétonne Lerdo de Tejada).
➤ *Pour/de Mexico* (Tapo-Oriente) : 830 km. Avec ADO, 12 départs/j. 7h20-23h10. Et 3 départs avec ADO GL en soirée. Trajet : 11-13h.
➤ *Pour/de Mexico* (Terminal Norte) : 830 km. Avec ADO, 7 départs/j. 4h45-23h30. Et le soir, 1 départ avec ADO GL et 1 avec UNO. Trajet : 11h30-13h.
➤ *Pour/de Veracruz :* 520 km. Avec ADO, env 10 départs/j. Avec ADO GL, 4 départs/j. Trajet : 6-7h.
➤ *Pour/de Tuxtla Gutiérrez :* 300 km. Avec OCC, 6-8 départs/j. Avec ADO GL, 3 départs/j. Trajet : 5h.
➤ *Pour/de Palenque :* 135 km. Avec ADO, 10 départs/j. Avec OCC, 3 départs/j. Trajet : 2h.
➤ *Pour/de Mérida :* 630 km. Avec ADO, 12 départs/j. Avec ADO GL, 5 départs/j. Trajet : 8h.
➤ *Pour/de Campeche :* 410 km. Mêmes bus que pour Mérida. Trajet : 6h.
➤ *Pour/de Cancún :* 920 km. Avec ADO, une douzaine de départs/j. Trajet : 13h. Avec ADO GL, 5 départs/j. Trajet : 12h.
➤ *Pour/de Chetumal :* 550 km. Avec ADO, 8 départs/j. Trajet : 8h.

En avion

✈ *L'aéroport* (hors plan par B1) *est à une quinzaine de km du centre-ville (prévoir largement 20 mn en voiture). Il n'y a pas de service de bus pour le centre, sit le bus de Yumká (centre d'interprétation de la nature) pour le parc de La Venta (tlj 9h, 10h30, 12h et 13h30). Coût : 15 $Me (1 €). Sinon, prendre un taxi (env 150 $Me, soit 9 €). Bureau d'informations touristiques, distributeurs automatiques.*
➤ Vols directs pour *Mexico* (Aeroméxico), *Veracruz* (Aeroméxico), *Cancún* (Aeroméxico).

Comment se déplacer dans la ville ?

Il est assez facile de circuler, car, dans toutes les artères importantes, il existe des minibus. Il vous suffit de regarder sur le pare-brise les destinations annoncées (La Venta, Centro, etc.).

Adresses utiles

🏚 *Office de tourisme* (hors plan par A1) : *calle 13 ; à l'angle de l'av. de los Ríos ; colonia Tabasco 2000.* ☎ 310-97-00. Excentré, à 15 mn à pied. Lun-ven 8h-16h ; sam mat. Également un bureau de tourisme à l'aéroport.
✉ *Poste* (plan A1) : *à l'angle de Saenz et Lerdo de Tejada.* Lun-ven 9h-15h ; sam mat.
■ *Téléphone* (hors plan par A1) : *Abe-*

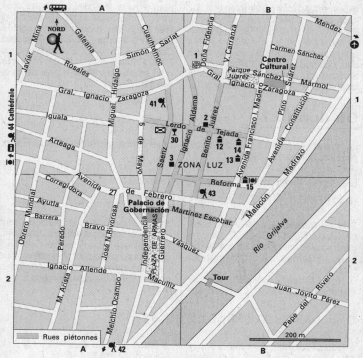

VILLAHERMOSA

lardo Reyes 1ʳᵉ *rue à gauche après le supermarché* Chedraui, *lorsqu'on arrive du terminal ADO. Tlj sf dim 6h-20h.*

@ ***Proseisa*** *(plan B1,* **1***) : à l'angle de Doña Fidencia. Lun-ven 9h-21h ; sam 10h-17h.*

■ ***Banque HSBC*** *(plan B1,* **2***) : à l'angle de Lerdo de Tejada et Juárez. Tlj sf dim 8h-19h.* Change les euros et les dollars en espèces, ainsi que les chèques de voyage. Distributeur automatique 24h/24.

LE GOLFE DU MEXIQUE

■ **Boletotal-Ticket Bus** *(plan A1, 3) : Aldama 511 ; presque à l'angle avec Reforma.* ☎ *01-800-009-90-90 (pour les résas par tél).* ● *boletotal.mx* ● Très pratique pour acheter ses billets de bus, puisque ça évite d'aller jusqu'au terminal, qui est en périphérie. Si le local du centre-ville est en travaux, on peut acheter les billets dans les centres commerciaux comme *Chedraui* et *Wal Mart.* Les grandes compagnies sont représentées : *ADO, Cristóbal Colón (OCC), UNO, Estrella de Oro, ETN, Primera Plus...* Pour n'importe quel trajet à partir de n'importe quel point de départ.

Où dormir ?

La plupart des hôtels à petit prix se trouvent au centre. Les hôtels de chaîne sont plutôt du côté de La Venta.

De très bon marché à bon marché (moins de 400 $Me, soit 24 €)

🛏 **Hotel Tabasco** *(plan B1, 12) : Lerdo de Tejada 317.* ☎ *312-00-77.* Demander à voir les chambres, de qualité inégale, certaines avec des matelas récents.
🛏 **Hotel Oriente** *(plan B1, 13) : av. Madero 425.* ☎ *312-01-21.* Hôtel central et très bien tenu. Les chambres sont vraiment impeccables, très propres, avec salle de bains et ventilo. Celles qui donnent sur la rue sont plus claires mais bien sûr plus bruyantes. Beaucoup plus cher avec AC. Souvent complet.

Chic (600-850 $Me, soit 36-51 €)

🛏 **Hotel Provincia Express** *(plan B1, 14) : Lerdo de Tejada 303 ; à l'angle de Francisco Madero.* ☎ *314-53-77.* ● *vil laop@prodigy.net.mx* ● Chambres de belle taille et agréables, avec salle de bains, TV et AC. Préférer évidemment celles donnant sur l'arrière, les autres étant plus bruyantes. Certaines avec balconnet. Confortable. Resto. Pas de parking dans l'hôtel, mais parking gratuit au *Vip's* tout proche de 19h à 9h.
🛏 **Hotel Madan** *(plan B2, 15) : av. Madero 408.* ☎ *314-05-18. Fax : 312-16-50. Parking.* Un hôtel de standing international qui appartient à la chaîne *Best Western.* Chambres très agréables, dotées de tout le confort : AC, TV, cafétière, *room service* et téléphone. Bar et resto. Et le tout à un prix qui donnerait presque envie d'y passer une 2e nuit !

Où manger ?

De bon marché à prix moyens (80-200 $Me, soit 4,80-12 €)

🍴 **Madan** *(plan B2, 15) : av. Madero 408.* Le resto de l'hôtel du même nom (voir « Où dormir ? »). Tlj 8h-23h. Climatisé, propre et sans surprise. Menu du jour à prix raisonnable et une carte, plus chère mais très variée. On peut aussi venir y prendre un copieux petit déj.
🍴 **Supermarché Chedraui** *(hors plan par A1) : près du terminal de bus.* On y vend des plats chauds. Climatisé. Pratique si vous devez attendre un bus plusieurs heures.

Où prendre un café ?

Y *Café Correo* (plan A1, 30) : calle Saenz ; presque à l'angle de Lerdo de Tejada. Tlj sf dim 8h-21h. Bon café espresso que l'on déguste en terrasse, dans la rue piétonne la plus calme de la zona luz. Parfait pour écrire ses cartes postales, que l'on met ensuite à la poste juste en face !

À voir

🏃 *Calle Saenz* (plan A1) : bon, on ne va pas vous dire que c'est une jolie rue. Disons simplement que c'est la plus agréable de la zona luz, avec ses quelques belles façades des années 1920 (certaines en piteux état), des galeries d'art et la maison natale de Carlos Pellicer. En quelque sorte, la calle culturelle de Villahermosa !

🏃 *Casa Museo de Carlos Pellicer* (plan A1, 41) : Saenz 203. ☎ 314-21-70. Tlj 10h-19h (17h dim). Entrée gratuite. C'est la maison natale du poète Carlos Pellicer, né en 1897 et mort en 1977. Toute sa vie, il a lutté contre l'interventionnisme nord-américain en Amérique latine, défendant bec et ongles l'idée d'une autre Amérique. Il est aussi le concepteur et créateur d'une dizaine de musées archéologiques comme celui de Palenque, le Parque de La Venta à Villahermosa, ou encore le Museo-casa Frida Kahlo à Mexico.

🏃 *Museo regional de Antropología* (hors plan par A2, 42) : sur Melchor Ocampo (suivre les flèches « CICOM »). ☎ 312-63-44. Tlj sf lun 9h-17h. Jolies collections d'antiquités olmèques et mayas, provenant de divers sites de cet État.

🏃🏃 *Museo de Historia de Tabasco ou Casa de los Azulejos* (plan B2, 43) : Juárez ; à l'angle de 27 de Febrero. ☎ 314-21-72. Mar-sam 9h-20h ; dim 10h-17h. Entrée à prix modique. Le musée est situé dans la belle maison aux carrelages bleus qui se détache des horribles bâtisses qui l'environnent. Récemment rénové, l'intérieur est magnifique, un archétype des maisons bourgeoises du XIXe s, dont il ne reste presque plus d'exemples dans la ville. Panneaux retraçant la conquête de Cortés et de Montejo, puis l'époque révolutionnaire de Tabasco (vous trouverez les mêmes au musée de San Cristóbal de Las Casas !). À noter, quelques slogans anti-cléricaux de Victor Hugo et de Zola.

🏃🏃🏃 *Parque Museo de La Venta* (hors plan par A1, 44) : à 2 km du centre-ville. ☎ 314-16-52. Tlj 8h-17h (mais attention, zoo fermé lun). Entrée : 40 $Me (2,40 €) pour les étrangers (tarif non appliqué si c'est votre jour de chance !). Spectacle son et lumière (en espagnol slt) mar-dim 19h, 20h et 21h en hiver ; 20h, 21h et 22h en été. Durée : 1h. Coût : 100 $Me (6 €). Consigne à bagages, téléphone et information près des guichets.
➤ *Pour y aller :* dans Francisco Madero, prendre un combi qui indique « Carrizal » ; se faire arrêter devant la *Torre Empresarial* (haute tour moderne), puis marcher environ 500 m le long de l'eau, dans le parc.
– Prévoir 1h30 à 2h de visite pour un tour complet. Ceux qui sont pressés ou qui n'aiment pas les animaux en captivité pourront sauter la première partie (zone A) consacrée à la faune. Dans ce cas, compter 40 mn pour le seul parcours olmèque (zone B).
– Pensez à emporter une bonne crème antimoustiques et, si possible, enduisez-vous le corps avant votre expédition dans la minijungle. C'est fou ce que ces bestioles sont voraces !

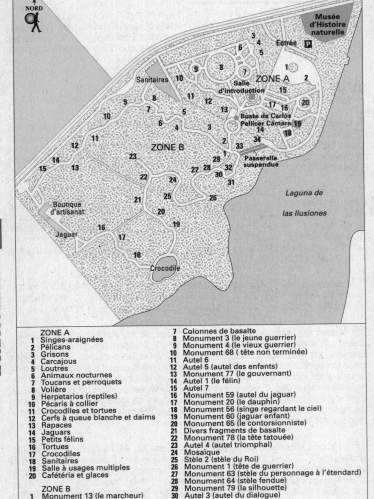

ZONE A
1. Singes-araignées
2. Pélicans
3. Grisons
4. Carcajous
5. Loutres
6. Animaux nocturnes
7. Toucans et perroquets
8. Volière
9. Herpetarios (reptiles)
10. Pécaris à collier
11. Crocodiles et tortues
12. Cerfs à queue blanche et daims
13. Rapaces
14. Jaguars
15. Petits félins
16. Tortues
17. Crocodiles
18. Sanitaires
19. Salle à usages multiples
20. Cafétéria et glaces

ZONE B
1. Monument 13 (le marcheur)
2. Monument 67 (le trône)
3. Monument 5 (la grand-mère)
4. Stèle 3 (l'homme barbu)
5. Mosaïque
6. Monument 7 (tombe)
7. Colonnes de basalte
8. Monument 3 (le jeune guerrier)
9. Monument 4 (le vieux guerrier)
10. Monument 68 (tête non terminée)
11. Autel 6
12. Autel 5 (autel des enfants)
13. Monument 77 (le gouvernant)
14. Autel 1 (le félin)
15. Autel 7
16. Monument 59 (autel du jaguar)
17. Monument 20 (le dauphin)
18. Monument 56 (singe regardant le ciel)
19. Monument 60 (jaguar enfant)
20. Monument 65 (le contorsionniste)
21. Divers fragments de basalte
22. Monument 78 (la tête tatouée)
23. Autel 4 (autel triomphal)
24. Mosaïque
25. Stèle 2 (stèle du Roi)
26. Monument 1 (tête de guerrier)
27. Monument 63 (stèle du personnage à l'étendard)
28. Monument 64 (stèle fendue)
29. Monument 79 (la silhouette)
30. Autel 3 (autel du dialogue)
31. Autel 2
32. Monument 66 (pierre tombale gravée)
33. Stèle 1 (la jeune déesse)
34. Le prédateur

PARQUE MUSEO DE LA VENTA

Ne pas confondre avec La Venta, une ville à 130 km à l'ouest de Villahermosa, où l'on découvrit les célèbres têtes olmèques... mais sur des gisements de pétrole ! Elles ont donc été transportées dans ce parc de Villahermosa, qui a été conçu pour l'occasion par le poète Carlos Pellicer (sur 7 ha). L'idée, assez géniale, est de présenter l'art olmèque dans son contexte d'origine, c'est-à-dire au milieu d'un environnement de jungle tropicale, avec des essences exotiques (acajou, cacaoyer, fromager...) et aussi les animaux avec lesquels les Olmèques partageaient leur quotidien, notamment le jaguar, un félin omniprésent dans la cosmogonie olmèque. En tout, une trentaine de très belles pièces disséminées le long d'un agréable parcours fléché dans une minijungle peuplée d'oiseaux et d'adorables mammifères pas farouches : les coatis.

Les têtes colossales sont intéressantes par leur aspect négroïde, mais aussi remarquables par leur poids : certaines pèsent plus de 30 t. Leur transport témoigne d'un véritable tour de force : le basalte dont elles sont faites provient d'une région distante de plus de 100 km !

Le parcours débute par le zoo, qui présente tous les animaux peuplant les forêts du Chiapas (zone A). N'hésitez pas à pénétrer dans la volière géante, où l'on se promène au milieu d'une multitude d'oiseaux exotiques. Ensuite, on passe par la salle d'introduction (à la culture olmèque) avant d'entrer dans la zone B et son parcours parsemé de sculptures et de... quelques jaguars. Sur les Olmèques, voir la rubrique « Histoire » dans « Hommes, culture et environnement ».

➤ *DANS LES ENVIRONS DE VILLAHERMOSA*

🎥🎥 **Comalcalco** : *à 65 km de Villahermosa. Compter 1h de trajet. Pour y aller, prendre un minibus derrière le terminal ADO, dans la calle Gil y Saenz, jusqu'au village de Comalcalco ; puis un van local pour les ruines ou à pied (2,5 km). Site ouv tlj 8h-17h. Entrée : 41 $Me (2,50 €). Prévoir 1h de visite.* Commencer par le petit musée consacré à la vie des habitants de la cité. Découverte par Désiré Charnay en 1880, cette ancienne ville maya est très originale car tous les édifices sont construits en brique et non pas en pierre (absente dans la région). C'est tout à fait étonnant de voir ce type d'architecture, surtout que l'on distingue parfois encore très bien la couche de stuc qui recouvrait les bâtiments. La cité connut son apogée entre le IXe et le Xe s, notamment grâce à son activité commerciale. Elle a été abandonnée à partir de 1350. Depuis le *palais,* très belle vue. En contrebas du palais, le *temple IX* avec la *tombe des Neuf Seigneurs de la Nuit,* assez similaire à celle du roi Pacal de Palenque. En redescendant, ne manquez pas non plus le *temple VI* (ou *temple des Masques*), orné du dieu solaire.

LA PÉNINSULE DU YUCATÁN

Pour la carte du Yucatán, se reporter au cahier couleur.

Lorsque l'explorateur espagnol Francisco Hernández de Córdoba accosta le premier sur cette terre, en 1517, il demanda aux habitants mayas qu'il rencontra comment s'appelait la région. La légende veut qu'ils aient alors répondu : *yukatán* (« Je ne comprends pas ce que vous dites »).

La péninsule, faisant face à Cuba et à la Floride, ferme le golfe du Mexique. Elle regroupe les États du Yucatán, du Quintana Roo et une partie de l'État de Campeche. Elle possède les plus belles plages du Mexique. Ah, elle en a fait rêver des routards, la mer des Caraïbes, avec ses eaux turquoise et son sable blanc ! De fait, les fonds marins dans le secteur de Playa del Carmen et de l'île de Cozumel sont exceptionnels. C'est bien sûr une région très touristique ; en particulier la côte caraïbe, complètement squattée par d'énormes complexes hôteliers. On a franchement du mal à se croire au Mexique. Après avoir envahi Cancún, les Nord-Américains ont désormais atteint Playa del Carmen. Les prix, souvent affichés en dollars, grimpent de façon anarchique, et le routard qui s'y attardera aura intérêt à avoir les poches bien remplies. Cela dit, la région possède d'autres attraits : de nombreux sites archéologiques mayas (dont les réputés Uxmal et Chichén Itzá), des réserves naturelles encore préservées (dont celles de Sian Ka'an au sud de Tulum et de Calakmul près de la frontière guatemaltèque) et des endroits qui, bien que très touristiques, gardent encore une âme mexicaine (Mérida, Valladolid, le « vieux centre » de Cancún – eh oui ! – Isla Mujeres). Et puis rien n'empêche de sortir des circuits habituels et d'aller découvrir des lieux moins courus qui, s'ils exigent quelques petits sacrifices en termes de temps et de conditions d'hébergement, ont conservé le charme de l'authenticité (Izamal, Holbox, Río Lagartos...).

La péninsule est régulièrement atteinte par les ouragans et autres dépressions tropicales durant la période septembre-octobre. Wilma, en octobre 2005, fut l'un des plus dévastateurs qu'ait connus la côte caraïbe. La célèbre zone hôtelière de Cancún, Puerto Morelos et l'île de Cozumel avaient été les plus durement touchés.

– *Infos culturelles et touristiques sur l'État du Yucatán :* ● http://yucatan.gob.mx ● cultu ryucatan.com ● yucatantoday.com ●

UN TYPHON, PHON, PHON

Typhon ? Cyclone ? Ouragan ? Le nom change (selon qu'il vienne d'Asie ou des Amériques), mais c'est un seul et même phénomène climatique, propre aux mers tropicales chaudes (26 °C au moins) et profondes. Selon les Mayas, lorsqu'on voit les baleines partir du sud vers le nord, leur nombre indique celui des cyclones à venir. Nous, la météo, on la prédit avec une grenouille.

DISTANCES DANS LA PÉNINSULE

Villes	Distance	Temps de transport (bus)
Mérida-Chichén Itzá	120 km	2h-2h30
Mérida-Valladolid	160 km	2h
Mérida-Cancún	320 km	4h (autoroute)
Mérida-Chetumal	520 km	7h
Mérida-Campeche	196 km	2h30
Campeche-Chetumal	425 km	6h
Valladolid-Cancún	160 km	2-3h (selon la route)
Valladolid-Tulum	100 km	2h30
Cancún-Playa del Carmen	70 km	1h30
Playa del Carmen-Tulum	60 km	1h
Tulum-Chetumal	250 km	3h

MÉRIDA   1 000 000 d'hab.   IND. TÉL. : 999

Située à 1 530 km de Mexico, Mérida, capitale du Yucatán, est une cité étendue, extrêmement vivante et bruyante dans la journée, grouillante aux abords
de son grand marché. Longtemps dénommée « la ville blanche », ça fait belle
lurette qu'elle aurait dû changer de surnom : elle est plutôt de couleur grise.
Néanmoins, on trouve quelques beaux restes de l'héritage colonial dans le
centre-ville, et certaines bâtisses rénovées arborent de jolies façades colorées. Si on ne recherche pas la plage, Mérida est un point de départ pratique
pour rayonner dans la péninsule, surtout si l'on se limite aux grands sites
archéologiques comme Uxmal et Chichén Itzá, ou aux villes coloniales de Valladolid ou Izamal. Le nombre de touristes que vous y croiserez le prouve. Un
dernier mot : évitez de circuler en voiture dans le centre-ville, le stationnement est un vrai casse-tête.

UN PEU D'HISTOIRE

Après plusieurs années de combats, les Espagnols, conduits par le conquistador
Francisco de Montejo (le fondateur de Campeche), entrèrent dans l'ancienne ville
maya au milieu du XVIe s (1542). Ils trouvèrent une cité dont l'architecture leur fit
penser à Mérida, en Espagne. « Qu'à cela ne tienne ! s'exclama le conquérant,
nous lui donnerons le même nom. » Mérida (bis) était née. L'ancien site maya fut
carrément détruit, et les pierres des temples et des pyramides permirent d'édifier la
nouvelle cité. Celle-ci servit de point de départ à la conquête du reste de la péninsule, qui fut achevée 4 ans plus tard. L'entreprise fut facilitée par les inimitiés qui
divisaient les Mayas. Dès 1542, le descendant de la dynastie fondatrice d'Uxmal,
Ah Kukum Tutul Xiú, l'un des caciques les plus puissants du Yucatán, avait proposé
son alliance aux Espagnols et fut baptisé dans la foulée.
Mérida connut dès sa création un essor commercial important. Les beaux édifices
coloniaux fleurirent, la culture de l'agave (henequen) se développa. À partir de 1847
et jusqu'à la fin du XIXe s, cette région du Yucatán fut le théâtre d'une guerre civile,
la guerre des Castes, révolte des tribus mayas armées par les négociants britanni-
ques du Belize. La rébellion fut finalement écrasée en 1901, avec la prise de Chan
Santa Cruz et Bacalar.

Topographie

Peu de poésie : les rues ont pour nom des numéros. Repérage très facile, donc...
une fois qu'on a compris le système ! Toutes les rues nord-sud sont paires, toutes

celles est-ouest sont impaires. La ville est assez étendue et se divise en plusieurs quartiers distincts : le quartier colonial du côté de Santa Ana *(plan A-B1-2)*, le quartier indigène, plus typique du côté de San Cristóbal et du marché Lucas de Galvez *(plan B3)* et Las Americas, le secteur culturel où se regroupent les écoles d'art et de musique *(hors plan par B1-2)*. Mais l'activité touristique principale se résume au *zócalo* (place centrale) et aux calles 47 et 67 du nord au sud, 56 et 66 d'est en ouest.

Arriver – Quitter

En bus

Liste des principales compagnies et leurs coordonnées dans la rubrique « Transports » du chapitre « Mexique utile ».

*Les **2 terminaux de bus de 1re et de 2e classes** sont l'un à côté de l'autre (hors plan par A3, **19**, et plan A3, **18**). On rejoint le centre-ville à pied en quelques mn (env 800 m).*

■ **Adresses utiles**

- ℹ 1 Office de tourisme gouvernemental
- ℹ 2 Office de tourisme municipal
- 3 Téléphone larga distancia
- 4 Banque Banamex
- 5 Banque Bancomer
- 6 Banque Santander
- 8 Consulat de France
- 9 Alliance française
- @ 11 Boletotal-Ticket Bus et Internet
- 15 Laverie La Fe
- 🚌 16 Terminal Autoprogreso
- 🚌 17 Terminal Noreste
- 🚌 18 Terminal 2e classe
- 🚌 19 Terminal CAME 1re classe
- @ 21 Inter Zócalo
- @ 45 Internet Café La Habana

⚷ 🏠 **Où dormir ?**

- 20 Hostel Nómadas
- 21 AJ Hostel Zócalo
- 22 Hotel Mucuy
- 24 Hotel del Peregrino
- 26 Hotel El Caminante
- 27 Hotel Trinidad B & B
- 29 Posada Toledo
- 30 Hotel Dolores Alba
- 31 Hotel San Juan
- 32 Casa Mexilio
- 33 Hotel Medio Mundo
- 34 Hotel Caribe
- 35 Gran Hotel
- 36 La Misión de Fray Diego
- 37 Hotel Santa Lucía
- 38 Casa Álvarez
- 39 Hotel Luz en Yucatan
- 40 Hotel Hacienda Mérida

🍽 **Où manger ?**

- 40 Marché Santa Ana

- 41 El Trapiche
- 42 La Chaya Maya
- 43 Il Caffé Italiano
- 44 Amaro
- 45 Café La Habana
- 46 Pane e Vino
- 47 Pórtico del Peregrino
- 48 El Nuevo Tucho
- 49 Los Almendros
- 52 El Cangrejito
- 53 Café Alameda

☕ 🍴 **Où prendre le petit déjeuner ?**
Où manger une glace ?
Où boire un bon chocolat ?

- 47 Cafetería Pop
- 50 Panificadora El Retorno
- 51 Sorbetería Colón
- 54 La Flor de Santiago
- 56 Los Bisquets de Obregón
- 57 Ki'Xocolatl

🍸 ♪ 🎵 **Où boire un verre ?**
Où sortir ?

- 60 La Parranda
- 61 El Peón Contreras
- 62 Eladio's
- 63 Pancho's
- 64 Mambo Café
- 65 Los Henequenes
- 66 La Choperia

🍴 **À voir. À faire**

- 4 Casa de Montejo
- 70 Teatro Peón Contreras
- 71 Palacio del Gobierno
- 72 Museo de la Canción Yucateca
- 73 Ermita Santa Isabel
- 74 Teatro Merida – La Cineteca Nacional

MÉRIDA

Attention, en haute saison, quelle que soit votre destination, allez acheter votre billet à l'avance, surtout pour Chichén Itzá et Uxmal, dont les billets sont vendus seulement la veille (en théorie). Pas de bus direct entre Chichén Itzá et Uxmal, il faut forcément repasser par Mérida.

Sinon, possibilité d'acheter les billets de 1re classe chez *Boletotal-Ticket Bus (plan A3, 11 ; à l'intérieur de la galerie commerciale Pasaje Picheta, calle 61 entre 60 et 62, en face du zócalo ;* ☎ *01-800-009-90-90 (gratuit) ; lun-ven 9h-19h30, sam 9h-18h ; compter 6 pesos, soit env 0,40 €, d'extra par billet pour le service).*

Enfin, si vous venez de Tuxtla Gutiérrez, Palenque ou Campeche, faites attention à vos affaires en cours de trajet. Des plaintes sont enregistrées chaque jour au poste de police de Mérida par des voyageurs qui se sont fait détrousser en chemin pendant qu'ils dormaient. Ne laissez pas vos sacs contenant les objets précieux (appareil photo, etc.) sur les grilles en hauteur ou à vos pieds, mais gardez-les près de vous.

🚌 ***Terminal Autoprogreso*** *(plan A3, **16**) : calle 62 n° 524 ; entre les calles 65 et 67.* ☎ *928-39-65 et 924-89-91.*

➢ ***Pour/de Progreso :*** 1 bus ttes les 12 mn, 5h-22h.

➢ ***Pour/de Dzibilchaltún :*** 3 bus en matinée qui vous laissent à env 500 m de l'entrée des ruines. Bus dans l'ap-m pour retourner à Mérida.

🚌 ***Terminal Noreste*** *(plan B3, **17**) : calle 67 n° 531 ; entre les calles 50 et 52.* ☎ *924-63-55.* C'est le terminal des bus *Oriente.*

➢ ***Pour/de Izamal :*** 70 km. Bus tlj ttes les heures, 7h30-13h30, puis à 16h45.

➢ ***Pour/de Río Lagartos :*** 70 km. Bus de 2e classe à 9h et 16h. Trajet : 6h. Sinon, passer par Valladolid.

🚌 ***Terminal 2e classe*** *(plan A3, **18**) : calle 69 n° 544 ; entre les calles 68 et 70.* ☎ *923-22-87 ou 44-40. Consigne à bagages au terminal de 1re classe sur la calle 70, entre 69 et 71, 6h-21h30.* 5 compagnies principalement : *ADO (la plus fiable pour les horaires), Mayab, Oriente, Sur* et *ATS.*

➢ ***Pour/de Uxmal :*** 80 km. Bus de la compagnie *ATS.* Env 6 départs/j., 6h-17h. Trajet : env 2h.

➢ ***Pour/de Izamal :*** voir à cette localité.

➢ ***Pour/de la Ruta Puuc :*** avec la compagnie *ATS.* Le car part à 8h. Il passe par les sites de Xlapak, Sayil, Kabáh et Uxmal. Retour à Mérida à 16h30. Voir plus loin « La Ruta Puuc. Comment y aller ? ».

➢ ***Pour/de Chichén Itzá :*** 120 km. Avec *Oriente,* bus env ttes les heures, 6h-minuit. Trajet : env 2-3h.

➢ ***Pour/de Oxkutzcab*** *(grottes de Loltún) :* 90 km. Ttes les heures, 4h-23h. Sur place, prendre un combi *(vagoneta)* pour les grottes. Trajet : 2h.

➢ ***Pour/de Valladolid :*** 185 km (par la nationale). Avec *Mayab, Centro* et *Oriente,* départ ttes les heures jusqu'à minuit. Trajet : 3h30.

➢ ***Pour/de Cancún :*** 320 km. Ttes les heures 6h-minuit. Trajet : 6h30.

➢ ***Pour/de Chiquilá*** *(Isla Holbox) :* 320 km. Un seul bus avec *Oriente,* à 23h30, qui s'arrête, entre autres, à Valladolid vers 2h30. Trajet : 6h.

➢ ***Pour/de Campeche :*** 170 km. Avec *ATS* et *Sur,* 12 départs/j., 6h30-21h. Trajet : 2h30.

➢ ***Pour/de Chetumal :*** 456 km. Avec *Mayab,* départs à 7h, 11h, 17h et 23h15. Trajet : 9h.

➢ ***Pour/de Tulum*** *(puis Playa del Carmen) :* avec *Mayab,* 2 bus/j., à 5h et 21h55. Trajet : 6h30.

🚌 ***Terminal CAME 1re classe*** *(hors plan par A3, **19**) : calle 70 n° 555 ; entre les calles 69 et 71 (en face du précédent).* ☎ *924-83-91.* Horaires, tarifs et achat en ligne : *ado.com.mx/wadod/compa.jsp* ● Si vous n'avez pas déjà réservé en ligne sur le site internet de la compagnie qui vous intéresse, vous pouvez le faire auprès de *Boletotal-Ticket Bus* (voir plus haut). Consigne. Compagnies : *ADO, OCC* et, *ADO GL* (grand luxe !) et *ADO Platinium* (le premier amélioré). En direction de Cancún, tous les bus prennent l'autoroute. Le terminal 1re classe se prend pour un aéroport ! En effet, avant d'accéder à la salle d'attente, contrôle des passeports, fouille carabinée... et, dans le bus, il y a même une annonce du chauffeur sur le temps de vol (pardon ! de route).

➤ *Pour/de Chichén Itzá :* 3 départs, à 6h30, 9h15 et 12h40. Trajet : 1h45.
➤ *Pour/de Valladolid :* 185 km. Avec *ADO,* une douzaine de départs, 6h-19h30. Trajet : 2h15-2h30.
➤ *Pour/de Cancún :* 320 km. Avec *ADO* (et un avec *OCC*), une vingtaine de départs, 1h du mat-23h. Avec *ADO GL,* 10 départs. Trajet : 3h30-4h40.
➤ *Pour/de Playa del Carmen :* 350 km. Avec *ADO,* 6 départs 12h40-minuit. Vers Mérida, 14 départs dont 3 *ADO GL* et 2 *ADO Platinium.* Trajet : 4h-5h30 selon horaire.
➤ *Pour/de Tulum :* 3 départs à 12h40, 17h45 et 23h40. De Tulum 6 départs (dont 2 *ADO GL*),12h40-19h30. Trajet 3h30-4h30 selon horaire.
➤ *Pour/de Chetumal :* 456 km. 3 départs/j. à 13h, 18h et 23h. Trajet : 6h.
➤ *Pour/de Campeche :* 170 km. Avec *ADO,* départ ttes les heures 1h35-9h, puis ttes les 20-30 mn 9h30-minuit. Avec *ADO GL,* 4 départs, l'un en matinée, 3 dans la soirée ; 2 dans la soirée avec *ADO Platinium.* Trajet : 2h30.
➤ *Pour/de Palenque :* 520 km. 4 départs à 8h30 et 3 en soirée dont un avec *OCC.* Trajet : 8h-9h.
➤ *Pour/de San Cristóbal de las Casas :* 744 km. Avec *ATS* à 19h15 et *Maya de Oro* à 21h. Trajet : 12h.
➤ *Pour/de Villahermosa :* 630 km. Une vingtaine de départs 24h/24 dont 6 *ADO GL* et 5 *Platinium.* Trajet : 8h15.
➤ *Pour/de Puebla :* 1 442 km. 3 départs en soirée dont 2 *ADO GL.* De Puebla, slt 2 départs en fin de soirée. Trajet : 22h.
➤ *Pour/de Mexico* (terminal *TAPO*) : 1 577 km. 2 départs vers la gare Mexico Norte à 12h et 20h55 et 2 au départ de Mexico Norte à 14h15 et 20h30. Également 5 départs vers Mexico gare Tapo et vice-versa entre 10h et 21h, dont 2 *ADO GL.* Trajet : env 21h. Attention : achat uniquement sur Internet (voir « Quitter Mexico. En bus »).

En voiture

➤ *De/pour Chichén Itzá, Valladolid et Cancún :* il y a une autoroute à péage, recommandée si vous voulez éviter la multitude de *topes* et nids-de-poule de la route nationale, mais assez chère. Compter autour de 200 $Me (12 €) pour Cancún payables en espèces. Pour accéder à l'autoroute, suivre les panneaux qui indiquent « Cancún Cuota ». Attention, il n'y a que 2 sorties (l'une pour Chichén Itzá-Piste, l'autre pour Valladolid) et vous ne pourrez faire le plein qu'à ces endroits-là. Mieux vaut le prévoir. Pour prendre la nationale (plus long mais nettement moins monotone), suivre « Cancún libre ».

En avion

■ *Compagnies aériennes :* voir plus loin « Adresses utiles ».
➤ Liaisons avec **Mexico, Cancún, La Havane, Miami** et **Houston.**

Arrivée à l'aéroport

✈ *Le petit aéroport international* est à 15 mn à peine du centre-ville en taxi. Compter env 155-160 $Me la course vers le centre. Les moins chers sont les taxímetros couleur orange, vert, bleu ou jaune et bleu. Les plus chers sont blancs à rayures rouges.
– Bus indiqué « Umán » sur la route principale ; compter 30 mn de trajet entre le centre-ville et l'aéroport. Fonctionne tlj 5h-minuit ttes les 30 mn env. En ville, on le prend calle 69, entre 62 et 64. Sinon, prendre un *taxímetro*.

■ *Informations arrivées/départs :*
☎ 946-15-30.
■ *Téléphone* (larga distancia) : tlj
8h-21h. Sinon, plusieurs téléphones à
carte, mais aussi au rdc, derrière la
cafétéria.
■ *Locations de voiture :* Hertz, National, Europcar.
■ *ADO :* vente de billets sur place.

Adresses utiles

Infos touristiques

🛈 *Office de tourisme gouvernemental* (plan A-B2-3, *1*) : en plein centre ;
presque à l'angle des calles 59 et 60 ; à
côté du théâtre Peón Contreras.
☎ 924-92-90. Tlj 8h-20h. On y trouve
les horaires de bus pour les sites
archéologiques et toutes les grandes
villes. Fichier avec les agences de
location de voitures, les hôtels et restos de la ville.
🛈 *Office de tourisme municipal* (plan
A3, *2*) : calle 62 ; entre les calles 61
et 63. ☎ 942-00-00 (poste 80119). Lunsam 8h-20h ; dim 8h-14h. Accueil très
sympathique et on y parle un peu le
français. Bonne carte de la ville. On peut
demander les tarifs des hôtels et faire
des résas. Renseigne aussi sur les
horaires des autobus. Demander le
calendrier des événements culturels de
la ville, et Dieu sait s'il se passe plein de
choses à Mérida ! Organise des visites
gratuites commentées de la ville (tlj sf
dim, à 9h30). Se reporter plus loin à la
rubrique « À voir. À faire ».
– *Cartelera Yucatán :* un petit fascicule hebdomadaire gratuit, disponible
dans les hôtels, cafés et magasins
autour du zócalo. Toute la programmation culturelle hebdomadaire. Un outil
précieux.
– *Yucatán Today :* ce mensuel gratuit
est distribué dans tous les lieux publics,
et certains restos et hôtels. C'est une
sorte de gazette locale en anglais et
espagnol, à vocation publicitaire, mais
qui délivre aussi tout plein d'infos :
numéros utiles, expos, horaires de
musées et des infos promo dans les
hôtels.

Poste et télécommunications

✉ *Poste* (plan B2) : calle 53 ; entre les
calles 54 et 52. Lun-ven 8h-14h30.
■ *Téléphone larga distancia* (plan
B2-3, *3*) : calle 59 n° 495 ; presque à
l'angle de calle 58 ; à côté de l'entrera du
Plaza Internacional. ☎ 124-80-44. Tlj
9h-20h30 (20h dim). Mêmes prestations chez Descuentel, calle 61, entre 58
et 60. Également vente de cartes téléphoniques internationales (Saludo,
Sigutel, Bueno...) dans les supermarchés Oxxo. Bien regarder le nombre de
minutes que chacune d'elles offre selon
la destination de votre choix. Mais
apparemment, les cartes autres que Telmex bloquent souvent...
@ Points *Internet : Inter Zócalo* (plan
A3, *21*), calle 63, n° 508. Au rdc de l'hostal Zócalo. Tlj 9h30-21h. Un des moins
chers. Dans la galerie commerciale
Pasaje Picheta, (plan A3, *11*), 2 boutiques avec une poignée de PC chacune.
Sinon, nombreuses adresses dans le
centre-ville.

Argent, change

En règle générale, le taux de change des banques est plus favorable que celui des
bureaux de change (casas de cambio).

■ *Banque Banamex* (plan A3, *4*) : sur
le zócalo, dans la Casa de Montejo.
Lun-ven 9h-16h. Change les espèces et
les chèques de voyage. Guichet automatique. Profitez-en pour admirer la
façade de cette belle demeure (se
reporter plus loin à la rubrique « À voir.
À faire »).
■ *Banque Bancomer* (plan A3, *5*) :
calle 65 ; entre les calles 62 et 60. Lun-

ven 9h-16h. Change les euros et les dollars. Distributeur automatique pour cartes *Visa* et *MasterCard*. Sinon, banque *Banorte* juste en face (qui accepte les chèques de voyage).

■ *Banque Santander* (plan B2-3, **6**) : à l'angle des calles 59 et 56. Lun-ven 9h-16h. Change les espèces et les chèques de voyage. Distributeur de billets.

Représentations diplomatiques

■ *Consulat de France* (hors plan par A1, **8**) : Señor Mario Ancona Teigell, calle 60 n° 385 ; entre les rues 41 et 43. ☎ 930-15-00 (24h/24, mais slt en cas d'urgence). ● consulado@sipse.com.mx ● Ouv lun-ven 9h-17h. Téléphoner pour fixer rdv. En cas de difficultés financières, le consulat peut vous indiquer la meilleure solution pour que des proches vous fassent parvenir de l'argent ; il peut aussi vous assister juridiquement en cas de problèmes.

■ *Consulat du Belize* (plan B2) : calle 58 n° 450 ; à l'angle de la calle 53. ☎ 928-61-52. Lun-ven 9h-13h.
■ *Consulat de Cuba* (hors plan par A1) : calle 1 D n° 320 ; angle 42, colonia Campestre. ☎ 944-42-15 ou 16. Lun-ven 8h30-13h.
■ *Immigration* : av. Colón 507 ; à l'angle de calle 8. ☎ 925-50-09. Lun-ven 9h-13h. Pour prolonger la durée de votre séjour au Mexique ou si vous perdez votre FMT.

Urgences

■ *Police touristique :* ☎ 983-11-84.
■ *Urgences :* ☎ 060.
■ *Santé : clinique Centro Médico de las Américas – CMA* (hors plan par B1),

calle 54 n° 365 ; à l'angle de l'av. Pérez Ponce. ☎ 926-26-19 ou 21-11. Médecins parlant l'anglais. *Urgences :* ☎ 927-31-99.

Loisirs, culture

■ *Alliance française* (hors plan par B1, **9**) : calle 23 n° 117 ; à l'angle de la calle 24, à deux pas du prolongement

de l'av. Montejo. ☎ 927-24-03. Fax : 926-99-90. Revues et journaux, vidéos de films français.

Compagnie aérienne

■ *Aeroméxico* (hors plan par B1) : calle 56-av. Colón ; au pied de l'hôtel Fiesta Americana. ☎ 964-17-81 ou 17-87 ou 01-800-021-40-00 (n° gratuit).

● aeromexico.com.mx ● Lun-ven 9h-19h ; sam 9h30-18h. Vols quotidiens vers Mexico et nombreuses connexions nationales et internationales.

Location de voitures

Les agences ne sont pas très loin les unes des autres ; pratique pour comparer. En général, elles sont ouvertes le matin jusqu'à 13h et l'après-midi de 16h (ou 17h) jusqu'à 20h.

■ *Hertz :* av. Aviación 94 et 96 n° 631 A. ☎ 984-01-15 et 00-28 ou 01-800-709-50-00 (n° gratuit). ● hertz.com.mx ●
■ *Mexico Rent-a-Car* (plan B2) : calle 57 A n° 491 (appelée callejón del Congreso) ; entre les calles 58 et 60, à 50 m du café El Peón Contreras. ☎ 923-36-37. Également un bureau d'information calle 62, entre la 57 et la 59. Pas

cher, mais le parc automobile n'est pas de première jeunesse...
■ *Avis* (hors plan par B1) : av. Colón ; à côté de l'hôtel Fiesta Americana. ☎ 925-25-25. ● avis.coml.mx ● Là, plus de chances de tomber sur un véhicule plus solide ; soyez regardant quand même...
■ *Europcar :* calle 60 n° 486 ; entre les

LA PÉNINSULE DU YUCATÁN

calles 55 et 57. ☎ 924-32-88 et 01-800-003-95-00 *(n° gratuit).* ● *europ* | *car.com.mx* ● Également un bureau à l'aéroport.

Divers

■ *Laverie La Fe (plan A2, 15) : calle 64 n° 470.* ☎ 924-45-31. *Lun-ven 8h-19h ; sam 8h-17h.*

Où dormir ?

Mérida offre assez peu d'alternative en matière d'hébergement : les AJ pour les budgets serrés et la rubrique très chic pour les adresses de charme. Entre les deux, une poignée d'hôtels vieillissants, ou au charme suranné (au choix !). Et bien souvent aux tarifs surévalués. Mais, d'une manière générale, il est possible de négocier les prix (jusqu'à 20 % de remise), notamment dans les adresses « Chic » et « Plus chic » si l'hôtel n'est pas complet.

Si vous disposez d'un véhicule, choisissez un hôtel avec *estacionamiento*. C'est vraiment la galère pour se garer dans le centre-ville.

Très bon marché (moins de 300 $Me, soit 18 €)

🛏 *Hotel Santa Lucía (plan A2, 37) : calle 55 n° 508 ; entre les calles 60 et 62.* ☎ 928-26-62. ● *hotelsantalucia. com.mx* ● Dortoir de 14 lits (chacun avec son *locker*), un autre de 6 lits avec AC et une chambre double avec salle de bains attenante. Petit déj-buffet (pas austère) servi dans le patio. Les très souriants Rafael et Ricardo organisent des tours dans le coin (superbe *cenote* à Cuzamá). Une bonne adresse pour se faire des amis.

🛏 🛏 *Hostel Nómadas (plan A2, 20) : calle 62 n° 433.* ☎ 924-52-23. ● *noma dastravel.com* ● *Petit déj inclus. Internet.* Avec sa jolie devanture bleu lavande, c'est sans doute l'AJ la plus vivante en ville, et la moins chère. Dortoirs de 6 à 8 lits non mixtes (avec salle de bains commune) et quelques chambres avec ou sans salle de bains, plus chères. Possibilité aussi de planter sa tente. Cuisine et salle commune et, pour ceux qui ont besoin d'air, coin hamacs dans le jardin. Mais le vrai plus, c'est l'ambiance du lundi au vendredi de 19h30 à 20h30 durant les cours de salsa

gratuits. Organise des excursions dans les sites archéologiques alentours.

🛏 *AJ Hostel Zócalo (plan A3, 21) : calle 63 n° 508. En plein sur le zócalo, à côté de la Casa de Montejo (rien que ça !).* ☎ 930-95-62. *Bien plus cher en chambre double. Internet.* Dans une ancienne et immense bâtisse coloniale ; entrée au 1er étage. Ce fut la demeure du poète José Peón et Contreras. Vastes galeries, grands volumes, murs bariolés, ambiance communautaire : l'AJ ne manque pas de charme, comme la propriétaire d'ailleurs, adorable. Grandes chambres reconverties en dortoirs (mixtes ou filles exclusivement), avec des lits simples ou doubles pourvus de moustiquaires. Sanitaires corrects avec eau chaude. Chambres doubles également avec ou sans sanitaires. Celles, tout confort, donnant sur le patio, sont très calmes. Petit déj copieux avec fruits frais servi dans la cuisine collective. Salle de TV, laverie. Pour finir, seul établissement du quartier construit en étage, il dispose d'une superbe vue sur le *zócalo*.

Bon marché (300-400 $Me, soit 18-24 €)

🛏 *Hotel Mucuy (plan B2, 22) : calle 57 n° 481 ; entre les calles 56 et 58.* ☎ 928-51-93. ● *mucuy.com* ● *Internet. Pas de petit déj.* 21 chambres sans grand

charme et assez sommaires, toutes identiques et dans les teintes bleues, qui réunissent toutefois un certain nombre d'avantages : la localisation très centrale, les prix très attractifs, le petit bassin juste suffisant pour se tremper, le jardin paisible sur lequel donnent les chambres. Préférez d'ailleurs celles en étage, plus chères, mais climatisées. Tenue impeccable.

🛏 *Hotel El Caminante* (plan A3, **26**) : calle 64 n° 539 ; entre les calles 65 et 67. ☎ 923-67-30 ou 928-77-52. *Plusieurs tarifs. Parking. Internet.* Dans ce motel sans grand charme, le temps semble s'être arrêté dans les années 1960. Une curiosité dans le genre. Grandes chambres avec ventilo (moins chères) ou AC, avec ou sans TV ; toutes avec douche et eau chaude. Lits confortables, mais éclairage au néon un peu sinistre. Vaut surtout pour ses tarifs intéressants pour 3, 4 ou 5 personnes, et l'accueil adorable de la propriétaire.

De prix moyens à chic (400-1 000 $Me, soit 24-60 €)

🛏 *Hotel del Peregrino* (plan B2, **24**) : calle 51 n° 488 ; entre les calles 54 et 56. ☎ 924-54-91 ou 30-07. ● *hoteldelperegrino.com* ● *Internet. Wifi.* Dans une ancienne et belle maison coloniale. Ce petit hôtel rénové, aux couleurs pimpantes, abrite une douzaine de chambres impeccablement tenues. Toutefois, la moitié ne possède pas de fenêtre et 2 donnent directement sur la rue. Préférez les 4 autres donc, sur le patio, plus calmes et plus claires. Pour ces raisons, il est indispensable de s'y prendre à l'avance. Admirez le carrelage des sols : ils sont absolument magnifiques et, en plus, luisants de propreté. Enfin, grande et belle cuisine à dispo. Un bon plan.

🛏 *Casa Álvarez* (plan A2, **38**) : calle 62 n° 448 ; à l'angle de calle 53. ☎ 924-30-60. ● *casaalvarezguesthouse.com* ● Une vraie maison d'hôtes de 11 chambres dont la plupart donnent sur le patio intérieur. Celles au rez-de-chaussée sont vastes, tandis que celles à l'étage sont plus claires. On ne peut pas tout avoir ! Déco soignée un poil kitsch et confort variable : AC, frigo, TV câblée, coffre-fort. Mais dans tous les cas, entretien nickel et accueil très personnalisé des propriétaires. Petit déj à préparer soi-même dans la cuisine familiale, petites terrasses pour se prélasser et, grande nouveauté, la piscine qui, sans doute, justifie à elle seule les petites augmentations de tarif. Une maison bien chaleureuse.

🛏 *Posada Toledo* (plan B2, **29**) : calle 58 n° 487 ; à l'angle de calle 57. ☎ 923-16-90 ou 57-35. ● *hptoledo@prodigy.net.mx* ● Ancienne demeure aristocratique de 23 chambres de diverses tailles, avec un agréable patio arboré. Bonne tenue générale et charme indéniable ; les vastes chambres du rez-de-chaussée (un peu plus chères) ont conservé leur bel ameublement d'époque mais, du coup, manquent de fonctionnalité. Ceux qui cherchent un trip rétro apprécieront. Celles à l'étage bénéficient de petites terrasses avec salon de jardin, d'où l'on aperçoit les clochers de Mérida. Parking à proximité. Accueil tout gentil.

🛏 *Hotel Dolores Alba* (plan B3, **30**) : calle 63 n° 464 ; entre les calles 52 et 54. ☎ 928-56-50. ● *doloresalba.com* ● *Parking gratuit.* Appartient à la même famille que celui de Chichén Itzá. Plus de 70 chambres dans un grand édifice. Chambres avec ventilo dans l'ancienne partie ou avec AC pour celles de la partie récente, qui sont disposées autour d'un patio verdoyant et d'une belle piscine. Propreté impeccable. Très bon rapport qualité-prix. Possibilité de prendre le petit déj, correct. Une adresse confortable.

🛏 *Hotel San Juan* (plan B2, **31**) : calle 55 n° 497 ; entre les calles 60 et 58. ☎ 924-17-42 ou 16-88. ● *hotelsanjuan.com.mx* ● *Tarifs très intéressants pour 3 et 4 pers. Pas de petit déj.* Une soixantaine de chambres avec ventilo, clim, TV et téléphone. Propres, très bien tenues et au confort suffisant. La déco, avec ses meubles en bois, sent bon la province. Toutes donnent sur le patio et la grande piscine. Calme. Parking à proximité. Un hôtel très correct, sans histoire.

🛏 *Hotel Trinidad B & B* (plan A2, **27**) : calle 62 n° 464 ; entre les calles 55 et 57. ☎ 923-20-33. ● *hotelestrinidad.com* ● *Petit déj continental inclus.* Vaste hall agrémenté de gracieuses plantes vertes, de chaises à la florentine, d'un grand bar en bois patiné, patio : l'établissement dégage un charme certain. Chambres toutes différentes, les tarifs variant du simple au double selon le confort. Visitez-en plusieurs avant de vous décider. Toute la journée, café et thé à disposition. Non loin de là, le *Trinidad Galería,* à l'angle de la 60 et de la 51, appartient aux mêmes propriétaires. Plus cher que le précédent. Vaut surtout le coup d'œil pour l'immense capharnaüm artistique, accumulation d'objets en tout genre chinés par l'ancien propriétaire, antiquaire. On se perd dans les couloirs et les coursives décorées d'œuvres d'art aussi étranges qu'hétéroclites. D'immenses peintures abstraites couvrent les murs du magnifique hall d'entrée. Pour le reste, chambres doubles ou familiales, avec ventilo ou AC correctes, sans plus. Pour dépanner donc au cas où les autres hôtels de cette catégorie seraient complets.

🛏 *Casa Mexilio* (plan A2, *32*) : calle 68 n° 495 ; entre les calles 57 et 59. ☎ 928-25-05. ● casamexilio.com ● Dans une très belle demeure ancienne enfouie sous la végétation, un B & B plein de charme, sorte de caravansérail garni de meubles anciens et d'antiquités, appartenant à un Américain. Les 9 chambres sont bien sûr toutes différentes, comme les prix, d'ailleurs. On y accède par un dédale d'escaliers, de terrasses cachées et de passerelles. Tout en bas, une petite piscine qui ressemble à un mini-*cenote*. Et tout en haut, une terrasse qui domine la ville. Un ravissement. La superbe annexe, juste en face, fait plutôt office de partie commune : salons, coin-repos et terrasse extérieure pour le farniente et les repas.

🛏 *Hotel Medio Mundo* (plan A2, *33*) : calle 55 n° 533 ; entre les calles 64 et 66. ☎ 924-54-72. ● hotelmediomundo. com ● Parking payant. Dans un ancien édifice entièrement rénové et peint de couleurs vives. Déco très mexicaine pour cet endroit tenu par Nelson, un Uruguayen chaleureux. Belles chambres confortables bien que sans objets

inutiles. Avec ventilo. Les plus grandes ont l'AC (plus cher). On prend le petit déj (en sus) dans l'arrière-cour, près de la piscine. Bonne ambiance de maison d'hôtes.

🛏 *Hotel Caribe* (plan B3, *34*) : parque Hidalgo, calle 59 n° 500. ☎ 924-90-22. ● hotelcaribe.com.mx ● À deux pas du zócalo et juste à côté du Gran Hotel. Plusieurs tarifs. Le bon plan : en réservant sur place directement : 20 % de réduc pour tt paiement en espèces et 15 % par CB. Parking gratuit 19h-7h. Splendide demeure coloniale dans un ancien collège catholique. Les chambres, disposées autour d'un joli patio à arcades, n'ont ni le faste, ni le charme des parties communes, mais restent néanmoins très agréables et d'un très bon rapport qualité-prix pour l'emplacement. Toutes ont la clim et sont très calmes. Celles du dernier étage, proches de la piscine sur le toit, sont les plus chères. Petit resto en terrasse sur la place, très agréable. Cuisine correcte.

🛏 *Gran Hotel* (plan A3, *35*) : parque Hidalgo, calle 60 n° 496. ☎ 924-77-30 ou 923-69-63. ● granhoteldemerida. com.mx ● À l'angle de la calle 59, à côté de l'hôtel Caribe. Situé sur la plus jolie place de la ville. Inauguré en 1902, le *Gran Hotel* fut considéré jusque dans les années 1940 comme l'un des établissements les plus luxueux de tout le Sud-Est mexicain. Premier hôtel construit dans le Yucatán, il a reçu la visite de Charles Lindbergh et, plus tard, celle de Fidel Castro. Rénové en 1987, il a gardé son côté « très grand hôtel » au charme suranné. Vaste hall d'entrée, plantes vertes, musique classique, imposants lustres, mobilier ancien, patios. Chambres très spacieuses, hautes de plafond avec d'immenses portes et fenêtres en bois, meublées à l'ancienne ou plus contemporaines pour certaines. Essayez d'obtenir l'une des chambres qui donnent sur la place pour la vue et la luminosité ; bonne isolation. Accueil très pro. Une excellente adresse dans son genre.

Beaucoup plus chic (plus de 1 200 $Me, soit 72 €)

🛏 *Hotel Luz en Yucatán* (plan A-B2, *39*) : calle 55 n° 499 ; entre les calles 58 et 60. ☎ 924-00-35. ● luzenyucatan.

com ● L'endroit idéal pour une retraite urbaine, surtout après une journée trépidante en ville. Il faut montrer patte blanche, avant de pénétrer dans cette jolie maison coloniale. Les chambres, vastes et modernes, toutes climatisées, s'ouvrent sur une petite piscine et sont dotées d'une terrasse avec hamac. Lumières tamisées, le soir venu, dans les parties communes, où l'on dispose du salon et de la cuisine. Service à la fois attentionné et discret. Ici, tout n'est que « *luz*, calme et volupté... ».

🛏 *La Misión de Fray Diego* (plan A3, **36**) : calle 61 n° 524 ; entre les calles 64 et 66. ☎ 924-11-11 ou 01-800-22-10-599. ● http://lamisiondefraydiego. com ● *Tarifs élevés, mais négociables en période creuse. Parking. Internet. Wifi.* Petit hôtel de charme dans une magnifique demeure du XVIIe s, superbement restaurée, dans l'esprit des anciennes missions religieuses. Belles chambres joliment décorées et bien conçues, avec tout le confort souhaité

(minibar, sèche-cheveux, TV câblée, téléphone...). Certaines sont situées autour de la piscine. Beaucoup de calme. Petit resto sous les arcades du patio, face à la fontaine, pour prendre le petit déj.

🛏 *Hotel Hacienda Mérida* (plan A2, **40**) : calle 62 n° 439 ; entre les calles 49 et 53. ☎ 924-43-63. ● hotelhaciendame rida.com ● Une autre belle adresse, à caractère confidentiel. Superbes volumes, à peine perceptibles de l'extérieur, et plutôt rare en centre-ville, un jardin paisible où sont installées des chaises longues et une grande piscine bordée d'arcades. Le luxe ne s'arrête pas là : ravissantes chambres à la déco soignée et au confort optimal (clim, literies neuves, échantillons de toilette...). Très bons petits déj et jus de fruits frais. Le luxe a du bon. Il a un prix aussi, forcément...

Où manger ?

Le centre-ville manque cruellement de bons p'tits restos sympas. En revanche, allez faire un tour dans l'un de ces immenses restos qui proposent un show musical durant le repas. C'est l'une des originalités de Mérida. Ultra-kitsch, mais on peut y passer un moment amusant.

Bon marché (moins de 80 $Me, soit 4,80 €)

🍽 *Marché Santa Ana* (plan B2, **40**) : sur le côté est de la pl. Santa Ana, à l'angle des calles 47 et 60. Regroupement de stands où l'on vient manger à toute heure du jour. Tacos, *tortas* (gros sandwichs très complets), viandes grillées, cocktails de crevettes, jus de fruits frais... On s'installe en plein air, sur une bien jolie place. Sympa et pas cher du tout.

🍽 Des stands de nourriture également dans le *marché principal* (plan B3 ; voir « Achats »), à l'angle des calles 67 et 56. Choisissez le plus fréquenté.

🍽 *El Trapiche* (plan A3, **41**) : calle 62 n° 491 ; entre les calles 59 et 61. ☎ 928-12-31. *Tlj 8h-23h.* Un resto de rue populaire qui fait tout le temps le plein. Tables recouvertes de toiles cirées. Grand

choix de *tortas*, tacos, salades et pizzas. Quelques spécialités yucatèques, dont le fameux *poc chuc*. Plusieurs formules pour le petit déj. Profitez-en pour jeter un coup d'œil à la façade Art déco du théâtre Mérida, juste à côté.

🍽 *Café Alameda* (plan B2, **53**) : calle 58 n° 474 ; presque à l'angle de calle 57. ☎ 928-36-35. *Tlj midi slt.* Grande salle fraîche à l'entrée et patio à l'arrière. Le drapeau libanais sur le menu affiche la couleur : ce resto sert des spécialités arabes plébiscitées par les locaux. Parmi elles, les *alambres* (brochettes), les *kibbé* cuits et crus, le *labné*, le *kefta*, la soupe aux lentilles... Si après tout ça vous avez encore la nostalgie des tacos, celui au *poc chuc* n'est pas mauvais.

Prix moyens (80-200 $Me, soit 4,80-12 €)

🍽 *El Cangrejito* (plan A2, **52**) : calle 57 n° 523 ; entre les calles 64 et 66. ☎ 928-

27-81. *Pour le midi slt ; ouv tlj 10h-16h.* Murs jaunes, nappes fleuries et chaises de jardin rouge, cette *taquería* est un haut lieu d'habitués. Pas de carte, mais un assortiment quotidien de 6 variétés de tacos, essentiellement à base de poisson et fruits de mer, servis avec des tortillas de maïs : crevette, langouste, poulpe, *ceviche* ou encore fromage farci. Les préparations tournent fréquemment, la fraîcheur et l'originalité sont garanties, et le débit assuré ! Vraiment typique.

|●| *La Chaya Maya* (plan A2, 42) : à l'angle des calles 57 et 62. ☎ 928-47-80. Tlj 7h-23h. La vitrine du savoir-faire yucatèque : en cela l'adresse a quelque chose de très touristique (vente de produits artisanaux, confection de tacos devant le challand, le menu tendu quasiment à l'entrée). Pourtant, force est de constater que l'accueil est des plus attentif, et la cuisine fraîche et raffinée. La carte décline les grands classiques régionaux : *poc chuc, pollo pibil, queso relleno,* et notamment de délicieux *empanadas de cazón* (petits chaussons frits garnis de requin), sans oublier la *chaya* (sorte d'épinard au singulier goût de gazon) servie en soupe ou en jus frais. Tout compte fait, une excellente intro à la culture culinaire yucatèque.

|●| *Il Caffè Italiano* (plan B2, 43) : callejón del Congreso n° 491 (ou calle 57 A ; entre les calles 58 et 60). ☎ 928-00-93. Tlj 7h30-23h. Dans une rue piétonne, calme et agréable, surtout dans la fraîcheur du soir, pour le dîner. Les tables sont disposées en terrasse sur le large trottoir. Délicieuses pâtes. Très bon café. Mais aussi des paninis. Très fréquenté, notamment par la clientèle étrangère à juste titre, car c'est le seul endroit où l'on mange si bien italien en ville.

|●| *Amaro* (plan A2, 44) : calle 59 n° 507 ; entre les calles 60 et 62. ☎ 928-24-51. Tlj 11h-1h. Dans une maison coloniale où naquit Andrés Quintana Roo. Très joli cadre avec patio intérieur bordé de belles arcades et rafraîchi par un imposant hibiscus. Tables en fer

forgé, éclairage à la bougie : l'ambiance est sympa, particulièrement lors des soirées animées par des joueurs de *trova*. Spécialités végétariennes comme les *fajitas* de légumes, les aubergines au curry, la soupe ou la tarte de *chaya* (sorte d'épinard), etc. Choix de pizzas. Bonne cuisine dans l'ensemble. Sert de bons jus naturels.

|●| *Café La Habana* (plan A2, 45) : à l'angle des calles 59 et 62. ☎ 928-65-02. Ouv tlj 24h/24. Wifi. Rien de cubain. Les Méridiens, toutes classes sociales confondues, s'y retrouvent à toute heure du jour et de la nuit. Immense salle, style brasserie un brin cossue, avec une lumière blafarde, de grands ventilos ronronnants et la clim à fond (prévoir un chandail). Carte variée (*enchiladas, tortas,* soupes) et bon café torréfié sur place. Idéal pour le p'tit creux de 3h du mat ou le petit déj. Service nonchalant.

|●| *Pane e Vino* (plan A2, 46) : calle 59 n° 490, angle calle 64 ; entre les calles 59 et 61. À deux pas du zócalo. ☎ 923-39-29. Tlj sf lun 18h-minuit. Un très bon resto italien avec un chef florentin derrière les fourneaux. Cadre banal, mais un choix impressionnant de pâtes dont certaines sont faites maison (ce sont les meilleures, et tellement fraîches qu'il faut savoir patienter avant d'être servi). Elles sont *al dente* et délicieuses. Également un choix de salades et un honnête tiramisu. Bons vins italiens, chiliens et français. Le service est inclus dans l'addition.

|●| *Pórtico del Peregrino* (plan A2, 47) : calle 57 n° 501 ; entre les calles 62 et 60. ☎ 928-61-63. Tlj midi et soir. Une adresse bien connue en ville, qui semble pourtant s'essouffler par manque de renouvellement. Le cadre, agréable avec son patio fleuri et frais en été, demeure appréciable. Mais la cuisine, très classique (*pollo pibil, enchilada de mole),* n'a rien d'enthousiasmant. Excepté la glace à la noix de coco arrosée de *kahlúa,* de la liqueur de café.

Chic (plus de 200 $Me, soit 12 €)

|●| *Los Almendros* (plan B2, 49) : sur la pl. de Mejorada, calle 50 ; entre les calles 57 et 59. ☎ 928-54-59. Tlj 11h-23h. Attention, un resto peut en cacher un

autre ! Dans celui du fond (*El Gran Almendros*), on déjeune au son de la *música en vivo* (13h-18h30). Dans le premier, pas de musique, mais d'excellentes spécialités du Yucatán. Bien sûr, il faut goûter au *poc chuc,* la spécialité qui a été créée par ce resto. Elle est, dixit le menu, *conocida en todo el mundo* (« connue dans le monde entier »). Comment ? Vous n'en aviez pas entendu parler ? Il s'agit de tranches de porc légèrement boucanées et grillées, servies avec une sauce tomate, des haricots, des oignons grillés, du jus d'orange amère et des feuilles de coriandre. Un délice. Une adresse quasi incontournable, toujours très appréciée des autochtones.

|●| *El Nuevo Tucho* (plan A-B2, 48) : *calle 60 n° 482 ; entre les calles 55 et 57.*

☎ 924-23-23. *Tlj 11h-21h, musique à partir de 14h et show musical à partir de 16h.* Dans une immense salle face à une grande scène centrale sur laquelle se produisent des danseuses pailletées et accompagnées par un orchestre ; également des jeux et sketches face à un public enthousiaste ! Viandes, poissons et spécialités yucatèques correctes. Mais préférez le méli-mélo de spécialités régionales, servi sous forme de tapas, en accompagnement d'un verre. Cela permet de contenir le budget (les prix grimpent vite). On y va pour le fun et, avec de l'humour, on peut passer un bon moment.

Où prendre le petit déjeuner ? Où manger une glace ? Où boire un bon chocolat ?

🍴 *Panificadora El Retorno* (plan A3, 50) : *calle 62. À deux pas du zócalo. Tlj 7h-21h.* Ça sent bon la viennoiserie alentour ! Beaucoup de choix de *donuts,* croissants et autres gâteaux à prix modiques.

🍴 *La Flor de Santiago* (plan A2, 54) : *calle 70 n° 478 ; entre les calles 57 et 59.* ☎ 928-55-91. *Tlj 7h-23h.* Cette boulangerie centenaire garde encore le charme de sa grande salle, ses extincteurs en cuivre brillant comme un sou neuf, son vieux percolateur (il a du mal à démarrer le matin) et ses bruits de comptoir. Clientèle 100 % locale et ambiance typique pour le petit déj. Le café y est servi à volonté et les viennoiseries sortent directement du four à bois. On peut d'ailleurs le voir en activité en accédant à la superbe terrasse arrière.

🍴 *Los Bisquets de Obregón* (plan A3, 56) : *calle 62 n° 499 ; entre les calles 59 et 61.* ☎ 928-78-81. L'annexe d'une célèbre boutique de Mexico réputée pour ses *bisquets,* sortes de scones confectionnés selon une tradition familiale à consommer sucrés (accompagnés de confiture) ou salés (avec du *mole).* Vente à emporter ou sur place. Nombreuses formules et suggestions petit déj : pancakes, œufs, omelettes, tortillas, *chilaquiles...* boissons chaudes. Pour démarrer la journée du bon pied.

🍴 *Cafetería Pop* (plan A2, 47) : *calle 57*

n° 501. ☎ 928-61-63. Juste à côté du resto *Pórtico del Peregrino,* même proprio, même cuisine. Drôle de cafétéria à la déco néo-années 1970 (vous avez dit pop ?). Vaut surtout pour ses formules petit déj variées (fruits, œufs, yaourts) et servies jusqu'à 12h. Idéal, donc, pour les lève-tard. Également quelques spécialités mexicaines à déguster sur le pouce : *enchiladas, quesadillas, guacamole.*

🍴 *Ki'Xocolatl* (plan A2, 57) : *calle 55 ; entre les calles 60 et 62. Lun-sam 9h-14h30, 16h30-23h ; dim 9h-18h. Wifi.* Un décor d'hacienda et des murs bleu Frida couverts de panneaux pédagogiques sur la culture du cacao. Ici, clairement, vous n'êtes pas venu pour une *corona* ! Le chocolat 100 % mexicain y est décliné sous toutes ses formes (en tablette, en poudre ou agrémenté d'épices). La boisson chocolatée au goût incomparable est préparée au choix, froide ou chaude, à l'eau purifiée ou au lait. Également une carte de tisanes de fruits naturels et *brownies* maison.

🍴 *Sorbetería Colón* (plan A3, 51) : *calle 61 ; sous les arcades. Tlj 8h-23h.* La maison est courue, pour ses excellentes glaces et sorbets aux fruits de saison (coco, tamarin, *guanabana, zapote,* etc.) et préparées à base d'eau purifiée. À déguster sur place, sur les tables en terrasse, ou en face, dans les jardins du *zócalo.*

LA PÉNINSULE DU YUCATÁN

Où boire un verre ? Où sortir ?

Tous les mardis soir de 20h30 à 22h, une soirée à ne pas manquer ! Les habitants de Mérida se retrouvent pour danser dans une ambiance chaleureuse, autour d'un orchestre de musique latino et cubaine, dans le parc Santiago, devant l'église du même nom, à l'angle des calles 59 et 72 *(hors plan par A2)*.

♥ ♪ *Eladio's* (hors plan par B3, *62*) : à l'angle des calles 59 et 44. Tlj 11h-20h. Un bon plan pour l'apéro qui fait sauter le dîner. Pour 25 $Me (1,50 €), on vous sert une bière et 3 *botanas* (style tapas) bien fournies. À la 2ᵉ *cerveza*, vous avez droit au *plato fuerte* (de résistance). Puis à un orchestre de salsa et *trova* yucatèque. Bonne ambiance.

♥ *Los Henequenes* (plan B2, *65*) : calle 56 ; à l'angle de la calle 57. Tlj 11h-20h. Groupes musicaux tlj sf mar 14h-18h. ☎ 923-62-20. Fanions, ballons, musique, il plane comme un air de fête dans ce petit troquet de rue typique, fréquenté au déjeuner pour sa cuisine yucatèque simple et pas chère, ou à l'heure de l'apéro pour son avantageuse formule « une bière achetée, une bière offerte ». Accueil chaleureux.

♥ *El Peón Contreras* (plan B2, *61*) : calle 60 ; entre les calles 59 et 57, adossé au théâtre du même nom. ☎ 924-70-03. Ouv tlj jusqu'à 2h. Ce café a une belle terrasse située dans une rue piétonne. Très grande salle, style 1900. L'été, la clientèle prend d'assaut la terrasse pour siroter une *agua de horchata* (jus d'orgeat), déguster un excellent café ou une glace au son d'un orchestre de mariachis. Pas donné, mais l'endroit est si agréable !

♥ *La Parranda* (plan A3, *60*) : calle 60 ; près de la calle 59 et face au Gran Hotel. ☎ 928-16-91. Tlj 11h-23h30. Grand ouvert sur la rue et la place Hidalgo. Déco tex-yuc (*piñatas*, costumes de mariachis, drapeaux) et serveurs avec sombrero qui sifflent pour mettre de l'ambiance. Belle offre d'alcools, cocktails et jus de fruits frais. Et bonne ambiance musicale *en vivo*.

♥ *Pancho's* (plan A2, *63*) : calle 59 n° 509 ; entre les calles 60 et 62. ☎ 923-09-42. Tlj 18h-2h. Horas felices (*ou happy hours*) lun-ven 18h-20h. Le resto est très cher, mais allez donc boire un verre le soir pour jeter un œil à la déco branchée révolution mexicaine. Photos de Pancho Villa à l'entrée. Bonne margarita et délicieux *mojito*.

|♥| ♪ *La Chopería* (plan B2, *66*) : calle 56 ; entre les calles 51 et 53. Tlj 13h-2h du mat (jusqu'à 19h dim et lun). Wifi. Le resto est particulièrement réputé pour ses plats gigantesques de viandes grillées et sa cuisine fusion mexico-brésilienne. Mais, hormis la formule « un plat + une bière » la table est chère. Et le lieu, avec sa terrasse à l'arrière et son patio-salon, se prête particulièrement aux soirées tardives : belle carte de bières et cocktails, ambiance *lounge* et bonne programmation musicale draînent déjà la jeunesse dorée et branchée de Mérida. Idéal donc, pour une 2ᵉ partie de soirée !

♪ *Mambo Café* (hors plan par B1, *64*) : pl. Las Américas ; dans le centre commercial, au 1ᵉʳ étage. ☎ 987-75-33. Y aller en taxi depuis le centre-ville. Mer-sam 21h-3h. Entrée payante ; gratuit pour les filles le mer. L'une des boîtes de Mérida très en vogue, où se retrouve une clientèle de tous les âges pour se trémousser sur des rythmes latino-américains. Musique *en vivo* ou DJ. Bières pas trop chères.

Achats

⊛ *Casa de las Artesanías* (plan A3) : calle 63 n° 503 ; entre les calles 64 et 66. ☎ 928-66-76. Lun-sam 9h-20h ; dim 9h-14h. Mise en place par les autorités de l'État du Yucatán, c'est une grande boutique qui regroupe prétendument l'artisanat de tout le pays. En réalité, c'est assez pauvre. Cela permet quand même d'avoir une petite idée des prix avant d'arpenter les étals du marché. Prix fixes.

⊛ *Le marché municipal Lucas de*

Gálvez (plan B3) : à l'angle des calles 67 et 56. Le grand marché du Yucatán. Il occupe toute une *manzana,* et l'on prend plaisir à se perdre au milieu des dizaines d'étroits passages où les échoppes croulent sous les produits. On vend, sur des étals ou par terre, de beaux légumes et des épices multicolores. Le coin réservé à la viande n'est pas piqué des vers. On peut aussi y manger dans l'un des nombreux stands de nourriture. Choisissez le plus fréquenté. Vous trouverez également des chapeaux, des *huipiles* (ces jolies tuniques blanches brodées de couleurs vives) et des hamacs. Et, pour finir, savez-vous ce que l'on trouve aussi dans ce marché ? Les *maquechs,* des bijoux vivants ! Ce sont des scarabées dont on a décoré la carapace avec des pierres de couleur et auxquels on a collé une chaînette dorée pour qu'ils ne se fassent pas la belle... Allô, la SPA ?

⊛ *Petit marché :* sur le *zócalo, dim mat.* Vente de produits locaux (miel du Yucatán, notamment).

L'art d'acheter un hamac

Avant d'acheter un hamac, voici quelques tuyaux bien utiles pour éviter de se faire rouler dans la farine.

Un bon hamac, de catégorie n° 3, doit avoir au minimum 90 paires de fils à chaque bout (soit trois bobines de fils utilisées). On aura 120 paires pour un hamac de catégorie n° 4 (quatre bobines utilisées), 150 paires pour un hamac de catégorie n° 5 (combien de bobines utilisées ?), 190 pour un n° 6 et ainsi de suite. Chaque bobine pèse environ 250 g. Il suffit donc de peser son hamac pour connaître la catégorie ! Mais vous vous promenez avec une balance pour faire votre marché, vous ? Alors, il n'y a qu'un seul moyen pour vérifier : compter les paires ! Mais attention, chaque paire est constituée de quatre fils (!). À voir la tête de certains vendeurs lorsqu'on les compte, ils ont le sentiment d'avoir affaire à des spécialistes. Les fils doivent aussi être triples et la trame fermée. Les hamacs en coton ou, mieux, en fibre de cactus, sont plus agréables, mais ceux en nylon durent plus longtemps. Prendre un *matrimonial,* même pour une personne seule ; c'est plus confortable. Autre truc de connaisseur : on doit pouvoir s'y allonger en travers. Évitez aussi de choisir un hamac à armatures en bois pour dormir : il risque de se retourner en pleine nuit ! Enfin, pensez qu'il faut 4 m de longueur et 1,80 m de hauteur pour le tendre convenablement...

À voir. À faire

➤ *Visite de la ville en tranvía touristique (guagua ou carnavalito) :* ☎ 927-61-19. Départ du parc Santa Lucía (plan A-B2), calle 55 ; entre les calles 60 et 62. Lun-sam 10h, 13h, 16h et 19h ; dim 10h et 13h. Le parcours dure 2h. Explications en espagnol et en anglais. Autour de 100 $Me (6 €).

➤ *Visite de la ville à pied :* rdv lun-sam 9h30 devant l'office de tourisme municipal (plan A3, 2). *Gratuit.* L'office de tourisme organise des visites commentées du centre historique (en espagnol et en anglais). Parcours environ 1h30.

🕯 *Catedral (plan A-B3) :* tlj 6h-13h, 16h-20h. Sobre et imposante, elle surplombe le *zócalo* du haut de ses 400 ans (1598), fêtés il y a quelques années. Elle aurait été construite avec les pierres d'anciens temples mayas, qui se trouvaient à cet emplacement. Les Méridiens aiment raconter que leur véritable cathédrale se trouve au Pérou. La légende veut, en effet, que sur le bateau venant d'Espagne, les plans de construction aient été confondus avec ceux destinés à la ville de Lima. Aucun intérêt. Le crucifix derrière l'autel, serait un des plus grands au monde.

🕯🕯 *Museo regional de Antropología (plan B1) :* à l'angle de la calle 43 et du paseo Montejo. ☎ 923-05-57. Mar-dim 8h-17h. Entrée : env 41 $Me (2,50 €). Situé dans un très beau palais du début du XXᵉ s, de style franco-italien. Visite indispensable pour ceux qui veulent y voir un peu plus clair en ce qui concerne l'art maya. Excellente présentation. Au rez-de-chaussée, parmi les éléments les plus notables : une série de statuettes superbes, une vitrine où sont présentés des crânes d'enfants, complètement déformés, pratique courante chez les Mayas d'une classe sociale élevée ! Reconstitution d'un calendrier maya, tableau chronologique permettant de replacer les Mayas dans leur contexte historique. Beaux masques polychromes, maquettes de sites et superbes offrandes en jade retrouvées dans les *cenotes*. Ne pas manquer la fresque du VIIe s provenant d'un site proche de Chichén Itzá. À l'étage, expos temporaires.

🏃 *Casa de Montejo* (plan A3, 4) : sur le zócalo. *Lun-ven 9h-16h ; sam 10h-14h.* Abrite aujourd'hui la *Banamex*. Vieille maison espagnole bâtie au XVIe s, sans doute la plus ancienne. En fait, c'est surtout le portique qui retient l'attention, édifié dans le plus pur style plateresque (style de la Renaissance espagnole aux ornements baroques), très chargé. Le reste de la façade hésite plutôt entre le baroque et le néoclassique. Parmi les sculptures, on reconnaît des conquistadors à hallebardes qui, visiblement, viennent de vaincre d'affreux personnages velus, munis de gourdins. Le sculpteur a quelque peu interprété la réalité si son intention était de symboliser les Mayas, ces derniers étant plutôt de style imberbe.

🏃🏃 *Teatro Peón Contreras* (plan A-B2, 70) : calle 60 ; entre les calles 57 et 59. *Mar-sam 9h-21h (s'il n'y a pas de spectacle). Entrée gratuite.* Très beau. Construit en 1900 dans le style français (en partie comme celui de Guanajuato). Restauré en 1981. De nombreuses rencontres et festivités internationales s'y déroulent chaque année. Juste en face, jeter un coup d'œil à l'*université du Yucatán,* fondée en 1618 : belle façade et joli patio.

🏃 *Museo Macay – museo de Arte contemporáneo* (plan A3) : *pasaje de la Revolución.* ☎ 928-32-36. *Sur le côté droit de la cathédrale. Ouv mer-lun 10h-18h. Entrée gratuite.* Il se situe dans un ancien bâtiment du XVIe s, transformé en musée d'Art contemporain du Yucatán. Expos temporaires et permanentes de sculptures, peintures et photos. Parmi les œuvres du fonds permanent, ne pas manquer celles de Fernando Castro Pacheco, artiste méridien, fondateur de l'école libre des arts plastiques au Yucatán. Sa fresque historique du peuple yucatèque est d'un réalisme saisissant.

🏃 *Palacio del Gobierno* (plan A3, 71) : sur le zócalo, à l'angle des calles 60 et 61. *Tlj 8h-22h. Entrée gratuite.* Les amateurs de peinture moderne et ceux qui veulent connaître l'histoire de la région ne manqueront pas la visite. Dans l'escalier, une grande fresque représente les croyances mayas, avec le jaguar qui symbolise le côté sombre et animalier de l'homme, et, en face, la lumière pour sa sagesse. De gigantesques *murales* (œuvres du Mexicain Fernando Castro Pacheco) sont exposés dans les couloirs et dans le salon du 1er étage. Ils présentent les faits marquants de l'invasion du Yucatán par les conquistadors, l'esclavagisme des Mayas et la destruction de leur culture, au nom de la religion (ben dame !).

🏃🏃 *Paseo Montejo* (plan B1) : c'est un peu les Champs-Élysées de Mérida... mais sans l'animation ! Séries de sompteueuses demeures du début du XXe s, construites de chaque côté du boulevard par de riches marchands de sisal et réinvesties pour la plupart par des sociétés qui y ont installé leurs bureaux.

🏃🏃🏃 *Teatro Mérida – La Cineteca Nacional* (plan A2, 74) : calle 62 ; entre les calles 59 et 61. L'ancien théâtre de Mérida, aujourd'hui cinémathèque, ne se visite pas. Admirez toutefois la façade et glissez une tête dans le vaste hall d'entrée, tous deux chefs-d'œuvre Art déco. En façade, grandes portes en verre taillé et métal, aux formes géométriques. À l'intérieur, carrelage, rosaces de verre, rampes d'escalier, billetteries et portes en bois et miroirs ouvragés. Un modèle du genre.

🏃 *Parque Santa Lucía* (plan A-B2) : agréable square bordé d'arcades sur deux côtés, au carrefour des calles 60 et 55. Ce site accueille, le dimanche, un marché d'artisanat où vous pourrez admirer les *huipiles,* robes que portent toujours les femmes indigènes du Yucatán. Nombreuses animations toute l'année : spectacles musicaux à partir de 20h les jeudis et de temps à autre, le mercredi, groupes de poésie. Se renseigner auprès de l'office de tourisme municipal (voir « Adresses utiles »).

🦌 *Museo de la Canción Yucateca (hors plan par B2, 72) :* à l'angle des calles 57 et 48. ☎ 923-72-24. Tlj 9h-17h (15h sam et dim). Entrée pas chère ; gratuit dim. Petit musée consacré à la musique et à la chanson du Yucatán *(trova, jarana...).* Instruments de musique préhispaniques, partitions, objets divers, illustrations... Petite boutique pour acheter des disques.

🦌 *Ermita Santa Isabel (hors plan par A3, 73) :* cette église du XVIIIᵉ s a une valeur historique et symbolique pour les indigènes. C'est là qu'étaient baptisés tous les Indiens venant de Palenque. Le baptême était obligatoire pour pénétrer dans la ville, une sorte de passeport en somme.

🦌 🦌 *Le parc zoologique (hors plan par A2) :* calle 59 ; près de l'av. Itzaes. Mar-dim 8h-17h. Entrée gratuite. Colonie de crocodiles de tous âges, flamants roses et une collection de serpents de la région.

Mérida la musicale

Mérida organise un nombre impressionnant de concerts publics. Procurez-vous le programme des spectacles à l'office de tourisme, car il se passe tous les soirs quelque chose sur les places ou les squares, vers 20h30 ou 21h.

Le dimanche, la fête dure toute la journée avec des *vaquerías.* Les rues autour du *zócalo* sont interdites aux véhicules, les restos de la calle 60 sortent leurs tables en terrasse, les familles se baladent, les enfants mangent des glaces... Ce jour-là, le *zócalo* vit au rythme des promenades, des sérénades et de shows folkloriques. Ces spectacles de *vaquerías* remontent à l'époque coloniale, où ils célébraient le marquage du bétail. Pour attirer le touriste, la mairie finance un orchestre de cuivres et timbales au service d'une troupe de danseurs de *jarana.* Costume blanc de rigueur pour les cavaliers et un beau panama tressé en fibres de palmier rappellent les origines agricoles de la région. Pour les danseuses, *huipil* brodé à double jupon et chignon orné de fleurs. Entraînante, la musique scande les mouvements des couples et les solos de *taconeo* (claquement des talons proche du flamenco). Chaque chorégraphie est suivie d'une joute verbale entre l'homme et la femme, sorte de slam mi-sirupeux, mi-coquin.

À la croisée des routes maritimes des Caraïbes, le Yucatán a reçu les influences de pays comme Cuba, la Colombie et le Venezuela. À la festive *jarana* répondent les genres plus romantiques du *bolero* et de la *trova.* Trombones et clarinettes cèdent alors la place aux guitares, aux maracas et à la voix mélodieuse des chanteurs. Leur répertoire abonde dans la thématique de la rupture et de la trahison. De même que pour les mariachis de Mexico, les couples s'installent dans les parcs et sur les places de Mérida, et le fiancé dédicace une chanson à sa bien-aimée. Les jours de fête, ces troubadours endimanchés redoublent de zèle face à un public bon enfant, ravi d'entendre les déboires du cœur languissant à chaque note.

Le carnaval de Mérida

Il a lieu 40 jours avant la semaine sainte (fin février ou début mars). Il attire chaque année, durant 2 jours (lundi et mardi) une foule de touristes. Des dizaines de chars (sponsorisés pour la plupart par des marques de boissons et de cigarettes !) et des centaines de danseurs en costumes chamarrés. Le 1ᵉʳ jour, défilé à partir de 19h du *Momento a Junto Sierra* (angle des rues Paseo Montejo et Colón). Arrivée à 23h dans le centre. Chaises à louer tout le long du parcours. Le Mardi gras, grand carnaval (même parcours, mais départ à 12h) et bals populaires. À celui du Paseo Montejo, on danse jusqu'à l'aube !

➤ *DANS LES ENVIRONS DE MÉRIDA*

🍴 ***Tixkokob** : petit village à 28 km à l'est de Mérida*. C'est là que l'on fabrique les hamacs.

➤ *Pour s'y rendre :* on peut prendre un *colectivo* dans la rue du marché (destination indiquée sur le pare-brise). Sinon, bus au terminal *Auto-centro (hors plan par B3),* calle 65, entre les calles 46 et 48. ☎ 923-99-40. Un départ ttes les 30 mn, 5h-21h. Pour le retour, le minibus se prend sur le *zócalo* (départs fréquents).

Ici, pas de magasins, mais dans pratiquement chaque maison, un « métier à tisser » est caché à l'abri des regards indiscrets. Rassurez-vous, on aura vite fait de vous repérer, car les touristes ne sont pas nombreux... Pour peu que vous demandiez : *¿ Hamacas ?,* vous vous retrouverez face à la bête : immense cadre en bois très simple sur lequel on tend les fils du hamac, confectionné pratiquement comme un filet de pêche. Puis vous découvrirez les modèles aux couleurs chatoyantes et de toutes tailles : le *matrimonial* est pour un couple ; le *king size*, quant à lui, peut loger toute la famille ! Si vous ne trouvez toujours pas votre bonheur, on vous ramènera ceux que fabriquent le cousin ou le beau-père dans la maison d'à côté.

🍴🍴 ***Sitio arqueológico de Dzibilchaltún** : à 23 km au nord de Mérida, par la route de Progreso (panneau sur la droite). Les ruines se trouvent près du village. Site ouv tlj 8h-17h (16h30 fermeture de l'entrée) ; musée tlj sf lun 8h-16h. Entrée : autour de 80 $Me (4,80 €). Compter 15 $Me (0,90 €) supplémentaires pour le parking et 41 $Me (2,50 €) pour une caméra.*

➤ *Pour s'y rendre :* prendre le bus urbain (bus *Chablecal*) calle 59, entre les calles 60 et 62. Bus verts ou jaunes, départs ttes les 50 mn (6 $Me, soit 0,40 €). À l'arrêt *Dzibilchaltún*, prendre ensuite les motos ou bicy-taxis (10 $Me, soit 0,60 €). Compter 35 mn de trajet en tt. Attention, il y a bien un bus qui part du terminal *Autoprogreso*, mais il dépose les touristes à la sortie de l'autoroute ; le site est ensuite à 3 km !

Le site a été découvert bien après ceux d'Uxmal et de Chichén Itzá. C'est une ville très ancienne, les premières constructions datent de l'an 500 av. J.-C. La cité aurait compté jusqu'à 40 000 habitants à son apogée, vers le VIIIe s, rassemblant nombreux temples et palais, ainsi qu'un important réseau de *sacbe,* ces voies qui menaient d'un édifice à un autre, et même à d'autres cités. Elle doit son développement à la proximité de la mer et au commerce du sel et des produits de la pêche, notamment les coquillages. Dzibilchaltún signifie « lieu où l'on écrit sur la pierre », eu égard à la quantité de stèles gravées retrouvées sur place. Le site n'est pas aussi impressionnant qu'Uxmal ou que Chichén Itzá, qui le supplanta très vite, dès le XIe s, mais il vaut le détour en commençant notamment par le musée qui constitue une excellente introduction à la visite du site.

– *Le musée :* on y accède par un chemin parsemé de statues mayas, certaines très instructives par la qualité des détails : remarquez sur les joueurs de pelote le dessin des sandales et du ceinturon. Exposé sur la culture des Mayas avec céramiques et figurines pour la partie ethnologique, une grande frise illustrée d'objets archéologiques pour resituer les grandes périodes et des représentations des principales divinités (*Ixchel* la déesse de la Lune, *Chac* le célèbre dieu de la Pluie...). Enfin, une partie consacrée à la conquête et reconstitution, dans le jardin à l'arrière, d'un habitat traditionnel maya.

– Sur la *plaza central* se dresse une grande arche, qui est en fait une ancienne « chapelle ouverte » datant de l'époque coloniale. Ces chapelles permettaient aux Mayas d'assister à la messe sans entrer dans l'église.

– Au sud de la *plaza,* les restes d'un immense palais de 130 m de long (structure 44), avec 16 rangées de marches faisant toute la longueur de l'édifice. Dans sa partie nord, un ensemble de temples où il ne reste guère plus que les marches pour témoigner. Il faut aussi aller se balader autour du *cenote Xlacah,* à la belle eau vert et bleu. C'est un des plus profonds de la région.

– Vers l'est, le *Sacbe* (la voie sacrée) mène au fameux *templo de las Siete Muñecas* (le temple des Sept Poupées). Ainsi appelé car on y retrouva sept statuettes. Lors des équinoxes, le soleil se lève précisément dans l'axe des deux portes, un spectacle surprenant qui laisse auguer du degré de connaissances scientifiques des Mayas. On peut encore gravir les marches de cet imposant édifice quadrangulaire ; vue superbe.

🏃🏃 ● **Mayapán :** à env 43 km au sud de Mérida. Site ouv tlj 8h-17h. Entrée : 31 $Me *(1,90 €) ; 41$ Me (2,50 €) pour une caméra.*

➤ *Pour s'y rendre :* en bus, depuis le *Terminal Noreste (plan B3, 17),* direction Telchaquila (15 $Me, soit 1 €), et, de là, prendre une *vagoneta* (minibus) jusqu'à Mayapán *(env 50 $Me, soit 3 €).* Départ des bus ttes les heures dès 9h. Trajet : 1h. En voiture, prendre le boulevard périphérique en direction de Campeche/Uxmal, puis bifurquer vers Mayapán.

Ce site, très peu fréquenté et paisible, vaut vraiment le détour. C'est un des rares où l'on peut encore grimper sur les monuments. Mayapán (littéralement « le drapeau des Mayas ») est considéré comme la dernière grande capitale maya de la période postclassique (1200-1450 apr. J.-C.) et s'étend sur une superficie de 4 km². La population d'alors a été estimée à quelque 12 000 habitants. L'influence de Chichén Itzá y est évidente dans son édifice principal, dénommé le ***château de Kukulkan*** pareil à celui de Chichén mais de proportion un peu inférieure : il mesure 18 m de haut et l'on distingue au sommet une statue de Chac-Mool. Au pied, à gauche, sous une palapa, voir la ***salle des fresques*** avec ses stucs reconstitués de guerriers, et les restes d'une fresque polychrome (personnages richement vêtus avec des étendards). Autour de la place centrale, on trouve des bâtiments administratifs et religieux. À noter, un intéressant ***observatoire*** rond, la ***salle des masques*** du dieu Chac ou encore la ***salle des tortues,*** appelée ainsi parce qu'on y a retrouvé des offrandes de tortues en céramique. Du haut du ***crematorium,*** à droite de l'entrée, superbe vue sur l'ensemble du site.

QUELQUES HACIENDAS

➤ Pour ceux qui sont en voiture (ou à cheval comme au bon vieux temps), trois haciendas entre Mérida et Uxmal. L'occasion de contempler le choc de l'histoire, l'Espagne conquérante qui se superpose à la civilisation maya. Tout d'abord au sens propre, puisque la plupart des haciendas du Yucatán ont été construites sur des sites préhispaniques. Fondées en général au XVIIᵉ s, elles se sont d'abord consacrées à l'élevage avant de faire fortune avec la culture de l'agave *(henequen)* dont on tirait la fibre. Et c'est grâce à l'exploitation de ce véritable « or vert » que le Yucatán devint l'un des États les plus riches du Mexique. Au milieu du XXᵉ s, celui-ci fournissait près de 90 % du marché mondial. Mais l'avènement des fibres synthétiques et le développement de la culture de l'agave dans d'autres pays, comme au Brésil, ont considérablement changé la donne. Aujourd'hui, la production a périclité et de nombreuses haciendas sont désormais abandonnées ou transformées en hôtels de luxe. Parmi celles que l'on peut voir :

🏃 ● **Hacienda Yaxcopoil :** 16 km après Uman, dans le village de Yaxcopoil. ☎ (999) 927-26-06. ● yaxcopoil.com ● Visite lun-sam 8h-18h ; dim 9h-13h. Mais entrée assez chère (autour de 50 $Me, soit 3 €). En venant de Mérida, on la repère facilement grâce à son beau porche de style mauresque. Elle appartient à la même famille, qui l'acheta en 1864 et est toujours réputée pour sa fabrication de la fibre d'agave. Quelques meubles de l'époque coloniale. Dans l'immense parc, nombreuses ruines mayas. D'ailleurs, un petit musée y expose sculptures et autres objets de l'époque classique.

🔆 *Hacienda Ochil :* *toujours sur la route principale, quelques km plus loin, au niveau d'Abala. Embranchement sur la droite.* ☎ *(999) 950-12-75. Tlj 10h-18h. Entrée 55 $Me (3,40 €).* Bien restaurée. Dans un très beau cadre. Les murs sont peints de cette couleur ocre si chaleureuse, une teinture naturelle. On visite la salle des machines, les anciens corps de bâtiment traversés par la petite voie ferrée qui servait au transport de la fibre de *henequen*. Petit *cenote* (sans intérêt) et une jolie arcade de style mauresque. Pas de meubles, mais un carrosse. Petit musée instructif sur la vie des principales haciendas de la région. Ateliers d'artisans et boutique dans laquelle sont commercialisés des articles issus du commerce équitable par la Fondation des haciendas du Mundo Maya. Le produit des ventes est en principe reversé à des femmes et mères célibataires mayas.

🍴 **Resto :** *prix moyens.* Tables en terrasse, sous les somptueuses arcades du bâtiment principal. Carte de spécialités régionales. Pas de la grande gastronomie, mais cuisine correcte. On peut aussi se contenter d'y prendre un verre. Fréquenté par les groupes.

CELESTÚN
2 000 hab.   IND. TÉL. : 988

Petit village tranquille de pêcheurs, situé à 92 km à l'ouest de Mérida, dans une zone classée officiellement « parc naturel ». On y vient d'ailleurs pour voir en barque les flamants roses dans la réserve. L'estuaire forme une vaste *laguna* d'une vingtaine de kilomètres de long, où s'ébat toute une faune sauvage : une importante colonie de flamants roses, mais aussi des canards du Canada qui viennent passer l'hiver au chaud, des hérons, des pélicans, etc. Au total, plus de 230 espèces. Il y a aussi la plage, des kilomètres de sable blanc, et la nonchalance de ce bourg isolé et sympathique. On peut y venir pour la journée, mais les amateurs de calme et de nature y passeront avec plaisir une nuit ou deux.

Arriver – Quitter

➤ **De/pour Mérida :** bus *Oriente* ttes les heures env, 6h-20h30 dans le sens Mérida-Celestún et 5h-20h dans l'autre sens (attention, c'est le dernier !). Départ de Mérida au terminal Noreste et arrivée à Celestún sur le *zócalo*. Trajet : 2h30.

Adresse et info utile

– Pas de change, mais un distributeur automatique *Visa* et *MasterCard* sur le *zócalo*, à côté du poste de police *(comandancia)*.

@ **Point internet Cyberline :** *juste à côté du poste de police, sur le zócalo. Tlj 10h-23h.* Compter 10 $Me/h (0,60 €).

Où dormir ?

Très bon marché (moins de 300 $Me, soit 18 €)

🛏 *AJ Ria Celestún Hostel :* calle 12 n° 104 ; à l'angle de calle 13. ☎ 916-25-97. *Internet.* Une AJ récente, tenue par la sympathique Sugey. Ambiance très relax. Petits dortoirs avec des lits superposés, ou chambres doubles (2 seulement avec AC, les autres avec ventilo). Sanitaires collectifs, coin-cuisine. Hamacs dans la cour. Location de vélos (ouverte à tous).

Infos sur les excursions dans la lagune.

De bon marché à prix moyens (300-400 $Me, soit 18-24 €)

🛏 *Hotel San Julio :* calle 12 n° 93 A. ☎ 916-20-62. ● hotelsanjulio.com.mx ● Négocier en basse saison. Pas de petit déj. Un p'tit hôtel de 9 chambres qui donne sur la plage. Attention, les chambres, de plain-pied, ne donnent que sur la courette intérieure et aucune n'a vue sur mer. 2 types de confort : ventilo ou AC. Ambiance bon enfant. En hiver, il peut y faire frisquet (pas de vitres ni couverture !).

🛏 *Hotel Sofía :* calle 12 n° 100. 🖥 99-91-89-89-59. Prix imbattables pour 4 pers. Pas de petit déj. On ne peut pas le louper avec son gros marlin en façade ! Un hôtel à l'ambiance familiale (le proprio prête son lave-linge), qui compte une dizaine de chambres très

simples et propres. Ventilo, salle de bains (eau chaude). Et des crochets dans toutes les chambres pour suspendre votre hamac. Très correct pour le prix mais ne borde pas la plage.

🛏 *Hotel María del Carmen :* calle 12 n° 111. ☎ 916-21-70. Jolie petite devanture jaune côté rue, moins charmant côté cour, genre cube de béton. Cela dit, la quinzaine de chambres dispose de balcons donnant sur la mer, et bien vite on oublie le reste. Préférer celles du dernier étage qui bénéficient, elles, d'une vue imprenable. Établissement propre et très bien tenu. Accueil familial. Petit resto sur place mais ouvert uniquement s'il y a suffisamment de monde.

De plus chic à beaucoup plus chic (plus de 800 $Me, soit 48 €)

🛏 *Casa de Celeste Vida :* 49ᴱ-calle 12. Sur la route qui longe la plage, bien après l'hôtel Los Manglares. ☎ 916-25-36. ● hotelcelestevida.com ● Gratuit enfants de moins de 12 ans dans la chambre des parents. Wifi. Emplacement idéal, à l'écart du village, pour jouer les Robinson, mais suffisamment proche pour envisager de s'y rendre par le bord de mer. Dans cette belle et grande maison, 2 studios et un appartement de 4 personnes joliment meublés et dotés de tout le confort : cuisine parfaitement équipée et nickel, coffre-fort, draps de bain pour la plage, hamac, chaises longues, barbecue... et une pléiade de services annexes (organisation de randos à cheval, kayaks, vélos). Accueil extrêmement sympathique, pour finir. Le paradis n'est pas loin. Il est même là, juste devant avec la plage qui s'étend à perte de vue.

🛏 *Hotel Los Manglares :* calle 12. ☎ 916-21-56. ● hotelmanglares.com.mx ● Très jolie structure moderne et colorée qui compte une petite vingtaine

de chambres réparties dans 2 bâtiments face à la mer, et 4 bungalows abritant des suites. Chambres très simples, mais vastes, claires et bien tenues. Toutes dotées de balcon avec vue sur l'eau. Déco des bungalows un poil plus raffinée. Superbe piscine. Au resto, carte courte et cuisine simple. Service un peu long.

🛏 *Ecoparaíso :* à 10 km à l'est de la ville par un chemin en terre battue (impraticable en août sans un 4x4 à cause des ornières et de la pluie). ☎ 916-21-00 ou 20-60. ● ecoparaiso.com ● Petit déj inclus. Une trentaine de chambres neuves et 15 bungalows « écologiques » qui raviront les amateurs de calme et de nature intacte. Ces derniers, situés en bordure de plage (7 d'entre eux ont vue directe sur mer), sont pourvus de panneaux solaires et d'une centrale de désalinisation de l'eau. L'espace intérieur est luxueux et très vaste, doublé d'un porche avec hamacs pour contempler le magnifique coucher de soleil. Belles salles de bains, moustiquaires, ventilo, coffre-fort. Piscine surélevée, bar avec billard. Plage vraiment déserte (et on pèse nos mots), qui s'étire sur des kilomètres entre le golfe du Mexique et la mangrove aux flamants roses. Du fait de cette localisation, prévoir un bon antimoustiques, les bestioles attaquent férocement dès le coucher de soleil. Prêt de VTT et de kayaks. Service sou-

riant. L'hôtel organise des excusions et assure les transferts de et vers Mérida, mais compte tenu de l'isolement, mieux vaut disposer de son propre véhicule pour se déplacer en toute liberté. Mieux vaut aussi, à notre avis, oublier la voiture et le reste, le temps du séjour... Idyllique ! Au fait, prévoir aussi un bon bouquin : pas de TV dans l'hôtel !

Où manger ? Où prendre le petit déj ?
Où déguster une glace ? Où boire un verre ?

Plusieurs restos le long de la plage. Pratiquement toujours le même menu et au même prix : le poisson pêché du jour, entier (qu'on vous conseille) ou en filet, que vous pouvez demander à la yucatèque (poivrons, tomates et oignons), à l'ail *(ajo)* ou tout simplement nature, *a la plancha*. Il faut aussi goûter aux succulentes *manitas de cangrejo* (pinces de crabe), en saison uniquement. Directement du pêcheur au consommateur, et à des prix imbattables. Attention, en basse saison, les restaurants ferment tôt.

La plupart de nos adresses sélectionnées ci-dessous se situent calle 12, la petite route parallèle à la plage.

|●| *La Playita* : calle 12 nº 99. ☎ 916-20-52. *Tlj pour le déj.* Petite carte de poissons et fruits de mer de la plus grande fraîcheur : crevettes à l'ail, crabe à la mexicaine, poissons grillés : du frais, rien que du frais et c'est délicieux. Comme l'accueil du reste, d'une gentillesse toute naturelle. Les pieds dans le sable, face à la mer, avec un léger fond de musique. C'est tout bon !

|●| 🍷 *El Lobo* : maison jaune à l'angle du *zócalo et de la rue qui mène à la plage ; en face du cyberline. Tlj sf lun 8h-11h ; 19h-minuit. Wifi.* Un petit troquet de rue, coloré et sympa comme tout, dominé par sa grande fresque du loup *(el lobo)*. En bas, quelques tables recouvertes de toiles cirées ; sur le toit, une terrasse abritée donnant sur le *zócalo* et, en fond sonore, de la bonne musique. De quoi mettre en appétit dès le matin : formules petit déj variées et copieuses, avec notamment, un grand choix de pancakes maison. Le soir, carte toute simple de pizzas (prix différents selon taille et garniture), pâtes, tortillas et plats mexicains. Un lieu également à consommer sans modération à l'apéro ou en after : excellents cocktails maison (à consommer, eux, avec modération

bien entendu !). Bref le genre d'endroit dont on fait vite son repère lors d'un séjour prolongé.

|●| 🍷 *La Palapa* : calle 12 nº 105. ☎ 916-20-63. *Tlj jusqu'à 18h30 env.* Une immense *palapa* très colorée et tout à fait charmante, qui donne sur la plage et qui sert de la bonne cuisine. Cadre assez chic et carte bien fournie. Seul hic : travaille avec les tour-opérateurs de Mérida, et certains jours, des cars entiers de touristes débarquent pour le déjeuner. Très bien aussi pour y boire un verre.

|●| *Chivirico* : calle 12 ; à l'angle de calle 11. *Le seul resto ouv midi et soir.* Même carte que ses concurrents (crustacés, poissons...) et mêmes prix que *La Palapa.* Son autre avantage : les grosses portions, on y mange à 2 avec un seul plat. Une adresse à fréquenter plutôt le soir donc, car n'est pas en bord de mer.

🍦 *Paletería La Estrella* : calle 12 nº 87. *Tlj 7h-23h. Paletas* (esquimaux) et glaces maison aux fruits de saison comme le *nance* (fruit jaune), le coco, la pastèque... À 6 pesos la glace, vous pouvez essayer plusieurs parfums ! Rafraîchissantes, mais pas bouleversantes. On a surtout flashé sur la devanture !

À voir. À faire

⚠ **La plage :** s'étend à perte de vue et, si vous vous éloignez du village, vous serez complètement seul (quel pied !). Bien sûr, la mer est moins belle que côté Caraïbes, mais pour ceux qui n'aiment pas la foule et veulent admirer des couchers de soleil, ça peut devenir très romantique... Attention, le soir, les moustiques sont féroces !

– **La pêche :** c'est l'activité principale du village. Toutes les barques sont installées sur une partie de la plage, et leur va-et-vient incessant commence en fin d'après-midi. Un spectacle incroyable. Les femmes attendent sur la plage et lèvent grossièrement les filets de poissons encore frétillants. Les cadavres sont ensuite mangés par les mouettes ou finissent par sécher sur la plage.

🐦🚶 **Reserva natural :** autour du village s'étend une lagune immense, véritable paradis ornithologique, dont les vedettes sont les **flamants roses.** Longtemps ignorée par la population, la riche colonie qui vivait ici a vu son nombre d'individus décroître de façon importante, jusqu'à ce que Joan Andrews, une Américaine, prenne les choses en main pour informer et former les habitants du parc afin de développer le tourisme et prendre en charge la préservation des espèces. C'est ainsi qu'elle a aidé les villageois à mettre en place des circuits en barque à moteur. Projet relayé par le gouvernement, à l'origine du *parador turístico* (centre touristique) d'où partent les balades en *lancha*. Pour les amoureux de la nature, sachez que cette réserve abrite la plus grande colonie de flamants roses d'Amérique du Nord. Les individus sont tous bagués, et chaque mardi, pendant la période de migration, l'institut de biologie dresse un état des lieux de la population. Autant dire, qu'on les suit de près.

Ils sont en principe présents toute l'année, mais sont plus nombreux durant les mois d'hiver (de décembre à mars). On compte alors jusqu'à 40 000 individus. L'été, les flamants roses partent nidifier du côté de Progresso et Río Lagartos. Pour info, le flamant rose pond un œuf par an et vit en moyenne 15-20 ans. On reconnaît les individus les plus âgés parce qu'ils ont le cou raide, la tête dressée qu'ils tournent de façon chronique à droite, puis à gauche, et tendent leurs ailes d'avant en arrière comme s'ils étaient atteints de la maladie de Parkinson. Groupés dans un coin de la lagune (ils se mettent à l'écart des plus jeunes), cela donne un étonnant spectacle ! N'oubliez pas votre téléobjectif. Il est recommandé de ne pas faire s'envoler les flamants car ce sont des oiseaux fragiles, qui volent très peu (alors, chut !). Ne demandez pas aux pêcheurs de s'approcher trop près d'eux : s'ils sont dérangés, ils pourraient s'en aller définitivement. Autre attrait de la réserve, les cormorans, les pélicans (les mexicains sont perchés sur les arbres et sont plus petits que les pélicans canadiens, à crête jaune), des hérons et bien d'autres... Alors, ouvrez l'œil !
La meilleure saison pour l'observation : de décembre à mars et de

POURQUOI LE FLAMANT EST-IL ROSE ?

Durant la période de migration, les flamants roses sont nombreux et l'eau de la lagune prend alors une couleur terreuse rouge. Ce phénomène n'est pas une vue de l'esprit, mais dû à la présence de larves rouges dont se nourrit le grand échassier. L'enveloppe de cette larve colore durablement le flamant qui en est très friand, tandis que l'eau reprend sa couleur verte une fois la migration terminée. La nature nous étonnera toujours !

juin à août. Le meilleur moment : entre 10h et 14h car la marée rend la navigation plus facile. Mais il fait plus chaud ! Le soir, à partir de 17h, tour spécial crocodiles : les flamants roses s'envolent alors vers les marais salants à l'intérieur de la mangrove. Place aux reptiles, des spécimens de 2 à 4 m de long !

➤ **Parador turístico :** juste après le pont de Celestún, sur la gauche en venant de Mérida. Tlj 6h-18h. Propose 2 types de tours en *lancha* de 1 à 6 personnes (essayer de se grouper pour partager le prix) :

– Le premier dure environ 1h en partant de la réserve et permet de voir les flamants dans un paysage de mangrove. *Compter 680 $Me (40,80 €) pour 2 ou 130 $Me/ pers, soit 7,80 €, (min 6 pers) par* lancha.

– Le second décrit à peu près le même itinéraire mais il mène jusqu'à la forêt pétrifiée et l'embouchure de la mer. *Compter 1 280 $Me (77 €) pour 2 ou 230 $Me/pers, soit 13,80 € (min 6 pers) pour 2h, y compris le droit d'entrée.* Pas de mauvaise surprise, la *lancha* est sécurisée et dotée d'un auvent, le tour est calibré, le discours rôdé : il s'agit de l'organisme gouvernemental.

– Une autre option, moins onéreuse à condition d'avoir déjà formé un groupe (8 personnes minimum requises), consiste à embarquer sur une barque de pêcheur. On les trouve généralement regroupés à l'angle du restaurant *La Boya. Compter 150 $Me (9 €) par pers.* En 2h-2h30, ils proposent le tour complet (lagune, mangrove et forêt pétrifiée).

IZAMAL   13 500 hab.   IND. TÉL. : 988

Charmant village colonial à environ 1h30 en bus de Mérida (70 km). Toutes les maisons du centre sont peintes en jaune et blanc, à l'image du magnifique et imposant couvent qui domine le *zócalo* agréablement ombragé. À l'heure où les rayons du soleil déclinent, c'est tout simplement magique. Dans les rues pavées, il règne une atmosphère tranquille, où l'on prend le temps de vivre et d'entrer en contact avec des habitants avenants et chaleureux. Une étape à ne pas manquer.

Arriver – Quitter

🚌 *Terminal des bus :* calle 32 ; entre les calles 31 et 33. ☎ 954-01-07. *Juste derrière le* palacio municipal. Bus *ADO* (1ʳᵉ classe) ; *Oriente* et *Centro* (2ᵉ classe).

➤ *Pour/de Mérida :* avec *Oriente* et *Centro*, départ ttes les heures env, 5h-19h30 (attention donc, le dernier bus part relativement tôt). Trajet : 1h30.

➤ *Pour/de Valladolid :* avec *Oriente* et *Centro*, départs ttes les heures env, 5h-16h40. Ce sont les bus qui viennent de Mérida vers Valladolid et s'arrêtent à Izamal. Trajet : 2h.

➤ *Pour/de Cancún :* avec *Oriente* et *Centro*, 8 départs, 5h-16h30. Trajet : 5h.

Adresse utile

🛈 *Office de tourisme :* à l'intérieur du palacio municipal. ☎ 954-00-09. *Lun-ven 9h-20h ; sam 9h-13h.* Plan de la ville très pratique avec positionnement des adresses et brochures sur les différents ateliers d'artistes à visiter.

Où dormir ?

De bon marché à prix moyens (300-400 $Me, soit 18-24 €)

🛏 *Posada Flory :* à l'angle des calles 30 et 27. ☎ 954-05-62. *À 2 cuadras du* zócalo. Des chambres chez l'habitant plutôt qu'un hôtel. La patronne s'appelle Flory, évidemment, et tient le salon de beauté par où l'on entre. On vit dans la maison, on traverse la cuisine où mange la *familia*... Chambres à 1 ou 2 lits, toutes différentes les unes des autres, plus ou moins spacieuses mais toutes avec salle de bains (certaines sont d'un kitsch absolu), eau chaude et ventilo. AC pour les plus chères. On peut préparer son petit déj à condition d'apporter tous les ingrédients. Ambiance sympathique.

De prix moyens à chic (400-800 $Me, soit 24-48 €)

🛏 *Macan-Ché B & B :* calle 22 n° 305 ; entre les calles 33 et 35. ☎ 954-02-87. • macanche.com • *Petit déj inclus. Internet.* Ce *B & B* tenu par un couple d'Américains propose une quinzaine de chambres à la déco personnalisée. Ventilo pour les moins chères, AC pour les autres. Déco fraîche de bon goût. Il s'agit en fait de bungalows répartis dans un jardin à la végétation luxuriante. On prend le petit déj sous une très jolie *palapa. Temazcal* (sorte de hammam) et belle piscine dans un coin intime. Également 2 maisons à louer, pour 6 personnes. Accueil aimable. Une super adresse confidentielle.

🛏 *San Miguel Arcángel :* calle 31 A n° 308. ☎ 954-01-09. • sanmiguelhotel. com.mx • *En face de la pl. principale.* Petit hôtel de 8 chambres récentes et charmantes : amples et fraîches, hautes de plafond et claires. La n° 4 jouit d'une vue superbe sur le couvent. Les n° 5, 6 et 7 ont également un balcon sur la rue. À l'arrière, en hauteur, vestiges d'une pyramide sur laquelle se trouvent un joli jardin et un espace jacuzzi. Accueil très jovial.

🛏 *Hotel Green River :* av. Zamna 342, calle 39 ; entre les calles 38 et 40. ☎ et fax : 954-03-37. • hotelgreenriver. com • *Un peu excentré. Parking.* Sorte de motel maya, autrefois hacienda, le long de la route principale. Une quinzaine de chambres dispersées dans un grand jardin entretenu et fleuri. La plupart avec AC, TV câblée, frigo-bar et véranda. Pas de la première jeunesse, mais impeccablement tenues avec de délicates attentions, telles que brochures et magazines, et surtout, moins chères que dans les hôtels précédents. Piscine. Accueil très aimable.

Où dormir dans les environs ?

🛏 *Hacienda San Antonio Chalante :* à env 10 km d'Izamal en direction de Sudzal. ☎ (999)-132-74-11 à Mexico. • info@haciendachalente.com • *Doubles 50-80 US$, petit déj inclus. Repas possible sur résa.* Dans une ancienne hacienda, aujourd'hui propriété privée, au milieu de nulle part. Calme absolu et totale réussite de la déco : grande salle à manger ouverte, salons confortables sous les galeries, 9 chambres personnalisées et une nature omniprésente. Plafonds hauts, murs peints, superbe mobilier colonial nous voilà plongés dans le passé, prêts à jouer les rancheros. Et ça tombe bien, des balades à cheval sont proposées. Pour le repos (du ranchero), petite piscine, juste suffisante pour faire quelques brasses, agrémentée de chaises longues. Noncontemplatifs, s'abstenir !

Où manger ?

🍽 *Marché municipal :* en face du couvent. Tlj 7h-16h. Quelques *puestos* dont *Comida Los Portales* où grignoter une *botana* ou un sandwich, ou bien prendre un repas. Bons jus de fruits et *licuados* chez *El Amigo Tuñao.*

🍽 *El Toro :* calle 33 n° 303. ☎ 967-33-40. *À droite du couvent.* Tlj 8h-23h. Petite salle joyeusement colorée et aérée, qui sert une bonne nourriture typiquement yucatèque et, bien sûr, avec un tel nom, un bon filet de bœuf, à prix correct. En entrée, très bons *papadzules.* Ne pas rater la *cochinita pibil* ou la *longaniza.* Service un peu long car tout est fait à la commande, et servi dans l'ordre d'arrivée des clients. Sans doute la meilleure adresse en ville, ça vaut le coup de patienter.

|●| Los Mestizos : *calle 33 n° 301, derrière le marché.* ☎ *954-02-89. Tlj, du petit déj au dîner.* Salle fermée très colorée avec ventilos. Menu yucatèque habituel *(panuchos, salbutes, papadzules...),* puis une spécialité de fromage fourré de 2 viandes (porc et bœuf). Bonne sélection de bières. Service aimable. Au cas où vous ne trouveriez pas de place chez *El Toro.*

|●| Kinich : *calle 27 ; entre les calles 28 et 30.* ☎ *954-04-89. Quand on regarde* le couvent, prendre sur la gauche la *calle 28, puis, à 2 cuadras, tourner à droite. Tlj 10h-19h ; mar et jeu-sam, ouv le soir (son et lumière).* On mange sous une grande *palapa* installée dans un beau jardin, sous des ventilos bienvenus. Ambiance et service pro, avec plein de petites attentions sur la table. La carte n'est pas très longue, mais elle propose de vraies spécialités du Yucatán. Cuisine délicieuse à des prix très raisonnables. Petite boutique d'artisanat à l'entrée.

Achats

La mairie d'Izamal a fourni de gros efforts pour mettre en valeur l'artisanat du coin. Partout, vous trouverez les enseignes vous indiquant les divers ateliers. On peut même louer une calèche à l'heure pour en visiter plusieurs. Nous, on a craqué pour cet ouvrier confectionnant des pièces uniques.

⚜ Lol Tuk (La Flor de Cocoyol) : *calle 26 n° 344 ; entre les calles 45 et 47.* ☎ *957-20-26. Tlj 7h-21h.* L'intarissable Esteban est particulièrement fier d'exhiber ses bijoux, pour lesquels il a obtenu un prix national. Et il faut dire qu'il a trouvé des matières premières pour le moins originales : les épines du *henequen,* qui sert à confectionner le sisal, et les petits fruits en forme de noix de l'arbre de *cocoyol* et de *dzibul.* Les pièces sont belles et marient souvent les 3 matières naturelles, d'une consistance et d'une dureté inouïes. Mais on vous laisse découvrir par vous-même les secrets de fabrication. Javier, le fils d'Esteban, parle le français. Prix élevés.

⚜ Dans le **marché couvert,** plusieurs échoppes vendent les filets de course (en nylon) à motifs colorés, avec anses en plastique, dont se servent les Mexicaines pour faire leur marché. De toutes les tailles et vendus une poignée de pesos, ils sont increvables, et nul doute que vous ferez sensation de retour en France !

À voir

⚲ Convento de San Antonio de Padua : *impossible à louper, vu qu'il domine le centre-ville de sa masse jaune. Tlj 7h-20h30. Spectacle son et lumière dans l'atrium mar et jeu-sam à 20h30 (45 $Me, soit 2,70 €).* Construit par les franciscains entre 1553 et 1562 sur l'emplacement d'un temple maya. L'atrium est absolument gigantesque (7 800 m²), bordé par 75 arcades (à part au Vatican, on n'en connaît pas de plus vaste dans le monde !), et d'une beauté à couper le souffle. En particulier lorsque le jaune des arcades contraste avec le vert du gazon et se découpe sur le ciel bleu outremer. C'est le moment de sortir l'objectif ! À l'intérieur de l'église, beau retable tout en or qui abrite la très vénérée Vierge d'Izamal, devenue patronne du Yucatán en 1949 par décret pontifical pour tous les miracles qui lui sont attribués. Elle est célébrée les 7 et 8 décembre. Jetez aussi un œil au *Camarín de la Virgen* (au 1er étage), un vitrail peint de couleurs vives. En revanche, le couvent, encore fréquenté par des moines, ne se visite pas.

⚲ Les grands maîtres de l'art populaire : *calle 31 ; à l'angle de calle 31 A. Mar-sam 9h30-18h30 ; dim 9h-14h. Entrée 20 $Me (1,20 €) ; gratuit le dim.* Il s'agit d'un centre d'expositions sous le patronage de la fondation *Banamex* et qui regroupe de très belles pièces d'artisanat de tout le pays. On y voit notamment une splendide *catrina* (la mort avec son grand chapeau) en papier, des sosies de Frida Kahlo, des textiles yucatèques ou encore des vanneries et de la poterie. Possibilité de les acheter sur commande.

🔭 **Pirámide Kinich Kakmó :** *à l'angle de calle 28 et de calle 27. À moins de 10 mn du* zócalo. *Tlj 8h-17h. Entrée gratuite.* Izamal est construit sur une ancienne cité maya. Rien d'étonnant, donc, de découvrir çà et là des ruines préhispaniques, bien que la plupart aient été recouvertes par la ville actuelle, édifiée d'ailleurs avec les pierres des monuments préexistants. Du haut de la pyramide, l'une des plus imposantes en volume de la Méso-Amérique, on a une superbe vue sur la ville. On peut aussi se promener du côté du *templo Itzamatul* et visiter son petit jardin botanique.

CAMPECHE

170 000 hab.   IND. TÉL. : 981

◉ Une sensation de bien-être, franchement bienvenue quand on arrive de Palenque. Depuis quelques années, Campeche, inscrite au Patrimoine mondial de l'Unesco, a entrepris une vaste opération de sauvetage du centre historique. Les anciennes maisons coloniales ont été rénovées et les façades peintes de plusieurs couleurs dans les tons pastel. Une bien jolie ville, donc, avec ses rues en damier, ses rues pavées, ses balcons en fer forgé et ses corniches de stuc sculpté. Calme et reposante, elle sait sourire aux visiteurs peu nombreux, et les Campechanos sont particulièrement accueillants (le terme *campechano* désigne même une personne bien gentille).
C'est la seule ville fortifiée du Mexique, même s'il ne reste aujourd'hui qu'un seul pan de la muraille qui l'entourait. Quelques forts, tout autour, dont un abrite un magnifique musée maya, ont été eux aussi rénovés.
La région compte également d'innombrables ruines mayas, certes moins célèbres mais plus sauvages que ses consœurs de la péninsule, une bonne alternative à ceux qui veulent jouer les Indiana Jones en solo. Le site d'Edzná, notamment mérite vraiment le détour (voir plus bas). En revanche, n'y allez pas pour les plages. L'État de Campeche est le plus grand producteur de pétrole du pays, et les raffineries de Ciudad del Carmen, au sud-ouest, polluent allègrement la mer sans que personne n'ose s'opposer à la toute-puissante *Pemex*.

UN PEU D'HISTOIRE

Campeche, ou plutôt la ville maya qui la précédait, fut découverte dès 1517, lors de la première expédition espagnole le long de ces côtes. Elle ne fut soumise que beaucoup plus tard par Francisco de Montejo, qui fonda la ville en 1540. Dès lors, et jusqu'au XVIIIᵉ s, elle devint le seul port du Yucatán, d'où partaient le *chicle*, les bois précieux, les bois de teinture, ainsi que l'or et l'argent des autres contrées. Très vite, les corsaires et les pirates veulent profiter de la bonne

BOIS PRÉCIEUX

Dès le XVIᵉ s, Campeche était célèbre pour le palo de tinte, bois très réputé pour la teinture des étoffes. Pendant deux siècles, la ville fut régulièrement pillée par les pirates qui revendaient ce bois précieux, n'hésitant pas à massacrer une partie de la population. Exaspéré, le roi d'Espagne décida vers 1686 de fortifier la ville.

aubaine, et la ville est régulièrement victime de nombreux pillages de la part des flibustiers des Caraïbes. À l'époque coloniale, la mer arrivait jusqu'au pied des murailles. Mais au milieu des années 1950, alors qu'on rêve d'un Campeche tourné vers l'avenir, on remblaie pour agrandir la ville du côté de la mer, on construit un *malecón* et de larges avenues qui déconnectent la vieille ville de la côte. Heureusement, à la fin des années 1990, la ville prend conscience de la valeur de son patrimoine et entreprend de sauvegarder ce qui reste de son histoire.

Arriver – Quitter

En bus

Liste des principales compagnies et leurs coordonnées dans la rubrique « Transports » du chapitre « Mexique utile ».

🚌 **Terminal 1re classe** *(ADO ; hors plan par B2) : au sud de la ville, par l'av. Central, à env 30 mn à pied du centre-ville.* ☎ 811-99-10. Bus urbains sur l'avenue centrale. Pour le centre-ville, ils indiquent « Mercado » ; dans le sens inverse « ADO ». Arrêts de taxis à la sortie de la gare. Compter environ 20-30 $Me (1,30-2 €) pour une course jusqu'au centre-ville et environ 30-50 $Me (2-3,30 €) après 22h.

➤ **Pour/de Mérida :** avec *ADO*, très nombreux départs 24h/24. Quelques départs avec *ATS* (moins cher) et 3 avec *ADO GL* (banquettes-lits, w-c) tlj à 6h55, 15h et 18h35. Trajet : 2h30. Également 5 liaisons/j., 5h45-15h, pour l'aéroport de Mérida.

➤ **Pour/de Veracruz :** avec *ADO*, 1 départ à 20h10 les ven-sam et dim ; 1 tlj à 22h15 avec *ADO GL*. Trajet : 12-13h.

➤ **Pour/de Palenque :** avec *ADO*, 1 départ en fin de matinée et le soir (11h et 21h45), et 2 de nuit (0h30 et 2h20). Avec *OCC*, départ à 21h45. Même tarif. Trajet : 6h.

➤ **Pour/de Villahermosa :** avec *ADO*, 13 bus/j., départ env ttes les 2 à 3h, 0h45-21h40 ; départ plus fréquents en soirée. En service luxe *(ADO GL)*, tlj à 12h, 16h35, 21h35 et 1h30 du mat. Trajet : 5h.

➤ **Pour/de Mexico :** avec *ADO*, env 5 départs/j. ap-m et soir, et 1 avec *ADO GL* (luxe) à 16h35. Trajet : 17-18h.

➤ **Pour/de Xpujil** *(120 km avt Chetumal, sites mayas du Río Bec)* **et Chetumal :** départ à 12h avec *ADO*. Trajet : 6h.

🚌 **Terminal 2e classe :** *av. Gobernadores ou calle 18 (hors plan par B2).* ☎ 816-34-45. *À 15 mn de marche du centre.* Dessert les destinations locales et également :

➤ **Mérida :** plusieurs départs/j. 6h-23h30. Trajet : 4h. Avec *ADO* et *ATS*.

En avion

✈ **L'aéroport** *(hors plan par B2) est situé au sud de la ville.* ☎ 823-40-44.

➤ **Mexico :** 2 liaisons/j. avec *Aeroméxico*.

Adresses utiles

ℹ **Office de tourisme gouvernemental** *(plan A1) : pl. Moch Couoh ; entre le malecón (front de mer) et le palacio de Gobierno.* ☎ 816-67-67 ou 811-92-29. ● *campeche.travel.gob.mx* ● *Lun-dim 9h-21h.* Drôle de bâtiment de type pyramide blanche à toit sectionné. Plans de la ville et de la région, avec la localisation des différents sites archéologiques. Infos et prix des hôtels et restos. N'hésitez pas à leur envoyer un mail si vous désirez des infos ● *turismo@campeche.gob.mx* ●

ℹ **Office de tourisme municipal** *(plan B1) : à côté de la cathédrale.* ☎ 811-39-89 ou 90. ● *municipiodecampeche. gob.mx* ● *Lun-sam 9h-14h, 17h-20h.*

✉ **Poste** *(plan B1) : à l'angle de l'av. 16 de Septiembre et de la calle 53. Lun-ven 9h-15h.*

@ **Diversiones del Centro :** *calle 54 ; entre calles 10 et 12. Tlj 10h-22h.* Nombreux ordinateurs, matériel récent et connexions rapides (compter 10 $Me/h, soit 0,60 €). Au fond, salle de billards. Sinon, plusieurs centres Internet dans le

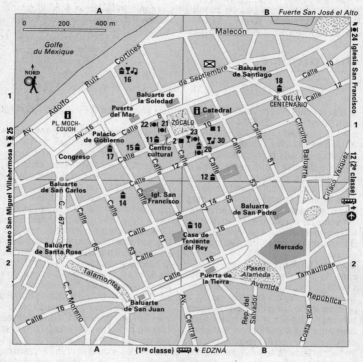

CAMPECHE

- **Adresses utiles**
  - 🄸 Office de tourisme gouvernemental
  - 🄸 Office de tourisme municipal
  - 1 Banque HSBC
  - 2 Téléphone larga distancia

- 🛏 **Où dormir ?**
  - 10 Hostel del Pirata
  - 11 Monkey Hostel
  - 12 Guaranducha Inn
  - 14 Hotel López
  - 15 Hotel América
  - 16 Del Mar Hotel
  - 17 Hotel Castelmar
  - 18 Hotel Plaza Campeche
  - 20 Hostal La Parroquia

- 🍴 **Où manger ?**
  - 20 La Parroquia
  - 21 Restaurant Campeche
  - 22 Marganzo
  - 23 Casa Vieja de los Arcos
  - 24 Restaurant La Pigua
  - 25 La Palata del Tío Fito

- 🍸 🎵 **Où sortir ? Où danser ?**
  - 16 Laffite's
  - 23 Casa Vieja de los Arcos
  - 30 Iguana Azul

centre. Mêmes tarifs.

■ **Banque HSBC** *(plan B1, 1)* : calle 10 nº 311. *Face à la cathédrale. Lun-ven 9h-19h ; sam 9h-15h.* Accepte les devises et les chèques de voyage en dollars. Également des distributeurs de billets dans toutes les banques pour cartes *Visa* et *MasterCard.*

■ **Consigne :** *au terminal de bus 1ʳᵉ classe ADO. Ouv 24h/24.*

■ **Téléphone larga distancia** *(plan A-B1, 2)* : une caseta telefónica, Inter-

LA PÉNINSULE DU YUCATÁN

tel, *se trouve à deux pas du zócalo, calle 57 ; entre calles 10 et 12.* ☎ 811-43-52. *Lun-sam 8h30-22h30 ; dim mat.*

Compter 10 $Me/mn (0,60 €) pour la France. Également 2 postes Internet.

Où dormir ?

Très bon marché (moins de 300 $Me, soit 18 €)

 Hostel del Pirata *(plan B2, 10) : calle 59 n° 47.* ☎ 811-17-57. *Super petit déj inclus.* Une AJ avenante, à l'ambiance flibustier. Grands dortoirs de 16 lits superposés, bien agencés. Et une poignée de chambres avec ou sans sanitaires. Salles de bains impeccables. Belle cuisine collective très conviviale, pour se faire la tambouille, mais proposent aussi des plats à emporter (en semaine uniquement). Terrasse où l'on prend le petit déj. Location de vélos. Bonne ambiance routard et accueil au top.

 Hostal La Parroquia *(plan B1, 20) : calle 55 n° 9 ; entre calles 10 et 12.* ☎ 816-25-30. ● *hostalparroquia.com* ● *Super petit déj continental inclus, à prendre au resto à côté.* Petite AJ comprenant 3 dortoirs et quelques chambres pour 2 à 4 personnes. Sanitaires communs, cuisine à disposition, le tout impeccablement tenu. Agréable terrasse ombragée et plusieurs ordinateurs pour pianoter sur le Net. Table de ping-pong et location de vélos *(env 100 $Me/j., soit 6 €).* Accueil jeune et sympa.

 Auberge de jeunesse Villas Deportivas : *av. Agustin Melgar.* ☎ 816-18-02. *Au sud-ouest de la ville, dans le centre sportif universitaire.* Assez excentré ; compter 15 mn en bus. Prendre le bus Universidad sur le bd qui entoure la vieille ville ou bien au marché municipal ; demander l'arrêt « Villas Deportivas » ou « Albergue de Juventud ». Chambres pour 4 personnes, non mixtes. Un poil moins chères mais aussi moins coquettes que les précédentes.

 Monkey Hostel *(plan A1, 11) : calles 57 et 10.* ☎ 666-77-90. ● *hostalcampeche.com* ● *Petit déj compris.* Internet. Une quarantaine de lits, en dortoirs pour 6 personnes ou en chambres doubles (un poil plus cher). La literie n'est pas de première jeunesse, l'entretien est parfois limite, néanmoins, la gentillesse de l'accueil et la vue imprenable sur le *zócalo* font oublier, notamment aux budgets serrés, ces inconvénients. Sur place, cuisine et laverie.

De bon marché à prix moyens (300-800 $Me, soit 18-48 €)

 Hotel López *(plan A2, 14) : calle 12 n° 189.* ☎ 816-33-44. ● *hotellopezcampeche.com* ● *Parking gratuit.* Bel hôtel de style vaguement Art déco (façade, corridor et balustrades). Chambres assez petites, mais modernes, à la déco soignée, confortables (TV, téléphone, AC) et avec de jolies salles de bains. Toutes donnent sur le patio, donc un peu sombres et humides pour certaines du rez-de-chaussée. De manière générale, préférer celles du fond, près de la piscine, bien plus agréables. Service de laverie. Accueil charmant et professionnel.

 Guaranducha Inn *(plan B1-2, 12) : calle 55 n° 16 ; entre calles 12 et 14.*

☎ 811-66-58. *Petit déj inclus. Wifi.* Dans une ancienne demeure coloniale, un hôtel tout récent de 20 chambres équipées de ventilo et AC. Tout comme le vaste hall d'entrée, avec ses poutres en bois naturel et la collection de drapeaux derrière la réception, les chambres sont hautes de plafond, spacieuses et colorées. Certaines toutefois aux murs rouge foncé pourront déplaire. Dans tous les cas, préférer celles à l'arrière en étage, plus lumineuses que celles qui donnent sur le patio. Sanitaires impeccables et accueil tout plein de gentillesse. Un excellent rapport qualité-emplacement-prix.

 Hotel América *(plan A1, 15) : calle 10*

n° 252. ☎ 816-45-88. ● hotelamericacam
peche.com ● Petit déj inclus. Internet.
Chambres spacieuses, toutes avec AC.
Certaines donnent sur la rue, d'autres
sur la cour intérieure. Préférez celles de

l'étage, incontestablement plus lumineuses et moins bruyantes, desservies
par d'agréables galeries. De la n° 111, on
aperçoit même les tours de la cathédrale ! Parking au Del Mar Hotel.

Plus chic (plus de 1 000 $Me, soit 60 €)

🛏 **Hotel Castelmar** (plan A1, **17**) :
calle 61 n° 2. ☎ 811-12-04. ● castelma
rhotel.com ● En face du palais du Gouvernement. Une jolie petite structure
hôtelière, dans une maison coloniale
bien rénovée. Dispose de très belles
chambres, vastes et fraîches, décorées
avec goût. Mobilier de style colonial, lits
confortables, sols d'époque en tomet-
tes, TV, ventilo et AC. Belle piscine dont
le bleu profond contraste avec les murs
jaune maïs. Bref, un bon compromis
entre charme et fonctionnalité.
🛏 **Hotel Plaza Campeche** (plan B1,
18) : calle 10 ; à l'angle de Circuito
Baluartes. ☎ 811-99-00. ● hotelplaza
campeche.com ● En face du joli parc du
Centenario. Le grand hôtel luxe, à
l'entrée de la vieille ville, très prisé des

groupes. Chambres sans effet particulier, mais impeccables, de bonne taille
et au confort moderne : ventilo, AC, TV
câblée, salle de bains avec baignoire.
Bruyantes côté rue. Petit déj buffet,
dans le grand hall et ambiance piano-
bar en fin de journée.
🛏 **Del Mar Hotel** (plan A1, **16**) : av. Ruiz
Cortines 51. ☎ 811-91-91 ou 87. ● del
marhotel.com.mx ● Petit déj inclus. Piscine et parking. Très bien situé, proche
du centre historique et face au malecón
et à la mer (comme son nom le suggère). Déco seventies sans charme, parties communes vieillissantes, mais
prestations confortables et certaines
chambres avec vue mer. Fait aussi boîte
de nuit (voir plus bas le Laffite's, dans la
rubrique « Où danser ? »).

Où manger ?

Les gens du coin sont tous d'accord : les meilleurs tacos de Campeche se dégus-
tent le long du malecón au nord de la ville, mais attention, pour le déjeuner seulement ! Là, en face des paillotes moderno-colorées et avant toutes les barques des
pêcheurs, plein de petits restos sous tente où l'on vient déguster des poissons tout
frais. Au poids, a la plancha, pané, et le must : le pampano entier ! Plats entre 50 et
120 $Me (3 et 7,20 €), dans une ambiance populaire à souhait.
Le soir, l'activité se déplace autour du kiosque du zócalo : on choisit sa formule
(sandwichs, gâteaux, glaces, fruits) à consommer sur les tables installées tout
autour. Le week-end, les stands débordent à l'extérieur du zócalo, jusqu'au pied de
la cathédrale. À chaque stand sa spécialité : plats salés, tacos, gâteaux... maison !
Ambiance très bon enfant.

Bon marché (moins de 80 $Me, soit 4,80 €)

🍴 **La Parroquia** (plan B1, **20**) : calle 55
n° 9 ; entre les calles 10 et 12. Ouv tlj 24h/
24. Grande salle ouverte sur la rue, décorée de fresques mayas et rafraîchie par
de grands ventilos. Un endroit sans prétention, qui sert une bonne cuisine
locale : pan de cazón (sorte de tortilla
fourrée aux requin et haricots rouges, le
tout recouvert d'une sauce tomate) ou le
tamal colado (semoule cuite à l'étouffée
dans une feuille de bananier avec de la

viande), ainsi que de délicieux desserts.
Ambiance populaire et sympa. Comme
c'est le même patron qu'au Marganzo,
on y trouve les mêmes produits, en
beaucoup moins cher. Parfait pour l'un
des 3 repas de la journée... ou de la nuit !
Très bons petits déj. Une valeur sûre.
🍴 **Restaurant Campeche** (plan A1,
21) : calle 57 ; sur le zócalo, du côté
opposé à la cathédrale. ☎ 816-21-28.
Tlj 6h30-minuit. Grande salle agréable

aux murs recouverts de photos sepia de la ville, ouverte sur le *zócalo*. Cuisine locale, à base de poissons et fruits de mer ; menu gargantuesque et carte variée. Pour le petit déj, goûtez aux *hue-* *vos motuleños,* une spécialité du sud du Mexique : une tortilla recouverte de *fri-* *joles,* d'un œuf au plat, de crème et de bananes frites. Un délice. Assez fréquenté en soirée.

Prix moyens (80-250 $Me, soit 54,80-15 €)

|●| **Marganzo** *(plan A1,* **22***) : calle 8 n° 262.* ☎ *811-38-98. Tlj 7h-23h. Plusieurs formules petit déj.* Très touristique, mais un des meilleurs restos en ville. Salle climatisée. Jolies nappes sur les tables. Les serveuses sont habillées en costume qui se veut typique. Spécialités de poisson et de fruits de mer, bien sûr. Optez plutôt pour un poisson frais ou, si vous avez les moyens, pour une *parrillada de mariscos* pour avoir le vrai goût de la mer. Les autres plats, panés ou nappés de fromage et de piment sont nettement moins savoureux. Service courtois.

|●| **La Palata del Tío Fito** *(hors plan par A1,* **25***) : av. Resurgimiento.* ☎ *816-* 59-18. Tt au bout du malecón, *en direction du Fuerte San Miguel, face à l'*Holiday Inn. La salle, couverte d'un toit de chaume, est immense, voire impersonnelle, et certains jours de matchs, la télé fonctionne à tue-tête, mais *La Palata* offre une vue unique sur la mer. Préférez donc les tables au bord de l'eau ou carrément celles en terrasse (en contrebas, quasi les pieds dans l'eau) pour profiter d'un peu de calme et du soleil couchant. Finalement idéal pour boire un pot à l'apéro. Spécialités régionales abordables ; plats de poissons et fruits de mer un peu plus chers. Très bon accueil.

Chic (plus de 250 $Me, soit 15 €)

|●| **Restaurant La Pigua** *(hors plan par B1,* **24***) : calle 8 Miguel Alemán 179 A.* ☎ *811-33-65. À env 100 m de l'hôtel* Plaza Campeche. *Tlj 13h-23h. Résa conseillée, le w-e surtout.* Déco assez banale, malgré les grandes baies vitrées de part et d'autre de la salle, donnant sur de petits jardins de pierre avec plantes et les tables joliment dressées... Mais on comprend bien vite que *La Pigua* est l'adresse incontournable en ville. De fait, la carte est composée presque exclusivement de poissons et crustacés, cuisinés à toutes les sauces : filets de poisson à l'ail (délicieux *pampano,* un poisson local), *a la plancha* ou à la moutarde, calamars... Le tout joliment présenté. Pour attendre, pain maison servi chaud, à se damner ! Et, pour finir, bons desserts et vrai expresso ! Service stylé.

|●| **Casa Vieja de los Arcos** *(plan B1,* **23***) : calle 10 n° 319.* ☎ *811-80-16. Accès par un petit escalier incrusté d'azulejos sous les arcades, salle au 1er étage, face au* zócalo. Salles en enfilade, hautes de plafond, murs colorés couverts de photos anciennes et peintures chinées par le propriétaire, mobilier ancien, éclairages tamisés : la maison joue à fond la carte du décor colonial antique. Et l'ambiance devient quasi théâtrale sur la galerie, sur fond de musique classique, face au *zócalo* éclairé de mille feux. En soirée, le cadre est unique. Autant dire que le spectacle n'est pas seulement dans l'assiette et ça tombe bien. Cuisine de la mer principalement et quelques spécialités yucatèques, correctes. Mais après tout, on n'est pas venus (que) pour ça ! On peut évidemment se contenter d'y boire un verre.

Où sortir ? Où danser ?

♟ ♪ **Iguana Azul** *(plan B1,* **30***) : calle 55 n° 11 ; entre les calles 10 et 12. Ouv jeu-* *dim à partir de 20h.* Petit resto dans la 1re salle et bar au fond. Déco sympa de bric et de broc. Belle collection de chapeaux. Quelques tables sous une tonnelle verdoyante. Bonne ambiance le samedi soir. Musique live les vendredi et samedi. Mêmes proprios que *Casa Vieja.*

🍴 🍹 *Le Laffite's* (plan A1, **16**) : av. Ruiz Cortines 51 ; dans l'hôtel Del Mar. Dim-jeu 10h-2h du mat ; ven-sam 19h-3h (discothèque). Le seul bar-boîte de Campeche : déco de vieux gallion au mobilier tout en bois, petite piste de danse où l'on se trémousse sur des rythmes de salsa, *merengue* et *reggaeton.* Très prisé, là encore, surtout le week-end.

🍹 Sans oublier le balcon fort agréable du restaurant **Casa Vieja de los Arcos** (plan B1, **23**). Grande sélection de margaritas (fraise, citron, melon, cacao, menthe...) et excellente *piña colada* à siroter dans un cadre unique (voir plus haut rubrique « Où manger ? »).

À voir. À faire

Tous les musées ferment le lundi.

🚶🚶🚶 *Promenade dans la vieille ville :* c'est-à-dire à l'intérieur des fortifications. Celles-ci ont en grande partie disparu. Il y a environ 50 ans, un gouverneur, sous prétexte de chercher de l'or et un trésor hypothétique, fit démolir une partie des magnifiques murailles ; imaginez la même chose à Saint-Malo ou à Carcassonne ! Les trésors actuels sont la crevette et le pétrole. On peut quand même se balader un peu sur les **remparts** (10 $Me, soit 0,60 €). Prenez également la **calle 59,** qui traverse la vieille ville entre la Puerta de la Tierra et la Puerta del Mar (la porte côté mer).

➤ Les flemmards pourront prendre les tramways *Guapo* ou *Superguapo* (route des forts) ou le *tranvía de la ciudad* (petit car qui parcourt le centre historique). Départ du zócalo ttes les heures 9h-12h, 17h-20h. Explications en espagnol. Durée du circuit : entre 45 mn et 1h15. Compter 70-100 $Me (4,20-6 €) selon saison.

🚶🚶 *Le zócalo* (plan A-B1) : comme dans toutes les villes mexicaines, c'est le cœur de la vieille ville. Il est dominé par la *cathédrale Santa Isabel,* au pur style baroque, et ceinturé par des maisons basses avec galeries commerçantes. Le soir venu, il prend toute sa dimension sociale et culturelle, lorsque marchands ambulants (plats à emporter, jouets), cireurs de pompes (pour 15 $Me, soit 0,90 €, ça vaut le coup de tenter l'expérience) musiciens et joueurs de loto s'installent dans les jardins. Le tout agrémenté d'un très bel éclairage. Ambiance festive.

🚶🚶 *Puerta del Mar* (plan A1) : c'est par là que les équipages des bateaux entraient dans la ville.

🚶🚶 *Puerta de la Tierra* (la porte de la Terre ; plan B2) : à l'angle des calles 18 et 59. Entrée : 50 $Me (3 €). Spectacle de son et lumière sur l'histoire des pirates et des fortifications les mardi, vendredi et samedi à 20h ; du lundi au samedi (20h) en haute saison. Traductions en français et en anglais.

🚶 *Baluarte de la Soledad* (plan A1) : calle 8 ; à l'angle de calle 57. Mar-dim 9h30-19h30. Entrée : env 31 $Me (1,90 €). Il abrite le **musée des Stèles mayas.**

🚶 *Baluarte de San Carlos* (plan A1-2) : calle 8 ; à l'angle de la calle 65. Mar-sam 8h-20h (19h dim). Entrée : 25 $Me (1,50 €). Abrite le **museo de la Ciudad.** Grande maquette de la ville à l'époque coloniale. Modèles réduits de fortifications, avec des explications sur l'évolution des édifications des remparts de la ville. Du toit du fort, vue sur la mer.

🚶 *Centro cultural, Casa n° 6* (plan A1) : sur le zócalo, en face de la cathédrale. Tlj 9h-21h. Entrée : 5 $Me (0,30 €). Dans cette grande bâtisse coloniale, quelques pièces meublées comme autrefois dans une maison de maître. Reconstitution de bureau, salle à manger, chambre à coucher et même une belle cuisine.

🍴🍴🍴 🏃 **Museo de Arqueología maya :** *à 4 km du centre-ville, dans le Fuerte San Miguel.* ☎ 816-91-11. *Pour s'y rendre, bus urbain indiquant « Kila Lerma » (5,50 $Me) à prendre sur l'avenue devant la poste ou le marché ; descendre sur le malecón, puis remonter la route à pied (env 15 mn). On peut y aller à pied (compter 30-40 mn) ou prendre le petit tramway pour ts, El Guapo (voir plus haut), mais slt pdt les vac scol mexicaines. Mar-dim 9h30-17h30. Entrée : 37 $Me (2,20 €).* Dédiées à la civilisation maya, les pièces présentées sont d'une qualité rare, superbement mises en valeur, et les explications excellentes. Pour ceux qui commencent leur visite des sites mayas par Campeche, ce musée est à visiter impérativement en guise de préambule. Contient de belles pièces en provenance de tout l'État de Campeche exposées de façon thématique : diversité des styles mayas (Petén, Puuc), la vie dans la cité (architecture et plans, stèles, colonnes sculptées), les divinités (magnifiques masques funéraires en céramique), les devoirs quotidiens, le pouvoir et la guerre avec dans cette dernière partie une présentation de l'organisation de la société maya des plus pédagogique. Une salle est consacrée aux figurines, ossements et poteries trouvés sur l'île de Jaina, ainsi qu'aux trésors trouvés dans une tombe du site de Calakmul, dans le Río Bec (voir plus loin) : extraordinaires masques de jade. Du toit du fort, superbe vue sur la mer.

🏃 **Museo de Barcos y Armas :** *Fuerte de San José El Alto, av. Morazán. Excentré. Du côté opposé au Fuerte San Miguel. Pour y aller, il faut prendre le tranvía sur le zócalo. Mar-dim 9h30-17h30. Entrée : env 30 $Me (1,80 €).* Pour ceux qui ont toujours rêvé d'être pirate sans jamais oser l'avouer. Le musée raconte l'histoire du commerce de la ville. On y apprend que la richesse de la région vient du *palo de tinte,* un bois qui permettait la teinture des tissus et qui se vendait à prix d'or en Europe (on comprend l'appétit des flibustiers). Au retour, les navires rapportaient différentes marchandises, notamment des tuiles de France. On peut encore apercevoir quelques rares maisons qui n'ont pas succombé à la mode des toits plats.

🏃 **Casa de artesanías :** *calle 10 n° 333 ; entre la 59 et la 61. Lun-sam 9h-20h ; dim 9h-14h.* Expo et vente d'artisanat : broderies, coffrets peints, vêtements...

➤ DANS LES ENVIRONS DE CAMPECHE

SITIO ARQUEOLÓGICO DE EDZNÁ

🏃🏃 *Site archéologique à 60 km au sud-est de Campeche. On peut y aller en bus de segunda clase : 1er départ vers 8h (puis départs vers 10h, 12h et 14h) calle República, en face du jardin Alameda ; il vous dépose à 300 m des ruines (compter un peu plus de 1h de trajet ; attention pour le retour : demander à quelle heure passe le dernier bus (en général vers 14h30). Les bus de 1re classe partent mar-dim à 9h, 11h et 13h. Sinon, des agences de Campeche organisent l'excursion en matinée. En voiture, depuis Campeche, suivre la direction de l'aéroport par l'avenida de los Gobernadores. Après l'aéroport, prendre direction Champotón cuota, puis 1re sortie direction Mérida ; passer sous l'autoroute et continuer jusqu'à la voie de chemin de fer. Edzná est indiqué ensuite.*
Tlj 8h-16h30 (fermeture du site à 17h). Entrée : 41 $Me (2,50 €). Spectacle son et lumière ven-sam à 19h en basse saison et 20h en hte saison ; compter 115 $Me (6,90 €). Billets à prendre in situ 1h avt. Durée 45 mn. Sur place, ni hôtel ni resto.
Peu visité, Edzná doit être l'un des secrets les mieux gardés de l'État de Campeche ! Endroit très sauvage (mais entretenu), ça vaut la peine d'y aller. Ce site archéologique se trouve en bordure de l'aire géographique du Río Bec. Bien plus important autrefois, il couvre aujourd'hui une superficie d'environ 6 km². Mais bien sûr, la plupart des édifices sont recouverts par le maquis. Certaines structures avaient même été dégagées lors des premières fouilles, mais la nature a vite repris ses droits. Dans cette vallée fertile, les habitants se consacraient à l'agriculture grâce à tout un système de récupération des eaux de pluie (citernes naturelles et *chultu-*

nes) et à un réseau de canaux. La ville connut son apogée au classique tardif (600-900 apr. J.-C.) et tient son nom, vraisemblablement, du peuple des Itzáes, une lignée maya qui en aurait fait sa capitale. Elle reçut plusieurs influences, qui se reflètent dans son architecture. On trouve des édifices de style Puuc, d'autres avec des traits caractéristiques du Petén ou du Río Bec et Chenes.

En arrivant sur le site, après l'entrée, tout de suite à droite, la ***plataforma de los Cuchillos*** (« plate-forme des Couteaux »), temple entièrement peint en rouge à l'origine, avec des colonnes typiques de l'architecture Puuc. Devant, la place principale avec la grande acropole (à gauche), vaste plate-forme quadrangulaire comportant plusieurs bâtiments représentatifs du style Petén, dont l'***edificio de los Cinco Pisos*** (« édifice des Cinq Étages »), surmonté d'un temple. Il mesure 31 m de haut. On suppose que les quatre premiers étages, avec leurs galeries voûtées, servaient d'habitations aux prêtres. 80 hiéroglyphes mayas sont gravés sur les marches, certains sont dans un excellent état de conservation. Une partie des sculptures qui décoraient la pyramide ont été déplacées et se trouvent sous la *palapa*, juste après l'entrée. Bel écho lorsqu'on tape dans ses mains juste devant la pyramide. Voir aussi la ***Nohoch-Ná*** ou « grande maison », sans doute à vocation administrative, puis le jeu de pelote dont il ne reste que des morceaux d'anneaux.

La petite acropole correspond à la partie la plus ancienne du site et comporte des éléments d'architecture plus typique du style Puuc. Ne pas y manquer le ***templo de Mascarones***, dont le fronton est orné de deux masques polychromes en stuc dédiés au dieu soleil : à gauche, le soleil diurne, à droite, en parfait état de conservation, le soleil nocturne.

En retournant vers l'entrée principale, derrière le temple des couteaux, la ***plate-forme des Ambassadeurs*** a récemment été déblayée. Datée des années 1000-1250, sa forme ronde ressemble étrangement à une piste d'hélicoptère !

Au début du mois de mai, phénomène astro-architectural : alors que le soleil se couche, la porte d'entrée du temple principal s'illumine. En juillet se déroule une cérémonie consacrée au dieu de la Pluie, Chac. Cette tradition ancestrale, appelée *Chachaak*, réunit des milliers de Mayas et a pour but de favoriser la pluie. Le rassemblement est organisé par le conseil suprême maya, qui bénéficie d'une forte autorité religieuse et même politique.

ESCÁRCEGA
150 000 hab.   IND. TÉL. : 983

Une ville étape, carrefour entre les routes venant de Palenque, Campeche et Chetumal, sans grand intérêt, avec son petit centre et ses deux axes principaux perpendiculaires, qui peut vous permettre de changer de bus, de vous relaxer une nuit ou de faire une pause avant de repartir vers d'autres découvertes.

Arriver – Quitter

En bus

Liste des principales compagnies et leurs coordonnées dans la rubrique « Transports » du chapitre « Mexique utile ».

🚌 **Terminal ADO, OCC, ATS :** au carrefour des routes pour Palenque, Campeche et Chetumal. On y trouve téléphone, distributeur, sanitaires. Arrêt de *taxis* à la sortie de la gare pour visiter les sites mayas, négociez pour un forfait à la journée.

➤ **Pour/de Campeche, Mérida :** avec *ADO*, 10 départs/j. dont 3 de nuit. 4 avec *ATS* (moins cher), tlj à 0h50, 5h50, 10h30 et 13h30 ; avec *OCC* à 0h25 et 2h25.
➤ **Pour/de Veracruz :** avec *ADO*, 2 départs/j., à 22h35 et 23h45.

➤ *Pour/de Palenque :* avec *ADO*, 2 départs/j., à 4h10 et 12h50 ; avec *OCC* à 6h30 et 23h35 (ces bus continuent sur Ocosingo et Tuxtla).
➤ *Pour/de Villahermosa :* avec *ADO*, 10 bus/j., 0h10-23h45, avec *ATS* à 16h10.
➤ *Pour/de Mexico (Tapo et Norte) :* avec *ADO*, 4 départs/j., à 14h20, 15h45, et 2 de nuit à 0h10 et 0h40.
➤ *Pour/de Xpujil (120 km avt Chetumal, sites mayas du Río Bec) et Chetumal :* avec *ADO*, 10 bus/j., 0h20-23h40 ; avec *OCC* à 20h20, 22h45 et 0h10.
➤ *Pour/de Playa del Carmen :* avec *ADO*, 5 bus/j., à 6h20 et 20h10, et 3 bus vers minuit ; avec *OCC* à 0h10, 20h20, 22h45.

🚌 *Terminal de bus SUR :* av. Hector Pérez Martinez 30 A, rue principale qui mène à Chetumal ; à 300 m de l'autre terminal. Dessert les mêmes destinations à des horaires différents :
➤ *Pour/de Campeche, Mérida :* une vingtaine de bus, 5h-18h30 pour Campeche, et à 0h40, 5h40, 10h40, 11h15, 13h20 pour Mérida.
➤ *Pour/de Xpujil et Chetumal :* bus à 0h40, 17h30, 22h30.
➤ *Pour/de Playa del Carmen :* 8 bus, 4h-22h15.

Où dormir ?

🛏 *Hotel Ah-Kim-Pech :* av. Solidaridad 43. ☎ (982) 824-04-70. Proche du terminal de bus ADO. Bon marché. Parking. Au bord de la route menant à Campeche et Chetumal, mais chambres calmes. Pour une étape d'une nuit, les chambres sont tout à fait convenables. Simples, propres avec ventilo et salles de bains privées.
🛏 *Hotel Escárcega :* av. Justo Sierra 56. Entre les terminaux de bus ADO et SUR. ☎ (982) 824-01-87. De bon marché à prix moyens. Parking. Bel hôtel tout rose, tout beau, tout récent, mais dont la façade s'effrite déjà un peu. Nombreuses chambres, de la simple avec ventilo sans TV à celles plus confortables avec 2 lits matrimoniaux, TV, téléphone, AC.

Où manger ?

Restons pratique : voici deux adresses situées près des terminaux de bus et des deux hôtels retenus, agréables par le cadre et d'un bon rapport qualité-prix.

🍽 *Mi Ranchito :* à côté du terminal de bus ADO. Ouv tlj 24h/24. Grande salle ouverte sur la rue rafraîchie par de grands ventilos, mais préférez le petit patio derrière. Ambiance ranch comme il se doit. Carte très complète.
🍽 *La Teja :* à coté de la station d'essence Pemex, proche du terminal de bus ADO. Ouv tlj 24h/24. Un endroit sans prétention, qui sert la nourriture typique des cantinas mexicaines. Dès votre arrivée sur cette route principale qui mène à Campeche, les serveurs vous racoleront, en brandissant leurs cartes.

LES SITES MAYAS DU RÍO BEC

La région du Río Bec, partie intégrante de l'État de Campeche, est située entre Escárcega et Chetumal, et très proche de la frontière nord du Guatemala. Elle recèle de nombreux sites (Calakmul, Chicanná, Becán et bien d'autres !). Certes, ils ne sont pas encore très connus, car ils sont restés longtemps enfouis dans les milliers d'hectares de jungle, mais ils émergent peu à peu.

Arriver – Quitter

Voir aussi plus haut « Arriver – Quitter » à Campeche.

➤ En bus de 2ᵉ classe, 4 liaisons/j. avec les compagnies *Sur* et *Caribe*. En 1ʳᵉ classe, la compagnie *ADO GL* relie Xpujil 4 fois/j.

À Xpujil, le terminal des bus se trouve en plein centre, à côté de l'hôtel *Victoria,* où l'on achète son billet. Si vous avez choisi un des lieux d'hébergement ci-dessous, autre qu'à Xpujil, demandez au chauffeur de vous laisser descendre à proximité (crucero de Conhuas ou de Chicanná).

➤ De Xpujil, si l'on est plusieurs, on peut prendre un taxi à la journée pour aller visiter les sites. Sinon, les lieux d'hébergement que nous mentionnons à proximité des sites organisent des excursions.

Où dormir ? Où manger dans le coin ?

Si vous venez de Palenque, ou en y allant, vous pouvez aussi faire étape à Escárcega, ville carrefour où l'on trouve hôtels et restos (voir plus haut).

▟ |●| *Hospedaje Ecologic Camping :* à 96 km de Escárcega, à 7 km du carrefour de Conhuas, sur la route du site de Calakmul, puis à 700 m par une piste caillouteuse. ☎ (983) 871-60-64 (pas toujours quelqu'un). De préférence, réserver sur le site ● ecoturismo calakmul.com ● Nuit sous tente 200 $Me (12 €) ; autant pour les 3 repas. En plein dans la forêt, Leticia, Fernando et leurs enfants proposent des tentes très rudimentaires. Plats préparés avec des produits locaux naturels. Vente de petit artisanat. Leticia connaît la jungle comme sa poche et sait détecter la présence des singes par l'odeur de leurs déjections. Commentaires en anglais ou en espagnol pour la visite du site et de la réserve de Calakmul. Si vous voulez plonger dans ce monde mystérieux et envoûtant d'une cité perdue dans cette immense mer végétale, négociez un forfait à la journée, repas inclus (900 $Me, soit 54 €, pour 1 à 10 pers). Organise aussi des circuits dans la forêt, d'une demi-journée, le matin (500 $Me, soit 30 €, pour 1 à 4 pers).

▟ |●| *Río Bec Dreams :* km 142, sur la gauche en direction de Chetumal, à env 150 m de la route et 2 km avt le carrefour de Chicanná. ☎ (983)124-05-01. ● riobecdreams.com ● Compter 575-990 $Me/j. (34,50-59,40 €) pour 2, à partir de 2 nuits ; si une nuit slt rajouter 50 $Me (3 €). Sympathiques « junga-lows » relativement luxueux et *cabañas* tenus par une Anglaise spirituelle et accueillante (« *maybe the only English woman in the jungle* », dit-elle !). Toutes sortes de *cabañas* éparpillées dans un parc fleuri à souhait : pour dormir (avec moustiquaire), pour les douches, mais aussi cabanes avec bains... Petit déj *take away* un peu chiche. Organise aussi des excursions aux sites mayas voisins.

▟ |●| *Chicanná Village :* km 144, au carrefour pour le site du même nom, mais prendre la route opposée ; poste de contrôle visible de la route ; à 1 bon km dans la forêt. ● chicannavillage@hot mail.com ● Très chic et très cher : env 1 530 $Me, soit 91,80 €, pour 2, taxe incluse, mais petit déj à la carte en sus. Appartements sur 2 étages à l'entrée et magnifiques bungalows sur pilotis noyés dans la verdure et les fleurs, conçus de façon écologique : tout fonctionne à l'énergie solaire, l'eau et le compostage sont assurés sur place. Style village-club, mais les groupes disposent de leur propre resto. Au menu, des recettes inventées à l'écovillage. Calme assuré, mais accueil facétieux. Piscine. Minibus pour les excursions. La forêt qui entoure l'hôtel est riche d'animaux que l'on peut voir passer.

|●| Près du carrefour et autour du terminal des bus de Xpujil, ainsi qu'au marché, plusieurs gargotes qui servent une *comida corrida* correcte.

À voir

🎯🎯🎯 ⊘ *Reserva natural y sitio arqueológico de Calakmul* : à 360 km de Campeche, 175 km de Chetumal et une trentaine de la frontière du Guatemala. Mar-dim 8h-17h. Entrée du site : 41 $Me + 40 $Me/pers (2,50 + 2,40 €) pour l'entrée dans la réserve + 40 $Me (2,40 €) pour le véhicule ; gratuit dim. Latrines écologiques (lire la notice pour leur fonctionnement, en français ici).

Le site se trouve au cœur de la réserve de la biosphère de Calakmul, inscrite depuis 2002 au Patrimoine mondial de l'Unesco. Du carrefour de Conhuas, sur la route Escárcega-Chetumal, il y a 63 km à parcourir par une petite route sinueuse à travers la forêt. Vitesse limitée à 30 km/h, comme souvent dans les réserves. Après le poste de contrôle d'entrée dans la réserve, il n'y a pas de village. De plus, le site est immense et on ne peut aller partout (risque de se perdre). On conseille donc d'y aller accompagné ou en excursion. Penser à emporter de l'eau.

– *La réserve :* abrite d'innombrables variétés de bestioles : 354 espèces d'oiseaux, dont des migrateurs, presque autant de papillons, 25 de serpents (ah ! ils sont mignons ces petits rouges qui se faufilent sur les marches des pyramides !), des pumas, des chats sauvages, des jaguars (difficiles à voir)... On y trouve aussi quelque 70 espèces d'orchidées. Les villages environnants pratiquent l'agriculture organique en alternance, l'apiculture et la médecine naturelle.

– *Le site :* la balade dans les sous-bois est très agréable le long d'un sentier bien balisé, et peut durer de 2h jusqu'à 4h selon que vous optez pour l'itinéraire court, moyen ou long. Calakmul fut une très importante ville maya, en fait le centre du royaume de la Tête de Serpent. À l'époque préclassique, elle était forte de 50 000 habitants. Au sommet de sa gloire, vers 650 apr. J.-C., elle dominait de nombreuses cités des terres basses, dont Tikal (distante de 100 km), centre du royaume de la Griffe de Jaguar, et qui fut d'ailleurs son éternelle rivale. On y retrouve le même style d'architecture qu'à Tikal (style Petén), mais aussi le style Río Bec, particulier aux villes mayas de la région. Les principaux monuments et leurs fonctions sont d'époques différentes et reflètent la vie et l'histoire de Calakmul : le Grand Acropole, le jeu de balle (pelota), la Grand-Place, les stèles (structure V), très nombreuses, mais beaucoup des motifs sculptés ont été découpés et volés après le déclin du royaume, de même que les objets en jade. Ce qui a été retrouvé est exposé au musée de Campeche. Pyramide impressionnante qui domine la jungle (structure I) jusqu'au Guatemala.

🎯🎯 *Sitio arqueológico de Chicanná* : km 144, sur la droite en allant vers Chetumal et à une dizaine de km avt Xpujil. Mar-dim 8h-17h. Entrée : 37 $Me (2,30 €) et toujours 41 $Me (2,50 €) de plus, comme ts les sites, si vous utilisez votre caméra ; gratuit dim. Petit site qui se visite en 1h30. La structure I est un des meilleurs exemples du style Río Bec, avec son orientation à l'ouest et ses tours massives de chaque côté. Les six chambres représentent le symbole et la synthèse des hautes autorités politique et religieuse qui dirigeaient la société maya ancienne. Le bâtiment situé à l'est de la place (structure II) possède une des façades les mieux conservées ; l'entrée est la bouche – de la Tête de Serpent –, les toits étaient faits de palmes et de bois.

🎯🎯 *Sitio arqueológico de Becán* : env 2 km après Chicanná en allant vers Chetumal, tourner à gauche et aller au fond du village. Mar-dim 8h-17h. Entrée : 41 $Me (2,50 €) ; gratuit dim. Un petit joyau, avec de très beaux édifices du style Río Bec. La seule cité maya entourée de douves aujourd'hui asséchées. Dans ce site, on devine mieux l'aspect que devaient avoir les constructions d'habitation : les étages, les pièces avec leurs banquettes, les bains de vapeur, toujours avec des motifs évoquant la Tête de Serpent.

LA RUTA PUUC

◉ Dans cette partie du Yucatán, au sud de Mérida, émigrèrent des Mayas venus des régions Chenes et Río Bec (l'actuel État de Campeche) pour créer plusieurs centres urbains qui prospérèrent entre les VIIe et IXe s : Uxmal, la cité dominante, Kabáh, Sayil, Xlapak, Labná, Oxkintok, Chacmultun... Ces villes formaient une unité politique et religieuse, et développèrent une architecture commune, le style Puuc. La topographie de la région Puuc présente aussi une forte homogénéité. Il s'agit d'une zone de douces collines, qui contraste avec la plaine monotone de la péninsule. Les terres sont fertiles, et, depuis les temps préhispaniques, l'agriculture y est prospère. Le seul problème était l'eau. Ici, ni rivières, ni lacs, pas même de *cenotes*, ces puits naturels qui permirent à d'autres villes mayas de subsister (Chichén Itzá, par exemple). Les Mayas de la région développèrent donc des systèmes de stockage de l'eau, notamment des citernes *(chultunes),* dont l'approvisionnement dépendait avant tout de la saison des pluies. On comprend qu'une des divinités les plus importantes ait été le dieu de la Pluie ou de l'Eau, le fameux Chac, identifiable à sa trompe.
Les sites de cette région ont été regroupés sous le nom de la Ruta Puuc, qui a été inscrite au Patrimoine mondial de l'Unesco.

Comment y aller ?

Il faut savoir que la majorité des touristes se contentent de visiter Uxmal. Or, non seulement les autres sites sont nettement moins fréquentés, mais, en plus, le prix du billet d'entrée y est presque deux fois moins cher.
– Un bon truc est donc de commencer le circuit de la Ruta Puuc par les ruines les plus retirées, Labná ou Sayil, par exemple, et de terminer par Uxmal. Comme ça, on est sûr de visiter au moins deux ou trois sites en toute tranquillité.
➤ *En voiture :* le circuit est facile d'accès et se fait dans la journée. On peut même prévoir d'inclure la visite des grottes de Loltún, bien que ça devienne un peu le marathon. Quitter Mérida en direction d'Uman et suivre les panneaux « Ruta Puuc ». Relativement bien indiqué.
➤ *En transports en commun :* pour se rendre à *Uxmal* depuis Mérida, voir « Arriver – Quitter » à Mérida (terminal 2e classe). On suggère de prendre le premier bus du mat, afin de pouvoir éventuellement revenir à Mérida pas trop tard. Et puis la visite est plus agréable tôt le matin.
Pour les *autres sites,* c'est là où les choses se compliquent ! Il faut jongler avec les bus et les combis locaux. Ou le stop entre deux sites (marche bien en haute saison). Un peu compliqué et perte de temps. Sinon, l'office de tourisme organise des excursions depuis Mérida. Se renseigner sur le parcours, qui n'inclut pas toujours Uxmal. Une autre option consiste à prendre le bus « Ruta Puuc » de la compagnie *ATS*. Départ à 8h et retour à Mérida vers 16h30. Ce bus passe par Uxmal, puis file vers Labná, Xlapak, Sayil, Kabáh, avec des arrêts d'env 30 mn pour retourner enfin à Uxmal (départ pour Mérida vers 14h30). Compter env 130 $Me (7,80 €) pour le circuit entier, auxquels il faut bien sûr ajouter le droit d'entrée aux sites. Résa la veille au terminal de bus. Voir « Arriver – Quitter » à Mérida. D'accord, le principe est alléchant pour ceux qui ne sont pas véhiculés, mais bien réfléchir avant de se lancer dans l'aventure car, au final, cela revient cher et l'on passe bien peu de temps sur les sites (juste le temps de prendre une ou deux photos au pas de course...). On peut aussi faire le choix de rester à Uxmal et de reprendre le bus lorsqu'il a fini sa virée, mais c'est un peu dommage... Si vous passez la nuit à Santa Elena, vous pouvez toujours tenter votre chance auprès des employés des sites, qui rentrent au village à partir de 17h, en échange de quelques pesos.

SITIO ARQUEOLÓGICO DE UXMAL

(prononcer « Ouchmal »)   IND. TÉL. : 997

◎ Situé à 80 km de Mérida. Le site est remarquable par ses monuments et la beauté de son architecture, caractéristique du style Puuc : des frises finement sculptées au sommet des édifices. Chac, le dieu de la Pluie, reconnaissable à son nez crochu, y est omniprésent. C'est l'ensemble le plus important du Yucatán avec Chichén Itzá, et sans doute le plus pittoresque, grâce au paysage vallonné, livrant une jolie vision d'ensemble. Ses proportions humaines permettent d'être immédiatement sensible à son harmonie. Plus qu'un centre cérémoniel, Uxmal était la capitale politique, militaire et religieuse de la région Puuc, et comptait plus de 20 000 habitants à l'époque de sa prospérité.

Arriver – Quitter

En bus

➤ **Liaison avec Mérida et Campeche :** l'entrée du site se trouve sur la route Mérida-Campeche (5 mn à pied depuis l'arrêt). De Mérida ou de Campeche, théoriquement 1 bus ttes les heures 6h-minuit dans les 2 sens. Se faire préciser les horaires sur place, car ils sont aléatoires, et cela peut très rapidement devenir galère ! Compter 1h30 env depuis Mérida et env 3h30 depuis Campeche. Pour quitter Uxmal pour l'une ou l'autre ville, se placer devant l'hôtel *Hacienda Uxmal* (à la sortie du site) et attendre l'un des bus qui font le va-et-vient entre les 2 villes ; faire signe au conducteur.

Où dormir ? Où manger ?

Uxmal n'est pas un village. Quelques hôtels de luxe ont été construits aux abords du site. Si vous êtes très fortuné et que vous souhaitez débuter la visite dès 8h, vous pouvez dormir sur place. Ceux qui ont un budget plus serré pousseront jusqu'à Santa Elena, à 15 km environ d'Uxmal en direction de Campeche. Pour casser la croûte, pas grand-chose à se mettre sous la dent : quelques restos avec leurs tables alignées en rang d'oignons, qui font le plein le midi (plus calmes le soir) et où l'addition grimpe vite. Mieux vaut emporter sa p'tite collation.

De très bon marché à bon marché (moins de 400 $Me, soit 24 €)

🛏 **Sacbé Bungalows :** à 15 km du site d'Uxmal, sur la route qui mène à Kabáh (et Campeche), à 300 m de Santa Elena. ☎ 01-997-978-51-58. 📱 01-985-858-12-81. ● sacbebungalows.com.mx ● Indispensable de réserver. Bien desservi par les bus (Mérida-Campeche, via ruinas). Également 2 maisons dont une avec cuisine. Tenu par Annette et Edgar, un couple franco-mexicain accueillant. Les 6 bungalows, sont répartis dans le vaste jardin arboré, végétation qui a le mérite de conserver un peu de fraîcheur en été. Ils disposent d'une salle de bains (eau chaude), de ventilos et d'une terrasse privative. Bonne literie. Tous sont conçus de la même façon, mais le prix varie en fonction de la taille. Petit déj préparé par Annette. Piscine. Une bonne adresse sympa et vraiment routarde.

🛏 🍴 **Hotel El Chac-Mool :** à la sortie du village de Santa Elena, en direction de Kabáh, à env 500 m avt l'hôtel Sacbé.

☎ *978-51-17.* ● *mike.uk_sacbe@hot mail.com* ● 10 chambres sommaires, bien proprettes, grandes avec 2 lits, salle de bains (eau chaude en principe), ventilo. Quelques-unes avec AC, plus chères. Au resto, bonne cuisine régionale à prix très raisonnables (*panuchos, salbutes, quesadillas,* salades, plats de poulet...). À l'entrée, une petite boutique avec quelques copies d'anciens de belle facture, bien moins chères que celles vendues dans les boutiques à l'entrée du site ou même à Mérida.

🏚 |●| *The Pickled Onion :* à la sortie de Santa Elena (sur la gauche), au niveau des panneaux indiquant la direction de Campeche. En face du Sacbé Bungalows. ☎ *(997) 111-79-22.* ● *thepickledo nionyucatan.com* ● *Petit déj inclus. Internet. Wifi.* Coup de cœur pour cette jolie maison ocre et orange, en surplomb de la route (côte raide pour accéder au parking) qui appartient à une discrète et très sympathique Anglaise installée au Mexique depuis quelques années. Elle a bâti dans son jardin 2 bungalows rustiques au toit de chaume (un supplémentaire en prévision), mais de très bon goût. Extérieur rouge, intérieur vert pâle, moustiquaires, jolis tissus et salles de bains étudiées (lavabos taillés dans le mur), séparées de la chambre par un muret en pavés de verre. Petite piscine bien agréable et hamac pour un repos absolu. Très calme. Service de laverie et massages selon des techniques mayas ancestrales (on n'a pas testé !). Au resto, sur la galerie, à l'avant de la maison principale, la déco est tout aussi colorée. Excellente cuisine régionale avec quelques spécialités qui changent un peu : *albondigas* (boulettes de viandes à la menthe), *mito valladolid* (porc mariné), *chaya souffé* (plat végétarien), *quesadillas,* salades et un fameux *guacamole.*

|●| *Restaurant Cana Nah :* 4 km avt les ruines, juste après l'hôtel Rancho Uxmal quand on vient de Mérida. ☎ *(999) 991-79-78. Tlj jusqu'à 19h env.* Un grand resto habitué à recevoir des groupes. Bonnes spécialités yucatèques (délicieux *pollo pibil* et *poc chuc*). Atmosphère très touristique, mais service efficace et agréable. Grande piscine payante *(25 $Me, soit 1,50 €),* même si on déjeune sur place.

Plus chic (au-delà de 800 $Me, soit 48 €)

🏚 |●| *B & B The Flycatcher Inn :* dans le village de Santa Elena. ● *theflycatche rinn.com* ● *Petit déj compris. Repas possible sur commande.* Imposante maison à colonnades au bout d'une allée : le cadre se veut chic, mais les prix savent rester sages compte tenu du confort des chambres. Vastes chambres climatisées (4 dont une suite à l'étage) au mobilier en fer forgé. Tenue impeccable et calme absolu. Parc arboré. Un bon point de chute.

Très chic (plus de 1 200 $Me, soit 72 €)

🏚 |●| *Hotel The Lodge at Uxmal :* juste en face de l'entrée du site. ☎ *976-20-10 ou 21-02.* ● *mayaland.com* ● *2 types de confort : bungalow ou luxe.* L'annexe (même direction) de la chicquissime *Hacienda Uxmal,* sur la route principale. Grosse structure de 40 chambres, très prisée par les tour-opérateurs pour sa capacité d'accueil et sa localisation juste à l'entrée des ruines. Évidemment, tout le monde n'apprécie pas, mais les chambres, au confort et à la déco à peu près identiques, sont spacieuses, tout comme les salles de bains, lumineuses, un brin rétro et bien tenues. Toutes sont réparties dans des bâtiments de 2 étages avec larges galeries et vue sur piscine (il y en a 2 grandes). Environnement calme dans les bois. Au restaurant, sous la grande *palapa,* très bonne cuisine yucatèque et ambiance agréable. Alors, prix justifiés ? Peut-être si l'on tient compte du fait que l'entrée du site archéologique se situe juste devant et d'autant plus pratique pour qui souhaiterait visiter Uxmal en deux temps (soirée et matin). Pour les inconditionnels.

LES RUINES D'UXMAL

Elles sont d'une beauté exceptionnelle ! À visiter absolument.

Un peu d'histoire

Uxmal renferme encore de nombreux mystères. Cependant, l'archéologie contemporaine s'accorde à reconnaître l'importance de la cité comme centre politique lors de la période du classique tardif, entre les VIIe et X^e s apr. J.-C. Elle a joué dans la région un rôle comparable à celui de Chichén Itzá entre le Xe et le XIIe s. Le nom d'Uxmal était sans doute déjà utilisé à l'époque maya. Selon certains, il signifie « trois fois », indiquant ainsi le nombre de reconstructions qu'aurait subies la cité. Une autre étymologie préfère « le lieu des récoltes abondantes », ce qui correspond à la réalité agricole de la zone.

Le site d'Uxmal était occupé bien avant notre ère, mais ce n'est qu'à partir de l'an 200 qu'il commença à se constituer en centre urbain avant de devenir une ville active qui commerçait avec d'autres cités de la région sud (importation d'obsidienne, de basalte). L'activité marchande devint même le principal secteur économique et les commerçants parvinrent à occuper le haut de l'échelle sociale. Entre l'an 1000 et l'an 1200, une vague d'émigrants originaires du Mexique central (les Xius), porteurs de la culture toltèque, déferle sur le Yucatán. Ces derniers introduisent de nouvelles conceptions politiques et religieuses, notamment le culte du dieu-serpent (Kukulcán, l'équivalent du Quetzalcóatl du centre du Mexique), qui apparaît dès lors sur les bas-reliefs des édifices. Pour des raisons inconnues (guerre civile, luttes intestines au sein de l'élite gouvernante...), la cité commence à décliner vers l'an 1200, les habitants émigrant vers d'autres centres. Uxmal se réduit à un centre cérémoniel de moins en moins fréquenté, peu à peu recouvert par la végétation.

Renseignements pratiques

– Site ouv tlj 8h-17h. ☎ 976-21-21.
– *Entrée : 178 $Me ; 5 $Me pour les moins de 13 ans ; utilisation de la vidéo : 41 $Me (2,50 €) en plus. N'oubliez pas que le billet vous donne droit au spectacle son et lumière (voir ci-dessous). Comme à Chichén Itzá, on peut alors payer en 2 fois : 65 $Me (3,90 €) pour le spectacle (arriver 30 mn avt) et la différence le lendemain mat pour la visite.*
– *Consigne pour vos bagages à l'accueil, incluse dans le prix du billet d'entrée. La restauration est très chère, vous vous en doutez. Prévoyez d'emporter une bouteille d'eau, éventuellement votre casse-croûte. Distributeur automatique de billets et toilettes.*
– *Comme d'habitude, si l'on veut éviter la foule, y aller tôt le mat ou en fin d'ap-m. Compter env 3h pour une visite standard. Les plus belles photos se prennent avt 11h.*
– *Service de guide (en français) à l'accueil. Prévoir env 550 $Me (33 €) de 1 à 20 pers. On peut toujours essayer de se regrouper...*
– *Si vous venez en voiture, le parking coûte 22 $Me (1,40 €).*
– ***Spectacle son et lumière*** *: à 19h en hiver, 20h en été. Arriver 45 mn avt pour prendre le billet. Durée : 45 mn. Le prix est inclus dans votre billet. La séance est en espagnol, mais loc possible de casques-traducteurs (39 $Me, soit 2,30 €, avec carte d'identité en dépôt). Si vous avez l'intention d'assister au spectacle, prévoyez la visite du site en fin d'ap-m. Arrivez tôt, car en saison il y a beaucoup de monde et les chaises sont prises d'assaut ; sinon vous serez assis sur les marches, peu confortables. Sachez que Chichén Itzá propose également un son et lumière. Difficile de trancher entre les 2 spectacles, qui sont d'ailleurs conçus sur le même principe ; plus narratif et plus compréhensible à Chichén, mais le cadre d'Uxmal est somptueux. Bien s'assurer de son mode de transport pour le retour. Des agences organisent l'aller et le retour depuis Mérida.*

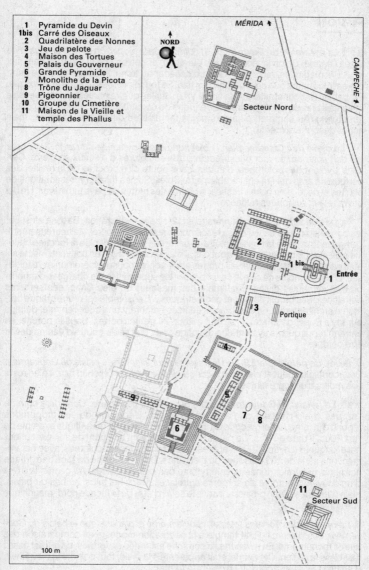

1	Pyramide du Devin
1bis	Carré des Oiseaux
2	Quadrilatère des Nonnes
3	Jeu de pelote
4	Maison des Tortues
5	Palais du Gouverneur
6	Grande Pyramide
7	Monolithe de la Picota
8	Trône du Jaguar
9	Pigeonnier
10	Groupe du Cimetière
11	Maison de la Vieille et temple des Phallus

MÉRIDA

NORD

CAMPECHE

Secteur Nord

2

1 bis

1 Entrée

3 Portique

4

9

5

7 8

6

LA RUTA PUUC

11 Secteur Sud

100 m

UXMAL

À voir

🐾🐾🐾 *La pyramide du Devin* (plan, 1) : *difficile de la louper, on tombe dessus juste après l'entrée.* Selon la légende, elle aurait été érigée en une nuit par un nain aux pouvoirs magiques, alors qu'il venait d'accéder au trône. Avec ses 35 m de haut, elle est plus haute que celle de Chichén Itzá. Sa forme ovale est unique au Mexique. Probablement construite vers la fin du VIᵉ s. Sur les quatre parties superposées se mélangent les styles de toutes les périodes de construction (au moins cinq sous-structures). Au sommet, plusieurs petits temples de différentes époques, mais accès désormais interdit.

🐾🐾 *Le carré des Oiseaux* (plan, 1 bis) : *derrière la pyramide du Devin.* Jolie cour qui doit son nom au mur ouest recouvert de sculptures d'oiseaux en pierre. Certains y voient des colombes, d'autres, sans doute plus proches de la réalité, des perroquets aras qui étaient l'emblème du Soleil. Sur les frises, représentations de plantes et de toits en palme tressée, typiques des huttes de paysans mayas. Un bel ouvrage aux sculptures raffinées.

🐾🐾🐾 *Le quadrilatère des Nonnes* (plan, 2) : belle restauration. Baptisé ainsi par les conquistadors à cause de sa ressemblance avec un cloître. Malheureusement, l'ethnocentrisme ne fait pas l'histoire, et on ne sait toujours rien de la fonction dévolue à ce magnifique édifice. En tout cas, il n'a rien à voir avec un couvent, même s'il était certainement utilisé par les prêtres et les nobles pour des cérémonies religieuses. C'est du moins ce que laissent penser les superbes frises chargées d'innombrables symboles divins. Également des masques du dieu Chac, des serpents entrelacés, des motifs floraux et géométriques... L'ensemble est d'une grande harmonie architecturale. Quatre grands édifices entourent une cour centrale, du plus pur style Puuc, datant du Xᵉ s. Tout autour, 74 petites portes. Sous le porche, en entrant, remarquer le système de drainage : pas une seule goutte d'eau ne devait être perdue.

🐾 *Le jeu de pelote* (plan, 3) : *on le traverse pour aller vers le palais du Gouverneur.* Beaucoup plus petit et bien moins conservé que celui de Chichén Itzá, il n'en reste pas moins bien représentatif.

🐾🐾🐾 *Le palais du Gouverneur* (plan, 5) : *sur une esplanade.* Considéré comme l'un des chefs-d'œuvre de l'architecture maya. L'équilibre de ses proportions répond à la fameuse loi grecque du nombre d'or. Encore un magnifique exemple de l'art Puuc. Il date du Xᵉ s. Ce palais tire probablement son nom de son exceptionnelle longueur (environ 100 m) et présente de riches frises sculptées, avec notamment une série de 103 masques du dieu Chac. De la façade se dégage une grande harmonie générale, donnée par le rythme des pierres taillées. Au centre, le trône d'un souverain entouré de serpents entrelacés. Dans les talus, au bas du palais, plein d'iguanes qui se prélassent sous le soleil d'été. De la façade nord, magnifique vue sur le site.

🐾 *La maison des Tortues* (plan, 4) : *sur la même esplanade que le palais du Gouverneur, du côté droit.* Petit temple à la décoration modeste en comparaison des autres monuments. En revanche, la corniche est ornée de tortues, ce qui est assez rare dans la région. Cet animal était apparenté à la pluie, tout comme le dieu Chac, dieu de la Pluie, qui pouvait en revêtir la forme.

🐾 *Le monolithe de la Picota* (plan, 7) : *sur l'esplanade, en face du palais du Gouverneur.* Gros cylindre de pierre, qui était à l'origine recouvert de stuc et peint de motifs symboliques. Plusieurs hypothèses sur sa fonction : un poste de flagellation (bof !) ; la représentation de l'arbre du monde Ya'axché Cab, mentionné dans la mythologie maya (poétique) ; un élément de culte phallique (intéressant). Pourquoi pas ? D'ailleurs, on a retrouvé dans le secteur sud un temple dont les gargouilles en pierre représentent des phallus. Et sur la façade ouest du palais des Nonnes, des personnages exhibent leur sexe, symbole de fertilité et de fécondité. Bizarre, bizarre.

🎥 *Le trône du Jaguar (plan, 8)* : au centre de l'esplanade qui fait face au palais du Gouverneur. Il s'agit d'un jaguar bicéphale, assez abîmé, qui servait de trône aux dignitaires de la cité. Il repose sur une plate-forme dans laquelle les archéologues ont retrouvé, dans les années 1950, des offrandes de grande valeur, comme des bijoux en jade et de nombreuses pièces en obsidienne.

🎥🎥🎥 *La Grande Pyramide (plan, 6)* : du sommet de ses 32 m (on peut encore y grimper, mais prudence, en particulier avec des enfants, l'ascension est raide et aucun garde-fou en haut), la vue sur l'ensemble du site qui émerge de la forêt est époustouflante. Encore un temple dont on ne connaît ni les tenants ni les aboutissants ! Seul un des côtés a été dégagé et restauré. Au sommet, petit temple où l'on peut admirer une belle frise décorée d'oiseaux (sans doute des aras) et de masques de Chac dans sa partie supérieure. D'aspect plus brut et sans stuc, c'est le seul édifice qui ne soit pas de style Puuc. De là-haut, on aperçoit au loin le groupe du Cimetière.

🎥 *Le Pigeonnier (plan, 9)* : on le voit très bien du haut de la Grande Pyramide. Évidemment, rien à voir avec le pigeonnier de nos campagnes. C'était plutôt un palais ou un ensemble résidentiel. De l'ancien quadrilatère, il ne reste plus que ce mur dont la crête dentelée a inspiré le nom à l'explorateur John I. Stephens lorsqu'il le découvrit au XIXe s.

🎥 *Le groupe du Cimetière (plan, 10)* : prendre le sentier qui s'enfonce dans la forêt sur une centaine de mètres. Ruines mal conservées et non restaurées d'un quadrilatère entourant un patio. Pyramide mal en point. De jolies têtes de mort sculptées ornent les murets qui forment plusieurs carrés.

Si vous n'êtes pas encore réduit à l'état de ruine ambulante, vous pouvez aller faire un petit tour au *secteur sud (plan, 11)* pour y voir :

🎥 *Le temple des Phallus :* sous une *palapa,* une quinzaine de phallus de pierre en piteux état. Un exemplaire est exposé au musée.

🎥 *La maison de la Vieille :* juste après le temple des Phallus. Très délabrée. Il ne reste plus qu'une corniche. Près de là, une petite pyramide a été restaurée.

KABÁH

Le site se trouve à une vingtaine de kilomètres au sud d'Uxmal. Les ruines s'étendent des deux côtés de la route. *Kabáh* signifie en maya « la main qui cisèle » ou « le Seigneur à la main puissante ». La ville était reliée à Uxmal par une artère, le *sacbé.*
Ouv tlj 8h-17h (fermeture des caisses 16h30). Entrée : 43 $Me (2,60 €) ; 41 $Me (2,50 €) pour utiliser une vidéo.

À voir

🎥🎥 Dès l'entrée, côté billetterie, l'œil est tout de suite attiré par l'imposant *Gran Palacio.* L'ensemble est élégant. Il s'en dégage une atmosphère presque fastueuse. Sur sa droite, le *Codz Poop,* appelé aussi le palais des Masques. Ne le ratez sous aucun prétexte, c'est l'un des plus fascinants exemples d'architecture maya, de style Puuc (construit vers 800 apr. J.-C.) ! Trois terrasses avec un escalier au milieu (marches très étroites), qui mène à une magnifique façade sculptée de

LA RUTA PUUC

remarquables motifs artistiques et de masques de Chac, le dieu de la Pluie. L'aspect répétitif des motifs donne un grand rythme à l'ensemble. En tout, on a compté 270 masques. Remarquer la complexité de la structure de chaque masque. Superbe. Juste en haut de la volée de marches, devant le Codz Poop, *l'autel des glyphes,* aux pierres sculptées de symboles sur les quatre faces et le *chultún,* citerne souterraine toujours en fonctionnement. Derrière le Codz Poop (on peut le contourner), voir les imposantes sculptures de guerriers toltèques (postérieures donc à la construction du site), les envahisseurs des Mayas. Sur ce même pan de mur, pierres incrustées et gravées de motifs géométriques et croisillons.

🚶 De l'autre côté de la route, de petits sentiers à travers bois mènent à une **arche monumentale,** sobre et élégante, du plus pur style Puuc (restauré), qui marquait le départ du *sacbé* menant à Uxmal, et à un petit temple, le *mirador* (à 1 km)**.**

SAYIL

À environ 25 km au sud-est d'Uxmal. Le site est complètement enfoui dans la forêt dense. Beaucoup de ruines encore dans leur gangue de pierre et de terre. Ce fut pourtant un centre urbain très important à l'époque. Sa construction date de l'an 750 à l'an 1000 de notre ère. Magnifique palais qui se dresse au sein d'une belle clairière. Encore un site envoûtant. Attention, il est très étendu et l'on prend plaisir à s'aventurer sur les différents sentiers et à prolonger la visite.

➢ *Pour y aller :* à 5 km de Kabáh, quitter la 261 à gauche ; de là, il reste encore 5 km pour atteindre Sayil.
– *Ouv tlj 8h-17h. Entrée : env 37 $Me (2,30 €) ; 41 $Me (2,50 €) pour utiliser une vidéo.*

À voir

🚶🚶 L'édifice le plus imposant est le **Gran Palacio** (*palais de Mjama Cab,* dieu de la montée du Soleil), de style Puuc (époque tardive). Long de 90 m, avec ses étages en retrait les uns par rapport aux autres, il possède un imposant escalier à trois volées de marches et plus de 90 antichambres. Un seul côté a été dégagé, ce qui permet de mesurer l'ampleur du travail qu'exige une restauration. On remarque l'élégant entablement à colonnes et à masques qui soutient la deuxième terrasse. Une curiosité : sur les colonnes, on note les triples renflements imitant les liens attachant les troncs entre eux dans les cabanes mayas. Nombreux masques de Chac et de serpents.

🚶 Du palais, un petit chemin mène au *mirador,* mur de pierre ajouré construit sur un monticule. À 100 m de là, un sentier conduit à une stèle qui représente Yum Keep, dieu de la Fertilité (bien membré !). Après une agréable marche de 800 m, on arrive au *Palacio Sur.*

LABNÁ

Situé à 40 km d'Uxmal, après Sayil, Labná est l'un de nos sites préférés ! Non pour son côté monumental et spectaculaire, mais pour son charme et son caractère isolé (beaucoup moins de touristes, bien sûr). Nous vous recommandons d'ailleurs, si vous disposez d'un moyen de transport, de commencer par Labná dès l'ouverture. C'est le site qui permet peut-être le mieux (pour les lecteurs romantiques et sensibles) d'imaginer ce qu'y fut la vie autrefois.

On sent vraiment des vibrations dans l'air. Avec un peu de chance, vous serez seul. Pas difficile, donc, de se représenter les Mayas déambulant, faisant leur marché. Daté de la même époque que Sayil (entre 750 et l'an 1000), jusqu'à 2 500 personnes auraient vécu sur ce petit territoire de 2 km^2.
Ouv tlj 9h-17h. Entrée : 37 $Me (2,30 €) ; 41 $Me (2,50 €) pour utiliser une vidéo.

À voir

🏃 Dès l'arrivée, on tombe sur un *palais,* moins haut mais proche de celui de Sayil dans sa structure. En forme de L, il est composé de 67 pièces réparties sur deux niveaux. Stucs ouvragés, colonnes et incrustations de masques sont largement représentatifs du style Puuc. Les grands masques de Chac, en forme de trompe, sont sculptés sur d'imposants panneaux aux angles du toit. À l'angle gauche du *temple,* une grande mâchoire de serpent largement ouverte, à l'intérieur de laquelle apparaît un masque. Le corps du serpent ondule sur le côté de l'édifice. Puis, au fond à droite, un autre petit *palais* avec sa façade recouverte de colonnes.

🏃🏃 La *sacbé (voie sacrée)* traversant la grande clairière au milieu mène aux deux plus fameuses constructions de Labná : la *pyramide* surmontée de son temple (c'est le mirador) et l'*arche monumentale* (superbement reconstituée). Là aussi, remarquable décoration du mur de part et d'autre de l'arche, aux motifs géométriques. Les colonnes imitent dans la pierre les enceintes de bois protégeant les premiers villages mayas. L'arche elle-même est unique. Elle présente une architecture très élégante, fine, peu habituelle. Belle recherche stylistique et atmosphère paisible. Vous l'aviez deviné, Labná, on a plutôt aimé...

DE LABNÁ À CHICHÉN ITZÁ

Après la visite des ruines de Labná, et si vous n'avez pas besoin de repasser à Mérida, vous pouvez rejoindre (seulement si vous avez une voiture) le site de Chichén Itzá en empruntant les petites routes méconnues de l'intérieur du Yucatán. De Labná à Chichén Itzá, 150 km environ, soit 3h de route (asphaltée) en roulant tranquillement au milieu de nuages de papillons jaunes en été. On découvre alors la face cachée de cette province. De nombreux petits villages loin de tout, où le temps s'est arrêté, des paysages assez monotones dans l'ensemble mais pas inintéressants. Se munir d'une bonne carte routière et faire le plein d'essence à Ticul ou à Oxkutzcab.

Itinéraire

➢ *De Labná à Oxkutzcab,* belle route bordée d'orangeraies, de bananeraies et de plantations en tout genre.
➢ *D'Oxkutzcab à Sotuta* (66 km), on traverse plusieurs petits villages typiques comme *Mani, Tipical* (pas de jeux de mots ici !), *Teabo, Mayapán, Cantamayec.* Entre Mayapán et Sotuta, bonne route assez large et bitumée.
|●| À Sotuta, étape déjeuner au resto *Los Compadres* où l'on mange bien pour pas cher.
➢ *De Sotuta à Chichén Itzá,* prendre la route de Tibolón qui rejoint la grande route Mérida-Cancún au village de Holca.

GRUTAS DE LOLTÚN

À 110 km de Mérida, 21 km de Labná et très proches du village d'Oxkutzcab. Avant ou après la visite de Kabáh, Sayil, Xlapak et Labná, un arrêt s'impose à Loltún (« fleur de pierre »). Découvertes en 1888 par Edward Thompson, les grottes de Loltún permettent d'admirer l'art rupestre des premiers Mayas, qui les utilisèrent comme refuge. Durant la visite (qui dure environ 1h sur un parcours de 2 km), le guide vous conduira à 70 m de profondeur parmi les stalactites et les stalagmites. On y voit tout d'abord des jeux de lumière surprenants, puis des peintures rupestres le long des parois.

Entrée : env 55 $Me (3,30 €), plus le pourboire pour le guide (ils ne sont pas salariés et ne vivent que du pourboire) ; gratuit pour les moins de 12 ans. Parking payant. Visites guidées tlj à 9h30, 11h, 12h30, 14h, 15h et 16h (en anglais et en espagnol). Sanitaires à l'accueil. Resto juste en face de l'entrée.

Arriver – Quitter

➤ *De Mérida ou Uxmal :* prendre un bus *Mayab* en direction de Chetumal et descendre au village d'Oxkutzcab (voir « Arriver – Quitter » à Mérida) ; de là, c'est un peu la galère : il reste 7 km à faire en stop. Ou bien prendre une des camionnettes qui attendent parfois sur le *zócalo,* surtout en hte saison et plutôt le mat, ou bien un taxi (env 50 $Me, soit 3 €, pour 4 pers). Si vous êtes à Ticul, prenez un combi jusqu'à Oxkutzcab.

➤ *Retour à Mérida :* prenez un pick-up sur la route pour retourner à Oxkutzcab, puis bus *Mayab* 6h-19h30. Ou demandez au taxi de revenir vous chercher.

SITIO ARQUEOLÓGICO DE CHICHÉN ITZÁ

IND. TÉL. : 985

⊙ Le site le plus touristique du Yucatán, à 120 km de Mérida, sur la route de Cancún. Des ruines spectaculaires s'étendent sur 300 ha et comptent de nombreux édifices bien restaurés. Ce sont aussi les moins mayas de la région, car l'apport toltèque y fut considérable. À son apogée, entre 750 et l'an 1200 de notre ère, la cité détenait l'hégémonie sur l'ensemble de la zone maya. La pyramide Kukulkán, la plus célèbre silhouette du site, domine l'ancienne ville de Chichén Itzá ; une chaussée la relie au *cenote* sacré, puits naturel qui donne accès à la nappe d'eau souterraine, 20 m plus bas. Sans cette précieuse eau, la cité n'aurait pu survivre. C'est aussi ce qui explique le nom *Chichén Itzá* : « la bouche des puits des Itzáes », les Itzáes étant la tribu maya qui fonda la ville aux alentours de 500.

Le site est classé au Patrimoine mondial de l'Unesco et, depuis 2007, considéré comme l'une des sept merveilles du monde moderne !

Arriver – Quitter

En bus

🚌 *Il y a 2 arrêts de bus* à Piste. L'un dans le village, à côté de l'hôtel Piramide Inn (schéma, 3). L'autre aux ruines (schéma, 4). Le guichet des billets se trouve dans le hall des boutiques à l'accueil du site archéologique (tlj 8h-17h). On vous conseille

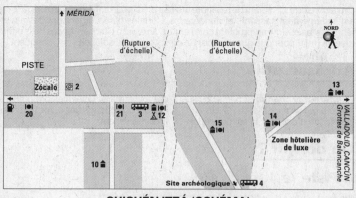

CHICHÉN ITZÁ (SCHÉMA)

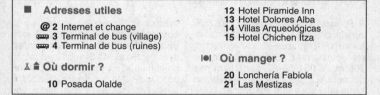

■ **Adresses utiles**

@ **2** Internet et change
🚌 **3** Terminal de bus (village)
🚌 **4** Terminal de bus (ruines)

⚐ ⌂ **Où dormir ?**

10 Posada Olalde

12 Hotel Piramide Inn
13 Hotel Dolores Alba
14 Villas Arqueológicas
15 Hotel Chichen Itza

|◉| **Où manger ?**

20 Lonchería Fabiola
21 Las Mestizas

d'acheter votre billet de départ dès votre arrivée, car, après 17h, c'est la ruée vers les guichets et les places deviennent rares. Attention, pas de bus de nuit, après le spectacle donc.

➢ *Liaison avec Mérida :* avec *ADO* départs à 14h15 et 17h de Piste et 1 bus/h, 7h15-17h15, avec *Oriente.*

➢ *Liaison avec Cancún (via Valladolid) :* ts les bus *Oriente* (2ᵉ classe) qui font Mérida-Cancún et vice versa s'arrêtent à Chichén. 1 départ à 8h10 et 14h20 (pour Valladolid) et 16h15 pour Cancún avec *ADO.* Env 1 bus/h, 8h30-17h30 avec *Oriente.* Comme ce sont des bus *de paso,* ils sont souvent bondés. Risque de voyager debout, au moins jusqu'à Valladolid. Départs différés de quelques minutes au départ de Chichén.

➢ *Liaison avec Tulum et Playa del Carmen :* avec *ADO,* départs à 8h10 (Tulum), 14h20 et 16h15. Un bus *Oriente* part à 7h30 et dessert Cobá, puis Tulum et Playa. Pour Tulum, compter env 3h de trajet.

Orientation

Chichén Itzá ne regroupe que les ruines de l'antique cité. Le premier village est **Piste** (prononcer « pisté »), à environ 4 km du site. Dans ce bourg de 5 000 habitants, on trouve quelques hôtels, des boutiques de souvenirs sans intérêt et des restos généralement médiocres.

Lorsqu'on arrive de Mérida en voiture, on doit d'abord traverser Piste. Après la sortie du village, la route principale continue sur 4 km jusqu'au site archéologique. Après l'embranchement qui mène aux ruines, on doit poursuivre encore 1,5 km sur la route nationale vers Valladolid avant de tomber sur la zone hôtelière de luxe (embranchement sur la droite).

On déconseille fortement de rejoindre le site à pied, pourtant pas si loin. Car la route est extrêmement passante et dangereuse. Certains hôtels organisent des navettes. Tous les bus qui empruntent cette route s'arrêtent à Chichén, et des taxis effectuent le trajet pour quelques pesos. Ce ne sont pas les solutions qui manquent.

Adresse utile

@ **Internet et change** (schéma, **2**) : sur la route qui va vers Mérida. Tlj 9h-22h. Une façon d'occuper la soirée : répondre à vos mails. Quelques ordinateurs. Fait aussi le change des euros (taux pas très intéressant).

Où dormir ?

À Piste (à 4 km du site)

De bon marché à prix moyens (400-800 $Me, soit 24-48 €)

🛏 **Posada Olalde** (schéma, **10**) : du zócalo, *prendre en direction des ruines sur la route principale et tourner à droite, en face du resto* Carrousel ; *c'est à 100 m.* ☎ 851-00-86. Les chambres donnent sur un jardin à la végétation luxuriante. Elles sont spacieuses, colorées et très clean, avec salle de bains. Calme. Les bungalows, rustiques et avec moustiquaires (pas de clim), ne manquent pas de charme avec leur toit de palmes. Accueil familial. De loin la meilleure adresse de Piste.

🛏 **Hotel Piramide Inn** (schéma, **12**) : *encore un peu plus loin sur la droite en venant du* zócalo. ☎ 851-01-15. ● chichen.com ● Immense hôtel dont les chambres donnent sur un beau jardin avec une piscine. Ça surprend agréablement après l'horrible façade extérieure. Chambres d'un bon confort, avec ventilo et AC. Si vous avez acheté un hamac, c'est le moment de l'étrenner. On peut le suspendre ici, sous de petites *palapas* au fond du jardin, pour une poignée de pesos, sanitaires communs inclus (pas de location de hamacs). On peut aussi planter sa tente sous un espace ombragé. Une bonne solution pour les petits budgets. Accueil sympa. Même style que le *Dolores Alba*, mais avec l'avantage d'être dans le village. Une bonne adresse, mais évitez absolument les chambres qui donnent sur la route ; le terminal des bus est quasiment en face.

Plus chic (plus de 800 $Me, soit 48 €)

🛏 **Hotel Chichén Itzá** (schéma, **15**) : *dans le village, sur la route des ruines.* ☎ (985) 851-00-22 ou 23. Appartient au groupe *Mayaland,* même hôtel que celui d'Uxmal. Un poumon d'oxygène dans cette ville sans charme, il faut bien l'avouer. Vaste hall aéré, et chambres tout autour de la grande piscine, dans un petit bâtiment de 2 étages. Niveau de prestation et qualité d'accueil qui vont bien avec le prix. Impeccable. Les chambres côté jardin sont plus chères, mais valent le coup. Très beau jardin. Restaurant.

En dehors de Piste

🛏 **Hotel Dolores Alba** (schéma, **13**) : 3 km après le site en direction de Valladolid (donc à 6 km de Piste), sur la gauche de la route. Téléphone à Mérida : ☎ (999) 858-15-55. ● doloresalba. com ● Si vous venez de Mérida ou de Cancún par le bus, demandez au chauffeur de vous arrêter devant l'hôtel. Prix moyens, petit déj inclus. Internet. Wifi. Chambres avec ventilo et AC, toutes mitoyennes, en rez-de-jardin, façon motel. Correctes, mais attention tout de même à la literie, qui est inégale. 2 piscines, dont une tout à fait ravissante avec ses rochers au fond. Et pour se reposer après la visite du site, des hamacs à l'ombre d'une *palapa*. Relativement agréable, mais le bruit des voitures sur la route toute proche pourra gêner certains. Resto correct, sans plus ; et il n'y a rien d'autre aux alentours ! Navette gratuite pour se rendre aux ruines, mais pas de retour sauf pour le spectacle nocturne du son et lumière (prévoir alors 20 \$Me, soit 1,20 €). Souvent complet en haute saison.

🛏 |●| *Villas Arqueológicas (schéma, 14)* : dans la zone des hôtels de luxe, à 3 km après le village de Piste (en direction de Valladolid). ☎ 856-60-00. ● villasarqueologicas.com.mx ● Plus chic. Intéressante formule petit déj + déj ou dîner. Proposent également des paniers repas. L'hôtel chic le moins cher de la zone et le plus attentionné. Architecture intérieure élégante et couleurs chaudes. Beau patio où fleurissent les bougainvillées. Le resto (délicieuse cuisine) borde la piscine. Les 40 chambres, toutes identiques, ne sont pas très grandes mais elles sont mignonnes (murs en crépi, lits sous des voûtes) et elles disposent de tout le confort souhaité. Avec, en prime, un accès direct à pied au site, par l'entrée sud (on y vend aussi les billets d'entrée, ça vous épargne les files d'attente). Personnel parlant le français.

Où manger ? Où prendre un petit déj ?

Pas grand-chose à se mettre sous la dent à Piste.

|●| 🥄 *Lonchería Fabiola (schéma, 20)* : presque en face du zócalo de Piste, sur la droite quand on vient de Mérida. Tlj 7h30-22h30. Pour manger sur le pouce, cette petite cantine de rue fait très bien l'affaire. Cuisine familiale. Petit choix de plats bon marché (tacos, *tortas, panuchos*). On peut aussi venir y prendre le petit déj. Bon et pas cher. Quelques tables en plastique installées devant.

|●| 🥄 *Las Mestizas (schéma, 21)* : continuer en direction des ruines après le zócalo ; c'est sur la droite avt la Posada Chac-Mool. ☎ 851-00-69. Tlj 8h-21h. Parmi les restos touristiques qui fleurissent à Piste, celui-ci sort du lot. Salle intérieure au décor colonial élégant, mais éclairage qui rend l'ensemble un peu terne. Plus agréable en terrasse, où les bougies mettent de l'ambiance et font oublier le passage des poids lourds. Carte courte de spécialités régionales. Excellente soupe de *lima* et non moins bon *pollo pibil*. Flan maison. Portions généreuses. Servent aussi des petits déj. Patronne sympathique et service gentil de son fiston. On vous a tout dit, non ?

LES RUINES DE CHICHÉN ITZÁ

Un peu d'histoire

L'histoire de Chichén est complexe et bourrée de points d'interrogation. La ville aurait été fondée par les Itzáes, tribu maya venue du sud, vers 450. Elle connaît une première période de splendeur entre les VIIe et IXe s. De cette époque datent les premières constructions à l'architecture typiquement maya, qui s'apparente au style Puuc (stucs et ornementations géométriques). Comme l'ensemble de la région maya, Chichén Itzá entre ensuite dans une phase de déclin au cours du Xe s. On ne sait pas bien si la ville fut abandonnée, comme ce fut le cas pour d'autres grandes cités du centre de la région maya, ou si elle se mit simplement en sommeil.

Quoi qu'il en soit, elle est repeuplée vers l'an 1000 grâce à l'arrivée de tribus du Nord, d'origine toltèque. Une légende raconte que ce sont les Itzáes eux-mêmes qui, après avoir abandonné leur ville, seraient revenus sous la conduite du roi de Tula, Quetzalcóatl, lequel aurait fondé une nouvelle dynastie avant de repartir pour le Mexique central. Ce qui est certain, c'est que Chichén Itzá connaît alors un nouvel âge d'or. La culture toltèque est intégrée, ce qui se traduit par une nouvelle forme d'architecture, ainsi que par le culte du dieu-serpent Quetzalcoátl (Kukulcán pour les Mayas).

La cité est définitivement abandonnée vers 1185 (ou 1250, selon d'autres chercheurs), sans doute à cause d'un conflit entre Uxmal, Mayapán et Chichén Itzá (la rupture d'une supposée triple alliance). À l'époque de la conquête espagnole (1533), la cité ne comptait plus que quelques rares habitants, même si Chichén Itzá restait un centre de pèlerinage maya très couru.

Renseignements pratiques

Attention, il n'est plus possible d'escalader les différentes pyramides. Par ailleurs, le site est grand et peu ombragé : prévoir un chapeau, de l'eau et une crème solaire.
– ☎ 851-01-24.
– *Si vous êtes en voiture, parking payant à l'entrée (22 $Me, soit 1,40 €). Sinon, vous pouvez aussi accéder au site par l'entrée sud (embranchement pour aller à la zone hôtelière). Il y a beaucoup moins de monde.*
– *Station de taxis, sur le parking, devant l'entrée : compter 30 $Me (1,80 €) pour Piste, 250 $Me (15 €) pour Valladolid et 700 $Me (42 €) pour Mérida.*
– *Site ouv tlj 8h-17h (l'entrée ferme à 16h30).*
– *Entrée : 166 $Me (7 €) ; carte ISIC acceptée. Droit de vidéo : 41 $Me (2,50 €). Audioguide en français : 39 $Me (2,30 €). Le spectacle son et lumière est inclus dans le prix du billet (bien conserver le bracelet et le ticket du jour). Un tuyau : on peut assister au spectacle (arriver 30 mn avt) en ne payant que 69 $Me (4,20 €) et revenir le lendemain mat pour la visite en payant le reste.*
– *Compter 3-4h de visite pour tt admirer.*
– *Pour la visite, 2 options : soit vous avez dormi sur place, et l'on vous recommande de vous pointer à 8h pile devant l'entrée, c'est le seul moyen d'avoir le privilège de profiter du calme ; soit vous séjournez à Mérida ou à Valladolid, et vous pouvez effectuer la visite dans l'ap-m. Dans les 2 cas, vous évitez les heures de pointe du milieu de matinée.*
– *À l'entrée du site (à 4 km du village de Piste), grand centre touristique avec galerie marchande, resto-buvette, bureau de change (ouvre et ferme selon l'humeur du gérant). Distributeur automatique. Point Internet. Consigne à bagages (incluse dans le prix du billet). Vente de billets de bus* ADO *et* Oriente *pour Cancún, Valladolid et Mérida.*
– *Service de guides en français : compter autour de 600 $Me (36 €) pour une visite de 2h, pour un max de 25 pers. On peut toujours essayer de se regrouper, mais bon, les francophones ne courent pas les sacbés tlj ! Par ailleurs, vous pouvez opter pour l'audioguide ou tt simplement vous contenter des explications sur place (en espagnol, anglais et maya) aussi bien à Chichén qu'à Uxmal, à vous de voir si cela vous suffit...*
– **Son et lumière** : *inclus dans le prix du billet. Spectacle à 19h en hiver et 20h en été (arriver 30 mn avt). Il dure 1h env. Bien se renseigner sur les horaires des derniers bus pour repartir. Pour ceux qui ne parlent pas l'espagnol, location d'écouteurs dans la langue de leur choix (39 $Me, soit 2,30 €). N'oubliez pas de prendre une pièce d'identité pour la caution. Très bonne qualité des commentaires qui relatent l'histoire du site. Qualité de la traduction (écouteurs) en revanche très moyenne.*

Coup de gueule !

À l'entrée du site, sur le parvis, une multitude de marchands ambulants posent leurs étals de chapeaux, paniers, objets artisanaux divers. Soit. Passé les caisses, on s'aperçoit bien vite, avec stupeur, que tous les *sacbés* menant d'un monument à un autre ont été investis par les mêmes revendeurs de bibelots grossiers et vêtements sans intérêt et chers. Ils sont là par centaines, à touche-touche, haranguant le chaland ! Un scandale, pas tant pour ces Mexicains qui ont certes besoin de travailler, mais de la part des pouvoirs publics dans un site classé au Patrimoine mondial de l'Unesco. Plus un espace de tranquillité et de recueillement pour le touriste. Par endroits, on se croirait au Mont-Saint-Michel. Quel dommage...

À voir

Avant toute chose, une minute d'observation de la maquette du site permet de saisir les différents éléments de cette immense cité. Globalement, tous les édifices de gauche répondent au style maya-toltèque, tandis que la partie tout à fait à droite, bien antérieure, témoigne d'un style purement maya.

On identifie aisément l'architecture toltèque par le soubassement incliné des temples. La base des monuments mayas était droite. Au cours de la visite, d'autres différences notables dans l'art de la sculpture n'échappent pas : les Mayas utilisaient des formes très géométriques, hyper symbolistes, n'hésitant pas à réduire un visage à la forme d'un gros carré. Un effort d'imagination est souvent nécessaire pour découvrir ici un visage, là un serpent. En revanche, l'art toltèque, très réaliste, s'employait à restituer chaque détail des corps, des visages, des situations. Il cherchait à témoigner et à narrer avant tout.

Au niveau des représentations animales, l'aigle et le jaguar occupaient une importance considérable chez les Toltèques. Chez les Mayas, c'est le *papagayo* (perroquet) ; il symbolise le soleil. C'est aux Mayas que l'on doit la technique de la voûte pentue à sommet plat.

Zone nord : *style maya-toltèque*

🚶🚶🚶 *Castillo (site, 1) :* formé de neuf terrasses surmontées d'un temple. Les Espagnols l'appelèrent ainsi à cause de son aspect imposant. Sur chaque face du quadrilatère, une haute volée d'escaliers, délimités par un corps de serpent dont la gueule ouverte vient se poser sur le sol (à la base de la pyramide). Peu de pyramides au Mexique présentent une telle disposition. Et preuve que les Mayas étaient de bons mathématiciens, au moment des équinoxes de mars et de septembre (vers le 21), le serpent apparaît quasi en mouvement le long de l'escalier nord du Castillo, dessiné par le jeu de l'ombre et du soleil au moment où il se couche. Le phénomène est visible une semaine avant et après l'équinoxe, et il dure un peu plus de 3h. Il est reproduit dans le spectacle du son et lumière.

La pyramide, de style maya et toltèque, construite sur des bases plus anciennes, possède 91 marches sur chacun des quatre côtés, plus une marche supplémentaire. Faites les comptes : cela donne 365 marches, ce qui rappelle le nombre de jours de notre révolution terrestre autour du Soleil. Le Castillo, entièrement dédié au soleil, était utilisé pour les grandes cérémonies.

À l'intérieur, une crypte abrite un *chac-mool* et un jaguar aux yeux de jade. Elle ne se visite malheureusement plus.

🚶🚶🚶 *Le jeu de pelote (Juego de Pelota ; site, 9) : on le répète, à voir dès l'ouverture ou en soirée, c'est le lieu de rassemblement des groupes.* Le plus grand du continent méso-américain et particulièrement bien conservé. La ville en comptait au moins 13. Ce jeu revêtait un caractère rituel et sacré qui se ponctuait par un sacrifice humain destiné aux dieux. La plèbe n'était pas admise. Seuls nobles, prêtres et invités d'honneur y assistaient, perchés tout en haut ou à chaque extrémité du terrain. Pour tester l'acoustique incroyable, placez-vous au centre et frappez dans vos mains ; l'écho se répète sept fois.

Passons maintenant à l'étude des superbes bas-reliefs qui ornent les terrasses dans leurs parties centrales et aux extrémités. Au centre, en regardant attentivement, on aperçoit des joueurs, batte en main. Leur chaussure droite, un peu particulière, permit d'affirmer qu'on pouvait utiliser le pied droit pour jouer. En bas, un gros cercle symbolisant la balle est orné en son centre d'un crâne humain, évoquant la mort. À côté, le capitaine de l'équipe victorieuse va se faire décapiter (c'est un honneur !). De son cou jaillissent six jets de sang, rappelant les six joueurs. Un véritable jeu d'équipe, quoi.

Avant de partir, jeter un coup d'œil aux quatre serpents qui ferment le jeu à chaque extrémité des terrasses. Le serpent à plumes Quetzalcóatl (*Kukulcán* pour les Mayas) est l'un des symboles les plus importants de la culture toltèque.

3e MI-TEMPS !

Le jeu de pelote opposait sept joueurs par équipe : six au centre et les capitaines sur les terrasses bordant les deux murs. On utilisait genou, pied droit, hanches et même une batte pour faire toucher l'anneau adverse par la balle de bois. La faire passer à l'intérieur représentait un exploit extraordinaire. Un match pouvait durer plus d'une journée. À l'issue, le capitaine des vainqueurs était sacrifié aux dieux par décapitation... Un honneur chez les Mayas !

Le temple du Grand Sacerdoce : même structure en forme de quadrilatère que la grande pyramide de Kukulkán, de style toltèque, avec sur chaque face, de grands escaliers délimités de part et d'autre par un corps de serpent. On distingue bien les écailles gravées dans la pierre, sur la queue.

L'observatoire : au sommet de la coupole, on distingue des fenêtres. Il y en avait trois permettant chacune d'observer Vénus, l'étoile polaire et la dernière les solstices.

Le mur des Crânes (Tzompantli ; site, 7) : un curieux mur où sont symbolisés de manière très brutale les crânes des joueurs de pelote décapités. À l'intérieur de cette petite plateforme, on trouva en effet des crânes. Plusieurs centaines de crânes grimaçants, tout à fait identiques, donnent un rythme morbide mais très réussi à ce mur. Aux angles apparaissent les seuls crânes de face. D'autres sculptures montrent un joueur venant de perdre la tête et, sur sa droite, un aigle dévorant un cœur humain.

Le temple des Jaguars et des Aigles (site, 8) : à côté du précédent. Guère plus grand mais très intéressant. À chaque angle, on voit clairement un jaguar (la nuit) et un aigle (le jour) dévorant un cœur humain, symbolisant ainsi l'offrande au soleil. Noter la position de la patte de l'aigle, très humaine dans sa manière de tenir le cœur.

La plate-forme de Vénus (site, 5) : la partie la plus significative de ce petit temple se trouve aux quatre coins, où se répètent les mêmes images : symbolisant la fertilité, le dieu Quetzalcóatl sort de la bouche d'un serpent. Ce dieu toltèque, « serpent couvert de plumes », apparaît aux quatre angles de l'édifice. Sur la frise supérieure, un corps de serpent (encore !) ondule et des poissons apparaissent.

Le temple aux Mille Colonnes (site, 4) : un gigantesque chef-d'œuvre. Appelé aussi *temple des Guerriers* (*templo de los Guerreros*). Il ressemble beaucoup à celui de Tula (capitale des Toltèques). Les colonnes, inaccessibles, sont toutes ornées d'un guerrier emplumé, muni de sa lance. Au pied, le visage de Quetzalcóatl dans une bouche de serpent, comme à son habitude. Avez-vous remarqué que sur les huit colonnes du centre, face à l'escalier, les personnages ont les mains nouées ? Ce sont en fait des prisonniers, guerriers ennemis, qui vont être sacrifiés sur le *chac-mool*, au sommet du temple.

Les apprentis architectes auront noté les bases toltèques de l'édifice (contreforts inclinés) ; les voûtes (aujourd'hui disparues) étaient de type maya. Sur le côté droit du temple (côté sud, mais on ne peut s'approcher en raison des cordages), on peut

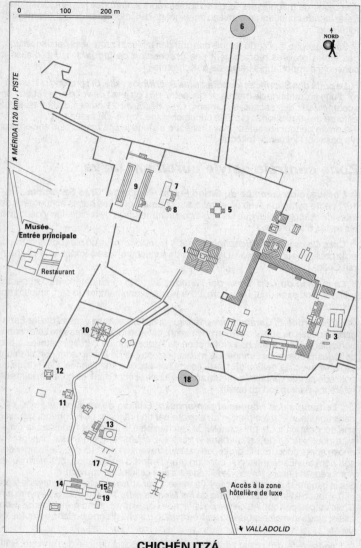

CHICHÉN ITZÁ

1 Castillo
2 Marché
3 Bains de vapeur
4 Temple aux Mille Colonnes
5 Plate-forme de Vénus
6 Puits des Sacrifices
7 Mur des Crânes

8 Temple des Jaguars et des Aigles
9 Jeu de pelote
10 Ossuaire ou tombe du Grand Prêtre
11 Casa Colorada ou Chichanchob
12 Maison du Cerf

13 Escargot
14 Temple des Nonnes et son annexe
15 Église
17 Temple des Panneaux
18 Cenote Xtoloc
19 Patio de las Monjas

apercevoir de magnifiques frises sculptées représentant des jaguars, des aigles. Cette façade constitue un nouveau témoignage de l'imbrication des styles maya et toltèque.

🦌 Sur la gauche, à côté du temple des grandes tables et protégées par une *palapa*, des stèles gravées représentent une ***procession de jaguars.*** L'une d'elles a conservé d'importantes traces de polychromie.

🦌 *Le puits des Sacrifices (cenote de los Sacrificios ; site, 6) :* profond puits naturel d'une soixantaine de mètres de diamètre, où l'on jetait des offrandes et où l'on accomplissait des sacrifices humains. On y découvrit 21 crânes d'enfants. Il est entouré de végétation et protégé par un cordage ; on le voit assez mal.
– À droite de tout le secteur maya-toltèque s'étend le site maya, plus ancien, qui n'a pas subi l'influence toltèque.

Zone centrale : style purement maya

🦌 *L'ossuaire ou la tombe du Grand Prêtre (Tumba del Gran Sacerdote ; site, 10) :* petite pyramide avec un escalier sur chaque côté. Les bases sont ornées de têtes de dragons, ainsi que les angles du sommet de la pyramide. On y découvrit les restes d'un prêtre.

🦌 *Casa Colorada ou Chichanchob (site, 11) :* édifice maya du plus pur style Puuc, où la couleur rouge dominait. Dans sa partie supérieure, frise géométrique où apparaît Chac.

🦌 *La maison du Cerf (Casa del Venado ; site, 12) :* très détériorée. On peut y grimper. Doit sans doute son nom à une fresque représentant un cerf, aujourd'hui détruite.

🦌🦌 *L'Escargot (El Caracol ; observatoire ; site, 13) :* nommé *caracol* par les Espagnols à cause de son escalier en colimaçon, cet observatoire présente l'étonnante particularité d'avoir été bâti en fonction de l'apparition de certaines étoiles à des périodes précises de l'année. De même, les entrées de la tour sont parfaitement alignées avec les rayons du soleil à certaines époques de l'année. Cet édifice ne possède pas de véritable symétrie architecturale ; l'important, ce sont les points de référence par rapport au soleil.

🦌🦌 *Le temple des Nonnes et son annexe (Edificio de las Monjas ; site, 14) :* dans un piteux état, ce temple fut exploré par un Français, Le Plongeon, qui avait une conception toute personnelle de l'archéologie. Il fit sauter l'édifice à la dynamite pour voir ce qu'il avait dans le ventre. Évidemment, il ne resta plus grand-chose après coup. Sur la droite, on passe à travers un petit tunnel. Ce temple doit son nom aux Espagnols qui, dans un grand effort d'imagination, ont assimilé les nombreuses petites pièces de l'intérieur à des cellules de couvent.
Sur la gauche du temple se trouve l'annexe. Pour admirer sa très belle façade (côté est), il faut pénétrer dans le ***patio de las Monjas*** *(site, 19).* On y retrouve notre ami Chac un peu partout. Au centre de la façade apparaît un grand prêtre (pense-t-on) assis, pieds et mains croisés. L'entrée symbolise une grande bouche entourée de dents.

🦌 *L'église (site, 15) :* c'est l'édifice carré juste à côté, à gauche de l'annexe. Bâtiment de petite importance avec une frise qui ondule. Il s'agit d'un serpent dont les pointes sur le corps rappellent les écailles. Dans les deux niches, on voit, à gauche, un *armadillo* (tatou) et un escargot, et à droite, une tortue et un crabe.

🦌 *Le temple des Panneaux (Templo de los Tableros ; site, 17) :* petite construction maya-toltèque assez décrépite mais qui présente sur chacun de ses murs, au centre, un panneau de quelques pierres sculptées représentant guerriers, jaguars, oiseaux et serpents. On y célébrait des rituels liés à l'élément feu.

🏃 *Cenote Xtoloc (site, 18) :* encore un immense puits naturel dans lequel on jetait offrandes et êtres humains ! Entouré de végétation, on arrive à l'apercevoir à certains endroits.

➤ DANS LES ENVIRONS DE CHICHÉN ITZÁ

🏃 *Cenote Ik-Kil :* à 2 km après les ruines, en direction de Valladolid. En face de l'hôtel Dolores Alba. Tlj 8h-18h. Entrée : 70 $Me (4,20 €) ; réduc. Le site devait être très joli avant qu'il ne soit aménagé et bétonné. Très touristique.

🏃 *Grutas de Balancanche :* à 6 km de Chichén Itzá, sur la route de Valladolid (et à 30 mn à pied de l'hôtel Dolores Alba). Y aller en bus et revenir en stop ou avec les gens de la visite. Ouv tlj. Entrée : 69 $Me (4,20 €). Visites guidées ttes les heures, 9h-16h, mais seule celle de 10h est en français ; à 11h, 13h et 15h en anglais. Le guide ne prend que 30 visiteurs à la fois. Compter 45 mn de visite (900 m de parcours). Grottes assez belles. Ancien sanctuaire de l'époque toltèque ; les Mayas y célébraient leurs cérémonies secrètes. On y a découvert des offrandes : poteries, encensoirs, etc. Jardin botanique devant l'entrée et petit musée instructif avec expo de photos d'objets trouvés sur le site (des offrandes en fait).

VALLADOLID   70 000 hab.   IND. TÉL. : 985

Située à mi-chemin entre Mérida et Cancún, à 45 km de Chichén Itzá, à 80 km du parc national Río Lagartos, à 160 km de Tulum (en passant par Cobá), Valladolid peut être un excellent point stratégique pour partir à la découverte du centre de la péninsule. C'est une jolie ville au charme colonial, calme et peu touristique, qui fait penser à Campeche ou à Mérida il y a plusieurs années. Son *zócalo*, ombragé et dominé par les deux tours de la cathédrale, reste très agréable et vivant à toute heure de la journée. Valladolid, construite sur la cité maya de Zací, fut l'une des premières colonies espagnoles de la région. Fondée dès 1543, elle a été le théâtre d'affrontements sanglants entre Mayas et conquistadors. Les dernières insurrections ont eu lieu au début du XIXe s.
– Attention le 1er février est férié dans la région (fête de la Vierge de la Candelaría). Banques fermées, cérémonies drainant son lot de fidèles...

Arriver – Quitter

En bus

Liste des principales compagnies et leurs coordonnées dans la rubrique « Transports » du chapitre « Mexique utile ».

🚌 *Terminal des bus ADO :* à San Carlos (un peu excentré) à côté de Lienzo Charro. Mais on peut acheter son billet en terminal Oriente.

🚌 *Terminal des bus Oriente et Mayab (plan A1) :* à l'angle des calles 39 et 46. ☎ 856-34-48 ou 49. Bus 2e classe. Bus supplémentaires le w-e.
Les bus 1re classe *ADO* partent de leur terminal et emprunte l'autoroute. Les bus 2e classe *Oriente* et *Mayab* partent de leur terminal et empruntent la nationale.
➤ *Pour/de Chichén Itzá :* 45 km. Avec *Oriente*, départ ttes les 30 ou 60 mn, 7h15-17h30. Avec *ADO*, 3 départs/j., 11h30, 13h30, 16h20. Trajet : 45 mn.
➤ *Pour/de Mérida :* 160 km. Avec *Oriente*, une vingtaine de départs, 0h15h-23h30. Avec *ADO*, 16 bus/j., 3h-22h15. Trajet : 3h15 en 2e classe ; 2h30 en 1re classe.

➤ **Pour/de Cancún :** 160 km. Avec *Oriente* (par la nationale, 156 km), départ env ttes les 30 mn, 1h15-22h30. Trajet : 3h30. Avec *ADO* (par l'autoroute 145 km), 8 départs/j., 7h30-18h30. Trajet : 2h15.

➤ **Pour/de Playa del Carmen :** 230 km. Avec *Mayab*, 3 départs, 9h30, 14h45, 17-15. Trajet : 4h. Avec *ADO*, 5 départs, 10h05-17h20. Trajet : 2h30.

➤ **Pour/de Tulum :** 90 km. Avec *ADO*, 5 bus/j., 9h15-20h15. Avec *Oriente* ou *Mayab* env 4 bus/j., 8h30-17h15. Trajet : 2h30 en 2e classe, 1h30 en 1re classe.

➤ **Pour/de Cobá :** 60 km. Même bus que pour Tulum. Trajet : 1h.

➤ **Pour/de Tizimín et Río Lagartos :** respectivement 40 et 104 km. Avec *Oriente*, 1 bus direct pour Río Lagartos à 7h30, retour 18h30. Trajet : 2h. Sinon, 15 départs/j., 5h30-16h, ttes les 15 mn, jusqu'à Tizimín ; et aussi avec *Mayab*, à 9h, 12h, 19h. Trajet : 1h. De Tizimín, prendre un bus pour Río Lagartos : env 8 départs. Trajet : 1h.

➤ **Pour/de Chetumal :** avec *Mayab*, 3 départs/j. Trajet : 5h.

➤ **Pour/de Izamal :** 90 km. Avec *Oriente*, 3 bus/j. Trajet : 2h15.

➤ **Pour/de Chiquilá** (Isla Holbox) **:** 165 km. 2 solutions :

– 1 bus *Oriente* (de paso) passe entre 2h30 et 3h (glurp !). Il arrive à Chiquilá vers 5h30, ce qui permet de prendre le 1er bateau à 8h.

– L'autre solution s'appelle *Ideal* ! Un bled qui se trouve à l'embranchement de la nationale vers Cancún et de la route pour Chiquilá. Prendre un bus *Oriente* de 2e classe vers Cancún et descendre à El Ideal. De là, départs fréquents de *colectivos* pour Chiquilá sf 10h30-14h30.

En voiture

➤ **De/pour Cancún :** vous avez le choix entre la nationale et ses villages pittoresques (et les nombreux *topes* qui vont avec !) ou bien l'autoroute *(cuota)*, chère (déjà dit) et ennuyeuse.

➤ **De/pour Chiquilá** (Isla Holbox) **:** il faut prendre la nationale ; et surtout pas l'autoroute, car il n'y a aucune sortie entre Valladolid et Cancún.

➤ **De/pour Río Lagartos :** belle route bien asphaltée sur la plus grande partie du trajet. Trajet : 1h30.

Adresses utiles

🛈 **Office de tourisme** (plan B1) **:** au coin du zócalo et calle 40 n° 200. ● chi chen.com.mx/valladolid ● Lun-sam 9h-21h ; dim 9h-14h. Pas d'intérêt pour les touristes et pas de doc.

✉ **Poste** (plan B1) **:** en bordure du zócalo ; à l'angle des calles 40 et 39. Lun-ven 9h-15h.

■ **Banque Banamex** (plan A1, 2) **:** calle 41 ; à 50 m du zócalo. Distributeur pour cartes *Visa* et *MasterCard*. Idem à *Bancomer*, sur le zócalo. Dans cette ville, les banques ne changent pas de devises. Cela fait la joie de la *Casa de Cambio*, située sur le zócalo, face à l'office de tourisme, calle 41 n° 204, qui change, elle, euros, dollars et même *traveller's*, à un taux faible.

@ **Phonet** (plan B1, 3) **:** sur le zócalo. ☎ 856-40-78. Tlj 7h-minuit. Service de téléphone *larga distancia*, fax et Internet. Change également les dollars et les

euros, mais taux peu intéressant. Internet moins cher en face de l'église La Candelaria, non loin de la *Biblióteca pública regional*.

■ **Location de vélos** (plan A1, 4) **:** chez Antonio Negro Aguilar, calle 44 n° 195. ☎ 856-21-25. Tlj 7h-19h. Des vélos de toutes les tailles. Location à l'heure 10 $Me ou à la journée. La famille vit sur place, donc pas de problème pour le dépôt.

🚐 **Taxis collectifs pour Ek'Balam** (plan A1) **:** à l'angle des calles 37 et 44, 50 m après l'hôtel Zaci. En principe tlj 7h-15h. Compter 40 $Me/pers. Ces minivans bleus assurent la navette pour les écoliers et transportent également des touristes. Départs en fonction du remplissage. Sinon, il existe des taxis qui attendent au même endroit mais qui coûtent bien plus cher (120 $Me) ; possibilité de se regrouper à 3 ou 4.

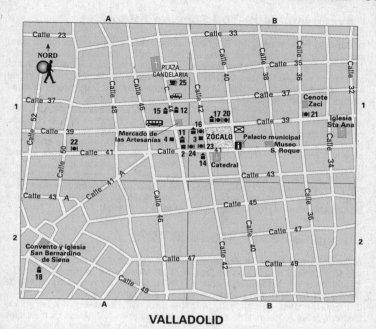

VALLADOLID

- ■ **Adresses utiles**

  - 🛈 Office de tourisme
  - 🚌 Terminal des bus
  - 🚐 Taxis collectifs pour Ek'Balam
  - 2 Banque Banamex
  - @ 3 Phonet
  - 4 Location de vélos

- ■ **Où dormir ?**

  - 11 Hotel María Guadalupe
  - 12 Hotel Lilli
  - 14 Hotel San Clemente
  - 15 Hotel Zaci
  - 16 Hotel María de la Luz

  - 17 Mesón del Marqués
  - 18 Casa Quetzal-Hotel Boutique

- ▮●▮ **Où manger ?**

  - 16 Restaurant de l'hôtel María de la Luz
  - 17 Restaurant de l'hôtel Mesón del Marqués
  - 20 Bazar municipal
  - 22 Plaza Maya
  - 23 Las Campanas
  - 24 La Chispa

- ☕ **Où prendre le petit déjeuner ?**

  - 25 La Casa del Café Kaffé

Où dormir ?

Bon marché (moins de 400 $Me, soit 24 €)

🛏 *Hotel María Guadalupe* (plan A1, **11**) : calle 44 nº 196. ☎ 856-20-68. 8 chambres avec salle de bains (eau chaude) et ventilo, simples mais très correctes. Certaines ont 3 lits (prix avantageux). Évitez celles qui donnent sur la rue, bruyantes. Bien tenu.

🛏 *Hotel Lilli* (plan A1, **12**) : calle 44 nº 192 ; entre les calles 37 et 39. ☎ 856-21-63. *Proche du centre.* Une douzaine de chambres pour les plus simples, les moins chères avec ventilo, TV, douche (eau chaude) et, pour quelques pesos de plus, vous avez la clim. Ne pas prendre de chambre donnant sur la rue.

Prix moyens (400-700 $Me, soit 24-42 €)

🛏 *Hotel San Clemente* (plan B1, **14**) : calle 42 n° 206, donnant presque sur le zócalo. ☎ 856-22-08. ● hotelsanclemente.com.mx ● *Parking.* Très agréable, avec sa petite piscine, son patio et son air andalou. Chambres spacieuses avec 2 lits doubles en fer forgé, douche et w-c, ventilo ou AC. Un hôtel qui a un petit côté chic mais à un prix raisonnable. Calme. Bref, une bonne adresse sans histoire et un bon rapport qualité-prix.

🛏 *Hotel Zaci* (plan A1, **15**) : calle 44 n° 191 ; entre les calles 39 et 37. ☎ 856-21-67. ● hotelzaci.com ● *Parking.* Enfilade de chambres, sur 3 étages, toutes de couleur saumon, de chaque côté d'un étroit patio verdoyant, qui se termine par une agréable piscine. Chambres avec AC confortables mais un peu chères. Grande propreté et accueil sympa. Un bon hôtel.

🛏 *Hotel María de la Luz* (plan B1, **16**) : calle 42 ; sur le zócalo. ☎ 856-20-71 ou 11-81. ● marialuzhotel.com ● *Parking.* Plus d'une soixantaine de chambres correctes, un peu confinées quand même, avec 2 grands lits, TV et AC. Celles pour 3 ou 4 personnes donnent sur le zócalo. Jolie végétation autour de la piscine. Resto agréable et bien aéré (voir « Où manger ? »).

Chic (plus de 700 $Me, soit 42 €)

🛏 *Casa Quetzal-Hotel Boutique* (plan A2, **18**) : calle 51 n° 218 ; barrio Sisal. ☎ 856-47-96. ● casa-quetzal.com ● *Derrière le couvent San Bernardino.* 8 chambres dans une superbe villa pleine de charme. Judith, amoureuse de la culture maya, s'est installée à Valladolid après un long séjour à Isla Mujeres. Elle a composé un ensemble plein de détails coquets et chaleureux, et aux belles couleurs apaisantes dans les murs et carrelages. Chambres vastes, la plupart avec 2 lits *queen size.* Les n°s 1 à 5 sont sous les arcades autour de la piscine, la n° 6 a une petite terrasse et un lit *king size.* Ambiance reposante.

🛏 🍴 *Mesón del Marqués* (plan B1, **17**) : calle 39 ; sur le zócalo ; en face de la cathédrale. ☎ 856-20-73 ou 30-42. ● mesondelmarques.com ● Bel édifice avec patio à colonnades, où même les ailes récentes épousent un style colonial. Chambres agréables de bon confort, pas grandes mais décorées dans un mobilier qui évoque le temps jadis. S'il y a de la place, préférez celles avec petit balcon. Très belle piscine dans la cour arrière. Accueil variable. Resto très recommandable (voir « Où manger ? »).

Où manger ? Où prendre le petit déjeuner ?

🍴 *Bazar municipal* (plan B1, **20**) : sur le zócalo, juste à côté de l'hôtel Mesón del Marqués. C'est un ensemble de petits bouis-bouis de cuisine familiale installés dans une salle immense, encombrée de tables. Certains restent ouverts jusqu'à 22h. *Comida corrida* à petits prix. Mais attention, à la carte, l'addition grimpe vite. Le rapport qualité-prix n'est pas aussi bon qu'on pourrait le croire et qu'on l'aurait voulu.

🍴 *Plaza Maya* (plan A1, **22**) : calle 41 ; entre les calles 48 et 50. ☎ 856-34-39. Tlj 9h-15h. Un peu excentré mais mérite vraiment le détour. Succession de salles en enfilade, décorées de plantes vertes, masques mayas et piñatas. Du pur jus yucatèque : papadzules, poc chuc, salbutes, panuchos, longaniza... Si vous êtes au régime, passez votre chemin. Sinon, vous vous régalerez de cette riche nourriture servie sur des feuilles de bananier ou sur une *charola* (plateau).

🍴 *La Chispa-Casa de La Arrachera* (plan A-B1, **24**) : calle 41 n° 201 ; entre les calles 42 et 44. Tlj 17h-23h. Une vieille maison datant de 1910. Belle et vaste salle, bien décorée et bien éclairée. Spécialité de viandes, notamment l'*arrachera.* Aussi des salades. Bon accueil du patron. Malheureusement un immense écran de TV diffuse, en permanence, des concerts à grand renfort de décibels.

IOI *Las Campanas (plan B1, 23) :* à l'angle du zócalo et de la calle 41. ☎ 856-23-65. *Tlj 8h-minuit. Attention, le pourboire est inclus dans l'addition, mais ça ne dérange pas les serveurs de demander un plus. Musique en vivo à partir de 21h ven-sam.* Joli cadre rustico-colonial pour ce resto de bonne cuisine mexicaine. Quelques spécialités régionales comme la *longaniza* (sorte de saucisse de porc grillée, un peu similaire au chorizo) ou le fameux poulet *pibil* qui n'a plus de secret pour vous depuis que vous voyagez dans le Yucatán.

IOI 🍴 *Restaurant de l'hôtel María de la Luz (plan B1, 16) : voir « Où dormir ? ». Ouv tlj 6h30-22h. CB acceptées.* Grande salle avec arcades, ouverte sur la place. Fauteuils confortables en osier. Carte variée et *comida corrida* tous les jours à un juste prix. Très agréable petit déj-buffet à volonté *(70 $Me, soit 4,20 €)* à partir de 6h30.

IOI *Restaurant de l'hôtel Mesón del Marqués (plan B1, 17) : voir « Où dormir ? ».* Le resto occupe un patio débordant de végétation. C'est une bonne table, réputée dans la région, à l'ambiance chic et aux prix moyens. Le service y est attentif, les spécialités yucatèques, la sérénité garantie : qu'espérer de plus ?

IOI *Restaurant du Cenote Zaci (plan B1) : calle 36 ; entre les calles 37 et 39. Tlj 8h-18h.* Pour sa terrasse reposante qui surplombe le *cenote*, pour la possibilité de faire un plongeon entre 2 plats. Mais pour le reste, aucune surprise pour cette cuisine non gastronomique. Vous pouvez toujours ne prendre qu'un verre et profiter du lieu.

🍴 *La Casa del Café Kaffé (plan A1, 25) : pl. Candelaria.* Juste à côté de la Biblioteca publica regional *Pedro San de Baranda* et de l'église *Nuestra Senora de la Candelaria. Horaires d'ouverture variables.* Bon *espresso* du Chiapas et gâteaux assez réussis. L'accueil est chaleureux, ce qui ne gâche rien.

À voir

🚶🚶 *Calle 41 et 41 A (plan A1-2) :* appelée aussi *calzada de los Frailes,* lorsqu'elle devient la *41 A.* Cette rue est bordée de maisons aux façades pastel. Un très bel exemple de rénovation urbaine réussie et de l'architecture locale. Mérite un détour, d'autant qu'elle mène au couvent de San Bernadino.

🚶🚶 *Convento y templo San Bernardino de Siena (plan A2) :* au bout de la calzada de los Frailes, c'est-à-dire de la jolie calle 41 A. *Couvent mar-sam 8h-12h ; église tlj 17h-19h. Entrée : petit don personnel.*
C'est l'un des premiers couvents construits dans le pays (1552). Édifié comme une forteresse, il fut incendié par les indigènes en 1847 et en 1910. Il reste peu de mobilier, mais joli retable du XVIe s en bois de cèdre finement peint. Le cloître attenant *(accessible par une porte à judas à gauche ; tlj sf lun 8h-12h)* est massif à souhait : il porte bien son âge. Un petit musée présente quelques mousquets retrouvés dans le *cenote* voisin. À l'arrière, un parc (ancien jardin potager qui n'existe plus vraiment). La bâtisse qui y abrite l'entrée dudit *cenote* mérite un coup d'œil.
Le 12 décembre, jour de la fête de *Nuestra Señora de Guadalupe,* grande kermesse populaire sur la place du couvent.

🚶 *Mercado de las Artesanías (plan A1) :* à l'angle des calles 39 et 44. *Fermé dim ap-m.* Surtout des vêtements brodés et des *huipiles.* Deux ou trois hamacs qui se battent en duel. Bref, rien de très palpitant.

🚶🚶 *Cenote Zaci (plan B1) :* calle 36 ; entre les calles 37 et 39. *Tt près du centre. Tlj 8h-17h. Entrée : 15 $Me.* Ce *cenote*, aux eaux d'un vert profond, a le mérite de pouvoir être contourné presque au ras de l'eau, grâce à un chemin qui en fait le tour. On peut aussi s'y baigner. Belle vue sous la *palapa* du restaurant près du Chac-Mool. Grotte-refuge pour des centaines de chauves-souris. Ça serait dommage de ne pas faire cette petite balade, de ne pas prendre au moins un verre au bar-restaurant. À l'entrée, sans intérêt, un petit parc où quelques animaux dans des cages attendent les rares visiteurs.

🍴 *Museo San Roque* (plan B1) : *à l'angle des calles 41 et 38. Tlj 9h-20h. Entrée gratuite.* Petit musée bien fait, qui nous éclaire sur l'histoire et la culture de Valladolid et de sa région. Très intéressant, à condition de comprendre l'espagnol. Expo sur les ruines d'Ek'Balam, pour ceux qui n'auraient pas le temps d'y aller.

➤ *DANS LES ENVIRONS DE VALLADOLID*

🍴 *Cenote X-Kekén (Dzitnup)* : *à 7 km de la sortie de la ville, en direction de Mérida. Panneaux sur la droite. On peut y aller à vélo : suivre la calle 39 jusqu'à la carretera Mérida Libre, ensuite prendre la piste cyclable. Ou en taxi collectif : départ dans la calle 44, entre les calles 39 et 41. Tlj 7h-17h. Entrée : 25 $Me.* On peut s'y baigner. Bel endroit tranquille avec sa voûte percée par laquelle pénètre un faisceau de lumière.

🍴🍴 *Sitio arqueológico de Ek'Balam* : *à 25 km au nord de Valladolid. Site ouv 8h-17h. Entrée : 90 $Me ; gratuit pour les moins de 13 ans ; supplément vidéo.* Env 1h30 de visite.

➤ *Pour y aller :* trois solutions. Prendre le bus de Tizimín et demander l'arrêt à l'embranchement qui mène au village de *Santa Rita.* Il y a ensuite 5 km à faire à pied ou en stop jusqu'à Ek'Balam-Ruinas (ne pas confondre avec le village). C'est un parcours un peu galère, à moins d'emporter un vélo avec soi dans le bus. La 2ᵉ option, beaucoup plus simple, consiste à prendre à Valladolid un taxi collectif dans la calle 44, à l'angle de calle 37 (plan B1). Ces minivans fonctionnent en principe tlj 8h-15h. Départs en fonction du remplissage pour 120 $Me/pers quel que soit le nombre de passagers. Pour le retour, fixez une heure pour qu'on vienne vous chercher sur le site. Enfin, on peut aussi négocier avec un taxi, mais qui coûte autour de 150 $Me l'aller, possibilité de se regrouper à 3 ou 4. Pour le retour, station de taxi sur le parking.

Très beau site, Ek'Balam (« jaguar noir ») présente l'avantage d'être peu fréquenté. Les fouilles, récentes, n'ont commencé que depuis 1994 et sont toujours en cours. Elles ont déjà mis au jour de superbes sculptures en stuc d'une grande finesse et très bien conservées. Les dates d'occupation sont encore sujettes à caution. On pense que la ville aurait été occupée aux alentours de 500 av. J.-C., bien que la plupart des constructions datent de la période classique (250 à 1200 apr. J.-C.). La cité, qui fut un grand centre religieux, politique et économique, était fortifiée et ceinte de trois murailles, percées de quatre entrées d'où partaient des routes, les *sakbé'oob.* Chacune de ces quatre chaussées se dirigeait exactement vers les quatre points cardinaux. Le site compte de beaux édifices.

– À l'entrée, *El Arco Maya,* orienté selon les quatre points cardinaux.

– Après avoir franchi le rideau d'arbres, on découvre, un peu hébété et soufflé, l'imposant *Acrópolis.* Il est divisé en plusieurs petites pièces reliées entre elles à l'intérieur par d'innombrables escaliers. On y a découvert en 1998 un glyphe représentant l'emblème de la ville (fait unique dans cette partie de la péninsule), ce qui semblerait indiquer le caractère royal de la cité et son importance à l'époque maya. Ne manquez pas d'escalader les quelques (!) marches. Vous serez largement récompensé car, du sommet, la vue est superbe. C'est calme, l'atmosphère est sereine. On aperçoit même le bout des pyramides de Cobá et de Chichén Itzá. Vous ne voyez pas ? Juste à droite de la cime de l'arbre au loin ! Allez, un petit effort !

🍴 *Cenote X'Canché :* près de l'entrée du site d'Ek'Balam, à 1,5 km, on trouve le *cenote* de X'Canché où l'on peut se baigner, faire du snorkeling, du rappel pour 30 $Me, et même louer un VTT pour un tarif forfaitaire de 80 $Me, entrée comprise. Possibilité de camper 100 $Me et petit resto sur place. Les activités sont gérées par la collectivité. ☎ (44) 985-100-99-15. ● ekbalam.com.mx/cenote ● Tlj 6h-17h.

RÍO LAGARTOS

4 000 hab.   IND. TÉL. : 986

À une centaine de kilomètres au nord de Valladolid. Mais on y vient aussi depuis Mérida. Situé sur les rives d'un immense bras de mer, ce petit village de pêcheurs tranquille est aussi la porte d'accès à la réserve du parc national Río Lagartos (47 000 ha). Un vrai paradis pour les ornithologues en herbe. Plus de 200 espèces d'oiseaux : cormorans et pélicans, ibis, échasses et hérons, plusieurs sortes d'aigrettes, et même des crocodiles si vous avez de la chance (si, si ! on en a vu des gros !)... En réalité, ce sont surtout les flamants roses qui justifient le voyage. Ils constituent une des colonies de flamants les plus importantes. En tout cas, les amoureux de nature et d'atmosphère tranquille ne manqueront pas le détour.

En chemin, si vous venez en voiture de Valladolid, marquez un arrêt à l'église de Uayma (fléchée) pour contempler sa superbe façade mudéjar.

– Attention, pas de banque ni de change à Río Lagartos. Prévoir des pesos.

Arriver – Quitter

En bus

🚌 **Terminal Autobuses del Norte :** *calle 19 s/n. Pas de téléphone, pas vraiment de réception. Pour plus de rens : le café d'en face, ou dans les hôtels.*
➤ **Pour/de Tizimín :** 44 km. 11 bus 5h-17h30.

De Tizimín Terminal Autobuses del Norte (correspondance) :
➤ **Pour Cancún :** 180 km. Bus à 6h45, 10h, 11h, 12h30 (lun, ven, sam) et 20h (dim).
➤ **Pour Mérida :** 210 km. À 12h et 1 bus/j. avec des horaires différents chaque jour.
➤ Aussi des bus *económico* avec arrêt dans tous les villages, pour *Cancún* à 7h30, 9h30, 11h ; pour *Mérida* à 10h, 13h, 16h30 ; pour *Chiquila* à 11h, 13h, 14h15 ; et *Tulum* à 9h30.

Où dormir ? Où manger ?

🛏 **Posada Las Glaviatas :** *sur le* malecón ; *entre les calles 12 et 14.* ☎ *862-05-07. Ouv slt en hte saison. Bon marché.* 5 chambres simples, avec salle de bains, eau chaude, TV et ventilo. Discothèque *Los Negritos* le samedi soir à côté du restaurant. À bon entendeur, salut !

🛏 **Punta Ponto :** *sur le* malecón ; *à l'angle de la calle 19.* ☎ *862-05-09.* ● *puntaponto@hotmail.com* ● *Prix moyens. Petit déj inclus. Parking. Wifi.* Petit immeuble récent. 10 chambres spacieuses et très clean, avec eau chaude. Superbe vue sur la lagune pour la suite avec balcon privé (*600 $Me*) et de la très belle terrasse au 1er pour la bronzette. Bonne adresse au calme.

🛏 **Villa de Pescadores :** *sur le* malecón ; *à l'angle de la calle 14.* ☎ *862-00-20. Prix moyens.* Petit immeuble nouveau, qui semble toujours en travaux et en perpétuel agrandissement. 9 chambres spacieuses avec un grand lit et un plus petit, mais pas engageantes au niveau du mobilier et de la literie, avec eau chaude. Dommage car grand balcon individuel et vue sur la lagune à partir du 2e étage. Stationnement non gardé.

🛏 **Tabasco Río :** *calle 13 ; à l'angle de la calle 12.* ☎ *862-01-16 ou 05-07. Dans un coin du zócalo. Ouv slt en hte saison. Petit déj en sus.* Prix plus élevé que les autres, alors qu'il n'a pas de vue sur la mer. L'hôtel le plus récent, et le plus cossu aussi. 17 chambres doubles avec ventilo, TV et AC. Salles de bains avec douche. Les n°s 8, 9 et 10 sont les plus agréables, à l'étage et avec balcon.

🛏 |O| *Restaurant Isla Contoy : calle 19 n° 134 ; tt au bout du* malecón*, vers l'ouest.* ☎ 862-00-00. *Tlj 11h-21h.* Très bonne cuisine à base de fruits de mer et de poisson. Avec en terrasse, au 1er, belle vue sur la lagune et le petit port où

se dandinent les bateaux de pêcheurs. Ambiance sympathique apportée par Chino, qui propose des excursions. Fait aussi *posada*, avec 5 chambres simples, pourvues d'AC, TV, mais ne donnant pas sur la mer (un peu cher pour la qualité des chambres).

À faire

➢ *Promenade sur la plage* déserte. Une quinzaine de kilomètres !

➢ *Balade en lancha* vers le territoire des *flamingos*. En fonction des saisons, on peut observer les tiburons et les raies manta (de juin à septembre), les flamants et pélicans (de novembre à janvier), et pêcher au gros (de février à mai).
– Tous les guides « officiels » (en fait des pêcheurs reconvertis au tourisme) sont désormais regroupés au module *Parador Turístico Nahochín* qui est situé sur le *malecón*, au niveau des calles 10 et 12. Compter environ 600 $Me (36 €) pour une *lancha* de 6 personnes et 2h de balade. La lagune est large, et hors saison le temps est long avant de voir deux malheureux petits crocos, des pélicans, des cormorans et quelques flamants roses. Partir tôt le matin (première sortie à 7h) mais le soleil est en face : dur pour les photos ; ou vers 14-15h, pour revenir avec le soleil couchant, mais là l'inconvénient est que l'après-midi le temps peut être couvert. Prix négociables. Les capitaines de bateau ont tendance à demander un pourboire supplémentaire.
– Une autre option, que nous vous conseillons, consiste à aller voir Ismael ou Chino au resto *Isla Contoy* (voir « Où dormir ? Où manger ? »). Ils ont tous les deux été formés à l'écotourisme et sont réellement soucieux de préserver la nature. Ils organisent aussi des excursions de 2h à 2h30. Ils fournissent des jumelles. Compter autour de 600 $Me (36 €) négociable, pour un bateau à moteur de 6 personnes. Essayez de trouver d'autres routards pour diviser le prix. Tours nocturnes pour aller voir les tortues en juin, juillet et août.

ISLA HOLBOX (prononcer « holboch ») 1 700 hab. IND. TÉL. : 984

Une île comme on les aime... Petit paradis qui s'étend de tout son long entre le golfe du Mexique et la mer des Caraïbes, à l'intérieur de la réserve écologique Yum Balam, où séjourne régulièrement une colonie de flamants roses. Le site est donc protégé, et si l'on vient de Cancún, c'est le choc : une sorte de remontée dans le temps. Et un calme de plus en plus rare. Ici, on se connaît surtout par son surnom ; les rues sont en terre sablonneuse ; les véhicules à moteur, hormis les utilitaires, sont inexistants : les insulaires se déplacent à vélo ou en voiturette de golf. Sur la place principale, maisons basses et quelques baraques de bois colorées sur fond de ciel bleu. Vous l'avez compris, le tourisme n'a pas dénaturé l'âme de cette petite île. De violents cyclones passés se sont chargés de rappeler à la prudence les promoteurs qui rêvaient de coloniser son pur rivage. En effet, les quelques petits hôtels qui s'étaient approchés un peu trop de l'eau ont été dévastés.

UN PEU D'HISTOIRE

À l'origine, cinq familles... et 150 ans plus tard, 1 700 habitants. Vous imaginez les problèmes de consanguinité ! Holbox a très probablement été peuplé vers 1873 par des descendants de pirates du vieux continent, natifs du village de Yalahau, sur la terre ferme. La péninsule, qui s'étendait sur près de 40 km de long et 3 km dans sa plus grande largeur, s'est transformée peu à peu en île, sous les coups de boutoir des cyclones. En 1988, Gilbert s'attaque à la partie orientale de l'île, entre Holbox et cabo Catoche. En 2002, Isidore est sans pitié pour les quelques poutres bringuebalantes vaguement accrochées entre elles qui relient les deux rives... En 2005, Émilie et Wilma remettent ça, frappant durement le village.

PÊCHE

La prolifération de différentes espèces de poissons, liée à la jonction de deux courants marins au niveau de cabo Catoche, fait le bonheur des pêcheurs, qui concentrent à eux seuls 90 % de l'activité de l'île.

Arriver – Quitter

L'embarquement se fait à *Chiquilá,* à 165 km de Valladolid et à 170 km de Cancún.
➢ *Liaison bus 2ᵉ classe + bateau :*
– *De Mérida via Valladolid :* départ de Mérida à 23h30 (5h de trajet), vers 2h du mat de Valladolid (2h30 de trajet), puis traversée en *lancha* ou attendre le bateau de 6h ; dans l'autre sens, bateau à 5h et départ du bus à 6h.
– *De Cancún :* bus *Oriente* à 7h30, 12h40 et 13h30. Trajet : env 3h. Dans l'autre sens, à 5h40, 7h40 et 13h40 ; dans l'autre sens, bateau à 7h et départ du bus à 7h30, même bus pour Puerto Morelos et Playa del Carmen. Les bus attendent l'arrivée de la vedette. Entre 2 bus, on peut prendre un taxi de Chiquilá à Kantunilkin (pas trop cher à plusieurs). De là, combi jusqu'au lieu-dit Ideal (le carrefour avec la *Federal* Cancún-Mérida) où passent des bus très régulièrement sf 10h30-14h30.
– *La traversée :* compter 20-25 mn. Service régulier avec de petites vedettes tenues par 9 frères d'une même famille *(Los 9 Hermanos).* ☎ 875-20-36. Prix du billet simple : 60 $Me (3,60 €). En sens inverse 70 $Me. Départs 6h-16h ttes les 2h, puis 17h et 19h, et ven-dim, une traversée supplémentaire à 18h. Dans l'autre sens, 5h-15h ttes les 2h, puis 16h et 18h, et ven-dim à 17h. En dehors de ces horaires, pas de panique : on peut traverser en *lancha,* env 300 $Me (18 €) pour 6 pers. En se groupant, on divise le prix. Ça se remplit assez vite.
– *L'arrivée sur l'île :* depuis l'embarcadère, la rue principale conduit au centre du village, puis à la plage nord près de laquelle sont situés les hôtels. On peut y aller à pied. Mais si vous êtes chargé ou flemmard, prenez un tricycle-taxi. Autre solution, les taxis-voiturettes de golf. Compter 40 $Me/pers (2,40 €), même tarif que le tricycle. Attention, les chauffeurs touchent souvent une commission pour conduire les voyageurs à certains hôtels. Ils critiquent la concurrence pour arriver à leurs fins : ne vous laissez pas influencer !
➢ *La voiture :* on peut la laisser dans un parking gratuit à gauche du ponton d'embarquement. Mais par précaution, laissez-la plutôt dans un parking privé payant (50 $Me/j., soit 3 €), car sinon vous aurez peut-être à votre retour la surprise de trouver un pneu dégonflé, ce qui fait la joie du garagiste du coin. Il y a une pompe à essence à l'entrée de Kantunilkin et une autre à côté de l'embarcadère de Chiquilá.
Raccourci : depuis et vers Cancún, on économise 45 km grâce à un axe tout nouveau tout beau (mal indiqué !) entre le village de Vicente Guerrero (au km 262 de la *Federal*) et la route de Chiquilá (embranchement 12 km au sud de Kantunilkin).
➢ *L'avion :* nos lecteurs pressés et peu regardants à la dépense pourront louer un avionnette pour se faire acheminer à Cancún (550 US$, pour 2/3 pers et bagages, ou 5 sans bagage) ou ailleurs. *Rens à l'agence* Transfer Holbox, ☎ *875-21-04 ;* ● *transferholbox.com* ● ; *à côté du resto* La Parilla de Juan, *ou directement par Internet :* ● *aerosaab.com* ●

Topographie

Holbox abrite un seul village du même nom. Le reste de l'île est désert. La rue principale, qui la traverse du sud au nord, relie l'embarcadère à la plage en passant bien sûr par la place centrale, le *zócalo*.

Transports dans l'île

Les distances étant insignifiantes, autant utiliser vos gambettes, le vélo, très sympa aussi, ou encore une voiture de golf !

■ *Location de vélos* (plan A1, **4**) : av. Damero, à *la Isla* à côté de la Farmacía y Novedades Jessy. *Loc à l'heure* (15 $Me, soit 0,90 €) ou à la journée (100 $Me, soit 6 €). Certains hébergements en mettent aussi à la disposition de leurs clients ou en louent.
■ *Location de golf cars* (plan A1, **5**) : ces voiturettes hantent normalement les pelouses impeccables des golfs. Ici, elles sont pratiques pour porter de lourds bagages (faites donc rouler une valise dans le sable sur plus de 1 km !). Quelques loueurs, dont *Rentadora Moguel*, à l'angle de Damero et Tiburón Ballena, ou même certains hôtels. *Comptez autour de 100 $Me (6 €) l'heure, 600 $Me (36 €) pour 12h et 700 $Me (42 €) pour 24h.* Faites jouer la concurrence.

Conseils très pratiques !

À la saison des pluies (de juin à septembre), les *mosquitos* (moustiques) et *chaquistes* (sorte de puces de sable) se concertent pour passer leurs vacances sur l'île. Certains jouent même les prolongations en hiver : munissez-vous d'un bon *repelente* ! Et puis, pour traverser en *lancha* de nuit ou prendre le bateau aux aurores, prévoyez une petite laine.

Adresses utiles

■ *@ Internet* (plan A1, **3**) : *Shark*, av. Damero. Tlj 10h-23h.
■ *Bancomer* (plan A1, **2**) : sur le *zócalo*, dans le petit immeuble de l'Alcadia. Distributeur pour cartes *Visa* et *MasterCard*. Un autre distributeur au sud du *zócalo*.
■ *Change :* possibilité de changer des euros ou des dollars dans les commerces, ou à l'agence *Transfer Holbox*, mais à un taux désavantageux (prenez vos précautions avant de venir).
■ *Excursions : Transfer Holbox* (plan A1, **6**), à côté du resto Fajita & Beer Tiki Tiki. ☎ 875-21-04. ● *transferholbox. com* ● Une agence sérieuse qui propose aussi bien des transferts en avionnette, que les excursions classiques proposées à Holbox.

Où dormir ?

Comme dans tout le Yucatán, durant les périodes de vacances des Mexicains (la semaine de Pâques, juillet-août et surtout de mi-décembre à début janvier), il est préférable de réserver (d'autant que c'est le bout du bout). De plus, les prix flambent. En revanche, de début janvier à fin mars, vous paierez jusqu'à trois fois moins cher. Vous pourrez même essayer de négocier.

De bon marché à chic (300-800 $Me, soit 18-48 €)

⚊ ⌂ *Casa Maya, Hotel et Camping* (plan A1, **10**) : à env 10 mn à pied du débarcadère ; sur la plage. ☎ 875-24-28. ● *joselima67@hotmail.com* ● Cam-

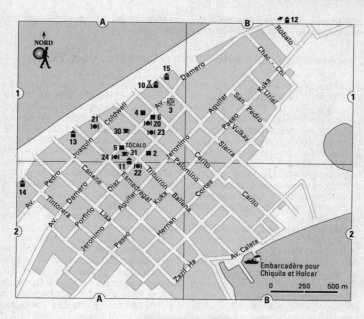

ISLA HOLBOX

ping dans le jardin derrière l'hôtel, 5 belles tentes et 2 plus petites (fournies), sanitaires communs. Également de belles chambres, dans cet hôtel tout neuf, confortables, avec eau chaude, AC, TV, malheureusement un peu sombres, mais on est sur la plage. Bien tenu. Beau salon. Chaises longues pour la bronzette, hamacs pour la sieste.

🏠 *Posada Los Arcos* (plan A1-2, **11**) :

sur le zócalo. ☎ 875-20-43. ●saul954@ hotmail.com ● Chambres avec eau chaude, ventilo ou AC et petite TV. Simples mais propres et calmes, disposées autour d'une grande cour arborée aux murs fuchsia stabilo. Assez bien tenu. Location de petites voitures.

🏠 *Hotel Casa Iguana* (hors plan par B1, **12**) : av. Damero, face à la mer, au calme, un peu excentré. 📱745-11-78. ●holbox hotelcasaiguana.com ● Wifi. Chambres spacieuses, bien meublées avec eau chaude, ventilo et balcon. N'hésitez pas à négocier les prix en toutes saisons. Bien tenu.

Encore plus chic (plus de 1 200 $Me, soit 72 €)

⌂ *La Palapa* (plan A1, 13) : av. Morelos. ☎ 875-21-21. ● hotellapalapa.com ● *Prix selon confort et saison.* Belle bâtisse blanche au toit de coco, qui abrite de grandes et belles chambres décorées avec goût et force détails. Toutes ont un balcon donnant sur la mer, le ressac et les pélicans. Également un appartement avec cuisine. À l'accueil chaleureux s'ajoutent une belle terrasse sur le toit et une petite cocoteraie dotée de hamacs, côté plage. Génial !

⌂ *Villa Los Mapaches* (plan A2, 14) : sur la plage. ☎ 875-20-90. ● losmapaches.com ● *Prix à la journée, à la sem (sf de mi-déc à mi-janv) ou au mois (veinards !). Maisonnette pour 2-4 pers ou appartement pour 4-5 pers. Internet.* Tous équipés de salle de bains, cuisine, ventilo, moustiquaire et nichés sous des *palapas* joliment décorées et espacées. Quelques vélos à la disposition des clients. Excursions. Un endroit vraiment sympa, avec un accueil avenant.

⌂ *Posada Mawimbi* (plan A1, 15) : à 200 m env du zócalo, entre rue et plage. ☎ 875-20-03. ● mawimbi.net ● *Petit déj à la carte non compris. Pas de resto.* Haute *palapa* circulaire au toit de palmes, abritant des chambres très confortables avec AC et joliment décorées, aux couleurs chatoyantes (celles côté océan, plus chères, n'ont pas vue sur la grande bleue, les palmiers s'interposent...). Quelques *cabañas* également avec cuisine, et petites suites. Hamacs sur la plage, petit jardin touffu pour le café du matin. Un endroit charmant, avec accès direct à la mer. Le weekend, on entend les mélodies du bardisco *Carioca's,* situé 300 m plus loin, on aime ou on n'aime pas ! Si la *posada* est complète, on peut toujours aller à l'hôtel d'à côté, *Casa Las Tortugas,* mêmes prestations, mêmes tarifs. ☎ 875-21-29. ● holboxcasalastortugas.com ●

Où manger ?

Outre les adresses qui suivent, on trouve quelques petites *comidas corridas* dans les rues autour du *zócalo.* Malheureusement, le poisson, pourtant pêché sur place, a l'écaille un poil chérot.

|●| *Fajita & Beer Tiki Tiki* (plan A1, 20) : av. Damero. ☎ 875-20-21. *Tlj sf mar 17h-minuit (2h pour le bar). Tacos et mariscos,* jus de fruits, au rez-de-chaussée, et échoppe extérieure pour un déjeuner rapide. Au 1er, la terrasse. Excellents cocktails et plats bien présentés, issus d'une carte copieuse, à des prix corrects. Vous avez compris, on a aimé.

|●| *Restaurant de l'hôtel Faro Viejo* (plan A1, 21) : au bout de la rue principale, en bord de plage. ☎ 875-22-17. *Attention souvent fermé en basse saison.* Enfin des tables avec vue sur l'océan ! Mais on vient ici aussi pour la carte des poissons, d'un bon rapport qualité-prix. Fameux *ceviche* et surtout langoustes frétillantes, avis aux amateurs... Dispose aussi de 10 chambres le long de la plage à prix modérés.

|●| *Isla del Colibri* (plan A1-2, 22) : à un angle du zócalo. ☎ 875-21-62. *Tlj 7h-14h, 19h-23h.* Baraque tout en bois, aux murs joyeusement peinturlurés et recouverts de photos-souvenirs. On vous préparera de délicieux plats, surtout à base de poisson et fruits de mer, ainsi que salades, tacos ou sandwichs. Bonne ambiance mais prix un peu plus élevés que les autres. Excellent jus et salade de fruits frais.

|●| *Pizzeria Edelyn* (plan A1, 23) : sur le zócalo. ☎ 875-20-24. *Tlj 11h-24h. Fermé mer en morte saison.* Facilement reconnaissable par la banderole d'une

célèbre boisson américaine, qui entoure sa terrasse du 1er. Un resto avec quelques tables à l'extérieur, sous une petite arcade, qui propose une carte lorgnant plutôt vers l'Italie ! Spécialité : la pizza à la langouste. Poissons et fruits de mer également. La terrasse lambrissée qui domine le *zócalo* est idéale pour prendre un verre en fin d'après-midi. Ambiance cosmopolite.

|●| *Viva Zapata* (plan A1, **24**) : av. Damero. ☎ 875-23-30. Ouv tlj à partir de 14h. Fermé mer en basse saison. Grande terrasse au 1er étage, sous une *palapa*. Resto mexicain qui propose poissons et bonnes viandes passés au gril de la *revolución*. Pour les végétaliens, plats de légumes à la vapeur ou sautés.

Où prendre le petit déjeuner ?

☛ *Las Flores* (plan A1, **30**) : av. Damero, sur le *zócalo*, une petite cafétéria-*galería* qui propose 12 choix de formules de petits déj complets à partir de 55 $Me, soit 3,30 €, ainsi que des plats simples pour le déjeuner.

☛ *La Isla* (plan A1, **31**) : sur le *zócalo*, à côté de la Posada Los Arcos. *Tlj 7h-21h.* Petits déj copieux très bon marché. Et si cela vous tente dès le matin, hamburger de langouste ! Au 1er, salle de billard.

À faire

Voir les excursions proposées par l'agence *Transfert Holbox* dans « Adresses utiles ». Attention, il y a des saisons pour l'observation des tiburons et raies manta (de juin à septembre), des flamants et pélicans (de novembre à janvier), et pour la pêche au gros (de février à mai).

➤ *Tour de l'île* en bateau... De juin à septembre, la grande attraction, ce sont les *requins-baleines* appelés tiburons : depuis peu, une mode, pas seulement répandue à Holbox, propose aux touristes de nager avec ces bestioles. À vous de voir. En tout cas, tous les hôtels organisent des tours en mer pour les admirer de près. Ces monstres marins, qui peuvent atteindre 14 m de long, sont effectivement des requins, mais ils ne se nourrissent que de plancton, comme les baleines. Compter 350 $Me/pers, soit 21 €, en bateau moteur rapide de 5/6 personnes.

➤ *Promenade agréable* sur la plage qui s'étend à l'est du village jusqu'aux abords du *cabo Catoche* ou, à l'ouest, vers les *puntas Mosquito* et *Sots*. N'oubliez pas vos crème solaire, chapeau, lunettes, couteau suisse, boussole (c'est l'aventure) !

➤ *Excursion en bateau à travers la réserve de Yum Balam :* au programme, la *laguna Yalahau*, l'*isla de los Párajos* ainsi que le *cenote Ojo de Agua*. Compter 350 $Me/pers (21 €), pour 3h de balade en bateau de 10 personnes (collation comprise). Située le long du rivage sud de l'île, la lagune est entourée de mangrove et abrite une importante colonie de flamants roses. Possibilité d'entrevoir des crocodiles, ainsi que des dauphins et des tiburons *(requins-baleines)*. Le célèbre *Ojo de Agua* est un *cenote* aux eaux cristallines qui alimenta bien longtemps les habitants de l'île en eau potable. Les ornithologues seront passionnés par l'*isla de los Párajos,* où l'on peut observer près de 140 espèces différentes d'oiseaux selon les saisons. L'accès est interdit, mais des tours d'observation ont été aménagées à proximité. Alors n'oubliez pas vos jumelles si vous en avez dans vos bagages !

– Ne pas manquer l'arrivée des *pêcheurs* sur la plage, le matin : poulpes, langoustes, mérous... à déguster ensuite dans « Où manger ? ».

DE LABNÁ À CHICHÉN ITZÁ

CANCÚN

580 000 hab.   IND. TÉL. : 998

> Pour le plan de Cancún, se reporter au cahier couleur.

Uniquement conçue à l'échelle des Nord-Américains (n'est-elle pas jumelée avec... Miami ?) pour désengorger Acapulco. L'endroit choisi était autrefois une fantastique langue de sable aux eaux turquoise, seulement habitée par quelques pêcheurs. Aujourd'hui, l'ensemble du site a été coulé dans le béton, genre « Domaine des dieux » (Astérix et Obélix). Face à ces hauts immeubles, on se demande si le tourisme atteint ici des sommets ou touche au contraire le fond. Malgré son jeune âge, Cancún a déjà son histoire, celle de sa fondation au début des années 1970. L'endroit était en concurrence avec plusieurs autres sites, depuis les côtes de Tamaulipas jusqu'à la baie de Chetumal. Ce sont finalement les ordinateurs qui ont rendu leur verdict en analysant les courbes de température de l'eau, les données climatiques, les courants marins, ainsi que les possibilités de communication et d'approvisionnement.
Cancún se divise en trois parties : la banlieue, vaste concentration de logements pour les employés des grands hôtels ; le centre-ville – *downtown*, comme on l'appelle ici, histoire de donner le ton –, quartier vivant, presque sympathique, notre préféré ; et, enfin, la zone hôtelière, long ruban de 25 km (le boulevard Kukulcán) qui longe la lagune, bordée d'hôtels 5 étoiles au luxe clinquant, dont les quelque 27 000 chambres font le bonheur des tour-opérateurs principalement nord-américains.

Arrivée à l'aéroport

✈ *L'aéroport (hors plan couleur par B3) : à env 20 km au sud du centre.* ☎ 886-00-47, 48 ou 49. Les vols internationaux arrivent au terminal 2. Ceux venant des États-Unis ou certains charters joignent le terminal 3 (navettes gratuites entre les terminaux). Un nouvel aéroport devrait voir le jour en 2013.

■ *Dans le terminal 2, distributeur automatique de la banque* **Santander**, *disponible 24h/24.*
■ *Également une* **casa de cambio** *dans le hall d'arrivée des terminaux 2 et 3. Tlj 9h-21h.* Taux défavorable, changer peu !

➢ *Pour Cancún :* bus *ADO*, à droite en sortant du terminal 2. Ttes les 30 mn, 4h30-minuit. Compter 42 $Me (2,50 €). Trajet : 30 mn. Très pratique pour aller au centre-ville : le bus arrive au terminal *(plan couleur B1)*. Si vous logez dans la zone hôtelière, prenez un taxi collectif. Prévoyez env 150 $Me (9 €). Ces camionnettes confortables, d'une huitaine de places, vous déposeront à votre hôtel. Elles desservent aussi le centre-ville, mais après la visite de la zone hôtelière ! Le taxi coûte cher (env 600 $Me, soit 36 €).
➢ *Pour Playa del Carmen :* bus *ADO*, à droite en sortant du terminal 2. Ttes les heures, 9h30-21h30. Compter 106 $Me (6,50 €). Trajet : 50 mn. Sinon, taxi collectif *(colectivo)* : 300 $Me/pers (18 €).
➢ *Pour Tulum :* pas encore de bus direct. Il faut changer à Playa del Carmen. Voir aussi « Arriver – Quitter » à Tulum ; la compagnie *Tucan Kin* propose un service de transport (non régulier, il faut donc les contacter avant pour prendre rendez-vous) mais très cher.

Comment se déplacer ?

Très simple. Le **terminal des bus** (*plan couleur B1*) est en plein centre-ville. On rejoint donc son hôtel à pied sans trop transpirer. Dans le centre, on fait d'ailleurs tout à pinces. Pour rejoindre la zone hôtelière et les plages, le bus R1 « Hoteles-Downtown », tout blanc, est super pratique. Vous le prenez n'importe où sur l'avenue Tulum et il vous dépose où vous voulez le long des 25 km du boulevard Kukulcán. Ttes les 10 mn env. Fréquence réduite la nuit.

Adresses utiles

Infos touristiques

Plans sommaires de la ville et brochures à l'aéroport.

🚹 ***Direction du tourisme municipal*** (*plan couleur B3*) *: à l'angle des av. Cobá et Nader, juste à côté de Fonatur.* ☎ 887-33-79. *Lun-ven 9h-16h. Sympa. On y trouve le* Cancún tips, *brochure gratuite en anglais, très bien faite. Plein* de brochures publicitaires avec des bons de réduction, des plans de la ville et de la zone hôtelière. Autre bureau au km 8,5 dans la zone hôtelière, dans le *Cancún Edificio.*

Services

✉ ***Poste*** (*plan couleur A2*) *: à l'angle de Xel-Ha et Sunyaxchén, dans le centre-ville. Lun-sam 8h-17h30 ; sam 9h-12h30.*
■ ***Banques :*** *dans le centre,* **Bancomer** (*plan couleur B2,* **2**)*,* **Scotiabank** (*plan couleur B1-2,* **3**) *et* **Banamex** (*plan couleur B2,* **7**) *sont sur l'av. Tulum. Banamex assure le service* Western Union. *Pour le change, lun-ven 9h (ou 10h)-16h ; sam mat. Changent les euros. Distributeurs de billets. Sinon, plusieurs bureaux de change. Banamex a un meilleur taux que les autres banques et que les casas de cambio.*

@ ***Internet :*** *plusieurs centres Internet sur l'av. Uxmal, autour du terminal des bus* (*plan couleur B1*) *et du parque de las Palapas* (zócalo *; plan couleur B2*)*.*
■ ***Station de taxis*** (*plan couleur B1,* **5**) *: devant le terminal de bus ainsi qu'au croisement Tulum et Cobá. Tous les chauffeurs disposent d'un feuillet avec une liste de prix fixes en fonction de la course.*
■ ***Laverie*** (*plan couleur B2,* **13**) *: Gladiolas 18, parque de las Palapas. Tlj 8h-20h.*
■ ***Pharmacie 24h/24*** (*plan couleur B2,* **9**) *: angle Tulum-Claveles.*

Représentations diplomatiques

■ ***Consulat de France :*** *calle Pargo 24, Tejon 9.* ☎ *et fax : 883-98-16.* 📱 *147-98-16.* ● *consulatcancun@aol.com* ● *Lun-jeu 10h-12h.*
■ ***Consulat de Suisse :*** *av. Cobá 12, edificio Venus, bureau 214.* ☎ *et fax : 884-84-46.* ● *rolandicancun@rolandi.com* ● *Lun-ven 9h-14h.*
■ ***Consulat de Belgique :*** *av. Tulum 192, pl. Tropical, local 59.* ☎ *et fax : 892-25-12.* ● *info@belgicacancun.com* ● *Lun-sam 9h-14h.*
■ ***Consulat du Canada :*** *bd Kukulcán, pl. Caracol II, 3ᵉ étage, local 330.* ☎ *883-33-60. Fax : 883-32-32 et 01-800-706-29-00. Lun-ven 9h-15h30.*
■ ***Immigration*** (*plan couleur B1,* **6**) *: à l'angle des av. Nader et Uxmal.* ☎ *881-34-60.* ● *qrdrinf@inami.gob.mx* ● *Lun-ven 9h-13h. Pour une prorogation de votre séjour touristique, permanent ou professionnel au Mexique.*

Location de voitures

■ *Alamo :* à l'aéroport. ☎ 886-01-03. ● diazalamorentacar.com.mx ●
■ *Budget :* av. Tulum 231 ; à l'angle de Labná. ☎ 884-69-55. À l'aéroport : ☎ 886-00-26 (24h/24), 886-29-50 ou 01-800-505-94-74 (n° gratuit). ● budget cancun.com ●
■ *Avis :* à l'aéroport. ☎ 886-02-22 ou 01-800-707-77-00 (n° gratuit). ● avis. com.mx ●
■ *Hertz :* à l'aéroport. ☎ 01-800-709-50-00 (n° gratuit).

Compagnies aériennes

■ *Aeroméxico :* av. Cobá 80 ; juste avt le carrefour avec Bonampak, sur la gauche. ☎ 193-18-68 à 73 ou 01-800-021-40-00 (n° gratuit) ● aeromexico.com ● À l'aéroport : ☎ 193-18-20. Vols quotidiens pour Mexico et quelques autres grandes villes du pays. On peut y confirmer son vol de retour sur *Air France, KLM* ou *Alitalia* avec lesquels ils sont partenaires.
■ *Iberia :* à Mexico slt. ☎ 01-55-11-01-15-15.
■ *Magnicharters :* av. Nader 94, à l'angle de l'av. Cobá. ☎ 884-06-00 ou 887-40-50. À l'aéroport : ☎ 886-08-36. ● magnicharters.com.mx ● Vols pour Mexico, Guadalajara et Monterrey. Bons tarifs.

Où dormir ?

Tous nos hôtels sont situés dans le centre-ville, et non dans la zone hôtelière. Pas de vue sur la mer donc, mais des prix abordables et la vie nocturne y est plus spontanée. Si vous voulez absolument voir la mer et jouir d'un bout de plage, on vous conseille de filer plus au sud, à Playa del Carmen ou à Tulum. Les catégories de prix correspondent aux périodes normales. Durant les 2 mois d'été, à Noël et à Pâques (le terrible *spring break* des Américains, à éviter absolument), les prix grimpent allègrement.

De très bon à bon marché (moins de 400 $Me, soit 24 €)

🛏 *Río Cancún, ex-Mayan* (plan couleur B1, 11) : Margaritas 17. ☎ 892-01-03. ● cancunhostel.com ● Internet. À quelques enjambées du terminal des bus. Une AJ bien entretenue, avec une belle terrasse, des huttes sur le toit. Dortoirs de 3 à 10 lits superposés, avec ventilos, salle de bains (eau chaude) et casiers. Coin-cuisine. Bon accueil.
🛏 *The Nest Backpackers Hostel* (plan couleur B2, 12) : Margaritas et Alcatraces 49 ; à 50 m du parque de las Palapas. ☎ 884-89-67. ● mjkglobal@yahoo. com ● Petit déj inclus. Internet. Petite maison de plain-pied, type chambres d'hôtes, ayant pour devise « make yourself home », proposant 2 dortoirs de 4 et 12 lits ainsi qu'une chambre avec salle de bains privée. Coffre. Cuisine bien équipée commune. Jardinet avec tables. Une petite adresse sans prétention, où l'on vient passer une ou deux nuits.
🛏 *The Weary Traveler's Hotel Oceanic* (plan couleur B1, 10) : Laurel 10, proche du terminal ADO. ☎ 887-01-91. Dans une rue calme. Établissement flambant neuf qui propose, sur 3 étages, 2 dortoirs (mixtes ou non) de 4 et 8 lits superposés, pourvus chacun de ventilos ou AC, sanitaires privés, coffre individuel ; et 6 doubles avec AC et salle de bains. On peut faire sa tambouille dans les kitchenettes des chambres.

Prix moyens (400-800 $Me, soit 24-48 €)

🛏 *Hotel Alux* (plan couleur B1, 15) : av. Uxmal 21. ☎ 884-66-13 ou 05-56. ● ho telalux.com ● Un édifice tout rose, à deux pas du terminal des bus et de l'animation du centre. Chambres propres, climatisées et agréables pour la plupart. Évitez celles sans fenêtre. TV et téléphone.

⌂ Hotel Cancún Allen *(plan couleur A1, 14)* : Punta Allen 8. ☎ 884-02-25. ● cancunallen_huespedes@yahoo.com ● Chambres disposant de l'AC, de la TV, et certaines d'un balcon donnant sur la rue (à préférer à celles du patio, plus sombres et plus petites). Une bonne adresse dans une rue tranquille, proche du terminal de bus. Tout est bien propre et l'accueil agréable.

⌂ Casa Luna, ex-Hotel Canto *(plan couleur A1, 16)* : Manzana 22 ; presque à l'angle de l'av. Yaxchilán. ☎ 884-12-67. *Négociation possible. Parking.* Confortable et bien situé mais un peu tristoune. Une trentaine de petites chambres propres, toutes avec AC et TV. Certaines agréables, avec un balcon, donnent sur la rue.

⌂ Hotel Sol y Luna *(plan couleur B2, 20)* : Alcatraces 33. ☎ 887-55-79. ● solylunahotel.com ● Un édifice tout neuf, 11 chambres tout confort, sur 3 étages, toutes avec petit balcon surplombant le *parque de las Palapas*, au calme tout en étant au cœur de l'animation, excellente literie, AC, TV.

Chic (plus de 800 $Me, soit 48 €)

⌂ Hotel Suites Cancún Center *(plan couleur B2, 17)* : Alcatraces 32. ☎ 884-23-01 ou 72-70. ● suitescancun.com.mx ● *Pas de petit déj. Parking devant l'entrée.* On est bien reçu dans cette adresse centrale et pourtant calme. Les chambres, très spacieuses et bien tenues, avec AC, TV câblée, sont ordonnées de part et d'autre d'un long patio orné de plantes. Piscine.

⌂ Hotel Xbalamqué *(plan couleur A2, 18)* : av. Yaxchilán 31. ☎ 884-96-90 ou 887-38-28. ● xbalamque.com ● *Petit déj et taxes inclus (promos sur Internet). Possibilité de négocier.* Un hôtel très bien situé et à la décoration originale. Partout, sols joliment dallés. Larges couloirs aux tons ocre ornés de moulures et fresques évoquant l'architecture maya. Chambres spacieuses et très confortables. Nombreuses animations : expositions, concert chaque jour différent. Bar interactif *El Pabilo Cafebreria,* remise en forme, *temazcal,* piscine et parking. Certainement l'une des plus intéressantes adresses de sa catégorie.

⌂ Hotel El Rey del Caribe *(plan couleur B1, 19)* : av. Uxmal 24. ☎ 884-20-28. ● elreycaribe.com ● *Petit déj inclus. Parking.* Un peu excentré. Près de 25 chambres à 1 ou 2 lits, spacieuses, décorées avec goût, avec ventilo et AC. Le tout niché dans un jardin intime à la végétation luxuriante, avec des hamacs pour faire la sieste et une piscinette pour se prélasser au soleil. Accueil charmant tout à fait à la hauteur. Les chambres côté avenue sont assez bruyantes en dépit de leur isolation.

Où manger ?

De bon marché à prix moyens (80-250 $Me, soit 4,80-15 €)

|●| Sur le *parque de las Palapas,* plusieurs petits **kiosques** *(plan couleur B2, 30 ; ouv tlj jusqu'à 22h env)* permettent de manger des tacos, *tortas, quesadillas* pour une poignée de pesos. Ambiance populaire et sympa, si loin des restos touristiques du boulevard Kukulcán... ou de l'avenida Uaxchilán au centre. Le week-end autour de ce même *parque,* les restos, comme **El** **Crustáceo Cascarudo,** offrent des buffets « poissons et produits de la mer » à volonté, entre 12h et 17h pour un tarif forfaitaire *(130 $Me/pers, soit 7,80 €).* « Une bière payée, 2 servies » également tous les jours. Les familles mexicaines viennent y passer l'après-midi.

|●| **Los Huaraches de Alcatraces** *(plan couleur B2, 31)* : Alcatraces 31. ☎ 884-39-18. *Mar-dim 8h-18h.* Dès le matin, une équipe de femmes s'affaire aux fourneaux pour préparer le repas que des habitués consomment vers 9h-10h dans une ambiance familiale. Une sorte de self nickel et sans chichis, où les spécialités mexicaines copieuses et succulentes se dégustent dans une salle aux murs orangés, sous l'œil de Frida Kahlo. Bon petit déj également, avec salade de fruits frais et jus tout aussi frais.

|●| *El Caribeño* (plan couleur A1-2, **33**) : à l'angle de Sunyaxchén et Yaxchilán. Tlj 12h-22h. ☎ 892-24-70. Une belle terrasse couverte où sont servis une vingtaine de plats du jour au choix, soupe et bouteille d'eau comprises. Le soir *arrachera*, *ribs* ou sirloin, prix doublé, mais accompagnés de 2 bières ou un verre de vin. Copieux. Atmosphère locale. Une bonne adresse à petit prix.

|●| *El Tapatio* (plan couleur A1, **35**) : Uxmal 8 ; entre les 2 calles Palmera. ☎ 887-83-17. Mar-dim 7h-1h. Petit resto tout jaune et clean. Terrasse agréable. Au choix 10 *comidas corridas*, ainsi que des *parillas* et des *fajitas* pour 1 ou 2 personnes cuites au gril, tequila ou margarita incluses, *pozole* et spécialités mexicaines à la carte. Copieux. Une bonne adresse à prix raisonnables.

|●| *Gory Tacos* (plan couleur B2, **34**) : Tulipanes 26, une rue piétonne entre Tulum et le parque de las Palapas. ☎ 892-45-41. Tlj 11h30-23h. Petit resto au joli cadre dans les tons jaune et bleu un peu passés. À l'intérieur, les murs, des photos d'artistes de cinéma. Malgré son style un tantinet racoleur de resto touristique, avec ses tables en terrasse sous des parasols, on y mange des spécialités, proposées en formules à prix raisonnables. *Hora feliz* non-stop sur la bière (2 pour le prix d'une) !

|●| *100 % Natural* (plan couleur A2, **36**) : av. Sunyaxchén 62-64. ☎ 884-01-02. Tlj 7h-23h. Bien pour le petit déj. Très clean. Un peu le genre *coffee shop* californien, tout crème et vert, avec un agréable patio verdoyant où murmure une fontaine rafraîchissante. Copieuses salades mixtes, *licuados* et d'énormes jus de fruits. Sandwichs divers. Attention, l'addition grimpe vite.

Chic (plus de 250 $Me, soit 15 €)

|●| *La Parilla* (plan couleur A1, **38**) : av. Yaxchilán 51. ☎ 884-81-93. Tlj 12h-2h. Déco très colorée et ambiance largement touristique qui pourra agacer certains, mais avec moult Mexicains. Au cœur de la fête, serveuses en costumes régionaux et en compagnie de mariachis à partir de 19h. Plats typiques et large éventail de bonnes viandes grillées. On s'y amuse bien, mais les prix suivent.

|●| *Labná* (plan couleur A-B2, **39**) : Margaritas 29 ; à deux pas du parque de las Palapas. ☎ 892-30-56. Tlj 12h-22h. Buffet lun-ven 12h30-17h. Façade chic qui imite une pyramide. On mange d'ailleurs sous une reproduction de la fameuse voûte maya (!). Délicieuse cuisine yucatèque, mais la carte propose aussi quelques plats d'inspiration française. Clientèle mexicaine. Service impeccable.

|●| *Iki* (plan couleur B2, **32**) : Alcatraces 39 ; à l'angle du parque de las Palapas. ☎ 884-70-24. Tlj 19h-1h. Si une terrasse sympa vous tend les bras, c'est bien à l'intérieur de la *palapa* que se trame l'originalité de ce resto. Tout en finesse et en recherche : dans une déco extrême-orientale, on se régale de plats inventifs aux senteurs d'Asie. On conseille aux plus gourmets (ou gourmands) les nems à la mangue.

Où boire un verre ? Où sortir ?

Dans le centre-ville

🍸 🎵 *Jazz Club Root's* (plan couleur B2, **40**) : Tulipanes 26 ; dans la rue piétonne entre le parque de las Palapas et Tulum. ☎ 884-24-37. ●rootsjazzclub. com ●Mer-sam 18h-1h. Fermé dim-lun-mar. Concerts jeu-sam 22h30. Une clientèle sympa et parfois endiablée vient applaudir les bons musiciens de jazz qui se produisent ici. Jazz à toutes les salsas : funk, contemporain, acid, latino... Style différent chaque jour. Les amateurs du genre seront vraiment heureux. Passez voir le programme en début de soirée, histoire de réserver votre table ou regardez sur le site.

♟♦ **El Pabilo Cafebreria** *(plan couleur A2, 18)* : av. Yaxchilán 31 ; attenant à l'hôtel Xbalamqué *(voir « Où dormir ? »)*. ☎ 892-45-53. Tlj 17h-1h. Musique *en vivo (mar-sam 21h)* dans des registres variés : *trova,* flamenco, new age, guitare classique, jazz... En journée, on y sirote un verre en parcourant journaux et revues à disposition ou en bouquinant : c'est un « café-*libreria* », soit *cafebreria* (inventif non ?). Jolie déco branchée dans une ambiance agréable et confortable.

♟♦ **Los Arcos** *(plan couleur A1, 41)* : av. Yaxchilán 51. ☎ 887-66-73. Tlj 10h-6h. On s'installe en salle ou sur la terrasse qui domine l'avenue. Télés qui diffusent des matchs en permanence, plus sono à fond les manettes : se décrit comme une « *cantina* sport ». Groupe de rock à partir de minuit. Le prix de la bière est très abordable. Et en plus, c'est *hora feliz* jour et nuit ! Clientèle touristique le jour et jeune la nuit. Mais bien aussi pour prendre un verre en soirée en terrasse, avant d'aller dîner.

« J'sais pas quoi faire ! Qu'est-ce que j'peux faire ? »

➤ **Parque de las Palapas** *(plan couleur B2)* : une place à l'architecture froide le jour, quand il y fait 40 °C à l'ombre, sans ombre ! Faites-y plutôt un tour en fin de journée, surtout le w-e. En première partie de soirée, l'ambiance est populaire et familiale, 100 % mexicaine. Fréquents spectacles et animations : concerts, ballets, marché d'artisanat... Un certain Mexique authentique, quoi. Ni cris, ni bousculades, ni agressivité, juste une paisible bonhomie. Puis, vers 22h, changement d'équipe : gays et guincheurs sortent de leur tanière pour faire la fête jusqu'au bout de la nuit.

➤ **Parque del Artesano** *(plan couleur B1-2)* : à quelques pas du parque de las Palapas. Artisans et hippies s'y installent l'après-midi et le soir (à partir du vendredi en basse saison). Parfois des spectacles de rue. Un but de promenade agréable.

➤ **Mercado 28** *(plan couleur A1-2)* : *derrière la poste.* De la nappe aux couleurs chatoyantes aux céramiques les plus diverses ; du bon hamac pour la *siesta* aux objets en argent, on trouve ici plein de *touristeries* à rapporter à la maison et même de la bimbeloterie « made in China ». Prix assez élevés (Cancún oblige) : faut négocier. Plein de petits restos sympa au centre du marché.

➤ **Parcourir les 25 km du boulevard Kukulcán** *(hors plan couleur par B3)* **:** épine dorsale de la zone hôtelière desservie par le bus R1 « Downtown-Hoteles » (se prend n'importe où sur l'avenida Tulum et longe toute la lagune). Si vous allez ensuite vers le sud en véhicule particulier, parcourez le boulevard Kukulcán en partant : il rejoint plus loin la route de Playa et Tulum. Histoire de se faire une idée et de ne plus critiquer sans savoir, il faut visiter cette zone. On y croise quelques « langoustes » bien rouges, des *abdos-Corona* joliment rebondis et des comportements rigolos de l'*easy life* à l'américaine sur fond d'hôtels et restaurants à l'architecture mégalo.

➤ **Les plages :** dommage, la mer est cachée sur presque 20 km par les immeubles qui jouent à touche-touche. La côte est desservie par le bus indiqué ci-dessus, et les plages qui bordent cette immense *zona hotelera* sont somme toute assez décevantes, étroites et sans palmiers. Même celles des grands hôtels sont libres. Mais, pour s'y rendre, il faut traverser le hall desdits hôtels (propriété privée, bien sûr). Un vigile mal luné peut très bien vous en empêcher l'accès, mais en général, avec un gentil sourire tout se passe bien. Sinon, il y a les plages publiques, très fréquentées par les locaux le week-end : ambiance populaire et familiale. Franchement, nous on préfère s'évader pour la journée à Isla Mujeres (voir le chapitre suivant).

– *Playa Las Perlas* : *km 1,5.* La plus proche du centre-ville. Bordée sur la gauche par de somptueuses demeures particulières. Baignade facile (bien pour les marmousets) lorsqu'elle n'est pas envahie par les algues. Parking.

– *Playa Langosta* : *km 4,5.* Quelques arbres y offrent une ombre maigrichonne mais bienvenue. Quelques restos. Baignade tranquille. Parking.

– *Playa Tortuga* : *km 6.* Ni grande ni large. Aménagée, avec parking, restos et boutiques. Baignade facile.

– *Playa Delfines* : *km 17,5 ; entre le* Hilton *et le petit site archéologique El Rey.* Grande plage avec une pente assez marquée. Mer souvent agitée et baignade peu pratique. Populaire. Zone gay sur la gauche.

– *Festival international de jazz* en mai et *Música del Caribe* en novembre. Concerts gratuits et payants.

QUITTER CANCÚN

En bus

Liste des principales compagnies et leurs coordonnées dans la rubrique « Transports » du chapitre « Mexique utile ».

🚌 *Terminal des bus* (plan couleur B1) : *à l'angle des av. Tulum et Uxmal.* ☎ 887-11-49. *Consigne payante tlj 6h-22h.* Tous les bus de 1ʳᵉ et 2ᵉ classes y sont regroupés. La compagnie *ADO* (1ʳᵉ classe) et sa filiale *OCC* desservent les destinations lointaines ou régionales. Tout comme les 2 compagnies de grand luxe *ADO GL* et surtout *ADO Platinium,* la plus chère de toutes (le prix des billets est multiplié par deux). CB acceptées.

– Pour la côte, les bus *Mayab* (2ᵉ classe) sont les moins chers et s'arrêtent à la demande : *Puerto Morelos, Punta Bete, Playa del Carmen, Xcaret, Paamul, Puerto Aventuras, Xpu-Ha, Akumal, Xel-Há, Tulum...* Départ env ttes les heures 5h-minuit.

➤ *Pour Campeche :* 525 km. Avec *ADO,* 5 bus/j., 7h45-22h30, et 3 *ADO GL,* à 10h, 15h, 23h30. Trajet : 8h.

➤ *Pour Chetumal :* 382 km. Avec *ADO,* 12 bus/j., 0h30-23h30, 1 *ADO GL* à 17h45 et 1 *ADO Platinium* à 18h. Trajet : 5h, en passant par Playa del Carmen et Tulum. Et, bien sûr, les bus *Mayab,* 12 bus/j., 0h15-22h. Trajet : 7h.

➤ *Pour Chichén Itzá :* 205 km. Bus *ADO* à 9h. Pour le retour, départ de Chichén Itzá vers 16h30. Trajet : 4h.

➤ *Pour Chiquilá (Isla Holbox) :* 2 bus *Mayab,* vers 7h50 et 12h40. Trajet : 3h30.

➤ *Pour Mérida :* 285 km (par l'autoroute). Bus ttes les heures 5h-19h30, puis ttes les 2h jusqu'à minuit avec *ADO, ADO GL* et *Mayab,* ainsi que 4 bus *ADO Platinium.* Trajet : 3h45.

➤ *Pour Mérida via Chichén Itzá :* trajet plus long (par la nationale), entre 5 et 6h. Une dizaine de bus *Oriente* 5h15-20h.

➤ *Pour Mexico :* 1 772 km. Avec *ADO,* 4 bus/j. Avec *ADO GL,* départ à 10h et 13h. Trajet : 24-25h.

➤ *Pour Palenque :* 875 km. Avec *OCC,* à 14h15, 15h45, 20h30, et *ADO GL* à 17h45. Trajet : 14h. Continuation vers Ocosingo, San Cristóbal, Tuxtla.

➤ *Pour Playa del Carmen :* 70 km. Avec *ADO,* ttes les 10 mn 5h-minuit. Également les bus *Mayab* (2ᵉ classe). Trajet : 1h15.

➤ *Pour Puebla :* 1 748 km. Bus *ADO* à 17h et *ADO GL* à 10h et 13h. Trajet : 23h.

➤ *Pour Tulum Ruinas (direct) :* 132 km. Avec *ADO,* bus à 9h10 et 10h10. Trajet : 2h15.

➤ *Pour Tulum :* 136 km. Bus *Mayab* ttes les heures env et mêmes bus *ADO* que pour Chetumal. Trajet : 2h30-3h.

➤ **Pour Valladolid :** 160 km. Avec *ADO* et *Oriente*, 8 bus/j., 5h-20h. Trajet : 2-3h. *Oriente* continue sur Chichén Itzá, Piste et Mérida. Avec *Mayab* via *Cobá* à 8h30.

➤ **Pour Veracruz :** 1 433 km. Avec *ADO*, 14h30 et 21h et *ADO GL* à 15h, 17h, 20h15. Trajet : 19h.

➤ **Pour Ciudad Cuauhtémoc (frontière du Guatemala) :** env 1 450 km. Avec *OCC* à 20h30 via *Comitán*. Trajet : 23h.

En avion

➤ **Pour rejoindre l'aéroport :** bus *ADO*, ou *shuttle* depuis le terminal des bus. Ttes les 30 mn, 4h30-22h. Compter 42 \$Me (2,60 €). Trajet : 30 mn. Ou bien en taxi (moins cher que dans le sens aéroport-centre-ville : env 150-180 \$Me, soit 9-10,80 €).

En voiture

➤ **Pour Mérida :** l'autoroute (indiquée *Mérida Cuota*) est très onéreuse. Mais on évite les nombreux *topes* de la nationale ! Elle se prend au sud (vers l'aéroport). La nationale (indiquée *Mérida libre*) se prend au nord (vers Puerto Juárez).

➤ Attention, **pour Chiquilá (Isla Holbox),** ne prenez surtout pas l'autoroute, car il n'y a aucune sortie entre Cancún et Valladolid !

➤ **Pour Playa del Carmen, Tulum... :** même voie express que pour l'aéroport (le boulevard **Kukulcán** rejoint cette voie express au niveau de l'aéroport).

ISLA MUJERES

17 000 hab.   IND. TÉL. : 998

Cette île minuscule (8 km de long sur 4 km de large) attire les touristes de tous les pays, qui viennent y couler quelques jours de repos après la grimpette des pyramides mayas.

L'île est globalement agréable, mais détruisons un mythe : elle n'a rien d'un petit paradis. L'eau est turquoise, certes, surtout côté continent, mais les plages sont peu nombreuses, assez étroites et pas souvent désertes. Et puis, ça bâtit dur sur la côte (et ce n'est pas fini). Le village, aux couleurs vives, est pittoresque : on y voit encore des

FEMME, FEMME, FEMME !

Ah ! Elle en a fait fantasmer des voyageurs, « l'île des femmes » ! Son nom trouve-t-il son origine dans le nombre important de mujeres *qui y vivaient pour la satisfaction des pirates ? Ou tout simplement provient-il des nombreuses statuettes féminines – idoles en l'honneur des déesses mayas de la Fertilité (notamment Ixchel) – que découvrirent les premiers Espagnols dans le petit sanctuaire à la pointe sud de l'île ? Même si cette dernière explication semble la plus vraisemblable, nul ne le sait vraiment.*

îliens dormant dans des hamacs. Mais, en haute saison, il ressemble à un gigantesque marché d'artisanat le jour, et à un lieu festif le soir (purement entre touristes). En conclusion, on passe à Isla Mujeres une ou deux journées sans déplaisir, à se prélasser dans l'eau. Les locaux du continent viennent souvent passer une journée le week-end.

Comment y aller ?

➤ **À pied :** ferry à **Puerto Juárez,** port d'embarquement situé à 15 mn en bus du centre de Cancún. Prendre n'importe quel *colectivo* indiquant « Puerto Juárez » le long de l'av. Tulum.

Il y a 2 embarcadères distants de 300 m. 2 compagnies s'y partagent le gâteau avec des prestations et des prix identiques : durée 15-20 mn, aller-retour 140 \$Me (8,40 €).
– **Magaña** : depuis l'embarcadère le plus éloigné du centre-ville. Départ ttes les heures, 6h-22h. Dans l'autre sens, 5h30-21h30.
– **Ultramar** : depuis le nouveau terminal maritime (repérable à son resto tournant panoramique coiffant une tour). Départ ttes les 30 mn, 5h-23h30. Dans l'autre sens, 5h30-minuit. Des bateaux où l'on peut être à l'extérieur et non pas enfermé comme dans les autres (enfin, ça dépend des goûts). Parkings surveillés payants (120 \$Me pour 24h, soit 7,20 €), mais à moitié prix dans le champ à côté. Attention, un billet aller-retour oblige à revenir avec la même compagnie.
➤ **En voiture** : car-ferry à **Punta Sam**, *8 km au nord de Puerto Juárez, après un immeuble style tour très repérable.* ☎ 877-00-65. Compter 5-6 départs, ttes les 3h env, 7h15-20h15 (dim 9h15, 13h30, 17h30, 20h15). Dans l'autre sens, 6h-19h15 (dim à 8h, 12h, 16h15, 19h15). Arriver 1h avt l'embarquement. Tarifs : env 220 \$Me (13,20 €) pour une voiture de tourisme, conducteur compris, et 18 \$Me/passager (1,10 €). Traversée : 45 mn. Franchement, ce n'est pas la peine d'aller polluer l'île.

Transports dans l'île

➤ **Bus** : ttes les 30 mn env sur l'av. Rueda Medina. Le bus *Turicun* parcourt la côte ouest jusqu'à Playa Lancheros, au rond-point de l'hôtel *Isla Mujeres Palace* (arrêts à la demande). 5 \$Me (0,30 €).
➤ **Taxi** : très nombreux, ils disposent d'une liste de tarifs officiels selon la course. Dans le village, compter 30 \$Me (1,80 €). De Playa Norte à Playa Sur : 80 \$Me (4,80 €). Tour 1h : 180 \$Me (10,80 €).

Location de vélos, scooters ou voiturettes de golf

Le mieux est de louer un deux-roues. Malheureusement, les vélos se font rares au profit des scooters et des voiturettes de golf, de plus en plus prisées dans les îles. Les loueurs se valent, et leurs prix (imposés) sont proches. Vérifiez l'engin et faites-vous bien préciser ce qui sera à votre charge en cas de pépin. Et puis sachez que si la rigueur est relative au Mexique, il y a parfois des sursauts de formalisme, et les loueurs acceptent avec réticence les photocopies de permis de conduire ou de passeport. Attention, ils ferment presque tous à 16h ou 17h. Enfin, le port du casque est obligatoire en scooter (surtout pour les touristes !). N'ayez crainte, la police se fera un plaisir de vous le rappeler !
Voici une idée des prix de location en temps normal (plus cher en haute saison) :
– **Vélo** : env 30 \$Me/h (1,80 €), 100 \$Me/j. (6 €).
– **Scooter (50 cc)** : env 100 \$Me/h (6 €), 250 \$Me/j. (15 €). Ajoutez 50 \$Me/j. (3 €) pour une moto.
– **Voiturette** : env 180 \$Me/h (10,80 €), 500 \$Me/j. (30 €), 600 \$Me/24h (36 €).
La location à l'heure se paie d'avance et le loueur ne rembourse pas les heures non consommées (calculez votre coup) ! Pas de fractionnement d'heure, 10 mn de tolérance. Promo en basse saison.

■ **Motos Rent Kan-Kin** *(plan B2, **2**)* : *Abasolo ; entre Hidalgo et Guerrero.* Tlj 9h-17h. Fermé dim hors saison. Scooters et motos.

■ **Fiesta** *(plan B2, **1**)* : *Rueda Medina 15 (face au débarcadère).* Tlj 8h-17h. Vélos, scooters et voiturettes. Une énorme entreprise, avec beaucoup de choix.

Topographie de l'île

Très simple. Le point de débarquement est situé dans le village, au nord de l'île. C'est là que vous logerez, le centre de l'île étant occupé par les insulaires. Une

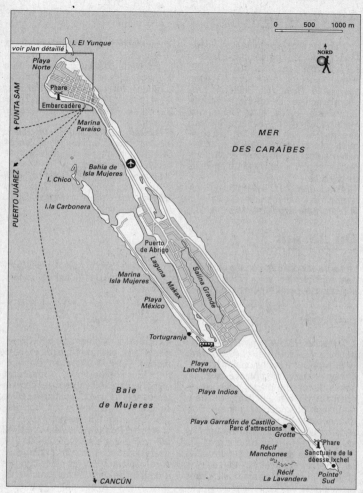

ISLA MUJERES (ÎLE)

route fait le tour de l'île. Compter une petite demi-journée quel que soit le véhicule utilisé. La *côte est,* qui donne sur le large (la mer des Caraïbes), est rocailleuse, du genre côte sauvage, bien que de riches propriétaires (américains, par exemple) y multiplient de somptueuses demeures, dont une en forme de coquillage (!). On ne s'y baigne pas, d'autant qu'il y a un fort ressac. La *côte ouest,* d'où l'on distingue les hôtels de Cancún, est plus hospitalière. Elle est bordée par quelques plages publiques, de superbes villas avec débarcadère privé et des petits hôtels au luxe discret. Au centre de l'île, une immense lagune sert de refuge aux yachts.

Adresses utiles

🏢 *Office de tourisme* (plan B2) : *Rueda Medina 130 ; à 20 m du débarcadère, sur le trottoir d'en face.* ☎ 877-03-07. ● *islamujeres.gob.mx* ● *Sans enseigne très visible. Tlj 9h-16h.* Édite une brochure avec plan, carte et adresses utiles (hôtels, restos, etc.). Demandez Marielos, elle est très aimable, efficace et parle très bien le français. Les kiosques *Información turística* qui fourmillent autour du *zócalo* n'ont rien d'officiel. Ce sont des rabatteurs d'agences de voyages.

✉ *Poste* (plan A1) : *à l'angle de Guerrero et López Mateos. Lun-sam 9h-17h.*

◼ *Téléphone larga distancia* (plan B2, 3) : *av. Madero ; entre Juárez et Hidalgo. Tlj 8h-22h.*

@ *Internet :* plein de cybercafés dans le village, tarifs et horaires proches (8h-23h), dont *Internet Digit Center* (plan A2, 4 ; *Juárez 9 A*) et *Café internet* (plan B2, 5 ; *sur Madero ; entre Juárez et Hidalgo*).

◼ *Banque HSBC* (plan B2, 9) : *Rueda Medina ; face à l'embarcadère. 24h/24.* Distributeur automatique pour les cartes Visa et MasterCard.

◼ *Laverie* (plan A2, 6) : *Juárez ; à l'angle d'Abasolo. Lun-sam 7h-21h ; dim 8h-14h.* Une autre sur Hidalgo, face à Aqua Adventure.

Où dormir ?

En haute saison (été, Pâques et Noël), comme ailleurs dans le pays, les prix grimpent sensiblement et les hôtels sont vite complets. Nous vous indiquons les tarifs pratiqués en période normale. Quoique, la normalité...

Bon marché (300-400 $Me, soit 18-24 €)

⚐ 🏠 *Pocna Hostel* (plan B1, 10) : *au bout de Matamoros, sur la plage.* ☎ 877-00-90. ● *pocna.com* ● AJ spacieuse et super bien placée, avec un accès direct à la plage, mais, de ce côté-là, la mer est dangereuse. Ambiance cosmopolite animée. Dortoirs séparés ou mixtes, avec des lits superposés. Les moins chers sont de style bannette (pas bien large). De grands placards pour laisser ses affaires (apporter un cadenas). Peu de cloisons en dur, mais des moustiquaires permettent à l'air de circuler librement. Quelques doubles avec ventilo ou AC. On peut aussi planter sa tente un peu à l'écart, à l'ombre des cocotiers. Jardin sympa, avec des hamacs pour faire la sieste avec plein de routards du vaste monde. Salle de billard, espace Internet. Tournois de volley, yoga, stretching, leçons de salsa, soirées dansantes-concert *en vivo*. Location de vélos, scooters ou voitures de golf. Bon resto pas cher (voir « Où manger ? »).

🏠 *Hostel Posada del Mar* (plan A2, 20) : *av. Juárez s/n.* ☎ 100-07-59. ● *isla hostelposadadelmar.com* ● *À 2 rues de la playa Norte.* Pour les petits budgets, 4 dortoirs de 4 lits, 2 chambres à 2 lits, très simples avec ventilo, sanitaires communs, cuisine à partager. En dépannage ou pour les bourses plates.

Prix moyens (400-600 $Me, soit 24-36 €)

🏠 *Hotel Carmelina* (plan B2, 12) : *av. Guerrero 4 ; entre Madero et Abasolo.* ☎ 877-00-06. ● *hotelcarmelita@hotmail.com* ● *Prix flirtant avec la rubrique précédente.* Un long immeuble mauve et blanc, avec une aile en retour à chaque extrémité. Des chambres simples et petites, avec ventilo ou AC, frigo, TV. Celles avec 2 lits sont plus spacieuses. Propre et bien tenu. Demandez une chambre dans la partie plus récente (côté gauche de la cour), dans les étages plus élevés. Location de voiturettes.

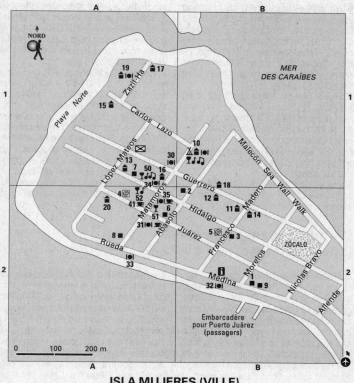

ISLA MUJERES (VILLE)

■ **Adresses utiles**

🛈 Office de tourisme
1 Fiesta (location de vélos et scooters)
2 Motos Rent Kan-Kin
3 Téléphone larga distancia
@ 4 Internet Digit Center
@ 5 Café internet
6 Laverie
7 Aqua Adventure
8 Carey Dive Center
9 Banque HSBC

🏕🏠 **Où dormir ?**

10 Pocna Hostel
11 Hotel Caribe Maya
12 Hotel Carmelina
13 Hotel Xul-Ha
14 Hotel Sueño Maya
15 Hotel Cabañas Maria del Mar
16 Hotel El Caracol
17 Hotel Villa Kiin
18 Hotel Francis Arlene
19 Hotel Na Balam
20 Hostel Posada Del Mar

🍽 **Où manger ?**

10 Resto du Pocna Hostel
19 Zazil-Ha et Busho's
30 Mañana
31 El Poc-Chuc
32 Picus
33 Velasquez
34 Brisa Mexicana
35 Bistro français

☕ **Où prendre le petit déjeuner ?**

31 El Poc-Chuc
35 Bistro français
41 Café Cito

🍸♪♫ **Où boire un verre ?**
Où sortir ?

10 Bar du Pocna Hostel
50 Bamboo
51 Om
52 Fayne's

⚲ *Hotel Xul-Ha* (plan A1, **13**) : Hidalgo 23. ☎ 877-00-75. Une petite bâtisse blanc et bleu marine sur 2 étages. Chambres fonctionnelles avec ventilo ou AC. Certaines avec un petit frigo. Le tout est bien tenu : ça en fait une bonne p'tite adresse, très simple mais bien située et au calme.

⚲ *Hotel Sueño Maya* (plan B2, **14**) : Madero 12. ☎ 877-06-84. ● *sueno maya@hotmail.com* ● Chambres avec AC et TV, toutes avec salle de bains, cuisine et balcon pour certaines. Petit parfum des années 1970, mais l'ensemble est bien tenu et les chambres sont propres et claires.

⚲ *Hotel Caribe Maya* (plan B2, **11**) : Madero 9. ☎ 877-06-84. Petite adresse simple, confortable ce qu'il faut et à prix

modeste. Les chambres s'y alignent sur 3 niveaux d'un très long couloir-atrium. Avec ventilo ou AC (*400 $Me, soit 24 €*), équipées d'un mobilier suranné, elles se ressemblent toutes. Sauf que celles des étages sont plus claires.

⚲ *Hotel El Caracol* (plan A1, **16**) : Matamoros 5. ☎ 877-01-50. ● isla-mujeres. net/hotelcaracol ● Accueil familial très sympa. Chambres propres, bien arrangées, avec un bel effort d'ameublement et vraiment correctes. Toutes ont ventilo et frigo. Plus cher avec AC. Préférer celles à l'étage, plus lumineuses. Rapport qualité-prix imbattable en basse saison, beaucoup moins en haute saison, mais essayer de négocier. Un bémol : une boîte de nuit, *Nitrox Club,* à coté.

De prix moyens à plus chic (600-1 200 $Me, soit 36-72 €)

⚲ *Hotel Francis Arlene* (plan B1-2, **18**) : Guerrero 7. ☎ 877-03-10 ou 08-61. ● *fran cisarlene.com.mx* ● *De mai à mi-déc, après négociation, les prix passent dans la catégorie précédente, notamment pour les chambres avec ventilo.* Confortable, spacieux et très bien tenu mais sans aucun cachet. Certaines chambres jouissent d'un grand balcon. Minifrigo. Préférer celles donnant sur le patio ou sur la mer (plus chères).

⚲ *Hotel Villa Kiin* (plan A1, **17**) : au bout de la rue Zazil-Ha, sur la droite. ☎ 877-10-24. ● *villakiin.com* ● *Large four-*

chette de prix, qui font le yo-yo entre hte et basse saisons (se renseigner et négocier). Déco très originale et sympa pour cet hôtel qui donne sur une petite plage, située hélas face à un vilain édifice. Un soin tout particulier est apporté au jardin, avec ses petits coins-repos et des hamacs dispersés un peu partout sous les cocotiers. Salon spacieux pour regarder la TV ou lire. Choix entre des bungalows isolés ou des chambres. Celles du bâtiment de la réception, à côté du salon, sont moins chères et moins calmes.

Très chic (plus de 1 500 $Me, soit 90 €)

⚲ *Hotel Cabañas Maria del Mar* (plan A1, **15**) : au bout de la rue Carlos Lazo. ☎ 877-01-79 ou 02-13. ● *cabanasdel mar.com* ● *Légèrement en retrait de la plage nord, Petit déj inclus.* Plusieurs grands bungalows d'un étage au toit de palmes abritent de belles chambres très confortables avec ventilo ou AC, terrasse ou balcon. Celles côté rue ont vue sur un mur, pas super. D'autres plus agréables donnent sur la piscine ou sur la mer (vue latérale).

⚲ *Hotel Na Balam* (plan A1, **19**) : Zazil-Ha 118 ; sur la gauche. ☎ 881-47-70. ● *nabalam.com* ● Superbement

placé, sur la plus belle partie de la playa Norte, mais tarifs surévalués pour la prestation offerte (tous les prix sont en dollars). Une trentaine de chambres, très spacieuses et confortables, la moitié d'entre elles côté mer, les autres donnant sur la piscine (turquoise mais sans *pescados*). Atmosphère calme et tranquille, dédiée à la détente et à la relaxation. Hamacs et fauteuils bas sur chaque terrasse individuelle. Spa, salle de massage, cours de yoga, méditations à l'aube. Bon resto (voir « Où manger ? ») dominant la plage où l'on se prélasse sur de grands matelas carrés.

Où manger ?

Bon marché (moins de 80 $Me, soit 4,80 €)

|●| Sur le *marché* (plan A1), à côté de la poste, quelques petites *loncherias*, chacune portant le nom de sa cuisinière. Cuisine familiale.

|●| *Resto du Pocna Hostel* (plan B1, **10**) : voir « Où dormir ? ». Tlj 9h-23h. Dans une ambiance décontractée, on y mange des spécialités mexicaines, des salades, des sandwichs... pour pas bien cher. On commande directement à la cuisine, on met son couvert, on débarrasse sa table, on peut même amener de l'extérieur ses boissons. Barbecue le dimanche soir. Musique *en vivo* tous les jours à 21h. Sympa.

|●| *Mañana* (plan A1, **30**) : à l'angle de Guerrero et de Matamoros. ☎ 860-43-

47. Mar-sam 8h-16h. Fermé dim. Un resto très coloré tenu par un Italien sympa. Façade découpée de fenêtres-comptoirs pour ce resto-*bookshop* (peu de livres français), où tout est écrit en anglais, sauf le nom. On peut y manger des hamburgers, des kebabs, des salades et quelques plats de la cuisine internationale. Clientèle jeune cosmopolite, vous l'avez deviné. Petits déj variés.

|●| *El Poc-Chuc* (plan A2, **31**) : à l'angle de Juárez et Matamoros. ☎ 877-08-89. Tlj 8h-22h. Fermé lun. Cuisine yucatèque à des prix « sympathypiques ». Goûtez à l'excellent *poc chuc*, à base de viande de porc grillée. Cadre familial.

Prix moyens (80-250 $Me, soit 4,80-15 €)

|●| *Picus* (plan B2, **32**) : sur la plage du port, juste à gauche en descendant de l'embarcadère. ▪ 81-26-60-51. Tlj 12h-20h30. Petit resto avec petite terrasse couverte, ainsi que des tables posées sur le sable. On mange en contemplant les bateaux qui déchargent leurs cargaisons de touristes. C'est l'une des adresses les plus populaires du coin, et il faut parfois prendre son mal en patience pour pouvoir se poser. Poisson et fruits de mer exclusivement, très frais.

|●| *Velasquez* (plan A2, **33**) : sur Rueda Medina. Tlj 9h-24h. Un petit cabanon pas plus grand qu'un mouchoir de poche, sans prétention (quelques tables sous des cocotiers ou sous une haute toile), tenu par une femme de pêcheur. Bonne cuisine. On y déguste calamars, poisson frit ou grillé, langouste au poids, pour pas cher et les pieds dans l'eau, en mirant le retour des barques de pêche, ou le départ des excursions touristiques, les pélicans qui virent autour, les langoustes frétillantes qui nous font de l'œil.

|●| *Brisa mexicana* (plan A1-2, **34**) :

angle Hidalgo-Matamoros. ☎ 887-10-62. Tlj 12h-minuit. Une grande *cantina* sympatoche, mexicaine à souhait avec ses spécialités qui mettent la mer à l'honneur (bon *pulpo* entre autres). Absence totale de décor. Tables, chaises blanches, à l'intérieur ou en terrasse sur le trottoir. Un peu froid, la journée, plus agréable le soir avec quelques bougies. Barbecue et musique *en vivo* à partir de 19h, ce qui n'évite pas le poste de TV branché.

|●| *Bistro français* (plan A2, **35**) : Matamoros 29 ; à l'angle de Hidalgo. Pas de tél. Tlj 8h-12h, 18h-22h. Repérable aux drapeaux de tous les pays qui ornent le balcon. La patronne, Diana, une Québécoise (pas toujours là), et son complice mexicain, Victor, qui parle très bien le français, jouent d'ailleurs sur tous les tableaux, attirant les *Frenchies* avec quelques plats du terroir et les Américains avec une grande enseigne *Lobster House*. Grillade de poisson, T-bone, brochettes de crevettes, filet mignon flambé, coq au vin. Une bonne cuisine fait le succès de l'affaire (prix flirtant avec le chic).

Chic (plus de 250 $Me, soit 15 €)

|●| *Zazil-Ha* (plan A1, **19**) : c'est le resto de l'hôtel Na Balam (voir « Où dor-

mir ? »). Sous une grande *palapa*, bercée par le clapotis des vagues, ambiance de charme et lueur tremblante des bougies. Savoureuse cuisine d'inspiration végétarienne, avec de nombreux apports de la gastronomie maya. On y passe une très agréable soirée, même si les accompagnements laissent un léger goût de trop peu. Tout à côté, le *Busho's*, même type de resto en plus grand, sur la même partie de la plage, avec location de lits, de chaises longues à l'heure ou à la journée (cher).

Où prendre le petit déjeuner ?

☛ *El Poc-Chuc* (plan A2, 31) : ouv tlj à partir de 8h. Pour un petit déj mexicain classique. Plusieurs formules, certaines bon marché (voir « Où manger ? »).

☛ *Café Cito* (plan A2, 41) : à l'angle de Juárez et Matamoros. ☎ 877-14-70. Tlj 7h-14h. Très joli cadre dans les tons azur. Très frais. Petites tables-vitrines remplies de coquillages. Petits déj pour tous les goûts : allemand, hollandais, français, mexicain... Crêpes et sandwichs portant chacun le nom d'une capitale européenne, gaufres, croissants. Bon café *espresso*. Service un peu détendu.

☛ *Bistro français* (plan A2, 35) : tlj 8h-12h pour le petit déj. Plusieurs formules, à prix touristes américains, l'essentiel de la clientèle du matin. Pancakes, œufs, yaourts, salades de fruits (voir « Où manger ? »).

Où boire un verre ? Où sortir ?

🍸 ♪ ♫ *Bamboo* (plan A1, 50) : Hidalgo ; entre Matamoros et Mateos. Tlj 7h-3h. Musique *lounge* en fin d'après-midi et pour le dîner. On y vient surtout le soir pour prendre un verre, regarder un match à la TV. Musique *en vivo* à partir de 19h : des groupes locaux jouent des airs de salsa, *cumbia*, *merengue*. Ensuite, place à la house ou à la techno. Bar bien fourni. Chaude ambiance et service affable.

🍸 ♪ *Bar du Pocna Hostel* (plan B1, 10) : voir « Où dormir ? ». Le seul bar de l'île installé sur la plage. Pour le soir exclusivement ; ferme vers 2h ou 3h. La bière est à un prix défiant toute concurrence, ce qui, évidemment, attire la jeunesse par grappes. Ne manquez donc pas le rendez-vous. Musique très hétéroclite : house, électronique, rythmes latinos... Bon, disons quand il n'y a pas de faux contact ! Apportez vos CD si vous voulez les écouter.

🍸 *Om* (plan A2, 51) : Matamoros 5. Tlj en hte saison 19h-3h. Les autres périodes, bar slt le w-e à 21h et resto slt le sam de 16h à l'aube. Déco originale et sympa pour ce petit bar cool et intime, éclairé par la douce lumière des bougies. Très beaux effets de volutes et de spirales peints sur les murs et les tables, comme des vapeurs d'alcool. On s'assoit par terre, au rez-de-chaussée, sur des coussins ou des banquettes basses, sous l'hypnotisant œil lumineux du mur, ou on grimpe en mezzanine. Tables champignons psychédéliques : de quoi halluciner à la 3e margarita ! Musique style *Café del Mar*, bossa-nova, house, *chillout*.

🍸 ♪ *Fayne's* (plan A2, 52) : Hidalgo. Tlj 17h-2h. Haute salle avec mezzanine, ouverte sur la rue. Colonnes peintes de motifs végétaux. Musique live ou DJs : salsa, reggae, house, hip-hop... Dégustation de 6 spécialités à prix unique, langoustes vivantes à choisir vous-même dans l'aquarium et cocktails maison.

À voir. À faire

⌂ *Playa Norte* (plan A1) : au nord du village, à 5 mn à pied du zócalo. Sable chaud, eau turquoise (enfin, selon le temps). Quoique toute proche du centre du village, elle n'est pas surpeuplée, hors saison. C'est à notre avis la plus belle plage de l'île.

Balade à terre

La route ouest vers la pointe sud permet de rejoindre les autres plages de l'île. N'oubliez pas, à l'aller ou au retour, de passer par la côte est : vue sur le large, mais baignade dangereuse. Que vous le fassiez entièrement à pied (c'est long 14 km aller-retour), en bus et une partie à pied, à vélo ou en voiturette, voici dans l'ordre les choses à découvrir.

🚶 🚶 ***Tortugranja (la ferme des tortues) :*** ☎ 877-05-95. ● turtlefarm.com.mx ● Sur la côte ouest. Sac Bajo km 4. Bus Turicun (demander l'arrêt au chauffeur). Puis un peu de marche. Tlj 9h-17h. Entrée : 30 $Me (1,80 €). C'est un centre de reproduction des tortues. Alors, pas de lièvre, on y voit des tortues marines dans différents bassins, de toutes tailles, selon qu'elles sont à la maternelle, en primaire ou en fac. Les tortues marines pèsent jusqu'à 300 kg et peuvent rester 15h en apnée sous l'eau. Les femelles pondent de 80 à 120 œufs dans un nid creusé à même la plage (ça fait des familles nombreuses !). Quelques beaux poissons aussi dans des aquariums. La maternité, sur la plage, tire la larme à l'œil avec ses petits piquets signalant les lieux de ponte et le nom de la maman (mimi, non ?). Lire aussi le paragraphe sur les tortues dans la rubrique « Faune et flore » du chapitre « Hommes, culture, environnement ».

🏖 ***Playa Lancheros :*** sur la côte ouest, à env 5 km au sud du village. C'est à côté du terminus du bus Turicun, qui se prend sur l'av. Rueda Medina. Bande de sable avec quelques restos, palapas et chaises longues à louer. L'abominable zone hôtelière de Cancún barre l'horizon maritime. Mais la plage est agréable et populaire. – Dans le coin, on trouve les restes de l'***Hacienda Mundaca*** (tlj 9h-16h ; entrée 30 $Me, soit 1,80 €), construite au début du XIXe s par le pirate et marchand d'esclaves du même nom. Petit jardin botanique et zoologique.

🏖 ***Club de Playa y Hotel Garrafón de Castilla :*** km 6. Tlj 9h-17h. Entrée : 50 $Me (3 €), parasol et chaise longue inclus ; loc d'équipement complet 60 $Me/j. (3,60 €). Cette plage privée, située à deux pas du parc d'attractions ci-dessous, donne accès, pour quelques brasses de plus, aux mêmes fonds et poissons tout en économisant ses pépètes.

🚶 🚶 ***El Garrafón, parc d'attractions :*** à l'extrême sud de l'île. Résas : ☎ 849-47-48. ● garrafon.com ● Tlj 10h-17h. Entrée : 59 US$, mais tt est inclus, distractions, plongées et même le lunch avec boisson. Un banc de corail retient des milliers de superbes poissons multicolores qu'on observe derrière la vitre de son masque dans une eau translucide. Pas farouches pour un poil, à croire qu'ils sont payés. C'est la grande destination touristique de l'île, savamment organisée à la sauce Disney-beach, avec même des tyroliennes pour se donner le frisson. Pour nager avé les poissons, on conseille la plage privée ci-dessus.

🚶 À l'extrême pointe sud de l'île se dressent un ***phare*** (visite par escalier en colimaçon « à vos risques et périls » comme le signale le panneau à l'entrée, et les restes du ***sanctuaire de la déesse Ixchel*** (tlj 9h-17h ; entrée : 30 $Me, soit 1,80 €). Il y a peu encore, les femmes venaient ici implorer la fertilité à la déesse. Le site, jadis très sauvage et empreint d'une certaine magie, a été aménagé pour répondre aux sirènes mercantiles du tourisme. Petites maisons très colorées avec artisanat, restaurants panoramiques sur le large, et site malheureusement défiguré par des sculptures pseudo-contemporaines, aux couleurs ostentatoires.

Balade sous l'eau

La plongée sous-marine est l'une des grandes attractions du coin, que ce soit en surface (apnée) ou en eau profonde. Néanmoins, les fonds marins sont moins spectaculaires que ceux de l'île de Cozumel ou de Playa del Carmen, plus au sud.

DE LABNÁ À CHICHÉN ITZÁ

– *Plongée sous-marine au large :* de nombreux clubs organisent des sorties et louent le matériel. Tous ont des tarifs similaires. Ce qui les distingue, c'est la qualité de la prestation et l'accueil. Avoir sa licence internationale. Plongées sur les récifs des environs, à l'île de Contoy, ainsi qu'à *las cuevas de los Tiburrones* (la « grotte des requins »), découverte par Cousteau.

Si vous n'êtes pas un pro de la plongée mais voulez quand même admirer la faune sous-marine, certains clubs proposent des sorties avec un simple tuba : on en prend plein le masque.

■ *Aqua Adventures* (plan A1, *7*) : Hidalgo, à côté de l'hôtel Xul-Ha, local 10. ☎ 877-16-15. ● diveislamuje res.com ● Attention, le local est parfois fermé quand ils sont en mer. Plongée avec bouteille ou en apnée. Pour tous les niveaux et à tous les prix.
■ *Carey Dive Center* (plan A2, *8*) : Matamoros 13 A. ☎ 887-07-63. ● ca reydivecenter.com ● Tlj 8h-20h. Centre important, mais accueil machinal. Propose des forfaits intéressants qui incluent jusqu'à 8 plongées en 2 jours (faut avoir le souffle !). Et aussi parties de pêche, plongées dans un *cenote*, nager avec les requins-baleines. Location de masques, de palmes, de tubas.

Balade en mer

➤ Possibilité de passer la *journée en bateau, avec un pêcheur.* Quelques agences proposent différentes balades, déjeuner compris. Comparez les prix avant de vous décider *(compter 600 $Me, soit 36 €).*

🏃 *Isla Contoy :* toute petite île située au nord d'Isla Mujeres. C'est une réserve naturelle d'oiseaux. Hérons, frégates, pélicans, cormorans... le bonheur des ornithologues. Apportez masque et tuba, car les fonds ne sont pas mal non plus. La *Cooperativa Isla Mujeres*, située Muelle 7, Contoy (☎ 877-02-83 ou 274-00-37), ainsi que les petites agences de voyages du village organisent des journées sur l'île, mais ce n'est pas donné : aller-retour, lunch, boissons et droit d'entrée au site inclus, 700 $Me, soit 42 €. Voir aussi avec les clubs de plongée.

LA CÔTE DE CANCÚN À TULUM

Tout a commencé dans les années 1960, alors que la région de Cancún n'était qu'une jungle épaisse bordée de plages désertes, connues seulement de quelques pionniers qui se rendaient à Isla Mujeres ou à Cozumel. Imaginez un peu la manne qui s'est soudain retrouvée entre les mains de quelques propriétaires, en général des hommes politiques bien informés : 200 km de plages de sable blanc sur l'une des plus belles côtes des Caraïbes ! Du jour au lendemain, les promoteurs ont vu se réaliser leurs rêves les plus fous. Et la célèbre Riviera maya de se couvrir d'énormes complexes touristiques.

VOUS AVEZ DIT « CORRUPTION » ?

La côte, de Cancún à Tulum, est désormais fermée au public. Propriété privée ! Certaines plages (Xcaret, Xel-Há) ont été transformées en parc d'attractions, s'octroyant au passage le label écologique, histoire d'être dans le vent. De l'« éco-business » à la sauce Disney. D'autres plages sont devenues des zones résidentielles avec de somptueuses villas particulières en bordure de terrains de golf (Akumal). Enfin et surtout, il y a les immenses *resorts,* tout aussi mégalo-clinquants les uns que les autres, qui nous obligent à supprimer des points sur la carte du *Guide*

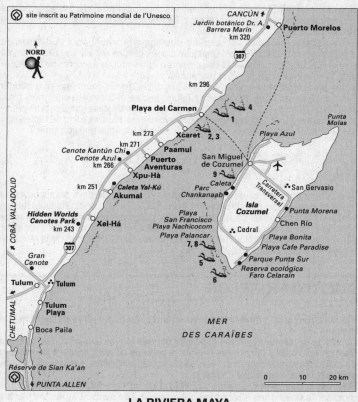

LA RIVIERA MAYA

🤿 **Nos meilleurs spots de plongée**

1 Récif Jardines
2 Récif Tortuga
3 Récif Barracuda
4 Récif Pared Verde
5 Récif Palancar
6 Récif Colombia
7 Récif Santa Rosa
8 Récif Paso del Cedral
9 Récif Paraíso

du routard et à rayer d'un trait noir de superbes plages. Que s'est-il donc passé ? Eh bien, voilà, le gouvernement a vendu – et continue de le faire – des terrains à des promoteurs privés à des prix très inférieurs à leur valeur. Ainsi, en 2005, Fonatur a cédé au promoteur du projet Riviera Cancún des parcelles en front de mer à 71 \$Me le mètre carré, quand le marché était à 8 000 \$Me ! Sûr

LA LOI DU PLUS PUISSANT

Selon la loi mexicaine, le bord de mer est propriété fédérale (il appartient donc à tous), et les propriétaires sont censés créer des accès au littoral. Petit hic, ici, les propriétaires sont d'envahissants et boulimiques promoteurs, gentiment « aidés » par les politiques, et les entrées tape-à-l'œil des méga-hôtels sont bien gardées. Quelle loi ?

qu'à ce prix-là, il faut bien avoir des relations. Tiens, par exemple, saviez-vous que le principal associé du parc Xcaret est le beau-frère de l'ex-ministre des Finances du Quintana Roo ?

Heureusement, quelques associations courageuses luttent pour la défense de l'environnement. Grâce à elles, quelques plages vierges ont été sauvées, comme Xcacel et Xcacelito qui étaient à deux doigts d'être vendues à un consortium espagnol. Ce n'est sans doute qu'un bref sursis.

Signe des temps, les touristes qui fuyaient déjà Cancún commencent à bouder Playa del Carmen et se précipitent à Tulum, encore relativement épargnée, mais dont les prix flambent. Combien de temps encore les touristes étrangers trouveront-ils du charme à une côte devenue inaccessible (dans tous les sens du terme) et à des villes qui n'ont pas grand-chose à voir avec le Mexique que l'on aime ?

ET LA POPULATION LOCALE DANS TOUT ÇA ?

Que deviennent ces milliers de Mexicains venus de tout le pays pour trouver du travail ici, notamment dans le bâtiment ? Une fois les hôtels construits, ils se retrouvent au chômage, logés dans des banlieues insalubres construites de bric et de broc, vivotant du traficotage et des miettes de la manne touristique, avec pour dérivatif le lot habituel d'alcool et de drogue, formant ainsi de la manière la plus sûre la prochaine génération de délinquants.

PUERTO MORELOS   IND. TÉL. : 998

Patelin côtier sans grand charme mais relativement préservé du tourisme de masse.
Ce village de pêcheurs, fondé et peuplé par des Mayas ayant fui la guerre des Castes, est resté à l'écart des grands projets de développement touristique de la Riviera maya. Étonnant ! Ses récifs coralliens font la joie des plongeurs avec bouteille, mais aussi en apnée.
Bien remis des plaies laissées par Wilma en octobre 2005, Puerto Morelos représente une bonne alternative pour ceux qui se sentent agressés par les artifices clinquants et les abus en tout genre des destinations m'as-tu vu. Ici, il règne encore une atmosphère nonchalante et tranquille, propice au repos.

Arriver – Quitter

Puerto Morelos est à 36 km de Cancún et à 30 km de Playa del Carmen. Embranchement au km 321 de la ruta 307.
➤ *En bus :* les bus *ADO* et *Mayab* qui font la route Cancún-Tulum (voir « Quitter Cancún ») s'arrêtent à l'embranchement (petit kiosque de vente de billets et quelques sièges sous un abri). Il reste 3 km jusqu'au village, à parcourir à pied, en stop ou en *taxi colectivo* (camionnette).

Adresses utiles

■ *Argent :* aucune banque à Puerto Morelos. Mais il y a un distributeur automatique *HSBC* en bordure du *zócalo*. Accepte les cartes *Visa* et *MasterCard*.
■ *Bureau de change :* 2 bureaux sur le zócalo. *Tlj 8h30-20h30.* Changent euros et dollars en espèces ou chèques de voyage.
@ *Internet :* plusieurs cybercafés sur le zócalo.

Où dormir ?

🛏 **Hostal Secreto :** calle Javier Rojo Gomez, mza 12, lt 4 ; à 3 cuadras du zócalo. ☎ 206-90-15. ● hostalsecreto1@ hotmail.com ● De bon marché à prix moyens en chambre de 2 à 4 pers, avec ou sans sdb, petit déj inclus. Internet. Une sorte de petite AJ tenue par Laura. Relativement isolée, mais au calme. Cuisine à disposition.

🛏 🍽 **Posada Amor :** calle Javier Rojo Gomez, à une cuadra du zócalo, sur la droite quand on fait face à la mer. ☎ 871-00-33. ● posada.amor@hotmail. com ● De bon marché à prix moyens

selon saison. Le nom seul donne déjà envie de descendre dans cette charmante petite auberge, en pierre et coquillage, où l'on se sent bien. Des chambres pour tous les goûts et tous les budgets. 2 au fond se partagent une salle de bains (même prix que les autres, donc moins intéressant). Jardin pour prendre le frais. Le resto-bar (tlj 7h-23h) est agréable, accueil familial et nourriture simple et pas chère. Petit déj de 7h à 13h. Musique live tous les soirs à 19h. Buffet le dimanche.

Où manger ?

En général, les prix et les restos ont un peu la grosse tête à Puerto Morelos, au regard de la gastronomie proposée. Et ceux du front de mer font carrément attrape-touristes. Pour changer, vous pouvez toujours vous rabattre sur les restos chinois, à droite du zócalo en regardant la mer, dont un, Hola Asia, avec une très belle terrasse, au 1er étage, et une carte à prix modérés.

🍽 **Lonchería Tío :** à gauche du zócalo, en regardant la mer. Tlj. Une petite échoppe avec 4-5 tables. Une cuisine mexicaine simple préparée devant vous, antojitos, yucatecos, tortas, chaque plat copieux ne dépassant pas 80 $Me (4,80 €).

🍽 **El Pirata :** à gauche du zócalo en regardant la mer. ☎ 871-04-89. Tlj 7h-22h. Un petit resto bien propret et une salle qui s'ouvre sur la place du vil-

lage. Carte variée. Spécialités mexicaines, hamburgers, sandwichs bien garnis... pour tous les goûts. Parfait pour se restaurer copieusement mais dispendieux. Accueil variable.

🍽 ☕ **Café d'Amancia :** à l'angle droit du zócalo en regardant la plage. ☎ 206-92-42. Tlj 7h-12h, 16h-23h. Adorable café très coloré. Sandwichs, nombreux gâteaux, cafés, licuados. Idéal pour prendre le petit déj.

À voir. À faire

– **Mercado de artesanías :** av. Rojo Gomez, à une cuadra du zócalo, sur la droite en regardant la mer. Tlj 9h-20h. Petit centre artisanal. En principe, les objets en vente sont fabriqués par les artisans eux-mêmes, que l'on voit parfois œuvrer. Hamacs, couvertures, bijoux, chapeaux, tuniques... pas l'affaire du siècle.

🏊 Partir à la découverte des **plages** désertes et se la couler douce. En direction de Playa del Carmen (vers le sud), le massif de corail s'éteint peu à peu et les algues disparaissent. En revanche, un peu au nord (au large de la tour hertzienne), palmage productif avec poissons et coraux à la clé.

🚶 **Jardín botánico Dr. Alfredo Barrera Marín :** entrée discrète, en bordure de la route 307 (km 320) vers Playa del Carmen, à 1 km du croisement pour Puerto Morelos (du côté gauche). ☎ 832-16-66. ● ecosur-qroo.mx ● Lun-sam 9h-17h mai-oct ; tlj 8h-16h nov-avr. Entrée : 80 $Me (4,80 €). Balade agréable sur 3 km d'une sente balisée serpentant au sein d'une forêt dense de 60 ha. On peut y voir également de petites ruines mayas. Par temps humide, prévoir de bonnes chaussures car ça glisse pas mal.

PLAYA DEL CARMEN   200 000 hab.   IND. TÉL. : 984

Sa situation sur l'une des plus belles côtes des Caraïbes en a fait une station balnéaire internationale, ni plus ni moins, qui vit par et pour le tourisme. Cela dit, en basse saison (notamment en dehors des périodes de Noël et de Pâques), on peut encore y passer un séjour agréable. La plage qui longe la ville est séduisante, avec son sable toujours blanc et ses eaux couleur paradis.

UNE URBANISATION GALOPANTE

Ici, les hôtels naissent comme des *Gremlins* au contact de l'eau turquoise, et les restaurants poussent comme des champignons sous le soleil. Les boutiques de souvenirs et de fringues dernière mode fleurissent le long de la *Quinta avenida*, l'avenue principale qui ne cesse de se prolonger vers le nord. Playa repousse ses faubourgs de l'autre côté de la route nationale. Ben oui, il faut bien un peu de monde pour accueillir plus de 400 000 touristes en haute saison. Un nouveau Cancún ? Pas vraiment, car dans le centre les hôtels et la ville se mélangent. Mais à sa périphérie, même erreur d'urbanisme que dans la zone hôtelière de Cancún. Cela dit, que ce soit au centre de Playa ou à l'extérieur, les bâtiments masquent la mer. Il faut habiter un hôtel bien placé (et donc cher) pour jouir du privilège d'être sur la côte !

Arriver – Quitter

En minibus (taxi collectif)

➤ Service de minibus *entre Playa et Tulum* (camionnettes ou combis confortables, avec AC). On les prend à l'angle de Juárez et de l'av. 20 *(plan A2, 3)*. Un peu moins cher (35 $Me, soit 2,10 €) que le bus et plus rapide. Vous pouvez demander l'arrêt où vous voulez le long de la route. Départ quand le minibus est plein, et il se remplit assez vite.

En bus

🚌 *Terminal ADO (plan A2, 1)* : av. Juárez ; à l'angle avec l'av. 5. ☎ 873-01-09 ou 25-05. Dessert les destinations proches comme Tulum, Cancún ou l'aéroport. Pour les grandes distances : compagnies *Mayab* (2ᵉ classe), *OCC*, *ATS* et *ADO* (1ʳᵉ classe). Consigne à bagages. On peut aussi y acheter son billet pour un bus partant de l'autre terminal.

➤ *Pour/de l'aéroport de Cancún :* 50 km. Avec *ADO*, bus ttes les heures, 8h-22h15. Compter 106 $Me (6,30 €). Trajet : 50 mn.

➤ *Pour/de Cancún et Puerto Morelos :* 70 km. Bus *ADO*. Départ ttes les 10 mn, 5h40-minuit. Trajet : 1h15.

➤ *Pour/de Chetumal :* 315 km. Bus ttes les heures, 7h15-23h15 avec *Mayab*. Une dizaine de bus *ADO*, 6h15-minuit. 1 bus *ADO GL* à 19h. Trajet : 5-6h.

➤ *Pour/de Tulum :* 60 km. Avec *Mayab*, bus env ttes les heures, 6h-22h. Le bus s'arrête au carrefour (le *Crucero*) qui mène au site archéologique et au terminal de Tulum Pueblo (à 3 km du site). Idem pour le bus *ADO*, mais 4 départs/j. slt. Trajet : 1h. N'oubliez pas non plus le service de minibus (voir ci-dessus).

➤ *Pour/de Cobá :* 107 km. Départ avec *ADO* à 8h et 9h. Trajet : 2h.

➤ *Pour/de Valladolid :* 230 km. Avec *Mayab* et *Oriente*, 5 bus/j., 8h-18h30. Trajet : 5h (par la nationale).

➤ *Pour/depuis les autres destinations de la côte :* bus *Mayab* vers Tulum. Ils s'arrêtent où vous voulez sur la *carretera federal* : *Hidden World, Akumal, Puerto Aventuras, Paamul...*

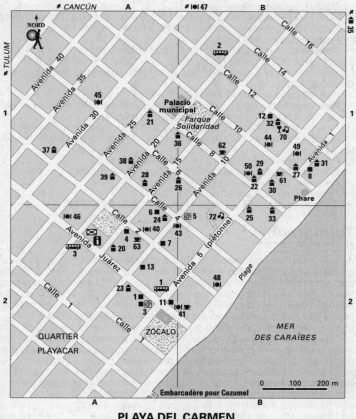

PLAYA DEL CARMEN

■ **Adresses utiles**

- 🚌 1 Terminal ADO
- 🚌 2 Terminal grandes distances
- 🚌 3 Combis pour/de Tulum
- 🛈 Point d'information touristique
- 1 Bureau de change
- @ 3 Don Casejo
- 4 Gigalav
- @ 5 La Taberna
- 6 Laverie
- 7 Parking Mexico
- 8 Phocea Mexico
- 11 Scotiabank
- 12 Banamex
- 13 Artesanías Mimi

🛏 **Où dormir ?**

- 20 AJ Colores Mexicanos et Hotel Quiam
- 21 AJ Hostel Playa
- 22 Hotel Conchita Maria

- 23 Posada Lily
- 24 Casa Tucan
- 25 Pensión San Juan
- 26 Hotel Nina
- 27 Hotel Plaza
- 28 Hotel Lunasol
- 29 Posada Freud
- 30 Hotel Maya Bric
- 31 Hotel Colibri
- 32 Hacienda Maria Bonita
- 33 Hotel Alhambra
- 35 Hotel Casa del Mar
- 36 Hotel Jabines
- 37 Hotel Los 2 Hermanos
- 38 Hotel Casa de las Flores
- 39 Hotel Colorado

🍽 **Où manger ?**

- 40 Maquech
- 41 Le Petit Bistrot de Paris
- 43 Las Brisas

- 44 Babe's-Noodle-Bar
- 45 El Fogón
- 46 El Sarape
- 47 Cactus
- 48 La Tarraya
- 49 100 % Natural
- 50 Yaxché

☕ **Où prendre le petit déjeuner ? Où boire un café ?**

- 41 Le Petit Bistrot de Paris
- 61 Café Sasta
- 62 Panadería y pastelería francesa
- 63 Jugos California

🍸🎵 **Où boire un verre ? Où sortir ? Où danser ?**

- 70 La Santanera
- 72 Play@ 69

🚌 *Terminal grandes distances (plan B1, **2**)* : à l'angle de l'av. 20 et de la calle 12. ☎ 873-01-09. Principalement des bus de 1re classe *ADO, ADO GL, Oriente, Mayab* et *OCC*. On peut acheter à l'avance son billet à l'autre terminal.
➤ *Pour/de Campeche :* bus *ADO* à 10h et 20h. Trajet : 8h.
➤ *Pour/de Chetumal :* 315 km. Avec *ADO,* 12 bus/j. 6h-minuit ; avec *Mayab,* 5 bus/j. ; avec *OCC* à 15h35, 17h05, 21h50 ; et *ADO GL,* 1 bus à 19h15. Trajet : 5h. Certains de ces bus continuent leur route vers **Palenque, Ocosingo, San Cristóbal, Tuxtla.**
➤ *Pour/de Cobá :* bus *ADO* à 8h et 9h. Trajet : 2h.
➤ *Pour/de Mérida :* 350 km. Une dizaine de bus 0h30-minuit. Bus *ADO GL* à 6h30, 16h30, 19h. *ADO Platinium* à 15h45. Avec *ATS* à 1h10. Trajet : 5h.
➤ *Pour/de Mexico (Taco) :* 5 bus *ADO* 12h30-21h30. Trajet : 24h (GASP !).
➤ *Pour/de Palenque :* *ADO GL* à 19h15 et 3 *OCC* (voir horaires Chetumal). Trajet : 12h.
➤ *Pour/de Valladolid :* *Oriente* à 7h20 et 14h30. Trajet : 3h.
➤ *San Cristóbal de Las Casas :* *OCC* à 15h35, 17h05, 21h05. Trajet : 16h.
➤ *Veracruz :* 2 bus *ADO*. Trajet : 21h.
➤ *Puebla :* bus *ADO GL* à 18h45. Trajet : 23h.
➤ *Tuxla Gutiérrez :* *OCC* à 16h40, 17h15, 22h ; *ADO GL* à 19h15.

Topographie

À Playa, les avenues sont parallèles à la mer et sautent de cinq en cinq : avenida 1 (primera), avenida 5 (quinta), avenida 10, etc. Quant aux rues (calles), elles sont perpendiculaires et sautent de deux en deux : calle 2, calle 4, etc. Mais entre certaines rues s'immiscent parfois des « bis » (2 bis...). D'autres, entrecoupées, par des pâtés de maisons disparaissent par endroits, telle la n° 14. L'avenida Juárez sépare les rues impaires (au sud) des paires (au nord). Alors pas d'impair !
Le centre-ville touristique s'étend grosso modo de la 20e avenue à la plage, et du port d'embarquement pour Cozumel à la calle 32. L'avenue principale de Playa, artère incontournable, porte le nom de 5e avenue (rien que ça !). On l'appelle communément « *la Quinta* » (cinquième). En grande partie piétonne, c'est l'avenue où se concentrent la plupart des hôtels, les sempiternels restos de pâtes et pizzas, les bars branchés, les boutiques de pseudo-luxe, bref, tout ce qu'un certain genre de touriste peut désirer. Les avenidas Juárez et Constituyentes, qui coupent la Quinta, sont les seules à porter un nom de baptême historique. Dès l'avenue 10, parquer son char devient une galère et la police veille (un flic à chaque coin de rue). On peut se garer dans un parking payant, ou en suivant les bandes sur le trottoir : jaune, je vais en fourrière ; blanche ou rien, tout va bien (faites quand même confirmer par un autochtone avant de laisser la voiture).
N'hésitez pas à vous éloigner de la Quinta en empruntant les rues perpendiculaires. À quelques *cuadras,* on retrouve une atmosphère plus mexicaine. Même le *zócalo* est cent fois plus typique, avec, le soir, les familles qui viennent prendre le frais et faire jouer les mouflets dans le square.

Adresses utiles

🛈 *Point d'information touristique (plan A2)* : av. Juárez ; entre av. 15 et 20. Lun-ven 9h-20h ; w-e 9h-19h. Efficace. Beaucoup de documentation et d'infos sur les hôtels de la ville et de la région, les possibilités d'excursions. Peut même vous recommander un loueur de voitures.
✉ *Poste (plan A2)* : av. 20 et calle 2.

☎ 873-03-00. Lun-ven 9h-16h ; sam 9h-13h.
■ *Bureau de change (plan A2, **1**)* : av. Juárez ; face au terminal des bus. Tlj sf dim 8h-23h. Accepte les chèques de voyage. Nombreux autres bureaux, notamment sur la Quinta. Comparez les taux.

■ *Scotiabank* (plan A2, 11) : angle Quinta-Juárez, proche du terminal de bus. Lun-sam 10h-15h.

■ *Banamex* (plan B1, 12) : angle Juárez entre av. 20 et 25, ou calle 12 et av. 10. Possède un guichet *Western Union*. Change les euros et les dollars. Distributeurs de billets.

■ *Téléphone* : les casetas de teléfono larga distancia pullulent en ville.

@ *Internet* : les centres sont très nombreux. Plus on s'éloigne de la Quinta, moins c'est cher. Voici 2 adresses qui sortent un peu du lot :

– *Don Casejo* (plan A2, 3) : av. Juárez ; face à la sortie du terminal des bus et à 20 m de la Posada Lily. Tlj 7h-23h. Salle climatisée. Connexion rapide et petit prix. Fait aussi téléphone.

– *La Taberna* (plan B2, 5) : angle av. 10 et calle 4. Tlj 11h-5h. Dans un simili-pub anglais. Bière à la pression. 2 billards.

■ *Taxis* : ☎ 873-00-32. Course en ville ou dans l'agglomération, compter 20-25 $Me (1,20-1,50 €). Pour l'aéroport de Cancún, il peut se révéler plus intéressant de prendre un taxi à plusieurs que la navette. Comparez les prix !

■ *Santé : Playa International Center* (hors plan par B1), av. 10 ; entre les calles 26 et 28. ☎ 873-13-65. Service 24h/24. Très bien équipé (y compris en cas d'accident de plongée) et médecins parlant l'anglais. Pas de problème pour être remboursé en France par la suite.

■ *Laverie* (plan A2, 6) : calle 4 ; entre av. 10 et 15. Lun-sam 8h-20h. Voir aussi *Gigalav* (plan A2, 4) : calle 2 ; entre av. 10 et 15. Tlj 8h-23h. Pour avoir son linge tout net.

■ *Parking Mexico* (plan A2, 7) : angle av. 10 et calle 2. Tlj 8h-22h. Compter 15 $Me/h (0,90 €), 150 $Me/j. (9 €). Bien placé pour garer la voiture une nuit ou plus, si on prend le ferry vers Cozumel.

■ *Location de bicyclettes* : voir plus loin, la rubrique « Excursions », Artesanías Mimi.

■ *Location de voitures* : agences ouv tlj 7h (ou 8h)-22h.

– *Europcar* : calle 8 ; entre av. 10 et 15. ☎ 873-28-20.

– *Budget* : calle 1ra sur et av. 5, à l'embarcadère. ☎ 120-71-73 ou 01-800-700-17-00 (n° gratuit).

– *Avis* : av. 5 ; entre les calles 6 et 8. ☎ 803-80-80.

– *Hertz* : calle 8 ; entre av. 5 et 10. ☎ 873-01-19.

■ *Artisanat Rosalia* : av. 5 n° 225 ; entre les calles 12 et 14. Une boutique digne du marché aux puces, pour farfouiller parmi ces fripes neuves ou anciennes qui proviennent des communautés mayas du Chiapas. Produits textiles authentiques des villages des environs de San Cristóbal à des prix plus que modérés. On peut échanger ses livres (peu de titres français).

Où dormir ?

Il est difficile de se loger en haute saison, notamment à Noël et à Pâques... On rappelle que les prix jouent au yo-yo selon les époques de l'année. Et bien sûr, chacun a ses propres saisons, ou n'en a pas ! Sauf mention, on vous indique les tarifs pratiqués en période normale. Sachant qu'ils peuvent facilement tripler du jour au lendemain, ce qui rend le classement particulièrement aléatoire.

Très bon marché (moins de 300 $Me, soit 18 €)

🛏 *AJ Colores Mexicanos* (plan A2, 20) : av. 15 ; entre Juárez et calle 2. ☎ 873-00-65. ● hostelcolores_mexica nos@hotmail.com ● Pas de petit déj. Internet inclus dans le prix. Chambres à 1 ou 2 lits d'une personne et dortoirs de 4, avec salle de bains. Seuls les dortoirs restent dans la catégorie très bon marché. Propre et calme. La cour blanche du passé à été coupée en deux par un long mur qui rend les chambres bien sombres. De l'autre côté du mur, l'hôtel *Quiam*, ☎ 873-36-87. Des chambres doubles lumineuses, avec AC, TV, prix passant dans la catégorie au-dessus, en haute saison.

🛏 *AJ Hostel Playa* (plan A1, 21) : angle av. 25 et calle 8. ☎ 803-32-77. ● hostel playa.com ● Ouv 24h/24. Un dortoir pour les gars, un pour les filles et un mixte avec lits superposés. Sanitaires propres et bien aménagés. 6 chambres pour 2 ou 3 (sanitaires communs et catégorie bon marché). Ventilos, hamacs, cuisine équipée. Grande salle commune aérée, couverte de photos, avec TV câblée, DVD/VHS, grandes tables. Ambiance jeune et routarde. Mais ce n'est pas à côté de la *playa* et c'est assez bruyant.

≜ *Hotel Los 2 Hermanos* (plan A1, **37**) : av. 30 ; entre calles 2 et 4. Pas de tél. Reconnaissable par sa façade ocre, hôtel de 15 chambres, propres, toutes avec ventilo et eau chaude dans les salles de bains. Plutôt pour les petits budgets, qui ne craignent pas de marcher un peu pour rejoindre la plage.

De bon marché à prix moyens (300-600 $Me, soit 18-36 €)

≜ *Posada Lily* (plan A2, **23**) : av. Juárez ; entre av. 5 et 10. ☎ 873-01-16. *Pas de résas, mais on peut appeler pour savoir s'il reste de la place.* Presque face au terminal de bus, très pratique. Avec le prix, c'est le principal atout de ce grand hôtel rose, genre motel sans charme, où l'on gare sa voiture devant sa chambre. Propre et avantageux pour 3 personnes. Chambres très simples avec salle de bains, ventilo et moustiquaires. Pas de consigne ni de casiers. Bémol : la literie n'est pas terrible et le trafic des bus à côté engendre beaucoup de bruit.

≜ *Hotel Conchita Maria* (plan B1, **22**) : av. 5 ; entre calles 8 et 10. ☎ 873-23-36. Au cœur de la Quinta. 12 chambres simples mais correctes, avec salle de bains et ventilo. Toutes donnent sur une cour, donc à l'écart de l'animation du quartier.

≜ *Hotel Jabines* (plan A-B1 **36**) : calle 8 ; entre av. 15 et 20. ☎ 873-08-61. En face du *palacio municipal*, à 3 rues de la plage. Tout vert pomme, cet hôtel propose une trentaine de chambres, sur 2 niveaux, toutes avec AC, TV et s'ouvrant sur un grand patio entouré de verdure. Dans cette zone calme de la ville, légèrement éloignée de la plage, les prix restent encore raisonnables.

≜ *Hotel Colorado* (plan A1, **39**) : calle 4 ; entre av. 20 et 25. ☎ 873-03-81. ● hotcolora@hotmail.com ● À 3 rues de la Quinta pour ceux qui veulent en être proches, tout en étant à l'écart de son effervescence. Toutes en couleurs, disposées autour d'une charmante cour arborée et fleurie, 12 chambres agréables et bien entretenues avec, chacune frigo, TV, balcon et une kitchenette. Barbecue commun dans la cour. Une bonne adresse pour les amoureux ou les familles.

≜ *Casa Tucan* (plan A2, **24**) : calle 4 ; entre av. 10 et 15. ☎ 873-02-83. ● casatucan.de ● Les chambres et les *cabañas* sont dispersées dans un grand jardin dont les arbres et plantes distillent une fraîcheur bienvenue. Au fond, une piscine dominée par une grande fresque. Les chambres, toutes avec salle de bains, certaines équipées d'un frigo, d'autres d'une kitchenette, portent le nom du thème de sa déco. Demandez à en voir plusieurs avant d'arrêter votre choix. Nos préférées : la 18 (2-3 personnes) et la 24. Ambiance routarde calme. À l'entrée, mais indépendants de l'hôtel, bar, resto, Internet (cher).

≜ *Hotel Casa del Mar* (hors plan par B1, **35**) : calle 24 ; entre av. 5 et 10. ☎ 873-25-84. ● casadelmarplaya. com ● L'hôtel est en retrait, donc calme, de style colonial assez classique avec son patio à grosses colonnes rouge et blanc. Chambres de confort standard (avec salle de bains), celles à l'étage étant plus lumineuses. Et l'accueil est souriant. Bon choix pour être à la fois en limite de l'animation de la Quinta et proche des plages du Nord. Petite piscine.

De prix moyens à chic (600-1 000 $Me, soit 36-60 €)

≜ *Hotel Plaza* (plan B1, **27**) : av. 1 ; à l'angle avec calle 10. ☎ 873-21-93. ● ho telplazapdc.com.mx ● À 50 m de la Quinta et de la plage. Une trentaine de chambres confortables, propres avec 2 lits, AC et ventilo, TV, balcon. Également 2 suites et 3 appartements avec cuisine. Intéressant pour les longs séjours et les familles ou groupes d'amis (tarif dégressif après 7 nuits). Accueil très sympa.

🛏 *Hotel Casa De Las Flores* (plan A1, **38**) : av. 20 ; entre les calles 4 et 6. ☎ 873-28-98. • *hotelcasadelasflores. com* • Petit hôtel de charme tout en couleurs tenu par une famille italienne. Les chambres, spacieuses, donnent sur un joli patio verdoyant et sur une belle piscine. Excellent rapport qualité-prix. Vous l'avez compris, notre coup de cœur.

🛏 *Pensión San Juan* (plan B2, **25**) : av. 5 n° 165 ; entre les calles 6 et 8. ☎ 873-06-47. • *pensionsanjuan.com* • Petit hôtel sympathique et bien tenu, décoré de motifs au pochoir bien colorés. Chambres simples et avenantes de 1 à 6 personnes, avec ventilo (bon rap-

port qualité-prix), certaines avec mini-frigo. Ajouter une centaine de pesos pour avoir la clim et un lit *king size*. Pas de petit déj, mais cuisine et grande terrasse donnant sur la Quinta (pour observer « la foule qui vous traîne, vous entraîne »...).

🛏 *Hotel Maya Bric* (plan B1, **30**) : av. 5 n° 455 ; entre les calles 8 et 10 ; passer sous le portique maya. ☎ 873-00-11. • *mayabrichotel.com* • *Parking* (inaccessible après 15h). Internet (30 mn/j. incluses dans le prix). Hôtel plus calme qu'on aurait pu le croire. Les chambres donnent sur un immense jardin avec piscine (pas très belle). Elles sont spacieuses et confortables (certaines avec AC mais bien plus chères), équipées de 2 lits *matrimoniales* ; mais aussi très classiques et sans vraiment de charme. Si la déco générale est assez quelconque, l'ambiance est décontractée et l'accueil sympa.

Plus chic (plus de 1 000 $Me, soit 60 €)

🛏 *Hacienda Maria Bonita* (plan B1, **32**) : av. 10 ; entre les calles 10 et 12. ☎ 873-20-49 à 52. • *haciendamariabonita.com* • Minuscule parking devant l'hôtel. Un hôtel de charme, de style colonial, aménagé autour d'une rafraîchissante piscine. Les couleurs se mélangent en harmonie, à l'extérieur comme dans les vastes et confortables chambres (AC et TV câblée). Évitez celles donnant sur la calle 12 à cause du cabaret situé en face (bruit toute la nuit). Préférez celles donnant sur la cour intérieure et, mieux, avec balcon. Service aux p'tits oignons. Un coup de cœur.

🛏 *Posada Freud* (plan B1, **29**) : av. 5 ; entre les calles 8 et 10. ☎ 873-06-01. • *posadafreud.com* • Résa conseillée. Plusieurs types de chambres (donc plusieurs tarifs), toutes avec bains et déco sans complexe, certaines avec ventilo, d'autres avec balcon, hamac et AC. Celles du haut, plus claires, sont plus chères. La *posada* est située dans un passage ombragé, bordé de bars et restos, donc au cœur de la fête. Oreilles sensibles, s'abstenir. L'accueil se cherche, mais l'adresse a sa réputation !

🛏 *Hotel Lunasol* (plan A1, **28**) : calle 4 n° 169 ; entre av. 15 et 20. ☎ 873-39-

33. • *lunasolhotel.com* • Pas de petit déj (aller à La Kalaka, en face). Parking. Wifi. À deux pas de l'animation et pourtant très calme. Spacieuses chambres, sobres mais aux couleurs gaies, avec ventilo ou AC. Toutes ont terrasse ou balcon donnant sur des jardins intérieurs verdoyants. Belle piscine et bar. Cuisine à disposition. Impeccable. Accueil agréable aux accents québécois.

🛏 *Hotel Colibri* (plan B1, **31**) : Primera ; entre les calles 10 et 12. ☎ 803-10-90. • *hotel-colibri.com* • Réduc de 10 % sur le prix de la chambre sur présentation de ce guide. Les *cabañas* situées dans le jardin sont moins chères que les chambres du bâtiment principal. Pas de petit déj, mais bar-resto indépendant au bout du jardin, sur la plage. Malheureusement, petit à petit, l'hôtel se dégrade. Dommage, sa situation sur la plage était idéale.

🛏 *Hotel Nina* (plan A-B1, **26**) : calle 6 ; entre av. 10 et 15. ☎ 873-22-14. • *eltukankcondotel.com* • Chambres avec AC mignonnettes et propres, avec de belles salles de bains. Simples mais lumineuses, agrémentées d'un brin de décoration. Jardin avec transats. Calme et accueil bon enfant. Un bon p'tit hôtel (mais trop cher en haute saison).

🛏 *Hotel Alhambra* (plan B2, 33) : au bout de la calle 8, en bordure de plage. ☎ 873-07-35 ou 01-800-216-87-99. ● al hambra-hotel.net ● *Les prix très élevés deviennent fous en hte saison. Petit déj inclus.* L'accès à la plage est son gros atout. L'architecture hésite entre l'Inde et l'Espagne mauresque. Les 24 chambres, certaines immenses, sont super clean. Quelques-unes avec balcon et vue sur la mer (aïe, le porte-monnaie !). Dommage que l'immeuble soit sonore (les chambres côté cour en particulier). Solarium sur le toit, avec vue panoramique sur la mer. Cours de yoga et massages.

Où dormir en studio ou appartement ?

🛏 *Kaaxan* : uniquement sur Internet. ● kaaxan.com ● Sophie et Mireille proposent en ligne une centaine d'appartements et maisons à louer, de 1 à 7 chambres équipées, avec un bon standing, cuisine, draps, serviettes bains et plage, clim, machine à laver, en centre-ville, proche ou donnant sur la plage. De bon marché à très chic en fonction de la prestation. Une bonne solution pour les longs séjours.

Où manger ?

Les restos de la Quinta, à défaut de proposer une cuisine variée, rivalisent d'inventivité dans la déco sur tous les thèmes imaginables. Vous y mangez dans des décors de cinéma pas plus authentiques que ça mais plutôt réussis. On vous laisse faire votre choix, mais sachez que ce sont souvent des pièges à touristes qui, en plus, ont la mauvaise habitude d'ajouter 15 % de service, que celui-ci vous ait plu ou non. C'est plutôt dans les rues perpendiculaires qu'on vous a cherché des petites adresses à la cuisine moins commerciale, plus locale et à l'ambiance plus chaleureuse.

Bon marché (moins de 80 $Me, soit 4,80 €)

|●| *Maquech* (plan A2, 40) : calle 2 ; entre av. 10 et 15. Lun-sam 8h-20h. Petit resto en terrasse simpliste qui propose des *comidas corridas* à des prix défiant toute concurrence. On choisit entre 4 plats renouvelés chaque jour. Avec son petit accueil réservé et sa salle sans fioritures, c'est l'antithèse des restos de la Quinta !

|●| *Le Petit Bistrot de Paris* (plan A-B2, 41) : av. Juárez ; entre av. 5 et la plage. Tlj 8h-21h. Wifi. Un Belge qui a su trouver une formule économique : *guisados*, 6 spécialités mexicaines et 4 accompagnements, 2 plats au choix, ou des salades, des baguettessandwichs, des fruits tropicaux frais, servis en terrasse sur la rue et au 1er étage. Bon petit déj à base de fruits et de yaourt. Sans oublier des jus de fruits de toutes sortes, pressés devant vous toute la journée. Une bonne adresse.

|●| *El Fogón* (plan A1, 45) : av. 30 ; à l'angle de calle 6. Succursale av. 30 ; entre les calles 30 et 32. Tlj 13h-5h du mat. Salle archibondée de locaux et de touristes : on s'extrait enfin de la dictature policée des restos *ital-mex* de la Quinta pour entrer dans le vrai Mexique ! Si les sanitaires ne sont pas ISO 9000, la nourriture, ni chère ni chichiteuse, est bonne et bien d'ici avec salade de *nopales* (cactus) offerte pour se mettre en bouche. Terrasse au 1er étage.

Prix moyens (80-250 $Me, soit 4,80-15 €)

|●| *La Tarraya* (plan B2, 48) : au bout de la calle 2 ; donne donc sur la plage. ☎ 873-20-40. Tlj 12h-21h. C'est le plus ancien resto de Playa installé sur la

plage. On prend place sur la terrasse en bois, ou carrément les pieds sur le sable sous les cocotiers, face à la mer, pour déguster un poisson grillé ou l'excellent *ceviche*. Bonne ambiance et service efficace. Un des meilleurs rapports qualité-prix de Playa pour manger au bord de l'eau.

|●| *Cactus* (hors plan par B1, **47**) : angle av. 30 et calle 20. ☎ 114-57-38. Tlj 11h-22h. Petit resto de bonne gastronomie, un peu excentré mais qui vaut le déplacement. Dans une mignonne petite salle, on savoure une cuisine créative qui associe des recettes du pays avec le savoir-faire culinaire du chef, Frédérique Thomas. On conseille le très local *botanero* (association de 6 préparations du cru) et aussi le succulent gâteau de semoule à la crème de café. ¡ Que bueno ! Pas d'alcool, que des jus de fruits ! Bémol : rue un peu bruyante devant.

|●| *Las Brisas* (plan A-B2, **43**) : calle 4 ; entre av. 5 et 10. Tlj 12h-22h. Grande salle ouverte sur la rue, où l'on sert une cuisine mexicaine typique sur fond de TV (discrète). Gentille carte avec une large place faite aux poissons. On a aimé le *pescado al ajo* et les *calamares fritos*. Propose aussi des assiettes de *mariscos* pour 2 et 4 personnes et un délicieux *ceviche de mariscos y camarones*. Ambiance familiale.

|●| *Babe's-Noodle-Bar* (plan B1, **44**) : calle 10 ; entre av. 5 et 10. Ouv tlj 12h (17h dim)-23h. À un moment ou à un autre, on finit par échouer ici ; dans la 1re salle qui domine la rue, décorée de tableaux et de lampes symbolisant les pin-up des années 1950, ou bien au fond dans le *Budha Bar* (sic !), beaucoup plus intime. Déco sympa et bonne cuisine originale, d'inspiration asiatique. Le pain fait maison est absolument exquis.

|●| *El Sarape* (plan A2, **46**) : av. Juárez ; entre av. 20 et 25. ☎ 803-33-87. Tlj 12h-5h, pratique ! Grande salle confortable, très colorée, avec un immense écran TV. Assez bruyant ; plus calme dans le petit jardin au fond. Cuisine mexicaine pur jus et plats copieux. Bonnes viandes grillées (à la *sarape*, poêle en fonte). Clientèle de Mexicains, toutes classes confondues.

|●| *100 % Natural* (plan B1, **49**) : av. 5 ; entre les calles 10 et 12. ☎ 873-22-42. Tlj jusqu'à 23h. Un resto de chaîne certes, mais inventif, du simple jus tropical aux cocktails les plus fous : « recalcifiant », « antidiabète », « anticancérigène » ! Et puis, au bord de la fontaine qui tente en vain de couvrir le brouhaha de la Quinta, les amateurs de cuisine végétarienne y sont particulièrement gâtés. Inventivité des saveurs *100 % natural* !

Plus chic (plus de 250 $Me, soit 15 €)

|●| *Yaxché* (plan B1, **50**) : calle 8 ; entre la Quinta et l'av. 10. ☎ 873-25-02. Tlj 12h-minuit. Si vous voulez goûter à la véritable cuisine yucatèque, c'est là qu'il faut aller. Les recettes du grand-père du patron ont été revisitées et mises au goût du jour. C'est LE resto de l'art culinaire maya : plats aux noms glorieux (« festin du jaguar », « offrande aux dieux », « médecine du peuple »...). ou simplement le café maya (cher certes). Décor élégant et service soigné.

Où prendre le petit déjeuner ?
Où boire un café ?

Beaucoup de p'tits endroits sympas pour démarrer la journée dans la bonne humeur. Mais attention tout de même à ceux tenus par des Américains ; en général, ils n'offrent que de l'insipide café *americano*.

☛ *Le Petit Bistrot de Paris* (plan A-B2, **41**) : voir « Où manger ? ». Wifi (excellente connexion). Pour bien démarrer sa journée, un petit déj sain à base de fruits, de yaourt, de bon pain, arrosé de jus pressés devant vous.

☛ *Panadería y pastelería francesa* (plan B1, **62**) : av. 10 et angle calle 8. Tlj

6h30-22h. Tenu par deux Français, Thierry et Valérie. Pour les nostalgiques, excellentes viennoiseries, notamment les pains au chocolat, aux raisins, les croissants... Vrai café. Petit déj. Sandwichs avec bonne baguette, salades. Échange de livres français.

☞ *Jugos California (plan A2, 63) :* calle 2 ; entre av. 10 et 15. Tlj sf sam 7h30-18h. Une minuscule échoppe pour déguster un copieux petit déj. 2 bonnes formules : le « Tulum » avec œufs, bacon, *frijoles,* pancake et jus de fruits, et le « Playa » avec salade de fruits, toasts, jus de fruits et uniquement café. Propose aussi de nombreux milk-shakes. Clientèle locale.

☞ *Café Sasta (plan B1, 61) :* av. 5 ; entre les calles 8 et 10. Tlj 7h-23h. Déco élégante à l'intérieur de la petite salle ; des tables rondes de bistrot dans la rue. Très bons cafés de toutes sortes. On aime surtout cet endroit hors saison, quand la Quinta respire. Idéal pour un *kawa* accompagné d'un croissant recouvert de Nutella. Bonnes pâtisseries. Dans les formules petit déj, les boissons sont en plus.

Où boire un verre ? Où sortir ? Où danser ?

🍷 🎵 *La Santanera (plan B1, 70) :* calle 12 ; entre av. 5 et 10. Entrée : 100 $Me (6 €) + conso. Un des endroits branchés de Playa. Super déco complètement space pour le bar d'en haut *(ouv tlj dès 22h).* La disco, en bas, ouvre à minuit. Excellente musique électronique.

🎵 *Play@ 69 (plan B2, 72) :* dans un passage qui joint l'av. 5 à la calle 6 (entrée du passage à la hauteur du Mambo Café). Tlj sf lun à partir de 21h. Entrée : 100 $Me (6 €) + conso. Indétrônable discothèque gay, sombre et exiguë. Pleine comme un œuf dès 1h.

À faire

⌂ Se dorer sur une des *plages,* ce n'est déjà pas si mal. Celles du centre-ville, souvent surchargées, sont de plus en plus étroites à cause des « clubs » des hôtels. Allez plutôt vers celles qui bordent la partie récente de Playa (vers le nord), après l'avenue Constituyentes *(hors plan par B1)* : on y accède par la calle 42. Sans vous mettre la pression... les toupies de béton planent au-dessus comme des charognards, ne tardez pas ! Vers le sud, de superbes plages, peu fréquentées, mais pour trouver un accès faut se lever tôt.

Plongée sous-marine

Si la côte yucatèque est superbe en surface (abstraction faite des verrues hôtelières), ses fonds marins ne sont pas en reste. Avec la deuxième barrière corallienne la plus longue au monde, elle dorlote les amateurs de plongée. Qu'ils jouent du tuba ou de la bouteille, ils s'ébaudiront d'un spectacle où le corail flamboie, la tortue se carapate, la gorgone zone là, la murène guette. À vos marques, prêts, palmez ! Playa del Carmen est un endroit bien connu des amateurs de plongée. Il faut dire qu'avec ses eaux turquoise et transparentes, l'endroit s'y prête à merveille. Tombants moins spectaculaires qu'à Cozumel, certes. Mais les fonds marins regorgent de coraux, bancs de poissons, mollusques et crustacés, des petits, des gros, des jaunes, des rouges, des bleus... et des tortues ! Et puis les récifs sont à moins de 15 mn en bateau. N'oubliez pas votre brevet international. Ou passez-le sur place.

Centres de plongée

Ce ne sont pas les clubs de plongée qui manquent ! Pendant la haute saison, on en recense une bonne trentaine. Après ? Certains disparaissent, tout simplement...

Alors attention, comme partout, il y a du bon et du mauvais, des centres sérieux, d'autres peu scrupuleux... Vérifier qu'ils sont bien affiliés à l'*APSA (Asociación de Prestadores de Servicios Acuáticos),* gage d'une certaine déontologie et d'un travail de qualité. En tout cas, on a beaucoup apprécié :

■ *Phocea Mexico (plan B1, 8) :* boutique calle 10 ; entre les 1er et 5 av. ☎ 873-12-10. ● *phoceamexico.com* ● ♿ *De la Quinta, descendre la calle 10 et tourner à gauche. Tlj 8h-19h. Réduc de 10 % sur présentation de ce guide.* Ce club de plongée est tenu par Martine et Didier, un couple de Français, membres d'APSA, entourés d'une équipe accueillante, pro et passionnée, pour qui le temps n'est pas chronométré. Ils font aussi école de plongée et forment jusqu'au niveau instructeur PADI. Équipement fourni. Ils vous emmèneront voir des tortues géantes, les requins-baleines et visiter de nombreux sites merveilleux. Très sérieux.

Nos meilleurs spots

🤿 *Récif Jardines (carte La Riviera maya, 1) :* à 5 mn au nord de Playa del Carmen. *Idéal pour un baptême.* On part à la découverte d'un récif (10 m de profondeur maximum) peuplé de grosses murènes vertes et sillonné par des bancs de poissons multicolores qui zigzaguent à toute vitesse ! L'eau est si transparente que, du bateau, on peut observer les fonds marins zébrés par les rayons de soleil qui s'animent comme des serpentins lumineux. Superbe !

🤿 *Récif Tortuga (carte La Riviera maya, 2) :* à 15 mn en bateau au sud de Playa del Carmen. *Plongeurs niveau 1 confirmé.* Entre 15 et 25 m de profondeur. L'un des spots les plus appréciés du coin. Le spectacle, ici, ce sont les tortues marines de toutes tailles. Elles évoluent au sein d'une véritable « prairie » hérissée de grosses éponges fauve, de gorgones violettes (des coraux qui ressemblent à des éventails en dentelle) et de massifs de corail jaune moutarde, sans oublier des centaines de poissons multicolores, des bancs de carangues, etc.

🤿 *Récif Barracuda (carte La Riviera maya, 3) :* à 10 mn au sud de Playa. *Plongeurs niveau 1 expérimenté.* À une quinzaine de mètres de profondeur, on explore une petite chaîne corallienne qui court comme un ruban le long de la côte. Le jeu consiste à repérer les nombreuses petites anfractuosités qui servent souvent de refuge, entre autres, à des murènes, des bancs multicolores de poissons juvéniles et des requins nourrices.

🤿 *Récif Pared Verde (carte La Riviera maya, 4) :* à 10 mn au nord de Playa del Carmen. *Plongeurs niveau 2.* À 30 m sous l'eau, un mur de corail orné de gorgones violettes, où l'on admire de multiples et superbes poissons, mais aussi, avec un peu de chance, des barracudas chasseurs et des requins nourrices.

🤿 *Les cenotes :* des millions d'années d'érosion de la pierre calcaire du Yucatán ont créé l'un des plus grands réseaux du monde de rivières souterraines et de grottes profondes. Les *cenotes* sont les ouvertures de ces cavernes, qui forment ainsi d'immenses puits, d'ailleurs utilisés comme réservoirs d'eau par les Mayas. Effets de lumière fantastiques grâce aux rayons du soleil, eaux d'un calme parfait, visibilité extraordinaire, silence absolu, magie de l'halocline quand l'eau douce rencontre l'eau salée... Une merveille, accessible à tous car ce sont des plongées peu profondes.

– Pour les autres spots en mer, voir le chapitre suivant, « Isla Cozumel ».

Excursions

■ *Artesanías Mimi (plan A2, 13) :* av. 10 ; entre les calles 2 et Juárez. 📱 *128-98-35.* ● *spaces.msn.com/mimi playa* ● *Tlj 9h30-19h. Un cadeau mimi* offert à nos lecteurs qui réserveront un tour. Mimi, une Française installée à Playa depuis une douzaine d'années, possède une boutique de souvenirs façon commerce équitable (elle travaille depuis longtemps avec les artisans des environs). Également agence de tourisme, elle propose des tours en petits groupes avec guide francophone (elle par exemple) : exploration de sites mayas, de villages alentour, en respectant l'intégrité et les coutumes des habitants *(compter env 65 €/pers/j.)*. Les prix sont affichés en euros et on peut payer en euros. N'hésitez pas à passer lui demander conseil, toujours disponible, elle sera ravie de vous aider. Elle loue également une dizaine de vélos. Une bonne adresse.

ISLA COZUMEL   80 000 hab.   IND. TÉL. : 987

L'île de Cozumel, avec ses 56 km de long et 17 km de large, est bien plus grande qu'Isla Mujeres. Si cette dernière est davantage un bastion français en été, Cozumel est surtout fréquentée par les Nord-Américains, qui y viennent directement en avion ou en croisière. En saison, les paquebots y accostent quotidiennement pour déverser leurs clients dans les boutiques du quai. Celui-ci revêt alors un aspect totalement surréaliste avec son invraisemblable collier de bijouteries de faux luxe, désertes le reste du temps. Ici, toutes les prestations sont affichées et se paient en dollars. L'unique bourg de l'île, San Miguel, est très paisible dès lors que l'on s'éloigne un peu du front de mer. Il y a pas mal de plages désertes et sauvages, mais il faut louer un scooter (ou une voiture) pour y accéder. On vient ici surtout pour la plongée. Et si vous n'avez jamais osé, mouillez-vous ! Faites votre baptême dans ces eaux transparentes ! Les récifs de Cozumel, déclarés « parc marin national », bénéficient d'une protection accrue du site et de la faune.

UN PEU D'HISTOIRE

À l'époque préhispanique, l'île abritait le sanctuaire d'Ixchel, déesse maya de la Fertilité, et les autochtones (les femmes enceintes notamment) s'y rendaient en pèlerinage au départ de l'actuelle Playa del Carmen. C'est sans doute sur Cozumel que les Espagnols mirent pour la première fois le pied en « terre mexicaine ». De manière brutale ! Lors du naufrage d'un navire espagnol en 1511 (8 ans avant la conquête), tout l'équipage fut sacrifié sur les îliens à l'autel de la grande déesse. Il n'y eut que deux survivants : Jerónimo de Aguilar et Gonzalo Guerrero. On prête à Guerrero la paternité du métissage mexicain, puisqu'il épousa une princesse locale dont il eut des enfants, mêlant pour la première fois sang espagnol et sang maya. Il se fit tant à cette culture (il fut un cacique des Mayas) qu'au passage de Cortés sur l'île en 1519, il ne le suivit pas. Plus tard, face aux exactions des Espagnols, Guerrero choisit son camp, menant la défense maya face au conquistador du Yucatán, Francisco de Montejo (1527). Il fut finalement tué par ses compatriotes lors de la sanglante bataille de Chetumal en 1536. Un rapport d'alors indique, outré, que son corps nu et peint ressemblait à celui d'un Indien !
Aux XVIIᵉ et XVIIIᵉ s, l'île devint un repaire de pirates et, par la suite, un refuge pour les Mayas durant la guerre des Castes. C'est dans les années 1960 que Cousteau, explorant les fonds marins, lança la renommée de l'île dans le monde entier.

Arriver – Quitter

➤ À pied : l'embarcadère (plan A1) se trouve à **Playa del Carmen,** en bas du zócalo. Trajet : 30-35 mn. 2 compagnies assurent la traversée : *Ultramar (*☎ 872-

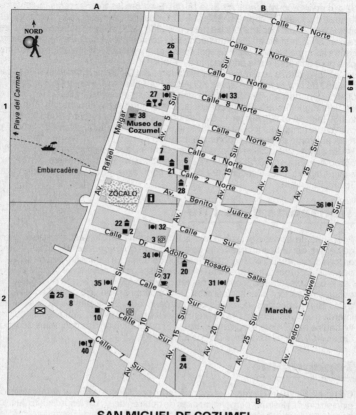

SAN MIGUEL DE COZUMEL

■ **Adresses utiles**

B Dirección de Turismo Municipal
2 Banque Banamex
@ 3 Phonet
@ 4 Speedl@Nd
5 Laverie Express
6 ADO Ticket Bus
7 Rentadora Isis
8 Cozumel International Clinic
9 Blue Note
10 Scuba Gamma

⌂ **Où dormir ?**

20 Hotel Saolima
21 Posada Edem
22 Hotel Mary Carmen
23 B & B Tamarindo
24 B & B Amaranto
25 Hotel Vista del Mar
26 Hacienda San Miguel
27 Hotel Flamingo

28 Hostelito

|◉| **Où manger ?**

30 La Candela
31 Miss Dollar
32 Casa Denis
33 El Fish
34 La Choza
35 Sabores
36 Parilla La Misión

☕ **Où prendre le petit déjeuner ?**

37 La Cozumelia-Panaderia-
    Cafetaria
38 Café-restaurant del Museo

🍸 ♪ **Où boire un verre ?**
Où écouter de la musique ?

27 Hotel Flamingo
40 Le Bistrot

32-23) et *Mexico Waterjets* (☎ 872-15-08). Elles ont les mêmes tarifs (guichets à l'entrée du quai). Compter 240 $Me (14,40 €) pour l'aller-retour ; demi-tarif pour les moins de 12 ans. Départs ttes les heures 6h-23h sf 22h. Dans l'autre sens, ttes les heures 5h-22h sf 6h et 21h. Attention : une compagnie assure les heures paires, l'autre les impaires, et elles inversent l'ordre chaque jour ! Privilégiez les allers simples pour être libre sur la compagnie au retour.

➤ **En voiture :** car-ferry, Transbordadores del Caribe, *à 15 km au sud de Playa (km 283 de la ruta federal), après XCaret, à Punta Venado, muelle Calica.* ☎ 877-00-65. Départs à 4h, 8h, 13h30, 18h (dim 6h et 20h). Arrivée sur l'île, à 1 km au sud de San Miguel, muelle Punta Langusta. Dans l'autre sens, départs, 6h, 11h, 16h, 20h30 (dim 8h et 20). Arriver 1h avt l'embarquement. Aller-retour 1 100 $Me (66 €) par voiture (chauffeur inclus) et 60 $Me (3,60 €) par passager. Traversée : 1h30. On n'est pas forcé d'aller encombrer la circulation de l'île.

➤ **En avion :** une dizaine de vols/j. relient Cancún, avec *Aerocozumel* (☎ 872-34-56) ou *Aerotucan* (☎ 872-34-56). ● *aerotucan.com.mx* ● Cette dernière compagnie assure des vols sur Cancún *(49 US$/pers hors taxes)* et aussi sur Chichén Itzá, Tulum, Palenque.

Transports dans l'île

Pour sortir de la ville, c'est soit le *taxi* (la liste des tarifs officiels est affichée au point de départ, devant l'embarcadère), soit la location d'un *scooter*. Un hôtel sur deux en loue. Compter 200 $Me/j. (12 €), casque compris. En revanche, peu de location de véhicules. Comparez les prix, faites-vous préciser ce qui est à votre charge et vérifiez le véhicule (d'aucuns ont des heures de vol !). Attention, le port du casque est obligatoire, surtout pour les touristes. Pour stationner son vélo ou son scooter, il y a des zones spéciales indiquées par des panneaux. Enfin, pas de stop, car il est interdit à tout résident de l'île de prendre un touriste dans son véhicule ! Eh oui, on ne badine pas avec le syndicat des taxis ! Et aussi location de coccinelles décapotables *(400 $Me/j., assurance comprise, soit 24 €).*

Topographie

Comme à Playa del Carmen, les avenues sont parallèles à la mer et numérotées de cinq en cinq, et les rues perpendiculaires de deux en deux. L'avenue Benito Juárez, perpendiculaire à la mer et qui longe le *zócalo,* est la ligne de démarcation entre les rues nord (paires) et sud (impaires). Le quartier touristique est très concentré, délimité en gros par le quai et la 5ᵉ avenue d'une part, et les calles 4 Norte et 5 Sur d'autre part. Mais la « vraie vie » de San Miguel se passe ailleurs, plus à l'est, entre les avenidas 30 et 40 et les calles 5 Sur et 8 Norte.

Adresses utiles

🏛 **Dirección de Turismo Municipal** *(plan A1-2) : de l'autre côté du zócalo, face à la sortie de l'embarcadère, edif. Plaza del Sol, au 1ᵉʳ étage de ces beaux bâtiments jaunes, à droite de l'escalier roulant.* ☎ 869-02-12. Ouv lun-ven 8h-15h. Très aimable et disponible.
– À la descente des bateaux des dizaines de petits kiosques vous proposent leurs prestations, mais ce sont des agences de voyages.

✉ **Poste** *(plan A2) : av. Rafael Melgar ; au coin de la calle 7 Sur. Lun-sam 9h-16h30.*
■ **Banque Banamex** *(plan A2, 2) : av. 5 ; à côté de l'hôtel Mary Carmen.* ☎ 872-34-11. Lun-sam 9h-16h. Change les euros et les dollars. Accepte les cartes *Visa* et *MasterCard.* Service *Western Union.* Distributeur automatique.
■ **Cozumel International Clinic** *(plan*

A2, 8) : calle 5 Sur ; entre av. 5 et bord de mer. ☎ 872-14-30. Urgences et consultations 24h/24. Équipée pour les accidents de plongée.

@ *Speed!@Nd* (plan A2, *4*) : calle 5 ; entre av. 5 et 10. Lun-sam 9h-minuit ; dim 10h-23h. Pas cher. Ordis avec web-cam et écouteurs. Scanner, imprimante. Fait également téléphone longue distance.

@ *Phonet* (plan A2, *3*) : angle Salas et av. 10 Sur. Internet et téléphone.

■ *Laverie Express* (plan B2, *5*) : av. 20 ; entre calle Dr Salas et calle 3. ☎ 872-29-32. Lun-sam 7h-21h ; dim 8h-17h. Fonctionne en self-service ou bien on peut y laisser son linge.

■ *ADO Ticket Bus* (plan B1, *6*) : angle av. 10 et calle 2. ☎ 869-25-53. Tlj 6h-13h30, 14h-21h. Infos sur les horaires et achat de billets pour les destinations desservies par *ADO* et *OCC* sur le continent.

■ *Rentadora Isis* (plan A1, *7*) : av. 5 n° 181 ; entre calles 2 et 4. ☎ 872-33-67. ● rentadoraisis@prodigy.net.mx ● Tlj 8h-18h. Margarita propose un cocktail de scooters et coccinelles à bon prix.

Où dormir ?

Les hôtels se trouvent dans le bourg de **San Miguel.** On vous indique les prix en période normale. Par chance, à la différence de Playa, ils ne gonflent pas trop en haute saison.

De très bon marché à bon marché (moins de 400 $Me, soit 24 €)

▬ *Hostelito* (plan B1, *28*) : av. 10 ; entre calle 2 et av. Juárez, proche du zócalo. ☎ 869-81-57. Prix backpacker. Tout nouveau, tout propre. Petit hall d'entrée faisant office de réception, avec TV, très agréable. Un dortoir pour 26 personnes, un autre pour 6, une chambre avec lits superposés pour 4, et une dizaine de chambres pour 2 avec lits *king size*. Un bémol : pas assez de sanitaires pour ces immenses dortoirs. Tout est très bien tenu, espérons que cela continuera. Bon accueil.

▬ *Posada Edem* (plan A1, *21*) : calle 2 Norte n° 124, proche de l'embarcadère. ☎ 872-11-66. ● gustarimo@hot mail.com ● Wifi. Petit hôtel classique, bien situé. Une quinzaine de chambres au calme, avec douche (eau chaude), ventilo ou AC et TV (supplément), donnant sur un couloir clair et aéré. Possibilité de garer son scooter. Bien tenu et gentil accueil. Très correct pour le prix.

■ *Hotel Saolima* (plan B2, *20*) : calle Dr Salas 260 ; entre av. 10 et 15. ☎ 872-08-86. Un peu excentré. Chambres bien tenues, avec bains, eau chaude et ventilo (AC pour les plus chères), disposées autour d'une allée centrale. Très intéressant à 3 ou 4 (chambres assez spacieuses, avec 2 grands lits), mais reste simple et sans charme particulier.

De prix moyens à chic (400-1 000 $Me, soit 24-60 €)

▬ *Hotel Mary Carmen* (plan A2, *22*) : av. 5 n° 4. ☎ 872-05-81. ● hotelmarycar men.com ● À deux pas du zócalo. Prix intéressants pour 4 pers. Pas de petit déj. Wifi. Chambres claires, propres, donnant sur une grande cour intérieure. Elles sont spacieuses, avec ventilo et AC, certaines avec moquette (!). Les salles de bains sont clean. Un réel effort de décoration. Coffre. Accueil familial.

▬ *B & B Tamarindo* (plan B1, *23*) : calle 4 n° 421 ; entre av. 20 et 25. ☎ 872-61-90. ▤ 112-41-11. ● tamarindo cozumel.com ● 3 sortes de tarifs. Petit déj compris. Cuisine et barbecue. Wifi. La très accueillante Éliane vous ouvre sa maison d'hôtes au rapport qualité-prix imbattable quelle que soit la saison. Jolies chambres cossues, avec ventilo ou AC, dans la maison principale ou dans un dédale de petites *cabañas* en dur, toit de coco, pleines de recoins, escaliers, terrasses, hamacs : un charme fou. Également des suites équipées de tout le confort (TV câblée). Possibilité de baby-sitting. Bibliothèque. Éliane propose aussi, pour des familles de 2 à 4 personnes, 2 appartements et 1 bungalow autour d'une piscine à la sortie de San Miguel *(hors plan par A2)*, à un block du *malecón* et d'un supermarché.

🏠 *B & B Amaranto (plan B2, 24)* : *calle 5 n° 321 ; entre av. 15 et 20.* 📱 *106-62-20.* ● *cozumel.net/bb//amaranto* ● *Wifi.* Un drôle de petit bâtiment blanc avec un escalier mauve, repérable à sa tourelle coiffée d'une *palapa*. Ravissants bungalows et 2 suites pour 4 personnes. Tous avec cuisine (joli carrelage, cafetière, frigo et micro-ondes) et très confortables.

Plus chic (plus de 1 000 $Me, soit 60 €)

🏠 *Hotel Vista del Mar (plan A2, 25)* : *av. Rafael Melgar n° 45 ; entre les calles 5 et 7.* ☎ *872-05-45.* ● *hotelvistadelmar. com* ● Côté mer (plus cher) ou côté passage avec boutiques d'artisanat (calme la nuit). De grandes chambres joliment décorées de bois, coquillages et autres matières naturelles. Grand confort, bien sûr. Espace jacuzzi pour une douzaine de personnes. Beau rapport qualité-prix dans sa catégorie.

🏠 *Hacienda San Miguel (plan A1, 26)* : *calle 10 n° 1500 ; entre Rafael Melgar et av. 5* ☎ *872-19-86.* ● *haciendasanmi guel.com* ● À l'écart du quartier touristique et à deux pas de la mer, un bel hôtel aux tons ocre, enserrant un jardin reposant avec fontaine centrale, rappelant le style colonial. Chaleureuses et grandes chambres. Suites pleines de charme sur 2 niveaux, avec terrasse et pas si chères. Très bon accueil !

🏠 *Hotel Flamingo (plan A1, 27)* : *calle 6 n° 81 ; entre bord de mer et av. 5.* ☎ *872-12-64.* ● *hotelflamingo.com* ● *CB acceptées. Réduc pour les séjours de 1 sem.* Une vingtaine de chambres classiques mais spacieuses, avec ventilo, AC, bains (supplément TV). Quelques suites (on préfère celles de l'*Hacienda San Miguel*). Pour prendre le petit déj, reposant petit patio plein de verdure où murmure une jolie fontaine. Resto bon mais cher. Joli bar au rez-de-chaussée, bien fourni et très agréable pour écouter de la musique le samedi soir.

Où dormir plus chic ailleurs sur l'île ?

🏠 *Hotel Ventanas al Mar* : *à une vingtaine de km au sud-est de San Miguel, sur la route côtière (km 44).* 📱 *044-987-105-26-84.* ● *ventanasalmar.com.mx* ● *Petit déj inclus.* Ceux qui veulent passer une nuit romantique dans cet hôtel solitaire, agrippé à un rocher couvert de palmiers, prendront un taxi pour s'y faire conduire *(env 300 $Me, soit 18 €).* C'est bucolique mais vraiment isolé. Chambres claires et très confortables. Restaurant sur place (prix moyens ; dernier service à 19h). Plage abritée, mais mer parfois dangereuse.

Où manger ?

Bon marché (moins de 80 $Me, soit 4,80 €)

🍴 À proximité du marché de fruits et légumes *(calle Dr Salas, entre av. 20 et 25)*, plusieurs restos populaires où l'on peut manger pour une poignée de pesos. Autour du *zócalo*, ambiance racolage. Le dimanche soir, les locaux occupent le terrain avec des animations musicales plus authentiques.

🍴 *Sabores (plan A2, 35)* : *av. 5 n° 316 ; entre les calles 3 et 5.* ☎ *872-00-82. Lun-ven 12h-16h.* Petite maison aux murs jaune et blanc, aucune indication de resto, sauf le menu accroché à la grille d'entrée, et une patronne rigolote qui prend bien soin de sa clientèle. De fait, on est carrément dans SA salle à manger, on traverse SON salon pour aller dans SES toilettes. On peut aussi manger dans SON jardin. C'est donc comme chez Tata. Excellente cuisine familiale : plats du jour affichés. Jus à volonté. Très propre et vraiment pas cher.

|●| *La Candela* (plan A1, **30**) *: av. 5 et calle 6. Derrière le Museo de Cozumel.* ☎ *878-44-71. Lun-sam 8h-18h.* Terrasse couverte spacieuse avec des tables en bois, cuisine ouverte. Devise : « *de mi cocina a tu mesa* » ;

tout un programme. Clientèle mélangée de locaux et touristes. Petit déj et plats mexicains bien cuisinés, *comida corrida* à prix plus que raisonnable. Une bonne adresse.

|●| *Miss Dollar* (plan B2, **31**) *: av. 20 n° 253 ; entre calle Dr Salas et calle 3.* ☎ *872-58-27. Tlj 7h-21h.* Salle spacieuse avec des tables en bois d'où l'on voit la cuisine ouverte. Pour ceux qui rêvent d'une bonne viande grillée (bœuf ou porc) à un bon prix. Également de bonnes spécialités mexicaines. Bon rapport qualité-prix et accueil sympa.

Prix moyens (80-250 $Me, soit 4,80-15 €)

|●| *El Fish* (plan B1, **33**) *: angle calle 8 et av. 10.* ☎ *969-85-68. Tlj 12h-21h.* Dans une mignonne demeure en bois toute colorée, parfois embaumée par les senteurs d'encens. Des tableaux modernes (à vendre ou pas) ornent les murs. Au 1er étage, une terrasse bien aérée à l'ombre d'une *palapa* pour boire un coup. Une petite carte, que des produits de la mer, à prix très doux. Un endroit sympa et une douce atmosphère sereine, où viennent tous les locaux. Accueil souriant.

|●| *Parilla La Misión* (plan B1-2, **36**) *: av. Pedro J. Coldwell (prolongation de l'av. 30) ; entre les calles 2 et 4. Tlj 7h-14h.* Grande salle simple où l'on sert une bonne cuisine mexicaine pour pas

très cher. Dont un buffet de légumes en libre service, inclus dans la *comida del día* à partir de 12h ; le matin, petit déj à 35 $Me (2,10 €).

|●| *La Choza* (plan A2, **34**) *: av. 10 n° 216 ; entre calle Dr Salas et calle 3 Sur.* ☎ *872-09-58. Tlj midi et soir jusqu'à 22h30.* Grande salle pas désagréable avec nombreux ventilos ; cuisine ouverte. Service un peu trop rapide. Rendez-vous des autochtones comme des Nord-Américains. Bonne cuisine mexicaine avec de nombreux poissons ou viandes au gril. Cher à la carte. On y va donc pour le menu du déjeuner au prix très raisonnable. Beaucoup de groupes.

Chic (plus de 250 $Me, soit 15 €)

|●| *Casa Denis* (plan A2, **32**) *: calle 1 ; entre av. 5 et 10.* ☎ *872-00-67. Tlj 7h-23h (16h dim).* Une petite bicoque tout en bois et sympa comme tout, où la patine du temps a laissé son empreinte (depuis 1945). Les innombrables portraits de famille accrochés aux murs

attisent la curiosité. En se contentant d'une bonne *torta* (le sandwich mexicain), l'addition restera mini. Mais pour de délicieux tacos et/ou des plats de la cuisine yucatèque, elle sera plus conséquente. Clientèle recrutée chez l'oncle Sam.

Où prendre le petit déjeuner ?

☕ *La Cozumelia-Panaderia-Cafetaria* (plan A2, **37**) *: à l'angle de l'av. 10 Sur et calle 3. Tlj 7h-14h.* On y vient surtout pour les pâtisseries fraîches, le pain, les croissants de la boulangerie à côté et son bon café. Fréquentée par les

locaux. Grande salle un peu bruyante.

☕ *Café-restaurant del Museo* (plan A1, **38**) *: av. Rafael Melgar ; au 1er étage du musée.* ☎ *872-08-38. Sur le front de mer. Tlj 9h-17h, dim 16h. Prix moyens pour le petit déj, et peu de plats pour le* *déj.* On y vient surtout pour sa terrasse perchée et idéalement placée face à la mer. Très populaire le dimanche matin : les Mexicains s'y retrouvent en famille.

Où boire un verre ? Où écouter de la musique ?

🍴 ♪ *Hotel Flamingo* (plan A1, **27**) : voir « Où dormir ? ».

🍽 🍴 *Le Bistrot* (plan A2, **40**) : av. 5 n° 47 ; angle calle 7. ☎ 878-43-91. *Tlj sf dim 8h-23h.* Un endroit agréable, feutré, pour prendre un verre ou un bon dessert. Fond de musique douce ; ça change ! Ce n'est pas un resto français, mais le patron mexicain aime la France. Cocktails, vin au verre et une carte plutôt pâtes, pizzas, viandes, *mariscos,* si vous décidez de manger.

À voir

Pour les sites en dehors de San Miguel, se reporter plus haut à la carte « La Riviera maya ».

🏛 *Museo de Cozumel* (plan A1) : av. Rafael Melgar. ☎ 872-14-34. ● cozumelparks. org.mx ● *Tlj 9h-17h.* Entrée : 39 $Me (2,30 €) ; *gratuit moins de 8 ans.* Demander la brochure en français à l'entrée de la salle n° 1 (à rendre en fin de parcours). La salle n° 1 présente de manière synthétique l'île de Cozumel, sa formation géologique, la faune et la flore terrestres. La salle n° 2, plus intéressante, est consacrée aux récifs coralliens, avec une énorme reproduction d'un fond sous-marin. Au 1er étage, salle n° 3, quelques sculptures et bas-reliefs de la civilisation maya (dont un magnifique masque de jade), et aussi des maquettes de vaisseaux, armes des conquistadors, sextants, scaphandres... Dans la salle n° 4, quelques scènes de l'histoire récente de l'île. Au rez-de-chaussée, au fond à droite, ne pas oublier de jeter un coup d'œil sur la reconstitution d'une *casa maya.* Resto au 1er étage (voir « Où prendre le petit déjeuner ? »).

Fêtes et manifestations

– *Le Carnaval :* ts les ans, fin fév ou début mars. Une semaine de festivités très colorées du mercredi avant Mardi Gras, au mercredi des Cendres. Le centre-ville s'embrase, défilés de chars, déguisements chatoyants, feux d'artifices, bals populaires. Les jours les plus forts étant le lundi et le mardi.
– *La Traversia Sagrada Maya :* fin mai. Entre Playa del Carmen et Cozumel, puis entre Cozumel et Playa. Cet événement haut en couleur permet de revivre la traversée des anciens Mayas entre le continent et l'île ; ceux-ci venaient rendre hommage à la déesse Ixchel, déesse de la Lune et de la Fertilité. Chaque Maya devait faire ce pèlerinage au moins une fois dans sa vie.

➤ DANS LES ENVIRONS DE SAN MIGUEL DE COZUMEL

🏛 *Ruinas de San Gervasio* (carte La Riviera maya) : emprunter la carretera Transversal, puis, à env 7,5 km, petit chemin sur la gauche. Y aller en taxi de 1 à 4 pers (600 $Me, on peut en profiter pour faire, en plus, le tour de l'île en 3h, 1 000 $Me, soit 60 €) ou en 2-roues (20 mn de trajet aller). *Tlj 8h-16h.* Entrée : env 90 $Me (5,40 €) ; *gratuit moins de 12 ans.* San Gervasio était le sanctuaire de la déesse Ixchel : les femmes venaient de loin pour lui demander des faveurs. Joli site maya pour une balade agréable, mais accès un peu cher pour ce que c'est.

△ *Les plages :* pour faire la bronzette, se baigner sur la côte ouest, il faut presque partout, soit payer un droit d'entrée, soit consommer au restaurant de ladite plage. Sur la côte est, les plages sont magnifiques et c'est gratuit, mais attention la mer est dangereuse.

△ *Playa Azul :* la plus proche du village, à 5 km vers le nord, le côté où se construisent le plus d'immeubles et d'hôtels à étages élevés. Accès gratuit aux petites criques, mi-sable mi-rocher à droite de la plage de l'hôtel Playa Azul. Ici, le dernier cyclone a tout dévasté, il ne reste que des ruines, mais c'est là que les locaux viennent se baigner, pique-niquer sur quelques mètres de sable ou prendre une collation au bar populaire *Playa Azul.* Pour plus de confort, rendez-vous à l'hôtel pour profiter de sa petite crique privée, de ses chaises longues ou de sa piscine, mais vous devez consommer au bar-restaurant et c'est assez cher. Pas très grande, cette plage formée de petites criques, porte bien son nom : la mer y est d'un azur superbe.

🚶🏃 △ *Parque nacional Chankanaab :* à 7,5 km vers le sud, Tlj 10h-17h. Entrée : 25-45 US$ selon formule proposée. Parc de loisirs privé, détruit en 2005 par un cyclone, refait à neuf, pour les enfants et les Nord-Américains. On peut y voir des iguanes, des dauphins, se baigner avec pour 88 à 158 US$. Bref, vous avez compris, on ne s'arrête pas.

△ *Playa San Francisco :* au sud de la laguna Chankanaab, au km 12. Deux entrées, chacune avec leur parking, soit par le restaurant *San Francisco,* soit par le restaurant *Carlos'n Charlie's.* Elles donnent accès à une plage un peu à gogos, avec scooters des mers bruyants et tout ce qui occupe pour quelques heures les passagers des bateaux de croisière. À fuir.

△ *Playa Nachicocom :* au km 14, c'est la plage de l'hôtel Casa del Mar. Pour avoir accès à cette plage privée, il faut consommer au restaurant de l'hôtel. Belle plage de sable pour passer une journée tranquille (inutile d'apporter masques et tubas). Très bon resto sous une *palapa,* mais assez cher. Il y a même une piscine.

△ *Au km 15.* Accès (gratuit) par le resto *Mr Sancho's* (☎ 871-91-74, ● mrsanchos. com ●) à une plage de sable plutôt agréable (surtout sur la gauche du resto ou lorsque les bateaux de croisière n'ont pas débarqué leurs passagers). Malgré tout, arnaque à touristes.

△ *Playa Palancar :* au km 18. La plage certainement la plus agréable et gratuite (sauf le parking, pourboire), face au récif exploré par Cousteau. Mais il est interdit, car il est impossible et même dangereux, d'essayer de rejoindre seul à la nage les récifs. Cela dit, très touristique : deux bars, centre de plongée, chaises longues, boutiques artisanales. La dernière plage de cette côte qui ne donne pas envie de s'attarder...

🚶🚶 🏃 △ *Reserva ecológica Faro Celarain :* à 30 km de San Miguel, à côté de la plage des Rasta's. ● cozumelparks.com.mx ● *Pas de bus, y aller en 2-roues, en voiture ou en taxi (35 mn de trajet). Tlj 9h-15h. Entrée : 4 types de pass 15-55 US$, toujours avec un tee-shirt offert, allant de l'entrée simple à la balade en kayak, à la plongée, avec ou sans boîte repas ; gratuit moins de 8 ans.* Sur le site, une navette circule en permanence et vous dépose où vous voulez entre le phare et la plage. Situé à l'extrémité sud de l'île, ce grand espace naturel offre de belles balades dans un environnement préservé. Il ravira les amoureux de la nature. Nombreux oiseaux, crocodiles, belles lagunes et superbes plages. On peut louer sur place palmes, masques et tubas pour admirer de beaux poissons et des tortues. Ne pas manquer le petit musée de la Navigation, aménagé dans le phare, et le temple maya. Du haut du phare, vue imprenable sur tout le sud de l'île. Pensez à l'appareil photo ! Il n'y a pas grand monde, et l'on peut largement y passer la journée. Possibilité de s'y restaurer en dehors des boîtes repas incluses dans le prix de certains billets.

➢ **La côte est :** prendre de préférence l'ancienne route plus proche de la mer, du km 28 (playa Rasta's) au km 49 (mezcalitos). Plus sauvage (la route peut paraître un peu monotone, car bordée d'une végétation non luxuriante, mais la mer est tellement belle !) et beaucoup moins touristique que la côte ouest, avec de belles plages désertes et quelques bars-restos à prix moyens. Mais attention, on s'y baigne peu, ou du moins avec grande prudence : les courants marins sont localement forts. Vous pouvez essayer les restos des plages *Playa Bonita* (km 38), *Punta Chicheros* (km 39), *Chen Rio* (km 41), de la plage de l'hôtel *Ventanas al Mar* (km 43,5), sans oublier au passage, les cafés *Freedom in Paradise* (couvert de graffitis) et *Paradise-Bob Marley's Place*, le paradis des Rasta's (km 29). La *Punta Morena* (km 46), à 3 km au sud de la *carretera* Transversal (km 49), est le rendez-vous des surfeurs mexicains (location sur place de planches de surf). Plage naturiste tout de suite à gauche après le café *Mezcalito*.

➢ Pour faire le tour de Cozumel en scooter ou en coccinelle, compter environ 3h avec des arrêts ; en taxi, pour le même temps compter 600 $Me (36 €). Ou plus si l'on veut tester les grains de sable... Vous l'aviez compris, le kilométrage commence à km 0, à San Miguel, continue vers la côte ouest (Palancar), se poursuit vers la côte est (Mezcalitos) et revient, via San Gervasio, au point de départ.

Plongée sous-marine

Excursion d'une demi-journée en général. On gagne le récif en bateau qui dérive au gré des courants et suit tt simplement les bulles des plongeurs. Pas question de jeter l'ancre ! Compter autour de 1 000 $Me (60 €) le baptême, équipement compris, 1 100 $Me (66 €) pour 2 plongées, l'équipement complet 200 $Me (12 €).
Ça vaut franchement le coup, car l'île de Cozumel recèle de splendides récifs. L'eau est cristalline, chaude et la visibilité exceptionnelle. C'est donc extra, pour les plongeurs expérimentés ou pas. Quelques mètres à peine sous l'eau, parmi les pinacles de coraux, dans des grottes, on admire une faune riche : superbes crustacés (certains sont gigantesques !) et poissons multicolores qui bullent allègrement dans l'eau. Avec de la chance, vous verrez le fameux *Sanopus splendidus* qui hante les trous de certains récifs de Cozumel. D'aucuns l'appellent poisson crapaud ou chauve-souris ou chat. Il faut avoir l'œil et l'oreille affûtés pour le débusquer. Il émet un petit grognement (dur à entendre avec la soufflerie du détendeur) et se terre (se « merre ») dans d'obscurs trous. Endémique, vulnérable, on ne le trouve qu'à Cozumel. Après tout, laissons-le tranquille.
Bien sûr, interdiction absolue de remonter un quelconque souvenir du fond de l'eau, car les récifs sont protégés ! Évitez aussi les crèmes solaires non biodégradables.

Centres de plongée

Parmi la centaine de clubs qui draguent ferme (il y a de tout), on vous en recommande deux plus particulièrement.

■ **Scuba Gamma** (plan A2, **10**) : calle 5 Sur n° 4 et av. 5 Sur. ☎ et fax : 878-42-57. 📠 878-54-37. ● *scubagamma.net* ● ♿ Une entreprise familiale normande. Jean-Pierre et Danièle dirigent ce centre depuis 6 ans. Les moniteurs sont parfois trilingues. Pour chaque palanquée : 6 personnes maximum par niveau. Tous PADI, NAUI et/ou IAHD. Du cours de rafraîchissement au baptême, jusqu'au passage des brevets spéciaux IAHD, ainsi que des sorties snorkelling et des plongées en *cenote*. Un plus, les plongeurs handicapés sont les bienvenus.
■ **Blue Note** (hors plan par B1, **9**) : av. 50 n° 625 ; entre les calles 12 et 14. ☎ et fax : 872-03-12. ● *bluenotescuba. com* ● Centre de plongée PADI dirigé par Gérard et Claudine entourés de leur équipe franco-mexicaine. Du baptême aux journées complètes avec 2 plon-

gées et autres stages, plein de formules pour approcher les beautés de la grande bleue avec respect de l'environnement et des gens. Club très sérieux.

Nos meilleurs spots

Cozumel est le paradis des plongeurs, de jour comme de nuit. Rien que dans le sud-ouest, on dénombre plus de 35 spots.

◣ **Récif Palancar** (carte La Riviera maya, 5) : au sud de l'île. Pour plongeurs à partir du niveau 1 ou 2. Site très réputé pour son tombant unique, qui atteint les - 450 m. L'une des plus belles plongées de Cozumel ! Sur 5 km, de nombreuses grottes, tunnels et d'inoubliables formations de corail « en fer à cheval ».

◣ **Récif Colombia** (carte La Riviera maya, 6) : juste au sud de Palancar et à quelques encablures du bout de l'île. Pour débutants et confirmés. On y rencontre des tortues marines qu'on peut observer de près, ces gentilles bêtes n'étant pas farouches. De mars à novembre, des raies aigles et léopards festoient dans le coin. On a l'impression d'évoluer dans un véritable labyrinthe sous-marin avec de nombreuses grottes, d'innombrables pinacles de coraux.

◣ **Récif Santa Rosa** (carte La Riviera maya, 7) : au sud-ouest de l'île. Niveau 1 confirmé. Pour ceux qui rêvent d'admirer d'énormes éponges ou de s'aventurer dans des grottes et des tunnels avec fonds de sable blanc. Sur ce site se dresse l'un des tombants les plus impressionnants de l'île.

◣ **Récif Paso del Cedral** (carte La Riviera maya, 8) : au sud-ouest de l'île. Pour plongeurs niveau 1 confirmé. Idéal pour venir chatouiller des milliers de poissons aux formes et aux couleurs aussi superbes qu'inattendues. Le coin de prédilection de mérous bien grassouillets et de murènes de plus de 1,50 m de long ! C'est là que vous aurez le plus de chances de vous retrouver nez à nez avec un requin dormeur (vous parlez d'une chance, vous... mais non, pas d'affolement puisqu'il dort !).

◣ **Récif Paraíso** (carte La Riviera maya, 9) : à l'ouest de l'île. Idéal pour les baptêmes, mais les plongeurs confirmés adorent aussi. Aller jusqu'au petit port de Caleta, à 7 km du San Miguel, puis prendre la route sur la droite. À quelques coups de palmes de la côte, muni d'un masque et d'un tuba, on découvre un récif peu profond, long de 1 km et très coloré, qui se découpe sur un fond de sable blanc. Un véritable aquarium ! C'est là que l'on rencontre la plus grande variété de coraux et d'éponges. On peut aussi y aller en bateau. Incontestablement, le meilleur endroit de l'île pour faire du snorkelling (plongée avec tuba). Attention tout de même aux bateaux et aux coups de soleil.

PARQUE XCARET
IND. TÉL. : 984

Xcaret, c'est l'histoire, de plus en plus courante, hélas ! dans cette région du Mexique, d'un morceau d'Éden qui a vendu son âme au diable du profit. Avalé par la machine à sous du grand tourisme ! Un site dénaturé désormais. Non, pas défiguré, dénaturé : auquel on a enlevé ce qui faisait sa beauté naturelle, en voulant trop bien le coiffer.
Rappel des faits : jusqu'en 1989, l'endroit était une superbe petite crique rocheuse au sud de Playa del Carmen, dont le proprio faisait payer un modeste droit de passage et où l'on pouvait admirer dans des eaux cristallines une multitude de poissons tropicaux. Depuis, tout a été chamboulé. La crique a été bétonnée et empierrée. La lagune a été en partie fermée par des digues artificielles. Des bassins pour les poissons multicolores, d'autres pour les dauphins. L'endroit a été transformé en un vaste parc aquatique à

label écologique bidon, avec des tas d'attractions. Un concentré des beau-tés de la côte caraïbe servi sur un plateau d'argent. Doit-on en parler ? Doit-on y aller ?

Renseignements pratiques

➤ *Pour y aller :* de Playa del Carmen, *colectivo* vers Tulum (voir « Arriver – Quit-ter » à Playa del Carmen). Demandez au chauffeur de vous arrêter à l'embranche-ment vers le site ; navette gratuite ttes les 20 mn vers l'entrée. En voiture : si vous ne trouvez pas, on vous retire votre permis !
– *Tlj 8h30-21h30 (20h30 en hiver).* ☎ 871-52-00. ● *xcaret.net* ● *Entrée très chère : 69 US$ le tarif de base, moins cher à partir de 16h (15h en hiver) ; ½ tarif pour les moins de 1,40 m. Attention, nombreuses activités à supplément (exemple : le maté-riel de plongée 10 US$...) ! Il est préférable de prendre le forfait le plus élevé à 99 US$ qui comprend, en plus de l'entrée, serviette, équipement de plongée, lunch buffet et 2 boissons. Dans ts les cas, tt ce qui est exceptionnel est payant. À l'entrée, on vous donnera un plan du parc, où ts les suppléments sont indiqués.*

À faire dans ce Disneylandia
(version mexicaine)

Bien des pays (Norvège, Belgique, Australie, Brésil...) ont honni les delphinariums, jugeant immoral de capturer des dauphins, de les parquer dans des bassins, de les stresser par la présence du public... Le Mexique (et la France) continue d'autoriser ces pratiques : on peut donc avoir son moment de gloire avec *Flipper*. S'il sourit en permanence, cela ne signifie pas pour autant qu'il est heureux. Il mourra sûrement plus jeune que ses congénères libres... Souriez pour la photo-souvenir !
– Parcourir la rivière souterraine à la *nage* (apportez vos masque et tuba, car c'est en supplément), faire de la *plongée* dans les récifs (34 US$), se balader à *cheval*, jouer avec les dauphins dans le *delphinarium*, voir des tortues marines, orchidées, jaguars, papillons et oiseaux exotiques, se donner quelques frissons dans la *grotte aux chauves-souris.* La *Laguna Azul* est splendide. En revanche, les petits sites archéologiques ne valent guère tripette.

– *Spectacle nocturne (18h-20h) :* reproductions de cérémonies religieuses mayas, danses et musique folkloriques, jeu de pelote maya, etc. Très bien mis en scène, il reçoit l'unanimité des petits et des grands. Dîner du soir, si vous décidez en plus de manger (39 US$). Vu le prix, ça ne vaut le coup que si l'on y passe la journée entière. Et qu'on s'assoit sur certains principes.

PAAMUL   IND. TÉL. : 984

À une petite trentaine de kilomètres au sud de Playa del Carmen, une char-mante plage où l'on est sûr d'être tranquille, voire presque seul en basse saison. Le long de la plage, un rassemblement de *trailers* américains, cachés sous de longues paillotes. Ce sont souvent des retraités nord-américains avec d'énormes camping-cars, qui viennent passer ici les mois d'hiver au soleil pour pas trop cher. Ils sont organisés en une véritable petite communauté. Il y a l'hôtel, le resto, le club de plongée, les pêcheurs du coin... Ambiance sympa. Un truc rassurant : la plage est une zone de ponte pour les tortues l'été, le coin est donc protégé. Et on peut voir quelques fonds et des poissons à petite distance du bord.

➢ Prendre un bus *Mayab* ou *colectivo* jusqu'à l'embranchement ; c'est à environ 500 m, au bout du chemin. En voiture, suivre le panneau à gauche au km 273 de la *ruta federal*. L'accès étant gardé, dire qu'on va au resto de la plage, ça passe.

Où dormir ? Où manger ?

⚸ 🏠 |◉| *Hotel Cabañas Paamul :* ☎ 875-10-53. ● *paamul.com.mx* ● *Resto ouv tlj 8h-20h. Chambre env 1 100 $Me (66 €) en basse saison ; le double en période de pointe. Emplacement tente 150 $Me (9 €).* Une dizaine de jolies *cabañas* avec 2 lits *(550 $Me, soit 33 €),* ventilo et terrasse face à la plage, ou disposées autour d'un beau jardin. Également des chambres ali- gnées au bord de l'eau, dans une cons- truction récente, avec douche, w-c et AC *(1 200 $Me, soit 72 €).* Couleurs fraî- ches et déco sobre. On peut aussi cam- per sur place (sanitaires collectifs), par- quer son camping-car (emplacement payant). Le resto propose une cuisine correcte à des prix spéculant sur l'éloi- gnement. Sympa et calme garanti.

Plongée sous-marine

■ *Scuba-Mex :* John et Debra Everett, ☎ 875-10-66. ● *divequestions@hotmail. com* ● *Juste face au parking, à côté du resto, sur la plage. Départs à 9h et 14h. Env 520 $Me (31,20 €) la plongée (équi- pement compris, moins cher si vous venez avec le vôtre). Tarif dégressif à* partir de 7 plongées. Loc de palmes, masques et tubas 130 $Me (7,80 €). Un instructeur par élève.* Ils sont là depuis 25 ans et l'équipe est sérieuse. Sûre- ment l'un des clubs les moins chers de la côte. La plupart des sites se trouvent à moins de 10 mn de bateau.

PUERTO AVENTURAS

IND. TÉL. : 984

À 40 km au nord de Tulum (accès au km 271 de la *ruta federal)*, belle plage de sable fin, bordée de cocotiers, fermée par un récif corallien. On y accède en traversant un important complexe hôtelier résidentiel (paradis des Améri- cains), avec belles pelouses, magasins, piscines, golf et marina. À deux pas, pour ceux qui en auraient assez de la plage, allez donc faire un tour en forêt à la découverte des eaux limpides des *cenotes* des environs.

À faire

➢ *Plage :* accès derrière le delphinarium en longeant le luxueux hôtel Omni Puerto Aventuras *(suivre « Playa acceso »).*

– *Dolphin Discovery :* bien indiqué, difficile de le rater. ☎ 206-23-27 ou 28. ● *dol phindiscovery.com* ● *À partir de 79 US$ les 45 mn avec les dauphins (même trip avec des lions de mer...) jusqu'à 199 US$ les 2h30.* Vous savez ce qu'on en pense !

➤ *Plonger dans les cenotes :* si l'océan est ici vaste et omniprésent, les *cenotes*, improbables avens lovés dans une inextricable jungle, sont discrets. Ceux des cités mayas devinrent sacrés car liés à l'inframonde et aussi lieux de sacrifices et d'offrandes. Mais plus prosaïquement, ces gouffres offraient une formidable réserve d'eau potable aux populations locales. Pour le touriste, le *cenote* est la piscine d'un jour ; pour l'habitant, le puits de toujours. Donc, plus que jamais, le respect de l'endroit s'impose : les crèmes solaires y sont à proscrire. Pour éviter les coups de soleil, se couvrir d'un tee-shirt.

– **Cenotes Kantún Chi :** *2 km au sud sur la route principale, à droite (km 266,5).* ☎ 873-00-21. ● *kantunchi.com* ● *Tlj 8h-17h (18h en été). 2 tarifs : forfait 500 $Me (30 €), ½ tarif moins de 11 ans, pour un simple accès aux cenotes (loc de masque et tuba en plus) ; forfait 770 $Me (46,20 €) adulte et 400 $Me (24 €) moins de 11 ans (mais grotte interdite aux moins de 11 ans), comprenant le matériel de snorkelling, un plat pour le lunch, la visite des 4 cenotes et la grotte. Kantún chi signifie « la bouche de pierre jaune ».* La grotte est belle, le cadre tranquille et verdoyant.

– **Cenote Azul :** *500 m plus loin (km 266 sur la ruta federal, à droite). Tlj 9h-17h (18h en été). Tarifs : 60 $Me (3,60 €) ; 40 $Me (2,40 €) pour les 4-8 ans.* Notre préféré. Des vasques plus ou moins profondes dans un environnement rafraîchissant de jungle. Le week-end, eau + familles = agitation... mais c'est un lieu authentique et agréable. Le billet donne accès à un *cenote* (100 m en amont sur la *ruta federal*) plus intime, en forme de grotte ouverte (rigolo de voir les racines des arbres qui perforent la roche pour chercher l'humidité). Laissez les crèmes solaires au vestiaire.

⌇ **Playa Xpu-Há :** *accès presque en face du* Cenote Azul, *(km 265 de la ruta federal). 2 pistes attenantes mènent à la même plage ; il faut parfois acquitter un droit d'entrée (déduit si vous consommez au bar-resto).* C'est un endroit assez tranquille pour passer un moment agréable dans les rumeurs du ressac. Évidemment, il y a de quoi tâter du masque dans l'eau. Les plus aventureux peuvent piquer leur tente dans le sable *(100 $Me/pers, soit 6 €)*, mais les sanitaires sont assez sommaires. Également une sorte d'hôtel rustique mal entretenu (pour les nostalgiques d'ashrams) et un bar-resto (prix moyens).

AKUMAL ET CALETA YAL-KÚ   IND. TÉL. : 984

À une vingtaine de kilomètres au nord de Tulum, *Akumal* (« lieu des tortues ») a été rendu célèbre par la découverte d'un galion espagnol coulé en 1741 sur les récifs. Aujourd'hui, l'endroit est surtout connu pour sa superbe baie en croissant de lune, fermée par un récif de corail. Dans cette grande piscine naturelle, d'énormes tortues de mer viennent brouter une algue qui pousse au fond de l'eau. Et de mai à septembre, elles viennent déposer leurs œufs sur la plage. Sable blanc et cocotiers complètent la carte postale. Il y a bien quelques hôtels en bord de plage, mais rien d'excessif. Et il n'y a pas trop de monde. C'est donc une halte agréable pour la journée.
Akumal se compose en fait de deux plages : la première par laquelle on arrive. Plus loin (en poursuivant vers Caleta Yal-Kú), les résidences cachent une plage de sable plus sauvage, avec pas mal de coraux en bord de mer.
Au-delà encore, la *Caleta Yal-Kú* est un véritable aquarium naturel dans un somptueux environnement (ce qu'était Xcaret il y a une dizaine d'années).

Arriver – Quitter

➢ **En voiture :** sur la *Federal* (km 251), tourner à gauche au fléchage « Playa Akumal » ; on passe sans problème une entrée de type complexe hôtelier ; 500 m plus loin, un parking-droit d'entrée, payant *(20 $Me/pers/h, soit 1,20 €, mais si vous consommez dans l'un des restos, le prix de l'entrée-parking est réduit à 2 $Me/pers pour les premières heures)*, permet l'accès à la plage et au centre écologique. Pour *Yal-Kú*, continuez la route ; 3 km plus loin elle se termine en cul-de-sac sur le site de la *caleta* (crique) Yal-Kú.
➢ **En bus :** en *colectivo* Playa-Tulum, se faire déposer au croisement pour Akumal ; puis 500 m à pied jusqu'à la plage ou taxi jusqu'à la Caleta Yal-Kú (env 3 km).

Adresse utile

■ *Centro Ecológico Akumal :* *sur la plage d'Akumal, derrière le* Akumal Dive Shop. ☎ 875-90-95. ● *ceakumal.org* ● *Lun-ven 8h-14h, 16h-18h ; sam 10h-14h.* Voici une belle initiative ! Ce centre écologique, fondé en 1993 par les promoteurs d'Akumal, a pour mission de mesurer l'impact du développement hôtelier sur l'écosystème de la région. Autrement dit, le CEA lutte pour la défense du récif corallien et de sa faune, et met en œuvre de nombreux programmes pour la protection des tortues marines. Le centre recrute en permanence des bénévoles : patrouilles sur la plage à l'époque de la nidification (de mai à septembre), étude de la tortue dans son milieu naturel, plongées dans le récif... et des tâches un peu moins nobles ! Il faut être âgé de plus de 21 ans, parler espagnol ou anglais, et le séjour doit être de 8 semaines minimum (voir aussi la rubrique concernant les tortues, dans le chapitre « Hommes, culture, environnement », « Faune et Flore »).

Où dormir ? Où manger ?

🏠 |●| *Posada-restaurant Que Onda :* *200 m avt la Caleta Yal-Kú.* ☎ 875-91-01. ● *queondaakumal.com* ● *Doubles 800-1 000 $Me (48-60 €) selon saison, sans petit déj ; réduc pour plusieurs nuits ou si on paie en espèces. Pas d'AC, mais des ventilos.* Maribel, une sympathique Suissesse italienne qui parle le français, propose 7 chambres toutes différentes et joliment décorées. Literie très ferme (socle en ciment). Chacune peut loger 4 personnes. Si vos moyens vous le permettent, la suite (jusqu'à 8 personnes !) est splendide. Clientèle plutôt européenne. Jardin tropical agrémenté d'une petite piscine. On est à 3 mn à pied de la crique. Et si vous êtes client, Maribel vous prêtera masque et tuba, voire une bicyclette pour aller vous balader. Bon resto (cuisine italienne) mais assez cher. Un endroit sympa, tranquille et de bon goût.

À voir. À faire

🚶🚶 *Caleta Yal-Kú :* accès payant (110 $Me). Ceux qui n'ont jamais fait de plongée avec masque et tuba ne manqueront pas cette séquence découverte, les autres non plus d'ailleurs. Un petit bijou de nature, malheureusement de plus en plus envahi par les cars de touristes. Imaginez une lagune, tout en rochers dentelés, dans lesquels se cachent des centaines de poissons aux couleurs arc-en-ciel. Avant même de plonger, on les aperçoit déjà ; autant vous dire qu'après, le spectacle est magique ! Un gigantesque aquarium naturel !
Toute cette pointe est bordée de superbes villas privées qui occultent l'accès à la mer. Location de gilets de sauvetage, masques, tubas et palmes *(50 $Me, soit 3 €, chacun)* au centre *Akumal Dive Shop.* **Les crèmes solaires sont à proscrire absolument** pour qu'il y ait encore des poissons dans quelques années. Se baigner avec un T-shirt évite de se griller le dos pendant qu'on observe les fonds.

XEL-HÁ

(prononcer « Chéla »)

Lagune de 14 ha (sur un site de 84 ha en tout), très touristique, à côté de la mer. Même proprio que Xcaret, qui administre un ensemble de minuscules lagons coralliens, aux eaux de cristal, foisonnant de poissons (75 espèces en tout) qui s'abritent dans un dédale de renfoncements rocailleux d'une grande beauté. Le plus grand lagon, accessible aux nageurs, constitue une gigantesque piscine aux eaux parfaitement calmes et à la température idéale. On le rejoint par une rivière d'environ 1,5 km, qu'on peut descendre en bouée (comprise dans le prix, ainsi que le gilet de sauvetage).

Renseignements pratiques

– ● xel-ha.com.mx ●
➤ **Accès :** à 13 km au nord de Tulum (km 246 de la Federal), impossible à rater en voiture. Bus Playa-Tulum ; se faire arrêter à l'embranchement de Xel-Há. Ensuite, navette gratuite ttes les 15 mn vers l'entrée.
– **Horaires et prix :** tlj 9h-18h. Forfait todo incluido (tt inclus) env 1 000 $Me (60 €) ; 500 $Me (30 €) pour les enfants de moins de 1,40 m ; gratuit pour les pitchounes de moins de 1 m. Comprend bouée, gilet, palmes, masque, tuba, casier pour la consigne et surtout (intéressant pour les morfales !) l'accès à volonté aux 5 restos du site (jusqu'à 17h). Attention, caution de 300 $Me demandée, ne venez pas les poches vides. Pas mal d'activités en supplément (très chères).
– Les crèmes solaires sont interdites, écologie oblige. À la consigne, on vous échange votre crème classique contre un tube de crème biodégradable. Le soir, opération inverse. Aux périodes humides, prévoir un antimoustiques.
– Douches, hamacs, chaises longues accessibles gratuitement.

À voir. À faire

🕴🕴 En général, on commence par une petite balade dans la jungle sur un sentier en dur, au tracé très agréable (plein d'iguanes), qui mène au départ de la rivière, cernée de mangroves épaisses qui dévorent le rivage. On descend ensuite la rivière sur plus de 1 km, soit juché sur une grosse bouée de plastique, soit avec masque, palmes et tuba (et gilet de sauvetage), en se laissant filer au cours de l'eau. Extra. On aboutit ensuite dans le vaste lagon dont il faut explorer les rivages et les encaissements pour observer le mieux les poissons (on peut sauter de certains rochers). Bonne organisation puisque vos affaires, que vous aurez laissées au point de départ (sac fourni), seront rapportées à votre point d'arrivée. À droite du grand lagon, faites donc un tour aux abords du pont flottant (sur la droite quand on vient de la rivière), où l'on trouve de gros poissons que nourrissent régulièrement les animateurs du site. Assez impressionnant.
Une organisation impeccable et à l'américaine, qui a relativement bien réussi à conserver toute sa beauté au site. D'autres activités sont proposées mais à prix déments. En vrac : scaphandre (seatrek) pour marcher au fond de l'eau (comme Tintin !), 600 $Me/pers (soit 36 €), plongée, nage avec les dauphins (ils viennent de Cuba) 900 $Me/pers (soit 54 €). Si vous cumulez une entrée pour Xcaret et une pour Xel-Há, le prix des deux entrées sera réduit, mais tout de même, vous aurez à débourser 148 US$/pers. Pour les cinq restos, évitez les heures de pointe, surtout si voulez vous goinfrez.

HIDDEN WORLDS CENOTES PARK

– À 15 km au nord de Tulum, sur la droite de la route (km 243). ▯ 115-45-14. ● hiddenworlds.com ● Tlj 9h-17h, qu'il pleuve ou qu'il fasse beau. Snorkelling 350 $Me (21 €), équipement compris ; départs à 9h, 11h, 13h, 14h et 15h. Plongée avec bouteille 1 200 $Me (72 €) niveau open-water certified ; départs à 9h, 11h et 13h. On vous propose ici de faire de la plongée avec masque et tuba (2h30 dans deux cavernes) ou de la plongée avec bouteille dans des cenotes vraiment impressionnants. Évidemment, faut pas être claustro ! Bon à savoir quand même :

si le décor se révèle vraiment incroyable quand on nage entre les stalactites et les stalagmites, il y a très peu de faune dans les cavernes. Vous pouvez aussi composer votre programme aventure de la journée, vous même. Découverte de la forêt en canopy, en drôle de bicyclette appelée « Zipline », accrochée à un câble, escalader, descendre avec une corde de rappel, faire du buggy sur des pistes, bien sûr plonger dans les quatre *cenotes* du site, mais tout cela a un prix : 60-80 US$/pers.

– Ceux qui veulent simplement nager dans un *cenote* avec masque et tuba iront plutôt au *Gran Cenote,* dans les environs de Tulum.

TULUM
17 000 hab.   IND. TÉL. : 984

Après l'agitation de Cancún ou de Playa del Carmen, Tulum arrive comme une bouffée de calme. Une étape idéale pour recharger les batteries, avec sa vie paisible du village qui s'étire sur le long de la *Federal,* et son ambiance nonchalante sur la côte. Et quelle mer ici ! Bordée par une immense grève de sable blanc qui s'étend vers le sud sur des kilomètres et des kilomètres, presque vierge de construction jusqu'à Punta Allen. C'est aussi le seul vestige maya important en bord de mer. L'environnement est grandiose. Contrairement aux autres sites archéologiques, ici, ni pyramides imposantes ni palais gigantesques. C'est avant tout une « forteresse » (*tulum* en maya), d'où les Mayas assistèrent, interloqués, à l'apparition, au loin, des premières caravelles espagnoles. C'était en 1518.

Arriver – Quitter

En bus

Liste des principales compagnies et leurs coordonnées dans la rubrique « Transports » du chapitre « Mexique utile ».

➤ *Terminal des bus* (plan I) *:* av. Tulum, dans le village. ☎ 871-21-22. Consigne à bagages (1 ticket/bagage, soit 10 $Me/h par bagage !). Il existe aussi un *arrêt de bus* situé près des ruines, au *Crucero (plan II).* Attention, en haute saison, les bus sont vite complets ; achetez votre billet le plus rapidement possible.
➤ *Pour l'aéroport :* pas de bus direct, mais la compagnie *Tucan-Kin* propose des navettes écologiques (biodiesel) bon marché (sauf parfois en basse saison) ou VIP (minibus confortables avec AC). 🖥 129-15-75. ● *tucankin.com* ● Ils vous prennent à votre hôtel, direction l'aéroport de Cancún. Trajet : 1h45. Le prix dépend du remplissage et de la date (voir le site). Liaisons dans les 2 sens.
➤ *Pour/de Playa del Carmen :* 60 km. Avec *Mayab,* départ chaque heure, 7h-19h. Le bus s'arrête où vous le souhaitez le long de la route. Avec *ADO,* 8 bus (directs), 11h-19h. Trajet : env 1h. Pensez également aux *combis servicio colectivo Tulum-Playa* (taxis collectifs) qui passent le long de l'av. Tulum.
➤ *Pour/de Cancún :* 135 km. Mêmes bus et horaires que pour Playa del Carmen. Trajet : 2h.
➤ *Pour/de Chetumal :* 247 km. Avec *Mayab,* 10 bus/j., 6h15-20h15. Trajet : 4h30. Ils s'arrêtent à *Bacalar* (212 km, 2h45 de trajet). Avec *ADO,* 5 bus/j., 8h-22h30. Trajet : 3h30.
➤ *Pour/de Chichén Itzá :* 200 km. Avec *ADO,* bus à 9h10. Trajet : 2h30.
➤ *Pour/de Cobá :* 47 km. Mêmes bus *Mayab* ou *ADO* que pour Valladolid (se renseigner, ts ne vont pas à Cobá). Trajet : 1h.
➤ *Pour/de Mérida :* avec *Mayab,* 6 bus/j., 7h15-23h. Trajet : 8-9h. Avec *ADO,* à 1h40, 5h, 12h40 ; avec *ADO GL,* à 7h30, 17h30, 14h30 et 19h30. Trajet : 4h.

➤ *Pour/de Mexico :* 1 760 km. Avec *ADO*, à 13h40. Trajet : 24h.
➤ *Pour/de Palenque puis San Cristóbal :* respectivement 737 km et 950 km. Bus *OCC* à 18h25. Trajets : 12 et 16h.
➤ *Pour/de Valladolid :* 160 km. Avec *Mayab*, 5 bus/j. Trajet : 2h30. Avec *ADO*, 3 bus/j., 9h10, 10h30, 11h. Trajet : 2h.

En combi

Stationnés pratiquement à côté de la banque *HSBC* et face au terminal *ADO*.
➤ *Pour/de Punta Allen :* à 14h.
➤ *Pour/de Playa del Carmen et Ruinas :* 5h-23h, dès que le minibus est plein, normalement ttes les 10 mn.
➤ *Pour/de Tulum Playa :* à 9h, 12h, 14h.

En taxi

Stationnés devant le terminal *ADO*. Tarif officiel affiché, et en fait, pas si cher que cela à partir de deux :
➤ *Cancún et aéroport-Cobá-Valladolid-Mérida :* respectivement 845, 800, 340, 520, 1 690 $Me (50, 48, 20, 31, 101 €).
➤ *Tulum Playa :* en fonction de votre hôtel. *Condesa, Tribal* et *Paraíso*, 40-45 $Me (2,40-2,70 €) ; *Zamas, Playa Azul, Las Ranitas* et *Sian Ka'an*, 40-100 $Me (2,40-6 €).

En voiture

➤ *Pour/de Chetumal :* on vous conseille de conduire de jour, car certains tronçons de la route peuvent réserver des surprises (route réduite à une voie pour travaux).
➤ *Pour/de Cancún,* ça roule, mais prudence quand même la nuit : il y a quelques bizarreries d'aménagement de la route auxquelles on n'est pas habitué.

Où loger ?

Tulum fait l'objet d'un vaste plan de développement (planifié jusqu'en 2026 !) censé éviter les excès d'une croissance hystérique du style Playa del Carmen. Le village est donc en pleine mutation et les prix sont en train de flamber, y compris dans les structures au confort modeste. Nos lecteurs choisiront en fonction de leur budget entre la plage ou le village, distants de quelques kilomètres.
– *La plage* (Tulum Playa ; plan II) : une splendide carte postale avec son sable blanc, ses eaux turquoise et ses palmiers. Sur plusieurs kilomètres s'y sont installés de nombreux hôtels qui proposent des cabanes en bois assez spartiates (de plus en plus rares) ou bien des bungalows ultra-chic. En haute saison, c'est la foule ; les prix peuvent grimper en flèche jusqu'à 60 %, et si l'on veut un lit, mieux vaut arriver le matin. On accède à tous ces hôtels par la route qui longe la plage. Attention, pas de bus sur cette route, seulement des taxis (qui ont tendance à profiter de leur monopole) ou alors le stop, qui fonctionne assez bien.
Grosso modo, on distingue deux zones hôtelières. Juste au sud des ruines, on trouve les dernières *cabañas* bon marché, rassemblement de routards de tous les pays. Encore plus au sud, en direction de Punta Allen, c'est la zone plus classe, où se sont installés les hôtels chic et parfois hors de prix.
– *Le village* (Tulum Pueblo ; plan I) : à 4 km des ruines. Il s'étire au long de la *carretera federal* qui s'appelle, dans le village, *avenida Tulum*. C'est l'artère principale, le long de laquelle s'étalent les commerces, les restos et quelques hôtels. Viendront y loger ceux qui veulent savourer la vie de village et qui préfèrent le contact avec la population locale à la fréquentation des touristes. Autre avan-

TULUM PUEBLO (PLAN I)

■ **Adresses utiles**

- 🛈 Kiosque d'informations touristiques
- 🚌 Terminal des bus *ADO* et stations de taxis
- 1 Téléphone
- @ 2 Internet
- 3 Bureaux de change
- 4 Banque HSBC
- 5 Laverie Lava Easy
- 6 Iguana (location de vélos)
- 9 Station de taxis
- 10 Lilly's (location de vélos)
- 11 Combis pour Ruinas, Playa del Carmen

🛏 **Où dormir ?**

- 20 The Weary Traveler Hostel
- 21 Rancho Tranquilo
- 22 Hoteles Chilam Balam et Kukulcán
- 23 Hotel Don Diego de la Selva
- 24 Hotel Kin-Ha
- 25 Villa Matisse
- 26 Hostel Casa del Sol
- 27 Hotel Addy

🍽 **Où manger ?**

- 40 Le Bistro
- 41 El Mariachi
- 42 La Nave
- 43 El Tacoqueto
- 44 Don Cafeto
- 45 El Capitán

LA CÔTE DE CANCÚN À TULUM

tage : les hôtels, en nombre croissant, pratiquent des prix plus décents que sur la plage. Et on trouve plein de bons petits restos et des cafés bien sympas. Beaucoup d'affaires sont tenues par des Italiens, mais aussi par des Français. Pour aller à la plage, on peut louer des vélos. Une piste cyclable a été construite le long de la route vers Tulum Playa (3 km).

TULUM PUEBLO

Adresses et infos utiles

ⓘ Kiosque d'informations touristiques : au coin av. Tulum et Osiris Sur, sur la petite place devant le palacio municipal. Tlj 9h-17h. Très aimable et de bon conseil.

✉ Poste (plan I) : av. Sol et Orion Sur. Lun-ven 9h-16h.

■ Téléphone (plan I, **1**) : av. Tulum ; presque à l'angle d'Alfa Sur. ☎ 871-27-29. Tlj 8h-21h30. L'une des casetas telefónicas les moins chères. Il y en a plein d'autres.

@ Internet (plan I, **2**) : av. Tulum. ☎ 871-21-29. Face à la banque HSBC. Tlj 9h-22h30. Bonnes bécanes et personnel compétent. D'autres cybercafés alentour.

■ Bureaux de change (plan I, **3**) : pratique ! 2 casas de cambio face à face, av. Tulum. Il y en aura au moins toujours une ouverte. Passage obligatoire car à Tulum les banques ne changent ni euros ni dollars. Tlj sf dim 10h-21h.

■ Banque HSBC (plan I, **4**) : au milieu de l'av. Tulum. Distributeur automatique.

■ Banque Bancomer (plan II, **7**) : attenante au supermarché, au coin av. Tulum et Satelite Norte. Guichet automatique.

■ Laverie Lava Easy (plan I, **5**) : av. Tulum et Centauro. Tlj sf dim 8h-20h.

■ Location de vélos Iguana (plan I, **6**) : av. Satelite Sur ; entre Sol et Andrómeda. ☎ 119-08-36. Lun-sam 8h30-18h. Loue de bons vélos à la demi-journée ou à la journée (70 $Me/j., soit 4,20 €) ; tarifs dégressifs. Une équipe sympa. Et aussi chez **Lilly's** (plan I, **10**), Sol en face de Telmex.

■ Location de motos : allez à l'hôtel Punta Piedra (plan II, **34**) à Tulum Playa. Voir « Où dormir ? ». 400 $Me/j. (24 €).

■ Location de masques et tubas : allez à l'hôtel Punta Piedra (plan II, **34**) à Tulum Playa. Voir « Où dormir ? ». Pour 50 $Me/j. (3 €). Propose aussi de la plongée à 10h30 et 13h30 : 200 $Me (12 €) pour 2h30.

Où dormir ?

Très bon marché (moins de 300 $Me, soit 18 €)

🛏 The Weary Traveler Hostel (plan I, **20**) : av. Tulum ; proche du terminal de bus. ☎ 871-23-90. ● intulum.com ● Accueil ouv tlj 7h-23h. Pas de résas. Internet. Une AJ avec des dortoirs de 10 lits superposés, chambres simples ou doubles (prix moyens). Bar, resto et cuisine. Navette gratuite à 9h et 12h vers la plage ; à 12h15 et 17h dans l'autre sens. Prévoir un cadenas pour le casier. Réduc sur les visites et plongées dans les cenotes. Ambiance bohème et décontractée.

🛏 Hostel Casa del Sol (plan I, **26**) : Polar Poniente 815 ; entre Saturno et Luna ; à env 300 m du terminal ADO en direction de Chetumal. ☎ 146-14-73 ou 129-64-24. L'autre AJ de Tulum. Tenue par Carlos, qui pourra vous donner plein de tuyaux. Chambres simples, doubles ou dortoirs. Possibilité de camper ou d'installer son hamac sur le toit. Cuisine commune, location de vélos. Réservoir d'eau appelé jacuzzi pour faire trempette.

De prix moyens à chic (400-1 000 $Me, soit 24-60 €)

🛏 Rancho Tranquilo (plan I, **21**) : av. Tulum ; 500 m au sud du terminal de bus. ☎ 871-27-84. ● ranchotranquilo.com.mx ● Petit déj inclus. Internet. Dortoirs bon marché pour les voyageurs solitaires. Cabañas avec ventilo et sanitaires à l'extérieur (intéressant de partager à 4 copains celles avec 2 lits, hamac, frigo et terrasse ombragée). Grande cuisine commune. Belle bibliothèque. Et même des maisonnettes avec AC et salle de bains. Le tout gen-

🛏 **Hotel Addy** (plan I, 27) : Polar Ote 92, entre Satelite et Centauro, proche de la Villa Matisse. ☎ 871-24-23. ● hotel_addy@yahoo.com ● Internet. Hôtel agréable avec un bon rapport qualité-prix pour Tulum. Grandes chambres sur 3 niveaux, avec ou AC, au calme, donnant sur un joli patio, où il fait bon se reposer. Bibliothèque.

🛏 **Villa Matisse** (plan I, 25) : av. Satelite 19, à 200 m du rond-point Fontaine de Statues Mayas, à droite en venant de Playa. ☎ 871-26-36. ⊟ 876-28-54. ● shuvinito@yahoo.com ● Petit déj et bicyclette inclus dans le prix. Résa obligatoire. Petite pension, tenue par Lourdes qui donne à ce lieu l'atmosphère chambres d'hôtes. Cuisine à disposition. Excellent rapport qualité-prix. Malheureusement seulement 6 chambres, toujours plein. Passage de camions le matin pouvant troubler le sommeil.

🛏 **Hotel Chilam Balam** (plan I, 22) : av. Tulum. ☎ 871-20-42. Hôtel sans charme mais avec un bon rapport qualité-prix pour la région. Grandes chambres à 2 lits matrimoniaux, bien tenues,

avec AC. Celles du rez-de-chaussée sont sombres. On préfère celles du 1er étage, beaucoup plus agréables. Toutes sont protégées par un dieu maya (nom écrit au-dessus de la porte). Par Toutatis, ça rassure !

🛏 **Hotel Kukulcán** (plan I, 22) : av. Tulum. ☎ 871-21-12. ● nios_67@hotmail.com ● À côté du Chilam Balam, mais avec l'avantage, même si la réception donne sur l'avenue, d'être en recul. Hôtel récent, sur 2 étages. Grandes chambres lumineuses à 2 grands lits, avec fenêtres sur la grande cour, faisant office de parking. Bien tenues, avec ventilo ou AC.

🛏 **Hotel Kin-Ha** (plan I, 24) : Orion ; entre les calles Sol et Venus. ☎ 871-23-21. ● hotelkinha.com ● Augmente ses tarifs en hte saison, mais négocier en période creuse. Une dizaine de jolies chambres, simples et confortables, qui donnent sur un ravissant jardin croulant sous la végétation tropicale. 2 lits individuels ou lit queen size. Pour le double du prix, on peut dormir dans l'annexe de la plage. Les clients de l'hôtel bénéficient d'une réduc de 10 % sur les repas à la plage.

Plus chic (plus de 1 000 $Me, soit 60 €)

🛏 **Hotel Don Diego de la Selva** (plan I, 23) : à la sortie du village en direction de Chetumal, dans une ruelle sur la droite. ⊟ 129-17-00. ● dtulum.com ● Excentré, ce petit hôtel est tenu par deux Français, Charlie et Stéphane, sur le principe de la chambre d'hôtes, avec un petit déj compris. 11 belles chambres encadrent un jardin verdoyant où chante une fontaine. Toutes avec AC et certaines avec lit king size. Elles jouissent toutes d'une grande terrasse individuelle qui s'ouvre généreusement sur

la végétation tropicale. Pour les tourtereaux, 2 petits bungalows spacieux sont installés au fond du jardin. Ici, la vie se déroule dans un calme absolu, entre la belle piscine, l'apéro autour du bar et le resto sous la grande palapa (repas du soir). Le resto El Paladante sert, le soir, une cuisine fine qui fusionne produits mexicains et esprit français. Desserts à la hauteur. Les « sucrés » ne manqueront pas la mousse à la menthe, à la fraîcheur bienvenue.

Où dormir près des ruines ?

🛏 **Hotel Crucero** (plan II, 28) : au carrefour de la route pour le site (arrêt de bus). ☎ 871-26-10. ● el-crucero.com ● À 800 m des ruines et 3 km du village. Dortoir pour 4 pers, avec ventilo et douche, très bon marché. Double avec sdb

bon marché. Internet. Chambres thématiques pour 3 avec AC. Elles donnent sur un grand jardin à l'arrière. Plein d'infos. Une adresse simple, à prix routards pour Tulum, pour qui tient à être proche des ruines.

Où manger ?

Plusieurs *taquerías* sur l'avenue, à proximité du terminal de bus et à la sortie en direction de Chetumal. Un jeu amusant dans les restos : les (rares) jours de (forte) pluie, attendre que le toit de coco se mette à fuir. En espérant que ça tombe sur la table du voisin (la sienne, c'est pas du jeu !).

|●| *El Tacoqueto* (plan I, 43) : av. Tulum ; entre Acuario et Jupiter. Tlj 9h-22h. Compter 50 $Me (3 €), le plat et boisson. Dans un décor sympa et sans prétention cuisine économique mexicaine, avec un choix entre 4-5 plats provenant de grosses marmites. Ici pas de carte, on commande « à vue », un plat copieux et une boisson. Lieu surtout fréquenté par les locaux (peu de touristes). Très bon, pas cher et bonne ambiance.

|●| *Le Bistro* (plan I, 40) : Centauro, plaza Los Arcos. 📱 133-34-07. Tlj 9h-23h. En terrasse ou dans le petit jardin derrière. Un resto français tenu par Laurent, patron très accueillant, qui vous donnera des bons plans pour trouver la partie de la plage où il n'y a pas de touristes et vous conseillera même pour des adresses de bars, de restos. Pour tous ceux qui après avoir mangé mexicain veulent se ressourcer. Gilou à la cuisine concocte de bons plats français à des prix relativement raisonnables. Le matin à partir de 9h, très bon petit pain au chocolat, viennoiserie, un petit déj comme on aime. La boulangerie à côté fait partie de l'établissement. Une adresse coup de cœur.

|●| *El Mariachi* (plan I, 41) : av. Tulum. 📱 138-74-08. Tlj 9h-3h. Plusieurs formules de petit déj bon marché. Sous une grande pergola, en plein air. Sol en gravier et tables en plastique recouvertes de nappes frappées d'un coloré « viva Mexico ». Il fallait s'y attendre, avec un nom pareil... Vous l'avez compris, cuisine on ne peut plus mexicaine. Simple mais soignée et offrant un bon rapport qualité-prix. Et surtout, une ambiance où la clientèle locale étale, le soir, sa bonne humeur sur fond de musique de mariachis (Aipp ! et viva Zapata !).

|●| *La Nave* (plan I, 42) : av. Tulum ; entre les calles Orion et Beta. ☎ 871-25-92. Tlj sf dim 7h-23h. Un resto italien sympa dont on fait vite son QG. Joli cadre. On y savoure des pizzas cuites au feu de bois, des pâtes ou autres spécialités plus locales. Vin au verre et en bouteille. Également de très agréables petits déj, un peu plus originaux qu'ailleurs et accompagnés d'un délicieux *espresso* (fermez les yeux : c'est l'Italie).

|●| *El Capitán* (plan I, 45) : av. Tulum ; entre les calles Alfa sur et Jupiter. ☎ 116-39-67. Tlj 11h-23h. Bar-restaurant de *mariscos,* tenu par une Hollandaise tout sourire. Pas une grande carte, mais que du frais de qualité. Poissons, langoustes grillés au poids et de bons produits de la mer, sans oublier quelques spécialités mexicaines. Douce musique d'ambiance, ça change. C'est également un lieu agréable pour prendre un verre de vin ou un cocktail maison. Et, surprise, les prix ne sont pas exagérés.

|●| *Don Cafeto* (plan I, 44) : av. Tulum 64. ☎ 871-22-07. Tlj 7h-23h. Cadre pas très agréable, ambiance un peu cantine bruyante, tables serrées et TV toujours allumée. Bonne cuisine mexicaine « touristisée ». Spécialités de viande de bœuf (goûtez aux *arracheras*). Pour le petit déj, plusieurs formules mais assez chères. Si vous êtes en fonds...

TULUM PLAYA

On situe toutes nos adresses par rapport au « carrefour » de la route venant de la *carretera federal* et la route côtière.

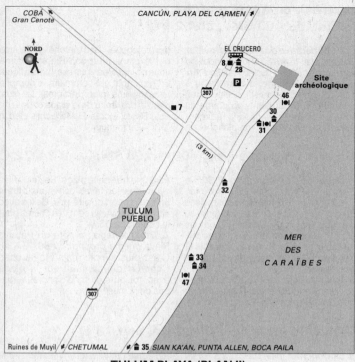

TULUM PLAYA (PLAN II)

■ **Adresses utiles**			**33** La Conchita

■ **Adresses utiles**

    7 Banque Bancomer
    8 Bureau d'information Cesiak

🏠 **Où dormir ?**

    28 Hotel Crucero
    30 Cabañas Condesa
    31 El Paraiso
    32 Papaya Playa et Tribal
        Village

    33 La Conchita
    34 Hotel Punta Piedra
    35 Las Ranitas
    49 Cooperativo Pescadore Mar
        Caribe

🍴🍷 **Où manger ? Où boire
un verre ?**

    46 El Mariachi's Beach
    47 Zamas

Où dormir ?

De moins en moins d'adresses routardes. Si certaines prestations sont correctes, on trouve aussi des hébergements de qualité médiocre à des prix anormalement élevés ! Prix qui augmentent considérablement en haute saison (on l'a déjà dit ?). Ne vous laissez pas impressionner lorsqu'on vous dit qu'il ne reste qu'une chambre (que l'on vous fera payer, bien sûr, au prix fort) : allez voir les concurrents ! Attention moustiques partout sauf dans les chambres avec AC. Les hôtels les moins chers pour l'instant sont ceux proches de la *playa Maya*, à côté de l'entrée secondaire des Ruinas. La partie sud est relativement inabordable.

De très bon à bon marché (moins de 400 $Me, soit 24 €)

⚓ 🏠 *Cooperativo de Pescadores-Mar Caribe* (plan II, 46) : 3,5 km au nord du carrefour et 500 m avt l'accès sud aux ruines. Ni téléphone, ni résa (venir à 11h30, heure des sorties), ni électricité, ni petit déj. En arrivant, on plante sa tente ou on loue une *cabaña* rudimentaire. Certaines ont un vrai plancher en dur (catégorie « Bon marché »), d'autres ont la plage pour sol. Rigolo, mais à vous de voir si ça vous semble pratique. En gros, tout est sommaire, y compris les sanitaires (plutôt propres). Le plus, c'est la proximité de la plage et des ruines. Resto à côté *El Mariachi's Beach* (voir « Où manger ? »).

De prix moyens à chic (400-1 200 $Me, soit 24-72 €)

🏠 *Cabañas Condesa* (plan II, 30) : à 3 km au nord du carrefour. Pas de tél. Des *cabañas* très simples, éparpillées dans la végétation, dont 2 avec terrasse donnant sur la mer. Bémol ici : pas de plage mais des rochers. Petit resto terrasse sur ce piton rocheux, agréable et reposant. Plats à des prix tout à fait abordables.

🏠 *Papaya Playa* (plan II, 32) : 300 m au sud du carrefour. Pas de tél. Une ribambelle de *cabañas* assez simples dominant une très belle plage. Seules celles ayant des sanitaires communs offrent un bon rapport qualité-prix. Celles avec sanitaires privatifs sont très chères pour le confort proposé.

🏠 *Tribal Village* : à côté du Papaya Playa (même proprio). ☎ 807-77-30. C'est plus simple mais moins cher. *Cabañas* directement sur la plage avec, toujours en fond sonore, le ressac de la mer.

Très chic (plus de 1 300 $Me, soit 78 €)

🏠 *La Conchita* (plan II, 33) : à 5 km au sud du carrefour. ● differentworld. com ● Petit déj inclus. Charmant petit hôtel avec 8 bungalows en dur, très joliment construits. Une chambre en duplex pour 4 personnes. Arrangé avec beaucoup de goût. Terrasse individuelle avec hamac. Ici pas d'AC, seulement des ventilos qui fonctionnent aussi la nuit, car pour le reste, électricité de 18h à 22h. Un lieu tranquille et harmonieux, qui donne sur une très belle plage.

🏠 *Hotel Punta Piedra* (plan II, 34) : à 2 km au sud du carrefour. ● posadapun tapiedra.com ● Hôtel entièrement refait en dur. 8 chambres propres, spacieuses avec douche et eau chaude. Location de vélos, masques et tubas. Une adresse confortable mais un peu chère.

🏠 ◉ *El Paraiso* (plan II, 31) : à env 2 km au nord du croisement. ☎ 113-70-89. ● elparaisotulum.com.mx ● Internet. Le nom est prometteur. En réalité, c'est un bâtiment sans âme (et ne donnant pas directement sur la plage) qui abrite les chambres de cet hôtel. Toutes avec bains et ventilo. En haute saison, les prix ne justifient pas leur augmentation. Chaises longues sur la plage.

Très très chic (plus de 3 000 $Me, soit 180 €)

🏠 *Las Ranitas* (hors plan II, 35) : carretera Tulum, Boca Paila, km 9. 📠 98-48-77-85-54. ● las-ranitas.com ● Voir avec une agence de voyages si prix plus intéressant. À l'extrémité sud de la plage, tout près de la réserve de Sian Ka'an, cette ancienne villa est aujourd'hui un bel hôtel de charme. Une transformation réussie : dans la structure principale ou dans les bungalows, les chambres sont spacieuses, claires, avec de larges baies vitrées, certaines avec terrasse. La déco est soignée, mélange de faïences aux couleurs mexicaines et de rotin, et des rainettes *(ranitas)* partout. Les jardins sont luxuriants et la plage de rêve ! Ici, la nature a gardé toute sa place, et l'on s'attache à préserver l'environnement : récupération de l'eau de pluie et panneaux solaires pour l'électricité. Piscine, restaurant, transats sur la plage et accueil aux petits soins. Un coin de paradis, loin des foules, également apprécié des tortues qui viennent y pondre l'été.

Où manger ? Où boire un verre ?

Pratiquement tous les restaurants ont construit des *cabañas,* mais qui entrent plus ou moins dans les catégories « Chic » ou « Très chic ».

|●| *EL Mariachi's Beach (plan II, 46) :* 3,5 km au nord du carrefour et 500 m avt l'entrée secondaire des ruines. Tlj 7h-22h. Plat principal moins de 120 $Me (7,20 €). Petit déj moins de 60 $Me (3,60 €).* Un resto fréquenté par les petits budgets, les locataires des *cabañas* voisines et par ceux qui ont compris que les prix de la partie sud étaient totalement inabordables. Grande salle aérée du type cantine, à 200 m de la plage populaire, playa Maya. Pratique pour la bronzette après. Spécialités de la mer et mexicaines. Bon accueil. Une bonne adresse qui ne vous ruinera pas,

|●| *Zamas (plan II, 47) :* à 5 km au sud du carrefour. ☎ 877-85-23. Tlj 7h-22h. Installé sur une petite pointe rocheuse, à côté d'une plage croquignolette. Tables de toutes les couleurs sous des toits de palmes, face à la mer turquoise. Très bonne cuisine. À midi, goûtez aux tacos de poisson mariné à la tequila ou aux crêpes de *chaya.* Le soir, pizzas cuites au four à bois. Poisson très frais. Un peu cher, mais le cadre est vraiment ravissant. Bon accueil, pour le prix cela semble justifié ! Soirée musicale. Possède aussi une vingtaine de *cabañas* à des prix « Tulum Playa Sud ».

À faire

◭ Se prélasser sur la *plage,* bien sûr, qui est très belle. Possibilité de louer masques et tubas (voir « Adresses utiles »). Pour ceux qui logent à Tulum Pueblo, voici les accès libres les plus proches : vers la gauche, à l'hôtel *El Paraiso* ; vers la droite, entre les hôtels *Punta Piedra* et *La Conchita,* puis à la plage du resto *Zamas.* Au-delà, presque tout est privé.

LES RUINES DE TULUM

Le site archéologique est à 4 km du village et 800 m de la route.
Au *centro turístico,* boutiques de souvenirs, change, restos, supermarché, w-c, kiosque d'information surtout pour les parcs d'attractions des environs...

Un peu d'histoire

Ce qui rend ce site unique, c'est sa position sur une falaise dominant la mer des Caraïbes. Tulum ne présente pas d'intérêt archéologique majeur, si ce n'est qu'il s'agit d'un exemple caractéristique du style décadent. En effet, la ville a été construite durant le déclin de la période maya (entre 1250 et 1521 apr. J.-C.). Le prestige et la beauté de Chichén Itzá ne doivent être déjà qu'un lointain souvenir pour les habitants de cette époque. On est également loin de la volonté esthétique exprimée dans les édifices d'Uxmal. Ici, les constructions sont assez grossières, les frises désalignées, et on ne trouve guère de bas-reliefs de grande finesse. Comme pour cacher les défauts de cette pauvre imitation des illustres prédécesseurs, les bâtiments étaient recouverts d'une épaisse couche de stuc peint de couleurs vives, en bleu, blanc et rouge. En fait, durant cette phase de dégénérescence, les intérêts sont plutôt militaires et belliqueux (les villes mayas sont en conflit permanent). C'est pourquoi la cité est entourée sur trois côtés d'une épaisse muraille, le quatrième côté faisant face à la mer du haut d'une falaise de 12 m, défense largement suffisante. Cet accès à la mer permettait en outre de nombreux échanges commerciaux avec l'Amérique centrale. Il semble même que la ville était signalée de nuit par un « phare » grâce à un feu qui brûlait sur l'une des tours. À l'intérieur des remparts, on trouve une cinquantaine de petits édifices, pour l'essentiel des temples et les habitations des nobles et des prêtres. La population vivait à l'extérieur et ne pénétrait dans l'enceinte sacrée que pour assister aux cérémonies.

La ville fut connue des Espagnols dès 1518 (soit un an avant le début de la conquête du Mexique par Cortés), lorsque Juan de Grijalva l'aperçut alors qu'il était en expédition le long de cette côte. Il fut tellement ébloui par la beauté de cette ville richement décorée qu'il la compara à Séville. Elle était encore habitée quand les conquistadors entreprirent la conquête de la péninsule en 1544. Ainsi, Tulum, disparue il y a à peine plus de 450 ans, fut l'une des dernières cités mayas. Ces derniers y trouvèrent une dernière fois refuge au XIXe s, lors de la guerre des Castes.

Arriver – Quitter

➤ *Depuis Cancún ou Playa del Carmen :* depuis le nord, on trouve d'abord le *centro turístico,* à gauche AVANT la station *Pemex.* Garez la voiture ici, le parking APRÈS la *Pemex* est payant. En transport en commun (pour ceux qui viennent pour la journée), inutile d'aller jusqu'à Tulum Pueblo. Les bus (*Mayab* ou *ADO*) et taxis collectifs vous laissent sur la *Federal* au niveau du *centro turístico.*

➤ *Depuis Tulum Pueblo :* 3 km du village au *centro turístico*. À pied ou à vélo, en taxi (*40 $Me, soit 2,40 €*) ou en combi sur l'av. Tulum, devant la banque *HSBC* (*20 $Me, soit 1,20 €*) à 9h, 12h, 14h, dans l'autre sens, 30 mn plus tard. Accès également depuis la route côtière : stationnement gratuit, puis 500 m à pied jusqu'à la billetterie.

➤ *Du centro turístico aux ruines :* 800 m à pied jusqu'à la billetterie. Petit train à toutous pour les mous du mollet. Il fait la navette continue pour 20 $Me (1,20 €) l'aller-retour.

Renseignements pratiques

– Site ouv 8h-17h. Entrée : 51 $Me (3,10 €) ; gratuit moins de 12 ans. Vidéo payante 35 $Me (2,10 €). Parking : 30 $Me (1,80 €).
– Guides parlant parfois le français. Compter 500 $Me (30 €) pour 4 pers ; plus cher au-delà.
– Idéal de visiter le site avant 9h, avant que les hordes de touristes ne débarquent. Une autre option très agréable est la fin d'après-midi, avant 17h. Peu de monde et belle lumière. Visite nocturne organisée de 20h à 23h : 170 $Me/pers (10,20 €).
– Tulum est particulièrement photogénique. Sachez toutefois que la ville s'est appelée *Zamá,* « face au lever du soleil ». L'éclairage y est donc moins favorable le matin.
– N'oubliez pas votre maillot de bain pour la visite.

À voir

Attention, comme à Chichén Itzá, Uxmal et Palenque, pour cause de dégradation galopante due au nombre important de visiteurs, l'intérieur des monuments n'est plus accessible au public.

🎯 *Les murs de l'enceinte :* édifiés pendant la dernière période d'habitation du site, les remparts (de 4 à 7 m d'épaisseur et 3 à 5 m de haut) étaient simplement

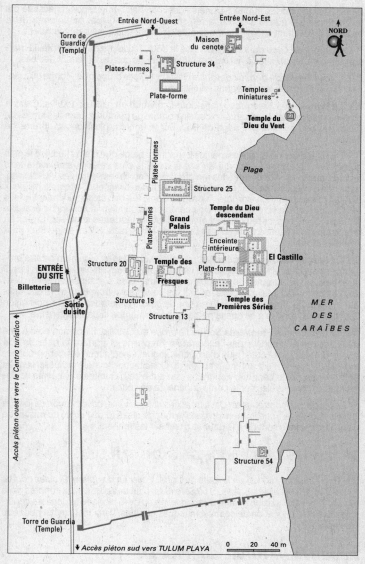

NORD

Entrée Nord-Ouest

Entrée Nord-Est

Torre de Guardia (Temple)

Maison du cenote

Plates-formes

Structure 34

Plate-forme

Temples miniatures

Temple du Dieu du Vent

Plates-formes

Plage

Structure 25

Temple du Dieu descendant

Plates-formes

Grand Palais

Enceinte intérieure

El Castillo

Structure 20

Temple des Fresques

Plate-forme

ENTRÉE DU SITE

Billetterie

Sortie du site

Structure 19

Temple des Premières Séries

Structure 13

MER DES CARAÏBES

Accès piéton ouest vers le Centro turístico ↑

Structure 54

Torre de Guardia (Temple)

0   20   40 m

↓ *Accès piéton sud vers TULUM PLAYA*

LE SITE ARCHÉOLOGIQUE DE TULUM

LA CÔTE DE CANCÚN À TULUM

percés de cinq portes étroites. L'une d'elles s'ouvrait sur le *sacbé*, chaussée qui reliait Tulum à d'autres sites de la région, notamment Cobá. Au sommet de la muraille, il y avait un chemin de ronde où s'élevaient quelques petits temples.

🏃 *Le temple du Dieu du Vent :* il domine la côte. À gauche de ce temple, la *maison du Cenote,* appelée ainsi car construite sur une grotte contenant de l'eau.

🏃 *La plate-forme de danse : devant le Castillo.* Ruines d'une plate-forme où, pense-t-on, avaient lieu les obsèques religieuses.

🏃🏃 *Le temple des Fresques :* sans doute construit au milieu du XVᵉ s. C'est le plus intéressant, car il conserve un certain nombre de peintures dans des sortes de cases, un peu comme une page de B.D. Sur le fronton, plusieurs sculptures de dieux.

🏃🏃🏃 *El Castillo :* nommé ainsi par les Espagnols parce que c'était l'édifice le plus grand. De fait, c'est le plus haut du site et aussi le plus célèbre, surélevé à trois reprises au moins. Au sommet des marches, deux colonnes sculptées. Au-dessus, dans des niches, autres sculptures représentant des divinités. Ce temple religieux revêtait une importance extrême. Tous les 52 ans, les Mayas considéraient que le monde arrivait à la fin d'un cycle. Une cérémonie avait lieu, au cours de laquelle, durant 5 jours, tous les feux étaient éteints et toutes les dettes annulées. C'était en même temps la hantise de la fin puis la fête du renouveau, et l'on en profitait pour embellir les édifices.

🏃🏃 *Le temple du Dieu descendant : à gauche du Castillo.* Son nom bizarre provient d'un motif sculpté au-dessus de l'entrée, présentant un dieu la tête en bas. Il n'est pas rare de retrouver ce symbole sur d'autres sites. Certains y voient le dieu-abeille des Mayas (Maya l'abeille, quoi !), puisque l'apiculture était alors une activité importante. Toutes les peintures ont disparu. Remarquez aussi l'inclinaison des murs, de manière à ce que la partie haute surplombe la partie inférieure.

🏃🏃 *Le temple des Premières Séries : à droite du Castillo.* Il doit son nom à une stèle trouvée à l'intérieur par l'explorateur Stephens et portant la date de 564 apr. J.-C. De quoi dérouter plus d'un archéologue, vu qu'aucun élément architectonique de la ville n'est antérieur au XIIIᵉ s. Conclusion : la stèle (actuellement au British Museum de Londres) viendrait d'une autre cité. Quelques éléments sculptés sont encore visibles sur la partie supérieure de l'édifice.

🔺 *La plage : en contrebas du Castillo, accessible par un escalier.* Façon de joindre l'utile à l'agréable : une immersion dans le monde maya (d'où l'utilité du maillot de bain). Les iguanes sont déjà là pour se dorer sur les rochers.

➤ DANS LES ENVIRONS DE TULUM

🏃🏃 *Gran Cenote : à 3 km sur la route de Cobá. Y aller en taxi (plan I, 9) ou en combi. Tlj 8h-17h (16h en hiver). Entrée : 100 $Me (6 €).* L'un des plus beaux *cenotes* de la région. On peut s'y baigner, faire du snorkelling ou de la plongée (plongeurs confirmés). Sur place, location de palmes, masques et tubas. Venir tôt le matin pour être plus tranquille.

RESERVA NATURAL SIAN KA'AN

🏃🏃 ⊘ 🏃 Immense parc naturel, inscrit au Patrimoine mondial de l'Unesco en 1987, qui recouvre un territoire allant de la côte, entre Tulum et Punta Allen, aux abords de la *carretera federal.* Paradis des oiseaux, de la faune et de la flore, et abritant des ruines secrètes.

➤ *Accès :* 1 bus/j. part à 14h de Tulum Pueblo (devant la banque *HSBC*) pour le centre *Cesiak* (voir « Où dormir ? », plus loin). Trajet : 40 mn, retour dans la foulée.

Pour Punta Allen, 1 *colectivo*/j. à 14h (station de taxis de Tulum Pueblo). Trajet : 2h. Compter 200 $Me/pers (12 €). En taxi, c'est plus rapide mais plus cher (700 $Me, soit 42 €, la course). Sinon, il faut être véhiculé ; mais sur place, pas de parking surveillé (vols signalés).

Topographie

Deux accès pour pénétrer dans la réserve. L'un au sud de Tulum Playa, par la route côtière. Après le poste des *guardaparque*, la route se poursuit sur 45 km jusqu'au hameau de Punta Allen. L'autre accès, bien moins intéressant, se situe sur la *carretera federal*, juste au sud de Muyil (lire « À voir. À faire »). Poste des *guardaparque* 3 km plus loin, puis 50 km de piste pour joindre *Vigia Chico*, puis *Playón* au bord de la baie (face à Punta Allen). Pour joindre Punta Allen, il faut ensuite louer une *lancha*.

Renseignements pratiques

– **Droit d'entrée :** 25 $Me (1,50 €) à régler au guardaparque de l'entrée.
– **Cesiak :** concessionnaire des activités dans le parc. *Point infos sur la* Federal *(plan II, 8), à côté de l'hôtel Crucero.* ☎ 877-85-73. ● cesiak.org ● Gère un hôtel-resto. Loc de kayaks (2 pers) 650 $Me (39 €) pour 3h. Excursion 1 j. en bateau 1 500 $Me/pers (90 €), incluant déj, eau et transport aller-retour entre votre hôtel à Tulum et la réserve.
– **Tours en lancha :** possibilité d'excursions auprès de pêcheurs à Punta Allen. Pour 3h, compter 1 500 $Me (90 €) à partager (jusqu'à 6 passagers).

Où dormir ? Où manger ?

Pas d'hébergement dans la zone de Vigia Chico, Playón.

⚠ 🛏 |●| **Cesiak :** sur la piste de Punta Allen, 8 km après l'entrée du parc. Voir aussi « Renseignements pratiques » plus haut. Hôtel en dur au centre Cesiak. *Chambre avec sdb commune : 1 100 $Me (66 €).* Resto en terrasse au 1er étage du centre, sans intérêt. Le centre écologique *Cesiak* propose aussi des locations de kayaks, des promenades en bateau et des parties de pêche organisées : 400-2 000 $Me *(24-120 €)*. Prix plutôt déplacés d'un commerce qui joue sur la corde sensible de l'écologie, bien peu équitable pour le touriste. Les bénéfices seraient reversés à un programme d'éducation au profit des écoles de Tulum.

🛏 |●| **Cuzan Guesthouse :** au bout du village de Punta Allen, à gauche. ● fly fishmx.com ● Compter 700-1 050 $Me (42-63 €). Sur un coin paumé de plage à cocotiers, tout plein de *cabañitas* de taille, confort et style différents, à des prix encore abordables. On a un faible pour celle aménagée sur une ancienne

chaloupe. On peut se restaurer sur place (prix moyens). Une bonne adresse au calme, les pieds dans l'eau. Un lieu reposant après 50 km de piste difficile. Le bout du monde ça se mérite.

🛏 |●| **Casa de Ascensión :** dans le village de Punta Allen, à droite (suivre les panneaux). ☎ 801-00-34. ● casadeas cension@hotmail.com ● Chambres avec sdb 600-850 $Me (36-51 €). AC et TV. Internet. Maison flashy toute mimi, dont Maurizio et sa petite famille vous font les honneurs. Les vastes chambres sont bien clean, parées de carrelage pimpant aux sol et murs cirés dans des tons soutenus. Électricité 24h/24. Cuisine italo-mexicaine. Balade pêche proposée. La mer n'est pas loin, mais la *casa* est dans le village.

|●| **Restaurant Bonefish :** un resto sur la plage avec ses produits de la mer (langoustes, poissons grillés au poids), quelques plats mexicains, le tout à petit prix, servi avec une grande amabilité.

À voir. À faire

LA NATURE. Presque à l'état pur. Voilà ce que Sian Ka'an réserve. On n'ose pas regarder les panneaux *For Sale* sur le bord de la piste (fort sale, d'ailleurs, et mal entretenue) : gageons que l'estampille « Réserve de la biosphère » préservera cette côte des ravages immobiliers de la Riviera maya.

Cela dit, les conditions pour approcher cette nature sont bien encadrées. La piste vers Punta Allen (et plus encore celle entre la *Federal* et Playón) est monotone, sans surprise ni rencontre. Aucun sentier de découverte dans la jungle ni information auprès des gardes à l'entrée. Pour approcher la nature, il faut acheter un tour en *lancha*, à des prix plutôt élevés. On y admire des ruines baignées par le lagon, des crocodiles, des échassiers et parfois des dauphins. Un beau voyage quand même !

🦩 *Ruinas de Muyil :* 20 km au sud de Tulum, vers Chetumal (km 205 de la *Federal*). De Tulum, prendre un combi ou un bus Mayab pour Chetumal. Tlj 8h-17h. Entrée : env 37 $Me (2,30 €) ; supplément pour la vidéo.

Muyil est un petit site enfoui dans la forêt, qui fut occupé dès 300 av. J.-C. et jusqu'au début du XVIe s. À l'entrée, un chemin sur la gauche conduit au *palacio Rosa*, datant de la période postclassique (1250-1550). Non loin de là, du haut de ses 17 m, *El Castillo* (datant de la période classique) est l'un des édifices les plus hauts de la côte est. Il se caractérise par sa tour circulaire au sommet. Au pied du Castillo débute l'ancien *sacbé*, qui assurait une communication avec les voies maritimes. Pour 50 $Me (3 €), un petit chemin de 500 m de long, très bien aménagé (avec pontons), serpente au sein d'une végétation dense (réserve de la biosphère de Sian Ka'an) et permet de rejoindre la **lagune de Muyil**. Très chouette balade. On peut ensuite poursuivre la visite en barque à moteur : 2h à travers les anciens canaux construits par les Mayas. Cher mais sympa *(compter 450 $Me/pers, soit 27 €)*.

SITIO ARQUEOLÓGICO DE COBÁ   IND. TÉL. : 984

Ancienne cité maya la plus puissante du nord de la péninsule. Elle occupe un immense territoire de 70 km², mais la plus grande partie du site est complètement enfouie dans la forêt. On devine des chefs-d'œuvre sous les tumuli. Seules les pyramides les plus importantes sont dégagées, notamment le Nohoch Mul, une des plus hautes pyramides du Yucatán avec celle de Calakmul. De son sommet, on a tout simplement une vue admirable sur la jungle et on aperçoit, çà et là, quelques ruines qui émergent à peine des arbres. Cobá doit certainement son existence aux cinq lacs qui l'entourent (rare dans cette région où l'eau réside en sous-sol). On y observe des crocodiles. Et on évite donc de s'y baigner, car l'attraction est réciproque...

UN PEU D'HISTOIRE

Cobá fut sans doute la plus importante des cités mayas de l'époque classique. L'important réseau de voies de communication qu'elle créa, les *sacbés*, permit à la ville de développer son influence politique et commerciale à partir de 200 apr. J.-C., pour atteindre son apogée entre l'an 600 et l'an 800. Durant cette époque, la cité maya devint une ville puissante qui dominait le nord et l'est de la péninsule. Elle contrôlait le commerce maritime de la côte et à l'intérieur des terres, utilisant comme port principal la baie de Xel-Há. Cobá fournissait en sel la ville de Tikal. Par ailleurs, elle avait scellé des alliances militaires et politiques (à travers des mariages) avec d'autres cités importantes telles que Dzibanché, Calakmul ou Tikal. L'architecture montre d'ailleurs des liens étroits avec les cités de l'actuel Guatemala. Tout tend à prouver que Cobá fut durant quelques siècles un centre de communication extrêmement important de la Méso-Amérique.

Au XVIe s, à l'arrivée des conquistadors, Cobá n'était déjà plus que ruines enfouies sous la jungle, et son existence passa inaperçue. Elle fut (re)découverte au XIXe s par les fameux archéologues Stephens et Catherwood.

> **TOUS LES *SACBÉS* MÈNENT À COBÁ**
>
> *Une caractéristique de Cobá est d'avoir érigé un immense réseau de sacbés. Ces « chemins blancs » pouvaient mesurer 20 m de large et s'élever à 2,50 m. On en a recensé une quarantaine, certains d'une centaine de kilomètres, tel celui menant à la cité de Yaxún (près de Chichén Itzá). Sacbé réseau, non ?*

Arriver – Quitter

Cobá se trouve presque à mi-distance entre Valladolid et Tulum (à 47 km de cette dernière).

➤ **En bus :** arrêt et vente de billets à la *Posada El Bocadito* (voir « Où dormir ? Où manger ? »).
– **Pour/de Valladolid :** 115 km. Avec *ADO* (1re classe), 3 bus/j., et *Mayab* (2e classe), 4 départs.
– **Pour/de Tulum et Playa del Carmen :** à respectivement 47 et 107 km. 2 bus en 1re classe et 3 en 2e classe.
➤ **En voiture :** depuis Tulum, prendre la route de Valladolid. Sur place, parking payant (50 $Me, soit 3 €). Mais on peut se garer dans le village : l'entrée des ruines est à moins de 10 mn à pied.

Où dormir ? Où manger ?

🛏 🍴 *Posada El Bocadito :* sur l'unique rue, à droite dans le village (à 500 m des ruines). ☎ 206-70-70. Bon marché et acceptable bien que défraîchie. Chambres avec ventilo, w-c et douche ou avec 2 grands lits, AC, TV, w-c, douche (eau chaude si vous avez de la chance...). Possède une salle de resto *(tlj midi et soir).*
🛏 🍴 *Villas Arqueológicas :* ☎ (987) 872-93-00 ou 01-800-001-73-33 (n° gratuit). ● villasarqueologicas.com.

mx ● *Chic* ; essayer de négocier, car ce n'est pas toujours plein. CB acceptées. En bordure du lac, à 5 mn à pied du site archéologique, un hôtel confortable de type hacienda, aux belles couleurs chaudes. Chambres climatisées pleines de recoins, qui entourent le patio central où fleurissent les bougainvillées. Piscine, tennis. Bonne cuisine mexicaine et internationale à prix raisonnables ; propose même des paniers-repas.

Renseignements pratiques

– ☎ 206-70-44.
– Site ouv tlj 7h-17h (18h en été).
– Entrée : env 51 $Me (3,10 €). Vidéo payante.
– Guide francophone : compter 500 $Me (30 €) selon durée de la visite, pour 1 à 20 pers.
– Prévoir 2-3h de visite, car les ruines sont dispersées, mais c'est très faisable à pied, sans se fatiguer. On peut louer des vélos 35 $Me (2,10 €) ou un tricycle avec chauffeur 95 $Me/pers (5,70 €), pour le tour de 2h avec arrêts. Si les cars de touristes n'ont pas monopolisé les engins.
– N'oubliez pas la crème antimoustiques !

À voir

Un site gigantesque ! Près de 6 500 structures. On ne va pas toutes les décrire, rassurez-vous ! Très peu d'entre elles ont d'ailleurs quitté leur manteau de verdure. Mais le site sera certainement un jour l'un des plus célèbres du Mexique si des budgets se débloquent pour les fouilles archéologiques.

🎥🎥 *Grupo Cobá :* à une centaine de mètres de l'entrée, ensemble situé à droite du chemin. Il se compose d'un *jeu de balle* et d'une *pyramide* surnommée « l'église ». Au pied de la pyramide, une stèle (stèle 11) protégée par une petite hutte. Jusqu'à peu, les Mayas du coin venaient y faire leurs dévotions et y déposer des offrandes en brûlant des cierges. En effet, le dessin représenterait une Vierge appelée Colebí, patronne des chasseurs et des paysans (nous, on ne voit pas grand-chose). Grimpette possible jusqu'au sommet de la pyramide (24 m).

🎥 *Grupo de las Pinturas :* construit au classique tardif (de 1250 à 1500) ; ce sont les benjamines des constructions de Cobá. Temple qui possède encore quelques fragments de peinture polychrome sur sa partie supérieure. Le reste du groupe (un peu plus loin vers Nohoch Mul) est en bon état : nouvel exemple de *jeu de balle.* Voir aussi la stèle fort bien conservée (200 m plus loin à droite) au pied d'un bel édifice.

🎥🎥🎥 *La pyramide Nohoch Mul :* après environ 30 mn d'une superbe balade dans la jungle, impressionnante pyramide avec ses 42 m de hauteur. C'est la plus haute de la région. Les courageux en grimperont les 113 marches (hardi, petit !) grâce à une corde centrale. En haut, petit temple assez simple. Vue imprenable sur la forêt, les lacs environnants et un vestige qui dresse la tête au-dessus de la forêt.

🎥 *Grupo Macanxoc :* à 1,5 km du groupe Cobá. Sur les rives du lac du même nom. Plusieurs pyramides et des autels encore enfouis sous la végétation. Huit stèles qui commémorent des étapes du calendrier maya.

– De nombreux autres groupes sont accessibles par des chemins peu balisés ni entretenus, mais ils sont déconseillés car on risque de se perdre et de rencontrer quelques serpents.

LAGUNA DE BACALAR　　　　　IND. TÉL. : 983

À une trentaine de kilomètres au nord de Chetumal. Ce lac de 70 km de long, composé d'eau douce et d'eau salée, doit toute sa beauté à la variété de ses tons de bleu. Un bel endroit, reposant et calme.

Où dormir ? Où manger ? Où boire un verre ?

Quelques hôtels et restos.

🍴🏠 *Hotelito El Paraíso :* av. 1 (qui longe la lagune). ☎ 834-27-87. ● hoteli toelparaiso.com ● Depuis le zócalo, descendre la rue vers la lagune ; tourner à droite ; env 300 m plus loin, ruelle sur la gauche qui mène à la plage municipale. Prix moyens ; on peut négocier en sem hors saison. Hôtel pimpant aux tons jaune citron et bleu, bordé par une pelouse d'un beau vert tendre, inclinée en pente douce vers la lagune (souvent turquoise !). Grandes chambres nickel, avec 2 lits doubles, qui donnent sur ce paysage chatoyant. Salle de bains (eau chaude) et kitchenette. Ventilo. On peut aussi y planter sa tente. Location de kayaks. Très bon accueil. Dans son genre, une bonne adresse.

🍴 *Restaurant du club de Vela* (resto-bar de Playa) : donnant sur la lagune, à deux pas du zócalo, au pied du fort. Tlj 9h30-16h. Prix moyens. Très bonne cuisine bien fraîche à base de poisson et fruits de mer, servie sous des *palapas* au bord de l'eau. Activités nautiques (kayak, jet-ski, hors bord, bateau à voile et balades en groupe sur la lagune).

🍽️🍷 **Bar-restaurant du Cenote Azul :** *en bordure du* cenote Azul *(voir ci-dessous).* ☎ 834-24-60. *Tlj jusqu'à 16h. Prix moyens.* Les cars de tourisme y font

parfois étape. Ça rend l'adresse *un poquito* commerciale. On n'ira pas dire que la cuisine est gastronomique. Cependant, on y peut grignoter ou prendre un verre en contemplant le *cenote*, accoudé à la longue terrasse. Très bel endroit. Entre 2 *filetes de pescado*, on peut même piquer une tête.

À voir. À faire

🏊 **Cenote Azul :** à la sortie de Bacalar vers Chetumal, à 50 m à gauche de la Federal *(km 15).* Petit *cenote* entouré d'une épaisse végétation. Le seul accès est le bar-resto (voir ci-dessus). Baignade vraiment super dans des eaux d'un bleu profond, presque noir (90 m de profondeur). Un rappel : ni savon ni crème solaire, pour préserver la qualité des eaux.

➤ **Balades sur la lagune :** au club de Vela, au pied du fort. Tlj 9h-16h.

🏰 **Fuerte San Felipe :** *en bordure du zócalo. Tlj sf lun 9h-19h (20h ven-sam). Entrée : 55 $Me (3,30 €) ; très cher pour ce que c'est. Mais on peut faire le tour sans entrer dans l'enceinte, gratuitement.* Un fort qui surplombe la lagune, construit en 1733 sur l'ordre de Don Antonio de Figueroa y Silva pour protéger la population de Bacalar des attaques de pirates. Petit musée sans beaucoup d'intérêt.

CHETUMAL
150 000 hab. IND. TÉL. : 983

Ville étape sur la route du Belize et du Guatemala. On peut donc avoir à y passer la nuit. Entièrement détruite par l'ouragan Janet en 1955, Chetumal a été rebâtie selon l'urbanisme fonctionnel des années 1960. On peut quand même visiter le musée, très intéressant. La nuit, l'animation se concentre le long de l'avenida Heroes et sur le front de mer.

Arriver – Quitter

En bus

Liste des principales compagnies et leurs coordonnées dans la rubrique « Transports » du chapitre « Mexique utile ».

🚌 **Terminal ADO (succursale ; plan A1, 6) :** à l'angle des av. Belice et Colón, près du marché. ☎ 832-06-39. Des minibus des compagnies *Mayab, Caribe* relient principalement les villages voisins. Possibilité d'y acheter vos billets longue distance, mais c'est du grand terminal que vous partirez.

➤ **Pour/de Bacalar :** prendre un combi *Bahia* sur le Parque, face au terminal *ADO*. Trajet : 40 mn.

➤ **Pour/de laguna Guerrero :** en principe au coin de Juárez et Colón, derrière le terminal *ADO* du centre. Horaires aléatoires et s'attrape au vol.

🚌 **Terminal Principal ADO** *(hors plan par A-B1, 7) :* av. de los Insurgentes (prolongement de l'av. Belice). ☎ 832-51-10. Assez éloigné du centre (30 mn à pied). Prendre un taxi. Fermé minuit-4h. Il regroupe les compagnies *ADO, ADO GL, OCC, Mayab, SUR* et *TRT*. Distributeur automatique. Consigne à bagages. Attention, en été, les bus sont bondés. Mieux vaut réserver le plus tôt possible son billet, qu'on peut heureusement acheter au terminal du centre-ville.

➤ *Pour/de Tulum :* 250 km. Avec *ADO* à 8h30 et 15h30 et 3 bus de nuit. Avec *Mayab* (moins cher) 12 bus/j., 4h45-23h59. Trajet : 3h30.

➤ *Playa del Carmen et Cancún :* respectivement 315 et 380 km avec *ADO, OCC.* En tout, 11 bus/j., 0h45-23h30 (5 slt stoppent à Tulum). *ADO GL* à 23h59 ; *Mayab* mêmes horaires que pour Tulum. Trajet : respectivement 5h30 et 7h.

➤ *Pour/de Campeche :* 3 bus *SUR* à 4h15, 12h15 et 14h15. Trajet : 6h. Ces bus s'arrêtent à Xpujil et Escárcega.

➤ *Pour/de Escárcega :* 6 bus *ADO,* 11h20-23h45.

➤ *Pour/de Mérida :* 456 km. Avec *Mayab,* 6 bus/j., 5h15-23h. *ADO,* 4 bus/j., 7h30-23h30. Trajet : 6h.

➤ *Pour/de Mexico* (terminal Tapo) *:* avec *ADO,* 2 bus/j. à 11h30 et 16h30. Trajet : 21h.

➤ *Pour/de Palenque, Ocosingo et San Cristóbal de las Casas :* avec *OCC,* bus à 20h20, 21h50 et 2h20. Avec *ADO GL,* à 23h. Trajet : respectivement 9h, 11h et 13h. Sinon, prendre un bus jusqu'à Escárcega ou Emiliano Zapata ; là passent de nombreux bus pour Palenque.

➤ *Pour/de Villahermosa :* avec *ADO* à 23h45, et *TRT* à 5h30. Trajet : 9h.

➤ *Pour/de Xpujil :* avec *ADO,* 7 bus/j., 11h30-23h45. Trajet : 2h15.

➤ *Pour/de Bacalar :* avec *Mayab,* 20 bus/j., 4h45-23h59.

Pour le Belize

➤ *Pour/de Belize City :* 160 km. 3 bus express à 10h30, 13h30, 16h30. Trajet : 3h. À l'entrée au Mexique, ceux qui n'ont pas de visa peuvent en obtenir un valable un mois à la frontière. Prorogation à faire dans une grande ville (par exemple Cancún).

➤ *Pour/de Belize City en bateau rapide :* rens et vente de billets au terminal de bus ADO ou au terminal maritime de Chetumal : bld Bahia (Malecón). San Pedro Belize-Express Water Taxi : ☏ *(983) 839-23-24.* Départ à 15h pour Belize City. Tarif : 55 US$. De là, on peut prendre le bateau pour Cay Caulker et/ou San Pedro : 6 départs/j., 8h-16h30. Retour de San Pedro à 7h15, arrivée à Chetumal 9h.

Pour le Guatemala

➤ *Pour/de Cuauhtémoc (frontière), via Palenque, Ocosingo et Comitán :* avec *OCC,* 1 bus à 2h20. Trajet : 16h. De là, prendre un taxi pour la frontière *La Mesilla* et à nouveau prendre un bus pour la ville guatémaltèque de votre choix.

➤ *En passant par le Belize :* prendre un bus ou le bateau rapide pour *Belize City* (voir ci-dessus), puis un autre jusqu'à la frontière du Guatemala et enfin un dernier pour *Flores.*

Couplet : passage de douanes

Pour sortir/entrer au Mexique : pas de taxe à payer ; idem pour le Guatemala et le Belize. Toutefois n'oubliez pas de faire tamponner votre passeport au poste frontière et, si vous êtes en voiture, faites viser les papiers du véhicule (normalement, à la prise de l'auto, il est obligatoire de déclarer à votre loueur les passages de frontières). Une assurance supplémentaire est nécessaire. Le coût varie en fonction du nombre de jours passés dans l'autre pays.

Pour le Belize et le Guatemala, le mieux est de vous procurer le *Guide du routard Guatemala, Yucatán et Chiapas.*

Adresses utiles

🛈 *Informations touristiques* (hors plan par B1) *:* av. Centenario 622, col. del Bosque. ☎ 835-08-60. ● *caribemexicano.gob.mx* ● Lun-ven 9h-17h.

✉ *Poste* (plan A2) *:* Plutarco Elias Cal-

les ; à l'angle de 5 de Mayo. Lun-sam 9h-17h.

■ *Banamex* (plan A2, *1*) *:* angle av. Obregón et Juárez. Lun-ven 8h-17h. Guichet *Western Union.* Toutes les ban-

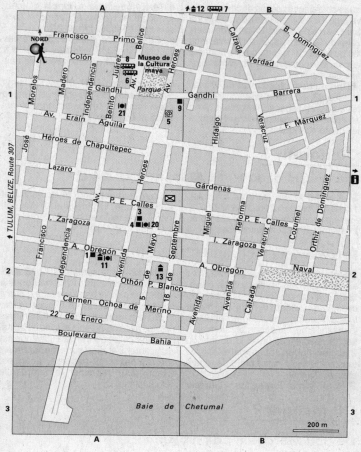

CHETUMAL

■ **Adresses utiles**

ⓘ Informations touristiques
1 Banamex
3 Bureau de change
4 Téléphone larga distancia
@ 5 Ciber-Netico
🚌 6 Terminal ADO (*sucursale*)
🚌 7 Terminal Principal ADO
🚌 8 Combis pour la laguna
   Guerrero
9 Laverie

🛏 **Où dormir ?**

11 Hotel María Dolores
12 Hotel Santa Teresa
13 Hotel Caribe Princess

🍴 **Où manger ?**

11 Sosilmar
20 Los Milagros
21 Marisqueria Mi Viejo

ques changent espèces et chèques de voyage. Distributeurs de billets. Aucune banque n'a de dollars Belize ni de quetzales du Guatemala. On en trouve dans les bureaux de change ou à la frontière auprès des vendeurs ambulants (parfois dans le bus).

■ *Bureau de change* (plan A2, 3) : av. Heroes 83. Lun-sam 9h-22h. Change les euros, en espèces seulement. Vend également des dollars Belize et quetzales guatémaltèques.

■ *Téléphone larga distancia* (plan A2, 4) : angle av. Heroes et Zaragoza. Lun-sam 8h30-14h30, 17h30-21h.

@ *Ciber-Netico* (plan A1, 5) : Heroes 173. Tlj 8h-23h30. Autres centres à proximité de la pl., au niveau de l'av. Mahatma Gandhi.

■ *Laverie* (plan A-B1, 9) : av. Mahatma Gandhi ; entre Heroes et Miguel Hidalgo (mais non, pas l'ex-sélectionneur des Bleus !). Lun-sam 8h-18h.

Où dormir ?

Bon marché (300-400 $Me, soit 18-24 €)

🏠 ¡●¡ *Hotel María Dolores* (plan A2, 11) : av. Obregón 206. ☎ 832-05-08. Parking. Une quarantaine de chambres très simples, assez spacieuses et qui sentent bon le propre. Avec ventilo et eau chaude. Bonne literie. Accueil gentil. Bon resto en bas de l'hôtel (voir « Où manger ? »).

Prix moyens (400-800 $Me, soit 24-48 €)

🏠 *Hotel Caribe Princess* (plan A2, 13) : av. Obregón 168 ; près de 5 de Mayo. ☎ 832-09-00 ou 05-20 ● caribe_princess@hotmail.com ● Petit déj-buffet inclus. Parking gratuit. Internet. Couloirs sans âme, mais chambres lumineuses et spacieuses, avec lit double ou 2 lits individuels (bons matelas) ; AC (pas de ventilo). Pas le coup de foudre mais pas si mal.

🏠 *Hotel Santa Teresa* (hors plan par A-B1, 12) : av. Insurgentes 17. ☎ 832-03-03. ● marc0308@hotmail.com ● Motel qui offre le gros avantage d'être à côté du terminal de bus 1re classe (juste à droite en sortant). Parking. Chambres vastes avec AC, ventilo et salle de bains. Préférer celles sur l'arrière (l'avenue est passante). Bel effort sur le mobilier, mais on n'y passerait pas ses vacances. Resto pour dépanner, le centre-ville étant loin.

Où manger ?

De bon marché à prix moyens (80-250 $Me, soit 4,80-15 €)

¡●¡ *Los Milagros* (plan A2, 20) : av. Zaragoza ; presque à l'angle de Heroes. ☎ 832-44-33. Tlj 7h30-21h30 (13h dim). Cafétéria très populaire sous les arcades. Le soir, des joueurs de dominos s'y donnent rendez-vous pour des parties acharnées. Cuisine traditionnelle agréable et excellent petit déj.

¡●¡ *Sosilmar* (plan A2, 11) : au rdc de l'hôtel María Dolores (voir « Où dormir ? »). ☎ 832-63-80. Tlj 8h-22h30. Un resto simple et propre. La carte est très claire et les plats généreux. Crevettes et *caracoles* cuisinés à toutes les sauces ! Service sympathique. 3 formules petit déj : européen, américain et mexicain. Une bonne adresse.

¡●¡ *Marisqueria Mi Viejo* (plan A1, 21) : calle Belice 166. Tlj 9h-20h. Immense salle où les ventilos brassent l'air des conversations animées de *Chetumaleños*. Aux murs, des fresques naïves représentent des scènes de vie du monde maya d'antan. Les serveurs en escouade, chapeau de paille sur la tête, s'affairent à vous servir de bons *pescados, mariscos* ou *aves*. Bonne ambiance locale, et à partir de 14h musique *en vivo* reprise *en corazón* par les clients. Hélas, 2 téléviseurs diffusent en même temps des vidéos musicales, sans compter la boucherie d'à côté, qui pour attirer le client, envoie à fond sa propre musique...

À voir

🏃🏃🏃 *Museo de la Cultura maya* (plan A1) : av. Heroes. ☎ 832-68-38. *En plein centre-ville. Tlj sf lun 9h-19h (dim 9h-14h). Entrée : 54,50 $Me (3,30 €).* Splendide musée quasi virtuel : pas de pièces archéologiques (au mieux des moulages), mais des maquettes, cartes, reconstitutions et bornes interactives très pédagogiques. À ne pas rater si vous êtes à Chetumal. Explique parfaitement la conception du monde selon le peuple maya. Par exemple, les calendriers astral et religieux, le système d'alphabet (un peu du chinois). Il y a aussi de belles reconstitutions (grotte et *cenote* en sous-sol), chaque fois placées dans le contexte des croyances mayas (l'inframonde souterrain, les vivants en surface, le paradis dans le ciel : dantesque). Panneaux en espagnol et en anglais.

🏃 *El malecón* (plan A-B2) : promenade agréable sur le boulevard Bahia qui longe la mer, malheureusement pas trop baignable.

🏃 *Calderitas :* pour s'y rendre bus *Bahia,* ttes les 10 mn, en face du terminal *ADO (centre),* avenue Belice. Sinon, suivre, à pied ou en voiture, le boulevard Bahia pendant 9 km. On arrive à une plage artificielle où l'on peut se baigner (pas de sable mais des cailloux, donc chaussures en plastique obligatoires). L'intérêt du lieu est ses nombreux petits restaurants les pieds dans l'eau *(tlj midi et soir),* très agréables pour se détendre et beaucoup moins chers que ceux de Chetumal. Bon, dans chacun, toujours de la musique *en vivo.*
Pour une promenade digestive, un chemin de planches longe la plage.

➤ *DANS LES ENVIRONS DE CHETUMAL*

➤ *Laguna Guerrero :* à 20 km au nord de Chetumal. En voiture, suivre l'av. Heroes vers le nord ; tourner à 5 km à gauche, et 6 km plus loin (patte-d'oie) encore à gauche. Combis slt de paso au coin de Juárez et Colón (plan A1, **8** ; pas de terminal), donc il vaut mieux prendre un taxi, bien négocier le prix. La *laguna* présente par elle-même un intérêt moyen et offre très peu d'infrastructures touristiques. Mais c'est un des derniers endroits du coin où peuvent s'observer les lamantins (*manati* en espagnol). Le *Sanctuario del Manati* (sur la rive du lac à 15 km de la patte-d'oie), créé par l'*École nationale de biologie,* étudie cet attachant mammifère marin. Une bestiole à mi-chemin entre le phoque et l'éléphant avec sa protubérance nasale. Des *manatis* s'ébattent en liberté dans la *laguna.* Peu de structures pour aller à leur rencontre en bateau (on peut toujours se renseigner sur place, au *sanctuario* et voir s'il n'y a pas eu des naissances dans l'enclos réservé aux bébés).

🏃🏃 *Kohunlich :* à 69 km de Chetumal. Prendre le bus pour Escárcega (ttes les heures) et descendre à Francisco Villa (km 213) ; il reste 9 km à faire en stop (pas vraiment de taxis dans le coin) ; assez galère donc, dommage. *Tlj 8h-17h. Entrée : 46 $Me (2,80 €).* Cette ancienne ville maya connut son apogée entre 500 et 900 apr. J.-C. Site assez concentré, qui se visite donc facilement (compter 1h à 1h30). Il possède l'un des plus beaux complexes résidentiels mayas, disséminé dans un somptueux cadre verdoyant de type tropical. Avec un système hydraulique très ingénieux pour recueillir l'eau de pluie. Exceptionnelle *pyramide des Masques* (tout au bout du site), de 14 m de haut, avec superposition de magnifiques masques en stuc.

– Si vous vous rendez de Chetumal au Chiapas, profitez-en pour visiter les sites mayas de la région du Río Bec (Becán, Chicanná et Calakmul) ; voir plus haut, après Campeche.

LE CHIAPAS

LES DISTANCES DANS LE CHIAPAS

Villes	Distances	Durées (en bus)
Oaxaca-Tuxtla Gutiérrez	550 km	10h30-12h
Tuxtla-San Cristóbal	80 km (péage)	45 mn
San Cristóbal-Comitán	85 km	1h45
Comitán-Cuauhtémoc (frontière)	85 km	1h30
San Cristóbal-Ocosingo	90 km	2-3h
San Cristóbal-Palenque	210 km	6-7h
Ocosingo-Palenque	120 km	3-4h
Palenque-Campeche	365 km	6h
Palenque-Mérida	520 km	7h30-8h30
Palenque-Villahermosa	135 km (péage)	2h30

UN ÉTAT INDIEN

Jouxtant le Guatemala, le Chiapas est une région magnifique, montagneuse, au climat rude et à la végétation luxuriante, peuplée de communautés indigènes disséminées dans la jungle.

Alors que les Indiens constituent environ 10 % de la population du Mexique, au Chiapas ils sont beaucoup plus nombreux : plus d'un million sur une population de 3,6 millions. Ce sont pour la plupart les descendants des Mayas. Plusieurs peuples composent la population indienne du Chiapas, les plus importants en nombre étant les Tzotziles, les Tzeltales, les Choles, les Tojolabales et les Zoques. Chacun parle sa propre langue, très différente des autres, et beaucoup ne parlent pas l'espagnol. Au cœur de la *selva,* entre Ocosingo et la frontière guatémaltèque, de nombreux Indiens n'ont même jamais mis les pieds à Palenque ni à Comitán.

LES INDIENS AUJOURD'HUI

Le Chiapas est l'État le plus pauvre du Mexique. Les chiffres sont accablants. Plus de 80 % des communautés indigènes n'ont ni eau potable, ni hôpitaux, ni électricité (alors que l'État produit 30 % de l'énergie électrique du pays !). La moitié de la population souffre de dénutrition et environ 80 % des enfants de malnutrition. Le Chiapas occupe la première place du pays en terme de mortalité infantile. Le tiers des enfants n'est pas scolarisé. Des milliers de personnes vivent en dehors de leur communauté, à cause de la militarisation et de l'impunité avec laquelle agissent les bandes paramilitaires (voir la rubrique « Droits de l'homme » dans « Hommes, culture et environnement »).

Mais le vent de la révolte souffle depuis 1994. Avec Marcos, le Chiapas s'est trouvé un porte-parole. Lire, dans le chapitre « Hommes, culture et environnement », la rubrique « Zapatistes » et le portrait de Marcos dans « Personnages ».

LES ENJEUX ÉCONOMIQUES

Et pourtant, le Chiapas est l'une des grandes sources de richesse du Mexique. C'est le premier producteur de café, le troisième de maïs et il occupe la deuxième place pour l'élevage. La région possède les plus importants gisements de pétrole et les plus grandes réserves de gaz. Mais les gouverneurs du Chiapas ont toujours

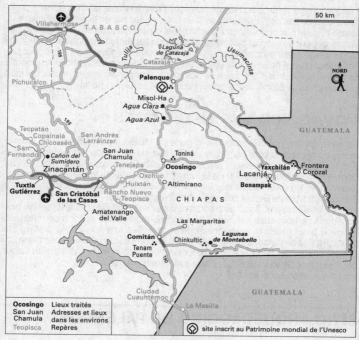

LE CHIAPAS

soutenu les grands propriétaires, les éleveurs et les marchands de bois au détriment des communautés indigènes. Leur économie repose donc sur une agriculture de subsistance : piment *(chile)*, patate douce, haricot rouge *(frijoles)* et surtout maïs. Quelques-uns travaillent dans les plantations de café et de canne à sucre, ou bien comme *chicleros* (ceux qui récupèrent le *chicle* pour faire la gomme à mâcher). Le Chiapas est depuis 2001 au cœur du *Plan Puebla Panama* (PPP), mégaprojet hérité du PRI et qui prétend développer l'économie du sud du Mexique et de l'Amérique centrale. Des milliards de dollars devraient être investis dans une région qui attire de plus en plus d'investisseurs étrangers (notamment nord-américains). Pour les laboratoires pharmaceutiques et les groupes agroalimentaires, la biodiversité de la forêt du Chiapas est une véritable aubaine offerte sur un plateau par le gouvernement mexicain. Sans parler des autres ressources stratégiques comme le pétrole et l'uranium, ou les grands projets de développement énergétique. Autant de richesses naturelles, destinées bien plus sûrement aux grands groupes industriels qu'aux indigènes qui, une fois leurs terres confisquées et privatisées, se retrouveront ouvriers dans les *maquiladoras* (usines d'assemblage) qui s'installeront dans la zone.

ORGANISATION SOCIALE

L'organisation sociale est très complexe : gendarmes, majordomes, capitaines, anciens du village, chamans... autant de personnages qui servent la communauté, rendent la justice, veillent au respect du calendrier, organisent les cérémonies religieuses, etc. C'est un système complètement parallèle à celui de l'État républicain.

Il ne viendrait à l'idée d'aucun membre des communautés de faire appel à un tribunal officiel. Les communautés sont en fait dirigées par un conseil d'anciens.
Même l'Église n'a pu jouer son rôle habituel d'acculturation et d'intégration ; les Mayas ont été beaucoup plus récalcitrants que les autres Mexicains à intégrer le catholicisme à leur propre vision mystique. Ils vont à l'église, mais c'est pour pratiquer leur propre rituel, qui se passe allègrement de la participation sacerdotale. En réalité, les prêtres n'ont guère de pouvoir en comparaison du chaman, qui jouit, lui, d'un grand prestige, tout à la fois guérisseur, sorcier et devin.

VOYAGER DANS LE CHIAPAS

Du nord, on atteint le Chiápás par le golfe du Mexique (via Veracruz ou Villahermosa) ou bien par la côte pacifique (via Oaxaca et l'isthme de Tehuantepec). Deux portes d'entrée principales : Palenque ou Tuxtla Gutiérrez, la capitale de l'État. Depuis l'inauguration en 2000 de la Fronteriza, la route qui longe la frontière guatémaltèque, on peut désormais faire la boucle complète autour du Chiapas, et l'accès aux sites de Bonampak et Yaxchilán est plus aisé.
En visitant le Chiapas, il faut bien souvent payer une petite taxe (5 à 10 pesos) pour accéder à certains sites naturels. Cette contribution revient soit à la communauté indigène propriétaire et gestionnaire de la zone (les fameux *ejidos*), soit à l'État quand il s'agit de parcs naturels. Le Chiapas en compte plus d'une quarantaine, qui ont été créés pour lutter contre la déforestation : Lagunas de Montebello, Cañon del Sumidero, Selva lacandona, Palenque, Montes Azules...
● turismochiapas.gob.mx ●

SITIO ARQUEOLÓGICO DE PALENQUE

63 200 hab.   IND. TÉL. : 916

Palenque signifie « entouré d'arbres ». En réalité, on se trouve en bordure de la jungle, au pied des montagnes du Chiapas. Une zone de transition entre les Altos et l'immense plaine qui annonce la mer. Si vous venez de San Cristóbal, vous serez surpris par le changement de température. Il fait souvent chaud et lourd à Palenque.
C'est là que se situe l'une des plus grandes cités mayas du Mexique et le parc national du même nom, tous deux inscrits au Patrimoine mondial de l'Unesco (1987). La cité est l'une des plus belles aussi, car une des mieux conservées et sans aucun doute la plus romantique. Un temple sur chacune des petites collines, la forêt vierge autour et des nappes de brume d'où émergent des silhouettes d'un autre temps... Un site absolument magnifique ! Pensez aussi qu'on ne voit qu'une faible partie de l'ancienne ville, le reste étant enfoui sous la végétation. Vous rencontrerez peut-être des singes, très nombreux dans la forêt.
La ville, à 8 km du site maya, offre peu d'intérêt. Elle ne constitue pas une étape désagréable, mais elle sert surtout de base pour visiter les ruines.

Arriver – Quitter

Que vous veniez de Villahermosa ou de San Cristóbal de Las Casas, il est très facile de rejoindre Palenque par bus (voir à ces villes). Si vous venez de Comitán, inutile de repasser par San Cristóbal. Prenez le bus jusqu'à Ocosingo, puis un autre jusqu'à Palenque.

En bus

Voir la liste des principales compagnies et leurs coordonnées dans la rubrique « Transports » du chapitre « Mexique utile ».

🚌 *Terminal ADO 1ʳᵉ classe* (plan ville, A2, **1**) : av. Juárez ; à l'entrée de la ville. ☎ 345-13-44. On y trouve les bus de 1ʳᵉ classe *ADO*, ceux de *OCC* (Cristóbal Colón) et les bus luxueux de *ADO GL*. Également une consigne, très pratique car il n'y en a pas aux ruines. N'hésitez pas à acheter votre billet dès votre arrivée ou de réserver en ligne. En hte saison, le bus du soir pour Mérida est pris d'assaut.

➤ *Pour/de Campeche :* avec *ADO*, départs à 8h et 21h (23h et 23h30 en saison). Avec *ADO GL*, bus à 22h. Trajet : 5-6h.

➤ *Pour/de Mérida :* 520 km. Mêmes bus et horaires que pour Campeche ; quelques bus supplémentaires l'été. Trajet : 7h30-8h.

➤ *Pour/de Cancún, via Chetumal, Playa del Carmen :* avec *ADO*, départ à 20h (21h avec *ADO GL*). Trajet : 13h.

➤ *Pour/de Villahermosa :* 135 km. Avec *ADO*, 8 bus/j. 7h-21h. Trajet : 2h30.

➤ *Pour/de San Cristóbal de Las Casas (via Ocosingo) :* 210 km. Avec *OCC*, 6 bus/j., 7h50-23h. Et 1 bus *ADO GL* à 7h05. La route est très sinueuse mais absolument magnifique. Choisir un siège à gauche. Voyage de jour recommandé. Trajet : 5-6h.

➤ *Pour/de Tulum :* mêmes bus que pour Cancún avec *ADO*. Trajet : 10h. Avec *OCC*, 2 bus/j.

➤ *Pour/de Oaxaca :* avec *ADO*, départ à 17h30. Trajet : 15h.

➤ *Pour/de Mexico :* 1 050 km. Avec *ADO*, départs à 18h30, et 21h. Trajet : 12-13h.

🚌 *Terminal Autobus Expresso Azul* (plan ville, B2, **3**) : av. Juárez 59 ; même terminal que bus Cordesa à l'angle de calle 5 Poniente Sur. Bus aussi confortables que ceux d'*ADO* et moins chers.

➤ *Pour/de San Cristóbal de Las Casas (via Ocosingo) :* 210 km. 6 départs/j., 7h45-23h. Ils poursuivent sur *Tuxtla Gutiérrez*. Trajet : 5-6h.

➤ *Pour/de Villahermosa :* en bus 2ᵉ classe, 6 départs/j., 6h30-18h.

🚌 *Terminal Cordesa* (plan ville, B2, **3**) : av. Juárez 59 ; à l'angle de calle 5 Poniente Sur.

➤ *Pour/de Cancún via Playa del Carmen :* départ à 17h. Bus confortable. Trajet : 11h pour Playa et 13h pour Cancún.

➤ *Pour/de Mexico, via Puebla :* 1 bus à 17h30.

🚌 *Transportes Nuevo Volcán del Tercer* (plan ville, A-B2, **4**) : calle 5 Poniente Sur ; presque à l'angle de Juárez. C'est la compagnie qui assure la ligne Palenque-Ocosingo, pour ceux par exemple qui veulent aller visiter le site de *Toniná*. On peut demander l'arrêt aux embranchements pour *Misol-Ha, Agua Clara* et *Agua Azul* (voir plus loin « Dans les environs de Palenque »).

➤ *Pour/de Ocosingo :* départ ttes les 30 mn env (quand la camionnette est pleine, 7 ou 8 passagers), 4h-18h. Trajet : 3h.

🚌 *Transportes Chamoan* (plan ville, A2, **5**) : à 100 m de la tête maya, face au restaurant La Selva, *en direction des ruines. Un peu excentré.* Ce sont des combis qui desservent la frontière guatémaltèque et la *selva* lacandone. Le gros avantage de cette compagnie, c'est que les minibus ne restent pas seulement sur la route principale. Par exemple, pour *Yaxchilán,* le combi va jusqu'au village de Frontera Corozal. Pour *Bonampak,* le combi vous laissera le plus proche possible, à l'entrée de Lacanjá Chansayab.

➤ Une quinzaine de départs pratiquement à chaque heure ronde, sf 11h30 et 12h30, 5h-17h. Évitez les derniers départs, car une partie du trajet se fera dans l'obscurité. Trajet : 2h30-3h.

🚌 *Autotransportes Río Chancalá* (plan ville, B2, **6**) : av. 5 de Mayo 120. Comme les *Transportes Chamoan*, assure les liaisons avec la zone frontière du Guatemala,

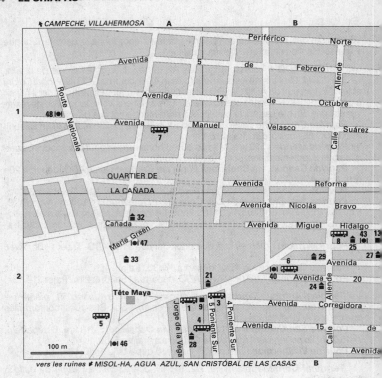

CAMPECHE, VILLAHERMOSA

vers les ruines MISOL-HA, AGUA AZUL, SAN CRISTÓBAL DE LAS CASAS

■ **Adresses utiles**

🛈 Office de tourisme
🚌 1 Terminal ADO 1ʳᵉ classe
🚌 3 Terminal Expresso Azul et Cordesa
🚌 4 Transportes Nuevo Volcán del Tercer
🚌 5 Transportes Chamoan
🚌 6 Autotransportes Río Chancalá
🚌 7 Transportes Comitán – Lagos de Montebello

🚌 8 Transportes Chambalu
9 Agence Kukulcán
10 Téléphone et fax
@ 11 Ciberespacio Internet et Internet Online
12 Bancomer
13 Banamex
14 Viajes del Caribe
20 Laverie

🛏 **Où dormir ?**
20 Posada Shalom II

mais les combis restent sur la route principale. Pour **Bonampak,** la camionnette s'arrête slt à l'embranchement *(Crucero San Javier),* et il faut poursuivre en taxi ou en stop. Pour **Yaxchilán,** même topo : le combi s'arrête à l'embranchement *(Crucero Corozal)* mais ne va pas jusqu'à Frontera Corozal.
➤ Départ ttes les heures, en principe, 4h-14h30, en fonction du remplissage du minibus. Trajet : 2h15-2h45, mais, comme il s'arrête dans tous les villages, cela peut être plus long.

🚌 *Transportes Comitán – Lagos de Montebello* (plan ville, A1, **7**) : *av. Manuel Velasco Suárez ; près du marché.* ☎ 345-12-60. Ce sont des combis qui vont de Palenque à **Comitán** en prenant la route qui longe la frontière, donc en grande partie

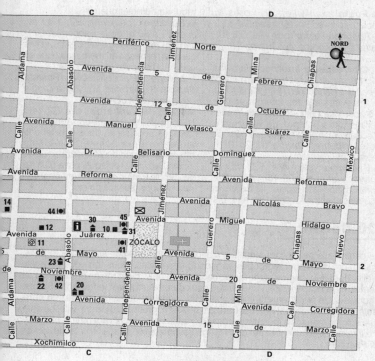

PALENQUE (VILLE)

21 Hotel Avenida		◉	**Où manger ?**
22 Hotel Aguila Real	
23 Posada Kin	40 La Mexicana
24 Posada Nacha'n-Ka'an	41 Mara's
25 Posada Shalom	42 Las Tinajas
27 Hotel Regional	43 Pizzeria Palenque
28 Hotel Santa Elena	44 Café de Yara
29 Hotel Kashlan	45 Restaurant Maya
30 Hotel Casa de Pakal	46 La Selva
31 Hotel Chan-Kah	47 Saraguato's
32 Hotel Maya Tulipanes	48 El Arbolito
33 Hotel Maya Palenque	

à travers la jungle. Ils passent par les embranchements *Crucero San Javier* (pour Bonampak), *Crucero Corozal* (pour Frontera Corozal), puis les ruines d'El Planchón, Benemérito, Lagunas de Montebello...
➤ Départ à 3h40-4h50, 6h, 7h20, 8h30 et 9h30 ; 8h30-9h jusqu'à Comitán. Trajet : 7h30 jusqu'à Montebello (village de Tziscao).

Adresses utiles

🛈 **Office de tourisme** (plan ville, C2) : angle av. Juárez (l'av. principale) et Aba- | solo. ☎ 345-03-56. Lun-sam 9h-21h ; dim 9h-13h.

✉ **Poste** *(plan ville, C2) : près du zócalo. Lun-ven 9h-16h ; sam 9h-13h.*
■ **Téléphone et fax** *(plan ville, C2,* **10**) : caseta telefónica av. Juárez 13. Tlj 6h-minuit.
@ **Ciberespacio Internet** *(plan ville, C2,* **11**) : av. Juárez ; presque en face de la banque Bancomer. Tlj 8h-22h30. Plusieurs autres centres Internet en ville. On vous cite celui-ci pour ses grands écrans plats équipés de webcam et d'écouteurs. Pour l'AC, allez à celui d'à côté, **Internet Online** (tlj 7h-23h), mêmes équipements.
■ **Bancomer** *(plan ville, C2,* **12**) : av. Juárez. Lun-ven 8h30-16h ; sam 10h-15h. Change les euros et les dollars en espèces et en chèques de voyage. Dis-tributeur automatique.
■ **Banamex** *(plan ville, B2,* **13**) : av. Juárez ; à 50 m de la Bancomer. Lun-ven 9h-16h. Change les dollars et les euros en espèces au même taux que sa voisine. Distributeur.
■ **Laverie** : service efficace à la **Posada Shalom II** *(plan ville, C2,* **20**), à l'angle de Corregidora et Abasolo.
■ **Viajes del Caribe** *(plan ville, C2,* **14**) : Hidalgo 98. ☎ 345-25-68. Agence de voyages spécialisée dans la billetterie aérienne. Pour acheter vos billets d'avion au départ de Villahermosa ou de Tuxtla Gutiérrez, puisqu'il n'y a plus de vol depuis Palenque, ou reconfirmer vos réservations (service payant).

Où dormir ?

Le centre-ville de Palenque est loin d'avoir le charme de son site archéologique, mais c'est là où sont regroupés transports et services. Nous, on vous conseille d'aller dormir le long de la route qui mène aux ruines : c'est moins pratique qu'au centre, mais l'expérience d'une nuit ou deux dans la jungle est inoubliable. Si vous choisissez de rester en ville mais que vous souhaitez du calme, prenez un hôtel isolé, dans le verdoyant quartier Cañada, ou sinon, profitez du centre-ville, où chaque soir les mariachis jouent la sérénade gratuitement, à qui veut bien l'entendre. Pour faire la fête ou rencontrer des voyageurs, posez-vous dans un hôtel du lieu-dit **El Panchán.**

Près des ruines

Des hôtels de toutes catégories sont disséminés le long de la route qui mène au site. Pour la desserte de ces différents endroits, des combis indiquant « Ruinas » passent régulièrement sur la route. Pour les repas, il faudra retourner en ville ou se contenter du restaurant de l'hôtel. Mention spéciale pour le lieu-dit **El Panchán,** un espace en pleine jungle où se sont rassemblés des hôtels sympas et pas chers, ainsi que quelques restos. On loge dans des cabanes en bois ou bien on suspend son hamac sous une paillote. Très bonne ambiance cosmopolite. N'oubliez surtout pas l'insecticide. À env 3,5 km de la ville ; entrée sur la gauche, au niveau du péage qui marque l'entrée du parc naturel de Palenque. Demander l'arrêt au chauffeur du minibus. **Chato's Cabaña, Jungle Palace, Jaguar, Don Mucho's** appartiennent au même propriétaire : ● elpanchan.com.mx ●

Très bon marché (moins de 300 $Me, soit 18 €)

⌂ **Chato's Cabañas :** au lieu-dit El Panchán (voir ci-dessus). Internet (un poste). Un coin de forêt chéri des routards. Cabanes en dur, spacieuses, avec ou sans baño, à des prix très cool. Les chambres à l'étage ont un balcon. L'endroit est un concentré de tropiques, avec sa rivière marron et sa végé-tation luxuriante. Plein de jolies fleurs. Si c'est complet, on vous enverra de l'autre côté de la route, au **Jaguar,** où les cabanes sont un peu plus confortables. Resto, le Don Mucho's.
⌂ **Rakshita's :** au lieu-dit El Panchán (voir ci-dessus). Les cabanes, avec baño privado, sont éparpillées dans la

jungle. Confort vraiment très basique. On peut aussi suspendre son hamac ou dormir dans un dortoir de 5 personnes (pas cher du tout). Ambiance très néo-bab et punks à chien. Vous entendrez sûrement et verrez peut-être les singes hurleurs. Si c'est complet, allez voir à côté, au *Jungle Palace* (☎ 111-59-03) : les *cabañas* y sont basiques, avec dou-

ches communes, mais pas chères, pro-pres et disposent de petites terrasses qui donnent sur la rivière. Crème anti-moustiques obligatoire ! En face, *Margaritas et Ed* propose de jolis bunga-lows jusqu'à 4 personnes, plus confortables, en dur, avec salle de bains, ventilo ou AC, un peu plus chers évidemment.

De bon marché à chic (300-800 $Me, soit 18-48 €)

🏕 🏠 ● *Camping Mayabel :* le plus pro-che des ruines, à 6 km de Palenque-ville. ☎ 341-69-77. À l'intérieur du parc. De ce fait, pour entrer, on doit s'acquit-ter de l'entrée journalière au parc (25 $Me, soit 1,50 €). Un grand cam-ping et *trailer park* avec plusieurs sortes d'hébergement. Quelques cabanes *sin baño*, avec des sanitaires collectifs (pas toujours très propres). Également des chambres sympas avec ventilo (plus chères) et, dans la catégorie encore au-dessus, des bungalows avec salle de

bains et AC. Un peu cher pour le confort proposé, mais on paie la proximité des ruines. Amusant pour vos enfants : une maison dans un arbre, on monte à la chambre du 1er par une échelle, on peut redescendre par un toboggan ; 2e chambre au rez-de-chaussée, les 2 avec bains communs. On peut accro-cher son hamac sous des petites *pala-pas* (ou en louer). Grande piscine. Plein de routards du monde entier. Accueil pas toujours très cordial, mais de la musique *en vivo* le soir.

De chic à plus chic (800-1 200 $Me, soit 48-72 €)

🏕 🏠 ● *La Aldea :* à 3 km de Palenque-ville et 4,5 km des ruines. ☎ 345-16-93. ● *ho telaaldea.net* ● *Internet.* Un endroit fort agréable, en hauteur et en pente, donc avec une très belle vue. Les bungalows, construits en adobe et aux toits de pal-mes, sont joliment arrangés. Ils sont dis-persés dans le parc et disposent cha-cun d'une petite terrasse individuelle où

pend un hamac. Tout en haut du jardin, de très beaux bungalows confor-tables : superbe déco moderne, légère-ment zen, salle de bains nickel et AC. Calme assuré. Le resto est très agréa-ble, sous une *palapa*. Au menu, des légumes bio plantés dans leur jardin. Très grande piscine, avec minicascade.

Dans le quartier Cañada

C'est un quartier de Palenque, enfoui sous la végétation tropicale, à 10 mn à pied du centre. Idéal pour ceux qui sont en voiture.

De chic à plus chic (800-1 200 $Me, soit 48-72 €)

🏠 *Hotel Maya Tulipanes* (plan ville, A2, **32**) : Cañada 6. ☎ 345-02-01. ● *mayatulipanes.com.mx* ● Ne pas hésiter pas à marchander, surtout en période creuse, promotions affichées jusqu'à - 30 %. Parking. Wifi. Hôtel de style vaguement maya. Chambres nic-kel avec AC, douche, téléphone et TV. Piscine, bar karaoké. En face, le resto

Saraguato's peut être bruyant jusqu'à très tard. Demander une chambre à l'arrière.
🏠 *Hotel Maya Palenque* (plan ville, A2, **33**) : en face de la tête maya monumen-tale (la cabeza maya), mais l'entrée se fait par derrière, calle Merle Green. ☎ 345-07-80 ou ☎ 01-800-904-75-00 (n° gratuit). ● *bestwestern.com* ● Par-

king. Fait partie de la chaîne *Best Western*. Hôtel international standard, pour les adeptes du « sans surprise ». Chambres avec tout le confort (AC, TV câblée, téléphone), certaines avec lit *king size*. Piscine. Bar et resto.

Au centre-ville

Les hôtels du centre sont relativement bon marché mais souvent peu attractifs. Disons que comme la plupart des visiteurs ne restent qu'une nuit sur place, les hôteliers ne se décarcassent pas pour passer une deuxième couche de peinture ou pour réparer le robinet qui fuit... Il faut savoir qu'en haute saison – Noël, Pâques, juillet et août –, les prix doublent. Le reste du temps, on peut négocier à la baisse. Il fait très chaud à Palenque et la ville surtout près du *zócalo* est bruyante.

Très bon marché (moins de 300 $Me, soit 18 €)

🛏 *Posada Shalom II* (*plan ville*, C2, **20**) : angle Corregidora et Abasolo. ☎ 345-26-41. *Parking. Internet*. Un peu à l'écart de la rue principale, mais à seulement 200 m du *zócalo*. Chambres moins chères que celles de son grand frère, *Posada Shalom* (voir plus bas), mais plus spacieuses et plus calmes (éviter quand même celles donnant sur la rue). Toutes avec *baño*, eau chaude, TV. Un peu plus cher pour celles avec AC.

🛏 *Hotel Avenida* (*plan ville*, B2, **21**) : Juárez 173. À côté du terminal de bus ADO. ☎ 345-10-29. *Parking*. Chambres avec 1 ou 2 lits, ventilo et *baño*, simples et vieillissantes, mais pas chères ; comptez 50 % de plus avec AC. Préférez celles qui donnent sur la cour. Souvent complet en saison.

🛏 *Hotel Aguila Real* (*plan ville*, C2, **22**) : av. 20 de Noviembre s/n, à 50 m du resto Las Tinajas. *Prix corrects pour le confort, même tarif avec ventilo ou AC*. Dans une rue calme, hôtel très coloré, à la mexicaine, et très propre. 20 chambres, toutes avec salle de bains et douche (eau chaude) ; notre préférence va à celles du 2e étage pour la petite terrasse ensoleillée. Petit resto pour petit déj ou plus. Bon rapport qualité-prix.

Bon marché (300-400 $Me, soit 18-24 €)

🛏 *Posada Kin* (*plan ville*, C2, **23**) : Abasolo ; entre 5 de Mayo et 20 de Noviembre. ☎ 345-17-14. ● *posada_kin.@hotmail.com* ● Chambres très claires, peintes en blanc, avec ventilo et lit *matrimonial*. Un chouia plus cher pour avoir 2 lits. Les chambres du 1er étage ont été joliment peintes. Coffre-fort à la réception. Peuvent vous garder les bagages et proposent des douches moyennant 25 $Me (1,50 €) pour ceux qui prennent le bus tard le soir et surtout parce qu'il faut quitter sa chambre à 10h. Petit déj très bon marché. Une bonne adresse.

🛏 *Posada Nacha'n-Ka'an* (*plan ville*, B2, **24**) : av. 20 de Noviembre 25. ☎ 345-47-37. ● *pnachankaan@hotmail.com* ● Au niveau d'Allende. Récent, propre et agréable. Tout simple aussi mais très sympa. Chaque chambre dispose de sa salle de bains avec eau chaude. Certaines sont très lumineuses. Au dernier étage, grand dortoir de 9 lits. Peuvent vous garder les bagages 10 $Me (0,60 €) et proposent des douches moyennant 20 $Me (1,20 €) pour ceux qui prennent le bus tard. Service de laverie. Petit resto pour le petit déj. Bon rapport qualité-prix. En plus, le patron est super accueillant.

🛏 *Posada Shalom* (*plan ville*, B2, **25**) : av. Juárez 156. ☎ 345-09-44. Très central. Le plus ancien des 2 *Shalom* (voir ci-dessus). Chambres simples mais propres, avec salle de bains et ventilo ; plus chères avec la clim. Consigne à bagages.

🛏 *Hotel Regional* (*plan ville*, B2, **27**) : av. Juárez 119. Face à la Banamex. ☎ 345-01-83. ● *hotelregional@hotmail.com* ● Chambres avec ventilo, disposées autour d'un patio ouvert. Pour l'AC, il faut prendre une chambre pour 3, presque deux fois plus chère. Fresques dans certaines chambres ; on aime ou on n'aime pas, mais ça égaie. Éviter celles donnant sur la rue.

🛏 **Hotel Santa Elena** *(plan ville, A2, 28) : derrière le terminal* ADO, *calle Jorge de la Vega.* ☎ 345-10-29. *Parking.* Jolies chambres, amples et assez confortables, avec 1 ou 2 lits doubles et TV. Murs lambrissés et ventilo en prime. Demandez-en une tout au fond de la cour, sinon vous jouirez de l'agréable bruit des autobus en train de faire tourner leur moteur. Et visitez-en plusieurs

avant de vous décider.

🛏 **Hotel Kashlan** *(plan ville, B2, 29) :* 5 de Mayo 105. ☎ 345-02-97. ● *palenque.com.mx/Kashlan* ● *Le plus cher de sa catégorie. On peut négocier en basse saison.* Les petites chambres, propres, donnent sur des courettes intérieures. En visiter plusieurs, car elles sont vraiment inégales. TV, ventilo ou AC (plus cher). Une laverie se trouve juste en face et un resto en bas ; et le combi pour les ruines est à deux pas. En dépannage, car rien de sensationnel...

Prix moyens (400-800 $Me, soit 24-48 €)

🛏 **Hotel Casa de Pakal** *(plan ville, C2, 30) : av. Juárez 10. À 50 m du zócalo.* ☎ 345-03-93. *Prix très corrects et qui ne jouent pas au yo-yo selon les saisons.* Une quinzaine de chambres joliment arrangées et propres, avec un lit individuel et un lit double dans chacune. Matelas neufs. Comme d'habitude, évitez la rue.

🛏 **Hotel Chan-Kah** *(plan ville, C2, 31) : av. Juárez 2 ; à l'angle d'Independen-*

cia. ☎ 345-03-18. ● *chan_kah.com.mx* ● *Nettement plus cher que l'hôtel* Casa de Pakal. En plein centre, face au *zócalo.* On paie l'emplacement. Les chambres sont bien insonorisées, heureusement, car tous les soirs, concert sous vos fenêtres. Elles sont assez jolies et bien fraîches. Bon confort. Petits balcons qui donnent sur l'affreux *zócalo.* Ascenseur. Pas de piscine.

Où manger ?

On vous signale, ci-après, des endroits sûrs où l'hygiène et la qualité des mets restent correctes. Mais le va-et-vient des touristes d'un jour s'accompagne aussi d'un roulement dans les cuisines et chez les serveurs. Ne pas s'attendre donc à des cartes originales ni à un accueil chaleureux.

Près des ruines, au lieu-dit El Panchán

Tous les hôtels de la route qui mène aux ruines disposent d'un resto. Au lieu-dit *El Panchán,* il y en a même plusieurs ; voir l'introduction « Où dormir ? Près des ruines ». Pas mal de spectacles le soir : musique live au *Camping Mayabel* et « show del fuego » chez *Don Mucho's,* animé par des belles brunes qui jonglent avec des boules de feu.

🍴 **Don Mucho's** *: juste après* Chato's Cabañas *(voir « Où dormir ? Près des ruines »).* ☎ 341-48-46. *Tlj 7h-minuit, pour le resto mais plus tard pour le bar.* Tous les routards qui logent dans le coin s'y retrouvent pour l'un des 3 repas de la journée. Petit déj servi jusqu'à midi pour permettre aux fêtards de se restaurer. Pour les autres repas, nourriture mexicaine et italienne

avec des pâtes et des pizzas. 3 menus copieux à prix abordables. Pain complet fait maison. Toujours beaucoup d'animation, surtout le soir, avec de bons groupes de musiciens. L'addition est majorée de 10 %. Tout compte fait, vraiment pas d'un bon rapport qualité-prix. Reste l'ambiance retrouvailles entre routards du monde entier.

LE CHIAPAS

Dans le quartier Cañada

|●| El Arbolito (plan ville, A1, 48) : sur la route de Pakal-Na ; à l'angle de Velasco Suárez, en face du supermarché Chedraui. Tlj 7h-23h. Presque un resto-route avec son décor de cantina mexicaine, sa salle intérieure aux murs lambrissés tapissés de sombreros paysans et d'objets de la région. La terrasse couverte est agréable, surtout pour le dîner. La spécialité du lieu est la barbacoa de borrego (agneau), bien qu'elle ne soit pas toujours disponible. Les steaks sont un bon choix, accompagnés de riz, frites, salade et haricots noirs. Quelques antojitos bien relevés,

à la mode poblana. Carte variée à prix très doux.

|●| Saraguato's (plan ville, A2, 47) : Merle Green 18 ; à côté du grand hôtel Maya Palenque ; compter 15 mn à pied depuis le zócalo. ☎ 345-27-18. Tlj 13h-23h30. 3 menus différents qui proposent une bonne cuisine mexicaine et internationale. Dans ce quartier verdoyant et tranquille, loin de la chaleur étouffante du centre-ville, on mange sous une grande paillote, fraîche et bien aérée. Horas felices (happy hours) de 19h à 21h pour les cocktails ; c'est donc parfait pour l'apéro avant de dîner.

Au centre-ville

Bon marché (moins de 80 $Me, soit 4,80 €)

Le soir, autour du zócalo, vous trouverez des petits puestos où, contre quelques pesos, vous pourrez déguster de bons tacos.

|●| Mara's (plan ville, C2, 41) : angle Juárez et zócalo. ☎ 345-25-78. Tlj 7h-23h. 4 menus différents. Grande salle fréquentée par les touristes et quelques tables sur le trottoir, qui sont prises d'assaut. Même menu copié-collé qu'ailleurs, en espagnol et en anglais. Les antojitos sont bien présentés, et les plats de viande et de poulet corrects. Cocktails, bières et carafe (jarra) de jus de fruits.

|●| Restaurant Maya (plan ville, C2,

45) : angle Hidalgo et zócalo. ☎ 345-00-42. Tlj 7h30-23h. Un classique de la ville depuis 1958, face au zócalo. Carte où se mélangent les spécialités de viande, poisson et les antojitos mexicanos : quesadillas, tacos, enchiladas et burritas. Comida corrida pour le déjeuner, et parfois le soir. Service efficace. On peut aussi y prendre le petit déj : plusieurs formules. L'addition est majorée de 10 %, et on vous fait lourdement savoir que le pourboire n'est pas inclus.

Prix moyens (80-250 $Me, soit 4,80-15 €)

|●| Las Tinajas (plan ville, C2, 42) : 20 de Noviembre ; à l'angle d'Abasolo. Tlj 7h-23h. On peut manger dehors, sous une véranda offrant des tables en bois. Cuisine mexicaine copieuse (un plat suffit pour 2) et bonne viande cuite à votre goût, servie seulement à la salle. Qualité constante, ce qui rend cette adresse sûre, même si elle n'est pas très originale. Petit déj. Service efficace.

|●| Pizzeria Palenque (plan ville, B2, 43) : Juárez 120. ☎ 345-03-32. Tlj 13h-23h. Petit local d'une dizaine de tables ouvert sur la rue et avec son écran TV habituel. Pizzas chères mais de bon

aloi, à la pâte qui ressemble plus à une flammeküeche qu'à une margherita et aux garnitures plus mexicaines qu'italiennes : jalapeños, chorizo piquant, avocat... On peut aussi la composer à son goût et choisir parmi 4 tailles différentes. Les spaghettis sont moins convaincants. Bières, cocktails et même du vin au verre... un peu chaud quand même par ces moiteurs tropicales. Pour le dessert, filez à côté chez La Michoacana pour les paletas aux fruits de saison.

|●| Café de Yara (plan ville, C2, 44) : angle Hidalgo et Abasolo. ☎ 345-02-69. Tlj 7h-23h. Un café-resto à la jolie déco colorée sous le signe du café. Il y en a pour tous les goûts : *espresso*, *cappuccino*, *frappé*... et, comme les Mexicains en boivent à tous les repas, il est même proposé de toutes les tailles. Parfait aussi pour se sustenter dans la journée avec une bonne salade composée. Les *antojitos* sont bien fagotés et goûteux ; en revanche, desserts décevants et cocktails un peu avares en alcool. On peut toujours se rabattre sur du vin, servi au verre. Service rapide.

⦿ La Mexicana *(plan ville, B2, 40)* : Juárez ; juste avt l'embranchement avec la calle 5 de Mayo. Proche des terminaux de bus. ☎ 103-24-98. Tlj 7h-23h. 4 menus complets. Autant de formules petit déj. Petite salle agréable en contrebas, joliment décorée (ça change !). Tables en bois et de drôles de chaises bien sympathiques. Le soir, éclairage doux. Carte très complète de cuisine mexicaine. Des bières mais pas de cocktails.

De chic à plus chic (plus de 250 $Me, soit 15 €)

⦿ La Selva *(plan ville, A2, 46)* : à env 200 m de la tête maya, en direction des ruines. ☎ 345-03-63. Tlj 11h30-23h30. CB acceptées. C'est le resto gastronomique de la ville. *Róbalo al ajo* (bar à l'ail), *pescado relleno de mariscos* (daurade fourrée aux fruits de mer), *filete de res jacarandas* (bœuf flambé au brandy et Grand Marnier), langouste, etc. Service un peu coincé, mais cadre feutré et agréable : grande cabane tropicale, avec toit de palmes, décorée avec goût. Parfois, orchestre et chanteurs.

LES RUINES DE PALENQUE

Un peu d'histoire

Alors que la première civilisation maya florissait plus au sud, sur les hauts plateaux du Guatemala actuel et la côte pacifique, le site de Palenque n'en était qu'à ses balbutiements. Ce n'est que quelques siècles plus tard que la cité commença à se développer, durant l'époque classique (300 à 600 apr. J.-C.), avant de connaître son apogée entre 600 et 700. Cette période correspond au très long règne du roi Pacal, qui fit construire la plupart des édifices importants, notamment la pyramide du *temple des Inscriptions* avec, à l'intérieur, la fameuse crypte funéraire qui lui servira de sépulture. L'architecture, dite classique, est très différente de celle d'Uxmal (style Puuc) ou de Chichén Itzá. Palenque n'a d'ailleurs pas les proportions monumentales de ces deux dernières, ce qui laisse penser que son rôle politique n'était que secondaire. Cette période correspond pourtant aux grandes avancées de la civilisation maya comme la fausse voûte, le calendrier, l'écriture hiéroglyphique. À l'approche de ses 100 ans, le grand Pacal meurt enfin. Son fils Chan-Bahlum (Jaguar-Serpent) lui succède et poursuit l'œuvre de son père. L'histoire de Palenque est marquée par le règne de ces deux souverains éclairés, qui sont d'ailleurs honorés par de nombreux bas-reliefs. Peu après la mort de Chan-Bahlum, la cité entre dans sa phase de déclin. La civilisation de Palenque s'éteint à la fin du Xᵉ s pour des raisons encore mystérieuses et disparaît durant presque huit siècles aux yeux des hommes et du monde.

Les chimères des aventuriers

La recherche archéologique maya a commencé de manière très originale, et Palenque, en particulier, a fait l'objet de toutes sortes de fantasmes. Le baron Jean-Frédéric Waldeck, faux noble mais vrai grognard napoléonien, s'intéressa au site dès 1830 et y séjourna 2 ans. Pendant son séjour au milieu des pyramides, il écrivit un livre et dessina les édifices selon une interprétation toute personnelle. Il prit l'effigie d'un dieu pour un éléphant et dota les personnages mayas de bonnets phrygiens ! Quoiqu'il en soit, c'est grâce à lui que le site de Palenque fut connu en

LE CHIAPAS

Europe, même si cela donna lieu à toutes sortes de rumeurs sur l'origine de la cité, certains y voyant l'Atlantide, d'autres un avatar de la civilisation égyptienne.

À la même époque, l'Anglais Lord Kingsborough dilapida sa fortune à essayer de prouver que les Mayas descendaient des 10 tribus perdues d'Israël ! Neuf énormes volumes furent nécessaires à l'édification de sa thèse. Faute d'acheteurs, il ne put faire face aux créances des imprimeurs, qui le firent jeter en prison, où il mourut. Stephens, diplômé du New Jersey, s'attribua le titre d'envoyé spécial des États-Unis auprès de la Fédération d'Amérique centrale. Son travail fut plus sérieux, mais sa fonction l'obligea à régler des différends locaux, tâche délicate qui le contraignit à une fuite mouvementée.

Avant la fin du XIXᵉ s, un autre Français, Le Plongeon, tenta de faire admettre que les Mayas étaient les descendants et les héritiers de l'Atlantide (et re !). Il affirma même qu'ils avaient, voilà 10 000 ans, un réseau... télégraphique, ayant cru découvrir l'image de fils électriques sur un linteau sculpté.

Les premiers travaux d'entretien des monuments furent entrepris vers 1940.

Renseignements pratiques

➤ *Pour y aller :* site à 8 km de la ville. Bien sûr, il y a la marche ou le stop. Le plus rapide est de prendre un combi de la compagnie Chambalu. Descendre au terminus, c'est-à-dire à l'entrée en haut du site, et non pas au musée (en bas), que vous visiterez à la fin et que vous aurez atteint en traversant une belle forêt. Dernier départ du site vers 18h. On peut aussi attraper la camionnette sur la route entre Palenque-ville et las Ruinas (du stop payant, quoi...). En voiture, on accède en haut du site, puis on ressort et on reprend la voiture pour descendre au musée.

🚐 *Transportes Chambalu* (plan ville, B2, 8) : calle Allende ; entre Juárez et Hidalgo. ☎ 345-28-49. Départ ttes les 10 mn, 6h-21h.

– L'entrée au parc naturel, située à hauteur d'El Panchán, est journalière et payante : 25 $Me/pers (1,50 €).

– Site ouv tlj 8h-16h30 (attention, musée fermé lun). Les billets sont vendus jusqu'à 16h. Mieux vaut y aller le plus tôt possible, à cause de la chaleur et des flots de touristes (dès 9h). Spectacle magique quand la brume matinale enveloppe les ruines.

– Entrée : 51 $Me (3,10 €) ; gratuit moins de 13 ans. Supplément pour caméra : 45 $Me (2,70 €). Quelques petits restos, et les inévitables boutiques de souvenirs. Panneaux explicatifs en espagnol, en anglais et en tzeltal. Guides accrédités, dont certains parlent le français : compter env 500 $Me (30 €) de 1 à 7 pers pour 2h de visite.

– Prévoir 2h-2h30 de visite pour le site, sans compter le musée. On conseille de commencer par la visite des ruines et de terminer par le musée, d'où l'on peut reprendre le minibus pour la ville.

À voir

◎ La végétation tropicale a littéralement englouti cette cité abandonnée. La partie du site actuellement dégagée ne représente qu'une petite fraction de l'ensemble de la zone archéologique, qui s'étend dans la forêt, peut-être sur une longueur de 6 à 8 km.

🏃 *Le temple des Inscriptions :* le premier édifice important en entrant sur la droite. Rénové, il se dresse au sommet d'une pyramide de 22 m, appuyée contre une colline naturelle, mais il est interdit d'y grimper (on peut demander une autorisation en basse saison). Il doit son nom aux textes qui couvrent les murs et les piliers. Pas moins de 617 glyphes, qui en font l'un des textes les plus longs du

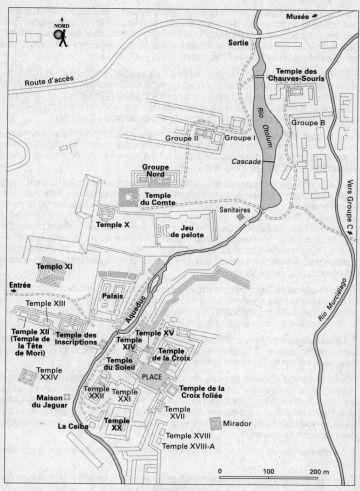

NORD

Route d'accès

Musée

Sortie

Temple des
Chauves-Souris

Rio Otolum

Groupe B

Groupe II

Groupe I

Cascade

Groupe
Nord

Temple
du Comte

Sanitaires

Temple X

Jeu
de pelote

Vers Groupe C

Templo XI

Entrée

Palais

Aqueduc

Temple XIII

Temple XV

Temple XII
(Temple de
la Tête
de Mori)

Temple des
Inscriptions

Temple
XIV

Temple
de la Croix

Temple
du Soleil

Rio Murciélago

Temple
XXIV

PLACE

Temple
XXII

Temple
XXI

Temple de la
Croix foliée

Maison
du Jaguar

Temple
XX

Temple
XVII

La Ceiba

Mirador

Temple XVIII

Temple XVIII-A

0   100   200 m

PALENQUE (SITE)

monde maya. En 1949, les archéologues font une découverte capitale en mettant
au jour un escalier secret qui descend à l'intérieur de la pyramide. Ils mettront 3 ans
à le dégager, avant de découvrir la fameuse crypte funéraire qui se révélera une
mine d'informations. Elle contient en effet le tombeau du grand roi Pacal (VIIe s),
c'est-à-dire un sarcophage de 13 t dont les magnifiques bas-reliefs symbolisent la
mort de Pacal et son retour à la vie. À l'intérieur du caveau, on a trouvé de somptueux bijoux en jade et un inestimable masque mortuaire. Les pièces de ce trésor
sont exposées au Musée national d'anthropologie de Mexico, à l'intérieur d'une
reproduction de la chambre funéraire.

☜☜☜ *Le Palais (Palacio) :* grimpette obligatoire. D'en haut, très belle vue sur le
temple des Inscriptions. Au sommet de cette vaste plate-forme s'élève un ensem-

ble d'édifices qui furent construits en plusieurs étapes. Les plus anciens disparurent sous des remblais lors de l'érection des plus récents. C'est un vrai labyrinthe souterrain, auquel on accède par un escalier dans un trou (c'est très, très humide). Certains patios conservent de très belles frises. La tour (rénovée) a été construite pour l'observation du Soleil et des astres.

🐾🐾🐾 *Le temple du Soleil (templo del Sol) :* sur une place dominée par trois temples ravissants. Le *templo del Sol* est un superbe édifice construit à la fin du VIIe s sur un haut soubassement pyramidal à quatre étages. À l'intérieur, on trouve un autel qui commémore la naissance et la montée sur le trône (684 apr. J.-C.) du seigneur Serpent-Jaguar II. Il se situe sur la droite, en face du roi Pacal.

🐾 *Le temple XIV :* petit temple restauré. À l'intérieur, magnifique bas-relief représentant une scène d'offrande dans laquelle une femme agenouillée tend une statuette d'un dieu à un seigneur. Cela pourrait représenter un hommage à Chan-Bahlum (revenant de l'au-delà) et sa mère.

🐾🐾 *Le temple de la Croix (templo de la Cruz) :* construit par Chan-Bahlum, c'est la plus haute structure de la place et l'une des plus hautes du site. Il faut absolument y monter pour avoir une splendide vue d'ensemble sur le Palais et la jungle en arrière-plan. Doit son nom à un bas-relief en forme de croix que l'on a retrouvé à l'intérieur. Rien à voir avec la croix chrétienne (malgré quelques rumeurs persistantes), mais plutôt la représentation symbolique de l'arbre de vie, la *ceiba* (arbre tropical à l'écorce lisse et dont les racines restent très en surface), fait d'un serpent horizontal surmonté d'un oiseau, peut-être un quetzal. L'original est au Musée national d'anthropologie de Mexico.

🐾 *Le temple de la Croix foliée (templo de la Cruz foliada) :* fait face au temple du Soleil. Il est adossé à une colline. Sur un bas-relief, on peut voir une fois de plus les deux souverains Pacal et son fils Chan-Bahlum, sans doute à l'occasion de la passation de pouvoir. La croix est faite d'épis de maïs ornés de têtes humaines.

🐾 *Le jeu de pelote (juego de pelota) :* on n'a pas retrouvé les indispensables anneaux par lesquels il fallait faire passer la balle de caoutchouc et qui normalement sont en pierre. On suppose que ceux-ci étaient en bois.

🐾🐾 *Le temple du Comte (templo del Conde) :* le comte étant en réalité le baron Waldeck (voir ci-dessus « Un peu d'histoire »). Les chimères des aventuriers ») qui, semble-t-il, avait choisi cet édifice pour installer ses pénates et ses cartons à dessins. Parmi les édifices mis au jour, c'est l'un des plus anciens, construit vers 640. Caractéristique de l'architecture de Palenque. Sous le sol du portique, on a retrouvé des offrandes funéraires.

🐾 *Le groupe nord :* c'est un ensemble de cinq temples installés sur une même plateforme.

🐾 *Le chemin qui mène au musée :* il longe la rivière et descend la colline jusqu'au musée. Superbe balade dans la forêt, peuplée de nombreux vestiges, comme le *groupe B,* des ruines qui émergent de leur gangue de verdure. Sur le sentier, vous tomberez sur une petite cascade, dans un site très agréable, mais il est désormais interdit de s'y baigner.

🐾 *Le temple des Chauves-souris (templo de los Murciélagos) :* perdu dans la jungle et recouvert de mousse. Totalement Indiana Jones et romantique à souhait.

🐾 *Le musée :* sur la route qui mène à l'entrée du site, avt le parking. Tlj sf lun 9h-16h. Accès avec le billet d'entrée du site. Il renferme des antiquités intéressantes, découvertes ici même : des bijoux en jade et en obsidienne, de superbes céramiques, dont un magnifique dieu du Soleil, et une collection unique d'encensoirs merveilleusement décorés, dans lesquels les Mayas brûlaient du copal et des gouttes de sang pour ce rituel d'éparpillement. Ne pas oublier la salle du tombeau de Pacal (visites ttes les 30 mn, 9h30-15h30, max 30 pers). En plus du tombeau, à voir deux vidéos explicatives sur la découverte, en espagnol et sous-titrées en anglais. Un complément indispensable à la visite du musée et du site.

➤ *DANS LES ENVIRONS DE PALENQUE*

Les trois sites suivants se situent sur la très belle route qui va à San Cristóbal. À 18 km pour *Misol-Ha,* 50 km pour *Agua Clara* et 64 km pour *Agua Azul,* le plus éloigné de Palenque. N'oubliez pas votre maillot de bain ! Les agences ne vont plus à Agua Clara, trop de problèmes avec les communautés, qui demandent un droit de passage élevé. De plus, ce lieu déserté a peu d'intérêt, sauf pour les locaux.

Comment y aller ?

De nombreuses agences proposent une excursion qui combine les deux sites, mais on est soumis à des horaires assez contraignants. Comparez les prix avec celles proposées par les hôtels. L'avantage est de découvrir les deux endroits dans la même journée, mais on a un peu l'impression de faire des visites-marathon. L'autre solution est d'y aller par ses propres moyens en prenant les minibus des compagnies ci-dessous. Mais dans ce cas, choisissez de faire seulement un ou deux sites dans la journée et partez tôt.

🚐 *Transportes Nuevo Volcán del Tercer (plan ville, A-B2, 4) : voir plus haut « Arriver – Quitter ».* Ce sont des combis qui vont à Ocosingo. Ils vous laisseront à l'embranchement de la route qui mène au site que vous souhaitez. Il reste quelques kilomètres à faire, mais des combis locaux relient le tronçon entre la route et l'entrée au site. En tout cas, évitez de faire du stop et de vous y rendre à pied ; plusieurs voyageurs ont été victimes de vols organisés sur le chemin. Départ ttes les 30 mn env.

🚐 *Transportes Chambalu (plan ville, B2, 8) : voir coordonnées dans les rens pratiques concernant le site de Palenque.* Organise 2 excursions dans la journée, à 9h retour 16h30 et 12h retour 18h45. On reste 1h à Misol-Ha et 3h à Agua Azul.

■ *Agence Kukulcán (plan ville, A-B2, 9) : av. Juárez ; tt à côté du terminal de bus ADO.* ☎ 345-15-06 et 27-78. ● *ku kulcantravel.com* ● Plusieurs forfaits. 2 excursions « cascades ». Une part à 9h avec retour à 16h30 et l'autre à 12h retour 18h45. On reste 1h à Misol-Ha et 3h à Agua Azul. L'agence organise également le transport jusqu'à Bonampak, Yaxchilán en 1 jour, départ 6h retour 19h ; forfait 550 $Me (33 €), incluant transport, petit déj, déjeuner et entrée aux 2 sites et même un aller jusqu'à Tikal au Guatemala (en 1 jour, 350 $Me, soit 21 €). L'excursion part avec un minimum de 5 personnes.

À voir

Vous êtes sur le territoire de l'EZNL, mouvement zapatiste. Ce qui veut dire qu'avant chaque entrée payante officielle, vous paierez un droit d'entrée supplémentaire pour la visite de chacun des trois sites. Le barrage est composé d'une simple corde tenue par quelques hommes, souvent jouant aux cartes ; si vous ne payez pas votre contribution, vous ne passerez pas.

De plus, sur la route principale, entre Agua Azul et Agua Clara, si vous êtes en voiture, des enfants, des femmes tendent une corde en travers de la route pour vous obliger à vous arrêter afin de vous vendre quelques fruits. Ne vous laissez pas impressionner, si c'est non, c'est non.

🧗 *Cascada de Misol-Ha : entrée 20 $Me/pers (1,20 €) + 10 $Me/pers pour la communauté villageoise.* Chute d'eau de 30 m qui tombe dans un très beau bassin.

On peut s'y baigner. Allez aussi faire un tour derrière la cascade, mais, en saison des pluies, quand le débit est à son plus fort, mieux vaut y aller en maillot de bain (nous, on a essayé tout habillés et, franchement, on vous le déconseille !). Tout au bout, on pénètre dans une grotte assez profonde, pas facile à atteindre. Se munir d'une lampe de poche : fossiles incrustés dans la roche. C'est un peu court si l'on y va une excursion organisée : on ne reste que 1h sur le site. En effet, la cascade n'est qu'un prétexte ; l'idéal est de se balader le long de la rivière, de jouir de l'endroit, de se baigner (pancarte indiquant : « il est interdit de se baigner avec ses vêtements et ses chaussures, l'eau est profonde »). Bien que surveillé, l'accès est assez dangereux ; une fois dans l'eau, il faut rester dans un petit espace délimité par une corde.

🏠 **Hotel Cascada de Misol-Ha :** ☎ (55) 51-51-33-77 (à Mexico). ● misol-ha@pa lenque.com.mx ● Double bon marché. Beaux bungalows confortables aux pieds des chutes. Resto-bar sur le par- king. Si vous y allez par vos propres moyens, évitez de parcourir à pied le tronçon depuis la route principale jusqu'à la cascade : cas d'agression signalés.

🍴 **Agua Clara :** entrée : 10 $Me (0,60 €) + 20 $Me (1,20 €) pour le EZNL. Situé sur la même rivière que celle d'Agua Azul, mais 10 km en aval. On retrouve donc cette superbe couleur bleu turquoise. Mais ici, pas de cascade, le río Xumulha se contente de couler tranquillement, ce qui attire moins les foules, on peut même dire complètement déserté en dehors de quelques enfants qui barbotent. On peut se baigner facilement grâce à de petites plages, mais, comme le dit la pancarte (désormais cassée), baignade interdite si vous êtes en état d'ébriété ! Bon, même à jeun, faites quand même attention au courant. Grande passerelle suspendue à la *Coco-drile Dundee,* qui permet de se rendre sur l'autre rive. L'endroit idéal pour les locaux pour pique-niquer et pour passer quelques heures bucoliques, mais si vous êtes pressé ce n'est pas la peine de vous arrêter, vous ne pourrez être que déçu par rapport aux deux autres lieux. Mieux vaut y aller par ses propres moyens, de préférence en voiture, ou, pour éviter le racket de la communauté villageoise, passez votre chemin, vu le peu d'intérêt du site.

🍴🚶 **Agua Azul :** compter 1h-1h30 de voiture. Entrée : 10 $Me/pers (0,60 €) + 25 $Me/ pers (1,50 €) pour la communauté. Ajouter quelques pesos pour les enfants qui vous diront qu'ils gardent votre voiture sur le parking. Magnifique suite de casca-des qui se déversent dans des vasques successives. En général, les eaux sont d'un bleu turquoise lumineux. Le matin, l'éclairage est meilleur pour les photos. Mais si vous venez après les orages tropicaux (en août) et jusqu'en octobre-novembre, l'« azul » tirera plutôt vers le « café », et la vue des eaux boueuses sera décevante. Cela dit, le spectacle fait toujours son effet avec les chutes en contre-jour et le bruit des eaux où l'on se baigne avec plaisir. Dommage que le site soit bordé d'une suite de gargotes et de boutiques de souvenirs. Avantage, vous n'aurez que l'embarras du choix pour vous restaurer.
Si l'on ne veut pas revenir à Palenque, reprendre l'après-midi, au croisement, le bus pour San Cristóbal qui part de Palenque (vérifier les horaires).

QUITTER PALENQUE VERS LE GUATEMALA

Si vous comptez entreprendre le grand tour et revenir par le Yucatán, pensez à vous procurer le *Guide du routard Guatemala, Yucatán et Chiapas.* Le plus simple, et aussi le plus folklorique, est de passer par le village frontalier de Frontera Corozal et donc de franchir le fleuve Usumacinta – qui sert de frontière entre le Mexique et le Guatemala – en pirogue à moteur. Cela permet de visiter au passage les sites de *Bonampak* et de *Yaxchilán,* avant de poursuivre sur Flores au Guatemala (pour le site de *Tikal*).

Tout d'abord, il faut se rendre à *Frontera Corozal* (180 km de Palenque) avec les compagnies de transport *Chamoan*, *Río Chancalá* ou *Montebello* (voir plus haut « Arriver – Quitter »). Selon les heures de la journée, l'affluence et l'état d'âme de l'employé de service, les habitants de Frontera Corozal ont mis en place un « péage » de 15 $Me (0,90 €) par personne. Vu le coût de la traversée en bateau, puis les entrées aux sites, il faut croire que les locaux se sont dit que cette petite « contribution » supplémentaire n'allait pas effrayer les touristes... Ensuite, de Frontera Corozal, il y a deux manières de rejoindre *Tikal*.

➤ *La solution classique :* vous prenez une *lancha*, tlj 7h-15h30 *(assez cher, 400-750 $Me, soit 24-45 €, par traversée de 1 à 10 pers max)* qui, après 45 mn de remontée du fleuve Usumacinta, arrive à la ville frontière guatémaltèque de *Bethel*. Passage à la douane (très rudimentaire), où vous pouvez changer votre argent. Il faut impérativement partir de Frontera Corozal vers 11h30 au plus tard si l'on veut prendre le bus de 1re classe (chers lecteurs, excusez l'euphémisme... les classifications peuvent être très arbitraires) qui part de Bethel vers 12h30. Arrivée à *Flores (Tikal)* 4h à 6h plus tard. Si vous loupez celui-ci... à priori, le *guajolotero* part à 13h30. Un vieux bus d'écoliers américains assez déglingué qui s'arrête un peu partout et dans lequel, comme disent les Mexicains, *todo suena menos el klaxon !*... Compter au bas mot 4h30 de trajet et l'un des ratios dépaysement par minute les plus élevés de la planète !

➤ *La solution économique :* celle-ci consiste à traverser le fleuve (donc la frontière) en *lancha* pour se rendre en face, au village *La Técnica (50 $Me/pers, soit 3 €)*. De là, à priori 2 bus par heure (dernier bus à 17h) pour Bethel. Donc, il faut embarquer à Frontera Corozal vers 7h ou vers 12h pour ne pas louper l'un ou l'autre bus vers Flores (voir plus haut). En général, les locaux déconseillent cette solution car, bien sûr, la traversée en barque est beaucoup moins rentable que d'aller jusqu'à Bethel. En réalité, c'est un peu galère, d'autant plus que les *lancheros*, ayant le monopole de toutes les traversées, boycottent La Técnica... Attention, pas de bureau d'immigration à La Técnica, donc n'oubliez pas de faire tamponner votre passeport pendant votre correspondance à Bethel pour marquer votre entrée au Guatemala (sinon, vous risquez d'avoir des problèmes à la sortie du pays !).

– *Par agence :* en principe, vous évitez les tracasseries éventuelles et, tout compte fait, vous ne paierez pas beaucoup plus cher qu'en y allant par vos propres moyens. À moins de vouloir pratiquer les débats en espagnol ponctué de maya, d'aimer les ambiances Far West et de disposer de pas mal de temps, la solution de transport proposée par les agences reste à ce jour le meilleur choix. Leurs véhicules sont en meilleur état et l'encadrement vous fera mieux profiter des attractions sans vous soucier des négociations sur place. Essayez l'agence *Kukulcán* (voir coordonnées plus haut « Dans les environs de Palenque. Comment y aller ? »).

SITIOS ARQUEOLÓGICOS DE BONAMPAK ET YAXCHILÁN

Au cœur du territoire des Indiens lacandons, deux anciennes cités mayas perdues en pleine jungle. L'intérêt de ces deux sites archéologiques réside autant dans le parfum d'aventure pour y accéder que dans les ruines elles-mêmes. Yaxchilán, niché dans une anse du fleuve Usumacinta, n'a aucun accès par voie terrestre : on doit emprunter une pirogue à moteur.
À partir de Palenque, vous pouvez visiter les deux sites dans la même journée, mais partez à l'aube. Si vous êtes moins pressé, une nuit sur place est possible et c'est même très sympa, surtout si vous souhaitez explorer un peu la jungle où vivent les Lacandons. Enfin, c'est également un point de passage obligé pour ceux qui veulent rejoindre Tikal, au Guatemala.

LES LACANDONS

Eux-mêmes se dénomment *Hala'ch Uinic,* les « vrais hommes ». C'est l'une des tribus les plus mystérieuses de la culture maya. Les Indiens lacandons ne sont plus très nombreux, à peine 500. Beaucoup portent encore la longue tunique blanche traditionnelle et laissent tomber leurs cheveux sur les épaules. Selon leur langue, ils seraient d'origine maya-yucatèque et auraient traversé le fleuve Usumacinta au XVIIᵉ s pour se réfugier dans cette immense jungle. Grâce à elle, ils ont pu rester isolés de la civilisation, vivant en petites communautés de quelques familles semi-nomades. Ils pratiquaient la culture sur brûlis et se déplaçaient au gré de l'appauvrissement des sols, vivant aussi de la chasse et de la cueillette. Dans les années 1950 a commencé l'exploitation systématique de la forêt, avec d'abord l'arrivée des forestiers (comme la *Vancouver Plywood Company*), puis des paysans à la recherche de terres. Chassés de leur habitat traditionnel, les Lacandons ont été regroupés par le gouvernement dans trois hameaux : Naja, Mensabok et Lacanjá Chansayab, la communauté la plus ouverte au monde extérieur. Mais l'avenir de cette ethnie reste fragile.

Arriver – Quitter

De Palenque, compter 2h15 pour *Crucero San Javier (Bonampak)* et 3h pour *Frontera Corozal (Yaxchilán).* On peut y aller soit par une agence (excursion de 1 jour ou 2, qui inclut les deux sites et des balades dans la jungle ; voir, entre autres, plus haut, l'*Agence Kukulcán* dans la rubrique « Dans les environs de Palenque. Comment y aller ? »), soit par ses propres moyens, mais c'est assez compliqué (prévoir alors de dormir sur place). Dans ce cas, on recommande de prendre le minibus des *Transportes Chamoan.* Voir à Palenque les rubriques « Arriver – Quitter » et « Quitter Palenque vers le Guatemala ».

➢ *De Palenque à Bonampak :* 150 km. En général, les minibus déposent leurs passagers à l'embranchement de San Javier, à 12 km des ruines. Les combis *Chamoan* vont en principe 2 km plus loin, jusqu'à l'entrée de la réserve. Ensuite, il reste encore 9 km à faire à travers la réserve avant d'atteindre l'entrée du site : sur ce tronçon, le transport en véhicule est assuré par un bus appartenant aux Lacandons... moyennant 70 \$Me (4,20 €) l'aller-retour ; le prix du taxi à partir du *Campamento Marguerita,* à l'entrée du village, jusqu'au site est le même, et il vous attend pour le retour ; le bus, lui, part ttes les heures. Pour y couper, on peut aussi louer un vélo (compter 10 \$Me/h, soit 0,60 €).

➢ *Pour Yaxchilán :* il faut reprendre la route principale pour aller au village de *Frontera Corozal* (à 27 km de Bonampak). La plupart des minibus s'arrêtent au carrefour de *Crucero Corozal,* à 16 km de Frontera Corozal. Seuls les combis de la compagnie *Chamoan* vont jusqu'au village, et même parfois jusqu'à l'embarcadère. De là, on prend une pirogue à moteur *(lancha)* qui descend le fleuve Usumacinta jusqu'au site archéologique. Le Guatemala se trouve sur l'autre rive. Premier départ vers 7h et dernier départ vers 15h30. Il y a 3 embarcadères, l'officiel et ceux des hôtels *Escudo Jaguar* et *Pájaro Jaguar,* mais les prix sont à peu près identiques (et affichés). En revanche, ils varient en fonction des saisons, de l'offre et de la demande, et des ambitions des caciques locaux. Autant dire que sous prétexte de respecter la « territorialité » des indigènes, l'exploitation du site est laissée un peu au bon vouloir des locaux et que les autorités de l'État ferment les yeux pour éviter les conflits. Grosso modo, pour un aller-retour, comptez 700 \$Me (42 €) de 1 à 3 pers, 950 \$Me (57 €) de 5 à 7 pers et 1 300 \$Me (78 €) pour 10 pers. Donc, prévoyez de l'attente, le temps que d'autres routards arrivent afin de pouvoir vous regrouper. La *lancha* attend sur le site durant 2h et vous ramène à Frontera Corozal (45 mn de traversée à l'aller, 1h au retour, à cause du courant). Bref, une balade, sur le fleuve, très agréable, mais un peu longue (rien à voir en dehors de deux ou trois petits crocos) qui revient cher. On comprend alors pourquoi tant de routards y renoncent...

BONAMPAK

Où dormir ? Où manger à Lacanjá Chansayab ?

Le village le plus proche de Bonampak est *Lacanjá Chansayab* (à 6 km du croisement San Javier), en lisière d'une immense forêt vierge qui a été constituée en réserve naturelle et attribuée aux Lacandons, qui en sont donc les administrateurs. Les Lacandons du hameau se sont reconvertis dans un tourisme qui se veut écolo grâce à l'appui du gouvernement. Ce dernier a financé la construction de logements chez des familles qui sont aussi formées à l'accueil et aux us et coutumes (notamment alimentaires) des voyageurs. Il y a donc une demi-douzaine de *campamentos*, comme on les appelle ici, qui disposent tous de bungalows et blocs sanitaires identiques. Hélas, tous ne sont pas très bien tenus.

🛏️ |●| *Campamento Ya'ajche'* : sur la route qui mène à Lacanjá Chansayab, surveillez les panneaux du côté droit ; vous verrez d'abord celui du campamento Tucán Verde, *puis celui du* Ya'ajche'. Compter env 300 $Me (18 €) pour le bungalow en dur, très confortable, avec ventilo, sdb (eau chaude) et terrasse. La cabane rustique qui donne sur la rivière revient env 70 $Me (4,20 €). Celle avec sdb 100 $Me (6 €). Vous êtes dans la famille de Martin Chankin Yuk, un Lacandon ouvert et aimable. Bel environnement très bucolique, avec une jolie chaumière entourée de fleurs, au bord d'une rivière. On peut aussi suspendre son hamac pour une poignée de pesos. Sanitaires collectifs très corrects. On mange sur place la cuisine familiale (excellent gâteau au maïs). Martin assure également des tours dans la forêt à des prix très corrects.

🛏️ |●| *Río Lacanjá* : au carrefour, prendre sur la gauche, tt au bout du chemin. ☎ 674-66-60 (à San Cristóbal). ● eco chiapas.com ● Certaines cabanes (pour 2) sont au bord d'une rivière vrombissante, d'autres sont des dortoirs avec des lits superposés. Un *campamento* appartenant à *Explora*, une agence d'écotourisme et d'aventure à San Cristóbal *(1° de Marzo 30)*. Mais l'accueil, par de jeunes Lacandons (déjà blasés ?), est froid et distant ; et les prix sont beaucoup plus élevés qu'ailleurs, sans aucune raison. Proposent du rafting. Resto.

Les ruines de Bonampak

🚶🚶 *Site ouv tlj 8h-16h45. Entrée : 41 $Me (2,50 €) ; gratuit moins de 13 ans.* Si on y ajoute le coût du transport à travers la réserve (voir plus haut), c'est un site qui finalement revient très cher, alors que son seul véritable intérêt réside dans des fresques murales qui sont superbement reproduites au Musée national d'anthropologie de Mexico (on les voit d'ailleurs bien mieux que *in situ*). Prévoir 1h de visite. Avec guide (mais est-ce vraiment nécessaire ?) : 200 $Me (12 €).

C'est seulement en 1947 que ce site de 4 km² a été découvert. Bonampak était sans doute déjà habité en l'an 600 av. J.-C., mais l'âge d'or de la ville date de la période classique tardive, de 600 à 800 apr. J.-C.

Sur la grande place se dresse une admirable stèle de 5 m de haut, représentant le roi Chaan Muan II. Mais l'élément phare du site se trouve perché sur l'acropole : c'est le *temple des Peintures,* qui contient les célèbres fresques murales qui ont apporté tant d'infos sur la vie des Mayas. La palette, utilisant des pigments végétaux et minéraux, présente une incroyable variété de tons. Dans la première chambre, les peintures racontent la consécration de l'héritier du trône. Dans la deuxième, on assiste à une bataille et à la torture des prisonniers, et dans la troisième à une cérémonie festive (avec sacrifice desdits prisonniers). Noter aussi les superbes linteaux de porte sculptés (il faut s'accroupir pour pouvoir les observer).

À faire à Lacanjá Chansayab

➢ **Balade dans la jungle :** l'excursion classique (3h) consiste à aller jusqu'à un petit temple qui émerge soudain de la végétation tropicale. C'est le seul édifice visible de l'ancienne cité maya de Lacanjá, la rivale de Yaxchilán (pas de fouilles au programme, faute de budget). Ensuite, on passe par la ravissante *cascade Ya Toch Kusam* pour une baignade bien méritée. Le grand pied ! Vous pouvez y aller avec un guide lacandon ou bien tout seul. Dans ce dernier cas, partez du petit centre touristique au bout du village ; demandez la direction du « Museo ». Dans tous les cas, vous n'échapperez pas au paiement d'une petite contribution (35 $Me, soit 2,10 €) pour bénéficier du sentier. Une autre balade de 2h30 mène à la *laguna de Lacanjá* (guide obligatoire cette fois).

– **Rafting :** en pleine jungle, on descend des rapides durant 5h. Minimum de 4 personnes. S'adresser au *club Explora* au *campamento Río Lacanjá* (voir plus haut). Organise aussi des expéditions de plusieurs jours.

YAXCHILÁN

Où dormir ? Où manger ?

🛏 |♦| **Nueva Alianza :** à Frontera Corozal, sur la rive du fleuve, à 2 mn à pied de l'embarcadère principal, en face du Escudo Jaguar. ☎ 00-502-46-38-24-47 (n° au Guatemala). ● hecoturlacandona.com ● De très bon marché à prix moyens selon sanitaires collectifs ou privatifs ; moins cher que son voisin d'en face. On loge dans de confortables cabanes, dispersées dans la végétation tropicale environnante. Grande *palapa* pour se restaurer. Location de bicyclettes. Accueil agréable.

🛏 |♦| **Escudo Jaguar :** à Frontera Corozal, sur la rive du fleuve, à 2 mn à pied de l'embarcadère principal. ☎ 00-502-53-53-56-37 (n° au Guatemala). ● escudojaguarhotel.com ● De très bon marché à prix moyens. On loge dans de confortables bungalows rose bonbon. Souvent des groupes. Resto sous une grande *palapa*, qui sert une cuisine honnête, pas après 20h pour le dîner.

Les ruines de Yaxchilán

Site ouv tlj 8h-16h30. Entrée : 49 $Me (3 €). La billetterie ferme à 15h30. Attention, il faut acheter le billet d'entrée (site + musée) avt d'embarquer. De plus, la dernière lancha repart du site vers 16h30. Prévoyez également de l'eau et surtout une lotion antimoustiques. Ils pullulent. Prenez de bonnes chaussures de marche et regardez où vous mettez les pieds, on dérange parfois des petits serpents sur le chemin, qui filent assez vite se cacher.

Ces ruines à l'état brut se cachent sur la rive du fleuve Usumacinta, qui délimite à cet endroit la frontière avec le Guatemala. L'environnement est fascinant. Quelques magnifiques édifices émergent de leur écrin de verdure, d'énormes *ceibas* poussent sur l'escalier monumental qui monte à la Grande Acropole, au détour d'un sentier on découvre le fleuve et, si on lève la tête, on aperçoit des singes hurleurs qui passent de liane en liane. La ville a d'abord été soumise à Tikal avant d'acquérir son autonomie en 526. Peu à peu, elle s'est imposée dans la région et a étendu son hégémonie entre 680 et 810 de notre ère, sous les règnes de Bouclier-Jaguar, puis de son fils Oiseau-Jaguar. C'est le site du Mexique qui contient le plus grand nombre d'inscriptions ; ce sont en partie de superbes bas-reliefs finement sculptés sur les linteaux des portes, qui racontent l'histoire de toute la dynastie

Jaguar. Drôle d'endroit pour des sculptures qui obligent aujourd'hui à s'agenouiller sous chaque porte et à lever la tête ! Au Xᵉ s, la ville s'éteint, puis elle est engloutie par la jungle.
Les premiers explorateurs, l'Anglais Alfred Maudslay et le Français Désiré Charnay, découvrent les ruines en 1882. Mais ce n'est qu'en 1935 que commenceront les véritables fouilles.

🏃 *L'édifice 19 :* jolie structure, appelée aussi « le labyrinthe » parce que c'est un vrai dédale de petites pièces obscures aux plafonds voûtés, reliées par d'étroits couloirs qui représentent le cheminement dans l'inframonde.

🏃🏃 *Gran Plaza :* très belle perspective en pénétrant sur cette grande place cérémonielle (60 m x 500 m) encadrée par des petits temples. Sur le côté gauche (côté fleuve), le traditionnel *jeu de pelote* (édifice 14), que vous savez désormais reconnaître au premier coup d'œil. À côté se trouve l'*édifice 12,* assez délabré, dont six des huit linteaux sont exposés au British Museum et au Musée national d'anthropologie de Mexico. Le même sort a été réservé aux trois magnifiques linteaux de l'*édifice 23* (en face).

🏃 *La stèle 1 :* au milieu de la place, elle est brisée en deux. Sculptée en 766, elle représente le roi Oiseau-Jaguar qui réalise un autosacrifice en se perçant les mains avec des aiguilles, laissant perler le sang.

🏃 *La stèle 11 :* jonchée sur le sol, abandonnée là en 1964 après une tentative avortée de la transporter en avionnette au musée de Mexico ; jugée trop lourde. Elle représente la passation de pouvoir (frappement du bâton) entre le roi Bouclier-Jaguar (93 ans !) et son fils Oiseau-Jaguar (en 741).

🏃🏃🏃 *L'édifice 33 :* sans conteste le plus beau monument du site. On y accède par un imposant et magnifique escalier défoncé par les racines des arbres. Il ressemble aux temples de Palenque, avec sa crête faîtière. Bas-reliefs sur la dernière marche d'accès, qui représentent des scènes de jeu de pelote. Penchez-vous sous les portes pour admirer les linteaux, le mieux conservé étant celui de la porte de droite. À l'intérieur du temple, on découvre une statue du roi Oiseau-Jaguar, décapité, sa tête gisant sur le sol. Ne la remettez surtout pas en place ; ce serait la fin du monde, du moins selon la croyance des Lacandons, puisque les jaguars célestes descendraient sur terre pour y dévorer les vivants...

🏃 *La Grande Acropole et la Petite Acropole :* pour accéder à la *Gran Acrópolis* (trois structures assez abîmées), prenez le sentier qui grimpe derrière l'édifice 33. Vous pouvez aussi aller à la *Pequeña Acrópolis* (quelques linteaux intéressants) dès le début de votre visite ; mais le sentier étant trop abrupt, on vous conseille de finir par là. De là, vous redescendrez vers l'entrée du site et l'embarcadère. En chemin, vous aurez sans doute la chance d'apercevoir des singes hurleurs, en tout cas vous les entendrez.

À voir à Frontera Corozal

🏃 *Museo etnográfico :* un peu avt l'embarcadère principal, sur la gauche de la route. Tlj 8h-18h (horaires flexibles). Entrée : 49 $Me (3 €), billet qui donne aussi accès au site. En attendant le bateau, jetez donc un œil aux trois petites salles sympathiques. Pour cela, traversez le resto du musée, la première est consacrée à une exposition sur la biodiversité de la région. On peut y admirer, grâce à un microscope, la *Schismatica lacandona,* une fleur unique au monde, qui ne pousse que dans cette forêt ; la deuxième contient de superbes stèles en provenance du site maya Dos Kaobas (non ouvert au public) ; et dans la troisième, une petite exposition sur la vie quotidienne des Lacandons.

OCOSINGO   30 000 hab.   IND. TÉL. : 919

Petite ville perdue à 900 m d'altitude et à mi-chemin entre San Cristóbal et Palenque, sans intérêt, mais c'est une bonne base pour visiter l'étonnant et magnifique site maya de Toniná. Ocosingo a été le théâtre d'affrontements entre l'armée et les zapatistes lors du soulèvement de janvier 1994. Les habitants semblent compenser la relative morosité ambiante par un goût prononcé pour les façades colorées.

Arriver – Quitter

En bus

Voir la liste des principales compagnies et leurs coordonnées dans la rubrique « Transports » du chapitre « Mexique utile ».

🚌 *Terminal de bus Cristóbal Colón et ADO : sur la route principale, au bout de la 4ª Norte Poniente.* ☎ 673-04-31. Ce sont tous des bus *de paso*, les horaires sont donc approximatifs. En haute saison, il est préférable d'acheter ses billets à l'avance. En temps normal, vous n'aurez pas de problème pour avoir une place.
➤ *Pour/de Palenque :* avec *OCC*, 8 départs, 9h30-20h40 dont 2 bus de nuit. Trajet : 3h.
➤ *Pour/de San Cristóbalet Tuxtla :* avec *OCC*, 7 départs de jour, 6h10-17h10, et 1 bus de nuit. Avec *ADO GL*, départ à 9h30.
➤ *Pour/de Comitán :* pas de bus direct. En voiture, pas besoin de repasser par San Cristóbal. Trajet : 2h.
➤ *Pour/de Escárcega, Chetumal, Tulum, Playa del Carmen, Cancún :* avec *OCC*, 4 bus l'ap-m, avec *ADO GL*, départ à 6h.
➤ *Pour/de Campeche, Mérida :* avec *OCC*, 20h30 et 20h40.
➤ *Pour/de Mexico (Tapo, Norte) :* avec *OCC*, 15h50.

🚌 *Terminal de bus Autobus Expresso Azul : presque en face du précédent. Rens : resto* Fenix. Ce sont également des bus de 1ʳᵉ classe.
➤ *Pour/de Palenque :* 5 passages de bus/j.

🚌 *Transportes Nuevo Volcán del Tercer :* compagnie de microbus qui assure la ligne Palenque-Ocosingo ; départ ttes les 30 mn env, quand la camionnette est pleine. Trajet : 2h30. On peut demander l'arrêt aux embranchements pour *Misol-Ha, Agua Clara* et *Agua Azul.*

Adresses utiles

■ *Banque Banamex : sur le* zócalo, à *côté de l'hôtel* Central. Change uniquement les dollars en espèces. À Ocosingo, les euros, on ne connaît toujours pas ! Distributeur de billets.
@ *Cybercafés :* il y en a plus que d'hôtels ! *Autour du zócalo et au début de la calle Central Norte.*

Où dormir ?

Bon marché (300-400 $Me, soit 18-24 €)

🛏 *Hotel Agua Azul : 1ª Central Sur 141, proche du parque central.* ☎ 673-03-02. *Parking.* En plein cœur de la ville, une petite hacienda avec belle cour intérieure où s'ébattent des paons. Toutes les chambres ont salle de bains et TV. Tarif très raisonnable. Bassin-piscine non entretenu. Restaurant. Calme

compte tenu de sa situation, sauf lorsque les paons appellent « Léon ».
■ **Hospedaje Esmeralda** : *Central Norte 14, à côté du* Margarita. ☎ 673-00-14. ● *rosi-esmeralda@hotmail.com* ● Reconnaissable à sa façade qui croule sous la végétation. Accueil chaleureux du couple mexicain. Les chambres qui partagent la salle de bains ne sont pas trop chères. Possibilité de prendre son petit déj à la carte.
■ **Hotel Central** : *sur le* zócalo. ☎ 673-00-24. Rénové, tout à fait confortable

et des prix raisonnables. Un peu bruyant lorsque la pompe se déclenche au petit matin. Bien pour son resto, *Las Delicias,* ouvert du petit déj au dîner.
■ **Hotel Margarita** : *Central Norte 19.* ☎ 673-02-80 ou 12-15. ● *hotelmargerita@prodigy.net.mex* ● *Derrière l'hôtel* Central. *Parking.* Les chambres sont très spacieuses, avec une bonne literie et des cabines de douche avec de l'eau chaude. Bon accueil. Excellent rapport qualité-prix.

Où manger ?

Bon marché (moins de 80 $Me, soit 4,80 €)

|●| Quelques **comedores** et **taquerías** s'étirent près des arrêts de bus, route principale.

Prix moyens (80-250 $Me, soit 4,80-15 €)

|●| **Las Delicias** : *le resto de l'hôtel* Central. *Tlj 7h-23h.* Agréable terrasse sous des arcades qui donnent sur le *parque central.* Idéal pour un petit déj illuminé par les premiers rayons du soleil. Bonnes *enchiladas chiapanecas* et savoureuses brochettes de poulet enrobées de bacon. Toujours plein, bon débit, ce qui est un gage de fraîcheur. Prix doux.
|●| **Rahsa** : *3e Sur Oriente, 26 ; à 2 rues du* zócalo. ☎ 673-01-10. *Lun-sam*

7h-22h ; dim 12h-20h. Prix raisonnables dans cette catégorie. Ce resto est installé à l'arrière d'une maison familiale, où l'une des pièces a été aménagée par la maîtresse de maison avec une cuisine ouverte. Carte très complète pour le petit déj et bon choix d'*antojitos* (*enchiladas, tostadas,* tacos, *flautas, sincronizadas...*) et de viandes. Optez pour les plats cuisinés et chauds, les desserts ne sont pas terribles.

➤ DANS LES ENVIRONS D'OCOSINGO

SITIO ARQUEOLÓGICO DE TONINÁ

Dans un environnement de toute beauté, ce site est très original. Il se présente sous la forme d'une gigantesque pyramide adossée à une colline. Une vraie ville verticale de 80 m de haut. On le visite grâce à des centaines de marches ! Niveau après niveau, on trouve des habitations, des bâtiments officiels, 8 palais et 13 temples. Le tout à 1 000 m d'altitude, dans la chaleur tropicale. Ouf ! Une fois tout en haut, paysage de folie... mais qui se mérite ! Une vue exceptionnelle à 180° sur les montagnes environnantes.
Le site a été exploré dans les années 1970 par la mission archéologique française de P. Becquelin et C. F. Baudez. Mais le vrai travail de rénovation n'a eu lieu qu'à partir des années 1980 (il se poursuit toujours) ; l'ouverture des ruines au public est donc récente. Le magnifique musée renferme de sublimes pièces découvertes sur place : statues et bas-reliefs, masques et calendriers.

Un peu d'histoire

Les habitants de Toniná étaient un peuple super belliqueux, voire agressif. Avec une hache d'obsidienne, les Toniniens coupaient la tête aussi bien des statues que des vivants ; parmi ces derniers, les vainqueurs du jeu de pelote, dont la tête était offerte aux dieux et qui se transformait alors en étoile. Avec leur puissante armée, ils ont même réussi à capturer le roi de Palenque (Kan-Xul), qu'ils ont offert en sacrifice. La décapitation était chez eux une véritable obsession.

La cité a été habitée dès le préclassique et a connu ses heures de gloire entre 600 et 900 apr. J.-C. Mais peu après, elle a subi une invasion ennemie et, après la mutilation des sculptures et des inscriptions, a été rapidement abandonnée. Elle fut à nouveau habitée un moment, avant d'être définitivement oubliée des hommes à partir de 1250.

Où dormir ? Où manger près du site ?

🛏 |●| *Toniná Kayab :* à 50 m avt l'entrée du parking du site. Bungalow pour 2 pers bon marché. Resto ouv tlj 8h-18h. 8 cabañas de type bungalow, avec terrasse, accrochées au flanc d'une petite colline, salle de bains sans eau chaude. Toutes disposées dans un grand pré bien entretenu. Au menu : viandes grillées, salades, divers plats d'œufs et des *aguas de fruta*. Mais ne comptez pas trop vous régaler. Servent aussi le petit déj.

Renseignements pratiques

➢ *Pour y aller :* le site se trouve à 14 km de la ville. Des combis Empresso Turístico de Toniná partent du marché, 10 $Me (0,60 €). Attention, le dernier revient vers 18h. Un taxi peut valoir le coup (pas plus de 100 $Me, soit 6 € ; négociez le prix avt). En voiture, prendre vers l'est depuis le centre-ville.

– Site ouv tlj 8h-17h ; musée ouv aux mêmes horaires (mais attention, fermé lun). Entrée : 41 $Me (2,50 €). Compter 1h30-2h de visite pour le site et au moins 40 mn, le temps de voir le film à l'auditorium et le musée, voire plus pour les passionnés. Guides hispanophones slt, et leur laïus n'est guère passionnant (150 $Me, soit 9 €). En revanche, ils sont utiles parce qu'ils signalent les endroits intéressants et non glissants. Si vous faites la visite seul, soyez attentif aux paillotes qui protègent des bas-reliefs et des sculptures.

– Prévoir de bonnes chaussures pour la grimpette, pas facile car souvent glissante et sans appui, ainsi qu'une lampe torche.

À voir

🏹 *Le jeu de pelote (juego de pelota) :* très grand (plus de 72 m de long). Sous les cercles en pierre (les paniers de basket !), on a découvert des fosses contenant des lames d'obsidienne utilisées pour le sacrifice du vainqueur. D'ailleurs, on peut voir non loin de là une base en pierre qui servait d'autel pour les sacrifices.

🏹🏹🏹 *L'Acropole :* impressionnant spectacle que ce centre cérémoniel construit tout en hauteur, surtout quand on songe que l'on voit seulement la partie centrale, d'autres ruines se cachant sous la colline de part et d'autre. On compte sept terrasses. À son apogée, quelque 3 000 personnes vivaient ici.

🏹🏹 *Palacio del Inframundo :* appelé aussi le palais de la Nuit. C'est un dédale de labyrinthes que l'on parcourt dans l'obscurité puisqu'ils représentent l'inframonde. Au détour d'un couloir, des petites fenêtres cruciformes montrent simplement la direction de la lumière mais n'éclairent pas.

🏹 *Palacio de Kukulkán :* il occupe la 4e et la 5e terrasse. C'est un ensemble complexe d'édifices qui servaient de résidence pour les notables, mais aussi de bâtiments administratifs ou de magasins, et même de prisons pour les seigneurs étran-

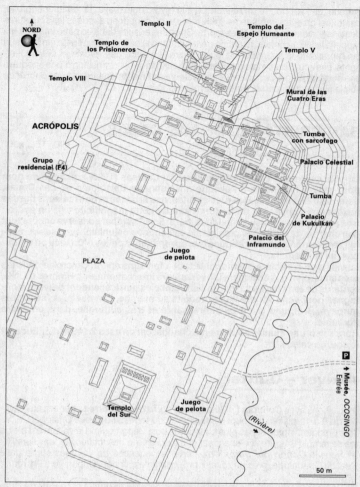

NORD

Templo II

Templo del
Espejo Humeante

Templo de
los Prisioneros

Templo V

Templo VIII

Mural de las
Cuatro Eras

ACRÓPOLIS

Tumba
con sarcofago

Grupo
residencial (F4)

Palacio Celestial

Tumba

Palacio
de Kukulkán

Palacio del
Inframundo

PLAZA

Juego
de pelota

Templo
del Sur

Juego
de pelota

P

Musée, OCOSINGO
Entrée

(Rivière)

50 m

LE CHIAPAS

LE SITE DE TONINÁ

gers capturés, en attendant l'heure du sacrifice. Noter, sur la droite, le système de drainage et de récupération des eaux de pluie.

🎥🎥🎥 ***Mural de las Cuatro Eras :*** découvert en 1990. Il s'agit d'un magnifique bas-relief de 16 m x 4 m, qui illustre en quatre scènes, à la manière d'un codex, la cosmogonie du peuple de Toniná. Les têtes à l'envers représentent des soleils qui regardent le ciel. Sur la gauche, observez la Mort qui prend par les cheveux la tête décapitée de Kan-Xul, le fils de Pacal et roi de Palenque, qui fut sacrifié à l'issue d'un jeu de pelote.

🎥🎥 ***Le musée :*** il contient de magnifiques pièces provenant des ruines. L'édifice lui-même, à la très belle architecture, a été conçu par l'archéologue en chef Juan

Yadéun, et il est bourré de références à la mythologie maya. Le bâtiment du bas, par lequel on entre, représente l'inframonde, où sont donc exposés les sculptures des prisonniers de guerre et les morts. On passe ensuite dans un patio intérieur qui rappelle le jeu de pelote, avant de pénétrer dans le bâtiment supérieur (en hauteur) qui représente le supramonde, c'est-à-dire le monde des vivants et des gouvernants. Les sculptures étaient décapitées pour marquer la transition d'une époque à une autre, symbole de l'abandon des valeurs de l'ère antérieure. Ne pas oublier de voir le film à l'auditorium, derrière le musée (30 mn).

SAN CRISTÓBAL DE LAS CASAS

250 000 hab.   IND. TÉL. : 967

La plus vieille cité espagnole de l'État du Chiapas (1528) a changé de nom pour rendre hommage à l'évêque missionnaire Bartolomé de Las Casas, défenseur des Indiens. Des rues étroites, des arcades et des maisons basses aux fenêtres grillagées de fer forgé font de cette magnifique ville un endroit très agréable pour passer quelques jours. San Cristóbal conserve encore tout son charme de vieille cité provinciale de l'époque coloniale, avec ses demeures sévères mais aristocratiques qui ressemblent à celles d'Oaxaca ou d'Antigua, au Guatemala.
La ville a un caractère cosmopolite tout à fait surprenant. On croise dans les rues aussi bien des étrangers (observateurs internationaux, membres d'ONG, routards de tous pays) que des Indiens tzotziles qui descendent de leurs montagnes pour venir vendre leurs produits au marché, l'un des plus fascinants du pays. Bref, une ville très intéressante et très culturelle, dans un cadre agréable.
Hors saison, se munir de vêtements chauds, car on est à 2 140 m d'altitude, et le soir, ça caille !

Arriver – Quitter

➤ Liaisons avec *Comitán* (1h30 de trajet) ou *Tuxtla Gutiérrez* : pensez aux combis de 9 à 12 places regroupés aux abords du terminal des bus *Cristóbal Colón*. Très pratique, rapide et pas plus cher que le bus. Départ quand la voiture est pleine (ça se remplit très vite). Le chauffeur crie à la volée la destination. Tendez l'oreille !
➤ Pour le *Cañon del Sumidero*, certaines agences de voyages sur la calle Real de Guadalupe, près du *zócalo,* proposent l'excursion. Départ vers 9h, retour vers 15h.
➤ Pour le *Guatemala*, les mêmes agences de voyages sur la calle Real de Guadalupe organisent le trajet en minibus climatisé jusqu'à *Quetzaltenango, Panajachel, Antigua* (départ 7h30) *et Guatemala Ciudad* (départ à 6h30, arrivée à 15h30, 16h30, 19h30 et 19h30). Changement de bus à la frontière (La Mesilla), ainsi qu'à Panajachel et Antigua pour ceux qui continuent le voyage. Solution confortable et relativement rapide malgré les bus différents. La frontière mexicaine avec le Guatemala connaît un passage très intense de migrants des pays d'Amérique centrale, qui cherchent à continuer leur chemin jusqu'aux États-Unis. On enregistre désormais beaucoup d'abus sur ces populations fuyant leurs pays.

En bus

Liste des principales compagnies et leurs coordonnées dans la rubrique « Transports » du chapitre « Mexique utile ».

En haute saison et pour les longs trajets, mieux vaut acheter votre billet de bus dès votre arrivée ou, mieux, à l'avance sur le site internet des compagnies, si vous ne voulez pas être bloqué 2 ou 3 jours (voir aussi « Boletotal-Ticket Bus » dans « Adresses utiles »).

🚌 **Terminal 1ʳᵉ classe Cristóbal Colón** (hors plan par A3, **1**) : à l'extrémité de Insurgentes ; à 5 mn à pied de l'église San Francisco. ☎ 678-02-91. Regroupe les compagnies Cristóbal Colón (OCC), ADO et la très luxueuse ADO GL. Consigne.

➤ **Pour/de Mexico** (terminal Norte ou Tapo) : avec OCC, 1 départ/h, 16h-23h. Avec ADO GL, 2 bus/j., à 17h et 22h30. Trajet : 13h.

➤ **Pour/de Puebla :** avec OCC et ADO GL, mêmes bus que pour Mexico. Trajet : 12h.

➤ **Pour/de Puerto Escondido (via Pochutla) :** avec OCC, 2 départs à 19h15 et 22h. Trajet : 16h (13h pour Pochutla).

➤ **Pour/de Oaxaca :** 650 km. Avec OCC, 2 bus à 18h15 et 22h45. Avec ADO GL, un bus à 20h. Trajet : 10h.

➤ **Pour/de Palenque :** 220 km. Avec OCC, env 10 bus/j., minuit-23h. Avec ADO GL, départ à 15h45. Trajet : 6h (plus par mauvais temps). Choisir le côté droit pour prendre des photos.

➤ **Pour/de Villahermosa :** avec OCC, 2 départs à 11h20 et 23h. Trajet : 8h30 env.

➤ **Pour/de Campeche :** avec OCC, 1 départ à 18h. Avec ADO GL, départs à 18h30. Trajet : 13h.

➤ **Pour/de Veracruz :** avec OCC, 1 départ à 21h45. Avec ADO GL, à 21h15.

➤ **Pour/de Tuxtla Gutiérrez :** 90 km. Avec OCC, 15 bus/j. 7h15-22h45. Avec ADO GL, 4 départs dans l'ap-m. Trajet : 2h.

➤ **Pour/de l'aéroport :** 60 km. Avec UNO, à 9h30, 13h30, 14h30.

🚌 **Terminal AEXA** (hors plan par A3, **3**) : en face du terminal Cristóbal Colón. ☎ 678-61-78. Avec Autobus Expresso Azul. Bus confortables de 1ʳᵉ classe.

➤ **De/pour Palenque (via Ocosingo) :** 4 bus/j., 12h15-21h30. Trajet : 6h.

➤ **Pour/de Tuxtla Gutiérrez :** avec Omnibus de Chiapas, par l'autopista, ttes les 30 mn.

➤ **De/pour Comitán :** avec Omnibus de Chiapas, à 23h15.

Adresses utiles

🔲 **Office de tourisme municipal** (plan A2) : dans le palacio municipal, sur le zócalo. ☎ et fax : 678-06-65. Lun-ven 8h30-21h ; w-e 9h-21h. Plan de la ville. À part ça, pas grand-chose à gratter... Dans la rue, si vous êtes perdu, ou pour un renseignement simple, la police touristique sillonne le centre et est là pour vous aider.

✉ **Poste** (plan A2) : Ignacio Allende 3. Lun-sam 8h-19h.

@ **Services internet :** la ville en est truffée ! Les jeunes Mexicains s'y sont vite mis. Ils ont pour exemple Marcos, qui, depuis son trou caché dans la jungle, réussit à communiquer avec le monde entier grâce au Net. Chercher dans la rue Real de Guadalupe, il y en a un paquet. Mais attention, tous n'ont pas des claviers adaptés au français. On vous en signale un, **Fast-Net**

Cybercafé (plan B2, **6**) : Real de Guadalupe 15 D. ☎ 678-54-67. Tlj 9h-22h30. Bonnes bécanes actualisées et rapides.

▪ **Banque Santander** (plan A2, **7**) : Diego de Mazariegos 6. Distributeur.

▪ **Banque Banamex** (plan A2, **8**) : av. Insurgentes 9. Lun-sam 9h-16h. Change les euros et les dollars. Distributeur.

▪ **Boletotal-Ticket Bus** (plan A2, **4**) : Real de Guadalupe 24. ☎ 01-800-009-90-90. ● boletotal.mx ● Très pratique pour acheter ses billets de bus puisque ça évite d'aller jusqu'au terminal, qui est un peu excentré. Les grandes compagnies sont représentées : ADO, Cristóbal Colón (OCC), UNO, Estrella de Oro, ETN, Primera Plus... Pour n'importe quel trajet, même pour le Guatemala, à partir de n'importe quel point de départ.

LE CHIAPAS

■ *Centro de Desarrollo de la Medicina Maya* (hors plan par A1, **75**) : av. G. Blanco 10 ; colonia Morelos. ☎ 678-54-38. *Lun-ven 9h-18h ; w-e 10h-16h.* Collectif de médecins qui pratiquent la médecine maya. On peut aller s'y faire soigner ou acheter des remèdes.

■ *Laveries :* comme pour les centres Internet, la ville en est pleine. Surtout dans la rue Real de Guadalupe.

■ *Centro cultural El Puente* (plan B2, **5**) : Real de Guadalupe 55. ☎ 678-72-15. *Tlj sf dim 10h-21h.* Ce centre culturel organise des cours de langues (espagnol, tzotzil et tzeltal). Salle de ciné pour des films de réalisateurs mexicains ou des documentaires sur la situation politique du Mexique et du Chiapas en particulier (en principe, séances à 19h ; pas cher du tout). Resto végétarien et cafétéria, *Tierra Verde*.

■ *Schools for Chiapas :* voir le site ● schoolsforchiapas.org ● Pour étudier dans les communautés mayas.

■ **Adresses utiles**

- 🅸 Office de tourisme
- 🚌 1 Terminal 1re classe Cristóbal Colón
- 🚌 2 Minibus pour San Juan Chamula
- 🚌 3 Terminal AEXA
-    4 Boletotal-Ticket Bus
-    5 Centro cultural El Puente
- @ 6 Fast-Net Cybercafé
-    7 Banque Santander
-    8 Banque Banamex
-   75 Centro de Desarrollo de la Medicina Maya

🛏 **Où dormir ?**

- 10 Rossco Backpackers Hostel
- 11 Posada Juvenil
- 12 Hostal Los Camellos
- 13 Hostal Qhia
- 14 Posada Mexico Hostel
- 15 Hotel San Martín
- 16 Posada Santiago
- 17 Posada Tepeyac
- 18 Posada Dominnycos
- 19 Posada Belén
- 20 Hotel Fray Bartolomé de Las Casas
- 21 Hotel Real del Valle
- 22 Casa Margarita
- 23 Hotel Jardines del Centro
- 24 Posada San Cristóbal
- 25 Posada Jovel
- 26 Hotel Hacienda Los Morales
- 27 El Paraíso
- 28 Hotel Parador Mexicanos
- 29 Hotel Plaza Santo Domingo
- 30 Hotel Casavieja
- 31 Hotel Holiday Inn
- 32 Posada Le Gîte del Sol
- 74 Hôtel du musée Na Bolom

🍽 **Où manger ?**

- 40 Mercado de Dulces y Artesanías
- 42 Madre Tierra
- 43 El Punto
- 44 Bugambilias
- 45 El Fogón Coleto
- 46 La Casa del Pan
- 47 Mayambé
- 49 Cucina italiana Il Piccolo
- 50 El Caldero
- 51 La Parrilla
- 52 Restaurant Pierre

☕ **Où prendre un café ? Où goûter ?**

- 60 Café La Selva
- 61 Café Museo Café
- 62 Kinoki

🍸♪ **Où boire un verre ? Où écouter de la musique ?**

- 22 Casa Margarita
- 63 Revolución
- 64 Cocodrilo
- 65 La Viña de Bacco

🛍 **Achats**

- 80 SNA Jolobil
- 81 J'Pas Joloviletik
- 82 Casa de las Artesanías de Chiapas
- 83 Mercado de Artesanías
- 84 Librairie Chilam Balam (Casa Utrilla)
- 85 Librairie El Mono de Papel

🏃 **À voir. À faire**

- 70 Templo de Guadalupe
- 71 Museo del Ambar
- 72 Museo de las Culturas populares
- 73 Museo del Jade
- 74 Na Bolom
- 75 Centro de Desarrollo de la Medicina Maya
- 76 Taller Leñateros
- 77 Teatro Daniel Zebadua « Palenque Roja »

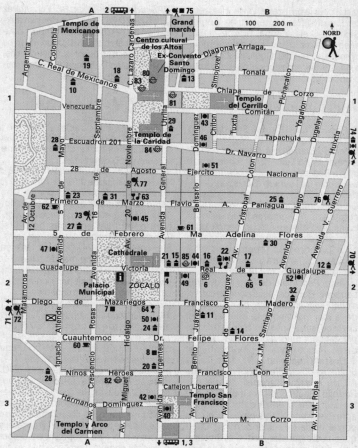

SAN CRISTÓBAL DE LAS CASAS

Où dormir ?

N'oubliez pas qu'en haute saison, les prix des hôtels (et de quelques AJ) grimpent de 20 à 25 %. La difficulté consiste à déterminer la haute saison : en principe, quand la ville se remplit de touristes, pour le moins à Noël, Pâques et pendant les vacances d'été. On vous indique les prix en période normale.

Très, très bon marché (moins de 200 $Me, soit 12 €)

🏠 *Rossco Backpackers Hostel* (plan A1, 10) : Real de Mexicanos 16. ☎ 674-05-25. ● backpackershotel.com.mex ● Petit déj inclus. Internet. Dortoirs de 4,

8 ou 14 lits (mixtes ou non). Les porte-feuilles mieux garnis pourront choisir une chambre double avec ou sans salle de bains. Cuisine à disposition et ter-

rasse pour la bronzette. Un vrai lieu routard, plutôt fréquenté par les Anglo-Saxons. C'est sympa, propre, fleuri, avec en prime un carré de pelouse pour prendre le petit déj. Cours de salsa gratuits. Le soir, musique *en vivo* autour d'un feu de camp.

Très bon marché (moins de 300 $Me, soit 18 €)

🛏 *Posada Le Gîte del Sol* (plan B2, **32**) : Francisco I. Madero ; à l'angle Vicente Guerrero, à 5 mn à pied du zócalo. ☎ 631-60-12. ● *legitedelsol. com* ● *Petit déj inclus. Internet.* Tenu par un couple très sympa, Denis, un Canadien, et Adriana, sa femme, mexicaine. Ce gîte lumineux, calme, très propre comprend 7 chambres avec salle de bains, eau chaude, et un dortoir pour 6 personnes. Cuisine commune et cour pour prendre ses repas au soleil à l'entrée du gîte. Terrasse sur le toit avec vue panoramique sur les montagnes. Laverie. Possibilité de faire garder vos bagages. Bons conseils pour les excursions. Dans un bâtiment de l'autre côté de la rue, une vingtaine de chambres, avec ou sans salle de bains, mêmes prestations, mais plus familial, longue durée. Rapport qualité-prix imbattable.

🛏 *Hostal Qhia* (plan A-B1, **13**) : Tonalá 5. ☎ 678-05-94. *Petit déj inclus.* Petite AJ de charme, propre, tenue par Rodolfo. Beaucoup plus tranquille que les autres. On entre dans une cour agréable avec sa fontaine au milieu. Ça donne envie de rester dehors ! Quelques petits dortoirs mixtes et 3 chambres, dont une avec salle de bains. Eau chaude 24h/24. Cuisine spacieuse, avec même un four. Sur le toit, immense

🛏 *Posada Juvenil* (plan B2, **11**) : Juárez 2. ☎ 678-76-55. Plusieurs dortoirs mixtes de 4 à 8 personnes. 4 chambres doubles pas chères du tout. Douches avec eau chaude, très propres. Coin-cuisine. *Lockers.* Salon TV. Bonne ambiance routarde pour cette AJ privée.

terrasse pour jouir du soleil et de la vue ; et un grand salon où se vautrer sur des coussins devant la cheminée. Une adresse coup de cœur.

🛏 *Hostal Los Camellos* (plan B2, **12**) : Real de Guadalupe 110. ☎ 116-00-97. ● *loscamellos@over-blog.com* ● Une petite AJ tenue par deux Français adorables, Béné et Steph. Plusieurs dortoirs gentiment arrangés de 5 lits. 7 chambres avec ou sans salle de bains. Eau chaude 24h/24. On peut faire sa tambouille dans une grande cuisine et on mange dans le jardin, agréable aussi pour prendre le soleil dans un hamac. Une maison où l'on se sent bien.

🛏 *Posada Mexico Hostel* (plan B2, **14**) : J. Ortiz de Dominguez 12 ; à l'angle de Dr. Felipe Flores. ☎ 678-00-14. ● *mexicoposada_hostel@hotmail. com* ● *Petit déj inclus,* que l'on prend sous une belle véranda. *Réduc de 10 % pour les détenteurs de la carte ISIC. Internet.* Membre de *Hostelling International.* Grande AJ. Personnel très aimable. 2 dortoirs d'une douzaine de lits chacun et quelques chambres avec ou sans salle de bains. C'est un vrai dédale de courettes avec, soudain, au détour d'un petit chemin, une superbe vue sur les montagnes. Grande cuisine, salon TV, billard, activités tous les soirs.

Bon marché (300-400 $Me, soit 18-24 €)

🛏 *Hotel San Martín* (plan A2, **15**) : Real de Guadalupe 16. ☎ 678-05-33. ● *hotel sanmartin@prodigy.net.mx* ● *Internet.* Tout en longueur. Chambres sur 2 étages, autour d'un patio. Celles des petites cours du fond sont plus claires mais plus froides en hiver. Préférez celles du dernier étage. Sympa, propre et accueil souriant. Service de laverie, un peu cher. Bon rapport qualité-prix.

🛏 *Posada Tepeyac* (plan B2, **17**) : Real

de Guadalupe 40. ☎ 678-01-18. *Internet.* Une trentaine de chambres, toutes avec *baño* et TV. Possibilité de négocier. Préférez les chambres au dernier étage, plus claires et plus spacieuses. Ambiance calme et colorée.

🛏 *Posada Santiago* (plan B2, **16**) : Real de Guadalupe 32. ☎ 678-00-24. Toutes les chambres ont leur salle de bains, mais l'eau chaude joue parfois les Arlésiennes. Assez sombre mais correct.

Préférez celles du 3e étage, qui bénéficient même d'une petite vue. Qualité de l'accueil irrégulière.

🛏 *Posada Dominnycos* (plan A1, *18*) : Real de Mexicanos 1 D. ☎ 674-05-34. ● *travelbymexico.com/chis/dominnycos* ● *Presque en face de l'église Santo Domingo.* Un petit hôtel récent, joliment décoré. Petites chambres un peu sombres mais guillerettes, avec lit *matrimonial*, salle de bains moderne, TV et literie neuve. Superbe vue depuis la terrasse sur le toit.

🛏 *Posada Belén* (plan A1, *19*) : plazuela de Mexicanos 2. ☎ 678-74-86. Un peu excentré mais superbement situé sur une adorable petite place tranquille, juste en face de l'église de Mexicanos. L'hôtel est récent et dispose donc d'installations modernes et de lits confortables. Jolie déco dans l'esprit *rústico colonial.* Rien à redire sur les chambres, avec parquet ou moquette. 3 suites donnent sur la place. Une bonne adresse.

🛏 *Hotel Fray Bartolomé de Las Casas* (plan A2, *20*) : Niños Heroes 2 ; à l'angle d'Insurgentes. ☎ 678-09-32. Fax : 678-35-10. ● *hotelfraybartolome@prodigy. net.mx* ● L'entrée ne paie pas de mine ; du coup, le grand et beau patio intérieur n'en est que plus impressionnant. Les anciennes chambres, qui ne disposent de l'eau chaude que de 6h à 10h et de 19h à 23h, entrent dans cette catégorie. Les autres, rénovées, avec moquette et TV, sont beaucoup plus confortables (eau chaude 24h/24 cette fois) mais aussi nettement plus chères.

🛏 *Hotel Real del Valle* (plan A2, *21*) : Real de Guadalupe 14. ☎ 678-06-80. ● *hotelreal_valle@hotmail.com* ● *Parking.* Chambres disposées autour d'une cour centrale. Peu de charme et atmosphère un brin tristounette, mais les chambres, presque cosy, sont propres et les matelas confortables. Évitez celles du rez-de-chaussée qui n'ont pas été rénovées.

Prix moyens (400-600 $Me, soit 24-36 €)

🛏 *Casa Margarita* (plan B2, *22*) : Real de Guadalupe 34. ☎ 678-09-57. ● *margarita.aboutsancristobal.com* ● Chambres disposées autour d'un grand patio ouvert, avec salle de bains moderne. Petites mais décorées avec goût et dotées de TV et de coffre-fort. Terrasse avec solarium. Évitez les chambres côté cuisine. Bon petit resto où, le soir, on écoute des groupes (reggae, rock... ; voir « Où boire un verre ? Où écouter de la musique ? Où danser ? »). Également une petite agence de voyages sur place, qui propose des excursions à des prix avantageux. Le moins cher de sa catégorie.

🛏 *Hotel Jardines del Centro* (plan A2, *23*) : 1° de Marzo 29. ☎ 678-81-39. ● *hotelesjardines.com* ● *Parking. Internet.* Assez mignon. La grande véranda-salon, avec son parquet et ses poutres, fait face à un ravissant patio fleuri. Chambres confortables, au mobilier un peu désuet. TV et téléphone. Au choix, lit *king size* ou 2 lits *matrimonial* (plus cher). Beaucoup de plantes.

🛏 *Posada San Cristóbal* (plan A2, *24*) : av. Insurgentes 3. ☎ 678-68-81. Fax : 678-50-78. Charmant petit hôtel colonial à deux pas du *zócalo*, avec patio intérieur joliment décoré et une fontaine. Très beau balcon en bois. Chambres agréables et spacieuses, pas avares de boiseries. Un peu bruyant parfois. Resto.

🛏 *Posada Jovel* (plan B2, *25*) : Flavio Paniagua 27. ☎ 678-17-34. ● *mundochiapas.com/hotelposadajovel* ● *Internet.* Le petit hôtel bon enfant et familial d'autrefois n'est plus qu'un lointain souvenir. En s'agrandissant, grâce à l'annexe d'en face, sont apparus les problèmes dans l'accueil. Cela dit, tout est fait pour les routards : laverie, horaires de bus, excursions dans les parages, balades à cheval... Les chambres de la maison principale (partie ancienne) sont les moins chères (« Bon marché »). Celles de l'annexe donnent sur un joli jardin. Déco pas à l'appréciation de chacun, mais elles sont spacieuses et confortables.

🛏 *Hotel Parador Mexicanos* (plan A1, *28*) : av. 5 de Mayo 38. ☎ 678-15-15 ou 00-55. ● *hparador.com.mx* ● *Internet.* Du genre motel chic, tout en profondeur, avec les voitures stationnées au milieu. Les chambres sont confortables, lumineuses et calmes, avec moquette et mobilier rustique. Une

flopée de services : laverie, coffre-fort, resto. Intéressera les amateurs de tennis : les proprios ont réussi à caser un court au fond du parking !

Chic (600-900 $Me, soit 36-54 €)

🛏 **El Paraíso** (plan A2, **27**) : av. 5 de Febrero 19. ☎ 678-00-85 ou 53-82. • ho telposadaparaiso.com • Résa conseillée en hte saison. Superbe petit hôtel colonial de 12 chambres, spacieuses et décorées avec goût. Choisir l'une des deux chambres qui ouvrent sur le jardin ou bien parmi celles donnant sur la rue ; les autres n'ont pas de fenêtre. Magnifique pasillo intérieur en bois, donnant sur un merveilleux patio fleuri. Excellent resto sur place, avec des prix qui restent raisonnables par rapport à la qualité de la cuisine. Bon accueil. Une adresse de charme.

🛏 **Hotel Casavieja** (plan B2, **30**) : Adelina Flores 27. ☎ 678-68-68. • casavie ja.com.mx • Une magnifique demeure construite en 1740, déclarée Monument historique. Très belle architecture coloniale de montagne, avec des toits de vieilles tuiles, des dalles anciennes au sol et de grands corridors aux balustrades en bois, d'où l'on aperçoit les montagnes alentour. Près de 40 chambres confortables, avec tous les services nécessaires ; lumineuses pour celles qui donnent sur le superbe jardin principal. Beaucoup de calme. Une adresse de style en dehors des sentiers battus.

🛏 **Hotel Plaza Santo Domingo** (plan A1, **29**) : av. General Utrilla 35. Résas :

☎ 678-19-27. • hotelplazasantodomin go.com • Parking. Internet. En face de l'église de la Caridad, dans une belle demeure du XIXᵉ s, au toit de tuiles. Charmant patio ouvert, dans lequel trône un énorme yucca. Chambres confortables, peintes de couleurs vives et joyeuses, avec moquette et TV câblée. Certaines disposent d'un lit king size. Bar, resto, laverie. Une jolie adresse, au calme.

🛏 **Hotel Hacienda Los Morales** (plan A2-3, **26**) : Ignacio Allende 17 ; au bout de Niños Heroes. ☎ 678-14-72. • hotel haciendalosmorales.com • Dans un immense parc à la végétation débridée. Elle est composée de plusieurs petits édifices adossés à une colline qui domine la ville. Superbes vues, évidemment, mais gros travail pour les mollets, surtout si vous avez une chambre tout en haut (beaucoup d'escaliers). Les chambres sont de style rustique, certaines avec cheminée et d'autres avec balcon. Déco à la Facteur Cheval, hétéroclite et composite, un peu décalée dans le panorama hôtelier de la ville... La salle à manger du resto ressemble à une ancienne pension de famille dans un manoir de Douarnenez : boiseries, lustres en cristal et des vitrines pleines de coupes poussiéreuses. Une adresse un peu excentrée mais originale.

Plus chic (plus de 900 $Me, soit 54 €)

🛏 **Hotel Holiday Inn** (plan A2, **31**) : 1° de Marzo 15. ☎ 678-00-45 ou 01-800-280-05-00 (nº gratuit). • hoteles farrera.com • Si vous êtes en voyage de noces ou si vous voulez reconquérir votre dulcinée, c'est l'adresse idéale... Déjà, la façade attire l'œil avec ses hautes fenêtres soulignées par des frises d'azulejos. C'est un ancien hôtel de charme, racheté par la chaîne hôtelière. Très belle déco coloniale, un peu trop léchée parfois (la patte américaine, sans doute). Magnifique patio avec colonnes

en bois sculpté, mosaïques et plantes tropicales. Grandes chambres au confort Holiday Inn. Solarium, salle de sport et resto chic viennent compléter le tout.

🛏 ◉ **Hôtel du musée Na Bolom** (hors plan par B1, **74**) : pour les infos pratiques, se reporter à la rubrique « À voir. À faire ». Une adresse originale dans un cadre magnifique. Une quinzaine de chambres toutes différentes et superbement décorées. Cheminée et bois (offert). On n'a pas le service d'un hôtel de cette gamme de prix, mais on loge dans un cadre de rêve et on aide l'association. Souvent, pannes d'électricité et pas de bois pour le chauffage... dommage ! Réserver, car il y a quelquefois des groupes d'études qui occupent toutes les chambres. On peut aussi y aller pour un délicieux dîner autour d'une immense table commune (réserver la veille).

Où manger ?

Bon marché (moins de 80 $Me, soit 4,80 €)

|●| *El Caldero* (plan A2, **50**) : *Insurgentes 5A.* ▯ *107-05-46. À 100 m du zócalo. Tlj 9h-22h.* Tout petit resto ne servant que de copieux plats locaux, à prix unique *(caldo, arroz de ollita, molle de olla, pozzole blanco y verde).* La carte est petite, mais les plats traditionnels sont délicieux. À découvrir.

|●| *El Fogón Coleto* (plan A2, **45**) : *av. 20 de Noviembre 5 (l'Andador). ☎ 678-01-13. Tlj 10h-17h, 18h-minuit.* La typique *taquería* vaguement enfumée. Pour manger des tacos sous toutes ses formes. Les *tacos al pastor* ne sont pas chers du tout. N'oubliez pas d'ajouter de l'oignon, de la coriandre et de l'ananas. Ceux qui supportent le piment ajouteront de la sauce verte ou rouge (attention quand même !), les autres un peu de jus de citron. Si vous cherchez une *taquería* plus sophistiquée, essayez **Emiliano's Moustache** *(av. Crescencio Rosas 7). Tlj 8h-20h.* Clientèle variée et bon débit de plats.

|●| *Madre Tierra* (plan A3, **42**) : *av. Insurgentes 19. ☎ 678-42-97. Tlj 8h-22h.* Resto semi-végétarien qui propose un menu avec 3 plats au choix : pizza ou quiche lorraine ou plat local, thé ou café, et bien sûr une carte. On mange dans le patio en plein air, ou dans une salle comme chez mémé. Les lasagnes et gâteaux sont également délicieux. Le pain est super bon : il vient de la boulangerie bio d'à côté (même maison). Petits déj.

|●| *Bugambilias* (plan B2, **44**) : *Real de Guadalupe 24 C. ☎ 631-30-78. Tlj 7h-22h30.* Un p'tit estaminet bien chaleureux, avec ses tables en bois, ses poutres au plafond et la cuisine ouverte qui donne sur la salle. Petite carte compréhensible, avec des plats sans prétention mais bien préparés, dont un très bon filet mignon saignant si vous le souhaitez. 5 formules pour le petit déj. Très bien pour l'un des 3 repas de la journée.

|●| *Mercado de Dulces y Artesanías* (plan A3, **40**) : *à côté de l'église San Francisco.* À l'intérieur du bâtiment, c'est pour les gourmands : de nombreux stands proposent des tas de friandises et des confiseries plus délicieuses les unes que les autres. On se croirait au pays de Hansel et Gretel ! D'autres *puestos* offrent du punch, à base de plusieurs fruits. On déguste tout ça au milieu des stands d'artisanat. À l'extérieur, quelques gargotes pour prendre le petit déj ou manger des tacos en regardant les ouailles sortir de la messe...

Prix moyens (80-250 $Me, soit 4,80-15 €)

|●| *La Casa del Pan* (plan B1, **46**) : *au bout de l'av. Belisario Domínguez ; à l'angle de Dr Navarro. ☎ 678-58-95. Tlj sf lun 8h-22h.* Resto végétarien. Le cadre est charmant. Très bonne nourriture essentiellement mexicaine : *sopa de tortilla, de frijol,* salade de *nopales, tamales, quesadillas...* Petits déj, pâtisseries, café bio du Chiapas... On a même ajouté un *comal* où s'affaire une autochtone pour la préparation des tortillas. Boutique de produits bio et vente de pain complet. Musique certains soirs. Possède une succursale dans le centre culturel El Puente (plan B2, **5**).

|●| *El Punto* (plan B1, **43**) : *Comitán 13 A. Tlj sf lun 14h-23h.* Pizzeria toute riquiqui, avec un vrai four à bois recouvert de pièces de monnaie. Fréquentée à part égale par les locaux, les expats des ONG et les touristes. Goûtez à la *Primavera,* excellente, mais celle aux

champignons frais est également très bonne. Possibilité de commander moitié/moitié. Vins chiliens au verre ou bières. Aussi à emporter.

|●| *Cucina italiana Il Piccolo* (plan B2, 49) : Real de Guadalupe 13 C. Ouv 14h-22h30. Fermé lun sf en hte saison. Tout petit resto, comme son nom l'indique, avec une ambiance chaleureuse. Le seul vrai resto italien du coin, restituant les goûts transalpins. Ne comptez pas y trouver des pizzas. Pâtes préparées devant vous dans l'étroite cuisine. Plats de viande à ne pas négliger, excellent tiramisù. Quelques vins servis au verre. Service discret.

|●| *Mayambé* (plan A2, 47) : av. 5 de Mayo 10. ☎ 674-62-78. Tlj 9h30-23h. Menu du jour servi 12h-17h 40 $Me (2,40 €). Ici, on se croirait transporté en Orient. Patio intérieur couvert et décoré de tissus et lampes indiennes. Du kitsch baba dépaysant sous les tropiques mayas. Des currys végétariens venus tout droit d'Inde et des plats d'origine thaïe. La cuisine est de bonne qualité. Bonne ambiance et, bien sûr, musique relaxante.

Chic (plus de 250 $Me, soit 15 €)

|●| *La Parrilla* (plan B1, 51) : av. Belisario Domínguez 33. ☎ 106-07-33. Tlj 8h-23h. Service dans une cour sans charme, avec pour seule déco les chaises de toutes les couleurs. Assez connu des Mexicains, qui viennent y déguster des viandes grillées au charbon de bois. Quelques vins et pas mal de cocktails. Qualité en baisse dernièrement, dommage ! Le changement d'adresse non plus n'a pas amélioré le cadre.

|●| *Restaurant Pierre* (plan B2, 52) : Real de Guadalupe 73. ☎ 674-53-18 ou ☐ 100-00-17. Mer-lun 13h-22h30 ; mar 19h-22h30. Cuisine provençale servie dans une salle bigarrée. Pâtes, entrecôtes, lapin ou canard avec des sauces plutôt réussies. Très bonne assiette de cochonnailles faites maison. Resto relativement cher, ce qui ne veut pas forcément dire le plus gastronomique ni le plus original. Vrai-faux restaurant français.

Où prendre un café ? Où goûter ?

🍴 *Kinoki* (plan A2, 62) : 1° de Marzo 82 ; angle 5 de Mayo. ☎ 678-04-95. Ce forum culturel indépendant propose, outre ses 3 séances de cinéma quotidiennes (16h, 18h, 20h), un resto-salon de thé installé dans un patio couvert (tlj 15h-23h), agencé avec des tables basses, des fauteuils hacienda (un peu défoncés !) et même un puits en déco. Bonne sélection de thés verts, noirs, *rooibos* et *pu-erh* (dont on vante les vertus contre la mauvaise humeur). Quelques en-cas sucrés (la crêpe à la confiture de lait est excellente) et petite restauration tout à fait acceptable. DJ et bonne musique. Un bon plan pour faire des rencontres.

🍴 *Café Museo Café* (plan A-B2, 61) : Adelina Flores 10. ☎ 678-78-76. Lun-sam 7h-22h ; dim 8h-20h. L'endroit parfait pour goûter le café du Chiapas tout en s'instruisant sur l'origine du café et son histoire dans le Chiapas grâce à un petit musée. 3 salles avec des photos anciennes et des explications en espagnol. L'endroit est géré par la coopérative des petits producteurs de café du Chiapas (17 000 paysans). Et, bien sûr, le café est en vente sous le label « commerce équitable ». Très bien aussi pour le petit déj à condition d'éviter les crêpes, pas toujours fraîches.

🍴 *Café La Selva* (plan A2, 60) : Crescencio Rosas 9 ; à l'angle de Cuauthemoc. ☎ 678-72-44. Tlj 8h30-20h30. Une très belle maison coloniale mâtinée d'Art déco pour la façade ! On y déguste toutes les variétés de café produites dans l'État du Chiapas (de culture biologique), et on peut même en acheter. On s'installe dans la salle rustique ou bien, s'il fait bon, dans le patio intérieur. On peut y aller pour le petit déj et commander un croissant fourré au jambon et au fromage, ou bien une pâtisserie. Un peu cher, mais c'est bon et agréable, surtout si vous êtes au régime *café americano* depuis plusieurs semaines !

☕ *El Horno mágico* (plan A2) : *General Utrilla 7. Mar-sam 8h30-20h30.* Derrière la cathédrale, à deux pas de la librairie Chilam Balam. Tenue par trois Français, une boulangerie qui propose de bons produits. Histoire de changer de goût.

Où boire un verre ? Où écouter de la musique ?

🍷 *Cocodrilo* (plan A2, **64**) : sur le zócalo, à l'angle d'Insurgentes ; c'est le bar de l'hôtel Santa Clara. ☎ 678-08-71. *Tlj 8h-2h.* Bar très sympa, avec parfois de la musique live. Consos un peu chères, mais on profite d'une belle salle avec des poutrelles au plafond et des portraits de Frida Kahlo aux murs. Excellentissimes tacos. Mais où est donc le crocodile ? Là-bas, épinglé au mur du fond. De belle taille ma foi.

🍴🍷♪ *Casa Margarita* (plan B2, **22**) : *Real de Guadalupe 34.* Attenant à l'hôtel du même nom (voir « Où dormir ? »). *Ferme à minuit, voire 1h.* C'est le rendez-vous des routards qui s'attablent autour d'une bière. Le soir, à partir de 21h, groupes reggae, salsa et flamenco... Restauration légère.

🍷♪ *Revolución* (plan A2, **63**) : à l'angle de 20 de Noviembre et 1° de Marzo. Bar-restaurant à partir de 12h. Wifi. De nombreux touristes viennent l'après-midi consulter leur messagerie, ou déguster de bonnes brochettes variées. Musique *en vivo* vers 21h jusqu'à 2h ou 3h. Des groupes de rock se déchaînent dans une chaude ambiance. Cool et relax. Pratique pour manger un petit bout après le spectacle du théâtre.

🍷 *La Viña del Bacco* (plan B2, **65**) : *Real de Guadalupe 77. Lun-sam 14h-24h.* Bar à vins et tapas. La carte des vins, mexicains ou internationaux, affiche des prix raisonnables. Choix variés au verre ou en bouteille. C'est le rendez-vous des expats et des touristes qui s'attablent à l'intérieur ou aux 3 tables donnant sur la rue, pour grignoter gratuitement quelques tapas et boire un petit verre 18 $Me (1,10 €), le 1er prix. Une bonne ambiance.

Achats

Il y a pas mal de choses à rapporter de San Cristóbal. Sachez qu'une grande part de l'artisanat textile provient du Guatemala. Sinon, les cuirs (qui sentent le fauve pendant longtemps) et les ponchos courts sont caractéristiques du coin.

– Bien sûr, c'est aussi l'endroit tout indiqué pour acheter des souvenirs à l'effigie de Marcos et du mouvement zapatiste (poupées armées, T-shirts...).

– **L'ambre :** depuis la découverte d'un important gisement d'ambre situé près du petit village de Simojovel, le Chiapas est la seule région d'Amérique latine, avec la République dominicaine, où l'on peut extraire cette fameuse résine millénaire. L'ambre est en effet une résine végétale fossilisée (quand il brûle, il dégage une odeur d'encens). En Europe du Nord, autre zone de production, la résine est issue de diverses variétés de conifères ayant peuplé la terre voici 40 à 50 millions d'années. Au Chiapas, elle est issue de légumineuses.

> **PREUVE PAR INSECTES D'AUTHENTICITÉ**
>
> *Dans certaines pièces d'ambre du Chiapas, on peut voir des insectes pétrifiés (certains, même, en pleine séance de galipettes !). Quant aux fameux scorpions incrustés dans l'ambre, en réalité il n'y en a que cinq ou six exemplaires dans le monde, mais là, ils valent plus de 20 000 dollars pièce !*

L'ambre était déjà très apprécié à l'époque préhispanique, et le Chiapas devait reverser comme tribut une partie de la production à la capitale de l'Empire aztèque, où les nobles l'utilisaient sous forme de bijoux. Aujourd'hui, les scientifiques s'y intéressent également beaucoup, car on y aurait trouvé l'un des ADN les plus anciens. L'ambre du Chiapas, l'un des plus beaux du monde selon les spécialistes, décline toute une gamme de couleurs : jaune, orangé, miel, marron, le plus recherché et le plus cher étant le rouge.

Pour acheter de l'ambre, parcourez les boutiques de la *calle Real de Guadalupe,* ainsi que les abords du *marché.* N'achetez pas d'ambre dans la rue, il sera sûrement bidon. Vous pouvez aller au musée de l'Ambre, on y donne toutes les astuces pour reconnaître le vrai du faux à tous les coups !

✺ *SNA Jolobil* (plan A1, 80) : coopérative de femmes mayas artisans, à l'intérieur du couvent *Santo Domingo.* ☎ 678-71-78. Entrée à gauche de l'église. Tlj sf dim 9h-14h, 16h-18h. *Huipiles,* vêtements brodés, serviettes, tapisseries et poteries venant des villages avoisinants. Très cher mais de qualité. On est certain qu'il s'agit d'une production régionale et non guatémaltèque.

✺ *J'Pas Joloviletik* (plan A1, 81) : av. General Utrilla 43. ☎ 678-28-48. Lunsam 9h-14h, 16h-19h ; dim mat slt. Coopérative de femmes d'origine tzotzile. Essentiellement des tissus et des broderies. Très belles pièces : nappes, *huipiles,* housses de coussins, *rebozos* (châles), sacs et ceintures...

✺ *Casa de las Artesanías de Chiapas* (plan A3, 82) : Niños Heroes ; à l'angle de Miguel Hidalgo (Andador). Lun-sam 10h-14h, 16h-21h. Magasin d'État pour la diffusion de l'artisanat du Chiapas. À part les textiles, pas grandchose de caractéristique. Mais vous y trouverez sûrement un souvenir à rap-

porter à votre chef de bureau.

✺ *Mercado de Artesanías* (plan A1, 83) : sur le parvis de l'église Santo Domingo et à ses abords. C'est là que vous irez pour acheter vos souvenirs. Négociez ferme ! Pour les objets du culte zapatiste, sachez que la cagoule en laine « made in Chiapas » est de moins en moins tendance. En revanche, les petites poupées de rebelles sont encore très fashion.

✺ *Librairies :* on vous en cite 2. *Chilam Balam* (plan A1, 84) : av. Utrilla 3 ; derrière la cathédrale. ☎ 678-04-86. Tlj 10h-19h30. Une très belle librairie avec de beaux livres – en français et en espagnol – sur le Chiapas, la culture maya, les zapatistes, la littérature mexicaine en français. Aussi CD de musique mexicaine. S'adresser à Gérard, l'heureux propriétaire du lieu, pour des balades à cheval dans les parages. *El Mono de Papel* (plan B2, 85) : calle Real de Guadalupe 24 ; dans le café-galerie Tierra Adentro. Petite librairie avec livres, journaux et revues, CD et posters, publications zapatistes et d'ONG.

À voir. À faire

– Visite de la ville avec le *tramway El Coleto.* Tlj 10h, 11h, 12h, 13h, 16h, 17h, 18h et 19h, mais le bus ne part que s'il y a un min de 4 passagers. *Départ au* mercado de Dulces y Artesanías, av. Insurgentes 24.

🎭🎭🎭 *Andador eclesiástico* (plan A1-3) : c'est le nom donné à la rue piétonne qui traverse la ville du nord au sud. Il suit le tracé de Miguel Hidalgo puis de 20 de Noviembre, démarrant au sud avec le Templo del Carmen pour aboutir à l'église Santo Domingo, en passant par le *zócalo* et la cathédrale. Une jolie promenade agréable, avec beaucoup de monde à toute heure du jour et de la nuit. Quelques beaux édifices et de vénérables demeures.

🎭🎭🎭 *Teatro Daniel Zebadua pour son spectacle « Palenque Rojo »* (plan A1, 77) : angle 1° de Marzo et 20 de Noviembre (Andador turístico). ▯ 116-11-36 ou 01-800-836-42-84 (n° gratuit) pour les résas ou tte la journée devant le théâtre. ● palenquerojo.com ● Mar-dim 20h30 oct-avr. Entrée : 150-200 $Me (9-12 €) pour *les places les mieux situées.* Ce spectacle culturel, haut en couleur, joué depuis 2008, raconte en 1h15, la guerre entre les royaumes mayas de Palenque et Toniná. Très bonne mise en scène, costumes exceptionnels, le tout, joué comme de vrais professionnels, par des acteurs natifs du Chiapas. Pour mieux comprendre, un programme, résumé de l'histoire, vous est donné lorsque vous achetez votre billet, en plusieurs langues dont le français. Spectacle à ne pas manquer.

🚶 **Arco del Carmen** *(plan A3) :* au sud du centre historique. Jouxte le templo del Carmen. C'est une tour qui coupe carrément la rue en deux. Les religieuses ont réussi à la faire construire en 1677 pour éviter de rompre leurs vœux d'enfermement. Belle construction aux accents mudéjars.

🚶 **Catedral** *(plan A2) :* sur le *zócalo*. Appelée aussi *Notre-Dame-de-l'Annonciation*, elle a été édifiée au XVIᵉ s. Allure massive et façade ocre d'un baroque indigène assez typique. À l'intérieur, plafond de bois sculpté.

🚶🚶🚶 **Templo Santo Domingo** *(plan A1) :* au bout de la calle 20 de Noviembre. Magnifique façade de style plateresque, chef-d'œuvre de dentelle de pierre. À l'intérieur, les murs sont recouverts de panneaux de bois sculpté doré, incrustés de peintures religieuses et de statues. Le couvent attenant a été abandonné par les dominicains en 1859 et, après la révolution, il a servi de prison puis de bibliothèque.

🚶🚶 **Templo de Guadalupe** *(hors plan par B2, 70) :* au bout de la rue du même nom, en haut d'un grand escalier ; en surplomb d'une jolie place bien tranquille. Elle présente peu d'intérêt d'un point de vue architectural, mais c'est un lieu de pèlerinage pour les habitants de la région. Sert de prétexte à une jolie promenade avec, en prime, un panorama exceptionnel sur la ville depuis le parvis de l'église.

🚶 **El gran mercado** *(plan A-B1) :* au nord du centre historique. Monter l'av. General Utrilla. A lieu tlj. Y aller le mat de bonne heure. L'un des plus beaux du Mexique. Les Indiens y viennent pour vendre leurs fruits ou leurs fleurs. Comme au marché artisanal, ne pas prendre de photos sans autorisation : les réactions peuvent être assez hostiles ; de la part des Indiens, c'est le souci de préserver leur dignité dans une société qui les rejette.

🚶🚶 **Museo del Ambar** *(musée de l'Ambre ; hors plan par A2, 71) :* Diego de Mazariegos ; au pied de l'église de la Merced. ● museodelambar.com.mx ● Ouv 10h-14h, 16h-19h ; fermé lun sf en hte saison. Entrée : 20 $Me (1,20 €). Installé dans un ancien couvent du XVIIIᵉ s. L'idée de ce tout petit mais très beau musée est née pour sauver le couvent, qui était en ruine. Les bénéfices servent à sa restauration. Grâce à une fiche explicative en français, vous saurez tout sur l'ambre. Et vous apprendrez à le différencier du plastique. Quelques trucs : sous la flamme d'un briquet, le véritable ambre brûle mais ne goutte pas. À la lumière des ultraviolets, il change de couleur. Très belle collection d'œuvres d'art ciselées dans l'ambre. On peut même observer au microscope un moustique vieux de plus de 25 millions d'années ! Petit film sur les techniques d'extraction. Visite très intéressante. Lire aussi plus haut le paragraphe sur l'ambre dans « Achats ».

🚶 **Museo de las Culturas populares** *(plan A2, 72) :* Diego de Mazariegos 37. Presque en face de l'église de la Merced. Mar-sam 9h-20h. Entrée : donation personnelle au choix. Présentation des costumes traditionnels des communautés indigènes du Chiapas (le costume est la marque d'appartenance à un village). À part ça, rien. Le néant ! On se demande ce que signifient les mots « culture populaire » pour le gouvernement de l'État du Chiapas.

🚶 **Museo del Jade** *(plan A2, 73) :* av. 16 de Septiembre 16. ☎ 678-11-21. ● eljade. com ● Lun-sam 9h30-21h30 ; dim 10h-16h. Entrée : 30 $Me (1,80 €), gratuite si vous achetez à la boutique. Petit musée privé consacré au jade, qui sert en fait de produit d'appel pour le magasin. Répliques de bijoux en jade des cultures méso-américaines. Reproduction (assez moche) de la tombe du roi Pacal de Palenque. Un peu cher.

🎋 *Centro cultural de los Altos* (plan A1) : Lázaro Cárdenas. ☎ 678-16-09. À l'intérieur de l'ex-couvent Santo Domingo. Mar-dim 10h-17h. Entrée : 40 $Me (2,25 €). Petit musée sur l'histoire maya et la conquête. Mieux vaut lire l'espagnol.

🎋🎋 *Na Bolom* (hors plan par B1, 74) : av. Vicente Guerrero 33. ☎ 678-14-18.
● nabolom.org ● Tlj 10h-18h (mais pas de visite guidée lun). Entrée : 40 $Me (2,40 €) + 10 $Me (0,60 €) pour la visite guidée (non obligatoire mais recommandée). Celle-ci a lieu en espagnol et en anglais à 16h30. Ne pas oublier de voir le *Museo del Jaguar* en face, compris dans la visite. Possibilité de loger ici et de venir y dîner (voir « Où dormir ? »).
L'association Na Bolom occupe une superbe demeure de la fin du XIXᵉ s. Elle fut créée en 1951 par l'archéologue danois Franz Blom et par Gertrude Duby, Suisse nationalisée mexicaine, qui a consacré une partie de sa vie à la protection des Lacandons. Photographe, elle a pris des milliers de clichés de 1942 à 1987. Depuis sa mort, en 1993, Na Bolom poursuit sa mission de promotion de la culture des Lacandons et accueille chercheurs et ethnologues dans l'une des plus importantes bibliothèques sur l'histoire maya (plus de 9 000 livres). Collection d'objets d'art : figurines, instruments de musique... La bibliothèque est ouverte du lundi au vendredi 10h-16h.
Les gains de la fondation servent à des programmes d'aide à la communauté lacandone. Ils organisent aussi des excursions à San Juan Chamula.

🎋🎋 *Centro de Desarrollo de la Medicina Maya (centre de médecine maya ; hors plan par A1, 75) :* av. Gonzalez Blanco 10 ; colonia Morelos. ☎ 678-54-38. Lun-ven 9h-18h ; w-e 10h-16h. Entrée : 20 $Me (1,20 €). Du grand marché, c'est à 10 mn à pied, 4 rues, tout droit vers le nord (on traverse un no man's land peu intéressant). On peut aller s'y faire soigner ou acheter des remèdes, et bien sûr visiter le musée. On y apprend la richesse et l'étendue de cette médecine millénaire, les ressources utilisées par les médecins indigènes : bougies, prières, encens, *posh* (alcool de maïs) et remèdes. Jardin médicinal. Demander à lire le manuel explicatif en français, très pédagogique. Et ne manquez pas la vidéo sur l'accouchement, un document unique.

🎋 *Taller Leñateros* (plan B2, 76) : Flavio Paniagua 54. ☎ 678-51-74. Lun-ven 8h30-20h ; sam 9h-14h. Atelier d'artisans qui fabriquent du papier. Fondé par une Nord-Américaine en 1975. On peut visiter l'atelier dans l'arrière-boutique. La pâte à papier est fabriquée à partir de plantes séchées, de morceaux de tissu, de vieux papiers et de cartons... du vrai recyclage ! Ils publient des livres de poésie maya sous la même forme que les codex, ainsi que des cahiers et carnets de toutes tailles. Cartes postales et petites boîtes. Ça fait des cadeaux originaux et magnifiques ; entre autres, un superbe autel en forme de maison maya cartonnée, contenant trois petits bouquins de sortilèges, des figurines et des bougies...

🎋 Aller jeter un coup d'œil au *cimetière : à 2 km, sur la route de Tuxtla-Gutiérrez. Ferme à 15h.* Pittoresque, coloré, étonnant par la variété des formes et styles des tombes.

Fêtes à San Cristóbal et dans les environs

– *Fêtes à San Juan Chamula :* carnaval du Mardi gras et du w-e qui précède ; processions religieuses dans tt le village, autour du marché, musiciens, danseurs en costumes locaux, et 24 juin la Saint-Jean. Voir plus loin « Los pueblos tzotziles ».
– *Grande fête annuelle de San Cristóbal* (le saint patron des chauffeurs) : 25 juil. La nuit, des pèlerins montent jusqu'à l'église, en haut de la colline, avec des torches.
– *Fête de la Sainte-Rose :* 28 août à San Juan Chamula. Env 3 j.
– *Fête de la Révolution :* 19 et 20 nov. Elle prend une saveur toute particulière au Chiapas. Défilé des écoliers en costume zapatiste. Les gens mangent et boivent sous les arcades du *palacio municipal.*

– *Fête de Notre-Dame-de-Guadalupe :* 12 déc (les festivités commencent en fait 2 j. avt). La ville connaît alors une animation dingue : fête foraine, processions, feux d'artifice, pétards toute la nuit, etc. Programme à l'office de tourisme.

➤ DANS LES ENVIRONS DE SAN CRISTÓBAL DE LAS CASAS

➤ *Balades à cheval :* il faut réserver la veille. En général, un départ le matin. On peut se renseigner à l'hôtel *Margarita*, à la *Posada Jovel* (voir « Où dormir ? »), à la librairie *Chilam Balam* (voir « Achats ») ou dans les agences de voyages. En général, départ à 9h, retour à 16h pour San Juan de Chamula.

🏃 *Mercado de San Juan Chamula :* voir ci-dessous « *Los pueblos tzotziles* ».

🏃 *Las grutas (grottes) :* la randonnée à cheval est super. Compter 4h. Déconseillé à ceux qui n'ont pas des fesses de cavalier entraîné. Partez avec un guide (voir l'office de tourisme) et évitez les objets précieux : quelques vols ont été signalés. On peut aussi y aller en bus (départ du terminal 2ᵉ classe).

LOS PUEBLOS TZOTZILES

San Cristóbal est dans une vallée boisée où il fait parfois frais. Il y pleut pratiquement tous les soirs en été. N'oubliez donc pas votre imper lors de balades aux alentours. Les villages les plus touristiques sont *San Juan Chamula* (10 km au nord-est) et *Zinacantán* (même route au départ).
– Compter une demi-journée pour visiter les deux villages.
– Il est interdit de photographier à l'intérieur de l'église, ainsi que pendant les cérémonies et les fêtes religieuses (attention, on a vu des touristes mexicains se faire confisquer leur appareil photo ; à l'intérieur de l'église, rangez votre appareil). En revanche, pas de problème pour photographier le marché. Si vous prenez des plans rapprochés de personnes, demandez l'autorisation.
– Ne pas donner d'argent aux enfants qui mendient. En réalité, les Chamulas vivent assez correctement, grâce à leurs terres mais aussi, et bien sûr, grâce à la manne touristique.
– Si vous souhaitez un guide, voir, à San Cristóbal, *Na Bolom* (cf. « À voir. À faire ») ou à l'office de tourisme.

San Juan Chamula (59 000 hab.)

➤ *Pour y aller :* prendre un minibus, après le grand marché sur la gauche *(hors plan par A1, 2)*, Lázaro Cárdenas angle Honduras (9,50 $Me, soit 0,60 €). On part quand il est plein. Dernier retour vers 18h. On peut aussi y aller à cheval : balade intéressante, mais malheureusement une partie du parcours se fait sur une route goudronnée, et l'environnement n'est pas terrible.
C'est un village qui a littéralement vendu son âme au tourisme ; au sens propre du terme puisque c'est en fait leur mysticisme et leurs croyances religieuses que les Chamulas enseignent aux visiteurs, moyennant pesos, bien entendu. L'ambiance du village pourra donc vous paraître factice, voire agressive. Sachez aussi que ces dernières années, plus de 30 000 Chamulas ont été expulsés de leur propre commune pour s'être opposés à la mainmise religieuse et politique des caciques du PRI.
La grande attraction ethnologico-touristique du coin, c'est bien sûr l'*église*. Arrivé à *San Juan Chamula*, il faut se rendre, obligatoirement, au bureau de tourisme (sur la droite quand on fait face à l'église) pour obtenir une autorisation de visite de l'église, moyennant 20 $Me (1,20 €).

Les Tzotziles pratiquent leur propre religion mais en se servant des instruments du culte catholique, importé ici par les jésuites espagnols. Pas de bancs, des aiguilles de pin jonchent le sol. Ils vénèrent leurs propres dieux sous les traits des statues de saints baroques espagnols. Le Christ a été remplacé par San Juan portant dans ses bras un mouton, l'animal sacré des Tzotziles. Des miroirs fixés à leur cou servent aux fidèles à voir

le reflet de leur âme. Dans un brouhaha incessant d'incantations et de prières, les dévots allument des bougies, discutent ou jouent de la musique (les jours de fête). Le fidèle psalmodie, bénit son repas et communique avec le dieu en lui offrant et en consommant, lui même, du *posh,* une eau-de-vie à base de canne à sucre, un vrai tord-boyaux. En principe, il ne prend qu'une gorgée, qu'il recrache aussitôt en soufflant pour évacuer les esprits maléfiques. Cérémonie d'une grande ferveur.

🍴🚶 *Marché :* tlj sur la grande place. Très vivant, touristique et coloré. Donc du monde aussi. Y aller avant 9h30, car l'activité décline vite. Présence des caciques locaux en grand uniforme avec leur canne et leur chapeau aux turbans multicolores, copies conformes de la statue sur la place, le dimanche pour la messe et les jours de fête, notamment, le vendredi saint.

Zinacantán

Là aussi, il faut payer pour voir (20 $Me, soit 1,20 €). Village moins fréquenté que San Juan, et moins de transports pour y aller. Prendre un taxi à San Juan (8 km). L'église y est beaucoup moins spectaculaire. En revanche, profitez des personnes qui vous proposent de visiter leur maison, cuisine et atelier artisanal. C'est là que vous pourrez voir des femmes en train de tisser à la manière traditionnelle. Toutes les agences de voyages vous proposent cette visite, au cœur des coutumes locales.

COMITÁN   105 200 hab.   IND. TÉL. : 963

À moins de 2h de San Cristóbal, Comitán constitue une agréable étape près de la frontière guatémaltèque. Il fait bon se promener sur son large *zócalo* aux accents coloniaux, cerné de belles arcades aux piliers de bois. Sa vie culturelle, la clémence de ses températures (avec ses 1 600 m d'altitude, il fait quand même moins froid qu'à San Cristóbal en hiver) et la proximité des lagunes de Montebello en font une ville pleine d'attraits.

Arriver – Quitter

En bus

Voir la liste des principales compagnies et leurs coordonnées dans la rubrique « Transports » du chapitre « Mexique utile ».

🚌 *Terminal 1ʳᵉ classe Cristóbal Colón (hors plan par A2, 3) :* bd Belisario Domínguez 43. ☎ 632-09-80. Depuis et pour le centre, prendre la calle 4 Sur Poniente. Compagnies *OCC* et *ADO*. Agence *Banamex* avec distributeur de billets. On peut

NORD

Teapa
Pichucalco
Tapijulapa
Solosuchiapa
Palenque
Misol-Ha (Cascade)
Tapilula
Tila
Tumbalá
199
Agua Azul (Cascades)
Huitiupan
Simojovel
195
Yajalón
Chilón
Coapilla
El Bosque
Pto. Café
Pantelhó
Bachajón
Temó
Bochil
Chalchihuitán
Chicoasen
Santa
Magdalena
San Pedro
Chenalhó
Cancuc
Ocosingo
Toniná
Soyalo
San Andrés
Larrainzar
San Juan
Chamula
Tenejapa
Abasolo
Cañón del Sumidero
Ixtapa
Zinacantán
190
199
Oxchuc
Altamirano
Tuxtla
Gutiérrez
Chiapa
de Corzo
San Cristóbal
de las Casas
Huixtán
Chanal
Villa
de Chiapilla
Amatenango
Aguacatenango
Venustiano
Carranza
Las Rosas
Saltillo
Revolución
Mexicana
Comitán
Las Margaritas
La Trinitaria
Presa La Angostura
190

◇ Tzotzil
▲ Tzeltal
✎ Zoque
◉ Chol
✕ Tojolabal

0   20   40 km

LES VILLAGES MAYAS DU HAUT CHIAPAS

aussi réserver son billet à travers le système *Boletotal-Ticket Bus* : ☎ *01-800-009-90-90 (pour les résas par tél).* ● *boletotal.mx* ● Très pratique pour acheter ses billets de bus puisque ça évite d'aller jusqu'au terminal.

➤ *Pour/de San Cristóbal :* 85 km. 1 départ ttes les heures, 3h30-23h30. Trajet : 1h30.

➤ *Pour/de Tuxtla Gutiérrez :* 170 km. Mêmes bus que pour San Cristóbal. Trajet : 3h.

➤ *Pour/de Ocosingo (et Palenque) :* 88 km. Pas de bus direct, ts passent par San Cristóbal. Départ de Comitán vers 13h45 et 21h15 (éviter ce dernier bus, pour ne pas voyager de nuit). À Ocosingo, départs fréquents pour Palenque. Trajet : 3h pour Ocosingo et env 5h pour Palenque.

➢ *Pour/de Mexico, via Puebla :* 3 départs dans l'ap-m et 1 bus à 20h40. Avec la luxueuse *ADO GL,* 1 départ vers 15h. Trajet : env 15h.

➢ *Pour/de Cuauhtémoc (frontière du Guatemala) :* 80 km. Env 6 départs/j. Trajet : 1h30. *OCC* propose 2 départs pour Cuauhtémoc avec prolongement vers Guatemala Ciudad à 13h20 et 19h20 avec les bus de *Línea Dorada* (compagnie guatémaltèque partenaire d'*OCC*). Compter 10h de trajet pour 380 km... le bus s'arrête partout, mais au moins, il n'y a pas de correspondances.

➢ *Pour/de Palenque, Escárcega, Chetumal, Playa del Carmen, Cancún :* *OCC* propose un départ à 13h45.

🚌 *Transportes Montebello* (plan A2, 5) : *av. 2 Poniente Sur 23 (appelée aussi Victor Aranda).* ☎ 632-08-75.

➢ *Pour/depuis les lagunas de Montebello :* départs ttes les 20 mn env, 3h-16h. Trajet : 1h.

➢ *Pour/de Palenque, via Las Nubes, Yaxchilán et Bonampak :* il y a quelques années, pour faciliter les déplacements de l'armée et surveiller l'immigration clandestine, la route qui longe la frontière guatémaltèque a été asphaltée. On peut donc désormais rejoindre Palenque par cette route, la fameuse *Fronteriza,* qui longe la jungle lacandonne, et en profiter pour s'arrêter aux sites de *Yaxchilán* (demander l'arrêt à *Frontera Corozal*) et de *Bonampak* (demander l'arrêt au *Crucero San Javier*). Ce sont des minibus, les mêmes que pour Montebello. 5 départs/j., à 4h, 6h, 7h, 8h30 et 9h45. Trajet : env 12h pour Palenque avec changement à Frontera Corozal.

Liaison avec le Guatemala

Pensez à vous procurer le *Guide du routard Guatemala, Belize, Yucatán et Chiapas.* La frontière ferme vers 21h. De Comitán, des taxis 350 $Me (21 €) ou des *colectivos* 35 $Me (2,10 €) peuvent vous laisser au poste frontière, côté Mexique, mais il faut d'abord s'arrêter au poste de Cuauhtémoc et faire tamponner son passeport pour la sortie. De là, des taxis vous conduiront au poste de La Mesilla, puis il faut choper un bus pour Huehuetenango ou Guatemala Ciudad (avec *Transportes Suárez,* vers 7h du mat). Cette frontière est une vraie passoire : ça fourmille de commerçants et de locaux qui passent la barrière en toute quiétude, avec leurs sacs pleins de marchandises. Un bazar rigolo. Une fois dans le bus, on traverse une région superbe et fertile (mangues, papayes, melons...). Vous venez de quitter le monde des Pullman 1re classe avec TV pour celui des bus déglingués sans aucun confort.

Adresses utiles

🛈 *Office de tourisme* (plan A1) : *av. Poniente Sur 3 A.* ☎ 632-40-47. *Lunven 9h-14h, 16h-19h ; w-e 9h-14h.* Également une borne d'infos à la gare routière, mais surtout sur le zócalo, la police touristique, est là pour vous aider à tt moment.

✉ *Poste* (plan A2) : *av. Central Sur 45 ; entre calles 2 et 3 Sur.* Lun-ven 9h-15h.

@ *Internet :* pasaje Morales ; local 20 ;

à coté du palais municipal. Tlj 9h-21h.

■ *Banques :* autour du zócalo, *distributeurs de billets. Bancomer* ouv lun-ven 8h30-16h ; sam 10h-14h. Change les euros et les dollars.

■ *Consulat du Guatemala* (plan A1, 1) : *1 Sur Poniente 35 ; au 3e étage.* 📱 110-68-16. Lun-ven 9h-15h. Pour des infos touristiques seulement, pas de doc, pas grand-chose à dire.

Où dormir ?

Très bon marché (moins de 300 $Me, soit 18 €)

🏠 *Posada Las Flores* (plan A1, 10) : *av. 1 Poniente Norte 17.* ☎ 632-33-34. Charmant petit hôtel très bien tenu. Les

chambres donnent sur un patio aux colonnes bleues, avec une petite fontaine au milieu. Jolies portes en bois et

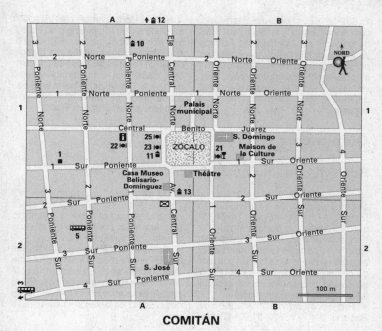

COMITÁN

■ **Adresses utiles**

🛈 Office de tourisme
1 Consulat du Guatemala
🚌 3 Terminal 1ʳᵉ classe Cristóbal Colón
🚌 5 Transportes Montebello

🛏 **Où dormir ?**

10 Posada Las Flores

11 Pensión Delfín
12 Posada El Castellano
13 Hotel Internacional

🍴 **Où manger ?**

21 Café Quiptic
22 Río Escondido
23 La Techumbre
25 Acuarío, Los Portales, Vick's

toits de tuiles. Les chambres, avec ou sans *baño*, sont simples mais propres et souriantes, avec même une petite table et sa chaise. Au choix, 2 lits individuels ou un lit *matrimonial*. Une bonne adresse.

Bon marché (300-400 $Me, soit 18-24 €)

🛏 *Pensión Delfín (plan A1, 11) :* sur le zócalo. ☎ 632-00-13. *Parking.* Hôtel sympathique, superbement placé. Les chambres donnent sur un jardinet verdoyant. Elles sont propres et spacieuses (certaines sont lambrissées, d'autres au mobilier vieillissant). Un bémol, tous les soirs jusqu'à 22h, l'orchestre du resto à côté. Très bien pour 1 ou 2 nuits.

Prix moyens (400-800 $Me, soit 24-48 €)

🛏 *Posada El Castellano (hors plan par A1, 12) :* calle 3 Norte Poniente 12 ; entre l'av. Central et l'av. 1 Poniente Norte ; sur les hauteurs de Comitán.

LE CHIAPAS

☎ 632-33-47. ● posadaelcastellano. com.mx ● *Parking.* Ravissant petit hôtel dans l'esprit rustique colonial. Enfilade de 2 jolis patios avec colonnades en bois et jardin intérieur. Chambres mignonnes et très confortables, avec ventilo et TV câblée. Resto avec petit déj-buffet tous les jours. Très bon accueil.

🛏 *Hotel Internacional (plan A1, 13) :* av. Central Sur 16 ; à l'angle de calle 2 Sur Poniente. ☎ et fax : 632-01-10. À 100 m du zócalo. Immeuble d'angle construit dans les années 1960. Chambres classiques et confortables, avec moquette. Les salles de bains sont peu à peu rénovées. Sans charme, mais bien tenu et sans histoire. Resto.

Où manger ?

Bon marché (moins de 80 $Me, soit 4,80 €)

|●| ☗ *Café Quiptic (plan B1, 21) :* sur le zócalo, à côté de l'église Santo Domingo. ☎ 632-40-70. Tlj 7h30-minuit. Sandwichs *(tortas),* salades et bons *tamales* à prix corrects. Extra pour sa terrasse installée sous d'imposantes arcades en pierre. On y boit du bon *café de olla* en dégustant de savoureuses pâtisseries. Idéal aussi pour le petit déj (plusieurs formules copieuses).
|●| *Río Escondido (plan A1, 22) :* av. Poniente Sur 7. ☎ 632-01-73. C'est le resto de l'hôtel du même nom. Tlj 7h-23h. Menu du jour régional assez complet et bon marché. 9 chambres simples mais confortables, si vous n'avez pas trouvé ailleurs.
|●| *Acuario, Los Portales, Vick's (plan A1, 25) :* sur le zócalo. Plats et prix similaires. Tables sous les arcades, à côté les uns des autres, tous proposent des petits menus avec quelques plats à prix doux. Évitez les tables à l'intérieur, la TV est là !

Prix moyens (80-250 $Me, soit 4,80-15 €)

|●| *La Techumbre (plan A1, 23) :* sur le zócalo. ☎ 110-68-38. Tlj 7h-minuit. Terrasse sous les arcades, bien agréable aux beaux jours. Salle intérieure colorée. La cuisine est correcte mais seulement à la carte. Spécialités : *parrilladas, mondogo* et *pozole.* Petit déj. Musique live de 19h à 22h.

À voir

🏃 *Casa Museo Belisario-Domínguez (plan A1) :* av. Central Sur 35. Lun-sam 10h-18h45 ; dim 9h-12h45. Entrée : 5 $Me (0,30 €).
C'est la maison du grand héros de Comitán. Imaginez un peu ! À la fin du XIXᵉ s, le jeune Belisario part faire ses études de médecine en France. De retour au pays, il sera le premier médecin de la ville, s'abstenant de faire payer les plus pauvres. Il devient sénateur du Chiapas et, dans un discours célèbre, il critique les exactions du nouveau président Huerta. Pas content du tout, ce dernier le fait assassiner en 1913. Depuis, la ville s'appelle officiellement Comitán de Domínguez.
La visite est intéressante et rigolote. On voit la pharmacie, les instruments de médecine et des tas d'invitations officielles et de diplômes, comme celui de la faculté de médecine de Paris (1889). La bibliothèque contient quelques beaux livres reliés de Voltaire et Montesquieu (en français, s'il vous plaît !).

🏃 *Casa de la Cultura y Museo arqueológico (plan B1) :* à côté du café Quiptic ; entrée par la calle 1 Sur Oriente. Mar-dim 9h-16h. Entrée gratuite. Quelques pièces archéologiques en provenance des hauts plateaux du Chiapas et des sites mayas de Chinkultic et de Tenam Puente.

➤ *DANS LES ENVIRONS DE COMITÁN*

🏃 *Tenam Puente :* à 12 km de Comitán, en direction de Cuauhtémoc. Entrée : 38 $Me (2,30 €). Habitée entre les IVᵉ et XIIIᵉ s, cette cité marque une étape de transition entre la culture toltèque tardive et les Mayas. Entre les principaux monuments, on peut voir la grande pyramide orientée au sud-est.

LAGUNAS DE MONTEBELLO
IND. TÉL. : 963

À une soixantaine de kilomètres de Comitán et à 150 km de San Cristóbal. Dans la forêt se cachent plus d'une cinquantaine de petits lacs dont les eaux, toutes différentes selon leur situation, composent une extraordinaire palette de couleurs, du violet au vert émeraude. Rassurez-vous, on n'en voit réellement qu'une quinzaine. N'y aller que s'il fait beau, de préférence le matin à cause de la pluie l'après-midi (en saison). Et avec de bonnes chaussures. Beaucoup de marche à pied car les lacs sont assez éloignés les uns des autres.

Arriver – Quitter

➤ *De Comitán :* prendre un minibus au terminal *Transportes Montebello* (voir à Comitán « Arriver – Quitter »). Attention, bien choisir votre combi, car une fois à l'intérieur du parc naturel, la route se divise en deux branches. Les minibus qui indiquent « Lagos » (lacs) prennent la route de gauche (droit d'entrée : 25 $Me, soit 1,50 €). Si vous souhaitez aller à *Tziscao*, il faut prendre la route de droite, appelée aussi *Fronteriza* (droit d'entrée : 10 $Me, soit 0,60 €). Demander quels sont les minibus qui y vont. Le dernier *colectivo* quitte les lacs vers 17h30. Depuis Tziscao, on peut attraper le lendemain le minibus qui va à Palenque, via Bonampak et Yaxchilán.

Où dormir ? Où manger ?

🛏 🍽 *Cabañas :* ☎ 632-59-71. Sur le lac Bosque Azul, à env 1 km du parking (fin de la route asphaltée) et à env 2,5 km de l'entrée du parc, par la piste. Env 350 $Me (21,30 €) le bungalow pour 4 pers, composé d'un lit double en haut et d'un lit double en bas. Bel emplacement pour ces 9 bungalows rustiques. 5 d'entre eux possèdent une salle de bains avec douche (2 seulement avec eau chaude). Pour les autres, le *baño publico* est assez propre. Resto avec quelques plats de viande grillée et des œufs *al gusto*.

🛏 🍽 *Hôtel et Cabañas Tziscao :* ☎ 633-52-44. Prendre un combi depuis Comitán jusqu'au village de Tziscao, qui se trouve à l'intérieur du parc de Montebello ; puis, à pied ou en taxi, aller tt au bout du village, tourner à droite pour descendre vers le lac et continuer jusqu'au bout du chemin. Résa possible auprès de l'office de tourisme de Comitán. De bon marché à prix moyens. Grandes chambres rudimentaires pour 2, 4 ou 6 personnes (au même prix) avec salle de bains (eau chaude) ; sympathiques bungalows en bois sous les pins, face au lac, pouvant accueillir 2 ou 4 personnes (même prix). Si vous voulez être sûr d'être tranquille, c'est là qu'il faut aller. Petit hôtel, au fond d'un adorable village plein d'enfants souriants et de porteuses d'eau, situé sur la rive du lac. Resto sur place ou bien aller à l'entrée du village (une petite trotte quand même). Location de vélos et de kayaks. Environnement magnifique.

🛏 🍽 *Parador-Museo Santa María :*

sur la route qui mène aux lacs de Montebello, à 13 km avt l'entrée du parc national. Prendre un embranchement sur la droite, c'est indiqué. ☎ 632-51-16. ● paradorsantamaria.com.mx ● Plus chic. Une somptueuse hacienda du XIXᵉ s, reconvertie en hôtel de luxe magnifiquement décoré avec des œuvres d'art religieux. 8 chambres seulement. Toutes avec beaucoup de charme et du mobilier ancien. Calme et chic... idéal pour une escapade romantique. La chapelle a d'ailleurs été transformée en petit musée d'Art sacré, avec de superbes pièces de l'époque coloniale. Piscine climatisée. Si vous êtes motorisé, n'hésitez pas à y faire un tour. Du resto, très chic évidemment, vue magnifique.

À voir. À faire

🍴🍴 **Les lacs :** entrée 25 $Me (1,50 €), pour accéder au parc national de Montebello. Après l'entrée du parc, la route se divise en 2 branches (voir le panneau).
– La branche de gauche, longue de 3 km, dessert les lagunas de Colores, aux jolies teintes, depuis le bleu tendre de la **laguna Agua Azul,** la plus lointaine, jusqu'au violet de la **laguna Agua Tinta,** en passant par le vert émeraude de la **laguna Esmeralda** (campement possible à Agua Tinta, balades à cheval à partir de Agua Azul en 1h30 et restauration simple au bord des différentes lagunes). Au bout de cette branche, une grotte assez étonnante dans laquelle les Indiens pratiquent encore le culte de la fertilité (fleurs devant les stalagmites et papier rouge sur les stalactites). C'est la grotte de San José (voir plus loin).
– Par la branche de droite, vous atteindrez un autre groupe de lacs, plus espacés. La **laguna de Montebello,** à près de 4 km de la bifurcation sur la gauche, est comme enchâssée dans la forêt, à 1 485 m d'altitude (entrée payante pour les voitures). De celle-ci, un joli sentier longeant des lacs permet de rejoindre en 1h30 le Bosque Azul, avec mirador offrant un superbe point de vue. Ne manquez pas non plus de vous rendre jusqu'à **Dos Lagunas,** à 14 km (entrée payante pour les voitures). En prime, découvrez l'admirable **laguna Tziscao,** à droite, à 9,5 km, au pied de laquelle se trouve le village du même nom.
➤ À la belle saison, possibilité de faire des balades en radeau ou en kayak sur les lacs.

🍴 **Gruta de San José :** on y accède à partir de la laguna Agua Azul, la dernière de la branche de gauche. C'est d'ailleurs le terminus du combi. Quelques maisons, un parking et des petits restos pour casser la graine. De jeunes enfants vous assailliront pour vous proposer de vous y accompagner, à pied (pour une poignée de pesos) ou à cheval. On peut aussi s'y rendre tout seul, mais pas de fléchage. Compter une vingtaine de minutes.
Tout au fond du parking, prendre un petit chemin qui descend. En bas du chemin, à 400 m des panneaux, vous passerez devant le très bel arc de pierre qui surplombe la rivière, Paso del Soldado ; le bruit de l'eau vous dirigera. Si vous continuez sur la droite après le croisement, vous atteindrez la célèbre grotte sauvage et sacrée de San José, à l'intérieur de laquelle se trouve un petit lac. Une lampe de poche et de bonnes chaussures sont nécessaires. Pour le retour, les combis passent régulièrement. Attention l'accès à la grotte n'est pas toujours possible.

🍴 **Ruinas de Chinkultic :** à 60 km de Comitán, sur la route qui mène aux lacs de Montebello ; bifurcation sur la gauche à 2 km de la route principale, 10 km avt l'entrée du parc. Entrée : 38 $Me (2,30 €). Se renseigner, ou téléphoner avant, pour savoir si le site est ouvert : ☎ 632-57-60. Belles stèles. De là, le point de vue que l'on découvre est magnifique. On domine un cenote, puits naturel aux parois abruptes.

TUXTLA GUTIÉRREZ

568 000 hab.   IND. TÉL. : 961

À 1 000 km de Mexico. On y passe en allant de Tehuantepec à San Cristóbal, mais on peut fort bien s'arranger pour n'y faire qu'un arrêt. La capitale de l'État du Chiapas est une ville moche et bruyante, mais finalement pas si désagréable avec son côté provincial. À 550 m d'altitude, le climat est semi-tropical et il fait chaud, même en hiver durant la journée. C'est aussi la cité du marimba (xylophone mexicain). Sachez que ce qu'il y a de mieux à faire, c'est la visite du *cañon del Sumidero* et, pour les amateurs, celle de l'intéressant zoo, récemment rénové.

Arriver – Quitter

En bus

Liste des principales compagnies et leurs coordonnées dans la rubrique « Transports » du chapitre « Mexique utile ».

🚌 *Omnibus de Chiapas et minibus pour Chiapa de Corzo* (plan B2, **2**) **:** av. 3 Sur Oriente 713, à côté du Mercado San Roque. Vans *(Surburbán)* confortables d'environ 8 places. Très pratique et rapide pour rejoindre San Cristóbal.
➤ *Pour/de San Cristóbal de Las Casas :* avec *Omnibus de Chiapas,* départ ttes les 20 mn, 5h-22h. Trajet : 45 mn. Par la nouvelle route avec péage.
➤ *Pour/de Cañon del Sumidero* (plan B2, **2**) **:** même adresse que Omnibus de Chiapas ; minibus qui vous laissent au zócalo de Chiapa de Corzo, à 200 m de l'embarcadère.

🚌 *Terminal 1re classe* (hors plan par B2, **3**) **:** av. 4 Sur Oriente et calle 15 Oriente Sur. ☎ 125-15-80. Bus des compagnies *ADO* et *Cristóbal Colón (OCC).* Consigne. Ne pas oublier que l'on peut aussi réserver son billet à travers le système *Boletotal-Ticket Bus :* ☎ 01-800-009-90-90 (pour les résas par tél). ● ticketbus. com.mx ● Très pratique pour acheter ses billets de bus puisque ça évite d'aller jusqu'au terminal.
➤ *Pour/de San Cristóbal :* une quinzaine de bus, 5h-minuit. Belle route de montagne. Choisir un siège du côté gauche. Trajet : 45 mn.
➤ *Pour/de Palenque :* une demi-douzaine de bus, 5h30-minuit. Trajet : 6-7h.
➤ *Pour/de Comitán :* 10 bus/j., 5h30-22h. Également 3 bus de et pour **Cuauhtémoc** (la ville frontière). Trajet : 4h.
➤ *Pour/de Tapachula* (autre poste frontière pour le Guatemala) **:** 11 bus/j., 6h-23h50. Trajet : 9h.
➤ *Pour/de Oaxaca :* 3 bus/j. Trajet : 8h.
➤ *Pour/de Veracruz :* 2 bus/j., vers 21h et minuit. Trajet : 10h.
➤ *Pour/de Mexico :* 8 bus/j., 18h-minuit. Trajet : 10h.

En avion

✈ *Aéroport Angel Albino Corso* (hors plan par A1) **:** sur la route de Chiapa de Corzo, à 35 mn du centre. ☎ 614-52-46. Restaurants, boutiques d'artisanats. Bus de/pour l'aéroport avec *shuttle OCC* (☎ 153-60-99). 4 transferts/j. pour San Cristóbal. Prix : 130 $Me (7,80 €). Sinon, prendre un taxi, pour Tuxtla 220 $Me (13,20 €) ou pour San Cristóbal 600 $Me (36 €). Bureaux de location de voitures : *Hertz, Thrifty, Alamo,* et même un comptoir *Boletotal-Ticket Bus.* Dans cet aéroport récent, on joue le modernisme, pas d'hôtesses au comptoir de l'office de tourisme, mais un ordinateur pour les informations que vous recherchez, cartes, hôtels, à voir... elles s'affichent sur grand écran.

Quelle que soit votre destination finale, vous aurez obligatoirement une escale à Mexico.

➤ *Pour/de Mexico :* plusieurs vols/j. avec *Interjet* (☎ 01-800-011-23-45 ; ● *inter jet.com.mx* ●).

Adresses utiles

🏛 *Office gouvernemental de tourisme (Sectur ; hors plan par A1) :* bulevar Belisario Domínguez 950 ; dans le bâtiment Plaza de las Instituciones. ☎ 613-93-96 à 99. *Lun-ven 8h-20h.*

🏛 *Office municipal de tourisme (hors plan par A1) :* av. Central Poniente 544 ; dans l'immeuble Balanci, 4ᵉ étage. ☎ 614-83-83 ; ext. 111 et 112. ● *tuxtla. gob.mx* ● *Lun-ven 8h-16h ; sam 8h-13h. En général, mais souvent fermé, module d'infos touristiques au coin du zócalo, à* l'angle de la calle Central et de l'av. Central (plan A1). *Lun-ven 9h-14h.*

✉ *Poste (plan A1) :* dans le palacio federal. *Lun-sam 9h-17h (13h sam).*

▪ *Change :* sur l'av. Central, autour du zócalo, nombreux distributeurs de billets. *Pour le change des euros et des dollars, aller à* Bancomer *(lun-sam 9h-16h).*

@ *Internet :* comme ailleurs au Mexique, des cybercafés un peu partout dans le centre.

Où dormir ?

On peut aussi passer la nuit à Chiapa del Corzo, d'où partent les bateaux pour le canyon. Plusieurs petits hôtels et restos.

Bon marché (300-400 $Me, soit 18-24 €)

🏠 *Hotel Plaza Chiapas (plan A1, 11) :* av. 2 Norte Oriente 299. ☎ 613-83-65. *Parking.* Bon rapport qualité-prix pour ces chambres avec douche (eau chaude) et ventilo. Propre et pas cher, à défaut d'être folichon. Le coin est un peu bruyant, mais les chambres des 2ᵉ et 3ᵉ niveaux, sur cour, sont calmes. Bien situé et accueil aimable.

🏠 *Hotel Jas (plan A2, 12) :* calle Central Sur 665. ☎ 612-15-54. ● *hoteljas.net* ● Dans un quartier commerçant, vivant et donc assez bruyant. Bien tenu et assez propre. Chambres avec ventilo. Au choix, lit double ou 2 lits (plus cher). Eau chaude, TV et téléphone. Pas désagréable pour une nuit.

🏠 *Hotel Esponda (plan A1, 14) :* 1ª Poniente Norte 142. ☎ 613-76-78. ● *hotelesponda@live.com.mx* ● Une cinquantaine de chambres agréables et propres, avec douche, TV et ventilo. En demander une qui donne sur la cour, car la rue est bruyante. Parking, restaurant, café et laverie.

Prix moyens (400-800 $Me, soit 24-48 €)

🏠 *Hotel San Marcos (plan A1-2, 15) :* angle av. 1 Sur Oriente et calle 2 Oriente Sur. ☎ 613-19-40. ● *hotelsanmarcos@ prodigy.net.mx* ● Très central, derrière la cathédrale. Immeuble moderne de 4 étages sans ascenseur. Chambres avec ventilo ou AC (pas beaucoup plus cher), TV et téléphone.

🏠 *Torre del Centro (plan A1, 16) :* calle 1 Oriente Norte 310 ; angle calle 2 Norte Oriente. ☎ 612-27-55 ou 23-06. ● *hoteltorredelcentro@hotmail.com* ● Taxes et petit déj inclus. Hôtel moderne dans un immeuble de 7 étages avec ascenseur. Chambres simples, récemment rénovées mais sans grand charme. En revanche, lits confortables. AC, téléphone, TV. *Taquería* en bas de l'hôtel.

TUXTLA GUTIÉRREZ

■ **Adresses utiles**

8 Offices de tourisme
2 Omnibus de Chiapas
et minibus pour le Cañon
del Sumidero
3 Terminal 1re classe

16 Torre del Centro
17 Hotel Maria Eugenia

🍴 **Où manger ?**

20 La Parrilla Norteña
21 La Casona
22 Las Pichanchas
23 El Borrego Líder

🛏 **Où dormir ?**

11 Hotel Plaza Chiapas
12 Hotel Jas
13 Best Western Palmareca
14 Hotel Esponda
15 Hotel San Marcos

☕ **Où prendre le petit déjeuner ?**

17 Resto de l'hôtel Maria
Eugenia

Plus chic (plus de 800 $Me, soit 48 €)

Les hôtels de classe internationale *(Camino Real, Holiday Inn...)* se trouvent *bulevar Belisario Domínguez,* la grande route qui prolonge *l'avenida Central* vers l'ouest. Il reste, dans le centre-ville :

🛏️ *Best Western Palmareca* (hors plan par A1, **13**) : bd Belisario Domínguez 4120. ☎ 617-00-09 ou 01-800-500-01-02. ● palmareca.com ● À 3 km du zócalo, *mais accessible par les minibus de Ruta Uno.* Cet hôtel de chaîne mélange style hacienda dans le restaurant-salle de petit déjeuner avec terrasse et style motel dans les bâtiments à l'arrière. Ensemble réussi, disposé autour d'un jardin bien entretenu, avec piscine. Les chambres déclinent le style mexicain avec des bois foncés et des mosaïques. Calme et confort dans un environnement agréable.

🛏️ *Hotel Maria Eugenia* (plan A1, **17**) : av. Central Oriente 507. ☎ 613-37-67 à 71 ou 01-800-716-01-49. ● mariaeugenia.com.mx.● *Parking.* Plus de 80 chambres claires, avec balcon, certaines avec lit *king size.* Demandez-en une le plus haut possible. Tout le confort d'un 4-étoiles. Piscine. Resto frais et propret au rez-de-chaussée (voir « Où prendre le petit déjeuner ? »). Bar *El Nucú* avec musique *en vivo* le soir.

Où manger ?

Quelques restaurants derrière la cathédrale. Ce n'est pas de la gastronomie, mais l'endroit est agréable et l'on voit défiler le Tout-Tuxtla (houla !). Très bien aussi pour le petit déj ou pour prendre un verre jusqu'à 23h-minuit.

Bon marché (moins de 80 $Me, soit 4,80 €)

|●| *La Parrilla Norteña* (plan B2, **20**) : av. Central Oriente 1169 ; à l'angle de 11 Oriente Norte. ☎ 612-38-82. Tlj 7h30-5h *(juste 2h30 de coupure !).* Très grande salle genre cantine sans déco, sauf une fresque de vache (pas très réussie !) et ventilos au plafond. *Quesadillas* et *tacos al pastor* de bonne taille. Bœuf grillé ou en brochettes, excellent et copieux. Accueil souriant et détendu.

|●| *El Borrego Líder* (plan A1, **23**) : calle 2 Oriente. Norte 262. ☎ 611-35-83. Tlj 8h30-19h30. Salle ouverte sous une *palapa*, cadre, propret, simple mais joyeux pour goûter des tacos, des *arracheras* ou du poulet en sauce tomate piquante *(mole).* Bonnes viandes aussi. Service aimable.

De prix moyens à chic (80-250 $Me, soit 4,80-15 €)

|●| *La Casona* (plan A1, **21**) : av. 1 Sur Poniente 134. ☎ 612-75-34. Tlj 7h-23h. Menu du jour env 48 $Me (2,90 €). Jarre de 2 l de jus de fruits 35 $Me (2,10 €). Large carte de plats mexicains et de cuisine internationale. Parfois au son du marimba, dans une belle maison ancienne. Déco typique très colorée. Atmosphère chaleureuse.

|●| *Las Pichanchas* (plan B2, **22**) : av. Central Oriente 837. ☎ 612-53-51. Tlj 12h-minuit. Dans une cour, sous de drôles de toits de tuiles. Nombreuses spécialités mexicaines (goûter la *sopa de chipilín*). Mais les Mexicains y viennent surtout pour les joueurs de marimba pendant les repas. Et bien sûr pour les danses folkloriques qui ont lieu tous les soirs à partir de 21h. Une bonne adresse.

Où prendre le petit déjeuner ?

🍵 *Resto de l'hôtel Maria Eugenia* (plan A1, **17**) : voir « Où dormir ? ». Pour le petit déj, copieux buffet servi entre 7h et 12h, autour de 100 $Me (6 €) ; un peu plus cher le w-e. Si vous y prenez un autre repas, évitez surtout les pizzas du style *marshmallow* et cuites au micro-ondes.

À voir

🎵 *Zócalo et catedral (plan A1)* : situés dans un secteur piéton agréable, surtout le soir. Ils sont le centre et le cœur de cette ville sans grand attrait. Des musiciens s'y produisent le dimanche soir. Les 48 clochetons de la cathédrale (curieuse bâtisse du XVIᵉ s modernisée) carillonnent toutes les heures, en même temps que défilent les statues de saints sur l'un des niveaux de l'édifice.

🎵 *Parque de la Marimba (hors plan par A1)* : en bordure de l'av. Central Poniente. À 8 cuadras *du centre*. Sur un kiosque central, des groupes de marimbas se produisent tous les jours, en général entre 18h30 et 21h. Les gens dansent *cumbia,* mambo et rumba sur des airs connus. On peut aussi observer ce spectacle depuis la terrasse située au 1ᵉʳ étage du café *La Esfera (8ᵃ Poniente Norte 150),* en sirotant un cocktail de fruits.

🎵 *Museo regional de Antropología y de Historia (plan B1)* : à côté du théâtre de la ville. ☎ 613-44-79. Tlj sf lun 9h-17h30. Entrée : 41 $Me (2,50 €). Sculptures, céramiques, figurines mayas, etc. Intéressante section maya au rez-de-chaussée. La section retraçant la conquête espagnole et l'indépendance, au 1ᵉʳ étage, est, quant à elle, très passable, surtout que le musée est très aéré et, du coup, on reste sur sa faim.

🎵 *Museo de Paleontología (plan B1)* : en face du précédent. *Mar-ven 10h-17h ; w-e 11h-17h. Entrée : 15 $Me (0,90 €).* Petit musée ouvert en 2004. Pour les amateurs de vieux os ! Reproduction à l'échelle d'un dinosaure à l'entrée, beaucoup de fossiles marins, végétaux... ambres et une exposition de crânes pour montrer l'évolution de l'homme.

🎵🎵 🏃 *Zoo Miguel Alvarez del Toro (Zoomat ; hors plan par B2)* : calzada Cerro-Hueco, El Zapotal. ☎ 614-47-65 ou 47-01. ● ihne.chiapas.gob.mx/zoomat/ ● *Accessible par le périphérique sud. On peut prendre le minibus n° 60 qui indique « Zoológico » sur la 1 Oriente Sur, entre 7 et 8 Sur, mais le plus rapide est le taxi. Mar-dim 8h30-16h (hiver) ou 17h (été). Entrée : 60 $Me (3,60 €) ; 50 % de réduc si vous entrez avt 10h ; gratuit mar tte la journée. Visites guidées payantes 20 $Me en espagnol et 60 $Me en anglais (1,20-3,60 €) à 9h, 10h30, 11h30 et 13h ; également une visite nocturne (10 pers min ; 100 $Me, soit 6 €). Durée : 2h30.* C'est l'un des plus beaux du Mexique, centré sur la faune du Chiapas. Les animaux y sont en semi-captivité. C'est aussi une promenade très agréable sur un parcours de 2,5 km dans une minijungle. On y voit des tapirs, des lynx, des pumas, de beaux spécimens de crocodiles... et quelques animaux exceptionnels comme le jaguar noir ou le fameux quetzal (l'oiseau totem du Guatemala). Ne manquez pas la « Casa nocturna », plongée dans l'obscurité pour pouvoir observer les oiseaux nocturnes. Dans les deux *herpetarios,* des serpents rares comme le boa du Chiapas ou le serpent volant *(serpiente voladora),* qui se déplace tellement rapidement de branche en branche qu'on croit qu'il vole. Et puis levez les yeux vers la cime des arbres : vous apercevrez peut-être les singes hurleurs dont les cris retentissent dans la forêt.

➤ DANS LES ENVIRONS DE TUXTLA GUTIÉRREZ

CAÑON DEL SUMIDERO

➤ *Pour y aller :* prenez un minibus pour *Chiapa de Corzo* (voir à Tuxtla « Arriver – Quitter »). Il vous laisse sur le *zócalo* ; de là, descendez vers les quais pour prendre la *lancha.* À noter qu'il existe un autre embarcadère, *Cahuaré,* à l'entrée de Chiapa de Corzo, mais un peu plus cher et la balade est plus courte. En voiture, ne vous trompez pas, il ne faut pas prendre la direction Cañon del Sumidero, mais bien

LE CHIAPAS

la direction du village *Chiapa de Corzo*, pour rejoindre l'embarcadère, sinon à 4 km vous arriveriez à l'entrée de la route pour les Miradors ; de même 2 km avant d'arriver au village, un panneau affichant « embarcadero » à droite, en venant de Tuxtla, peut vous tromper, ce n'est pas ici qu'il faut tourner.

– **Infos pratiques :** *la balade en bateau coûte 150 $Me/pers (9 €). Les* lanchas *ne partent que quand elles sont pleines (15 à 20 pers), soit 20 mn à 1h30 d'attente selon saison. 1er départ vers 8h30 ou 9h, dernier départ vers 16h ou 17h (été). Pour aller au parc écotouristique, compter autour de 300 $Me (18 €) entre le transport en* lancha *et l'entrée du parc. Nombreux restos au niveau de l'embarcadère.*

– Prévoir un protecteur solaire (le soleil tape très fort), une bouteille d'eau et un blouson léger si vous y allez en fin d'après-midi.

Le canyon est situé à une quinzaine de kilomètres de Tuxtla, sur la route de San Cristóbal. L'embarcadère principal se trouve dans le joli village de **Chiapa de Corzo.** Sur le *zócalo* de cette petite ville de 70 000 habitants, ne manquez surtout pas la magnifique fontaine du XVe s, *La Pila,* de style mauresque et le vieux *Ceiba,* surnommé la Pochota, déjà présent au XVIe s, et protégé depuis 1993 par l'État du Chiapas. Puis on prend une *lancha* (grand bateau à moteur) pour une balade de 2h sur le río Grijalva, entre les parois d'un impressionnant défilé (le fleuve se jette dans le golfe du Mexique au niveau de Villahermosa). La *lancha* va jusqu'au barrage, puis revient à son point de départ (64 km au total). On se retrouve au fond d'une gigantesque faille qui atteint jusqu'à 1 000 m de hauteur. Impressionnant et beau spectacle ! Avant la construction du barrage et de l'usine hydroélectrique, les eaux étaient tumultueuses, alors qu'aujourd'hui la profondeur atteint 250 m d'eau par endroits.

Au cours de la balade, on admire, outre la végétation, une poignée de crocodiles gris endormis sur la rive, de nombreux oiseaux pêcheurs, la grotte du Silence (aucun écho à l'intérieur), celle des Couleurs, puis le fameux « Sapin de Noël », une paroi rocheuse érodée par une chute d'eau de 800 m et recouverte de mousse. Une merveille de la nature !

Il existe aussi un *parque ecoturístico* (même société que Xcaret, dans le Yucatán), auquel on accède également en *lancha* : escalade, rappel, location de kayaks, tyrolienne, restos... Supplément pour l'accès. Sans grand intérêt ! ● sumidero.com ●

Si vous n'avez pas le temps de faire cette promenade en bateau, vous pouvez accéder par la route, direction Cañon de Sumidero, aux « Miradors » Atalaya et La Ceiba ; entrée payante pour la voiture (125 $Me, soit 7,50 €), mais la balade peut se faire aussi à pied. Points de vue différents, car ici on surplombe le canyon.

LA CÔTE PACIFIQUE SUD

TEHUANTEPEC   40 000 hab.   IND. TÉL. : 971

Tehuantepec est le nom d'une ville mais surtout celui d'un isthme qui sépare l'Atlantique du Pacifique sur une distance de 225 km à vol d'oiseau : le Mexique s'y serre la ceinture. C'est une région plate et tropicale, encadrée de montagnes et venteuse. Trois plaques tectoniques s'y rencontrent et les séismes ne sont pas rares.

Indépendantes, les femmes de la région de Tehuantepec occupent une place importante dans l'économie, tant familiale que locale. Sans pouvoir véritablement parler de société matriarcale, on se doit de souligner cette originalité au pays du « machisme » triomphant... Vêtues de la traditionnelle *tehuana* (*huipil* brodé de fleurs) et les épaules couvertes d'un châle de couleur vive, elles sont aussi les gardiennes de la culture et des traditions locales.

La peintre Frida Kahlo fit de la *tehuana* son vêtement préféré, de grande portée symbolique. C'est elle qui, dans les années 1930 et avec son compagnon Diego Rivera, guida à Tehuantepec le poète surréaliste André Breton. En 1931, le cinéaste russe Sergueï Eisenstein séjourna également à Tehuantepec, où il tourna une scène (très belle) nommée « Sandunga » pour son film inachevé *Que Viva Mexico !* La Sandunga est la plus belle fête annuelle locale.

C'est aussi dans cette région qu'évoluent les *muxe,* des hommes qui, de par leur sensibilité, ont été assimilés très jeunes à des filles par leur famille et acceptés comme tels. Adultes, ils optent pour une tenue vestimentaire féminine et sont reconnus socialement (voir dans le chapitre « Hommes, culture et environnement » la rubrique « *Muxe* et homosexualité »).

Ville étape sur la route du Pacifique et du Chiapas, Tehuantepec est peu connue mais mérite, par ses particularismes ethnographiques, que l'on s'y intéresse. Elle offre en outre l'occasion de renouer un instant avec un Mexique où le visiteur fait figure d'exception.

UN PEU D'HISTOIRE

Le rêve d'un canal interocéanique

Sept ans à peine après la découverte de la mer du Sud (le Pacifique) par Balboa en 1513, un an après la conquête du Mexique, le conquistador espagnol Angel Saavedra propose de percer l'isthme de Tehuantepec d'un canal reliant l'Atlantique au Pacifique. En 1523, Hernán Cortés fait lever les plans de la région à cet effet, mais l'empereur Charles Quint lui répond qu'il n'a pas soumis le Nouveau Monde pour soutirer de l'argent à l'Espagne, mais bien pour lui en rapporter !

L'idée du canal interocéanique de Tehuantepec est oubliée pendant plus de 3 siècles, au profit de Panamá. À la fin du XIXe s, un ingénieur américain, James Eads, adapte le projet Tehuantepec : il propose de créer une ligne de chemin de fer qui permettrait de transporter les navires d'un océan à l'autre, sur trois séries de rails parallèles... Rien que ça ! L'idée est approuvée par le Sénat américain, mais Eads meurt peu après et le Congrès l'enterre pour de bon (l'idée, pas Eads !). Aujour-

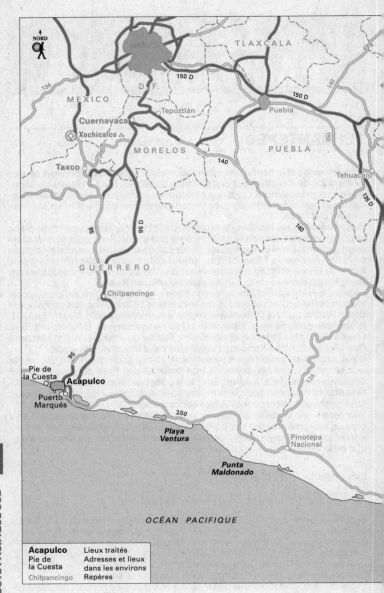

NORD

134 · MEXICO · D.F. · 150 D · TLAXCALA · 150 D · 140

MEXICO · Tepoztlán · Puebla · 150

Cuernavaca · Xochicalco ∴ · MORELOS · PUEBLA

Taxco · 140 · Tehuacán · 135 D

95 · 95 D · 140

GUERRERO · 140

Chilpancingo · 125

95

Pie de la Cuesta · 95

Acapulco · 200

Puerto Marqués

Playa Ventura · Pinotepa Nacional

Punta Maldonado

OCÉAN PACIFIQUE

Acapulco	Lieux traités
Pie de la Cuesta	Adresses et lieux dans les environs
Chilpancingo	Repères

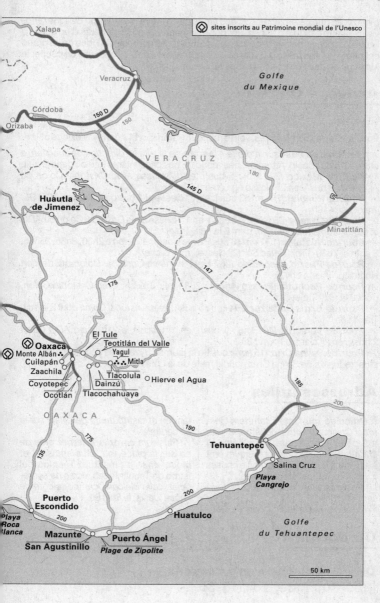

sites inscrits au Patrimoine mondial de l'Unesco

Xalapa

Golfe du Mexique

Veracruz

Córdoba

150 D

Orizaba

150

V E R A C R U Z

180

145 D

Huautla de Jimenez

Minatitlán

185

175

147

El Tule
Teotitlán del Valle
Oaxaca
Monte Albán
Cuilapán
Yagul
Zaachila
Mitla
Coyotepec
Tlacolula
Dainzú
Hierve el Agua
Ocotlán
Tlacochahuaya

O A X A C A

185

200

190

175

Tehuantepec

135

Salina Cruz

Playa Cangrejo

200

Puerto Escondido

Playa Roca Blanca

200

Huatulco

Golfe du Tehuantepec

Mazunte
San Agustinillo
Puerto Ángel
Plage de Zipolite

50 km

LA CÔTE PACIFIQUE SUD

LA CÔTE PACIFIQUE SUD

d'hui, voilà que ce projet ressort des tiroirs de l'histoire, sous forme de ligne ferroviaire géante capable d'acheminer des marchandises en conteneurs d'un océan à l'autre. Le gouvernement mexicain se montre toutefois hostile à l'idée de ce grand chantier – qu'il se fasse par voie d'eau ou par le rail – qui « risquerait » de couper le Mexique en deux (avec un Chiapas rebelle au Sud !).

Arriver – Quitter

En bus

Pour la liste des compagnies, voir la rubrique « Transports » dans « Mexique utile ».

🚌 *Terminal de bus :* sur la droite à la sortie de la ville en direction de Juchitán, à env 600 m du *zócalo.* Attention, beaucoup de bus passent très tard ou dans la nuit.

➢ *Pour/de Mexico (704 km) :* 5 bus/j. en 1re classe avec *Cristóbal Colón* ou *ADO GL* ; 3 bus/j. en 2e classe également.

➢ *Pour/de Puebla (576 km) :* 3 bus/j. en 1re classe et 1 bus de luxe avec *ADO GL.* Trajet : env 10h.

➢ *Pour/de Oaxaca (253 km) :* 10 bus/j. en 1re classe avec *Cristóbal Colón* ou *ADO* et 6 bus ordinaires avec *Sur,* dont 3 la nuit. Trajet : 5h.

➢ *Pour/de Huatulco (170 km) :* 3 bus/j. avec *Cristóbal Colón* à 2h30, 8h35, 23h55, 6 autres, 7h30-17h30 avec *Sur* (2e classe), moins cher.

➢ *Pour/de Puerto Escondido (267 km) :* le même *Cristóbal Colón* qui dessert Huatulco. Trajet : env 5h.

➢ *Pour/de Pochutla (Puerto Ángel ; 208 km) :* 3 bus/j. avec *Cristóbal Colón,* dont 2 la nuit. Trajet : 4h.

➢ *Pour/de Tuxtla Gutiérrez (294 km) :* 3 bus/j. avec *Cristóbal Colón* dont 2 la nuit. Trajet : 6h.

➢ *Pour/de Veracruz (461 km) :* 1 bus/j. en 1re classe, à 21h, avec *ADO GL* et 2 bus/j. en 2e classe. Trajet : 8h.

➢ *Pour/de Salina Cruz (15 km) :* bus tte la journée. Arrêt près du *zócalo.* Départs plus fréquents de Salina Cruz pour le reste de la côte Pacifique.

Adresses utiles

🛈 *Office de tourisme :* carretera Cristóbal Colón. À l'entrée ouest de la ville, à 2 pâtés de maisons du zócalo. *Tlj* 8h-20h. Pas de doc, mais toujours prêt à aider et à vous conseiller mille choses à voir (pas toutes intéressantes).

✉ *Poste :* sur le zócalo, côté nord. Lun-sam 8h-16h.

▪ *Plusieurs banques* (Banamex, Santander) et distributeurs de billets sur la pl. centrale.

@ *Plusieurs centres Internet près de* ou sur la place, ou, plus amusant et moins cher, à l'Instituto Técnico del Istmo de Tehuantepec, école de secrétariat, calle Melcor Ocampo, à côté de l'hôtel Oasis, tlj 8h-18h.

Où dormir ?

De bon marché à prix moyens (300-600 $Me, soit 18-36 €)

🛏 *Hotel Oasis :* Ocampo 8 ; à une cuadra *du zócalo.* ☎ 715-00-08. Hôtel bien situé et bien tenu. Chambres correctes, avec 1 ou 2 lits, bains, moustiquaire, ventilo ou AC, certaines avec TV. Elles sont au rez-de-chaussée ou en étage, accessibles par une galerie extérieure ; celles du haut sont plus lumineuses.

Resto-cafétéria et parking.

🛏 *Hotel Donaji :* av. Juárez 10. ☎ 715-00-64. ● hoteldonaji@hotmail.com ● Autour d'un patio, chambres sans prétention mais propres, avec salle de bains, ventilo ou AC, TV couleur. Elles sont un peu plus grandes qu'à l'*Oasis*. Évitez les chambres côté rue, parfois bruyante le matin. Petite piscine et resto. Accueil sympa.

Plus chic (plus de 1 200 $Me, soit 72 €)

🛏 *Hotel Calli :* carretera Cristóbal Colón 790 (sur la gauche à la sortie de la ville vers Juchitán). ☎ 715-00-85. ● hotelcalli.com ● Une adresse plutôt pour les motorisés, à env 1,5 km du centre-ville. Petit déj inclus. Parking. Construction moderne de 2 étages, autour d'un vaste jardin tropical avec une belle piscine. Chambres confortables quoique un peu patinées, avec salle de bains, TV câblée et AC. Les lits sont un peu mous. Accueil et service aimables. Bon petit déj, mais il faudra vous battre avec les fréquents groupes qui y font escale pour être servi... Resto.

Où manger ?

🍴 Pour manger très bon marché, autour des *halles couvertes,* à côté du *zócalo.* Profitez-en pour goûter aux *curados,* des prunes marinées dans le *mezcal.* D'autres stands se mettent en place le soir derrière le *palacio municipal.*

🍴 *Restaurant Scaru :* callejón Leona Vicario 4 ; proche de l'hôtel Donaji. ☎ 715-06-46. Tlj 8h-22h. De bon marché à *prix moyens.* Dans une maison coloniale du XVIIIe s, décorée de grandes fresques. Patio couvert d'une *palapa* ou quelques tables isolées sur l'un des 3 petits balcons. Cuisine traditionnelle, plats copieux, service avenant. Ce serait la meilleure table de la ville, mais ce n'est pas pour autant de la grande cuisine.

À voir

🚶 *Zócalo :* à l'ombre d'un grand *palacio municipal* datant de 1868. On y respire l'air d'une petite ville authentique, réchauffé par la musique des vendeurs de CD et de cassettes, les propositions des vendeurs de livres établis le soir sous les arcades et l'animation du marché.

🚶 *Marché aux iguanes :* surtout mars-avr, 9h-13h env, sur l'ancienne voie ferrée, derrière le marché couvert.

🚶 *Marché de l'or :* à l'intérieur du marché couvert.

Fêtes

– *Vela Sandunga :* 26 déc. La plus importante des fêtes. Les femmes revêtent alors des tenues superbes, jupes et *huipiles* brodés. Couleurs magnifiques. Riches parures de bijoux en or et argent, transmises de génération en génération.
– Nombreuses fêtes tout au long de l'année, qui sont souvent prétexte aux fameuses *tiradas de frutas,* au cours desquelles hommes et femmes se lancent des fruits. Attention aux noix de coco !

➤ DANS LES ENVIRONS DE TEHUANTEPEC

🚶 *Ruinas de Guie Ngola* (« la grande pierre ») : à env 15 mn en voiture de Tehuantepec, en direction d'Oaxaca, puis 1h30 de marche. L'office de tourisme vous trou-

LA CÔTE PACIFIQUE SUD

vera un guide, Victor en général. Balade sympa vers une pyramide zapotèque de l'époque postclassique, pour ceux qui veulent jouer aux Indiana Jones. Broussailles et chaleur, partez équipé.

🐾🐾 *La côte entre Salina Cruz et Huatulco :* le littoral, presque vierge, découvre au fil de la route des plages immenses et souvent désertes, auxquelles on peut parfois accéder par un chemin poussiéreux. C'est le cas de la belle *playa Cangrejo*, à 4,5 km du petit village de Morro Mazatlán. On y trouve quelques *cabañas* invitant à s'oublier un ou deux jours sous

COUP DE SOLEIL !

Parmi les arbres les plus emblématiques de la forêt sèche figure le gumbo limbo, aussi connu sous le nom d'Indio desnudo en raison de son tronc et de ses branches nus et cuivrés. Certains préfèrent le surnommer « tourist tree » à cause de sa peau qui pèle...

les cocotiers. Sable doux sous les orteils, litanie du ressac, chant des oiseaux, *palapas* pour se nourrir, le pied quoi ! Mais attention aux courants et à la force des vagues, dangereux. En toile de fond, belle forêt sèche. Elle est appelée ainsi car, pour lutter contre la chaleur et la déperdition en eau, les arbres de la forêt tropicale sèche ont adopté une technique originale : ils produisent d'abord leurs fleurs, avant leurs feuilles ! Au printemps, on peut voir des bouquets d'énormes fleurs jaunes et rouges sur des troncs et des branches dépourvus de la moindre tache verte. Le bus peut vous déposer dans les villages. De là, on rejoint les plages à pied ou plus aisément en moto-taxi. C'est évidemment plus simple en voiture.

OAXACA   (prononcer « Oaraca »)   260 000 hab.   IND. TÉL. : 951

Pour les plans d'Oaxaca, se reporter au cahier couleur.

À 500 km au sud-est de Mexico, la capitale de l'État d'Oaxaca s'étire dans une vallée perchée à 1 500 m d'altitude, encadrée de montagnes. Oaxaca est une ville coloniale pleine de charme, où il fait bon flâner dans les rues piétonnes bordées de maisons basses aux façades peintes de couleur vive. Derrière chaque porte, l'œil curieux entrevoit un patio fleuri, des arcades imposantes, un cloître paisible ou une fontaine rieuse. Le centre historique est d'ailleurs classé au Patrimoine mondial de l'Unesco.
Ajoutez à cela qu'Oaxaca est aussi le berceau d'une des plus anciennes civilisations préhispaniques, la civilisation zapotèque, qu'elle compte deux sites archéologiques magnifiques, et vous comprendrez pourquoi les touristes adorent cette halte tranquille. N'hésitez pas à consacrer plusieurs jours à la découverte de son patrimoine, en profitant de la douceur du climat. Partez à la découverte des sierras, des villages indiens des environs, et n'oubliez pas que vous êtes au pays du *mezcal* !

UN PEU D'HISTOIRE

En 1529, Hernán Cortés fut nommé par la couronne espagnole *marqués del Valle de Oaxaca*. Mais il choisit Cuernavaca comme lieu de résidence et ne mit jamais les pieds à Oaxaca, l'ingrat ! La région a donné au Mexique deux présidents de la République : l'Indien Benito Juárez, représentant des indigènes et protagoniste de la réforme, et le dictateur Porfirio Díaz (voir la rubrique « Personnages » dans « Hommes, culture et environnement »).

Proche de ses racines indiennes, la région d'Oaxaca demeure un haut lieu de la contestation. En 2006, durant 6 longs mois, activistes, syndicalistes, écologistes, opprimés divers et autres révolutionnaires dans l'âme se sont emparés du centre historique, campant sur le *zócalo* avec armes et bagages. Tout débuta à la suite de l'annonce de suppressions de postes chez les instituteurs autochtones. Les arrestations arbitraires et les méthodes musclées de la police firent le reste. Des bâtiments officiels furent pris d'assaut, une assemblée populaire créée, qui exigea la démission du gouverneur de l'État d'Oaxaca, Ulises Ruiz, potentat local élu dans des conditions douteuses – mais allié de poids du président mexicain Felipe Calderón. Ruiz a eu le dernier mot : le soulèvement a été maté et il reste en poste. *Amnesty International* a dénoncé arrestations arbitraires, cas de torture, procès iniques et 18 morts en tout. Des demandes d'enquête ont été adressées, mais l'impunité demeure la règle. Un calme précaire est revenu à Oaxaca, mais une certaine tension demeure, palpable dans les regards et sur les murs, où fleurissent encore appels au pouvoir du peuple, faucilles et marteaux.

Arriver – Quitter

En bus

Voir la liste des compagnies et leurs coordonnées dans la rubrique « Transports » de « Mexique utile ».

Terminal de 1re classe *(plan couleur général B1, 4)* : calzada Niños Heroes de Chapultepec 1023. *Au nord de la ville. Compter 20 bonnes mn à pied depuis le zócalo. Tarifs et horaires des liaisons affichés à l'entrée. Consigne à bagages « Guarda Plus », ouverte 24h/24 mais assez chère. Café.*

■ **Boletotal-Ticket Bus** *(zoom couleur B2, 13)* : calle Valdivieso 2 ; au centre-ville, derrière la cathédrale. ☎ 01-800-009-90-90. ● boletotal.mx ● Lun-sam 8h-22h ; dim 8h-21h. *Super pratique.* On peut y acheter les billets de bus de 1re classe à l'avance, ce qui est vivement recommandé en période de fêtes. Toutes les compagnies sont représentées. De plus, on a l'avantage de pouvoir comparer tous les horaires en temps réel. *Autres bureaux* Boletotal-Ticket Bus *: 20 de Noviembre 103 D (zoom couleur A2, 13) ; lun-sam 8h-22h, dim 8h-21h) et Bustamante 516 (plan couleur général A3, 13) ; dans le quartier des marchés).*

➣ **Pour/de Mexico – Terminal Tapo :** 20 bus/j. avec *ADO*, mais quelques-uns ne sont pas directs ; nombreux départs 22h30-minuit. Avec *ADO GL* (plus luxueux), 6 départs/j. Et enfin, 3-4 bus/j. avec la compagnie *UNO*, luxueuse et chère. Trajet : env 6h avec un bus direct.

➣ **Pour/de Mexico – Terminal Tasqueña** *(au sud) :* 4 bus/j. avec *Cristóbal Colón*. 1 bus/j. avec *ADO GL*.

➣ **Pour/de Mexico – Terminal Norte :** avec *ADO*, 6-7 départs, 9h30-minuit. Trajet : 6h30. 1 bus en soirée avec *ADO GL*.

➣ **Pour/de Puebla :** avec *ADO*, 8-11 bus/j. et un autre avec *Cristóbal Colón*. Avec *ADO GL*, bus à 16h30. Trajet : 4h30.

➣ **Pour/de Huatulco :** avec *Cristóbal Colón*, 5 bus/j., 1 le mat, les autres de nuit. Autre liaison avec *ADO GL* à 23h45, un peu plus chère.

➣ **Pour/de Pochutla (Puerto Ángel) :** avec *Cristóbal Colón*, 4 bus/j. Trajet : 9h, contre 6-7h avec les bus de 2e classe. En effet, ces derniers traversent directement la sierra pour rejoindre la côte, route montagneuse très sinueuse mais plus directe qu'en passant par l'isthme.

➣ **Pour/de Puerto Escondido :** mêmes bus que pour Pochutla. Trajet : 10h30. Même remarque que ci-dessus.

➤ *Pour/de Veracruz :* avec *ADO,* 3 bus/j. Avec *ADO GL,* 1 départ en soirée les jeu, ven et dim.

➤ *Pour/de Tehuantepec :* 15-18 bus/j. avec *Cristóbal Colón.* 1 bus le soir avec *ADO.* Trajet : 4-5h.

➤ *Pour/de Tuxtla Gutiérrez :* avec *Cristóbal Colón,* départ à 19h, 21h, 22h30. 1 bus à 22h30 avec *ADO GL.* Trajet : 11-12h. Résa conseillée à l'avance en hte saison.

➤ *Pour/de San Cristóbal de Las Casas :* avec *Cristóbal Colón,* départ à 19h et 21h. 1 autre avec *ADO GL* à 20h. Trajet : 11-12h.

➤ *Pour/de Palenque :* avec *ADO,* départ à 17h. Trajet : env 15h.

➤ *Pour/de Villahermosa :* avec *ADO,* 3 bus/j. (5 le dim). Trajet : min 12h.

➤ *Pour/de Mérida :* avec *ADO,* 2 départs/sem (dim à 9h et 11h30). Trajet : env 22h. Passe par *Ciudad del Carmen* et *Campeche.*

🚌 *Terminal de 2ᵉ classe (hors plan couleur général et zoom couleur par A2, 5) :* sur le côté droit de la rue Las Casas, au-delà du periférico, face à l'extrémité nord du grand marché (Mercado de Abastos). C'est de là que partent les bus pour toutes les villes des environs. On peut y aller à pied si l'on n'est pas trop chargé, c'est à 20 mn du centre. Cafétérias, téléphone *larga distancia* et consigne « Guarderia de Equipaje » située en face des guichets de *Fletes y Pasajes,* ouverte 6h-22h. Terminal plus désorganisé que celui de 1ʳᵉ classe. Difficile d'obtenir des horaires exhaustifs et précis. En plus, ils changent assez souvent, attention !

➤ *Pour/de Tule :* ttes les 10 mn avec *Valle del Norte* (porte 29).

➤ *Pour/de Teotitlán del Valle :* avec *Valle del Norte* (porte 29), ttes les heures, 7h-21h.

➤ *Pour/de Mitla :* avec *Oaxaca-Istmo* (porte 9) et *Fletes y Pasajes* (porte 21), ttes les 10 mn, 6h-21h. Trajet : 1h.

➤ *Pour/de Tlacolula :* les mêmes que ceux qui vont à Mitla.

➤ *Pour/de Zaachila :* avec *Autobuses de Oaxaca,* ttes les 10 mn, 5h40-22h. Départ porte 29, billets porte 27. Attention, dernier retour de Zaachila à 19h.

➤ *Pour/de Tehuantepec :* bus ttes les 30 mn. Trajet : env 5h.

➤ *Pour/de Pochutla (Puerto Ángel) :* les bus de 2ᵉ classe prennent la route de montagne. Comptez 100 km de bonne route, puis 150 km de virages serrés. Toute une aventure, mais avec de magnifiques paysages en récompense. Avec les bus de 1ʳᵉ classe, la route est beaucoup plus rectiligne mais beaucoup plus longue. En gros, 6-7h contre 9h de trajet. Avec *Oaxaca Pacífico* (porte 24), 9 bus/j. 5h-16h30 ; trajet : 7h. Avec *Estrella del Valle* (porte 24 également), 4 départs/j. Avec *Oaxaca Istmo* (porte 8), 2 bus/j., 2 fois plus cher.

➤ *Pour/de Puerto Escondido :* certains des bus de Pochutla poursuivent leur chemin jusqu'à Puerto Escondido. Trajet : 8-9h. *Estrella del Valle* propose une dizaine de départs/j., la plupart entre 5h et 12h. Autres options, matin ou soir, avec *Transol* (5 bus/j.) et *Estrella Roja del Sureste* (7 bus/j.) au départ de la porte 33.

➤ *Pour/de Tuxtla Gutiérrez :* avec *Fletes y Pasajes* (porte 10), 5 bus/j., 10h30-23h30, et 2 autres avec *Istmo* dans la soirée. Trajet : 10-12h.

➤ *Pour/de Cuautla* (à 1h de Cuernavaca) *:* 3 départs/j., tôt le mat, avec *Fletes y Pasajes.* Trajet : 7h.

➤ *Pour/de Mexico :* env 6h30 par l'autoroute dans le meilleur des cas et jusqu'à 9h via Cuautla et Puebla. *Fletes y Pasajes* propose 13 « rapides »/j., surtout le mat tôt et le soir tard, dont 3 directs à 12h45, 22h45 et 23h30 avec AC, TV et w-c à bord. Également 3 départs/j. via Cuautla, très tôt le mat.

En avion

✈ *L'aéroport (hors plan couleur général par A3)* est à 7 km au sud de la ville. ☎ 511-54-53. Il abrite une annexe de l'office de tourisme *(Sedetur ; tlj 8h-20h),* mais pas de distributeur de billets. La plupart des grands loueurs de voitures sont représentés sur place.

➤ *Minibus pour l'aéroport* : sur la pl. Alameda, entre la poste et l'hôtel Monte Albán (*zoom couleur A-B2*, **6**). ☎ 514-43-50. *Bureau ouv tlj 9h-14h, 17h-20h. Pas de résas téléphoniques.* Il suffit d'y aller la veille, de réserver sa place, et ils passent en mini-bus vous chercher à votre hôtel. Compter 44 $Me (2,70 €). Le taxi coûte 3 fois plus cher.

➤ Pour les courageux, il existe un *bus Oaxaca-aéroport*, mais il s'arrête 350 m avant, au carrefour *La Raya*. Faire signe au chauffeur. Ce bus se prend en face du terminal 2ᵉ classe ou sur l'av. Juárez. Trajet : 40 mn + 5 mn de marche.

Compagnies aériennes

■ *Aeroméxico* (*zoom couleur A2*, **21**) : Hidalgo 513. ☎ 516-71-01 ou 01-800-021-40-00. ● *aeromexico.com* ● Lun-sam 9h-18h. À l'aéroport, tlj 8h-19h. Assure 2 vols/j. pour *Mexico*.
■ *Aerotucán* (*hors plan couleur géné-* *ral par B1*, **22**) : *Emilio Carranza 303, esq Eucaliptos, col. Reforma.* ☎ 502-08-40 ou 01-800-640-41-48. ● *aerotucan. mx* ● À l'aéroport : ☎ 503-34-11. *Lun-sam 7h-20h ; dim 10h-14h.* Avionnettes pour *Puerto Escondido* et *Huatulco.*

En voiture

Il est assez difficile de circuler dans le centre historique, en raison des nombreux sens interdits et des rues piétonnes : mieux vaut se garer une fois pour toutes et se balader à pied. Un véhicule peut toutefois être bien utile pour visiter les villages indiens et les sites archéologiques environnants.

■ *Hertz* (*zoom couleur B1*, **16**) : *Alcalá 100.* ☎ 508-87-21 ou 01-800-709-50-00. À l'aéroport : ☎ 139-88-45. ● *hertz. com.mx* ● *Lun-sam 8h-19h ; dim 8h-17h.*
■ *Alamo* (*zoom couleur B1*, **17**) : *5 de Mayo 203.* ☎ 514-85-34 ou 511-62-20 (*aéroport*). *Lun-sam 8h-20h ; dim 9h-19h.*

Adresses utiles

Infos touristiques, représentations diplomatiques

🛈 *Office de tourisme gouvernemen-tal* (*Sedetur* ; *plan couleur général B1*, **3**) : *av. Suárez 703.* ☎ 502-12-00. ● *oaxa ca-travel.com* ● *Tlj 9h-17h.* Hôtesses compétentes et efficaces. Plan de ville, calendrier des festivités. *Une antenne dans le musée des Peintres oaxa-queños* (*zoom couleur B1*, **2**), *face au jardin de l'Alameda, et une autre encore à l'aéroport. Mêmes horaires.* En haute saison, des étudiants formés par l'office de tourisme parcourent le centre ; ils transportent même cartes et brochures avec eux.
■ *Centre de protection du touriste* (*Ceprotur*) : *dans le bâtiment de Sede-tur* (*plan couleur général B1*, **3**), *av. Suárez 703.* ☎ 502-15-95. *Tlj 8h-20h.* Pour tout problème de vol, perte de papiers, agression...

■ *Alliance française* (*zoom cou-leur A1*, **7**) : *av. Morelos 306.* ☎ 516-39-34. ● *alianzafrancesa.org.mx* ● *Lun-ven 9h-13h, 16h-20h.* Revues françaises, expos et, évidemment, cours de fran-çais.
■ *Agence consulaire du Canada* (*plan couleur général B1*, **18**) : *Pino Suárez 700, local 11 B.* ☎ 513-37-77. *Fax : 515-21-47. Lun-ven 9h-14h30.*
■ *Consulat honoraire de France :* *3ʳᵃ Privada de Guadelupe Victoria 5, Frac. San Felipe del Agua.* ☎ 515-21-84 ou 513-16-88. *Fax : 513-43-63.* ● *robsanster@gmail.com* ● *Lun-ven 10h-14h, 16h-19h.* Dans un quartier excentré.

Services

✉ **Poste** (plan couleur général A2 ; zoom couleur A-B1-2) : pl. Alameda ; dans l'ancien palais de l'Archevêché. Lun-sam 8h-19h. À l'intérieur, photos colorisées des années 1950 représentant les femmes de la région dans leurs costumes traditionnels.

@ **Téléphone et Internet :** ici, toutes les *casetas telefónicas de larga distancia* disposent d'ordinateurs avec accès Internet.

– **Cred@2 Internet** (zoom couleur A2, 8) : à l'angle des rues J.-P. García et Trujano. Tlj 9h-21h30. Possibilité de faire graver CD et DVD.

– **C@fé Internet Plus** (zoom couleur A2, 9) : à l'angle des rues J.-P. García et Trujano. Tlj 9h-21h. Mêmes tarifs que Cred@2. On peut imprimer.

– **Inter-Net Joly** (zoom couleur B1, 10) : Constitución 110. À deux pas de l'église de Santo Domingo. Pour ceux qui logeraient plus au nord. Impressions possibles.

■ **Clinica hospital Carmen, doctores Tenorio** (zoom couleur B1, 23) : Abasolo 215. ☎ 516-26-12 ou 516-00-27. Tlj 6h-23h. Urgences pédiatriques : ☎ 510-07-28. Le docteur Horacio de Jesus Tenorio parle l'anglais. Personnel compétent et gentil.

■ **Consigne à bagages :** de nombreux centres Internet offrent cette possibilité.

■ **Laverie Azteca** (zoom couleur A2, 19) : av. Hidalgo 404 B. Lun-sam 8h-20h ; dim 10h-14h. Prix en fonction du poids. Rapide.

■ **Laverie Hidalgo** (zoom couleur A2, 19) : à l'angle d'Hidalgo et de J.-P. García. Lun-sam 8h-20h. Mêmes tarifs qu'à la laverie Azteca.

Argent et change

Plusieurs banques autour du *zócalo*, qui disposent toutes de distributeurs de billets.

■ **Banamex** (zoom couleur B2, 11) : av. Hidalgo 821. Lun-sam 9h-16h. Distributeurs sur place et aussi dans 5 de Mayo et Valdivieso 118.

■ **Bancomer** (zoom couleur B1, 12) : García Vigil 120. Lun-ven 9h-16h ; sam 10h-15h. Distributeurs.

Agences de voyages

■ **Agence de voyages Labhi** (zoom couleur B2, 14) : Valdivieso 106. ☎ 516-27-00. ● labhitour@yahoo.com.mx ● Lun-sam 9h-20h. Infos et résas de vols.

■ **Tierraventura Turismo** (zoom couleur B1, 25) : Abasolo 217. ☎ 501-13-63. ● tierraventura.com ● Lun-ven 10h-14h, 16h-18h. Spécialisée en écotourisme. Excursions en petits groupes de 2 à 7 personnes. Randos à pied ou à cheval dans la région proche d'Oaxaca ou dans le reste de l'État.

■ **Expediciones Sierra Norte** (zoom couleur B1, 15) : M. Bravo 210, au fond du patio. ☎ et fax : 514-82-71. ● sierra norte.org.mx ● Lun-ven 9h30-19h ; sam 9h30-14h. Agence sérieuse pratiquant un tourisme écologique et alternatif respectueux de la nature et des cultures indigènes. Excursions, service de guides très abordable, réservation de logements dans les villages indiens de la région d'Oaxaca – soit dans les *cabañas* communautaires, soit en famille. Compter environ 150 $Me/pers (9 €), repas bon marché sur demande en plus. Rando, VTT, camping (location de tentes), équitation. On se rend dans les villages en bus.

Où dormir ?

En été, durant les fêtes de Noël et pendant la Semaine sainte, beaucoup de touristes et les prix grimpent : pensez à réserver, surtout pour les hôtels de la catégorie « Prix moyens » et au-delà. Sinon, arrivez plutôt en fin de matinée, car pour trouver une chambre après 16h, c'est la galère. On indique donc un maximum d'adresses. En dehors de ces périodes, prix nettement plus intéressants et même négociables.

AUBERGES DE JEUNESSE ET HÔTELS AVEC DORTOIRS

Très bon marché (moins de 30 $Me, soit 18 €)

La plupart des hôtels très bon marché se trouvent dans la partie sud-ouest de la ville, à quelques *cuadras* du *zócalo* et autour du *mercado 20 de Noviembre*. Ils sont dans l'ensemble simples et propres mais souvent un peu bruyants, vu l'animation et la circulation dans le quartier. On trouve aussi plusieurs AJ. Attention, beaucoup n'ont pas de ventilateurs dans les chambres... Chaud, chaud, chaud en été !

🏠 *Paulina Youth Hostel (zoom couleur A2, 56)* : Trujano 321. ☎ 516-20-05. ● paulinahostel.com ● *Petit déj-buffet inclus. Internet.* Une AJ spacieuse et moderne, repérable à sa façade jaune, très bien aménagée, autour d'un patio intérieur où glougloute une fontaine. Sanitaires collectifs très propres. Casiers pour sacs. De loin le meilleur choix dans cette catégorie.

🏠 *Hostel Luz de Luna-Nuyoo (zoom couleur B1, 31)* : av. Juárez 101. ☎ 516-95-76. La gérante parle bien le français. Dortoirs de 6 à 8 lits, un mixte et un pour filles, dans une maison toute peinte de jaune et de bleu. Chacun dispose d'un lavabo et de w.-c. Douches communes. Également 3 chambres (2 à 6 personnes) avec salle de bains privée *(250 $Me)*. Cuisine collective, casiers métalliques fermés pour les sacs, excursions écotouristiques et mur d'escalade engoncé dans une petite pièce. Rue passante.

🏠 *AJ Hostal Santa Isabel (zoom couleur A1, 33)* : Mier y Terán 103, juste en contrebas de l'église de La Soledad. ☎ 514-28-65. *Petit déj copieux en sus. Internet.* Les dortoirs se répartissent autour d'une jolie cour verdoyante et colorée, les chambres à l'étage, où le soleil tape. Sanitaires communs propres, mais les douches ne fonctionnent pas toutes ! Casiers avec cadenas. Location de vélos. Cuisine à disposition. Plutôt bruyant en raison du bar du rez-de-chaussée et de la proximité de l'avenue Independancia. À noter : on peut y prendre le petit déj même si on ne réside pas à l'hôtel.

🏠 *Hostal Mayflower (ex Cami ; plan couleur général B1, 32)* : Berriozabal 315. ☎ 516-21-89. ● minnemay7@hotmail.com ● *Internet et service téléphonique international à prix réduits.* Même proprio que celui de l'hôtel du même nom à Puerto Escondido, pour ceux qui connaissent. Une adresse pratique pour ceux qui prennent le bus tôt au terminal de 1ʳᵉ classe (ou arrivent tard). Autour d'une courette, plusieurs dortoirs à 5 lits, bien tenus, et quelques chambres privées à un lit partageant des sanitaires communs. L'avenue Juárez passe à proximité, ce n'est donc pas le grand calme, mais le lieu est propre et le cadre pas désagréable.

🏠 *Hostal El Quijote (plan couleur général A3, 35)* : Mina 511. ☎ 514-57-82. ● quijoteoax@yahoo.com.mx ● Ce petit hôtel familial, récent et tout propre, propose un grand dortoir de 8 lits (avec 2 douches) et 4 chambres privées avec bains, ventilo et TV satellite. Ces dernières ne sont pas très grandes mais elles sont colorées et bien tenues – on dirait presque agréables celles de l'étage, les plus lumineuses. Un peu cher toutefois. Cuisine commune. Pratique pour ceux qui vont en excursion à Monte Albán : les bus partent à 20 m de là. S'adresser à la petite épicerie attenante à l'*hostal*, qui sert de réception.

HÔTELS

De très bon marché à prix moyens (300-400 $Me, soit 18-24 €)

Rien d'extraordinaire dans cette catégorie, mais, vu les prix affichés, on ne peut pas s'attendre à des miracles.

🛏 *Hotel Posada Chocolate* (plan couleur général A3, **37**) : Mina 212. ☎ 516-57-60. • chocolatedeoaxaca.com.mx • Une adresse originale, qui ravira les amateurs du *chocolate*. En effet, la *posada* est installée au-dessus de l'atelier-magasin *La Soledad* où l'on fabrique le chocolat selon la tradition locale (voir plus loin « Pour les sucrés »). Vendu en vrac ou en paquet, il se déguste dans le patio. Petites chambres sur 2 étages, avec TV mais sans ventilo, parfumées... au chocolat. Douches et w-c communs. L'ensemble est bien tenu, mais le lieu est un peu bruyant. Terrasse sur le toit, avec vue sur la ville.

🛏 *Hotel Lupita* (zoom couleur A2, **36**) : Díaz Ordaz 314. ☎ 516-57-33. • hotellupita_oaxaca@hotmail.com • Hôtel bien tenu, qui propose des chambrettes simples, mais en bon état et récemment repeintes. Une partie d'entre elles disposent d'une TV (satellite) et d'une petite salle de bains toute neuve, les autres d'un lavabo.

🛏 *Hotel La Cabaña* (plan couleur général A3, **38**) : Mina 203. ☎ 516-59-18. Fax : 514-07-39. Situé dans la rue des boutiques de chocolat. Petites chambres avec ou sans *baño*, à 1 ou 2 lits, propres mais pas très lumineuses. Elles donnent sur un couloir central éclairé au néon, qui résonne.

🛏 *Hotel El Pasaje* (plan couleur général A3, **43**) : Mina 302. ☎ 516-42-13. Bonne maison sérieuse avec une cour ouverte agrémentée de plantes. Chambres simples mais bien propres. Préférez celles avec 2 lits, nettement plus spacieuses que les autres, mais évitez celles donnant sur la rue (bruyante). Eau chaude 24h/24 et TV satellite, mais pas de ventilo.

🛏 *Posada El Chapulín* (plan couleur général A3, **41**) : Aldama 317. ☎ 516-16-46. • hotelchapulin@hotmail.com • Attention, pas de résas pour les arrivées après 18h. Internet. Proche du *mercado 20 de Noviembre* mais calme. Adresse familiale sans prétention d'une petite dizaine de chambres avec douche et ventilo. TV sur demande. Dommage que les sols soient aussi vieillots, car l'accueil est chaleureux et le lieu plutôt calme. Le couloir d'accès, à l'aspect un peu grunge, est d'ailleurs recouvert de commentaires élogieux. Coin-cuisine. Terrasse.

🛏 *Hotel Emperador* (plan couleur général A3, **42**) : Díaz Ordaz 408. ☎ et fax : 516-30-89. • hotelemperadoroaxaca.com • Chambres rudimentaires (1-6 personnes), toutes avec bains et TV. Elles se répartissent de part et d'autre d'un grand hall couvert assez sombre, bruyant quand il y a du monde. Les salles de bains sont minuscules. Propre. Accueil sympa. On peut laisser ses bagages à la réception.

De prix moyens à chic (400-800 $Me, soit 24-48 €)

Beaucoup plus de choix dans cette catégorie, avec plein d'hôtels présentant un bon rapport qualité-prix.

🛏 *Casa Aldama* (plan couleur général A3, **34**) : Aldama 510. ☎ 514-71-81. • hostalaldama.com • Une excellente adresse proposant des chambres bien tenues, très propres, donnant sur un très large balcon dans une courette. Même prix pour 2 lits ou pour un *king size*. Très bon accueil. Superbe chambre familiale.

🛏 *Posada del Marqués* (plan couleur général A3, **39**) : 20 de Noviembre 906. ☎ et fax : 516-14-17 et 01-800-024-08-35. • posadadelmarques.com.mex • Sa situation un peu excentrée (à 4 pâtés de maisons du *mercado 20 de Noviembre*)

lui vaut d'afficher des tarifs attractifs. Pas vraiment de quoi faire se pâmer un marquis, mais l'hôtel regroupe une quarantaine de chambres carrelées propres à 1, 2 ou 3 lits, avec douche, ventilo et TV satellite. Cadre aéré, avec une piscine ! Laverie attenante pas chère. On peut même y garer sa voiture si l'on n'arrive pas trop tard (5 places seulement).

🛏 *Hotel Don Matías* (plan couleur général A3, **40**) : Aldama 316. ☎ 501-00-84. • donmatias.net • Internet. Calme et néanmoins bien situé, à deux pas du marché Juárez, le *Don Matías* dispose de chambres joliment décorées avec cabine de douche, ventilo moderne et TV. Celles à un lit sont nettement moins chères que celles qui en ont 2. Jolie courette débordant de plantes vertes, avec un patio à colonnes. Café et eau potable en libre-service.

🏠 **Hotel Camba** (plan couleur général B3, **47**) : Xicotencatl 504. ☎ 514-11-44 ou 514-11-55. ● hotelcamba. com ● Petit déj inclus. Wifi. Un cran au-dessus, le Camba est lui aussi un peu excentré (5 pâtés de maisons à l'est du marché), mais il propose une douzaine de chambres confortables d'un bon rapport qualité-prix. Toutes disposent d'une salle de bains avec cabine de douche, d'un ventilo, de la TV satellite et même d'un sèche-cheveux. Le tout très propre, situé au fond d'une cour calme et assez lumineuse. Micro-ondes à disposition. Parking à proximité.

🏠 **Posada La Casa de la Tía** (zoom couleur B1, **49**) : 5 de Mayo 108. ☎ 516-60-74. ● posadalacasadelatia@ yahoo.com.mx ● Pas de parking. Internet. Wifi. Les chambres, bien tenues, sont réparties autour de 2 patios. Elles ont salle de bains (un peu petite), ventilo, TV et de jolis dessus-de-lit qui ajoutent une note de gaieté. Les triples, avec mezzanine, sont parfaites pour les familles.

🏠 **Hotel Trebol** (plan couleur général A3, **44**) : Flores Magón 201. ☎ 516-12-56. ● reservacioneshotrebol@prodi gy.net.mx ● Face au marché Benito Juárez. Autour d'un agréable patio à arcades, des chambres modernes et colorées, très propres et spacieuses, avec ventilo, TV satellite, téléphone et salle de bains. Mobilier en bois, jolie déco, bref, un havre de paix en pleine zone commerciale. Resto. Parking possible à 3 pâtés de maisons.

🏠 **Hotel et studios Las Mariposas** (plan couleur général B1, **58**) : Pino Suárez 517. ☎ 515-58-54. ● lasmaripo sas.com.mx ● Petit déj inclus. Internet et appels vers le Mexique et l'Amérique du Nord gratuits. Des papillons – thème cher à la propriétaire – ornent les murs de ce petit hôtel aux allures de B & B, organisé autour de patios fleuris. Chambres agréables avec de bons lits, studios avec cuisine (nos préférés). Sinon,

2 petites cuisines collectives, avec frigo, micro-ondes à disposition. Très bon accueil.

🏠 **Hotel Las Golondrinas** (zoom couleur A1, **48**) : Tinoco y Palacios 411. ☎ 514-32-98. ● hotellasgolondrinas. com.mx ● Petit déj non inclus. Une enfilade de 3 jardins croulant sous la végétation (bananiers, arbustes, fleurs), avec fontaines et bancs de pierre. Dispersées tout autour, des chambres plutôt confortables, certaines avec lit king size (plus chères). Évitez la seule qui donne sur la rue, très passante ! On prend le petit déj au milieu des plantes et des chants d'oiseaux, dans le patio du fond. Un havre de calme et de charme, connu des voyageurs américains.

🏠 **Hotel Aurora** (plan couleur général A3, **57**) : Bustamante 212. ☎ 516-41-45. ● hotelesdeoaxaca.com/hotel aurora.html ● Central, proche du zócalo, cet hôtel à la façade ancienne cache un intérieur moderne, fonctionnel et calme, avec des chambres carrelées et coquettes (douche-w-c, ventilo, TV satellite) réparties dans 2 bâtiments. Celles de l'aile dite « moderne » ne sont pas différentes des autres, inutile de payer plus cher. Bon accueil et bon rapport qualité-prix.

🏠 **Hotel Monte Albán** (zoom couleur A-B2, **54**) : Alameda de León 1. ☎ 516-23-30. Fax : 516-32-65. ● hotel montealban@prodigy.net.mx ● Idéalement placé face à la cathédrale, dans un édifice du XVIIIᵉ s, l'hôtel s'organise autour d'une cour à arcades sous auvent vitré (restaurant). Les chambres, hautes de plafond, ne sont pas désagréables quoique assez patinées : mobilier à l'ancienne et moquettes plutôt usées. Le chant des zwazo pour vous réveiller (très tôt, les oiseaux...).

🏠 **Hotel Antonio's** (zoom couleur A1, **46**) : av. Independencia 601. ☎ 516-72-27. ● hotelantonios@yahoo.com ● Central et agréable. Chambres réparties autour d'un énorme patio recouvert d'un vélum en tôle ondulée. Préférer celles du haut, plus claires. Toutes sont colorées et joliment décorées, et ont une salle de bains impeccable. TV satellite, téléphone. On peut se garer dans le patio (5 places).

🏠 **Hotel Principal** (zoom couleur B1,

45) : *5 de Mayo 208.* ☎ *et fax : 516-25-35.* ● *hotelprincipal@gmail.com* ● Vieux charme colonial : jolie cour intérieure et plantes vertes. Chambres vastes, d'aspect monacal, hautes de plafond et un peu vétustes, avec *baño* décoré d'azulejos. Certaines sont plus agréables que d'autres : demandez à voir.

● *Hotel Francia* (*zoom couleur A2, 52*) : *20 de Noviembre 212.* ☎ *516-48-11 ou 01-800-215-33-90.* ● *hotelfrancia.com.mx* ● Vieil hôtel rénové, plutôt bien entretenu, autour de 2 patios, dont l'un avec des arcades de style colonial. Chambres aux hauts plafonds, avec ventilo, téléphone et TV satellite. Évitez celles côté rue (bruyante). Resto.

● *Hotel Real de Antequera* (*zoom couleur B2, 50*) : *av. Hidalgo 807.* ☎ *516-40-20.* ● *oaxaca-mio.com/real. htm* ● *À quelques mètres du* zócalo. *Entrée discrète.* Une trentaine de chambres, impeccables, donnant sur la rue (un peu bruyantes mais nettement mieux) ou sur l'intérieur (sombres et éclairées au néon). Grande cour intérieure couverte, avec arcades. TV satellite, téléphone et ventilo.

De chic à plus chic (600-900 $Me, soit 36-54 €)

● *Hotel Oaxacalli* (*plan couleur général A1, 51*) : *Porfirio Díaz 600 et Jesús Carranza 120.* ☎ *516-80-60.* ● *hoteloaxacalli@yahoo.fr* ● *CB acceptées (+ 6 %). Internet.* À côté de Santo Domingo, une superbe maison blanche tenue par un couple franco-mexicain, lui architecte, elle artiste peintre, qui tient aussi l'hôtel *Fandango* à Huatulco. Le patio décoré de céramiques et peintures murales donne sur la vingtaine de chambres immaculées, avec un mobilier en bois. TV, frigo (en option), belle salle de bains. Tout le confort et le charme d'une demeure de caractère. Terrasse avec vue sur la ville. Fenêtres double vitrage pour le côté un peu bruyant de Porfirio Díaz. Salle pour le petit déj servi ou à préparer soi-même.

Beaucoup plus chic (plus de 1 300 $Me, soit 78 €)

● *Hotel Marqués del Valle* (*zoom couleur B2, 53*) : *portal de Claveria ; sur le zócalo.* ☎ *514-06-88 ou 01-800-849-99-61.* ● *hotelmarquesdelvalle. com.mx* ● Emplacement idéal, à côté de la cathédrale, avec des fenêtres sur 3 des façades. Les chambres se répartissent autour d'une galerie centrale, sur 4 étages. Confortables et spacieuses, elles disposent au choix d'un ventilo ou de l'AC (même prix), et toutes ont TV satellite et salle de bains en marbre (baignoire dans certaines). Certaines avec balcon donnent directement sur la place ; avec double vitrage, donc pas de problème de bruit. Préférez celles du haut. Resto, agence de voyages. Parking payant à proximité.

● *Casa Conzatti* (*plan couleur général B1, 55*) : *Gómez Farías 218.* ☎ *513-85-00 ou 01-800-717-99-74.* ● *casaconzatti.com.mx* ● Sur une jolie place paisible, un bel hôtel moderne à l'architecture coloniale. Une quarantaine de chambres spacieuses et douillettes. Mobilier et déco *oaxaqueña.* Évitez les chambres donnant sur le bar, moins tranquilles. Petit déj (inclus) servi dans le charmant patio. Resto.

● *Casa Cid de León* (*zoom couleur B1, 59*) : *Morelos 602.* ☎ *514-18-93.* ● *casaciddeleon.com.mx* ● *Taxes et petit déj inclus.* La façade, aux murs sobres et épais, s'ouvre sur un intérieur coquet, réminiscence d'un petit palais : sol en terre cuite ou plancher, poutres, linge brodé, chandeliers, le charme de l'ancien se mariant au confort haut de gamme. Des 4 suites (pas une de plus), très spacieuses, notre préférence va à celle en duplex, qui s'ouvre sur la terrasse supérieure verdoyante, où tous se retrouvent pour prendre le petit déjeuner. Si vous êtes poète, comme la proprio, vous aurez peut-être la chance de retrouver vos vers gravés sur les murs aux teintes chaudes !

Où manger ?

Bon marché (moins de 80 $Me, soit 4,80 €)

|●| Marchés *(plan couleur général A3, 70)* **:** une excellente option pour manger de la nourriture typique, le **mercado Juárez** et le **mercado 20 de Noviembre,** installés l'un en face de l'autre. Ils ferment vers 20h, mais on peut y aller pour un petit déj à la mexicaine dès 9h ou pour le déjeuner. L'ambiance est plus animée au marché 20 de Noviembre, les restos y sont très nombreux et plus clean ; beaucoup de boulangeries aussi. Ne manquez pas l'allée des grillades, où la viande est exposée à côté de chaque barbecue. Ça fume la d'dans ! On peut goûter aussi aux fameuses *chapulines* (sauterelles grillées), vendues au poids. Faites-y un tour de toute façon pour l'ambiance.

|●| Tito's *(zoom couleur B1, 71)* **:** *García Vigil 116.* ☎ *516-73-79. Tlj 7h30-23h.* Cafétéria sous une verrière avec *comida corrida, torteria, tacos, burgers,* bar et même quelques spécialités *oaxaqueñas.* Le tout bien tenu. Bons petits déj et excellents jus de fruits frais. Accueil en berne, dommage.

|●| Café-restaurant Alex *(zoom couleur A2, 72)* **:** *Díaz Ordaz 218.* ☎ *514-07-15. Lun-sam 7h-21h30 ; dim 7h-13h.* Dans le jardinet au fond des salles de droite, on mange en compagnie des perroquets, perruches et du toucan de la maison – un peu déplumés, les pauvres. Propose une bonne cuisine traditionnelle dans un cadre propret et coloré, au personnel aimable. Grand choix de bons petits déj.

|●| Los Adobes Oaxaqueños *(plan couleur général A3, 75)* **:** *Bustamante 506.* ☎ *514-39-98. Tlj 8h-22h.* On est tombé sous le charme de ce resto familial aux tables dispersées sur 2 étages. Pas de gastronomie, mais des petits plats très appréciés des habitants du quartier pour leur bon rapport qualité-prix.

|●| El Escapulario *(plan couleur général A1, 89)* **:** *García Vigil 617.* ☎ *516-46-87. Tlj 7h-23h.* Resto à l'étage (ouvrant sur la rue), tenu par de gentilles demoiselles qui servent une cuisine locale simple. Produits en partie bio et grand choix d'*aguas de frutas*.

|●| Mixtacos *(plan couleur général A3, 73)* **:** *Aldama 105. Tlj 14h-3h.* Idéal, donc, pour les fêtards noctambules ayant un petit creux avant d'aller au lit. Une *taquería* classique, dans un décor de cafétéria. Mais on y mange de bons *tacos al pastor* (tacos garnis de viande de porc cuite à la broche et d'oignons hachés).

|●| Casa del Tío Güero *(plan couleur général A1, 93)* **:** *García Virgil 715.* ☎ *516-95-84. Lun-sam 7h30-21h30 ; dim 8h30-17h. Petit déj autour de 40 $Me. Bons petits menus comprenant 3 plats et 1 boisson, dans un cadre très agréable.* Cuisine soignée, typique d'Oaxaca. On peut aussi y prendre des cours de cuisine. Une bonne adresse pour avant ou après la visite du *Centro Cultural Santo Domingo*.

|●| Hippocampo's *(zoom couleur A2, 74)* **:** *av. Hidalgo 503.* ☎ *516-41-39. Lun-sam 8h-22h ; dim 10h30-19h. Comida corrida 13h-17h.* Resto-hangar populaire, dispensant de bons petits plats pas chers et des *tortas* (sandwichs mexicains) consistants. Accueil chaleureux. Le petit déj (formule de base) est incroyablement copieux.

Prix moyens (80-200 $Me, soit 4,80-12 €)

|●| Restaurant Zandunga *(plan couleur général A1, 87)* **:** *García Vigil ; angle Carranza 105.* ☎ *516-27-02. Tlj sf dim 14h-23h.* *Garnachas, molotes, tamales, totopos :* non, ce ne sont pas de formules de magie noire, mais les noms de plats savoureux, typiques de la cuisine de l'isthme de Tehuantepec. La *bohana zandunga,* pour 2, permet de goûter à différentes spécialités. Salle ouvrant sur la rue, décorée de *huipiles* (corsages indiens) brodés ; musique douce en fond sonore. Bon accueil, prix raisonnables.

|●| *La Biznaga* (plan couleur général A1, 77) : García Vigil 512. ☎ 516-18-00. Lun-jeu 13h-22h ; ven-sam 13h-23h. Patio intérieur couvert par un vélum, photos exposées sous les arcades, chaises cannées, pour un cadre trendy et sympa. Le lieu est encore plus agréable le soir, soit pour dîner – délicieuse cuisine métissée – , soit pour boire un verre plus tard. Accueil et service dynamiques.

|●| *María Bonita* (plan couleur général B1, 78) : Alcalá 706 B. ☎ 516-72-33. Mar-sam 8h30-21h ; dim 9h-17h30. Depuis 6 générations, ce petit resto met un point d'honneur à perpétuer la cuisine de grand-mère. Goûter les spécialités à base de *mole negro* et le *pollo en salsa de flor de calabaza* (poulet aux fleurs de potiron). Sur les murs blancs, beaux tableaux modernes de femmes nues.

|●| *Mariscos La Red* (plan couleur général A3, 79) : à l'angle des rues Las Casas et Bustamante 200. ☎ 514-88-40. Tlj 12h-21h. 6 adresses en ville pour cette minichaîne de restos de poisson et fruits de mer. Plats copieux, cadre propret et clair. Bref, une bonne adresse. Rien à dire, si ce n'est : « Allez-y ! »

|●| *Gaia* (zoom couleur B1, 80) : Abasolo (ou plazuela Labastida) 115. ☎ 516-70-79. Dans le patio précédant la *posada Margarita*. Tlj sf dim, 10h-19h. Bon petit resto végétarien et bio.

Menus différents chaque jour. Choix de petit déj et succulents jus de fruits ou de légumes, la spécialité de la maison. Quelques tables en fer forgé dans le patio, où glougloute une fontaine.

|●| *Café-bar El Jardín* (zoom couleur B2, 84) : portal de Flores 10 et 3. 2 adresses voisines sur le *zócalo*. On préfère celle du n° 3, dont la terrasse offre une vue magnifique sur la cathédrale, au milieu du brouhaha de la grand-place. C'est d'ailleurs surtout pour cela que l'on vient. Carte complète et variée : grand choix pour le petit déj, plats chauds, *tortas* (sandwichs), desserts et plein de choses à grignoter avec une bière sans se ruiner.

|●| *La Rustica* (zoom couleur B1, 90) : Murguía 101. ☎ 516-76-96. Tlj 11h30-23h. Envie d'italien pour changer ? Voici sans doute la meilleure option en ville. Certaines pâtes sont faites maison, les autres importées d'Italie : on choisit parmi *penne, farfalle, fusilli, pipe...* et on y adjoint la sauce que l'on préfère. Les plus grandes pizzas sont chères, mais elles mesurent 70 cm de diamètre. Le cadre est soigné et l'accueil chaleureux. 3 autres adresses *La Rustica* en ville.

|●| *Pizza Nostrana* (zoom couleur B1, 81) : Alcalá 501 ; à l'angle d'Allende. ☎ 514-07-78. Tlj 14h-23h. Mignon petit resto italien. Une dizaine de tables. Vieilles photos d'Italie aux murs. Pizzas savoureuses et beau choix de pâtes.

Chic (plus de 200 $Me, soit 12 €)

|●| *Como Agua pa' Chocolate* (zoom couleur A-B2, 85) : Hidalgo 612 ; au 1er étage. ☎ 516-29-17. Tlj 12h30-23h. Kanna, la jeune et talentueuse propriétaire, propose une succulente cuisine régionale, avec des plats végétariens et de délicieux desserts. Spécialités : les plats flambés à votre table. Dans le genre, les gambas et le pavé de thon rosé à la mangue sont un régal. Autres options alléchantes : soupe de cactus, *chapulines* (sauterelles), cailles aux pétales de rose, etc. Menu en anglais plein d'humour. Venez tôt ou réservez pour profiter d'une des 3 tables donnant sur l'Alameda.

|●| *Los Danzantes* (zoom couleur B1,

92) : Alcalá 403. ☎ 501-11-87. Tlj 14h-23h. Menu du jour 85 $Me mer et jeu. Voici sans doute l'adresse la plus en vogue d'Oaxaca. Déco épurée, cadre design très tendance, avec un grand patio où se serrent les tables et un petit espace sofa surélevé. Dans l'assiette, haute cuisine *oaxaqueña* mettant en scène le meilleur des produits locaux, de l'intrigant *molcajete de guacamole* (guacamole aux sauterelles grillées) à la mousse de mangue au *mezcal*. Miam !

|●| *El Refectorio* (zoom couleur B1, 88) : hotel Camino Real, 5 de Mayo 300. ☎ 501-61-00. Ne cherchez pas ce sublime hôtel dans « Où dormir ? » : vu le prix des chambres, votre budget ris-

querait d'en souffrir. Magnifique, car situé dans un ancien couvent (se reporter à la rubrique « À voir »). Cuisine gastronomique dans un cadre enchanteur sur fond de musique classique. Quelques plats plus simples et plus abordables aussi. Buffet et spectacle folklorique à la chapelle le vendredi soir (19h-22h). En après-midi comme en soirée, on peut aussi aller siroter une *piña colada* au bar *Las Novicias,* au bord de la piscine.

|●| *Hostería de Alcalá (zoom couleur B1, 86)* : Alcalá 307. ☎ 516-20-93. *Tlj 8h-23h.* Joli patio intérieur avec fontaine, où l'on peut goûter aux *entomatadas con tasajo* (tortillas de maïs avec tomate, fromage, bœuf ou porc) et à la soupe aztèque.

|●| *El Asador Vasco (zoom couleur B2, 84)* : portal de Flores 11. ☎ 514-47-55. *Sur le zócalo, au-dessus du café El Jar-*

dín. *Tlj 13h30-23h30.* Arriver tôt ou réserver pour avoir une table en bordure de terrasse et profiter de la vue. Immenses salles et grandes tables avec une déco qui rappelle l'origine basque du proprio. Gastronomie régionale et mexicaine, avec quelques touches espagnoles, qui séduit touristes et *Oaxaqueños* aisés. Musiciens tous les soirs 20h-21h.

|●| *La Casa de la Abuela (zoom couleur B2, 83)* : av. Hidalgo 616. ☎ 516-35-44. *Tlj 13h30-22h30 (plus tard en été). Carte moins chère avt 18h.* C'est au 1er étage, et les fenêtres donnent sur le *zócalo.* Vous l'avez compris, c'est tout à fait touristique. Arriver tôt pour avoir une table avec vue (on y va surtout pour ça !). Cadre aéré et joliment décoré avec des céramiques. On y sert des spécialités locales, ni pires ni meilleures qu'ailleurs.

Pour les sucrés

|●| *La Soledad (plan couleur général A3, 37)* : Mina 212. ☎ 516-38-07. Amer, doux, à la cannelle, aux amandes, à la vanille, au café, le chocolat est vendu en vrac ou emballé. Qualité et prix intéressants. Derrière, un patio et quelques tables pour déguster un vrai chocolat chaud, servi seulement le matin : 10 délicieuses variétés. Et les accros seront contents d'apprendre que l'on peut même y loger (voir « Où dormir ? Bon marché. *Hotel Posada Chocolate* ») !

|●| *Chocolate Mayordomo (plan couleur général A3, 104)* : à l'angle des rues Mina et 20 de Noviembre. ☎ 516-02-46. *Tlj 7h-21h.* On peut y acheter du chocolat ou déguster un chocolat chaud. Démonstrations pour les groupes. Assez cher.

|●| *La Luna (plan couleur général B2, 100)* : av. Independencia 1105. *Tlj 6h-21h45.* Une pâtisserie mexicaine comme il y en a beaucoup d'autres. Grand choix de croissants, gâteaux, palmiers, brioches et pains en tout genre à des prix ridicules ! On se sert soi-même, avec une pince, en remplissant de grands plateaux.

|●| *Pastelería Bamby (zoom cou-*

leur B1, *101)* : à l'angle de García Vigil et Morelos. *Tlj sf dim 6h-21h15.* Même style que *La Luna.* Grande variété de gâteaux secs, feuilletés, beignets (*donuts*), etc.

|●| *Tartamiel (zoom couleur A2, 102)* : Trujano 118. ☎ 516-73-30. *À deux pas du zócalo. Lun-sam 7h30-20h45 ; dim 12h-19h30.* Chaîne de pâtisseries fondée par une Française (il y en a 4 à Oaxaca). De bons petits gâteaux, pains au chocolat, aux raisins, chaussons aux pommes et croissants à emporter ou à grignoter sur place (quelques tables en mezzanine).

|●| *Pastelería La Vasconia (zoom couleur B1, 103)* : av. Independencia 907. ☎ 516-26-77. *Tlj 8h-21h.* Grand choix de gâteaux et viennoiseries en tout genre. On peut déguster sur place dans la jolie salle du fond, en consommant une boisson chaude ou un jus d'orange frais.

|●| *La Michoacana (zoom couleur B2, 105)* : Flores Magón 108 ; à l'angle de Las Casas. Glaces, sorbets, boissons glacées... voilà de quoi se rafraîchir (sans se ruiner) par une chaude journée. Une halte favorite des familles, à deux pas du marché Juárez.

Où boire un verre ? Où sortir ?

🍸 ♪ *La Nueva Babel* (*zoom couleur A-B1, 111*) : *Porfirio Díaz 224. Lun-sam 9h-minuit ; dim 19h-minuit.* Chouette bar conçu autour de 2 petites pièces colorées et d'une courette jaune aux murs appelant à la *lucha social* (lutte sociale). Vins nationaux, chiliens et mexicains, certains servis au verre. Canapés et guacamole. Animations fréquentes en fin de semaine : groupes rock, jazz, théâtre, et même lecture de poèmes le mardi.

🍸 ♪ *Fandango* (*plan couleur général A1-2, 112*) : *Porfirio Díaz 503 ; à l'angle d'Allende.* Plusieurs ambiances : bars classique ou design séparés par un espace *lounge* aux fauteuils moelleux. Très vite bondé en soirée. Clientèle jeune et sympa. Aux murs, affiches de Zapata, du Che et des zapatistes. Bonne musique, live le samedi soir (alternatif, rock, reggae, ska, etc.).

🍸 *La Casa del Mezcal* (*plan couleur général A3, 114*) : *Flores Magón 207-209. En face du marché municipal. Lun-sam 9h-2h ; dim 9h-1h.* Bar en bois sculpté où l'on s'accoude volontiers pour descendre un *mezcal* avec une tranche de citron vert et du sel de *gusano* (de couleur orangé, on peut en acheter au marché). Ne venez pas ici pour discuter, c'est impossible. Côté musique, la maison est plutôt rock, salsa et *cumbia*, ou le tout mélangé, car différents points musicaux entre la salle et le bar, belle cacophonie pour vos chastes oreilles !

🍸 ♪ *La Tentación* (*zoom couleur B1, 115*) : *Matamoros 101.* Ce bar dansant accueille fréquemment des groupes de salsa, de *merengue* et de *cumbia,* de ska et de reggae. Bonne ambiance, mais l'espace est petit. Ne venez pas trop tôt : rien ne se passe vraiment avant 23h, sauf si vous voulez juste prendre un verre (*ouv à partir de 12h*). Cocktails et *mezcales.*

🍸 ♫ *Candela* (*plan couleur général B2, 116*) : *Murguía 413 ; à l'angle de Pino Suárez.* ☎ 514-20-10. *Droit d'entrée : 40 $Me (2,20 €).* Ce resto-galerie-salle de danse, tranquille dans la journée, se transforme en salon de *baile* le soir. On s'y trémousse de 22h à 2h les jeudi, vendredi et samedi.

Où acheter des spécialités locales ?

– *Le chocolat :* c'est une des grandes spécialités de la région. Il y a tout un choix de boutiques au sud du *marché 20 de Noviembre (plan couleur général A3),* notamment rue Mina. Suivez l'odeur ! On peut l'acheter sous différentes formes, en boule, tablette ou poudre. Dans ce dernier cas, on le moud devant vous dans des antiques machines : les graines de cacao sont broyées avec du sucre, de la cannelle et des amandes. Pour en acheter ou déguster un chocolat chaud, voir plus haut « Pour les sucrés ».

– *Le café :* dans la même zone, de nombreuses petites échoppes vendent du café d'Oaxaca.

– *Le mezcal :* un décret en permet désormais la vente uniquement en magasin, pour limiter les dégâts et le trafic d'alcool frelaté (voir ci-après « Artisanat »). Mais il y a pléthore de magasins, particulièrement dans les villages à l'est d'Oaxaca... Et on le trouve souvent mélangé à des jus de fruits, épices...

– *Le fromage d'Oaxaca :* fromage à pâte cuite de couleur crème et au goût assez fade. Achetez-le au marché. Il se présente sous forme d'une grosse ficelle roulée en pelote. C'est un des fromages les plus répandus dans le pays, utilisé dans les *quesadillas,* les *tortas* et de nombreux plats mexicains.

– *Le mole negro :* la version *oaxaqueña* du fameux *mole* inventé à Puebla, au marché. Les piments utilisés sont différents et c'est ce qui lui donne cette couleur sombre, presque noire. Pour votre gouverne, sachez qu'il existe des centaines de variétés de piments... Au bout d'un moment, on s'aperçoit qu'ils ne piquent pas tous au même endroit : certains sur les lèvres, d'autres en haut du palais, au fond de la gorge, etc. Mais de là à leur donner un nom !

Artisanat

L'artisanat de la région est particulièrement riche. Chaque village environnant possède sa spécialité. Tapis de laine *(sarapes)* à Teotitlán del Valle, poteries noires à San Bartolo Coyotepec, animaux en bois sculpté et peint à San Martín Tilcajete, nappes et habits traditionnels brodés fabriqués un peu partout dans l'État. Production importante d'objets en vannerie.

⊛ *Le grand marché du samedi (hors plan couleur général par A3, 133)* : cet important tiangui *(marché) est situé juste derrière le mercado de Abastos, à côté du terminal de bus de 2e classe.* On y trouve absolument de tout, depuis les bricoles en plastique à trois sous jusqu'aux cochons de lait et chevrettes. Profusion de fruits, de légumes, d'herbes et d'épices. Grand espace consacré aux poteries. Seulement 2 ou 3 allées pour l'artisanat, surtout des céramiques, des chapeaux et des vêtements. Si vous voulez tout voir, vous vous perdrez sûrement : c'est carrément immense.

⊛ *Mercado de Artesanías (plan couleur général A3, 134)* : J.-P. García ; à l'angle de Zaragoza. Tlj 9h-20h. Principalement des tissages, *sarapes* et *huipiles,* mais aussi des céramiques, poteries noires et animaux en bois peint. On voit les Indiennes tisser.

⊛ *Instituto oaxaqueño de las Artesanías (plan couleur général A1, 135)* : García Vigil 809. ☎ 514-40-30. *Lun-ven 9h-19h ; sam 10h-15h.* Appartenant à l'État, ce centre offre un panorama complet de l'artisanat de l'État d'Oaxaca. Vente d'objets de qualité, exposés dans plusieurs salles autour d'un patio central. Plus cher qu'au marché, mais authenticité garantie.

⊛ *Mujeres Artesanas de las Regiones de Oaxaca (MARO ; zoom couleur B1, 136)* : 5 de Mayo 204. ☎ 516-06-70. *Lun-ven 9h-20h ; w-e 9h30-20h.* Caverne d'Ali Baba de l'artisanat local, appartenant à une association de femmes artisans.

⊛ *Casa de las Artesanías (zoom couleur B1, 137)* : *Matamoros 105 ; à l'angle de García Vigil.* ☎ 516-50-62. *Lun-sam 9h-21h ; dim 10h-18h.* Association regroupant 80 associations et ateliers familiaux.

⊛ *La Cava (plan couleur général B1, 138)* : *Gomez Farias 212 B (à côté de l'hôtel Conzatti).* ☎ 515-23-35. *Lun-sam 10h-15h, 17h-20h.* Pour rapporter le meilleur *mezcal* dans de belles bouteilles et de bons vins mexicains. Excellent rapport qualité-prix, doublé d'un accueil sympa et des conseils d'un spécialiste pour faire son choix. On peut demander à goûter !

À voir

Le centre historique

◉ Inscrit au Patrimoine mondial de l'Unesco depuis 1987, c'est un remarquable exemple d'architecture coloniale espagnole. La *cantera,* pierre verte typique de la région, donne un cachet particulier aux monuments et aux édifices religieux érigés par les dominicains.

🏃🏃 *Zócalo (zoom couleur B2)* : c'est la place principale, bordée au sud par le *palacio de Gobierno* (1775-1783), reconstruit de nombreuses fois à la suite de tremblements de terre. Groupes de mariachis en soirée aux terrasses des restos et parfois orchestres folkloriques au kiosque central *(le soir 19h-21h ; dim 12h30-14h).* Les Mexicains âgés dansent le *danzón.*

🏃 *Museo del Palacio (zoom couleur B2)* : sur le côté sud du zócalo, *dans le* palacio del Gobierno. ☎ 501-16-62. *Mar-dim 9h30-19h. Entrée libre.* L'ancien siège de l'État d'Oaxaca, endommagé lors des affrontements sociaux de la fin 2006, a été récemment transformé en musée. Pour l'heure, le rez-de-chaussée abrite des salles d'expositions temporaires et une section multimédia consacrée à l'État d'Oaxaca, son histoire, sa géographie et ses habitants. La projection de films anciens à sélectionner soi-même sur écran est sympa, le reste un peu barbant. Dans l'escalier, voir la fresque monumentale d'Arturo García Bustos, qui dépeint à la fois le passé précolombien, l'époque coloniale et celle de l'émancipation mexicaine. Le 1er étage devrait dans le futur accueillir d'autres salles d'exposition.

🏃 **Catedral** (zoom couleur B1-2) : sur le jardin de l'Alameda, juste à côté du zócalo. Construite par les dominicains à partir de 1553, elle ne fut pas achevée avant la première moitié du XVIIIe s. Elle a été plusieurs fois endommagée par des tremblements de terre et restaurée. Vaut surtout pour sa façade (début XVIIIe s) de style baroque, avec ses bas-reliefs, et la coupole à l'intérieur. Elle est peu chargée, contrairement à d'autres édifices religieux. Était en cours de rénovation lors de notre passage.

🏃 **Mercado Juárez** (plan couleur général A3) : 20 de Noviembre et Las Casas. On y trouve de tout. Boutiques groupées par spécialités. Un vrai plaisir que de faire un petit tour à la mercerie pour acheter du fil et une aiguille. Superbe spectacle le soir dans le jeu des lumières, la fureur de la rue.

🏃🏃 **Mercado de Abastos** (hors plan couleur général par A3, 133) : au sud-ouest du centre-ville, dans le prolongement de Mina ou Las Casas, de l'autre côté du « périphérique ». Le gros de l'activité des marchés s'est déplacé ici. Fleurs, fruits et légumes, poulets pendus haut et étals de viande, fromage, épices colorées, quincaillerie, vêtements, chapeaux de vaqueros et stands de machetes... rien ne manque au quotidien des Oaxaqueños et des habitants des villages de la sierra. Également plein de petits stands pour manger, des boulangeries, des vendeurs de café et de chocolat. Et presque aucun touriste en vue !

🏃🏃 **Iglesia Santo Domingo** (zoom couleur B1) : tlj 7h-13h, 16h-20h. Magnifique église baroque construite par les dominicains venus à la demande de Cortés pour convertir les Indiens. Édifiée à la fin du XVIe s, c'est l'un des plus beaux exemples de l'architecture due à cet ordre. Les murs, conçus pour résister aux tremblements de terre, n'ont pas bougé ; en revanche, l'intérieur a été endommagé au XIXe s, quand l'église servit de quartier général (et d'écurie !) à l'armée. Orientée vers l'ouest, comme la majorité des églises dominicaines, sa façade d'inspiration Renaissance contraste avec l'exubérance du baroque de l'ornementation intérieure : stucs dorés et peintures. Au fond : les ors rutilants du retable principal. Dans l'allée de droite, la splendide chapelle du Rosario (XVIIIe s) avec sa statue de la Vierge somptueusement vêtue. Remarquez aussi, à l'entrée de l'église, au-dessus de votre tête, le très bel arbre généalogique de saint Dominique de Guzmán, fondateur de l'ordre des dominicains. La Vierge qui est à la tête de l'arbre fut ajoutée au XIXe s, pour plus de vraisemblance probablement. Pour les photos de la façade, venir en fin d'après-midi afin de profiter du soleil déclinant.

🏃🏃🏃 **Centro cultural Santo Domingo** (plan couleur général B1) : à côté de l'église. Mar-dim 10h-18h15 (dernier billet vendu à 16h). Entrée : 51 $Me (3,10 €). Audioguide pour 50 $Me (2,80 €) de plus en anglais ou 40 $Me (2,20 €) en espagnol.
Le centre culturel occupe l'ancien couvent attenant à l'église Santo Domingo. Il abrite le musée des Cultures d'Oaxaca, consacré à l'histoire, l'art et la culture de la région. Un lieu à visiter en priorité avant de partir à la découverte de la ville et des sites archéologiques des environs.
La restauration de l'ensemble, qui a duré plusieurs années, est une belle réussite. L'entrée se fait par le cloître, avec ses galeries à arcades sur deux niveaux et sa grande fontaine centrale.
Au rez-de-chaussée, on découvre, au fond à gauche, la superbe bibliothèque Burgoa, qui renferme plus de 20 000 ouvrages. Certains livres conservés sur les rayonnages de la bibliothèque Burgoa portent l'empreinte du blason du couvent de Santo Domingo marquée au fer rouge. Pas conseillé pour faciliter la lecture mais utile pour éviter les vols ! Côté droit, une salle d'exposition temporaire précède une sec-

tion à ne pas manquer, consacrée à la civilisation de Teotihuacán. Celle-ci, à son apogée entre l'an 150 et 450, semble avoir entretenu des liens assez forts avec la cité zapotèque de Monte Albán. Superbe collection de masques, statuettes, terres cuites zoomorphes et même un couteau en obsidienne géant !

À l'étage, une quinzaine de salles, occupant en grande partie les anciennes cellules des moines, retracent l'histoire régionale des origines jusqu'à l'époque moderne. Les plus intéressantes ont naturellement trait à l'époque précolombienne (salles I à IV). Nombreuses et belles urnes funéraires à l'image de divinités, emblématiques de la culture zapotèque (certaines géantes), bas-reliefs, anneaux de jeu de pelote, etc. La

LA VACHE !

Mis au jour en 1932, le trésor de la tombe n° 7 de Monte Albán doit beaucoup à une pauvre vache... Celle-là même qui, se prenant la patte dans un trou profond et exigu, attira l'attention de ses propriétaires, puis des archéologues, sur la cavité où se trouvait le trésor ! Parmi les quelque 400 objets mis au jour, 121 étaient en or !

salle III, la plus riche, expose le trésor de la tombe n° 7 de Monte Albán : os finement ciselés, crâne incrusté de turquoise, pièces en jade, bijoux en or et autres matériaux, coupe splendide taillée dans le cristal de roche, pourtant très dur, traduisent l'importance des offrandes et de l'art funéraire pendant la période préhispanique.

Les salles V à VIII se consacrent à la conquête espagnole et à ses conséquences pour les populations précolombiennes. On y apprend, par exemple, que l'image du Christ crucifié fut très rarement utilisée jusqu'au XVIIIe s, histoire de ne pas effrayer les Indiens lors des tentatives de conversion... Beaux objets de l'époque coloniale, en particulier des coffres cloutés et des objets religieux et sacerdotaux. Remarquez aussi, salle VII, cette vieille carte française du *Mexique* (1650).

Les salles suivantes (IX à XI) abordent l'émancipation politique du Mexique et l'histoire des luttes de pouvoir – dont l'ascension de Porfirio Díaz, un enfant du pays. Les salles XII à XIV (« pluralité culturelle ») se penchent sur la diversité ethnique de l'État d'Oaxaca, l'art populaire et les coutumes indiennes. En d'autres termes, que reste-t-il du Mexique indien après 5 siècles de conquête ? La réponse n'est pas très claire...

🚶🚶🚶 **Museo de Arte prehispánico Rufino Tamayo** (zoom couleur A1) : Morelos 503. ☎ 516-47-50. Lun-sam 10h-14h, 16h-19h ; dim 10h-15h. Entrée : 35 $Me (2,20 €). Visite guidée gratuite en anglais sur demande. Explications disponibles en français.

Membre de la « bande des quatre » avec Orozco, Rivera et Siqueiros (mais plus lyrique et moins politisé qu'eux), le peintre Rufino Tamayo, originaire d'Oaxaca, a constitué au fil de sa vie une collection exceptionnelle d'objets d'art précolombiens. C'est elle que l'on découvre ici, remarquablement présentée. Les cinq salles sont organisées de manière chronologique, depuis l'époque préclassique jusqu'à la période « terminale », celle des Aztèques. Voici un aperçu des pièces les plus intéressantes :

– *Salle I* : nombreux *baby faces* olmèques. Figurines funéraires, certaines partiellement peintes, haches rituelles en jadéite.
– *Salle II* : belles céramiques zoomorphes et anthropomorphes, statuettes funéraires très esthétiques, statue en pierre de lave à masque de coyote, superbe stèle.
– *Salle III* : grand ensemble préclassique de Colima, avec tout un troupeau de chiens ! Collection de Teotihuacán, dont une stèle à deux faces – l'une teotihuacano, l'autre réalisée à l'époque aztèque. Veracruz, Monte Albán... quelle richesse ! Remarquez cette magnifique jarre huastèque ciselée.
– *Salle IV* : bel anneau de jeu de pelote ornementé de crânes. Objets mayas également, dont une belle stèle à l'effigie d'un prêtre provenant de Campeche.
– *Salle V* : crânes aztèques. Section moins riche.

🏛🏛 *Iglesia de La Soledad (zoom couleur A1)* : sise sur une vaste et très jolie pl., contre le *palacio municipal (établi dans l'ancien couvent)*. Cette belle église (1682-1690) est dédiée à la patronne de la ville, la Vierge de La Soledad (fêtée le 18 décembre), dont l'image serait apparue ici même, dans une caisse, en 1543... Magnifique façade sculptée à la manière d'un retable baroque. Derrière l'église, petit *musée* rigolo de bric-à-brac religieux *(tlj 9h-14h)*. Une belle collection d'ex-voto, mêlant peintures naïves de la Vierge et babioles kitsch, comme ce service en porcelaine rose bonbon... Marrant aussi, les costumes régionaux exposés sur des mannequins américains des années 1950 !

🏛 *Iglesia San Felipe Meri (zoom couleur A1, 130)* : à l'angle d'Independencia et Tinoco y Palacios. Église baroque du XVIIe s, avec façade de style plateresque. Beaux retables à l'intérieur.

🏛 *Museo de Arte contemporaneo (MACO ; zoom couleur B1)* : était en cours de restauration lors de notre passage. Un lieu conçu à l'initiative du peintre Francisco Toledo, dans une très belle maison fin XVIIe-début XVIIIe s. Le gouverneur de l'État d'Oaxaca y résida. Très bel espace autour d'un patio à colonnade. Pendant les travaux, les expositions temporaires de sculptures, photos et peintures sont réunies à côté, dans la *biblioteca publica nacional*. Attention, n'oubliez pas qu'il s'agit d'art contemporain – parfois très contemporain !

🏛 ⚙ *La Mano Mágica, face au Museo de Arte Contemporaneo* : *lun-sam 10h30-15h, 16h-20h. Entrée libre*. Une étrange galerie où se mélangent l'art populaire et l'art contemporain, à voir surtout pour les tisserands, qui exercent dans l'arrière patio, devant vous, leur métier. Boutique d'artisanat.

🏛 *Museo de los Pintores oaxaqueños (zoom couleur B1, 2)* : angle des rues García Vigil et Independencia. Mar-sam 10h-20h ; dim 10h-18h. Entrée : 20 $Me (1,20 €). Expositions temporaires mettant en scène le travail de peintres de l'État d'Oaxaca. On y trouve une antenne de l'office de tourisme.

🏛 *Instituto de Artes gráficos (plan couleur général A-B1, 131)* : Alcalá 507. ☎ 516-20-45. Tlj sf mar 9h30-20h. Entrée libre. C'est avant tout un institut d'art vivant, avec bibliothèque et ateliers, né, tout comme le musée d'Art contemporain, grâce au peintre Francisco Toledo. Quelques salles sont ouvertes au public : gravures, lithos... les expositions changent tous les 2 mois environ.

🏛 *Museo Casa de Juárez (plan couleur général A1)* : García Vigil 609. ☎ 516-18-60. Mar-dim 10h-19h. Entrée : 37 $Me (2,30 €). Maison où le président Benito Juárez vécut une dizaine d'années durant sa jeunesse (1818-1828). Une petite visite qui ne vous apportera pas grand-chose de plus, mais agréable. Meubles coloniaux, manuscrits, photos, souvenirs, etc. Reproduction de l'atelier de reliure où Benito travailla, enfant.

🏛🏛 *Hotel Camino Real (zoom couleur B1, 88)* : 5 de Mayo 300. (Voir aussi El Refectorio dans « Où manger ? Chic »). L'un des hôtels les plus extraordinaires d'une célèbre chaîne mexicaine. Il s'agit d'un ancien couvent, converti en hôtel de luxe avec énormément de goût. Visite autorisée, à condition de ne pas être trop crasseux. Une série de petits patios intérieurs à faire rêver. Allez voir la chapelle, ou, pour mieux apprécier ce lieu magique, prenez votre petit déjeuner-buffet, 180 $Me (10,80 €), assistez à un spectacle folklorique 300 $Me (18 €), le vendredi soir, et n'oubliez pas de jeter un coup d'œil aux lavoirs. La piscine est merveilleusement installée... dans le cloître.

🏛 Toutes les *cours intérieures* des hôtels, banques, etc., dans *Alcalá*. Visiter la *bibliothèque publique (zoom couleur A2)*, à côté du musée d'Art contemporain ; là aussi, très jolis patios en série.

Et au-delà...

🏃 **Cerro del Fortín** (plan couleur général A1, **132**) : pour avoir une vue d'ensemble de la ville, il faut grimper sur la colline Fortín. Uniquement si vous avez du temps à perdre. Prendre la rue Crespo vers le nord jusqu'à rencontrer l'immense escalier sur la gauche (juste avant l'hôtel *Parador Crespo*). Bonne grimpette de 10-15 mn jusqu'à l'auditorium en plein air.

Fêtes

– **Fête de la Guelaguetza** : depuis des siècles, les 2 derniers lun de juil (ou parfois d'août), les Indiens ont pris l'habitude de célébrer les *lunes del cerro* (« lundis de la colline »). *Attention, tt a lieu le mat.*
Le nom de cette fête, *guelaguetza* en zapotèque, signifie « offrande ». Chaque communauté profite de cette occasion pour fêter un événement important dans la vie de l'un de ses membres, et celui-ci, à son tour, prend l'engagement solennel d'agir de même avec d'autres si l'occasion se présente. Les Indiens viennent des sept régions entourant Oaxaca. Toutes ces communautés n'ayant pas les moyens de fêter les naissances, mariages et enterrements dans le faste qu'elles souhaiteraient réunissent leurs efforts depuis des générations. C'est un spectacle incroyable de couleurs, de danses folkloriques et de costumes extraordinaires. Chaque groupe effectue les danses et rites qui lui sont propres. Une grande fête, aujourd'hui payante (le portefeuille des touristes est bien utile pour financer ces réjouissances) mais qui a gardé son caractère populaire. Il est prudent d'acheter ses billets, assez chers, plusieurs jours à l'avance à l'office de tourisme. Les places en haut de l'amphithéâtre sont gratuites, mais pour être très bien placé, il vaut mieux payer et arriver au moins 2h à l'avance, avec son chapeau, de l'eau, etc.
– **Fête traditionnelle** : à partir du sam précédant le 3e lun de juil et au début de l'hiver, sur la place à côté de la cathédrale. On y mange des galettes de maïs frites, trempées dans une tasse de chocolat chaud à la cannelle ; il faut ensuite casser la tasse et faire un vœu.
– **Fiesta de los Rábanos** (fête des Radis) : le soir du 23 déc, sous les arcades du zócalo. Magnifique exposition de crèches réalisées avec des produits de l'agriculture (essentiellement des radis). Tous les villages des alentours y participent. Ambiance très sympa. Beaucoup de monde en ville, d'où de gros problèmes d'hébergement à cette période.

Culture et loisirs

Oaxaca est réputée pour être l'une des villes du Mexique où la scolarisation et l'ouverture à la culture ont été les plus poussées. Nombreuses bibliothèques et salles de lecture pour enfants.

■ **Teatro Macedonio Alcalá** (zoom couleur B2, **140**) : Independancia 900 ; à l'angle d'Armenta y López. ☎ 516-83-12. Billets env 400-450 $Me (24-27 €). Théâtre construit au début du XXe s dans le style français. Nombreux concerts, ballets et pièces de théâtre. En profiter pour admirer la somptueuse décoration Belle Époque et l'escalier de marbre.

■ **Teatro Juárez** (plan couleur général B1, **141**) : Juárez 703. ☎ 502-54-76. L'autre théâtre important de la ville, au nord-est du centre.
■ **Casa de la Cultura oaxaqueña** : Gonzalez Ortega 403. Ancien couvent de style colonial. Beaucoup d'ateliers, mais aussi des manifestations de danse, des expos de peinture, etc.

➤ DANS LES ENVIRONS D'OAXACA : LES CITÉS ZAPOTÈQUES ET MIXTÈQUES

SITIO ARQUEOLÓGICO MONTE ALBÁN

◉ Posé au sommet de la colline du Jaguar, à près de 2 000 m d'altitude, le site domine toute la vallée d'Oaxaca. Apparu en tant que centre culturel vers 500 av. J.-C., Monte Albán a connu son apogée entre 350 et 550 apr. J.-C. : la cité était alors la plus importante du monde zapotèque. Grand centre politique, économique, culturel et spirituel, elle était aussi un centre d'études astronomiques, cosmogoniques et scientifiques.
Situé sur la partie la plus haute, le centre cérémoniel occupe une immense esplanade artificielle qui offre une vue panoramique de toute beauté sur les montagnes environnantes. Redécouvert au début du XIXe s, le site a été inscrit au Patrimoine culturel de l'humanité en 1987. Visiter Monte Albán, c'est entrer dans un site sacré qui impose un profond respect.

Un peu d'histoire

La situation stratégique de la vallée d'Oaxaca, au cœur de la Méso-Amérique et des échanges commerciaux et culturels, lui fait bénéficier très tôt des influences des Olmèques, de Teotihuacán, puis des Mayas. Aux alentours de 2500 av. J.-C., les populations se sédentarisent, l'agriculture apparaît, ainsi que les premières céramiques. Mais ce n'est qu'à partir du VIIe s av. J.-C. que la région commence à jouer un rôle politique.
L'histoire de Monte Albán est divisée en cinq périodes. La première (800-150 av. J.-C.), marquée par l'influence olmèque, se caractérise par une intensification des échanges commerciaux : nacre, pyrite et jade. La société est déjà relativement bien organisée avec sa hiérarchie religieuse, ses temples, ses dignitaires. Peu à peu, la cité impose son joug aux localités voisines : les *danzantes* (danseurs), des stèles gravées de personnages nus, témoigneraient de leur subjugation.
À partir du IIe s de notre ère, le développement s'accélère. De nouvelles constructions apparaissent, plus raffinées. La période III, qui s'étend de 300 à 750 (période classique), est celle de l'apogée de la civilisation zapotèque et de la ville de Monte Albán, dont le prestige n'a d'égal que celui de Tikal et de Teotihuacán. Cette dernière influence fortement Monte Albán, comme on peut le voir dans l'architecture, les fresques et les céramiques. Si les Zapotèques adoptent le jeu de balle, en revanche les Mayas s'approprient leur calendrier et leur système d'écriture. Les édifices et les pyramides de la cité sont recouverts de stuc peint en rouge. La ville compte au moins 24 000 habitants vers 650 (le quart de celle de Teotihuacán).
Le début de la quatrième période (à partir de 750) marque le déclin de Monte Albán, qui perd son rôle de capitale. Comme d'habitude, aucune cause précise n'a pu être identifiée. La chute de Teotihuacán y est probablement pour quelque chose. Mais on évoque aussi une forte poussée démographique, la sécheresse et une surexploitation des ressources. Quoi qu'il en soit, la culture zapotèque entre en décadence, et la cité est progressivement abandonnée et transformée en centre cérémoniel et en nécropole. Vers l'an 1200 (cinquième période), les Mixtèques débarquent et introduisent l'orfèvrerie. Certaines tombes zapotèques sont réutilisées, comme la célèbre tombe n° 7, où a été découvert un véritable trésor. Zaachila et Mitla sont désormais les capitales de la région, mais elles n'atteindront jamais la splendeur et le rayonnement de Monte Albán.

Comment y aller ?

➤ **D'Oaxaca :** *le site se trouve à une dizaine de km au sud-ouest.* Prendre la route de Mexico sur 3 km, jusqu'à la bifurcation. C'est bien indiqué. Trajet : 15-20 mn.

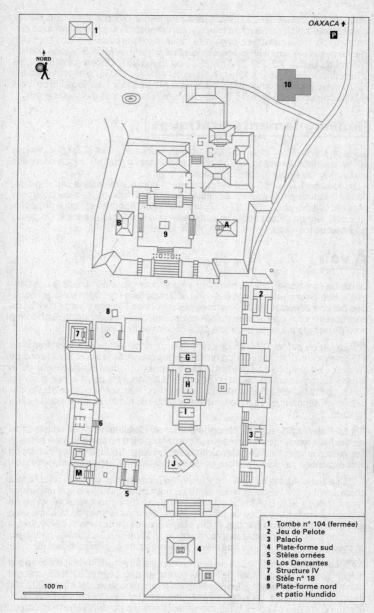

OAXACA ↑

NORD

10

B
9
A

8
7
G
H
I
6
3
M
5
J
4

100 m

1 Tombe n° 104 (fermée)
2 Jeu de Pelote
3 Palacio
4 Plate-forme sud
5 Stèles ornées
6 Los Danzantes
7 Structure IV
8 Stèle n° 18
9 Plate-forme nord
   et patio Hundido

LE SITE DE MONTE ALBÁN

– Pas de bus locaux directs, mais plusieurs agences proposent des excursions. Insistez pour savoir combien de temps vous est accordé sur le site, car avec certaines on n'y reste pas assez longtemps (pour une visite classique, comptez bien 2h). Le mieux : emprunter les **bus ou minibus** partant de Mina 509 *(plan couleur général d'Oaxaca, A3, 26)*. ☎ 516-53-27 ou 514-31-61. Départ à priori ttes les 30 mn, 8h30-15h30 ; retour 12h-17h. Compter 48 $Me (2,90 €) l'aller-retour. Trajet : 25-30 mn. La même compagnie propose des excursions à Tule, Teotitlán del Valle et Mitla autour de 300 $Me (18 €), 10h-19h env. N'hésitez pas à discuter le prix.

Renseignements pratiques

– *Site ouv tlj 8h-17h. Entrée : 51 $Me (3,10 €). Vidéos : 41 $Me (2,50 €). Consigne où l'on peut laisser son sac.* C'est bien d'y arriver dès l'ouverture : moins de monde et bonne lumière pour les photographes.
– Les tombes 104 et 105 sont temporairement hors accès, suite à des dégradations. Une étude est en cours pour déterminer le nombre de visiteurs qui pourront y pénétrer chaque jour. ☎ 516-12-15 *pour plus d'infos.* Apporter sa lampe de poche.
– Le bâtiment du musée abrite une cafétéria avec une terrasse sympa. On peut y grignoter un morceau.

À voir

Le centre cérémoniel, orienté nord-sud, se compose d'une esplanade *(plaza Central),* genre piste d'atterrissage d'environ 300 m de long sur 200 m de large, occupée par une douzaine de bâtiments et plates-formes. On entre par le nord et on peut faire le circuit dans le sens qu'on veut, soit en commençant par la plate-forme nord *(9)* ou bien par le jeu de pelote *(2)*, à gauche en entrant.

🏃🏃 *Le jeu de pelote (2) :* l'un des cinq que comptait Monte Albán. En forme de « I » majuscule, il servait pour commémorer les cycles de la vie et les saisons de l'année. Des disques solaires taillés dans la pierre ornaient les panneaux de la façade. Comme tous les *juegos de pelota* de la région, il n'a pas d'anneaux sur les côtés, contrairement aux jeux mayas. Mais où donc faisaient-ils passer la balle, ces diables de Zapotèques ? La pierre ronde au centre du terrain avait sans doute cette fonction.

🏃🏃 *Le Palacio (3) :* édifié à l'époque classique. Certainement une construction résidentielle temporaire réservée à quelque dignitaire, d'où son nom de « palais ». Ses pièces donnent sur un patio central avec un autel. Seul bâtiment d'habitation sur l'esplanade, on y accédait par un grand escalier, plus large que la façade.

🏃🏃🏃 *La plate-forme sud (4) :* monumentale, comme son vis-à-vis nord. Il faut absolument gravir l'escalier, large de 40 m, pour bénéficier d'une vue unique sur l'ensemble du site. L'intérieur est loin d'avoir été totalement exploré, et on ne connaît guère les entrailles de ce monument. Sur trois angles de la base, on a retrouvé de curieuses offrandes et des **stèles ornées** de dessins et de glyphes. Il s'agit de pierres préclassiques provenant de l'édifice des Danzantes, réutilisées ultérieurement. Ne manquez pas celles du coin gauche en redescendant *(5).*

🏃🏃🏃 *Los Danzantes (6) :* situé derrière la structure M, cet édifice doit son nom aux magnifiques dalles sculptées de figures humaines découvertes en 1806, d'abord identifiées à des danseurs. Elles représentent des personnages datant de 500 à 100 avant l'ère chrétienne, sans doute olmèques, dont les visages peuvent être comparés à ceux des célèbres têtes monumentales du parc de Villahermosa ou du musée de Jalapa. En revanche, ce sont loin d'être des danseurs : la plupart d'entre elles représentent des silhouettes masculines nues, trapues, dans des positions grotesques. Ce ne sont pas les théories qui manquent. La plupart des archéologues estiment qu'il s'agit de captifs, chefs de cités voisines soumises, destinés aux sacrifices. Leur nudité, signe d'infamie, et des symboles de castration et de sang collecté (consacré en offrandes) sont en faveur de cette hypothèse. D'autres théories circulent néanmoins : expression d'un culte à la fertilité, voire d'un culte phallique d'origine olmèque, déification de personnes handicapées, assimilées à des chamans, etc.

🎥 *La structure IV (7) :* un ensemble sans grand intérêt vu son mauvais état, à la droite duquel se dresse la *stèle n° 18 (8)* – elle aussi en piteux état depuis qu'elle s'est brisée et qu'on a tenté de recoller les morceaux. Elle servait à indiquer midi au moment où son ombre disparaissait. Ne faites pas semblant de déchiffrer les hiéroglyphes, ils sont devenus illisibles !

🎥🎥🎥 *Le groupe central (G, H, I, J) :* au centre de l'esplanade, les trois *édifices (G, H et I)* formaient le principal lieu public de la cité. C'est dans le bâtiment H que l'on a retrouvé le fameux masque de jade en forme de chauve-souris qui est exposé au Musée national d'anthropologie de Mexico. Au pied de la plate-forme sud, le bâtiment J avait vocation d'observatoire astronomique. Sa pointe en éperon avait un rapport avec le soleil à son zénith (l'ombre des fidèles disparaissait et, avec elle, leur âme ; vous imaginez le pouvoir des prêtres...). Sur la façade à droite et à gauche de la porte principale (côté sud), de nombreux glyphes : les têtes renversées symbolisent autant de tribus ou de peuples soumis. Cet édifice est traversé par un couloir couvert de dalles, dont l'accès est fermé par une porte cadenassée.

🎥🎥 *La plate-forme nord (9) :* le pendant de la plate-forme sud, précédé par un escalier de 37 m de large. À ses pieds, belle stèle de style maya. Au sommet, maigres vestiges des larges colonnes d'un portique disparu. De là se dégage une vue panoramique sur l'ensemble du site. La colline au fond à gauche est sans doute un peu plus que cela : il semble que ce soit une autre zone archéologique qui ne demande qu'à être fouillée.

🎥🎥 Sur la plate-forme nord se creuse le *patio Hundido (9),* encadré par les *édifices A et B,* jadis surmontés de temples. D'autres édifices secondaires se dressent plus au nord. C'est par là, également, que se trouvent les *tombes.* La *n° 104 (1),* qui pourrait être à nouveau accessible lorsque vous lirez ces lignes, est ornée de fresques représentant des prêtres emplumés.

🎥🎥🎥 À l'entrée du site, le *musée* contient une importante collection archéologique, bien mise en valeur, avec d'énormes monolithes sculptés et de grandes stèles. Les objets en céramique, pierre, os, coquillages faisaient partie des offrandes placées dans les tombes. À noter : restes de colonnes sculptées en *cantera* et superbe petite sculpture en pierre noire de style *teotihuacano.* Le trésor de la tombe n° 7, découvert en 1932, est exposé au musée du couvent Santo Domingo à Oaxaca.

MITLA

Ce gros village indien, situé à 40 km à l'est d'Oaxaca, conserve les ruines d'une cité mixtèque (postclassique). Bien qu'elle n'atteignit jamais le rayonnement de Monte Albán, elle fait néanmoins l'objet d'une excursion populaire au départ d'Oaxaca. En chemin, sites archéologiques secondaires et bourgs indiens invitent à des haltes (voir plus loin leur description).

Comment y aller ?

➢ *En bus d'Oaxaca :* avec les compagnies *Oaxaca-Istmo* et *Fletes y Pasajes* (env 1h de trajet). Départ ttes les 10 mn env du terminal de 2ᵉ classe à Oaxaca *(hors plan couleur général par A2, 5),* 6h-21h, guichet porte 9. Les bus vous déposent à l'entrée du village, à 800 m des ruines env. Autre solution : les taxis collectifs portant l'inscription « Mitla » en haut du parebrise. À prendre sur le *periferico* au niveau de Gonzalez Ortega *(plan couleur général B3)*, ttes les 10-15 mn. 45 mn de trajet ; 20 $Me/pers. Plusieurs agences à Oaxaca organisent des excursions.

À voir

🚶 ⊘ *Le site archéologique de Mitla :* tlj 8h-17h. Arriver de préférence avt 11h pour éviter la foule et les grosses chaleurs. Entrée : env 40 $Me (2,40 €).
Les grottes préhistoriques découvertes à proximité ont été inscrites au Patrimoine mondial par l'Unesco.
Au centre du site trône une église coloniale aux dômes peints en rouge. Autour, des haies de cactus candélabres... et les édifces de la cité mixtèque. Les Espagnols ont élevé l'église au cœur même de l'ancienne ville : une bonne manière d'affirmer la continuité du pouvoir tout en arasant les symboles anciens.
Mitla, ou *Mictlán,* dérive de la langue náhuatl et signifie « endroit des morts ». En langue zapotèque, le site s'appelait *Lyoabaa,* le « lieu de repos ». La construction des bâtiments, palais et lieux administratifs, date principalement des années 1300-1400.
Le site archéologique est composé de cinq groupes disséminés parmi les quartiers d'habitation de la ville ; quatre sont ouverts à la visite. Les deux plus intéressants sont le *groupe de l'Église* et, surtout, le *groupe des Colonnes*. Ce dernier, situé derrière l'allée qui relie l'église au marché d'artisanat, est constitué de trois grands patios enchâssés de panneaux aux motifs géométriques, de corridors et de dédales de salles bien restaurées. Dans la cour sud, des galeries souterraines mènent à deux étonnantes tombes de plan cruciforme, elles aussi ornées de panneaux géométriques.

🚶 *Le marché* du village est intéressant. On peut s'y procurer de magnifiques tapis, des sacs et des *sarapes.*

– À Mitla, ne pas oublier de goûter au *mezcal.* Dans certaines boutiques, la dégustation est gratuite (et il y a beaucoup de boutiques...).

À voir encore dans les environs

À l'est d'Oaxaca

🚶🚶 *El árbol de Tule :* sur la route de Mitla, à 10 km d'Oaxaca. Situé sur le zócalo, devant l'église du village de Santa Maria del Tule. Tlj 8h-19h. Entrée : 5 $Me (0,30 €). Cet arbre exceptionnel mesure 58 m de circonférence, 42 m de hauteur et aurait environ 2 000 ans d'âge. Un colosse impressionnant unique en son genre – même si on en trouve d'autres de cette espèce, en moins gros, dans la région. Vers fin août, célébration de l'arbre. Appelé *ahuehuete* ou *sabino* (mais son nom scientifique est *Taxodium mucronatum*), l'arbre fut parfois menacé. Un commerçant voulut même l'acheter pour le débiter en planches, mais les Indiens s'y opposèrent.

🚶 *Tlacochahuaya :* toujours en direction de Mitla, à une vingtaine de km d'Oaxaca et à 1,5 km de la route principale. Petit village tranquille, sans trop de touristes, qui vaut le détour pour son église San Jerónimo, du milieu du XVIe s, mais attention la restauration du lieu était en cours lors de notre passage ; se renseigner sur l'avancement des travaux. Toute l'ornementation a été réalisée par les Indiens zapotèques, d'où ce curieux mélange de styles. Autel doré plateresque et intérieur très joliment fleuri.

🚶 *Dainzú :* à 1 km de la route de Mitla, sur la droite, après Tlacochahuaya. Tlj 8h-18h. Entrée : 35 $Me (2,10 €). Adossée à une colline couverte de cactus tuyaux d'orgue, l'ancienne cité zapotèque porte un nom on ne peut plus adapté : *Dainzú* signifie en effet « colline des cactus » ! Il n'en reste pas grand-chose, mais on peut voir des bas-reliefs montrant probablement des joueurs de balle au pied de l'édifice A.

🍴 *Teotitlán del Valle :* *encore un peu plus loin, à 25 km d'Oaxaca et 3 km de la route principale.* Village spécialisé dans le tissage de la laine et du coton. Chaque maison, ou presque, abrite un métier traditionnel ! Superbes tapis, châles et couvertures. Les motifs zapotèques sont utilisés, souvent propres aux différentes familles. De nombreux tisserands disent travailler avec des pigments naturels, mais peu le font en vérité. Leurs tapis sont jusqu'à trois ou quatre fois plus chers : normal, car le prix de la cochenille et de l'indigo dépasse les 100 € le kilo. Quel que soit votre choix, n'hésitez pas à marchander, en espagnol bien sûr ; ici, ça fait partie du jeu. Petit marché couvert sympa, au centre du village.
Sous l'Empire aztèque, Teotitlán était déjà réputé pour son savoir-faire : chaque année, le village envoyait comme tribut à Moctezuma 400 mesures de tissu et 800 de couvertures ! Pour teindre leurs étoffes, les tisserands utilisaient des pigments naturels : cochenille (rouge), indigo (bleu), roches pulvérisées (brun, ocre), mousses et plantes (vert), etc. La grande variété de teintes était obtenue grâce aux adjuvants : jus ou zeste de citron, cendres, feuilles de *tejute,* urine de vache...
– Pour un bon aperçu des techniques de tissage, visitez le *Musée communautaire (mar-dim 10h-18h ; 15 $Me, soit 0,90 €),* avec des explications en anglais. On y trouve aussi une petite section archéologique et une autre consacrée aux traditions.
– Plusieurs fois par an a lieu la *danse de la Plume,* très pittoresque. Le 1er week-end de septembre, une autre fête : les *Rencontres des langues et des cultures zapotèques.*

🍴 *Santa Ana del Valle :* *sur la route de Mitla, à 3 km de Tlacolula.* Un autre bourg indien assez authentique, où l'on peut voir une église très fleurie, pas toujours ouverte, touchante avec ses fresques naïves et ses autels autour où vacillent les flammes des bougies. À côté, un petit *Musée religieux communautaire (15 $Me, soit 0,90 €),* où l'on vous guidera pas à pas. Sur la plaza, le modeste *museo Shan-Dany (tlj 10h-14h, 15h-18h ; 10 $Me, soit 0,60 €)* expose pièces archéologiques et vieux fusils de la révolution. Petit marché d'artisanat : Santa Ana tisse aussi la laine.

🍴 ⊗ *Yagul :* *sur la route de Mitla, 3 km après Tlacolula, une petite zone archéologique, zapotèque et contemporaine de Mitla. Tlj 8h-17h. Entrée : 38 $Me (2,30 €).* Des grottes préhistoriques découvertes proches du site ont été inscrites au Patrimoine mondial par l'Unesco. Très beau paysage semé de cactus, avec une vue superbe sur la vallée. Les ruines, perchées à la manière d'une acropole, sont très simples, le très grand jeu de pelote étant la partie la plus remarquable : avec 42 m sur 24 m, c'est le deuxième de toute la Méso-Amérique (après celui de Chichén Itzá). Quitte à être venu jusque-là, ne manquez pas les deux têtes sculptées à l'intérieur de la tombe triple et la grenouille derrière l'oratoire (à l'est). *Attention :* le bus vous dépose à 2 km du site. Prévoir des boissons, car il n'y a rien sur place.

🍴🍴 *Hierve el Agua :* *à 13 km de Mitla. Direction Zacatepec sur 3 km, puis à droite vers le bourg de Xaaga. De là, une mauvaise piste, tt juste carrossable en saison sèche sans 4x4, grimpe en épingles à cheveux vers les crêtes avt de basculer sur l'autre versant. Un itinéraire que l'on qualifiera de vertigineux sans aucun excès de langage ! Compter 45 mn env. Des camionetas partent de Mitla ttes les 1-2h, 8h-17h (dernier retour). Compter 30 $Me (1,80 €). Entrée du site : 15 $Me (0,90 €).* Le site de Hierve, superbe, consiste en deux grands bassins et en cascades pétrifiées composées de carbonate de calcium. Ceux qui connaissent le site de Pamukkale en Turquie y verront une similitude. Des petites sources d'eau carbonée alimentent les piscines naturelles, où l'on peut (doit !) se baigner. Possibilité aussi de camper sur place ou de passer la nuit dans une *cabaña (compter 100 $Me/pers, soit 6 €, dans les 2 cas ; sanitaires).* Renseignez-vous pour connaître l'état de la route avant de vous aventurer sur ce site.

À l'ouest et au sud d'Oaxaca

🍗 **Cuilapán** : *au sud-ouest d'Oaxaca, sur la route de Zaachila (voir ci-dessous « Les marchés indiens »)*. À la sortie du bourg, ruines d'un des plus grands monastères mexicains, réputé pour son cloître *(tlj 10h-18h ; entrée : 30 $Me, soit 1,80 €)*. Superbe. Le 25 juillet, fête du village.

🍗 **Coyotepec** : *à 12 km au sud d'Oaxaca sur la route d'Ocotlán (bus ttes les 30 mn du terminal de 2ᵉ classe)*. C'est là que sont façonnées les célèbres poteries en terre cuite noire qui foisonnent dans la région. Certains artisans font visiter leurs ateliers, et c'est moins cher qu'en ville. Sur le *zócalo*, le beau *museo de Arte popular (mar-dim 10h-18h ; entrée : 25 $Me, soit 1,50 €)*, d'une taille et d'un modernisme inattendus pour un si petit village, met en valeur le savoir-faire local, à travers une exposition de pièces traditionnelles ou plus artistiques. Beaucoup de groupes atterrissent ici, vous ne serez pas tout seul.

Les marchés indiens

– **Zaachila** : *au sud-ouest d'Oaxaca, à 18 km. Marché le jeu, qui prend vraiment son essor à partir de 9h.* Sous la halle couverte, les boulangers et la viande. Autour du *zócalo*, le reste. Ne manquez pas la petite allée, au fond, où les familles viennent vendre leur production de maïs et de *frijoles.* Pour y aller, bus au terminal de 2ᵉ classe ttes les 10 mn à partir de 5h40. Au retour, on peut s'arrêter au *monastère de Cuilapán* et reprendre le bus suivant. Dernier départ de Zaachila vers 19h.
Pour les fans de la civilisation zapotéco-mixtèque, petit *site archéologique* sur l'emplacement de la dernière capitale des Zapotèques (sur la colline, à 200 m du *zócalo*). Tlj 9h-18h. Entrée : 30 $Me (1,80 €). On peut y voir deux tombes. La n° 1, la plus intéressante, est celle de Lord Nine Flower, accompagné dans la mort par un jeune homme et huit serviteurs sacrifiés pour l'occasion (les congés payés étaient loin à l'époque...). Intéressants hauts-reliefs en terre cuite : des chouettes dans le vestibule et le seigneur en question dans la tombe proprement dite. Le dieu de la Mort est également figuré à deux reprises.

– **Ocotlán** : *à 30 km d'Oaxaca, vers le sud. Marché ven.* Poteries de terre rouge, ustensiles de cuisine en bois, etc.

– D'autres marchés indiens sont accessibles en bus pour la journée : **Zacatepec** (mercredi), **Miahuatlán** (lundi), **Zimatlán** (vendredi) et **Alvarez, San Pedro** et **San Pablo Etla.**

– **Tlacolula** : *un des plus gros bourgs de la région, à 32 km à l'est d'Oaxaca (bus pour Mitla). Marché dim à partir de 9h.* C'est celui que nous préférons, authentique et coloré. Les Indiennes viennent y proposer leurs fruits et légumes. Artisanat, tissages, nourriture, on y trouve de tout et c'est moins cher qu'à Oaxaca. Peu fréquenté par les touristes. Également à voir, juste derrière le marché, l'*église* avec sa chapelle latérale baroque très ornementée. Tlacolula est aussi un bon endroit pour goûter au *mezcal.* Mais la capitale mondiale de ce puissant breuvage se trouve 5 km après Mitla, sur la route de Tehuantepec, dans le village de Santiago de Matatlán. Santé !

HUAUTLA DE JIMENEZ

Ce fut un banquier de New York, R. Gordon Wason, qui révéla au monde l'existence du chamanisme dans la sierra Mazatèque, au sud de Puebla, près de Tehuacán. Au début de 1953, il entreprit un voyage au lointain village de

Huautla de Jimenez, dans l'État d'Oaxaca. Les expériences de divination réalisées par les guérisseurs s'étant révélées passionnantes, Wason revint dans la sierra Mazatèque en 1955, accompagné d'un photographe, et il fit alors la connaissance de la célèbre guérisseuse María Sabina, Indienne mazatèque qui jouissait d'un prestige extraordinaire dans la région. Grâce à elle, l'Américain pénétra dans un monde à peine connu de l'Occident. Nombreux chamans à Huautla, qui poursuivent la tradition.

MARÍA SABINA : LA REINE DU CHAMPIGNON HALLUCINOGÈNE

Le vendredi 22 novembre 1985 s'éteignit, à l'hôpital d'Oaxaca, la célèbre María Sabina, à l'âge de 97 ans. Cette petite Indienne, mince et vigoureuse, fut la guérisseuse la plus prestigieuse du Mexique et cependant, elle continuait à vivre comme toute Indienne mazatèque, avec peu d'argent et de multiples obligations familiales. Deux fois veuve, elle fut mariée la seconde fois au sorcier Marcial Calvo dont elle soutira certains rudiments du chamanisme, en dépit de son opposition et de ses « jalousies professionnelles ». Après la mort de celui-ci, elle se consacra au chamanisme, et son nom se répandit sur toute la sierra mazatèque, attirant les croyants, les ethnologues et les curieux. Elle reçut notamment la visite de John Lennon, Mick Jagger, Bob Dylan... On lui attribuait des pouvoirs extraordinaires, capables de guérir les malades, de prédire l'avenir et de dialoguer avec les obscures puissances de la nature.

HUATULCO   25 500 hab.   IND. TÉL. : 958

Une station balnéaire sortie de nulle part ! Elle a poussé comme un champignon le long de cette côte jusqu'alors déserte. Imaginez la jungle, les plages inaccessibles, vierges, et puis, soudain, un aéroport international, de larges avenues au gazon bien tondu, un golf, des hôtels dans le style *resort*.
Au début des années 1980, les autorités mexicaines ont décidé de créer ici une station balnéaire afin de désengorger Cancún et Acapulco. Et les grandes sociétés de l'hôtellerie de s'installer, ravies, sur les superbes plages des petites baies aux eaux limpides.
Seulement en dépit de leurs prévisions d'expansion, le client se fait désirer et l'on se retrouve parfois un peu seul sur de longs boulevards déserts, gardés par des rangées de palmiers bien alignés.

35 KM DE LITTORAL, NEUF BAIES

Huatulco est une zone côtière accrochée à la sierra qui glisse doucement dans le Pacifique. Du nord au sud, neuf baies s'étendent sur les 35 km du littoral. Chaque baie correspond à une zone hôtelière dont le standing varie du 3 au 5-étoiles. Le village ancien de Huatulco existe bel et bien, en retrait de la mer, autour du quartier de *La Crucecita*. Ce centre-ville quadrillé par des rues se coupant à angle droit apporte une note un peu humaine et authentique. Là se trouve le marché, le *zócalo*, les magasins pour touristes et les hébergements bon marché.

Arriver – Quitter

Huatulco se trouve à 110 km de Puerto Escondido, à 40 km de Pochutla (50 km de Puerto Ángel) et à 147 km de Salina Cruz. D'Oaxaca, compter 280 km via Pochutla et 400 km via Salina Cruz.

LA CÔTE PACIFIQUE SUD

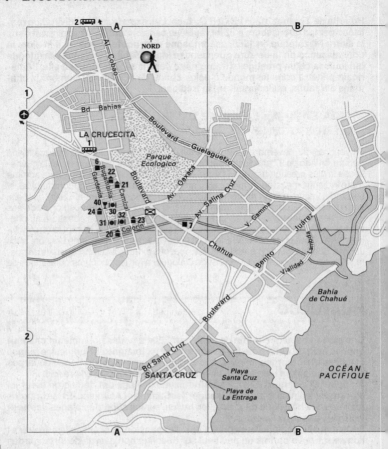

Les bus arrivent au village de La Crucecita. De là, des *colectivos* vous conduiront aux principales baies pour 5-10 $Me (0,30-0,60 €) selon la distance. À défaut, on trouve toujours des taxis.

En bus

Voir la liste des principales compagnies et leurs coordonnées dans la rubrique « Transports » du chapitre « Mexique utile ».

🚌 **Terminal ADO, Sur, Ecobus et Cristóbal Colón** *(plan A1, 1) :* angle bd Chahué et av. Riscalillo. ☎ 587-02-59.

➤ **Pour/de Mexico :** 2 bus en fin d'ap-m et 1 autre en soirée avec *OCC*, desservant les terminaux Norte, Tapo et Tasqueña. Trajet : env 14h. 2 bus plus luxueux et plus chers avec *ADO GL* vers 15h20 (Tapo) et 18h45 (Tasqueña).

➤ **Pour/de Oaxaca :** 3 bus/j. avec *OCC*. Trajet : env 8h. Avec *ADO GL*, bus à 22h. Bus de 2ᵉ classe ttes les 40 mn, 5h40-19h, avec *Sur*.

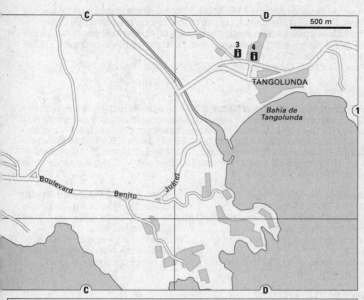

TANGOLUNDA

Adresses utiles

 1 Terminal ADO Sur, Ecobus et Cristóbal Colón
2 Terminal Estrella Blanca et Costa
3 Office de tourisme
4 Asociación de Hoteles y Moteles
6 Magnicharters
7 Aerotucán

⌂ Où dormir ?

20 Posada Leo
21 Posada San Agustín
22 Posada Palma Real
23 Busanvi I
24 Flamboyant

❖ Où manger ?

30 Mercado
31 Tostado's Grill
32 Oasis

⌘ Où boire un verre ?

40 La Crema-Güatulko Bar

HUATULCO

➤ **Pour/de Pochutla (Puerto Ángel) et Puerto Escondido :** 10 bus de 1re classe/j. avec *OCC,* dont 7 avt 10h40 du mat... 1 autre à 18h10. Bus de 2e classe ttes les 40 mn, 5h40-19h, avec *Sur.*

➤ **Pour/de Tehuantepec :** 5 bus/j. avec *OCC,* 2 avec *ADO GL.* Également 5 bus de 2e classe/j. avec *Sur* et *Ecobus.* Trajet : 3h.

➤ **Pour/de Puebla :** 3 bus/j. avec *OCC* en fin d'ap-m. Même itinéraire que pour aller à Mexico. Trajet : env 12h.

➤ **Pour/de Tuxtla et San Cristóbal de Las Casas :** 2 bus/j., de nuit, 21h et 23h55, avec *OCC.*

➤ **Pour/de Veracruz :** 1 bus/j. avec *ADO GL* à 21h. Trajet : env 10h.

🚌 **Terminal Estrella Blanca et Costa** *(hors plan par A1, 2) :* av. Carpinteros 1 *(secteur T),* à env 800 m au nord du terminal ADO et OCC. *Très excentré donc.*

■ **Estrella Blanca :** ☎ 587-06-80 ou 587-23-30.
■ **Costa Bus :** ☎ 587-06-82 ou 283-47-93.

➤ *Pour/de Mexico :* départs à 16h et 16h30 avec *Estrella Blanca* (service luxe), et 18h avec *Costa*, via Cuernavaca. Un peu moins cher qu'avec *Cristóbal Colón*.
➤ *Pour/de Acapulco via Pochutla (Puerto Ángel) et Puerto Escondido :* 6 bus/j. avec *Estrella Blanca* et 3 autres avec *Costa*. Le *Costa* de 16h30 poursuit son chemin jusqu'à Zihuatanejo.
➤ *Pour/de Salina Cruz :* 8 bus/j., 9h30-23h55. Trajet : 2h30-3h.

En avion

✈ *L'aéroport de Santa Maria Huatulco (hors plan par A1) est à 15 km à l'ouest de la ville, en direction de Pochulta.* Il est surtout desservi par des charters américains et canadiens. Sur place : loueurs de voitures, snacks et distributeurs. Pour rejoindre Huatulco, taxis ou *colectivos.* Comptez 490-510 $Me (29,40-30,60 €) dans le 1er cas selon la plage où vous vous rendez ; 100 $Me (6 €) dans le 2nd pour le centre-ville. Le retour en taxi est moins cher (env 250 $Me, soit 15 €). Pour réserver votre retour en *colectivo :* ☎ 581-90-14.

■ *Magnicharters* (plan A1, *6*) : Sabalí 304. ☎ 587-0413 ou 01-800-201-1404. • *magnimex.com* • Vols charters et packages au départ de Mexico et quelques autres grandes villes mexicaines.
■ *Aerotucán* (plan A1, *7*) : bd Chahué.

☎ 587-24-24 ou 01-800-640-41-48. • *aerotucan.com* • Vol quotidien le matin de et pour Oaxaca, (env 1 400 $Me, soit 84 €).
■ *Interjet :* à l'aéroport. ☎ 01-800-011-23-45. • *interjet.com.mx* • Vol quotidien à 14h pour Mexico.

Adresses utiles

🛈 *Office de tourisme* (plan D1, *3*) : Benito Juárez, Bahía de Tangolunda. ☎ 581-01-77. • *huatulco.com.mx* • Lun-ven 8h-17h. Pour récupérer une carte de la zone et quelques infos pratiques.
🛈 *Asociación de Hoteles y Moteles* (plan D1, *4*) : Benito Juárez 8, Bahía de Tangolunda (contre l'hôtel Crown Pacific et Hertz). ☎ 581-04-86. • *hoteleshua tulco.com.mx* • Lun-ven 9h-19h ; sam

9h-14h. Utile lorsque l'office de tourisme est fermé pour obtenir de bonnes cartes ou infos. Responsable allemande très efficace.
✉ *Poste* (plan A1) : bd Chahué 100. Lun-sam 8h-16h. Le bureau des Télécom attenant *(lun-ven 8h-19h30 ; w-e et j. fériés 9h-12h30)* vous permettra de passer vos appels internationaux. Fait bureau *Western Union* également.

Où dormir ?

Attention : en haute saison, les prix doublent quasiment !

Bon marché (300-400 $Me, soit 18-24 €)

🛏 *Posada Leo* (plan A1-2, *20*) : Bugambilia 302, à l'angle de Cocotillo, La Crucecita. ☎ 587-26-01. • *posada leo.com* • Dans une *posada* familiale, tenue avec soin par un aimable couple, 6 chambrettes simples et propres, toutes avec 2 lits, salle de bains, TV satellite, AC ou ventilo. Donnent sur la rue ou sur le jardin. Privilégier celles de

l'étage.
🛏 *Posada San Agustín* (plan A1, *21*) : av. Carrizal 1102 ; à l'angle de Macuil, La Crucecita. ☎ 587-03-68. Murs blanc et bleu, épicerie au rez-de-chaussée, chambres correctes, propres et carrelées, avec salle de bains et ventilo. À choisir, on préfère celles avec lit *king size.*

Prix moyens (400-800 $Me, soit 24-48 €)

🛏 *Posada Palma Real* (plan A1, 22) : Palma Real 210, La Crucecita. ☎ 587-17-38. Bâtiment rose d'un étage, donnant sur un petit jardin public. Une adresse accueillante, agréable et bien située. Chambres plutôt confortables et propres, avec TV, ventilo ou AC. Le prix le moins cher concerne l'unique chambre à un lit.

🛏 *Busanvi I* (plan A1, 23) : Carrizal 601 ; à la hauteur de Flamboyan, La Crucecita. ☎ 587-07-39. À 150 m du zócalo. Un cran au-dessus des autres. Chambres bien tenues, avec du mobilier en bois et de petits balcons côté rue. TV, ventilo ou AC.

Plus chic (plus de 1 200 $Me, soit 72 €)

🛏 *Flamboyant* (plan A1, 24) : Gardenia 508, sur le zócalo, La Crucecita. ☎ 587-04-02. • hotelesfarrera.com/flamboyant • Cet hôtel de bon standing (4 étoiles au compteur) est intéressant pour son bel emplacement – zócalo d'un côté, forêt de l'autre, à l'arrière. Chambres assez standard, avec AC, TV satellite ; certaines avec lit *king size*, les autres avec 2 lits. Les plus agréables donnent sur la cour. À l'arrière, les 4 *master suites* dominent la piscine, au calme. En fait, ce sont des appartements de 2 chambres avec cuisine et salon. Le tarif promo n'est appliqué que sur demande... alors demandez !

Où manger ?

🍽 *Mercado* (plan A1, 30) : à un bloc du zócalo. Plusieurs cantines où manger de bons petits plats de poisson et de cuisine locale. Et plein de jus de fruits tropicaux et de glaces.

🍽 *Tostado's Grill* (plan A1, 31) : Flamboyan 306, La Crucecita. ☎ 587-16-97. Sur le zócalo, près d'un cybercafé, une terrasse agréable et une salle meublée (piano, chaises en bois clair) avec un peu plus de recherche que la moyenne. *Mariscos,* plats *oaxaqueños,* grand choix de grillades (assez chères), salades. On a bien aimé les tacos aux crevettes. Copieux. Tortillas et *guacamole* sont servis gratuitement pour patienter. Accueil sympa.

🍽 *Oasis* (plan A1, 32) : Bugambilia ; à l'angle de Flamboyan, La Crucecita. ☎ 587-13-00. À l'angle du zócalo. Petite salle ventilée prolongée par une terrasse, où l'on grignote au choix des classiques mexicains, ou... des spécialités japonaises ! *Yaquy tori* (brochettes), sushis, sashimis, etc. Si la cuisinière spécialisée n'est pas là, ce sera mexicain seulement.

Où boire un verre ?

La vie nocturne se concentre autour du *zócalo*. Quelques bars à Santa Cruz, et les grands hôtels proposent régulièrement des animations et *happy hours*.

🍸 *La Crema-Güatulko Bar* (plan A1, 40) : Gardenia 311, sur le zócalo, La Crucecita ; au-dessus du resto Tropicana. Au 1er étage. Tlj 19h30-2h. Fréquenté par les jeunes du coin. Grand bar bourré de jolis fauteuils ronds et de tables basses. Quelques canapés pour se vautrer également. Lumière tamisée. Déco très hétéroclite. Très bonne musique rock, reggae et groupes nationaux *live* de temps à autre. Et, bien sûr, une ribambelle alléchante de cocktails. Sympa et souvent remuant en soirée.

LA CÔTE PACIFIQUE SUD

Les plages

⊅ Tout le problème, ici, est de choisir sa plage. Il y en a 36 ! Toutes aussi belles les unes que les autres. Attention, la baignade n'y est pas toujours sans risque, les eaux du Pacifique sont parfois dangereuses. Se renseigner avant de choisir. Les plus fréquentées sont bien sûr celles qui ont les eaux les plus paisibles : *Tangolunda* (plan D1), *Santa Cruz* (plan A-B2), *La Entrega* (plan A-B2), *Maguey*. La *baie de Cacaluta* a une petite île qui protège des vents dominants. Possibilité de visiter les baies en bateau. Excursion à la journée à partir du port de Santa Cruz, le tarif se négocie sur place. Évitez les agences de tourisme, c'est trop cher, en groupe et avec horaires fixes.

⊅ À l'est, la *baie Conejos* comporte trois plages : *Punta Arena*, *Conejos* et *Tejoncitó*. Encore plus loin, la *Bocana del Río*, à l'embouchure de la rivière.

PUERTO ÁNGEL   4 000 hab.   IND. TÉL. : 958

Ce charmant petit port de pêche occupe une échancrure de la côte pacifique, à une cinquantaine de kilomètres à l'ouest de Huatulco. Avec sa jetée, sa promenade littorale, ses deux plages et de nombreuses barques de pêcheurs qui se dandinent tranquillement, la jolie petite baie invite à une escale, où nonchalance rime avec bonhomie. À l'inverse de ses deux voisins (Huatulco au sud et Puerto Escondido au nord), Puerto Ángel a conservé sa tranquillité et reste de taille humaine. Pas de grands hôtels style *resort* à l'américaine, pas de tours comme à Cancún, mais un gros village qui vit de la pêche et du tourisme. Quelques constructions en béton ont certes conquis les collines. Et si le retour des pêcheurs le matin est toujours aussi coloré, depuis quelque temps Puerto Ángel n'est plus vraiment le centre névralgique de la côte : surfeurs et aficionados du grand bleu ont trouvé de plus belles plages et plus d'animation à Zipolite, San Agustinillo et Mazunte, à quelques kilomètres de là.

Arriver – Quitter

Tous les bus s'arrêtent au village de *Pochutla,* à une dizaine de kilomètres de Puerto Ángel. Des camionnettes bâchées, où l'on s'entasse avec les locaux, font sans cesse le trajet jusqu'à Puerto Ángel, Zipolite et Mazunte. C'est la solution la moins chère. À défaut, on prend un taxi *colectivo* (il faut attendre qu'il se remplisse).

En bus

Consulter la liste et les coordonnées des principales compagnies dans la rubrique « Transports » du chapitre « Mexique utile ».

➤ **Terminal Estrella Blanca et Turistar Sur :** av. Lázaro Cárdenas ; à l'entrée du village, sur la gauche. ☎ 584-03-80. Bus 1ʳᵉ classe.

➤ **Pour/de Mexico via Taxco :** avec *Estrella Blanca,* 1 bus de luxe à 18h20. Avec *Turistar Sur* (2ᵉ classe), départ à 19h pour les terminaux Tasqueña et Norte. Trajet : 12-13h.

➤ **Pour/de Puerto Escondido et Acapulco :** 3 bus/j. avec *Estrella Blanca*. Trajet : 8h jusqu'à Acapulco. Avec *Turistar Sur,* départs vers 12h20 et 23h, même prix.

➤ **Pour/de Huatulco et Salina Cruz :** 4 bus/j., 7h-21h. Trajet : respectivement 40 mn et 3h30.

🚌 *Terminal Cristóbal Colón (OCC) et Sur :* av. Lázaro Cárdenas ; à 200 m du précédent, juste après le grand magasin Elektra. ☎ 584-02-74. Bus très confortables 1re classe.

➤ *Pour/de Puebla et Mexico :* 1 bus vers 16h55 pour le terminal Tasqueña, un autre pour Norte et Tapo vers 19h30. Trajet très long, car le bus passe par Tehuantepec : 15h. Du coup, c'est plus cher qu'avec les autres compagnies.

➤ *Pour/de Oaxaca :* 3 bus/j. Trajet : 8h30.

➤ *Pour/de Puerto Escondido :* 1 bus ttes les 40 mn, 7h-20h40.

➤ *Pour/de Huatulco et Salina Cruz :* 1 bus ttes les 40 mn avec *ADO,* 7h20-20h40.

➤ *Pour/de Tehuantepec :* même ligne que pour Huatulco ; 5 bus/j., dont 3 en soirée.Trajet : 4h30.

➤ *Pour/de Tuxtla et San Cristóbal de Las Casas :* 2 bus dans la soirée. Trajet : 12h.

🚌 *Terminal Estrella del Valle :* av. Lázaro Cárdenas et calle Constitución, 50 m après le terminal OCC, sur le trottoir opposé (passé le feu). ☎ 584-03-49. Bus 2e classe.

➤ *Pour/de Oaxaca :* 3 bus directs/j., vers 4h30, 9h30 et 14h30. Trajet : 6h-6h30. Également une grosse dizaine d'omnibus/j., moitié prix (mais bonjour la lenteur !).

➤ *Pour/de Puebla et Mexico :* 1 bus/j., à 19h.

🚌 *Transportes rápidos de Pochutla :* av. Lázaro Cárdenas ; juste après le terminal Estrella del Valle. ☎ 584-00-13.

➤ *Pour/de Salina Cruz et Juchitán :* bus ttes les 15 mn, 5h30-20h.

La route

➤ *D'Oaxaca :* 5h à 8h30 de trajet dans la montagne. Attention : les bus de 2e classe mettent moins de temps parce qu'ils prennent la route directe qui traverse la sierra, magnifique mais très sinueuse. Les bus 1re classe mettent plus de temps car ils desservent d'abord Puerto Escondido, mais la route est plus facile. Par ailleurs, il existe des petites compagnies privées qui font le trajet avec des minibus très confortables. Compter alors 5h-5h30 de route. *Eclipse 70,* par exemple, fait une douzaine d'AR/j. *Rens à Oaxaca :* ☎ 516-10-68 ; à Pochutla : av. Lázaro Cárdenas 85. ☎ 584-08-40. Tarif : env 150 $Me (9 €).

En avion

✈ Cette zone de la côte pacifique compte *2 aéroports : Huatulco* et *Puerto Escondido.* Pour Puerto Ángel, préférez le premier. Les taxis sont très chers sauf en marchandant. Sinon marchez plutôt jusqu'à la route principale et, de là, attrapez le bus pour Pochutla. Voir aussi plus haut « Huatulco. Arriver – Quitter ».

Adresses utiles

🛈 *Informations touristiques* (plan C2) : au 1er étage d'une maisonnette qui abrite au rdc les sanitaires publics, sur le parking à l'entrée de la jetée, sur la playa Principal. Lun-ven 9h-14h, 16h-20h en principe, mais souvent fermé.

✉ *Poste :* la plus proche est à Pochutla.

@ *Internet* (plan C-D2, *1*) : José Vasconcelos 3. Tlj 8h-20h ; dim 11h-22h (à la louche). On peut aussi y passer ses appels internationaux.

■ *Banco Azteca* (plan C1, *2*) : bd Virgilio Uribe. ☎ 584-34-79. Tlj 9h-19h. Change seulement les dollars en liquide. Service *Western Union.*

■ *Distributeurs de billets :* un distributeur *ATM Bancomer* (plan C2, *4*) à deux pas de la banque Azteca.

■ *Laverie* (plan C1, *3*) : José Vasconcelos. Lun-sam 10h-20h ; dim 10h-18h. Prix au kilo. Linge prêt en 3h.

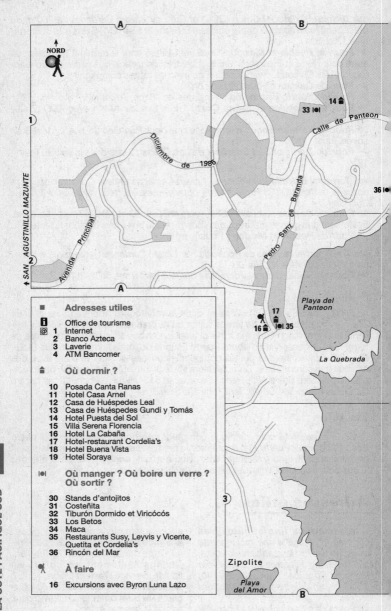

NORD

SAN AGUSTINILLO MAZUNTE

Diciembre de 1986

Avenida Principal

Calle de Panteon

Pedro Samz de Baranda

Playa del Panteon

La Quebrada

Zipolite

Playa del Amor

■ Adresses utiles

ℹ Office de tourisme
@ 1 Internet
2 Banco Azteca
3 Laverie
4 ATM Bancomer

🏠 Où dormir ?

10 Posada Canta Ranas
11 Hotel Casa Arnel
12 Casa de Huéspedes Leal
13 Casa de Huéspedes Gundi y Tomás
14 Hotel Puesta del Sol
15 Villa Serena Florencia
16 Hotel La Cabaña
17 Hotel-restaurant Cordelia's
18 Hotel Buena Vista
19 Hotel Soraya

🍴 Où manger ? Où boire un verre ? Où sortir ?

30 Stands d'antojitos
31 Costeñita
32 Tiburón Dormido et Viricócós
33 Los Betos
34 Maca
35 Restaurants Susy, Leyvis y Vicente, Quetita et Cordelia's
36 Rincón del Mar

🎥 À faire

16 Excursions avec Byron Luna Lazo

LA CÔTE PACIFIQUE SUD

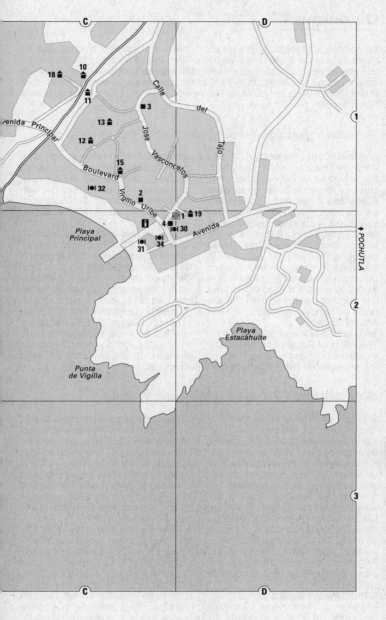

PUERTO ÁNGEL

Où dormir ?

De nombreux hébergements sont accrochés aux flancs des collines, plus ou moins enfouis dans une dense végétation tropicale. Il n'y a pas toujours d'eau chaude, et la vue sur la baie est souvent masquée par les arbres ou les constructions en parpaing. Ventilo, clim (rare) et moustiquaire sont très appréciables à Puerto Ángel, où la température est élevée ! Attention : hors saison, certains hôtels ferment.

Très bon marché (moins de 300 $Me, soit 18 €)

🛏 *Posada Canta Ranas* (plan C1, 10) : Armando Ordaz Lopez. ☎ 584-31-29. *Sur la gauche de l'*arroyo *(chemin de terre), en venant de la mer, après l'hôtel* Buena Vista. À flanc de colline, une belle *posada* bien tenue, avec des chambres spacieuses et colorées, confortables et très propres. Celles à 3 lits sont un peu plus sombres que les autres. Toutes avec douche, certaines avec TV. On vous prêtera un frigo sur demande. Les plus petites chambres peuvent être louées au mois. Bar-resto-billard sous une grande *palapa*, avec une vaste terrasse où pendent quelques hamacs. Accueil souriant.

🛏 *Hotel Casa Arnel* (plan C1, 11) : Teniente José Azueta 8. ☎ 584-30-51. ● *casaarnel.com.mx* ● *Internet, fax.* En fait, une sorte de *B & B*, dans une mai-son familiale bien tenue et agréable, avec 5 chambres propres et coquettes (ventilo et salle de bains impeccable). Hamacs sur la terrasse. Petit déj, bar-restaurant, beaucoup d'espaces pour se détendre, bibliothèque. Coin-lessive.

🛏 *Casa de Huéspedes Leal* (plan C1, 12) : ☎ 584-30-81. *Par l'escalier, en face de la base navale, sous la* posada Gundi y Tomás. *Double 150 $Me.* Difficile de trouver moins cher ! Chambrettes vétustes avec douches communes (eau chaude) et ventilo : mieux vaut ne pas être trop regardant côté confort ou propreté. Reste que certains s'y oublient, appréciant l'ambiance familiale. Si vous achetez votre poisson aux pêcheurs le matin, on vous le préparera volontiers.

Bon marché (300-400 $Me, soit 18-24 €)

🛏 *Casa de Huéspedes Gundi y Tomás* (plan C1, 13) : ☎ 584-30-68. ● *puertoangel-hotel.com* ● *Au-dessus de la base navale et de la* Casa Leal. *Prendre l'escalier. Possibilité de discuter le prix.* L'endroit, à flanc de colline, avec vue sur la baie, est agréable. Les chambres sont enfouies dans la verdure, dispersées sur plusieurs niveaux. Déco inspirée des sites archéologiques. Douches et sanitaires communs ou privés, 1 ou 2 lits, moustiquaires et ventilos. Coin-hamacs bien peinard. Petit déj sur la terrasse. Nombreux services : laverie, résas de bus, cours de surf, etc.

🛏 *Hotel Puesta del Sol* (plan B1, 14) : *en sortant de Puerto Ángel, sur la route de Zipolite, sur la droite.* ☎ 584-33-15. ● *puertoangel.net* ● *Internet.* Une bonne adresse juchée sur une butte, non loin de la route, avec plein d'options, depuis la chambre à lit double avec w-c collectifs (économique) à celle avec salle de bains, eau chaude, TV et terrasse. Toutes avec ventilo et moustiquaire. Sanitaires communs très propres (proprio allemand !), avec 4 douches. Grand choix de petits déj. Terrasse ombragée où l'on s'étend dans un hamac. Coin pour faire sa lessive.

🛏 *Villa Serena Florencia* (plan C1, 15) : Virgilio Uribe ; face à la baie principale. ☎ 584-30-44. ● *villaserenaoax@ hotmail.com* ● Cet hôtel, tenu en famille et avec soin, dispose de chambres avec douche et ventilo autour d'un patio intérieur calme. Supplément pour l'AC. Au resto, très bonne cuisine locale. Les oiseaux de la ville semblent aussi beaucoup apprécier l'endroit à la tombée du jour !

Prix moyens (400-800 $Me, soit 24-48 €)

🏠 *Hotel La Cabaña* (plan B2, **16**) : playa del Panteón. ☎ 584-31-05. ● lacabana puertoangel@hotmail.com ● Internet. Juste en retrait de la plage, un petit hôtel balnéaire pimpant, avec de grandes chambres confortables et joliment décorées, réparties au fil d'allées verdoyantes. Toutes avec bains, ventilo, TV satellite ; certaines avec balcons. Bon restaurant sur terrasse ensoleillée et spacieuse, musique douce en fond sonore, piscine. Café, thé et eau purifiée en libre-service.

🏠 *Hotel Cordelia's* (plan B2, **17**) : playa del Panteón. ☎ 584-31-09. Le meilleur endroit pour se reposer les pieds dans le sable. Côté mer, grandes chambres confortables à 2 lits, avec balcon. Côté rue, chambres moins vastes avec lit *matrimonial*, presque moitié moins chères ! Sols en terre cuite, mobilier bois, eau chaude, le tout très propre et net. Bref, un bon choix, si ce n'est le peu d'efficacité des ventilos par rapport à la grandeur des chambres, la chaleur ambiante et les prix un peu élevés, mais n'hésitez pas à négocier.

🏠 *Hotel Buena Vista* (plan C1, **18**) : calle de la Buena Compania. ☎ 584-31-04. ● labuenavista.com ● Sur le côté gauche de l'arroyo (chemin de terre). Perché sur le flanc d'une butte couverte de végétation tropicale, l'hôtel n'a pas usurpé son nom ! Tenu par un couple américano-mexicain, il abrite des chambres aménagées avec goût : mobilier traditionnel, salle de bains avec azulejos. Les bungalows individuels disposent d'une terrasse avec hamac et chaises longues. Ventilo et moustiquaires, mais pas d'eau chaude. Resto sur la terrasse (sf dim). À déconseiller à ceux qui ont de l'arthrite : épuisante série de marches pour y accéder (surtout avec les bagages)...

🏠 *Hotel Soraya* (plan D1-2, **19**) : José Vasconcelos. ☎ et fax : 584-30-09. ● ho telsorayadepuertoangel@hotmail.com ● Juste au-dessus du port. Parking. Vue sur la baie du 1er étage. Chambres comme il faut, avec ventilo ou AC, bains et TV. Certaines entrent dans la catégorie précédente. Resto.

Chic (plus de 800 $Me, soit 48 €)

🏠 *Hotel Bahía de la Luna* : playa Boquilla. ☎ 589-50-20. ● bahiadelalu na.com ● À 7 km de Puerto Ángel, dans une superbe baie isolée, cernée de collines et de jungle. Après 4 km de goudron (direction Pochutla), un chemin rocailleux long de 3 km, tt juste carrossable sans 4x4, descend à cette incroyable playa Boquilla, un bout du monde ! On peut aussi y arriver en bateau par la mer, c'est plus facile et plus surprenant (150 $Me/pers, soit 9 €). Une dizaine de bungalows enfouis sous les arbres et décorés dans le style

« rustique-chic » (pas trop chic) par George « Campos », une personnalité chaleureuse, ancien cadre du *New York Times* et vétéran du Vietnam. Lorsqu'il est absent, ses associés suisses et mexicains prennent le relais. Resto sur la plage, sous une *palapa*, à prix assez élevés. Cuisine étudiée et inventive, avec des plats mexicains et européens. Snack le midi. Le petit déj est plutôt frugal. Kayaks de mer et matos de plongée-tuba gratuit pour les clients de l'hôtel. Pour ceux qui souhaitent s'isoler.

Où manger ?

🍴 Pour se nourrir sans se ruiner, cap sur les **stands d'antojitos** (plan C-D2, **30**), bd Virgilio Uribe, à la hauteur de la jetée. Privilégiez **Marela** et la **taquería Naty** pour leur fraîcheur. Sinon, le stand situé face à l'hôtel *Serena Florencia*

n'est pas mal non plus.

🍴 **Costeñita** (plan C2, **31**) : sur la playa Principal, au pied de la jetée. L'endroit idéal pour prendre le petit déj en observant le retour des pêcheurs, les pieds dans le sable. Le poisson est vendu juste sous vos yeux. Lumière douce du matin... un régal. Le café n'est pas mal non plus.

|●| *Tiburón Dormido et Viricócós (plan C1, 32) : au milieu de la playa Principal, à même la plage* (quasi en face de la Villa Serena Florencia). Tenus par la même famille depuis plus de 45 ans. Fréquentés par les habitués de Puerto Ángel. On vous sert les poissons pêchés du matin ; thon, espadon, etc. Bon accueil.

|●| *Maca (plan C2, 34) : au port, juste avt la jetée, sur la gauche.* Une bonne adresse pour les poissons et fruits de mer. Spécialités locales. L'accueil est charmant. Ambiance et cocktails, certains soirs, à la terrasse du 1er étage.

|●| *Los Betos (plan B1, 33) : dans une maison sur la colline avt l'embranchement qui descend à la playa del Panteón. Tlj 16h-23h. Bon marché.* Bonne cuisine locale. L'endroit est populaire et l'on y vient pour les *camarones*. Accueil

jovial, grande terrasse. Ça se complique un peu au moment de la note : les gérants sont en partie analphabètes, alors aidez-les si besoin à faire les totaux...

|●| *Restaurants Susy, Leyvis y Vicente et Quetita (plan B2, 35) : sur la playa del Panteón.* Fruits de mer, *ceviche* de langouste (mai-août), soupes, poissons, etc. Petit déj, déjeuner ou dîner aux bougies... Ces adresses sont plus chères et un peu plus chic que les restos de la playa Principal, mais on est les pieds dans l'eau de cette charmante crique.

|●| *Rincón del Mar (plan B1, 36) : à l'extrémité de la playa Central, par un escalier, sur la colline. Tlj à partir de 16h. Fermé hors saison.* Un excellent petit resto, perché à flanc de falaise. Quelques tables posées sur la terrasse d'où l'on domine la plage semée de barques. 3 charmantes chambres pour s'endormir avec le chant des vagues.

À faire

– Pour les lève-tôt, si vous vous rendez vers 5h près des barques sur la plage (près de la jetée), vous trouverez sans doute un pêcheur pour vous embarquer au moment où il part relever ses filets. Prix à négocier la veille et bien se renseigner sur la durée (parfois plusieurs heures). Plus simple : atteindre leur retour vers 7h, pour voir défiler les prises. À l'approche de la plage, certains lancent le moteur à fond et se laissent glisser sur le sable ! Moins fatigant que de tirer la barque. Le poisson est ensuite vendu par les femmes au pied du quai.

🎣 *Excursions avec Byron Luna Lazo (Adventure Boat) : playa del Panteón.* 📱 107-17-69. Excursion de 3-4h, 180 $Me/pers (10,80 €), 4 pers min. Attention, il y a des imitations de Byron ! Pour le contacter, toquer chez lui : c'est la maison face au parking de l'hôtel *La Cabaña (plan B2, 16)* ou lui passer un coup de fil, c'est plus simple. Grand connaisseur de l'océan, connu de tous, il organise des balades en mer pour observer la faune (tortues, dauphins, baleines en hiver) ou des pêches sportives ; à votre retour, vous dégusterez votre poisson, cuit au barbecue, par un des restos de la plage. Plongée en cours de promenade. Bon accueil et prix raisonnables.

🐚 *Playa de Estacahuite (plan D2) : pour y aller, sortir de Puerto Ángel en direction de Pochutla et, 500 m plus loin, prendre la piste sur la droite ; env 800 m à pied.* Sable fin, rochers, eau bleu turquoise. C'est une toute petite crique, avec de très beaux fonds pour les amateurs de plongée. Resto sous une *palapa.*

🐚 *Playa de la Boca Vieja : à 35 km de Puerto Ángel, en direction de Huatulco. Juste après le pont de Coyula, prendre à droite un chemin de terre direction* Bajos de Coyula *; la plage est à 9 km (20 mn) ; après la courte section goudronnée, branche de gauche à la fourche.* Sur la fin, jolis paysages de bananeraies, plantations de papayers et cocotiers. La plage, bornée à l'ouest par de jolies formations rocheuses, est déserte la plupart du temps. Le week-end, quelques familles s'y retrouvent autour des *palapas* et des barques colorées. Pélicans et tortues.

ZIPOLITE

IND. TÉL. : 958

La longue plage de Zipolite, à environ 4 km au nord de Puerto Ángel, est toujours aussi belle, même si la grande cocoteraie a cédé la place à une nuée de *posadas* pour routards, en bois, bambous et palmes. Dans certaines, on peut planter sa tente ou dormir dans un hamac. D'autres se sont faites plus cossues, surtout après le passage de Paulina en 1997, qui a pratiquement tout détruit. Certains ont reconstruit en troquant le bois contre la brique. Et ce que tout le monde craignait est arrivé : quelques hôtels en dur sont apparus. Du coup, la clientèle a changé.

Zipolite rassemble désormais une population disparate : des surfeurs en pagaille, d'anciens babs, des disciples zen qui méditent devant la lune rousse, des noctambules préférant la musique électronique de l'*Iguana Azul* au son des vagues, des gays venus de la capitale, les traditionnels nudistes, des familles qui descendent de la sierra mazatèque pour voir la mer durant les vacances scolaires, bien sûr totalement « textiles ». Tolérance est le mot d'ordre, et l'ambiance reste toujours relax et décontractée. Ça se remplit fortement durant les vacances de Noël et la semaine de Pâques.

UN PEU D'HISTOIRE

La réputation de Zipolite est née dans les années 1970, après la parution d'un article dans le journal anglophone *Mexico City*. À l'époque, la plage n'était fréquentée que par des hippies et des routards au long cours en quête de liberté et de paradis artificiels. Mais ce « paradis perdu » allait gagner une réputation sulfureuse, devenant l'une des rares plages du Mexique où l'on pouvait pratiquer le nudisme. Puis, par la suite, une des seules *gay friendly* pour de nombreux jeunes Mexicains découvrant la liberté des mœurs.

CONSEILS

La mer est dangereuse en raison des contre-courants particulièrement puissants qui poussent au large. Ne pas s'éloigner du bord et s'assurer d'avoir toujours pied. Les gens du coin appellent d'ailleurs Zipolite la *playa de los Muertos*. De fait, durant les vacances, les nageurs-sauveteurs ne chôment pas. Ici, le Pacifique a bien usurpé son nom !

Arriver – Quitter

➤ Tous les bus s'arrêtent à **Pochutla**. De là, il faut prendre une camionnette bâchée ou un taxi collectif qui dessert Puerto Ángel, Zipolite, San Agustinillo, puis Mazunte.

Adresses utiles

■ *Laverie :* à la posada Navidad, *face à la* posada San Cristóbal. *Tlj 8h-18h. 2 autres laveries dans la même rue.*
@ *Internet : plusieurs centres Internet dans la rue principale du village.* Bien

plus rapide ici qu'à San Agustinillo et Mazunte.
■ *Change :* à *Puerto Ángel.* Certains hôtels changent éventuellement pour rendre service à leurs clients.

LA CÔTE PACIFIQUE SUD

Où dormir ?

On peut planter sa tente ou louer un hamac dans l'une des *posadas* qui bordent la plage, mais visitez les douches et les w-c avant de vous décider. Pour manger, allez dans le hameau, en retrait de la plage. Quelques très bonnes surprises. Ne vous étonnez pas de ne pas voir de téléphone dans la description des adresses : beaucoup n'en ont pas. Même les portables peinent à passer dans le secteur.

Bon marché (jusqu'à 400 $Me, soit 24 €)

🛏 *Lo Cosmico :* sur une butte au nord de la plage. • locosmico.com • Tenu par Antonio, dans un coin retiré et tranquille de Zipolite. Plusieurs styles de *cabañas* bien construites, toutes avec un hamac, soit sur la terrasse, soit à l'intérieur. Douches et w-c communs. Et, pour le petit déj, les délicieuses crêpes du restaurant. Accueil sympa.

🛏 *Casa de Huéspedes Lyoban :* au sud, au début et au bord de la plage de Zipolite, à gauche de la route principale qui vient de Puerto Ángel, proche de la petite chapelle. ☎ 584-31-77. • lyoban. com.mx • CB acceptées. Chambres avec salle de bains commune ou privée (toute petite), équipées de ventilo et moustiquaire. Les *especiales*, à l'étage, sont plus vastes et plus chères. Resto-bar avec coin-salon et musique. Très agréable pour siroter un jus de fruits frais l'après-midi. Billard, ping-pong, baby-foot et même une petite piscine (non, un bassin) pour se tremper quand la mer est trop forte. *Gay friendly.*

Prix moyens (400-800 $Me, soit 24-48 €)

🛏 *Shambhala (Casa de Gloria) :* tt au nord de la plage, sur la colline. • shambhalavision.tripod.com • Venue des États-Unis, Gloria, la grande prêtresse des lieux, s'est installée sur son « rocher magique » en 1970. À son arrivée, cette *pasionaria* dormait sur une dalle de pierre encadrée par les vertèbres d'une baleine échouée sur la plage ! C'est aujourd'hui une plateforme de méditation qui domine l'océan. Gloria propose de tout, pour tout le monde, à tous les prix : de l'emplacement pour planter sa tente, juste en retrait de la plage, au dortoir, ou aux *cabañas* en duplex confortables avec cuisine, salle de bains, salon, terrasse et... vue somptueuse sur la plage et l'océan. Café-resto végétarien, sans alcool (bière exceptée).

🛏 *Bungalows Las Casitas :* du chemin menant au Shambhala, *prendre un* sentier sur la droite. ☎ 587-84-64. • las-casitas.net • Une adresse plantée sur la colline, à 300 m de la plage. Des chambres agréables et confortables, très propres, avec bains, et des bungalows indépendants, tout en bois. La plupart ont une cuisine intégrée, certains une cuisine à disposition. Proprios italiens sympas qui vous mitonneront de bons poissons frais.

🛏 *Hotel San Cristóbal :* dans la rue principale de Zipolite, av. Roca Blanca, au nord de la plage. ☎ 584-30-20. Les chambres les plus agréables se trouvent tout contre la plage, avec balcon et jolie vue ; les autres, un peu plus petites mais moins chères, sont situées de l'autre côté de la rue. Récentes et confortables, elles disposent d'une salle de bains et d'un ventilo. Carrelage et mobilier en bois. Petit resto sur le sable.

Plus chic (plus de 800 $Me, soit 48 €)

🛏 *El Alquimista :* au nord de la plage, entre Lo Cosmico et Shambhala. • el-alquimista.com • L'adresse chic de Zipolite. Sous les arbres en bord de plage, des petits bungalows aux murs blancs et aux toits de palmes abritent de jolies chambres avec moustiquaire, ventilo et déco tropicale. Quelques-unes, plus récentes et plus vastes, possèdent un grand balcon, mais elles sont en retrait. Très joliment aménagées, en bois et bambou. L'étrange « tour » en nid d'aigle, sur la colline, abrite des suites très confortables avec bains, AC, TV satellite, frigo, immense terrasse avec hamac et chaises longues semées de coussins. Vue sur mer superbe. Le soir, au resto, c'est féerique, quand les bougies sur les rochers sont allumées. Cela dit, la cuisine n'a rien d'extraordinaire.

Où manger ?

|●| **Piedra de Fuego :** *calle Mangle. Dans la rue en terre qui part à l'angle du* Buonvento, *dans le centre. Tlj 15h-23h.* Envie de poisson grillé ? Vous voilà servi. Au programme : cadre verdoyant, ambiance familiale et prix raisonnables. *Aguas de frutas* naturelles.

|●| **La Providencia :** *calle Mangle ; juste avt le précédent en venant du centre.* 🖥 *100-92-34. Mer-dim 19h-23h.* La barre est plus haute : on vient ici pour un dîner un peu plus chic. Bonnes spécialités mexicaines préparées sur des notes innovantes.

Où boire un verre ? Où sortir ?

Pour sortir, boire un verre et se démener sur des rythmes endiablés, version rave ou transe, vous n'aurez que l'embarras du choix. Outre les adresses mentionnées ci-dessous, vous trouverez toujours une bonne dose d'animation à *La Isla* et au *Pacha Mamma,* avec des groupes certaines fins de semaine. Pour boire un verre, *La Live-lula,* sur la route principale, entre Zipolite et la Playa del Amor, est aussi réputée.

🍸 ♪ **Iguana Azul :** *au centre de la plage.* Le haut lieu de la vie nocturne de Zipolite. Des DJs y débarquent régulièrement depuis le Canada et même la France. Inutile de venir avant 22h, mais ne vous étonnez pas si vous y êtes encore au lever du soleil !

🍸 **Buonvento :** *sur la gauche en arrivant dans le centre, à l'angle de la rue Mangle.* Un des lieux les plus animés de Zipolite après la tombée de la nuit. Parfait pour descendre une bière et faire des rencontres sous les *palapas.* Musiciens la plupart des samedis.

À faire

⌂ **Playa del Amor :** petite crique abritée, à l'extrémité sud de la plage principale. Le QG des nudistes. On l'atteint par un escalier construit dans le rocher. Surnommée ainsi parce que deux amoureux désespérés se seraient jetés à la mer du haut des falaises. Dommage que le sentier d'accès soit aussi sale.

SAN AGUSTINILLO

IND. TÉL. : 958

Ceux qui recherchent le calme préféreront San Agustinillo à Zipolite, 4 km plus loin vers l'ouest. La plage, superbe, est formée par deux jolies anses soulignées de cocotiers, le long desquelles s'alignent discrètement des *posadas* et des hôtels un peu plus chic et policés qu'à Zipolite. Ici, pas de nudisme ni de vie nocturne, mais plein de familles, européennes en particulier.

Arriver – Quitter

➢ La même camionnette ou le *colectivo* que vous avez pris pour Zipolite vous mènera jusqu'ici et à Mazunte.

Où dormir ?

De très bon marché à bon marché (moins de 400 $Me, soit 24 €)

🛏 *Palapa Kali* : *à l'entrée de San Agustinillo, du côté droit de la route (le « mauvais »).* Tenu par un jeune couple. Chambres simples mais propres et bien tenues, avec bains et ventilo. En cours d'agrandissement. Resto.

🛏 *Palapa Olas Altas* : 📞 *109-16-69.* L'une des dernières adresses routardes de San Agustinillo. Seulement 7 petites chambres, très rudimentaires, avec 1 ou 2 lits, une moustiquaire et un ventilo. Quelques-unes ont une douche privée, les autres la partagent. Le vrai plus, c'est la situation directement sur la plage. Resto les pieds dans l'eau.

Plus chic (à partir de 800 $Me, soit 48 €)

🛏 *Un Sueño, cabañas del Pacifico* : *au centre de la plage.* ● *unsueno.com* ● Après avoir passé plusieurs années au Mexique, Julien a décidé d'ouvrir un hôtel face à l'océan. Ses jolies petites *cabañas* les pieds dans le sable sont discrètement décorées avec des objets rapportés de ses nombreux voyages – Inde, Afrique, etc. Chacune dispose d'une salle de bains *caracol*, de 1 ou 2 lits protégés par des moustiquaires et d'un ventilo. Ce n'est pas le grand luxe, mais c'est confortable et décontracté. Les *cabañas* les plus proches de la plage (au même prix que les autres) ont chacune leurs propres palmiers, une terrasse en bois et un hamac. Mot d'ordre : décontraction. À noter que les prix sont identiques en basse et en haute saison, un sacré plus pour les *cabañas* les plus proches de la plage.

🛏 *Cabañas Punta Placer* : *au centre de la plage, à la jonction des 2 anses.* ● *puntaplacer.com* ● L'adresse la plus chic de la plage, tenue par un couple français. Les 4 grands bungalows, divisés en 2 chambres chacun, ont une vue mer, un lit avec moustiquaire (2 seulement ont 2 lits), ventilo et frigo, coffre et eau chaude. On préfère un peu les chambres de l'étage, avec leur joli toit en palmes et leur terrasse où pend un hamac. Resto le soir pour les clients de l'hôtel (réserver le matin). Le petit déj, facturé en plus, n'est pas génial. Et l'accueil vraiment pas au top, dommage.

🛏 *Rancho Cerro Largo* : *2 km avt San Agustinillo en arrivant de Zipolite.* ● *ran chocerrolargomx@yahoo.com.mx* ● *Dans un virage, prendre la piste à gauche en direction de la mer. Résa conseillée en hte saison. Petit déj et dîner inclus.* Tout en haut d'une énorme falaise qui domine le Pacifique. En contrebas, une plage immense et déserte. Un escalier taillé dans la montagne y descend, desservant en chemin quelques bungalows propres, aménagés avec goût. Un lieu très « rustique chic », soucieux de son environnement : toilettes sèches (à la sciure) et douche à la louche dans la très belle *cabaña* ouverte. *Comedor* zen, joliment décoré, avec vue superbe ; on y mange une nourriture semi-végétarienne, autour d'une table commune. Cours de yoga (sur donation).

Où manger ?

🍴 *Un Secreto* : *dans la rue principale, sur la droite en venant de Zipolite (juste après Palapa Kaly). Tlj 8h-23h, du petit déj au dîner.* C'est le resto des *cabañas Un Sueño*, détaché de l'hôtel pour que les clients ne soient pas dérangés par le bruit. *Palapa* revisitée au cadre soigné, avec tables et chaises en bois et 2 canapés pour s'affaler en feuilletant livres ou magazines français. Carte réduite mais de qualité, avec surtout des produits de la mer préparés de manière plus inventive qu'à l'accoutumée. Les amateurs de café profiteront de la machine italienne à *espresso* ! Une bonne adresse.

|●| *La Termita* : *au centre de la plage, juste avt les* Cabañas Punta Placer. *Fermé lun.* L'adresse incontournable pour manger une bonne, pardon, une ex-cel-lente pizza. Tenu par un couple italo-argentin jovial et accueillant. 3 vastes et jolies *cabañas* en location, mais la quiétude fait parfois défaut, le resto fermant tard (vers minuit).

|●| *Palapa Lupita* : *terrasse les pieds dans le sable, face à la mer.* Filet ou poisson entier au poids. Goûtez au *huachinango a la veracruzana* (vivaneau rouge avec une sauce à la tomate, petits oignons et légumes). Noix de coco fraîches. Si la cuisinière est de sortie, on vous enverra chez les voisins !

À faire

– **Coco Loco Surf :** *à la* posada Mexico Lindo y Querico, *au nord de la plage, après la* Palapa Lupita. Pendant que sa femme gère les *Cabañas Punta Placer*, David surfe... Il donne des cours (en français, c'est plus simple !) pour 250 $Me/h (15 €) et loue du matériel, 200 $Me/j. (12 €). Il organise aussi des *surf trips* ou des séjours de 2-3 jours dans la région, avec visite d'une *finca* de café.

MAZUNTE

IND. TÉL. : 958

Derrière la colline, juste après San Agustinillo, débute Mazunte. Pas vraiment un village, mais des maisons de bric et de broc dispersées dans la végétation, le long de quelques rues poussiéreuses, au fond d'une jolie baie soulignée par une plage de sable fin. Le lieu rivalise désormais avec Zipolite en attirant ses anciens amoureux déçus, qui semblent trouver ici une atmosphère plus vraie. Mazunte a longtemps vécu de la pêche et surtout du commerce de la tortue de mer. Face à la menace d'extinction, les autorités en ont interdit la chasse en 1990. Du coup, pour survivre, le bourg s'est reconverti dans l'écotourisme. Un centre de protection de la tortue a même été créé. De juillet à décembre, les plages d'Escobilla, Barra de la Cruz et Morro Ayuta deviennent les principaux sites de ponte des tortues olivâtres. À 3 km, à La Ventanilla, on va plutôt observer les crocodiles et les oiseaux migrateurs. Superbe !

Arriver – Quitter

➢ Camionnette ou *colectivo* depuis Pochutla ou Puerto Ángel.

Adresses utiles

@ *Internet* : *plusieurs centres le long de la route, dont* **Marco's,** *peu après le centre de la Tortue, et* **Dafné,** *un peu plus loin, à l'angle de la rue menant à la playa Rinconcito.* Connexion assez lente.

■ *Change* : *à Puerto Ángel, à la* **Banco Azteca** *et* **ATM Bancomer.** Certains hôtels acceptent parfois de changer pour rendre service à leurs clients.

Où dormir ?

Très bon marché (moins de 300 $Me, soit 18 €)

⚔ 🏠 *Carlos Einstein* : *au sud de la plage, à gauche à l'entrée de Mazunte* en venant de Puerto Ángel, par un petit chemin de terre juste après le centre de

LA CÔTE PACIFIQUE SUD

protection de la tortue. ● *carlos-einstein. com* ● *Petit déj inclus ; tarifs dégressifs à partir du 3ᵉ j.* La devise, répétée à tout bout de champ, de Carlos Einstein – qui entretient sa ressemblance par les cheveux avec le célèbre savant – est « Ma maison est ta maison », peut-être pour faire mieux passer les prix qui ne cessent d'augmenter sans que le confort et l'entretien suivent ! Pour ceux qui veulent vivre ou revivre les années 1970, dans l'esprit hippie. Vous êtes prévenu ! Cela dit, l'endroit, de bric et de broc, est particulièrement chaleureux et amical. Au choix : hamac, tente, dortoir ou chambre double avec douche. Chaque lit dispose d'une moustiquaire. Un plus, l'hôtel donne sur la plage. Promenade en bateau, observation des tortues, oiseaux, dauphins, snorkelling, produits de la pêche qu'on cuisine ensuite.

⌂ Autre adresse du même type, à l'autre bout de la plage, même ambiance, moins cher, toujours proche de la mer, ***Atarrarya.***

Bon marché (300-400 $Me, soit 18-24 €)

⌂ ***Posada Ziga :*** *à côté de* Carlos Einstein, *face à la plage.* ☎ 583-92-95 *(la ligne ne passe pas toujours).* ● *posadaziga.com* ● *Attention, pas de résas en hte saison : il vaut alors mieux arriver avt 12h pour avoir de la place.* Voici un lieu accueillant, idéalement situé face à la plage. Les chambres, très propres, sont réparties dans plusieurs petits bâtiments. On préfère celles avec salle de bains commune, en bois, qui ont une vue directe sur la mer. Mais les autres, en dur et avec douche carrelée, sont très bien aussi. Toutes disposent d'un ventilo et d'une moustiquaire. Resto *(tlj sf mar 8h-15h30)* avec terrasse dominant la plage, proposant de bons plats à prix raisonnables.

⋔ ⌂ ***Cabañas Balamjuyuc :*** ● *balamjuyuc.com.mx* ● *En venant de Puerto Ángel, traverser Mazunte, direction* playa Rinconcito, monter à droite jusqu'au cimetière, puis à gauche juste après ; c'est fléché depuis le bas. Tente tt équipée (matelas et draps), avec hamac ; camping si vous avez votre propre tienda ; cabanes doubles avec ou sans vue sur la mer. Les plus agréables sont les plus grandes *cabañas,* ventilées, avec un balcon où se balance un hamac. Bains partagés, bien tenus. Le lieu, dirigé par un Mexicain et une Argentine, est sans prétention mais bénéficie d'une vue panoramique sur la plage et la mer. Le hic, c'est que pour rejoindre le tapis de sable, il faut 5 bonnes minutes le long d'un sentier. Et au moins le double pour remonter en suant ! *Temazcal* (sauna), plongée, écotours, *comedor* mexicano-argentin, bon petit déj, etc.

Prix moyens (400-600 $Me, soit 24-36 €)

⌂ ***Posada del Arquitecto :*** *playa Rinconcito.* ☎ 101-38-76. ● *posadadelarquitecto.com* ● Une dizaine de grandes cabanes en duplex, tenue par des Français, Laura et Jean-Marie, à quelques mètres de la plage, la plupart avec douche individuelle. Les moins chères sont en retrait, de l'autre côté du chemin (aucune vue). Ventilo et moustiquaires. Si vous optez pour le dortoir, attention, il peut y faire très chaud : sol en béton et pas de ventilo. Possibilité de hamac. Joli petit café-restaurant, face à la plage.

⌂ ***Altamira Bungalos :*** *mêmes indications que pour les* Cabañas Balamjuyuc *; c'est à côté, sur la colline.* ☎ 101-83-32. ● *labuenavista.com* ● Tenus par les mêmes proprios que le *Buena Vista* de Puerto Ángel, les 10 bungalows s'étagent de la même manière sur le flanc du *cerro,* au milieu de la végétation. Très belle situation avec vue panoramique. On peut opter pour un bungalow entier, en duplex, ou juste une chambre dans un bungalow partagé. Jolis toits en palmes et terrasses avec vue. Bref, un bon niveau de confort, si ce n'est que l'eau est froide.

Où manger ?

Voir aussi les restos des hôtels mentionnés ci-dessus.

|●| **Restaurant-boulangerie Armadillo** : calle Huilratzin ; 100 m à droite par un chemin pavé donnant sur la rue menant à la playa Rinconcito. Béatrice, une Française, et Raúl, sculpteur de son état, tiennent ce petit resto où ils servent une bonne cuisine locale avec une touche d'originalité : soupes, pâtes, *quesadillas*, poissons, salades, crêpes et même pain maison. Plat et tarte du jour. Bien pour le petit déj. Cadre sympa, très *down to earth*, aéré, avec musique douce.

|●| **Posada Estrella Fugaz** : playa Rinconcito. On y trouve des chambres, un peu « glauques », mais on vous conseille surtout le resto, à l'étage, dont l'agréable terrasse couverte s'ouvre sur la plage. Petit déj servi jusqu'à 12h pour les lève-tard (grand choix) et *happy hours* de 19h à 22h. Bref, de quoi se satisfaire du matin au soir. Musique live parfois. Le patron, surfeur, est jeune et sympa. À côté du **Siddhartha**, offre de 17h à 19h 2 mezcals pour le prix d'un.

À voir. À faire

🐢 **Centro mexicano de la Tortuga** (musée de la Tortue) : ☎ 584-33-76. Mer-sam 10h-16h30 ; dim 10h-14h30. Entrée : 25 $Me (1,50 €). Visite libre, avec remise d'un livret, parcours guidé. Le musée de la Tortue fait partie du vaste programme de protection des tortues marines, classées parmi les animaux en voie d'extinction. Il en existe 11 espèces dans le monde, et 10 d'entre elles se reproduisent le long des côtes mexicaines. Les 18 aquariums proposent de faire connaissance avec elles, ainsi qu'avec quatre espèces de tortues d'eau douce. Jardin, infos et cafétéria. Pour ceux qui veulent venir aider ce centre, à titre de volontaire : ● conanp.gob.mx ●

🐢 **Balade en bateau** : pêche et plongée-tuba le long de la côte à la recherche des tortues et des dauphins. Plusieurs hôtels proposent l'excursion, dont *Carlos Einstein* (voir « Où dormir ? »). Ts pratiquent les mêmes tarifs : 180 $Me (10,80 €) pour une sortie d'env 4h (9h-13h). SVP, ne faites pas comme nombre de Mexicains : n'attrapez pas les tortues, elles peuvent se noyer ou se briser une patte en se débattant.

🐢 **Playa Ventanilla** : 2 km après le village, vers l'ouest, un embranchement sur la gauche mène à la plage (1 km plus loin) ; c'est indiqué. Colectivo *jusqu'à la fourche* ou taxi depuis Mazunte. Le nom de la plage, *ventanilla* (« petite fenêtre »), vient de la forme du rocher planté à son extrémité sud, dans la mer. Très large, elle est davantage visitée par les tortues que par les hommes.

🚶🚶 **Cooperativa ecoturística La Ventanilla** : accueil à l'entrée de la plage 8h-17h. ● laventanilla.com.mx ● Compter 40 $Me/pers (2,40 €) si l'embarcation est pleine (max 10 pers), sinon c'est plus cher. Essayez de vous regrouper. Balade de 1h30 dans la mangrove à la découverte de la faune locale (crocodiles, iguanes et nombreux oiseaux). Promenade sur un îlot où l'on peut voir un *cocodrilario*, où plus d'une centaine de bébés crocos sont protégés en attendant d'être remis en liberté dans la lagune. Vous en profiterez pour saluer le coati, à la jolie queue annelée. Plein d'autres options sur réservation, dont *promenade à pied* de 2h30 aller-retour, pour observer les oiseaux en compagnie d'un ornithologue. On peut aussi manger et loger sur place (camping ou *albergue ecológico*). Ceux qui y passent la nuit pourront demander à accompagner les gardes qui surveillent la ponte des tortues entre février et mai, puis à nouveau en juillet-août. Les œufs sont récoltés et placés en incubation, sous surveillance, pour éviter tout braconnage et améliorer le taux de survie des jeunes. Il s'agit surtout de tortues olivâtres *(golfinas)*, mais on a parfois la chance de tomber sur une tortue noire ou une énorme tortue-luth. Une super expérience.

PUERTO ESCONDIDO   34 000 hab.   IND. TÉL. : 954

Cet ancien petit port de pêche enfoui dans les cocotiers, découvert par les *gringos* dans les années 1970, s'est peu à peu mué en une station balnéaire fréquentée à la fois par les familles mexicaines, les retraités américains et les surfeurs. Au classement des meilleurs spots mondiaux, la *playa de Zicatela,* sur laquelle déferlent des rouleaux d'une belle ampleur, arrive en troisième position ! Le site accueille deux épreuves du circuit mondial de surf. Plus grande et plus urbanisée que Puerto Ángel, havre de paix comparé à la trépidante Acapulco, Puerto Escondido peut être une bonne étape sur le littoral pacifique. Chacun y trouvera chaussure à son pied.

Si le cœur vous en dit, vous pouvez lire, sous votre parasol, *Puerto Escondido* (Éditions Christian Bourgois), roman policier de Pino Cacucci dont l'action se déroule en grande partie ici.

Arriver – Quitter

En avion

✈ **Aéroport** *(hors plan par A1) :* à la sortie ouest de la ville, juste après la Zona Hotelera *(3,5 km du centre).* ☎ 582-04-92. Vols pour Mexico et Oaxaca. On rejoint le centre en taxi (environ 200 $Me, soit 12 €) ou en *colectivo* (35 $Me, soit 2,10 €).

■ **Aerovega** *(plan C2,* **6***) :* av. Pérez Gasga 113. Près du kiosque d'infos touristiques. ☎ 582-01-51. Ou Col. Marinero, Playa Zicatela. ● *aerovegapto@hotmail.com* ● 1 vol/j. pour Oaxaca, à 7h30.

■ **Aerotucán :** ☎ 582-34-61 ou 01-800-640-4148 (n° *gratuit).* ● *aerotucan.com.mx* ● Vol quotidien depuis Oaxaca à 8h (12h le dim), retour sur Oaxaca à 8h (13h le dim). Trajet : 45 mn.

En bus

Deux gares routières en ville. La plus centrale est celle regroupant *Cristóbal Colón* (OCC), *ADO GL, Sur, Turistar* et *Fletes y Pasajes,* sur la Carretera Costera *(plan C1-2,* **5***),* mais attention, les trajets vers Mexico sont beaucoup plus longs avec *OCC,* car les bus transitent par Salina Cruz. Bien plus rapides, via Acapulco, depuis le terminal *Estrella,* situé tout au nord du centre-ville *(hors plan par B1,* **4***).* Allez-y en taxi, à pied ça prend près de 45 mn depuis la plage !

Voir la liste des principales compagnies et leurs coordonnées dans la rubrique « Transports » du chapitre « Mexique utile ».

🚌 **Compagnies Estrella del Valle et Oaxaca Pacífico** *(hors plan par B1,* **4***) :* ☎ 582-00-50.

➤ **Pour/de Oaxaca, Puebla et Mexico :** 2 bus 1re classe/j. pour Oaxaca à 17h15 et 22h25. Le 1er poursuit sa route jusqu'à Puebla et Mexico. Trajet : 6-7h pour Oaxaca, 12-13h pour Mexico.

🚌 **Compagnies Alta Mar et Costenos** *(hors plan par B1,* **4***) :* ☎ 582-00-86 et 582-38-78. *CB acceptées.*

➤ **Pour/de Mexico :** 3 bus directs en fin de journée 19h, 19h40, 20h30, plus ou moins luxueux et chers. Trajet : env 12h. Arrivée le lendemain mat.

➤ **Pour/de Acapulco :** bus de 1re et 2e classe. 8 bus/j., 00h30-22h25 ; celui de 6h est un *económico.* Trajet : env 8h. Le bus de 20h continue vers Zihuatanejo.

➤ **Pour/de Pochutla et Huatulco :** 6 départs en 1re classe, 0h45-20h.

🚌 **Compagnie Estrella Roja** *(hors plan par B1,* **4***) :* ☎ 582-08-75.

➤ **Pour/de Oaxaca :** 5 bus de 1re classe via Sola de Vega, un vers 10h45, les autres entre 22h20 et 23h. Trajet : env 7h.

🚌 *Compagnies Cristóbal Colón (OCC) et Sur* *(plan C1-2, 5)* : à 5 mn à pied de la Bahia Principal. ☎ 582-10-73. Bus très confortables, à peine plus chers que les autres.

➤ *Pour/de Pochutla (Puerto Ángel) et Huatulco :* bus ttes les 40 mn, 6h-19h20, avec *Sur.*

➤ *Pour/de Tehuantepec :* 4 bus/j. avec *OCC,* 1 autre en 2e classe avec *Sur.* Trajet : env 5h30.

➤ *Pour/de Tuxtla Gutiérrez et San Cristóbal de Las Casas :* 2 bus/j. vers 18h30 et 21h30 avec *OCC.* Trajet : respectivement 12h et 13h.

➤ *Pour/de Oaxaca :* 3 bus/j. Trajet : 10h.

➤ *Pour/de Puebla :* 2 bus avec *OCC* vers 15h35 et 18h. Trajet : env 15h. La voie longue, donc !

➤ *Pour/de Mexico :* 1 bus/j. à 15h35 pour le terminal *Tasqueña,* un autre à 18h pour *Tapo y Norte.* Trajet : env 18h (à éviter donc) ! Même route que pour Puebla.

➤ *Pour/de Veracruz :* 1 bus/j. à 19h avec *ADO GL.*

🚌 *Compagnie Turistar Costa* *(plan C1-2, 5)* : 📱 104-25-81.

➤ *Pour/de Pochutla (Puerto Ángel), Huatulco et Salina Cruz :* 3 bus/j., notamment 1 à 7h qui ne dépasse pas Huatulco.

➤ *Pour/de Acapulco :* une bonne alternative à *Estrella Blanca,* avec un lieu de départ plus central. 3 bus/j. en 1re classe et 1 en 2e classe avec *AC.* Le bus de 18h55 continue jusqu'à Zihuatanejo.

➤ *Pour/de Mexico :* l'une des compagnies les plus rapides et les moins chères (env 12h de voyage). Départs vers 18h (pour le terminal *Sur*), 19h et 20h15 (pour *Norte* et *Tasqueña*).

🚌 *Compagnie TranSol* *(plan C1-2, 5).*

➤ *Pour/de Oaxaca :* 8 bus/j., 1re ou 2e classe, plutôt le mat (7h-9h30) ou le soir tard (21h30-23h).

🚌 *Compagnie Fletes y Pasajes* *(plan C1-2, 5).*

➤ *Pour/de Mexico :* le moins cher de tous. Départ à 17h15. Trajet via Pochutla, Oaxaca et Puebla.

En voiture

➤ *De Puerto Escondido à Oaxaca :* 325 km via Pochutla et 260 km via Sola de Vega. De 6 à 7h de route.

➤ *De Puerto Escondido à Acapulco :* 400 km (compter 6-7h de route). Trajet à éviter la nuit, pour des raisons de sécurité. Plusieurs arrêts plage possibles en chemin, par exemple à la *Playa Roca Blanca,* 34 km à l'ouest de Puerto Escondido (embranchement au village de Cacalote). *Palapas* où se balancent des hamacs et quelques *cabañas* rustiques le long d'une superbe plage en arc de cercle, adossée à des cocotiers. On peut planter la tente sur le sable, sous des auvents de palmes. Quelques camping-cars en hiver, sinon sérénité absolue. Pour manger un bon poisson grillé, on vous conseille la *Palapa Lulu.* À Cacalote, deux petites épiceries pour les courses de première nécessité. Autre arrêt possible à la *Punta Maldonado* (mais ça fait un détour de 31 km par sens), accessible depuis Cuajinicuilapa, ou à la *Playa Ventura,* à 2h d'Acapulco, passé Marquelia, pour une étape baignade dans les vagues du Pacifique, plus filet de poisson grillé à l'ombre d'une *palapa.* Cette dernière est plus développée et accessible par une route goudronnée (7 km). Petites chambres sans prétention à l'hôtel *Doña Celsa* à 200 $Me (12 €). Toutes carrelées, avec douche et ventilo. Bon resto, mais plats assez relevés.

➤ *De Puerto Escondido à Mexico D.F. :* env 900 km. Min 10h de route, via Acapulco (par l'autoroute à partir de là).

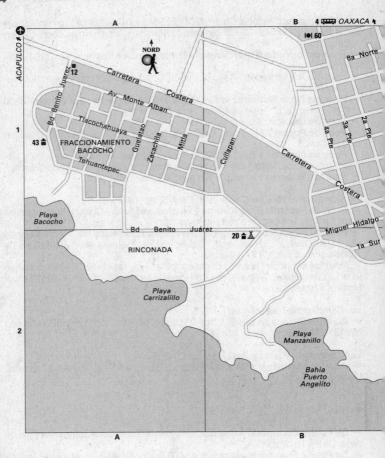

■ **Adresses utiles**

- **ℹ** Office de tourisme
- **2** Police touristique
- **3** Laverie automatique
- 🚌 **4** Gare routière
- 🚌 **5** Gare routière
- **6** Aerovega
- **10** Banamex
- **11** Agence de voyages Dimar
- **12** Budget
- **13** Coopérative de pêche
- **28** Cinemar

⚕ 🏠 **Où dormir ?**

- **20** Hostal Shalom
- **21** Hotel El Tucan
- **22** Hotel Mayflower et Hostal Puerto Escondido
- **23** Hotel Castillo de Reyes
- **24** Hotel Ribera del Mar
- **25** Le P'tit Hôtel
- **26** Hotel Virginia
- **27** Hostal Mondala
- **28** Luna Rosa
- **29** Hotel San Juan
- **30** Hotel Hacienda Revolución
- **31** Hotel Rincón del Pacífico
- **32** Beach Hotel Inès
- **33** Hotel Casa Vieja Gaji
- **34** Rinconcito

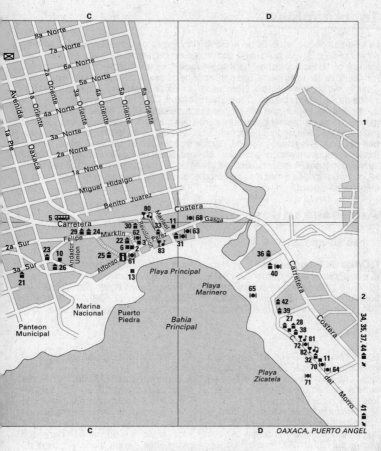

PUERTO ESCONDIDO

35 Frutas y Verduras
36 Hotel Vicky
37 A La Casa
38 Hotel Arco Iris
39 Casas de Playa Acali
40 Flor de María
41 Hotel Kootznoowoo
42 Hotel Santa Fe
43 Posada Real
44 Hotel Xima-Jo

|●| **Où manger ?**

31 Danny's Terrace
40 Flor de María
60 Marché

61 Restaurant Alicia et
Los Crotos
62 Vitamina T
63 Baguetteria Vivaldi
64 El Jardín de las Delicias
65 Sabor a Mar
68 Bendito's
70 El Cafecito
71 Los Tios
72 Café Mango's

🍸 ♪ ♫ **Où sortir ?**

80 Los Tarros
81 Casa Babylon
82 Bar Fly
83 Wipe Out

Topographie

La ville touristique, au bord de la *Bahia Principal*, s'organise autour de l'*avenida Alfonso Pérez Gasga*, bordée de commerces et de restos. Sa partie centrale, piétonne à certaines heures, est baptisée *Adoquín*. Le quartier, favori des vacanciers mexicains, s'étend au pied d'une petite colline où passe la route nationale *carretera Costera*. Au nord de celle-ci s'étend une ville mexicaine classique, quadrillage horizontal de rues qui se coupent toutes à angle droit. C'est là qu'arrivent les bus. Plus au sud-est se déroule une très longue plage de sable *(Zicatela)* sur plusieurs kilomètres, où se retrouvent la majeure partie des surfeurs et des touristes venus du monde entier (beaucoup d'Européens). Si sa partie nord s'est beaucoup développée ces dernières années, au sud, dans le quartier des *Brisas de Zicatela,* les surfeurs se retrouvent encore entre eux. Au nord-ouest de Puerto Escondido, la côte se fait rocheuse. Plus découpée, elle abrite de petites plages moins accessibles.
– *Un conseil avisé :* évitez de vous promener seul sur les plages le soir, même si c'est assez tentant.

Adresses utiles

Infos touristiques

▪ *Office de tourisme* (plan C2) : kiosque au début de la rue piétonne. ☎ 582-01-75. ● ginainpuerto@yahoo.com ● Lun-ven 9h-14h, 16h-18h ; sam 10h-14h. Gina Machorro, la responsable, vous renseigne efficacement en français. Nombreuses infos.
▪ *Police touristique* (plan C2, *2*) : av. Pérez Gasga. ☎ 582-04-98. 100 m après le début de la rue piétonne.

Services

✉ *Poste* (plan C1) : à l'angle de 7a Norte et Oaxaca. Dans le haut du village. Lun-sam 8h-16h. On peut aussi acheter des timbres et poster ses lettres dans la rue piétonne.
@ *Centres internet : plusieurs dans la rue piétonne et à Zicatela.* Certains font aussi centre d'appel et graveront vos photos sur CD ou DVD (comme *Cyberplaya* à Zicatela).
▪ *Lavanderia Express Hyperclean* (plan C2, *3*) : av. Pérez Gasga ; à l'angle de l'andador Libertad. Lun-sam 9h-14h, 16h-20h. Prix au poids. Laverie automatique.
▪ *Cinemar* (plan D2, *28*) : calle del Morro, Zicatela. ☐ 102-20-07. Tlj 9h30-23h. Le jeune patron canadien propose une sélection de livres d'occasion en anglais et français, et projette des films tous les soirs à 19h et 21h dans une petite salle sympa d'une vingtaine de places. Classiques, nouveautés et documentaires politiques. On peut aussi y louer une planche de surf ou un DVD pour les jours creux.

Argent et change

▪ *Banamex* (plan C2, *10*) : av. Pérez Gasga 905. Lun-sam 9h-16h. Guichet automatique et change à taux normal.
▪ *2 bureaux de change* dans Pérez Gasga (taux moins avantageux) et un *distributeur* HSBC. *Un autre distributeur* HSBC à Zicatela (à côté de l'hôtel Inès) et un *bureau de change* également.

Agence de voyages, transports

▪ *Agence de voyages Dimar* (plan C1-2, *11*) : Pérez Gasga 905 B. ☎ 582-15-51. ● viajesdimar.com ● Une antenne calle del Morro, à Zicatela (plan D2, *11*).

☎ 582-23-05. Tlj 8h-21h30. Billets d'avion et de bus, location de voitures, excursions sur les lagunes de Chacahua et Manialtepec (avec un ornithologue), etc.

■ *Taxis :* ☎ 582-30-67 ou 38-46. Pour une course en ville, compter env 20 $Me (1,20 €) ; pour Zicatela, 35 $Me (2,10 €).

■ *Budget* (plan A1, *12*) : bd Benito Juárez ; à l'angle de la carretera Costera. ☎ 582-03-12. ⌨ 119-60-63. À 800 m de l'aéroport. Tlj 9h-18h. Location de voitures. Attention, il semble que les réservations internationales à tarifs promotionnels ne soient pas toujours honorées.

Où dormir ?

Au choix, dans la ville elle-même, autour de la rue principale, ou le long des plages de Marinero, Zicatela et La Punta, à la sortie de la ville en direction de Puerto Ángel. En haute saison (décembre, Noël et Semaine sainte), arriver le matin pour être sûr de trouver une chambre. Préférer un hébergement avec moustiquaire. Si tout est complet dans la partie basse et touristique de la ville, aller tout en haut de la rue principale ; on y trouve des chambres bon marché. Enfin, il faut savoir que les tarifs indiqués ci-dessous doublent presque en haute saison et durant les vacances mexicaines.

Dans le centre

Très bon marché (moins de 300 $Me, soit 18 €)

⚔ 🏠 *Hostal Shalom* (plan B2, *20*) : bd Benito Juárez 4082, fraccionamiento Rinconada ; proche de la plage de Carrizalillo. ☎ 582-32-34. ● hostalshalom. com ● L'adresse est excentrée et conviendra mieux à ceux qui sont motorisés. Cela dit, tout est propre et fonctionnel, avec de nombreuses options bon marché, depuis l'espace camping dans le jardin pour planter la tente ou suspendre un hamac, à la *cabaña* avec douche, plutôt sympa. Jolie petite piscine. Coin-cuisine, casiers fermés pour les sacs, bar, resto, billard, baby-foot, location de vélos et de planches de surf, et on en oublie... Bon accueil.

🏠 *Hotel Ribera del Mar* (plan C2, *24*) :

Felipe Merklin 205, juste au-dessus de l'église. ☎ et fax : 582-04-36. Chambres propres, un peu passées mais encore très correctes pour le prix, autour d'un patio verdoyant. Les n°s 15 et 27 ont vue sur la baie. Moustiquaires aux portes et aux fenêtres, TV, ventilo.

🏠 *Hostal Puerto Escondido* (plan C2, *22*) : andador Libertad (ruelle qui donne sur l'Adoquín) ; juste en contrebas de l'hôtel Mayflower. ● hostalpuertoescondido@hotmail.com ● Ce n'est pas le luxe, loin s'en faut, mais ce sont les tarifs les plus bas de la ville ! Mini-chambres basiques et vétustes où l'on ne s'attarde pas. Eau froide. Omar, le proprio, est sympa et parle un peu le français.

Bon marché (300-400 $Me, soit 18-24 €)

🏠 *Hotel Mayflower* (plan C2, *22*) : andador Libertad. ☎ 582-03-67. ● mayflowerpuertoescondido.com ● Internet. Cet hôtel propose différents types de chambres. En tout, 9 dortoirs amples et bien conçus, mixtes ou par sexes (4, 6 ou 7 lits), partagent 6 salles de bains (eau chaude). Quelques grandes chambres privées, aérées et lumineuses, avec ventilo, TV et balcon. Coin-cuisine, casiers, terrasse avec table de

billard, mais pas de laverie. On peut déposer ses sacs pour quelques jours si l'on est trop chargé.

🏠 *Hotel El Tucan* (plan C2, *21*) : camino a Puerto Angelito. ⌨ 104-25-88. ● hoteleltucan.com.mx ● Tout beau, tout rose, cet hôtel situé sur les hauteurs, à 5 grosses minutes de la plage, dispose de belles chambres carrelées avec bains, TV et ventilo, dans des tons bleu et jaune. Choix d'un lit (*matrimonial* ou *king*) ou de 2. Quelques-unes ont une cuisi-nette. Situation tranquille et bon accueil.

📍 *Hotel Casa Vieja Gaji* (plan C2, 33) : av. Pérez Gasga. ☎ et fax : 582-14-54. Heureusement, la majorité des chambres de ce petit hôtel sont situées à l'arrière, ce qui les préserve du tintamarre qui règne parfois dans la rue piétonne ou en provenance de la discothèque en face. Chambres bien tenues, colorées et décorées avec soin, avec bains et ventilo ou AC. Un bémol : assez sombre, surtout au rez-de-chaussée.

📍 *Hotel Castillo de Reyes* (plan C2, 23) : av. Pérez Gasga 210. ☎ et fax : 582-04-42. Situé sur les hauteurs.

De prix moyens à chic (400-800 $Me, soit 24-48 €)

📍 *Hotel Rincón del Pacífico* (plan C-D2, 31) : av. Pérez Gasga 900, au milieu de la rue piétonne. ☎ 582-00-56 ou 582-01-01. • rincondelpacifico.com. mx • Prix à discuter lorsque le client se fait rare. Donne directement sur la plage. Chambres confortables, assez vastes et lumineuses, avec TV et frigo. Nos préférées : les nos 27 et 28, pour leur vue. Peut être un peu bruyant le soir, car entouré de bars. Fait aussi resto au sous-sol, le *Danny's Terrace* (voir « Où manger ? »).

📍 *Hotel Hacienda Revolución* (plan C2, 30) : andador Revolución 21 (ruelle donnant sur la rue piétonne). ☎ 582-18-18. • haciendarevolucion.com • Une adresse charmante dans une belle demeure de style colonial, autour d'une cour pavée ornée de plantes tropicales. Au choix, des bungalows d'une capacité de 3 personnes, avec terrasse privée et hamac, ou des chambres doubles. Jolies salles de bains égayées d'azulejos et mobilier en bois. Resto dans le jardin, où l'on peut prendre le petit déj. On regrette juste le caractère très débonnaire de certains employés.

📍 *Le P'tit Hôtel* (plan C2, 25) : andador

Grandes chambres propres et claires, avec eau chaude, TV et ventilo. Bon rapport qualité-prix. Agréable et bien tenu, mais pas de vue sur la mer ni de petit déj. Toute petite piscine moyennement propre.

📍 *Hotel Virginia* (plan C2, 26) : camino al Faro 104. ☎ 582-01-76. *Parking*. Sur un flanc de colline, modeste hôtel qui a le mérite d'être à l'écart de l'agitation. Chambres propres et assez spacieuses avec bains (eau chaude), ventilo et TV. Toutes ont 2 lits. Celles du rez-de-chaussée sont un peu sombres. Celles de l'étage ont vue sur la baie car elles ouvrent sur une galerie.

Soledad 379. ☎ 582-31-78. • oaxaca-moi.com/leptit.htm • Wifi. Situé en plein centre-ville, légèrement en retrait de la rue commerçante, l'hôtel s'étage sur la colline. Tenu par Michel, un Français qui travailla longtemps à la construction du métro de Mexico, et sa femme mexicaine, il abrite des chambres confortables aux jolies couleurs de terre. Elles sont équipées de bains (eau chaude), ventilo ou AC. Les plus chères ont un frigo, une cuisine, un balcon et un hamac à l'intérieur. Piscine juchée sur la terrasse supérieure, au pied d'une jolie fresque tropicale.

📍 *Hotel San Juan* (plan C2, 29) : Felipe Merklin 503. ☎ 582-05-18. • sanjuanhotel.com.mx • Juste en contrebas de la station de bus OCC en allant vers la plage ; pratique pour ceux qui arrivent tard ou partent tôt. Petite piscine, parking et resto. Derrière la façade rose, un hôtel plutôt calme et frais, égayé par quelques plantes. Moustiquaires, TV, ventilo ou AC. Les chambres les plus chères sont belles et confortables mais plus chères. À ce prix, mieux vaut dormir face à l'océan. Ambiance familiale.

Plages de Zicatela et Marinero

De très bon marché à bon marché (moins de 400 $Me, soit 24 €)

Les trois dernières adresses de cette catégorie sont situées dans le quartier de *La Punta*, tout au sud de la plage de Zicatela. On l'atteint par un embranchement partant de la route de Pochutla à la hauteur du Puente Zicatela (2 bons km au-delà de l'accès principal à la plage). Tout petits prix et ambiance *surfeurs for ever,* loin des foules.

🛏 *Hotel Vicky* (plan D2, 36) : entrée playa Marinero, côté droit de la route. ☎ 582-05-56. *Bon marché, stable tte l'année.* Simplicité et tranquillité sous les cocotiers. Chambres assez grandes, pas toutes neuves mais bien tenues, avec douche-w-c (eau chaude) et ventilo.

🛏 *Hostal Mondala* (plan D2, 27) : calle del Morro, Zicatela. 🖥 103-10-40. • ben jamin_ruiz_soto@hotmail.com • *Très bon marché.* Tenue par un jeune couple mexicano-belge, cette petite AJ est coincée sur un terrain riquiqui, tout près de la plage. On choisit entre l'un des dortoirs à 6 places (draps fournis) et l'une des 5 *cabañas,* en fait des chambres basiques en dur. Ventilo et moustiquaires. Frigo et cuisine à disposition, coin-lessive. Location-vente de boogies et planches de surf.

🛏 *Luna Rosa* (plan D2, 28) : calle del Morro, Zicatela. 🖥 103-63-41. • lunaro sahostal@gmail.com • *Très bon marché. Internet.* Petite AJ où tout est rose de la tête aux pieds... Au 1er étage, dortoir de 20 lits partageant 2 douches (eau chaude) ; au 2e, 4 chambres privées, l'une avec un grand lit, l'autre avec 2 (plus chère). Autres bains communs et cuisine à ce niveau. On peut laver son linge. Pas d'eau chaude. 2 terrasses avec vue sur la mer.

🍴 🛏 *Frutas y Verduras* (hors plan par D2, 35) : av. Alejandro Cárdenas, La Punta. ☎ 559-97-24 ou 540-17-82. • al

jo391968@yahoo.com • *Très bon marché. Wifi.* Tenue par un Slovène surfeur et ses potes amateurs de glisse, la maison regroupe des *cabañas* avec ventilo et moustiquaire, ainsi que quelques chambres. La mieux dispose d'un frigo, de la TV et d'un lecteur de DVD, mais elle est presque toujours squattée. Certains y passent l'hiver au chaud (location au mois possible). Cuisine commune, hamacs pour glander sous la *palapa,* camping. Location de planches, évidemment...

🍴 🛏 *A La Casa* (hors plan par D2, 37) : av. Alejandro Cárdenas, La Punta. ☎ 544-33-22. *Très bon marché.* À 100 m du *Frutas y Verduras,* cette modeste AJ tenue par un Italien sympathique et volubile (pléonasme ?) propose des dortoirs avec 3 lits superposés et quelques chambres. Deux lits, une table et deux chaises en plastique, et le tour est joué. Cuisine commune, mais on peut aussi commander plats mexicains et italiens. Ping-pong, location de vélos et planches de surf (cours), balades à cheval.

🛏 *Rinconcito* (hors plan par D2, 34) : av. Alejandro Cárdenas, La Punta ; face au Frutas y Verduras, *côté plage.* ☎ 582-39-54. 🖥 110-50-76. *Très bon marché.* Une unique *cabaña* sur pilotis, dressée sous les cocotiers, face à la plage, est partagée en 2 chambrettes à un grand lit. Un toit de palmes qui embaume, un ventilo et basta. *Comedor* les pieds dans le sable.

De prix moyens à plus chic (400-1 4000 $Me, soit 24-84 €)

🛏 *Beach Hotel Inès* (plan D2, 32) : calle del Morro, Zicatela. ☎ 582-07-92. • ho telines.com • *Wifi. CB acceptées* (+ 5 %). Chez Inès, y'a tout ce qu'il faut ! De la toute petite chambre avec ventilo et douche (bon rapport qualité-prix) au grand appartement pour loger une famille nombreuse, faites votre marché. Plus les prix montent, plus les chambres sont grandes et joliment arrangées. Toutes sont bien tenues, ont une salle de bains (eau chaude), un ventilo

et un coffre. Les mieux ont en plus une cuisine (sur le balcon), TV, AC, voire même jacuzzi. Vue plus ou moins distante sur la mer. Piscine centrale avec transats. Massages, resto-bar... Une vraie ruche !

🛏 *Hotel Arco Iris* (plan D2, 38) : calle del Morro ; face à la plage Zicatela. ☎ et fax : 582-04-32 ou 14-94. • hotel-arcoi ris.com.mx • *Attention, ici la basse saison ne concerne que avr-juin et sept à mi-nov. Parking. Internet.* Grosse bâtisse orange aux chambres confortables quoique légèrement passées. Elles disposent de ventilo ou AC, salle de bains et balcon avec hamac donnant sur la mer au 1er étage pour les plus chères. Certaines ont une kitchenette et une TV. Une seule n'a pas de vue, ne vous la faites pas refiler ! Piscine, resto, massages zapotèques.

🛏 *Flor de María* (plan D2, 40) : playa Marinero. ☎ 582-05-36. ● mexonline. com/flordemaria.htm ● À l'entrée de la plage de Marinero, une belle maison de style colonial, avec de jolies chambres fraîches, spacieuses et agréablement décorées autour d'un patio. Les prix varient en fonction de la vue. Bon resto (voir « Où manger ? »). Sur le toit, terrasse, hamacs, bar et petite piscine avec vue sur la plage. Une adresse tenue par un couple fort sympathique. Beaucoup de retraités américains s'y réchauffent l'hiver.

🛏 *Hotel Kootznoowoo* (hors plan par D2, 41) : continuer tt droit sur la piste sableuse, au bout de la calle del Morro ; c'est à 500 m sur la gauche. Repérez bien le grand bâtiment blanc et jaune, entouré de végétation, car il n'est pas indiqué. ☎ 582-32-51. ● hotelkootznoowoo.com ● Loc à la sem intéressante en basse saison. La plage de Zicatela est à 150 m. Hôtel moderne sur 3 étages, abritant de belles chambres confortables, avec bains (cabine de douche), TV, ventilo ou AC. Piscine entourée de bougainvillées. Terrasse sur le toit avec hamacs face à la mer. Cafétéria où prendre le petit déj. Excellent accueil.

🛏 *Hotel Xima-Jo* (hors plan par D2, 44) : calle Tamaulipas, Brisas de Zicatela. ☎ 582-26-49. ● hfiesco@prodigy. net.mx ● On y accède par l'av. Alejandro Cárdenas, qui mène au sud de la plage de Zicatela, puis à droite 200 m plus loin. En hte saison, les prix font plus que doubler ! L'hôtel est à 50 m de la plage, dans un coin tranquille au point d'en être solitaire. Impeccablement tenu, il abrite exclusivement des appartements d'un excellent standing avec salon-cuisine, 2 chambres et salle de bains. Parfait pour les familles qui veulent un peu d'espace. Jolie piscine en forme de fleur cernée de palmiers. Clientèle principalement mexicaine qui loue au mois, donc toujours complet. Tentez votre chance.

🛏 *Casas de Playa Acali* (plan D2, 39) : calle del Moro ; au nord de la playa de Zicatela. ☎ 582-07-54. ● bungalows_acali@hotmail.com ● Prix selon taille, confort et saison. Autour d'une piscine, un ensemble de bungalows en bois pour 2 ou 3 personnes. Du plus simple au plus confortable avec cuisine, bains, AC et terrasse. Certains sont malheureusement bien près de la rue. Petit parking. Attention aux noix de coco sur la carrosserie de la voiture !

Beaucoup plus chic (plus de 1 400 $Me, soit 84 €)

🛏 *Hotel Santa Fe* (plan D2, 42) : calle del Morro, Zicatela. ☎ 582-01-70. ● hotelsantafe.com.mx ● Le 1er hôtel qui fait le coin en arrivant sur la plage. Bel établissement moderne, niveau 4 étoiles local, construit dans le style colonial. Au choix, chambres cossues et joliment décorées, ou bungalows avec cuisine et salon. Jardins agréables avec 3 piscines et palmiers. Resto sous une grande véranda surélevée de style colonial, qui donne sur la mer (excellentes pâtes et plats végétariens).

Dans le quartier de Bacocho

🛏 *Posada Real* (plan A1, 43) : bd Benito Juárez. ☎ 582-01-33 ou 01-800-719-52-36. ● posadareal.com.mx ● Dans la Zona Hotelera, isolée à 3 km de la ville, près de l'aéroport. Doubles à partir de 2 500 $Me, repas et boissons à volonté inclus. Internet. Hôtel de vacances labellisé *Best Western*, possédant une centaine de chambres encadrant une grande piscine. Le jardin tropical, sur lequel ouvre le restaurant principal, surplombe la mer et le grand manteau de la playa Bacocho, ballottée par les vagues (pas de baignade). Club de plage pour les familles. Piscine intérieure très agréable.

Où manger ?

La zone touristique de Puerto Escondido se concentre autour de la rue piétonne *(Adoquín)*, assez bruyante le soir. Vous y trouverez toutes sortes de restaurants qui, côté mer, ont une terrasse sur la plage. D'autres encore à Zicatela, pour manger en regardant déferler les rouleaux.

Dans le centre

Bon marché (moins de 80 $Me, soit 4,80 €)

|●| *Le marché* (plan B1, 60) : tt au nord de la ville, à la hauteur de la 9ª Norte. Nombreux petits restos avec une cuisine typique d'Oaxaca *(mole negro)* et de délicieux jus de fruits. Replié dans une cour tranquille, *Las Margaritas* est réputé pour ses tortillas maison et ses excellents *empanadas* (chaussons) fourrés aux champignons, au *tinga* (viande effilochée), au nopal et au fromage, etc. Également plein de grosses brochettes de viande ou de fruits de mer à des prix moyens. Autre bonne option, *La Juguileña*, sur 8ª calle.

|●| *Baguetteria Vivaldi* (plan D2, 63) : av. Pérez Gasga. Wifi. Adresse très centrale, tenue par un jeune couple allemand. Petit déj, sandwichs baguette (pain maison, un peu épais) et crêpes composent l'essentiel du menu. Le prix des sandwichs dépend de leur taille : 15 ou 30 cm ! Pour laisser glisser le temps, images de surf sur écran géant.

|●| *Restaurant Alicia* (plan C2, 61) : av. Pérez Gasga. Si les routards apprécient cet endroit, ce n'est pas pour son aspect de hangar ou ses chaises en plastoc, mais en raison du menu, qui propose du poisson frais à un prix sage et toutes sortes de plats de spaghettis. Sert des petits déj copieux également. Ne soyez pas trop regardant sur l'hygiène. On peut s'installer sur un coin de plage, c'est nettement mieux.

|●| *Vitamina T* (plan C2, 62) : av. Pérez Gasga ; en face du Restaurant Alicia. Quelques tables sous un auvent. Tacos et plats mexicains pas chers. La *sopa azteca* tire bien son épingle du jeu.

De prix moyens à chic (80-250 $Me, soit 4,80-15 €)

|●| *Los Crotos* (plan C2, 61) : av. Pérez Gasga. ☎ 582-00-25. La situation est superbe, sur la plage, les tables dispersées sous les *palapas* et les arbres. Spécialités copieuses de poisson et fruits de mer, grillés ou farcis. On note quelques efforts dans la présentation. Certes, les prix sont un peu élevés, mais la vue et la sérénité se paient.

|●| *Bendito's* (plan D1, 68) : av. Pérez Gasga. Fermé mar. Tenu par Michele, un Italien, un vrai, *Bendito's* sert des pizzas cuites au feu de bois, semées d'énormes feuilles de basilic. Pâtes, viandes et poissons pour les récalcitrants. On pourrait certes regretter le manque d'attention donné au cadre, mais les yeux fermés, on déguste mieux...

|●| *Danny's Terrace* (plan C-D2, 31) : av. Pérez Gasga 900. ☎ 582-02-57. Au sous-sol, côté plage, de l'hôtel Rincón del Pacífico. *Tlj 7h-23h.* Restaurant avec terrasse couverte et vue sur la plage. Cuisine mexicaine de bon aloi à prix raisonnables.

À Zicatela et playa Marinero

Bon marché (moins de 80 $Me, soit 4,80 €)

|●| *Café Mango's* (plan D2, 72) : calle del Morro. *Tlj 7h-23h45.* Situé au bord de la route, face à la plage de Zicatela. Happy hours *18h-23h.* Sorte de grande

palapa abritant un café-resto. On y sert des sandwichs (pain maison), des salades, des pâtes, des jus de fruits frais et un bon café *espresso*. Très populaire pour le petit déj.

|●| *El Cafecito (plan D2, 70)* : calle del Morro ; face à la plage de Zicatela. L'endroit est souvent plein, bien que les prix soient élevés. Le rendez-vous des surfeurs et touristes au petit déj, qui viennent engloutir friands, œufs frits ou viennoiseries avant d'aller cabrioler sur les vagues. Bon café. Carte variée, jus de fruits et salades. Jazz certains soirs.

Une annexe bd Juarez, dans le quartier de Rinconada, au nord-ouest de la ville *(plan B2)*.

|●| *El Jardín de las Delicias (plan D2, 64)* : calle del Morro et Bajada Brisas, le dernier restaurant de Zicatela. Tout nouveau tout beau. Bon petit déj 8h-12h. Et surtout d'excellentes pizzas préparées par le chef napolitain Franco à partir de 17h30, pour le reste, salades, sandwichs et un grand choix de plats type cuisine internationale. Accueil sympa.

Prix moyens (80-250 $Me, soit 4,80-15 €)

|●| *Sabor a Mar (plan D2, 65)* : à l'extrémité sud de la playa Marinero, face à l'hôtel Santa Fe. ☎ 102-70-90. Ouverte par l'ancienne proprio du *Junto al Mar*, la maison est réputée pour ses poissons et fruits de mer frais. Les tables, semées sur une terrasse ouverte, face à la mer, sont joliment nappées et assez romantiques, surtout le soir. Il vaut alors mieux réserver pour ne pas avoir de mauvaise surprise. Chaises longues et parasols pour les clients adeptes du farniente.

|●| *Los Tios (plan D2, 71)* : sur la plage de Zicatela, presque au niveau d'El

Cafecito. Fermé mar. Tout est bon et copieux, avec un vaste choix : salades, tartes et plats mexicains bien mijotés. Présentoir de fruits et légumes comme chez l'épicier du coin. Très populaire pour le petit déj. Musique live le soir pendant les vacances.

|●| *Flor de María (plan D2, 40)* : à Marinero, dans l'hôtel du même nom (voir « Où dormir ? »). Fermé mar. Salle ouverte à côté du patio, avec une belle fresque. Cuisine savoureuse avec spécialités mexicaines, italiennes et internationales.

Où sortir ?

🍷 ♪ *Casa Babylon (plan D2, 81)* : calle del Moro, Zicatela. Tlj 10h30-2h. Le lieu de rencontre par excellence de la plage, pour boire un verre en sirotant une bonne musique pas trop envahissante. Déco originale avec sols en mosaïques de cailloux, masques aux murs et coupole « babylonienne » au plafond... *Book exchange*, magazines, jeux... On s'y oublie volontiers aux heures chaudes. Le soir, musique *en vivo* fréquente, en particulier du mercredi au samedi. Accueil très sympa.

🍷 ♪ *Bar Fly (plan D2, 82)* : calle del Moro, Zicatela. Au-dessus du restaurant La Hosteria, *entrer par la porte rouge.* L'antre de la *world culture*. Ambiance techno et house, *chicas* bronzées et machos aux pecs gonflés, tongs et pieds nus, bar et canapés. DJs

venus des quatre coins de la planète pour les occasions spéciales (vacances, fêtes). Sur le tard, les *chicas* sont parfois un peu trop bourrées et les machos agressifs, prudence !

🍷 ♪ *Los Tarros (plan C1-2, 80)* : av. Pérez Gasga. Tlj 20h-3h. Bar qui se transforme en disco dès qu'il y a du monde. On s'y trémousse sur de la musique latino, rock, pop et house. Groupes live durant les vacances. Clientèle mixte de Mexicains et touristes.

🍷 ♪ *Wipe Out (plan C2, 83)* : av. Pérez Gasga, en face de l'hôtel Casa Vieja Gaji. ☎ 582-23-02. Tlj jusqu'à 4h. Pas de droit d'entrée. Pour danser jusqu'à épuisement. Plusieurs pistes sur plusieurs niveaux. La tequila coule à flots.

À voir. À faire

⚠ Ne rien faire se révèle bien sûr une saine activité. *Attention :* pour les amateurs de baignade, sachez que les plages Marinero et surtout Zicatela ainsi que Bacocho sont TRÈS DANGEREUSES, à cause du très fort ressac. La *plage* principale de la baie *(playa Principal)* est plus sûre car mieux protégée, tout comme la *playa Manzanillo, Puerto Angelito* et la *playa Carrizalillo,* accessible par des escaliers (des *lanchas* vous y emmènent depuis la plage principale).

À Zicatela, vous pourrez passer la journée (location de chaises longues, *palapas*), mais, on insiste, y faire trempette avec précaution et en restant collé au bord. Les maîtres nageurs-sauveteurs surveillent le centre de la plage de 7h à 19h. C'est l'une des plus belles plages de Puerto Escondido, longue de 3 km et très large. Allez-y de bonne heure pour admirer les prouesses des surfeurs. Zicatela est mondialement réputée pour ses énormes vagues : droites et gauches formant de super tubes, baptisés *Mexican pipeline.* Concours internationaux et nationaux en août, septembre et novembre *(World Master Championship).*

– *Surf :* location, vente, vêtements, leçons... Plusieurs magasins le long de la plage de Zicatela pour amateurs et pros.

– *Pêche au gros :* thon, *dorado (mahi mahi),* espadon, marlin... Allez à la *coopérative de pêche (plan C2, 13),* derrière le kiosque d'infos touristiques, ou adressez-vous à Gina, au kiosque en question. *Compter 300-400 $Me/h (18-24 €), min 3h.* Tournois en février et novembre.

➤ *Balade en bateau :* pour aller voir les tortues et les dauphins, adressez-vous à la *coopérative de pêche* ou contactez *Omar Ramírez, à Puerto Angelito.* ☎ 559-44-06. *Compter env 500 $Me (30 €) pour une sortie de 3h (min 5 pers).* Attention, de moins en moins de tortues, et lorsqu'une est repérée, elle est plutôt maltraitée par le pêcheur qui veut à tout prix vous la montrer pour que vous la preniez en photo.

➤ *Excursions à la journée* dans les environs. Notamment en barque à la *laguna Manialtepec* ou aux *lagunas de Chacahua* pour les amateurs d'oiseaux (à 15 km à l'ouest de Puerto Escondido). L'occasion de croiser spatules roses et tantales (cigogne américaine), aigrettes et ibis, perroquets et pélicans. Voir au *kiosque d'infos touristiques* ou contacter *Lalo Ecotours.* ☎ 582-30-50 ou 588-91-64. ● *lalo-ecotours.com* ● *Comptez 500-750 $Me (30-45 €) selon durée.* Privilégiez les balades en kayak ou canoë pour une meilleure observation. Également avec l'agence de voyages *Dimar* (voir « Adresses utiles »), ou en individuel, profitez d'une journée détente, en déjeunant au restaurant *La Flor Del Pacífico,* au bord de la laguna de Manialtepec, km 123, sur la route menant à Acapulco, les *lanchas* sont à vos pieds. Gume (☎ 107-61-70) vous organisera une sortie sur la lagune à petit prix.

– *Le coucher de soleil* sur la grande plage de Zicatela. C'est gratuit.

– *Festival Costeño de Danza :* ts les w-e de nov. Infos : ☎ 582-01-75. Festival de danse indienne : 350 danseurs originaires du Chiapas, du Michoacán et du Guerrero, parfois même de l'étranger, et des chanteurs mexicains réputés.

ACAPULCO

620 700 hab.   IND. TÉL. : 744

Acapulco est la station balnéaire la plus fréquentée du pays, favorite des habitants de la capitale, proximité oblige (à 4h de route). Pourtant, la réalité n'a plus grand-chose à voir avec les clichés paradisiaques de la ville qui firent fantasmer les acteurs et les stars de Hollywood dans les années 1950. N'est-ce pas ici, dans la vieille ville, qu'Orson Welles tourna *La Dame de Shanghai* (en 1947) ?

Aujourd'hui, on ne vient plus à Acapulco uniquement pour les plages, mais plutôt pour faire la fête sous la lumière des *sunlights*. Ici, c'est la nuit que ça se passe. Le jour, on se contente de promener un regard curieux sur ce qui est effectivement l'une des plus belles baies du monde, en sirotant un « coco loco » sur l'immense tapis de sable doré bordé par les tours des grands hôtels. Ceux qui connaissent Miami Beach et Waïkiki ne seront pas dépaysés. Sauf qu'ici, la mer n'est pas très propre, elle est même souvent mousseuse et verdâtre... Les Nord-Américains viennent pour des séjours bon marché « *sea, drinks and sun* » – avec, pour les jeunes, au moment du *spring break*, une version davantage « *sea, sex and sun* »... Pendant ce temps, dans les bidonvilles, sur les hauteurs des collines, les habitants vivent dans des conditions précaires.

UN PEU D'HISTOIRE

Histoire oubliée d'une incroyable liaison maritime

Pendant 250 ans (de 1565 à 1815), le *galion de Manille* a assuré la liaison maritime Acapulco-Manille à travers l'océan Pacifique nord. Ce navire de trois ou quatre mâts pesait 300, 600 ou 2 000 t et pouvait embarquer jusqu'à 150 personnes (on dirait aujourd'hui un cargo mixte) et des monceaux de marchandises. La route aller fut découverte en 1527 par *Alvaro de Saavedra,* 7 ans seulement après la première traversée du Pacifique réalisée par Magellan. Parti de Zihuatanejo, un port situé à 236 km au nord d'Acapulco, il rejoignit Tidore, aux îles Moluques, surnommées « l'Épicerie » (actuelle Indonésie).
Mais voilà : aucun marin ne savait comment revenir à travers l'immense l'océan ! Ce n'est qu'en 1565 qu'*Andres de Urdaneta* parvint à découvrir la route du retour (la *tornavuelta*) en se laissant porter par le courant marin de Kuroshio. Une fois la boucle effectuée, la liaison maritime devint annuelle. La traversée durait environ 100 jours à l'aller, mais le retour prenait plus de temps : 180 jours, soit 6 mois ! Il fallait affronter les dangers d'une mer encore inconnue, les tempêtes redoutables et les attaques des pirates. Le *galion de Manille* quittait Acapulco en mars-avril, pour atteindre Manille vers juin-juillet, puis il repartait pour Acapulco en août, en évitant la saison des typhons. À la fin du XVIe s, seuls deux navires étaient autorisés à emprunter annuellement la route ; bientôt, il n'en resta plus qu'un, d'un tonnage deux fois supérieur. Une incroyable situation de monopole.
Des nombreux galions qui effectuèrent la liaison entre le Mexique et l'Asie, plusieurs disparurent à jamais, victimes des tempêtes. Certains, semble-t-il, se seraient échoués à Hawaii, à mi-chemin – le premier lors de l'expédition de Saavedra en 1527. La petite histoire affirme que le capitaine du navire et sa sœur, parmi les survivants du galion qui échoua à Hawaii, se seraient mariés dans les îles et auraient fondé une lignée de chefs ! La découverte dans l'archipel d'un buste en pierre blanche aux traits évoquant un noble espagnol semble accréditer la thèse de la relâche d'au moins un navire.

Acapulco, ancienne porte commerciale vers l'Asie

Dès 1573, Manille se voit reconnaître le monopole du commerce avec la Nouvelle-Espagne (Mexique). Des marchandises y débarquent de toute l'Asie, de la Perse aux Moluques. Les échanges contribuent à rapprocher des deux continents séparés par le plus grand océan du monde. Des plantes et des denrées alimentaires méso-américaines sont introduites en Asie, comme les haricots, le maïs, l'igname, la patate douce, la papaye, la vanille, le tabac, le cacao et certaines plantes médicinales. Apportés par les Espagnols, la canne à sucre, le vin et l'huile d'olive gagnent eux aussi l'Asie. On ne le sait pas, mais le Mexique a ainsi influencé la cuisine, la langue et l'architecture des Philippines.

L'influence alimentaire et culturelle n'est pas à sens unique. Des produits et des marchandises venus d'Asie ont fait souche au Mexique : porcelaines chinoises, mobilier hispano-philippin, soieries et autres tissus, ivoires, riz (on en mange beaucoup au Mexique), piment, cannelle, manguier, sans oublier des fleurs orientales comme les camélias, les gardénias et les chrysanthèmes. La tradition mexicaine des combats de coqs vient d'Asie. Celle des pétards et des feux d'artifice aussi.

Quand le Mexique reliait l'Orient et l'Occident

Débarquées au port d'Acapulco, les marchandises orientales étaient échangées lors d'une grande foire qui durait 1 mois – une fois dite une messe pour remercier la Sainte Vierge de l'arrivée sauve du galion... Elles partaient ensuite vers l'intérieur du Mexique, à dos de mules, jusqu'aux villes de Valladolid (Morelia aujourd'hui), Pátzcuaro, Puebla et Jalapa. Une autre voie, le chemin royal (camino real), allait d'Acapulco à Mexico par Chilpancingo et Taxco. Dans la capitale, une partie des marchandi-

MAIS OÙ EST DONC PASSÉ LE POGNON ?

Les conquistadors espagnols rapportèrent d'Amérique des trésors considérables à leur mère-patrie. À part à Séville et quelques cathédrales, on se demande pourquoi ces richesses ont laissé si peu de traces. Eh bien, ces grands navigateurs étaient des parvenus ; ils dépensèrent leur fortune en soieries et en épices, les produits de luxe de l'époque. Le grand bénéficiaire fut donc la Chine, et non pas l'Espagne.

ses était revendue dans des boutiques du *zócalo*. Le reste repartait jusqu'au port de Vera Cruz, sur la côte atlantique, puis était transporté par la mer jusqu'en Espagne. Ainsi, une théière en porcelaine de Chine venue de Canton ou un grain de poivre des îles Moluques pouvait accomplir un périple équivalent presque aux deux tiers de la circonférence de la planète avant d'arriver sur les quais de Séville ! Le dernier galion de Manille jeta l'ancre en 1815.

FÊTES ET FESTIVALS

Ce sont les périodes de forte invasion touristique. On y trouve moins facilement un logement et les prix grimpent aussi haut que les tours des hôtels. Outre Noël (à partir du 20 décembre) et surtout la semaine de Pâques, citons la foire du tourisme en avril, le Festival d'Acapulco pendant une semaine au mois de mai, le Festival de *Cine francés* en novembre durant 4 jours, la fête de la Vierge de la Guadalupe à partir du 11 décembre... Dates précises à l'office de tourisme.

Arriver – Quitter

En bus

En période de rush, il est prudent de réserver. On peut le faire dans certains hôtels et agences de voyages, dans les magasins de la chaîne d'électroménager *Elektra* ou au guichet *Boletotal-Ticket Bus* (voir ci-dessous). Également plusieurs bureaux des différentes compagnies répartis en ville. Les bus pour Mexico qui empruntent l'autoroute (1re classe) sont plus chers, mais le gain de temps est appréciable.

■ *Boletotal-Ticket Bus* (plan général C2, 32) : costera M. Alemán 266 ; dans l'hôtel Aca Bay. ☎ 486-84-58 ou 01-800-009-90-90. ● boletotal.mx ●

🚌 *Terminal Estrella de Oro* (plan général D1, 2) : Cuauhtémoc 1490. ☎ 01-800-900-01-05. ● estrelladeoro.com.mx ● Pour y aller du centre, prendre un bus

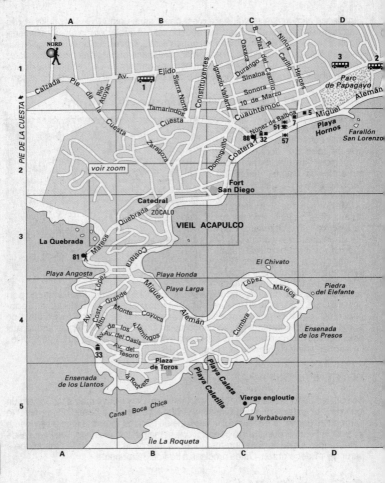

■ **Adresses utiles**

🛈 Office de tourisme
🚌 **1** Terminal Estrella Blanca et Futura
🚌 **2** Terminal Estrella de Oro
🚌 **3** Terminal de 1ʳᵉ classe Costa et Futura
   4 Hertz
   5 Supermarchés
   7 Banamex
   8 Banamex, Bancomer et Banorte
   9 Aeroméxico, Costa et Futura
  10 Consulat du Canada
  13 Interjet
  14 Dollar/Thrifty

  15 Budget
  32 Boletotal-Ticket Bus

⚔ 🏠 **Où dormir ?**

  28 Hostal Juvenil K3
  30 Sand's
  31 Hotel Romano Palace
  32 Hotel Aca Bay
  33 Hotel Los Flamingos
  35 El Cano
  36 Villa La Lupita

🍽 **Où manger ?**

  51 100 % Natural (6 adresses)

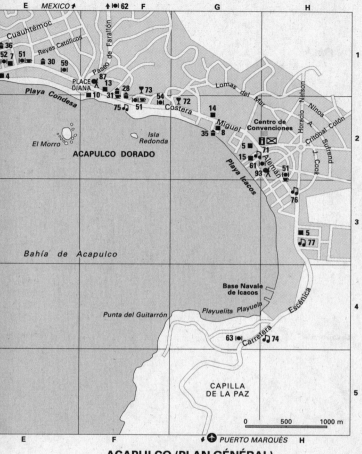

ACAPULCO (PLAN GÉNÉRAL)

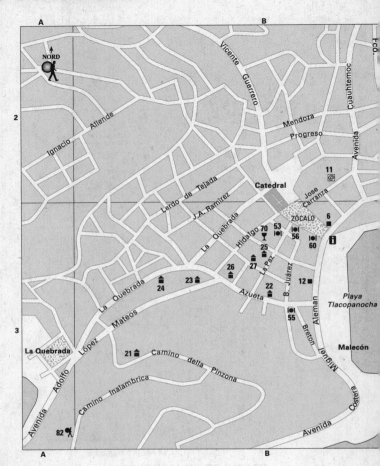

LA CÔTE PACIFIQUE SUD

■ **Adresses utiles**
- **6** Bancomer
- @ **11** Internet Cyber Flash

⚐ 🏠 **Où dormir ?**
- **21** Etel Suites
- **22** Hotel Sutter
- **23** Hotel Santa Lucía
- **24** Hotel Asturias
- **25** Casa de Huéspedes California
- **26** Hotel Paola
- **27** Hotel Misión

|●| **Où manger ?**
- **51** 100 % Natural (2 adresses)

« *Garita* ». *Dans l'autre sens, bus* « *Caleta* » *pour le zócalo ou* « *Río Base* » *pour la costera. Sur place, distributeur et borne Internet.*

➤ ***Pour/de Mexico (terminal sud Tasqueña) :*** avec les services de 1re classe « Servicio plus », départ ttes les 30 mn à 1h, 6h-2h30. Avec le service « Diamante » (super luxe), 6 bus/j. Trajet : 5h-6h30.

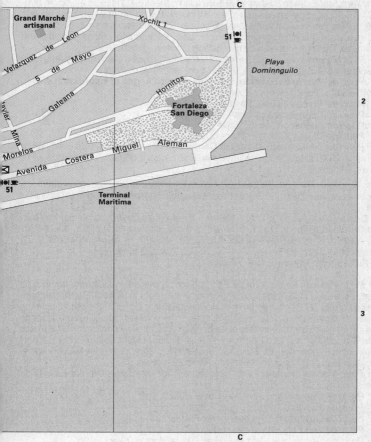

ACAPULCO (ZOOM)

53	El Nopalito	🍷	**Où boire un verre ?**
55	Mariscos Nacho's		
56	Café Los Amigos	70	El Galeón
60	Flor de Acapulco		
		🍴	**À voir. À faire**
☕	**Où prendre le petit déjeuner ?**		
51	100 % Natural	82	Fresque de Diego
	(2 adresses)		Rivera

➢ **Pour/de Taxco :** 7 bus/j. 7h10-18h10. Trajet : env 3h30.
➢ **Pour/de Cuernavaca :** ttes les 15 mn à 1h, 5h-19h40. Trajet : 4h.
➢ **Pour/de Lázaro Cárdenas :** 2 bus 1re classe/j., vers 11h50 et 16h20 ; liaisons 2e classe ttes les 30 mn à 1h, 4h20-17h.

🚌 **Terminal Estrella Blanca et Futura** (plan général B1, **1**) : Ejido 47. ☎ 01-800-507-55-00. ● estrellablanca.com.mx ● *Pour y aller du centre, prendre un bus* « Ejido » *en face du* Sanborn's, *près du zócalo. Dans le sens inverse, bus* « Centro » *ou* « Caleta ». *Sinon, des taxis sont disponibles ; les tarifs sont affichés sur un grand panneau.* Consigne, bureau de réservation d'hôtels, distributeur.

➤ **Pour Mexico** : choisissez bien votre terminal d'arrivée à Mexico, *Tasqueña* (sud) ou *Norte* ; 5-6 bus/j. pour le 1ᵉʳ, un seul pour le 2ᵈ. Trajet : 5h env.

➤ **Pour/de Puerto Escondido, Pochutla (Puerto Ángel) et Huatulco :** 6 bus/j., 3h45-23h45. Trajet : 8h pour Puerto.

➤ **Pour/de Taxco :** 3 bus/j. Trajet : 4-5h.

➤ **Pour/de Cuernavaca :** 4 bus/j. Trajet : 4h.

➤ **Pour/de Puebla :** à 21h15. Trajet : 7h.

➤ **Pour/de Toluca :** 3 bus/j., 2 le mat, 1 vers minuit. Trajet : 5-6h.

➤ **Pour/de Zihuatanejo et Lázaro Cárdenas :** départ ttes les 1-2h avec *Futura* en service ordinaire, 5h30-21h (divers arrêts). Sinon, 8 départs/j. en service « Primera ». Trajet : 7h.

🚌 **Terminal de 1ʳᵉ classe Costa et Futura** (plan général D1, **3**) : av. Cuauhtemoc ; face au parque Papagayo. Guichet de réservation d'hôtels et consigne (à l'heure !).

■ **Costa** (plan général E1, **9**) : centro comercial La Gran Plaza, costera M. Alemán. ☎ 01-800-003-76-35. ● *tu*ristar.com ● Tlj 8h-21h.
■ **Futura** (plan général E1, **9**) : devant l'entrée du centro comercial La Gran Plaza, costera M. Alemán. ☎ 01-800-507-55-00. ● futura.com.mx ● Tlj 8h-21h. CB acceptées.

➤ **Pour Mexico :** *Futura* (groupe *Estrella Blanca*) assure le plus grand nombre de départs, avec en moyenne 1 bus/h, même la nuit, pour le terminal Sud. Quelques-uns de moins (17/j.) pour le terminal Nord. Également 6 bus/j. en classe *Ejecutivo*, 4 pour le terminal Sud, 2 pour le Nord, mais on ne vous les conseille pas : l'espace supplémentaire pour les jambes et les boissons gratuites ne parviennent pas, à nos yeux, à justifier les tarifs nettement plus élevés. *Costa* assure pour sa part 21 liaisons/j. pour Mexico Sur, dont 3 en *servicio plus,* et 8 pour Mexico Norte. Départs plus nombreux en hte saison. Tarifs identiques.

➤ **Pour Mexico (aéroport) :** un nouveau service direct proposé par *Estrella de Oro*, 2 bus/j. à 9h30 et 23h30.

➤ **Pour/de Cuernavaca :** 2-6 bus/j. avec *Futura.*

➤ **Pour/de Puebla :** 7-9 bus/j. avec *Futura.*

➤ **Pour/de Queretaro :** 3-4 bus/j. avec *Futura.*

➤ **Pour/de San Luis Potosi :** 2-3 bus/j. avec *Futura.*

➤ **Pour/de Guadalajara :** 4 bus/j. avec *Futura,* dont un direct à 19h.

➤ **Pour/de Puerto Vallarta :** 2-4 bus/j., toujours avec *Futura.*

En avion

✈ **L'aéroport** (hors plan général par G5) est à une vingtaine de km à l'est du centre-ville, passé Puerto Marqués. ☎ 435-20-60. Nombreuses destinations nationales et nord-américaines. Le plus simple est de faire ses réservations dans les agences de voyages. Sur place : guichets des principales compagnies de location de voitures (côté arrivées nationales), distributeurs, café.

➤ **En taxi :** *Kiosque Oma,* à la sortie des arrivées, vous évite les arnaques sur les prix, en vous affectant un taxi, ou ☎ 46-09-62 dans le sens aéroport-ville, compter env 320 $Me (19,20 €) pour Puerto Marqués, 425 $Me (25,50 €) pour la Zona Dorada (costera M. Alemán) et 450 $Me (27 €) pour la Caleta. Moins cher dans l'autre sens : 250-350 $Me (15-21 €) selon distance.

➤ **En colectivo (minibus) :** compter 100 $Me/pers (6 €). On vous déposera à votre hôtel. Prendre rdv 24h avt pour le retour : *Nuevo Milenio,* ☎ 440-95-83.

➢ *En bus :* c'est bon marché mais beaucoup plus compliqué ! Il faut s'y prendre en deux temps : d'abord le bus *aeropuerto* jusqu'à la Glorieta de Puerto Marqués, puis, de l'autre côté de la rue, n'importe quel bus desservant la costera M. Alemán en direction du centre (ils sont marqués « Zócalo » ou « Caleta »). Sachez que les bus climatisés sont un peu plus chers que ceux qui ne le sont pas : 8 $Me (0,50 €) contre 6 $Me (0,40 €). À Puerto Marqués, on peut aussi prendre n'importe quel *colectivo* en direction du centre (dans l'autre sens, ils ne vont pas à l'aéroport, ou alors en râlant). Tarif : 15 $Me (0,90 €).

■ *Aeroméxico (plan général E1, 9) :* costera M. Alemán 1632, devant le centro comercial La Gran Plaza. ☎ 466-92-87 ou 01-800-021-40-10 (n° gratuit). ● `aeromexico.com` ● Lun-sam 9h-19h ; dim 9h-15h. Assure 3 vols/j. de et vers Mexico.
■ *Interjet (plan général F1-2, 13) :* centro comercial Plaza Marbella, loc 26, Prolongación Farallón, costera

M. Alemán ; face au rond-point de La Diana. ☎ 484-37-12 ou 01-800-01-12345 (n° gratuit). ● `interjet.com.mx` ● Lun-sam 9h-19h. 2 vols low-cost/j. pour l'aéroport de Toluca, près de Mexico. Si on s'y prend à l'avance, on peut obtenir un tarif aller-retour avoisinant les 760 $Me (45,60 €). Mieux vaut être 2 ou plus toutefois, car le montant minimum de paiement est de 1 000 $Me (60 €) !

Topographie

La ville est divisée en trois secteurs. À l'ouest de la baie, la *vieille ville,* avec des petits immeubles anciens datant des années 1950, est surtout fréquentée par les Mexicains. Elle s'adosse à la grosse péninsule de La Caleta, qui forme comme un crochet rocheux ; c'est là, à La Quebrada, que se produisent les célèbres plongeurs d'Acapulco. Vers l'est, la *grande zone hôtelière,* ou *Acapulco Dorado,* s'étend sur toute la longueur de la baie, avec ses établissements de luxe tournés vers une clientèle internationale, sa vie nocturne et ses installations nautiques, sa vie nocturne et autres divertissements. Le centre historique et la *Zona Dorada* sont reliés par la costera M. Alemán (dites simplement « costera »). Au-delà de la baie, vers le sud-est, la *carretera Escénica* grimpe sur les hauteurs, offrant de superbes points de vue avant de redescendre vers Puerto Marqués et le *nouvel Acapulco,* qui inclut *Punta Diamante,* peuplée de millionnaires et dans laquelle la municipalité investit une grande part des impôts locaux au détriment du reste... Le développement balnéaire se poursuit avec frénésie le long de l'immense playa Revolcadero, en direction de l'aéroport. Condos de luxe à foison tandis que, à l'arrière, les retraités québécois hibernent dans leurs camping-cars.

Adresses utiles

Infos touristiques, représentations diplomatiques

🅘 *Office de tourisme municipal :* plusieurs modules répartis à travers la ville, dont un face au zócalo, *sur le Malecón* (zoom B3), un autre à La Caleta, un 3ᵉ devant le parc Papagayo et un 4ᵉ au niveau du rond-point de La Diana. D'autres ouvrent en hte saison. ☎ 440-70-10 ou 01-800-552-6121. ● `acapulco.gob.mx/turismo` ● En principe ouv tlj 8h30-20h30 mais souvent fermé le w-e. Employés compétents et accueillants. Pendant les vacances, des *ángeles*

sillonnent même les rues de la ville pour venir en aide aux touristes. Ils parlent au moins un peu l'anglais.
🅘 *Bureau d'assistance aux touristes* (Procuraduría del turista ; plan général G-H2) : petit bâtiment sur le bord de la costera M. Alemán, à droite de l'allée menant au Centro de Convenciones. Édifice partagé avec l'alliance française. ☎ 484-44-16. Tlj 8h-23h. On y parle l'anglais et parfois le français. Utile en cas de pépin : perte, vol et abus en

tout genre. Mais on peut aussi y poser toutes sortes de questions d'ordre plus touristique et même y récupérer brochures et cartes de la ville.

ℹ️ *Office de tourisme d'État (plan général G-H2) : costera M. Alemán 4455 ; dans le* Centro de Convenciones, *niveau inférieur.* ☎ 481-11-60 ou 11-64. ● guerrero.gob.mx ● *Lun-ven 8h-15h30.* Adresse inutile par sa pauvreté en informations. Accueil inexistant.

■ *Alliance française (plan général G-H2) : costera M. Alemán, à droite de l'allée menant au* Centro de Convencio-

Services

✉️ *Poste (zoom B2) : costera M. Alemán 215. Lun-ven 8h-17h30 ; sam 9h-13h.* Un petit bureau accolé au *Sanborn's,* à quelques *cuadras* du *zócalo,* dans le centre-ville. Un autre au niveau inférieur du *Centro de Convenciones (plan général H2). Lun-sam 8h-16h.*

@ *Centres Internet : nombreux centres partout dans le centre et sur la costera M. Alemán. Parmi eux,* **Internet Cyber Flash** *(zoom B2,* **11**), *Jesus Carranza, à deux pas du zócalo. Tlj 10h-20h.* Connexion rapide, 50 % plus chère dans la partie climatisée de la salle ! Casque pour Skype. On peut y

Argent et change

■ *Banques : un peu partout dans la ville, et surtout le long de la costera M. Alemán, avec leurs guichets automatiques et change de devises. En général, ouv lun-ven 8h30 (ou 9h)-16h (ou 17h) et parfois sam mat.* À signaler, sur le *zócalo,* une **Bancomer** *(zoom B3,* **6**). Au niveau de la plage Hornos, pas loin de l'hôtel *Aca Bay,* une **Banamex** *(plan général C2,* **7** *; une autre au niveau de la*

Location de voitures

Il existe une bonne dizaine de loueurs de voitures, présents à l'aéroport et en ville. La plupart livrent les véhicules « à domicile ».

■ **Hertz** *(plan général E1,* **4**) *: costera M. Alemán 137.* ☎ 485-89-47 ou 01-800-709-50-00. *Lun-sam 8h30-19h ; dim 9h-17h.* À l'aéroport : ☎ 466-94-24.

nes. ☎ 484-90-40. *Lun-ven 9h30-13h30, 18h-20h30 ; sam 12h-14h.*

■ *Consulat du Canada (plan général F1-2,* **10**) *: centro comercial* Plaza Marbella. ☎ 484-13-05. *Urgences :* ☎ 01-800-706-2900. *Lun-ven 9h30-12h30.*

■ *Consulat de France (plan général G-H2) : Casa Consular, costera M. Alemán 4455 ; dans une bicoque à droite de l'allée menant au* Centro de Convenciones, *derrière l'alliance française.* ☎ 481-25-33. *Lun-ven 9h-15h.* Il s'agit en fait d'un simple bureau qui représente 13 pays.

graver CD et DVD. Minimum 1h.

■ *Supermarchés :* 2 énormes supermarchés l'un à côté de l'autre, la **Bodega Aurrera** et la **Bodega Gigante**, *sur la costera M. Alemán (plan général D2,* **5**). *Tlj 8h-23h.* Plus à l'est, le **Super Gigante** *(plan général G2,* **5**) et, encore un peu plus loin, juste avt le Hyatt, le **Walmart** *(plan général H3,* **5**), *ouv 24h/24.* On y trouve une pharmacie.

■ *Laveries :* il y en a plusieurs près des hôtels que nous indiquons dans le centre *(vieil Acapulco)* et d'autres le long de la costera. *Généralement ouv lun-sam 8h (ou 9h)-21h (ou 22h).*

plage Condesa en E1). Plus à l'est, peu après l'hôtel *El Cano :* **Banamex, Bancomer** et **Banorte** *(plan général G2,* **8**). Toutes avec distributeur.

■ *Change :* de nombreux bureaux de change tt au long de l'av. côtière, la costera M. Alemán. Ouvert plus tard que les banques, mais taux parfois moins intéressants.

■ **Budget** *(plan général G2,* **15**) *: costera M. Alemán 34, face à la Tour Océanic 2000.* ☎ 481-24-33. *Tlj 9h-19h.* À l'aéroport : ☎ 466-90-03 ou 01-800-700-17-00.

■ **Avis** slt à l'aéroport : ☎ 466-91-90 ou 01-800-288-88-88.
■ **Dollar/Thrifty** (plan général G2, **14**) : costera M. Alemán, Frac. Club Depor-

tivo, loc 1. ☎ 486-19-40 ou 01-800-427-87-25. Lun-ven 9h-19h ; sam 9h-17h. À l'aéroport : ☎ 466-92-86. Pick-up gratuit 24h/24.

Où dormir ?

Les prix indiqués ci-dessous (pour 2 personnes) sont valables pour la basse saison *(temporada baja)*. En décembre, avril, dans une moindre mesure de juillet à mi-août et pendant la période des fêtes (voir plus haut), les prix s'envolent. Ça peut doubler pour les hôtels de catégorie moyenne ou supérieure.
Nos adresses les plus économiques se trouvent autour du *zócalo*, dans le vieil Acapulco *(zoom)*. Pour ceux qui veulent dormir plus chic ou qui veulent être au centre de la vie nocturne, il faut loger dans la *Zona Dorada (plan général)*. Il y a plein d'hôtels du genre tour-avec-vue-sur-la-baie. On vous en cite quelques-uns. S'il n'y a vraiment pas grand monde, on peut même négocier à la baisse, surtout en dehors des week-ends.

Dans le centre

Clientèle essentiellement mexicaine.

Très bon marché (moins de 300 $Me, soit 18 €)

🛏 *Casa de Huéspedes California* (zoom B3, **25**) : La Paz 12. ☎ 482-28-93. Même prix tte l'année. Rien à voir avec le célèbre *Hôtel California* chanté par les Eagles ! Chambres simples mais correctes et calmes, avec douche et ventilo, ouvrant sur une galerie à 2 étages. Bien situé, à côté du *zócalo*. Accueil en anglais et parfois en français.
🛏 *Hotel Santa Lucía* (zoom B3, **23**) : av. Adolfo López Mateos 33. ☎ 482-04-

41. Les chambres, vieillottes, sont toutes avec douche (eau chaude), ventilo, TV, 1 ou 2 lits. Bruyantes côté rue, sombres à l'arrière, préférer celles du dernier étage.
🛏 *Hotel Sutter* (zoom B3, **22**) : Teniente Azueta 10. ☎ 482-02-09. Petites chambres propres équipées d'un ventilo et d'une petite salle de bains (eau chaude), la plupart très fatiguées (demandez à choisir). Choix de 1 ou 2 lits. Bon accueil.

De bon marché à prix moyens (300-800 $Me, soit 18-48 €)

🛏 *Hotel Asturias* (zoom B3, **24**) : Quebrada 45. ☎ et fax : 483-65-48. Accueillant et bien tenu. Abrite des chambres très correctes avec salle de bains et ventilo, les plus chères avec AC et TV. Petite piscine au milieu du patio. Stationnement gratuit à côté.
🛏 *Hotel Paola* (zoom B3, **26**) : Azueta 16. ☎ et fax : 482-62-43. Un petit hôtel très ordinaire. Chambres convenables avec ventilo et douche. Elles sont roses ou bleues, au choix... selon que l'on est fille ou garçon ? Préférer celles qui donnent sur la cour, plus protégées du soleil

et du bruit. Terrasse sur le toit, avec un petit bassin (pas très propre) style pataugeoire. Resto avec *comida corrida* au rez-de-chaussée.
🛏 *Hotel Misión* (zoom B3, **27**) : Felipe Valle 12. ☎ 482-36-43. ● hotelmision@hotmail.com ● À deux pas du *zócalo*, cette charmante demeure coloniale cache une oasis de paix (sans TV) autour d'un patio croulant sous les plantes vertes. Chambres fraîches, pas très grandes mais décorées avec goût, équipées de salles de bains avec azulejos et de ventilos. De 1 à 3 lits, du plus

étroit au *king size,* tout est au même tarif. Bon rapport qualité-prix.

🏠 *Etel Suites* (zoom B3, *21*) : La Pinzona 92. ☎ 482-22-40 ou 41. ● etelsuites@yahoo.com.mx ● Perché sur le flanc de la colline de La Pinzona, ce petit immeuble blanc abrite chambres et appartements très bien tenus pour 2 à 12 personnes. Ceux avec cuisine et terrasse, sont vraiment très bien. 3 pis-cines, solarium, jardin. Vue plongeante sur le port d'un côté et sur les rochers de La Quebrada de l'autre – d'où s'élancent les célèbres plongeurs. Toutes les unités disposent de la TV satellite, de l'AC et d'un ventilo. Pour ne rien gâcher, le quartier, résidentiel, est calme. Un bon choix. Dommage qu'il soit un peu excentré.

De chic à plus chic (de 800 à plus de 1 200 $Me, soit 48-72 €)

🏠 *Hotel Los Flamingos* (plan général A4, *33*) : av. López Mateos. ☎ 482-06-90 à 92. ● hotellosflamingos.com ● *Très excentré.* Construit dans les années 1930 au sommet des falaises ceignant la péninsule de La Caleta, ce fut l'ancienne résidence des stars du « Hollywood Gang » des années 1950, composé de John Wayne, Cary Grant, Johnny Weissmuller (Tarzan à l'écran) – lequel est d'ailleurs mort à Acapulco en 1984. Une galerie de photos retrace cette époque glorieuse. Le cadre est inchangé, mais l'hôtel n'a plus autant la cote : c'est aujourd'hui un 3-étoiles modeste, assez patiné. Quitte à venir ici, prenez une chambre avec vue sur l'océan (ou prenez un verre en terrasse) pour un superbe coucher de soleil ; les autres sont trop proches de la route. Bonne cuisine. Au bar, savourez le cocktail maison « Coco Loco », inventé pour les stars hollywoodiennes. Piscine extérieure.

Le long de la costera

Campings

🏕 À *Pie de la Cuesta* (20 km à l'ouest d'Acapulco) se trouvent 2 campings (voir plus loin « Dans les environs d'Acapulco »). Cadre nettement plus agréable que celui du *Trailer Park Diamante* (playa Revolcadero), sorte de terrain vague concentrationnaire.

De très bon marché à bon marché (jusqu'à 400 $Me, soit 24 €)

🏠 *Hostal Juvenil K3* (plan général F1-2, *28*) : costera M. Alemán 116, « junto al Oxxo ». ☎ 481-31-11 ou 13. ● k3acapulco.com ● *Internet gratuit 30 mn.* Située en plein cœur de la zone festive, l'AJ reçoit les hordes de jeunes Américains au moment du *spring break.* La plupart n'y font qu'une apparition éclair, le temps de reprendre quelques forces avant de repartir faire la fête. Il faut dire que le lieu n'invite pas à s'éterniser : dortoirs et chambre sont minuscules, façon couchettes de train ! Fonctionnel certes (AC, lumière individuelle) mais plutôt déprimant. Plongés dans le noir, ils conviendront à ceux qui ont besoin de récupérer. Les autres demanderont l'une des piaules avec fenêtre, côté rue. Casiers (apportez votre cadenas). Équipe sympa.

Chic (800-1 200 $Me, soit 48-72 €)

🏠 *Villa La Lupita* (plan général E1, *36*) : Antón de Alaminos 232, à 50 m de la costera M. Alemán, mais dans une rue calme, à 100 m de la plage Condesa.

☎ 486-39-17 ou 01-800-822-22-44. • vi lalalupita.com • *Parking. Wifi.* Belles chambres toutes avec salle de bains (eau chaude), décoration mexicaine, AC, TV. Piscine. Accueil sympa. Une bonne adresse à prix encore raisonnable pour l'emplacement.

▲ *Hotel Aca Bay (plan général C2, 32) : costera M. Alemán 266.* ☎ 485-82-28 ou 46-00 ou 01-800-714-27-62. • hotel-acabay.com.mx • *Tarifs selon taux de remplissage. Parking gratuit.* Une grande tour blanche, entre le vieil Acapulco et la Zona Dorada, en face de la plage Hornos. Quelque 120 chambres tout confort, avec balcon et vue imprenable sur la baie. Demandez-en une tout en haut. Piscine, resto, bar, change.

Agence de voyages avec bureau *Ticket Bus.* Le quartier est en pleine rénovation.

▲ *Sand's (plan général E1, 30) : costera M. Alemán 178.* ☎ 484-22-60 et 10-19 ou 01-800-710-98-00. • sands.com.mx • *Parking gratuit.* Bien situé, au centre d'Acapulco Dorado. En retrait de l'avenue, une soixantaine de grandes chambres et moitié moins de bungalows plus petits, entourés de verdure. Le tout agréable et assez confortable avec AC, TV et frigo. Grand espace jeux pour enfants dans le jardin, piscine, squash, resto. Ambiance familiale en fin de semaine. Bon accueil et fréquentes promotions.

Plus chic (plus de 1 200 $Me, soit 72 €)

Situés côté plage le long de la costera M. Alemán, les hôtels classés « luxe » ne manquent pas. Les services et prestations ne sont pas toujours à la hauteur des tarifs, même promotionnels. Certains ne servent pas de jus de fruits frais au petit déj, un comble au Mexique. Mais si vous cherchez une piscine avec vue sur mer et une *piña colada* servie par un garçon en veste blanche sur la plage, alors allez-y.

▲ *Hotel Romano Palace (plan général F1-2, 31) : costera M. Alemán 130.* ☎ 484-77-30 ou 01-800-090-15-00. • hotelesdelangel.com • *Nombreuses promos Internet au fil de l'année.* Une tour bien située, juste en face de la plage Condesa et du saut à l'élastique. Hôtel familial par excellence. Environ 270 chambres confortables (AC et TV) avec vue sur la baie au-dessus du 8e étage. Demandez une chambre *vista fronta al mar,* plus grande pour le même prix (plus bruyante aussi), ou une dans les étages élevés, plus calmes. Également une vingtaine de suites avec cuisine, à peine plus chères, dans un bâtiment séparé dominant la piscine.

Intéressant à plusieurs : le prix est le même de 1 à 4 personnes (mais double en haute saison). Musique live quotidienne en haute saison. Resto-buffet.

▲ *El Cano (plan général G2, 35) : costera M. Alemán 75.* ☎ 435-15-00 ou 01-800-090-75-00. • hotel-elcano.com • *Petit déj inclus.* Planté sur la plage d'Icacos, à l'est de la baie, l'hôtel abrite de très belles chambres, vastes et lumineuses, tout en blanc et bleu marine. Les parties communes, très années 1950, s'inspirent du même design. Piscine, jacuzzi, bar. Un 5-étoiles à réserver de préférence par l'intermédiaire d'une agence de voyages ou par Internet pour obtenir de meilleurs tarifs.

Où manger ?

Dans le centre

C'est dans le vieil Acapulco qu'on trouve les restos les moins chers et même quelques bonnes surprises.

Bon marché (moins de 80 $Me, soit 4,80 €)

|●| *Café Los Amigos (zoom B3, 56) : La Paz 10. Tlj 7h30-20h.* Coincé dans un

petit bout de ruelle piétonne, à 10 m du *zócalo.* Pas de grande cuisine, mais

toujours beaucoup de monde en terrasse, pour un bon petit déj, puis une
torta ou un spécial du jour.

❙●❙ El Nopalito *(zoom B3, 53)* : La Paz
230. ☎ 482-12-76. Tlj 8h-20h. Menu du
jour 48 $Me. Resto populaire et familial.

La clientèle du quartier apprécie cette
adresse à la cuisine simple et généreuse. *Pozole con botana* le jeudi, *moles*
et paellas très abordables le dimanche.
Dommage que l'accueil soit peu aimable.

Prix moyens (80-250 $Me, soit 4,80-15 €)

❙●❙ Mariscos Nacho's *(zoom B3, 55)* :
Teniente Azueta 7 ; à l'angle de Benito
Juárez. ☎ 482-28-91. Tlj 10h-21h. L'un
des meilleurs restos du quartier. Salle
aérée au 1er étage. Comme ses voisins,
sert des *ceviches*, crevettes, *huachinangos* (succulent poisson du Pacifique, rare donc cher) et *robalos*. Goûtez
l'une des spécialités, comme le *pulpo*

nacho's. Ça arrache ! Bonne ambiance
et bon service.
❙●❙ Flor de Acapulco *(zoom B3, 60)* : pl.
Alvarez 8 ; sur le zócalo. ☎ 421-76-49.
Tlj 8h-minuit. Le lieu est agréable, avec
son large balcon dominant la place centrale. Petit déj et spécialités mexicaines
classiques à prix moyens. Musiciens du
mercredi au dimanche soir.

Le long de la baie

De plus en plus de chaînes le long de la costera et de restos-hangars genre
Tacos & Beer. Tout un programme... Les restos chic se sont perchés au-delà, sur les
flancs de la *carretera Escénica,* en direction de Puerto Marqués. Ils ne sont ouverts
que le soir.

Prix moyens (80-250 $Me, soit 4,80-15 €)

❙●❙ 100 % Natural : ☎ 484-64-47. Une
chaîne de restaurants semi-végéta-
riens et de produits naturels. Plusieurs
sur la costera M. Alemán. *On vous indique les principaux : un à côté de l'hôtel*
El Cid *(plan général C2, 51), un autre
près de l'hôtel* Monaco *(plan général E1, 51), un 3e passé La Diana (plan
général F2, 51) et encore un à l'est de la
Zona Dorada, au-delà du* Centro de
Convenciones *(plan général H2, 51).
Notre adresse préférée est plus proche
du centre, à deux pas du fort, face à la
plage* (zoom C2, 51)*, avec un grand ponton où sont installées les tables. Un dernier près du zócalo (zoom B2-3, 51).
Généralement ouv tlj 7h-minuit. Grand
choix de cocktails de fruits à base de
carotte, ginseng, noni (ou plus classiques), licuados, salades mixtes originales, plats végétariens mexicains et libanais, pâtes, etc. Vous voilà gorgé de
vitamines ! Livraison à domicile.
❙●❙ La Opera Vatel *(plan général E1,
52)* : Antón de Alaminos 4. ☎ 486-62-
63. Dans une petite rue donnant sur la
costera M. Alemán. Tlj 14h-20h. Un res-

taurant-pâtisserie français, où Chantal
et Valérie, installées à Acapulco depuis
le début des années 1990, vous reçoivent avec le sourire. En hiver, le lieu est
toujours plein d'habitués, vacanciers
québécois pour la plupart. On se fait la
bise, on se demande quel temps (froid)
il fait à Montréal et, hop, on passe à
table. Grand choix de plats alléchants
mêlant tradition française et ingrédients mexicains, salé et sucré. C'est
tout bon et fait maison. Un régal ! Et en
plus, c'est très abordable. Bref, un
excellent rapport qualité-prix. Vins
mexicains au verre.
❙●❙ Los Metates *(plan général E1, 59)* :
costera M. Alemán y Vicente Yanez Pin-
zón ; 150 m à l'ouest de La Diana.
☎ 484-36-46. Tlj 14h-23h45. Un resto
qui existait déjà avant le développement urbain et la construction des tours.
Terrasse rafraîchie par le ballet des ventilos sur avenue bourdonnante, bonne
cuisine à prix doux, service rapide et
professionnel. Spécialité : le *molcajete
de la tía,* une montagne de bœuf, porc,
saucisse, nopal, fromage et avocat, à

partager à 2 (au moins !). Venez affamé.

Cabrito *(plan général G-H2, 61)* : *costera M. Alemán 1480.* ☎ 484-77-11. Un autre grand classique de la costera, où les touristes s'attablent depuis 1963. Si vous ne craquez pas pour la tête de chevreau *(cabecita de cabrito)*, voire le chevreau entier, rabattez-vous sur les plats plus classiques : *enchiladas,* tacos, *fajitas,* crevettes et autres fromages fondus. Tout cela servi en bonnes proportions et à prix tirés. Clientèle un peu âgée, partagée entre la grande salle éclairée par des lampadaires en bois de daim (oh k'c'est bô !) et une terrasse côté rue prise d'assaut le soir venu.

Jovito's *(plan général F1-2, 54)* : *costera M. Alemán 108.* ☎ 484-53-75. *Au 1ᵉʳ étage. Tlj 14h-23h.* Variété consi-dérable de tacos de poisson et de fruits de mer. On peut déguster des tacos de crevettes à l'ananas ou au *nopal* (cactus), à rouler soi-même, et goûter à la dizaine de sauces différentes conscien-cieusement installées sur la table après la commande. Certaines épicées, d'autres aigres-douces, etc.

La Bella Italia *(plan général C2, 57)* : *sur la plage Hornos, en face de l'hôtel* El Cid. ☎ 485-17-57. *Tlj 8h-23h30. Mariscos* et spécialités italiennes à des prix très corrects sous une grande *palapa.* La déco est un peu passée, mais la situation les pieds dans le sable est sympa – tout comme l'accueil, d'ailleurs. Bon *ceviche.* Petit déj bon marché.

Chic (plus de 250 $Me, soit 15 €)

Baikal *(plan général G4, 63)* : *carretera Escénica 22, route de Puerto Marqués.* ☎ 446-68-45. Parmi les restos les plus hype d'Acapulco, le *Baikal* se perche à flanc de falaise, offrant une vue spectaculaire sur la baie. Déco d'avant-garde, mêlant tonalité crème et matières naturelles, où la bonne société dîne avant d'entamer sa tournée des boîtes.

La cuisine opère une fusion heureuse entre savoir-faire français, produits frais mexicains, influences méditerranéennes et asiatiques. Et pour une fois, les desserts ne sont pas oubliés ! Présentation et service impeccables. Bonne cave. Jazz le soir. Vous l'aurez compris, le lieu s'adresse exclusivement aux portefeuilles bien garnis.

En banlieue

Pozolería Los Cazadores *(hors plan général par F1, 62)* : *México 11, angle calle 6, au nord-est de la ville (route de Mexico).* ☎ 482-51-29. *Jeu et sam slt 14h-minuit.* Dans tout l'État du Guerrero, le jeudi est le jour P – le jour du *pozole.* Vers 16h, les familles débarquent en masse, dans un brouhaha diffus et enjoué, s'attablent et commandent, qui un *pozole* vert, qui un *pozole* rouge (pimenté) ou blanc. Le *pozole* ? Une sorte de potée à base de maïs

blanc, de viande de porc ou de poulet. Sur la table s'amoncellent des plats couverts d'oignons, de salade, de radis, d'origan séché, des quartiers de citrons verts... à semer dans le bol selon vos envies. Inutile de préciser qu'après un *pozole,* vous n'aurez pas besoin de manger le soir ! Les Mexicains, eux, font glisser le tout en musique (*banda* à partir de 16h environ), avant de tenter quelques pas de danse un peu hagards, la nuit tombant.

Où prendre le petit déjeuner ?

El Nopal *(plan général F1-2, 31)* : *costera M. Alemán 132. Zona Dorada, coincé entre les 2 tours de l'hôtel* Tortuga *(auquel il appartient) et du Romano* Palace. ☎ 484-88-89. *Tlj 7h-23h.* Plu-sieurs formules très bon marché. Idéal pour ceux qui logent dans le coin. En terrasse. Et puisque vous êtes là, allez jeter un œil au lobby du *Tortuga,* recouvert de haut en bas de plantes qu'on appelle ici des *teléfonos* (!). Ils pendent du plafond tels des fils électriques.

100 % Natural : *voir « Où manger ? ».* Délicieux pain complet fait maison.

Où boire un verre ? Où danser ?

Ici, ce ne sont ni les bars ni les discos qui manquent. Acapulco Dorado vit surtout la nuit... Autant vous prévenir, l'entrée de ces hauts lieux de l'allégresse nocturne est chère : minimum 250 $Me (15 €). D'ailleurs, la plupart du temps, le prix est indiqué en dollars. Mais ça comprend généralement un *open bar* (boissons à volonté). La plupart des boîtes ouvrent à 22h-22h30, mais l'ambiance décolle rarement avant minuit. La fête dure jusqu'à l'aube (5h-6h en général).

El Galeón (zoom B3, 70) : José María Iglesias 8. ☎ 480-00-01. *Dans le centre, près du zócalo. Tlj 10h-1h.* Vous pourrez écluser quelques tequilas dans ce *sports bar* animé. Son nom rappelle le fameux *galion de Manille.* Bonne ambiance, qui s'échauffe avec les heures qui passent. On peut aussi y manger. *Pozole verde y bianco* le jeudi de 15h à 19h.

Les gays auront le choix, notamment entre le **Relax** (plan général G2, 72 ; Lomas del Mar 4) et, à 400 m vers l'ouest, le **Demas** (plan général, F1, 73 ; Piedra Picuda 17) et son voisin le **Picante**, au n° 16 – ce dernier est souvent cité au nombre des meilleurs bars gays de la ville. *Strippers* et shows de travestis sont la norme dans ces clubs. Le lendemain, allez soigner votre gueule de bois sur la plage gay, la plage Condesa, au pied du saut à l'élastique. Votre migraine n'y résistera pas.

Nina's (plan général G-H2, 71) : *costera M. Alemán 2929, près du* Centro de Convenciones *et du* Hard Rock Café. ☎ 484-24-00. *Tlj 22h-4h.* La moins chère de toutes les boîtes. On y sert de la bonne musique tropicale *en vivo.* Super pour les fans de salsa, merengue, *bachata, reggaeton,* etc. Le tout live. Populaire et chaude ambiance (l'alcool à volonté y est pour beaucoup). Show vers 1h.

Palladium (plan général H4, 74) : *carretera Escénica ; après la base navale, sur les hauteurs, dans le quartier de Las Brisas.* ☎ 446-54-90. • palladium.com. mx • *Prendre un taxi. Entrée plus chère pour les hommes que pour les femmes. Le mardi, appelé « Lady's night », c'est ½ tarif pour elles.* C'est une des plus belles discothèques du Mexique et un des grands mythes d'Acapulco. Vue fantas-

tique sur la baie à travers une baie immense. Éclairages dernier cri, DJs renommés venus des quatre coins de la planète, musique techno dominante, feux d'artifice vers 4h, boissons à volonté... Les habitués réservent un *booth.* Venez bien habillé (pas de short). Attention, on a signalé des discriminations envers les Asiatiques.

Disco Beach (plan général F2, 75) : *costera M. Alemán, playa La Condesa.* ☎ 484-82-30. Ceux qui n'ont pas envie d'enfiler leur 31 mettront le cap sur la playa Condesa pour une *beach party* en tongs et short. L'alcool (à volonté) coule à flots. L'ambiance est survoltée durant le *spring break* (vacances de Pâques) et chaque vendredi pour les *foam parties.* Ben, un bain de mousse quoi ! Rencontres assurées et plus si affinités. Plein d'autres bars animés à proximité pour commencer la soirée : *Ibiza Lounge,* avec son Bouddha, ses tentes sur la plage et sa sono tonitruante ; *Mojito,* l'antre de la musique cubaine *(cours de danse lun et mer 19h-21h),* etc.

Baby'O (plan général H3, 76) : *costera M. Alemán 22.* ☎ 484-74-74. • ba byo.com.mx • *La plus chère d'Acapulco, boissons NON comprises.* Une légende de la nuit mexicaine. Luxueuse boîte de nuit pour la jeunesse dorée, où l'on est traité comme un VIP – si jamais on parvient à entrer... Venez sur votre 31, pas en tongs, ça passera déjà mieux. Sorte de grande grotte en carton-plâtre. À l'intérieur, des tables étagées sur des alcôves entourant une scène comme dans un cirque romain. La musique est variée, pas uniquement house et techno, pour plaire à toutes les oreilles. Latino, années 1980, etc.

El Alebrije (plan général H3, 77) : *costera M. Alemán 3308.* ☎ 484-59-02 ou 54-04. • *elalebrije.net* • *Entrée bien moins chère le mer ; même prix pour ts, mais sans boisson.* Une vraie caverne d'Ali Baba, immense et rutilante, où une foule jeune (18-25 ans) se presse sur des rythmes dance mexicains trépidants. Le lieu peut accueillir jusqu'à 5 000 personnes ! Ambiance un peu stade, videurs plus ou moins zélés et serveurs peu attentionnés.

À voir

🐦🐦🐦 *Los clavadistas à La Quebrada* (les « plongeurs de la mort » ; plan général A3) : rens : ☎ 483-14-00 ou 12-60. • *clavadistasdelaquebrada.com* • *Entrée de la plate-forme : 40 $Me (2,40 €), pourboire aux plongeurs, non obligatoire, à la sortie. Pour voir le 1er spectacle depuis la terrasse de l'hôtel* Mirador, *compter 165 $Me (9,90 €) avec 2 boissons, 195 $Me (11,70 €) lunch compris ; ou des terrasses de La Perla, restaurant mieux situé, sous l'hôtel, pour les 3 derniers spectacles, compter 250 $Me (15 €) avec dîner-menu. Résa de tables :* ☎ *483-12-60 ou 483-11-55.*
C'est à La Quebrada, dans une crique rocheuse dominée par de hautes falaises (35 m), que des garçons du pays (certains ont à peine 15 ans) effectuent le fameux « plongeon de la mort ». La terrasse de l'hôtel *Mirador* fait plus chic, mais ce n'est pas le meilleur endroit pour assister au spectacle. Il vaut mieux prendre le petit escalier qui descend vers la mer jusqu'à une plate-forme à mi-hauteur. Arriver assez tôt pour avoir une place aux premières loges, il y a du monde !
Vous verrez de près les plongeurs grimper sur les rochers et prier un instant avant de sauter. Le risque n'est pas tant de plonger, en fait, mais que le nageur soit projeté contre les rochers par une grosse vague au moment de son entrée dans l'eau. La technique consiste, en effet, à s'élancer au moment où la vague remonte pour profiter de la brusque montée du niveau de l'eau. La « sauterie » est très organisée. Les *clavadistas* plongent à des heures précises : 12h45, 19h30, 20h30, 21h30 et 22h30.

🐦 *La Symphonie du Soleil* (plan général A3, 81) : mirador d'où l'on peut admirer le coucher du soleil, à deux pas de La Quebrada. Certains préfèrent prendre un verre à la terrasse du célèbre hôtel *Los Flamingos* (voir « Où dormir ? »), un peu plus loin.

🐦🐦 Aller aussi à la *capilla de La Paz* (plan général G5), chapelle œcuménique surmontée d'une croix blanche, celle-là même qui est illuminée la nuit et se voit de partout. *Entrée en principe gratuite, tlj 10h-13h, 16h-18h.* Pour accéder au quartier, résidentiel et chic, il faut passer un poste de contrôle : on y dépose une pièce d'identité, à récupérer au retour. Des fois que l'on se tienne mal... De là-haut, vue magnifique sur la baie. Brume de chaleur en fin d'après-midi sur Acapulco.
➤ *Pour y aller :* les motorisés sont avantagés et pourront se garer juste en contrebas de l'église. Pour les autres, prendre le bus sur la costera M. Alemán (« Colosso ») et descendre juste après l'hôtel *Las Brisas*. Ensuite, passé le poste de contrôle, bonne grimpette de 15-20 mn sous un soleil de plomb, sous l'œil des cerbères postés à chaque coin de rue, mais quelle récompense à l'arrivée ! Cette adorable chapelle fut érigée par un couple de riches pacifistes. Dans le parc : des plantes tropicales, le calme, une invitation à méditer sur l'agitation d'en bas. Pour le retour, de la carretera Escénica, bus « Caleta » ou « Horno ».
– Plus facile, monter à l'assaut des terrasses des grands hôtels. Enfin une vision d'ensemble de la baie d'Acapulco ! Deux options : soit demander gentiment à la réception, soit traverser le hall d'un pas décidé (ou nonchalant, au choix) jusqu'aux ascenseurs, direction dernier étage.

🐦 Dans la vieille ville, sur l'agréable *zócalo* ombragé, voir cette curieuse *catedral* (zoom B2-3) des années 1930, de style byzantin ou mauresque ou encore navette spatiale. Les avis sont partagés !

🐦🐦 *Museo histórico de Acapulco* (zoom C2) : dans le fort San Diego. ☎ 482-38-28. Mar-dim 9h-18h. Entrée : 41 $Me (2,50 €). Explications en espagnol et en anglais. À ne pas manquer !

Dernier vestige de la ville du XVIIᵉ s, le fort a été construit de 1615 à 1617 sur les plans de l'ingénieur hollandais Adrian Boot. En forme d'étoile à cinq branches, il avait pour vocation de protéger la baie et les galions espagnols des attaques des pirates. Dès 1528, Acapulco fut la seule porte commerciale avec l'Asie, jalousement gardée par la couronne d'Espagne. Le musée occupe une dizaine de salles – celles qu'occupait la garde du fort. L'aventure du commerce colonial entre la Nouvelle-Espagne (Mexique) et les Philippines est scrupuleusement contée, notamment l'étonnante histoire du *galion de Manille*, qui assura la liaison avec Acapulco pendant 250 ans (voir plus haut « Un peu d'histoire »).
Remarquables objets venus pour la plupart d'Asie, vaisselle, porcelaines et monnaies chinoises, kimonos et sabres japonais aux manches et fourreaux en ivoire, coffres et mobilier de style hispano-philippin. La *Sala Comercio* explique bien l'influence de l'Orient sur la Nouvelle-Espagne (et vice versa) à travers des coutumes mexicaines. Une section est consacrée à la piraterie et d'autres recréent la vie du fort.

🏃 *L'Île de la Roqueta et la Vierge engloutie* (plan général A-B-C5) : *bateaux directs tlj 9h-18h, 40 $Me (2,40 €) ; bateaux à fond de verre 70 $Me (4,20 €).* L'île abrite un zoo. Du phare, vue splendide sur la baie. Sur place, on peut aussi louer masque et tuba pour nager avec les poissons. Pour y aller, on prend un bateau au pied de l'aquarium, sur la pointe qui sépare les deux plages de la Caleta et de la Caletilla (voir plus bas pour celles-ci). Certains ont un fond transparent et musardent en passant au-dessus de cette curieuse Vierge immergée dans les eaux. La balade dure alors plus ou moins 45 mn. Bon, évidemment, vous aurez droit à la photo-souvenir à bord... Souriez !

🏃🏃 *La fresque de Diego Rivera* (zoom A3, 82) : *cerro de la Pinzona, sur les hauteurs de la vieille ville, près de La Quebrada.*
Dans les années 1930, le peintre Diego Rivera rencontre une jeune fille de 17 ans dans un ascenseur du ministère de l'Éducation de Mexico. Il veut immédiatement la peindre, en demande l'autorisation à sa mère, qui acquiesce – sans savoir qu'il va la peindre nue ! La destinée de Dolores Olmedo est tracée. Devenue femme d'affaires, trois fois mariée et divorcée, elle recueille au milieu des années 1950 son ami Rivera chez elle, sa villa située sur les hauteurs de La Quebrada. C'est là que pen-

> **PASIONARIA**
>
> *Modèle, puis amie de Rivera, Dolores Olmedo devient l'une des plus ardentes collectionneuses mexicaines. Bon gré mal gré, elle lui rachète pour une bouchée de pain (1 600 $ pour 25 peintures !) une partie des œuvres de Frida Kahlo, qu'elle déteste... Jalousie de femme ? Difficile à dire, dans la mesure où elle refusa d'épouser Diego Rivera, qui le lui proposa. Mais elle vénérait l'un et abhorrait l'autre...*

dant les 18 mois qui précéderont la mort du peintre, en 1955, Rivera va réaliser pour elle une superbe fresque en mosaïque de céramiques, à l'image de Quetzalcóatl et du chien céleste Tepezcuincle. Elle est toujours là, visible de la rue, longue de 18 m.

🏃 *Mercados de artesanías :* on en trouve plusieurs en ville, le principal le long de *Velazquez de León* (zoom B2), près du centre-ville (tlj 8h-20h), un autre petit à l'intersection de la costera M. Alemán et de Diego Hurtado de Mendoza (plan général C2, *88*), et un 3ᵉ adjacent au rond-point La Diana, dans la Zona Dorada (plan général F1, *87*). Un peu d'artisanat, ou plutôt des souvenirs. Ce n'est pas à Acapulco que vous ferez vos plus beaux achats, à moins que vous ne cherchiez le ravissant petit voilier en coquillages pour offrir à tante Adélaïde...

À faire

➢ *Promenade en bateau :* avec les bateaux *Fiesta Bonanza*, *Yate Hawaino* et autre *Yate Aca Rey*. Départs oct-nov 16h30, mai-sept 17h30 (balade coucher du soleil de 3h env.) et 22h30 (jusqu'à 1h). Cher et très touristique : à partir de 300 $Me (18 €) dans la journée, boissons incluses. Les navires parcourent toute la baie, ce qui, tout compte fait, est assez monotone. Le jour, escale plongée-tuba devant l'île de La Roqueta – ça en fait du monde à l'eau en même temps... Le départ se fait sur le *malecón* au niveau de la plage *Tlacopanocha (zoom B3)*. La nuit, vous pourrez danser sur de la musique tropicale *en vivo* tandis que le bateau fera des ronds dans la baie...

– **Activités de plage :** jet-ski (quels moustiques agaçants !), parachute ascensionnel (départs sur les plages Hornos ou Condesa), saut à l'élastique (*salto bonji*, sur la plage Condesa, en face de l'hôtel *Tortuga*), on en passe et des meilleures.

– 🏃 **CICI** (plan général G-H2, *93*) : costera M. Alemán. ☎ 481-02-94 ou 484-80-33. ● cici.com.mx ● Tlj 10h-18h. Entrée générale : 120 $Me (7,20 €). Il faut payer en plus pour la consigne 30 $Me (1,80 €), le spectacle des dauphins (40 $Me, soit 2,40 €), ainsi que pour les llantas (bouées) – soit sencillas (35 $Me, soit 2,10 €), soit dobles (45 $Me, soit 2,70 €). Sinon, système de passeports (forfaits). À vous de voir. C'est un parc d'attractions aquatiques, impossible à rater avec ses murs en forme de déferlantes. Au programme : vagues artificielles, toboggans et spectacle de phoques et dauphins deux fois par jour (à 14h et 16h). Pour nager et se faire photographier avec les dauphins, il faut débourser un supplément de 990 $Me (59,40 €) pour 30 mn ou 1 350 $Me (81 €) pour 1h30.

Les plages

L'activité principale reste tout de même de changer de plage (il y a le choix) pour trouver sa préférée. Les plus vastes sont, bien sûr, dans la baie, mais on ne vous garantit pas la pureté de l'eau. Ni côté port ni même du côté des grands hôtels.

🏖 **Playa de la Condesa** *(plan général E1-2)* : la plus cosmopolite et la plus branchée. Fréquentée par la bourgeoisie mexicaine, les Nord-Américains et les gays. Au printemps, le moindre centimètre carré de sable est occupé par des hordes alcoolisées de *spring breakers*. Le QG de la fête le soir. Vagues assez fortes. Méfiance !

🏖 **Playa de Los Hornos** *(plan général D1-2)* : à l'ouest de la Condesa. Bien balisée et surveillée. Ambiance résolument familiale et mexicaine, plus populaire, avec chaises et tables en plastique protégées du soleil par des bâches pour le pique-nique.

🏖 **La Caleta et la Caletilla** *(plan général B-C5)* : sur la presqu'île rocheuse, au sud de la vieille ville. Criques adjacentes et envahies de parasols, de tables. Familiales, avec plein d'enfants partout, car la baignade y est très sûre. Le week-end, c'est tout juste si on aperçoit encore le sable ! Entre les deux plages, sur un isthme, un aquarium géant, *Magico Mondo Marino*, à visiter *(tlj 9h-18h ; entrée 60 $Me, soit 3,60 €)* et l'embarcadère pour l'île de la Roqueta *(compter 40 $Me, soit 2,40 €, l'aller)*.

➤ DANS LES ENVIRONS D'ACAPULCO

🍤 **Puerto Marqués :** vers le sud, à une dizaine de km, sur la route de l'aéroport. Une jolie baie aux eaux calmes baignant dans une atmosphère populaire et familiale. Cohorte de restos sous *palapas* alignés le long de la plage. Possibilité de sports nautiques.
➢ *Pour y aller :* les *peseros* indiquant « Puerto Marqués » passent régulièrement sur la costera M. Alemán, ou prendre un taxi.

🏖 **Playa Revolcadero :** *après Puerto Marqués, sur le flanc droit de la presqu'île Diamante (ghetto de luxe). Une immense étendue de sable battue par de gros rou-*

leaux, où champignonnent hôtels et golfs. Beaucoup de condos de luxe fréquentés par les familles aisées de la capitale et les retraités nord-américains. On peut jeter un coup d'œil à l'*Acapulco Princess,* dont l'édifice principal est censé rappeler une pyramide. Plusieurs piscines à des températures différentes. L'une d'entre elles est immense, entourée de palmiers, avec des rochers et une cascade. Derrière se niche un bar. Location de matelas pneumatiques. Le *coco loco* prend alors un goût d'éternité.

🍴 *Pie de la Cuesta :* à une quinzaine de km au nord d'Acapulco. « Au pied de la côte », car c'est ici que l'on quitte les falaises et qu'on retrouve la plage. Un gros village coincé sur un étroit cordon littoral. D'un côté, l'océan et ses vagues énormes ; de l'autre, les eaux calmes de l'immense lagune de Coyuca. Il est de tradition d'aller y voir le soleil se coucher. On y vient le dimanche en famille, et on passe sa journée attablé dans l'un des nombreux restos de fruits de mer qui donnent sur la plage. C'est aussi un endroit bien sympa pour ceux qui veulent fuir les néons et le « zimboumboum » d'Acapulco. On peut même envisager d'en faire sa base pour visiter la baie.

➤ *Pour y aller :* prendre un taxi *(prix à négocier, env 200 $Me, soit 12 €),* un bus sur la costera M. Alemán, au niveau de la poste principale mais côté mer, ou au niveau du *mercado de Artesanias (plan général C2, 88).* Bus ttes les 30 mn 6h-21h. Compter env 45 mn de trajet en bus.

– Il y a plusieurs possibilités d'hébergement, *posadas* et *cabañas,* du rustique au grand confort. Vous aurez aussi le choix entre côté mer ou côté lagune. C'est celle-ci que vous préférerez pour nager, car la mer est dangereuse. De toute façon, vous n'aurez que la rue à traverser pour passer d'un côté à l'autre.

🏕 *Acapulco Trailer Park :* av. Fuerza Aerea 381 ; playa Pie de la Cuesta. ☎ 460-00-10. ● acatrailerpark.com ● Compter autour de 250 $Me (15 €) la nuit pour une tente de 2 pers et une voiture. Ce petit camping aligne une partie de ses emplacements en bord de mer et quelques autres sous les palmiers de la lagune de Coyuca. Très jolie vue. Un grillage le sépare de la plage, c'est dommage mais pas grave (accès). L'un des rares campings agréables de la région pour les tentes. Petite piscine, supérette à l'entrée, qui sert de réception, et très bon accueil (en espagnol et anglais).

🏠 *Villa Nirvana :* playa Pie de la Cuesta 302. ☎ 460-16-31. ● lavillanirvana. com ● Devant la *Villa Roxana. Prix moyens. Résa obligatoire, car très prisé.* Accolé à la plage, le *Nirvana* dispose de chambres confortables et joliment décorées, toutes carrelées. Certaines ont une vue sur la mer, plus ou moins dissimulée par les palmiers. Ah, le bercement du ressac... Également des mini-apparts avec cuisine. Piscine et transats. Très bon accueil de Daniel et Pamela – qui parle le français (sa grand-mère est française).

🏠 *Villa Roxana :* playa Pie de la Cuesta 302. ☎ 460-32-52 ou 51-47. ● lavillaroxa na.com ● Juste derrière la *Villa Nirvana, à 50 m de la plage. De bon marché à prix moyens selon taille et nombre de lits.* Ce petit hôtel tranquille propose une quinzaine de belles chambres avec salle de bains et ventilo. Quelques-unes ont un coin-cuisine, ce qui en fait de petits appartements jusqu'à 6 personnes *(1 200 $Me, soit 72 €).* Le tout est très bien tenu. Restaurant, bar, jolis jardins, grande piscine et hamacs. Bons petits déj et accueil sympathique de Roxana.

➤ *Promenade à cheval :* sur la plage.

➤ *Promenade en bateau :* très belle balade sur la lagune, au milieu des oiseaux et de la végétation tropicale ; on peut même visiter une ferme de crocodiles. C'est là que notre ami Stallone a tourné *Rambo II.* La durée du *paseo* est de 3h (possible jusqu'à 5h) et les tarifs sont à discuter *(env 80 $Me, soit 4,80 €).* On débarque généralement sur les îles.

🍴 *Au-delà de Pie de la Cuesta :* après le camp militaire, la route continue jusqu'au hameau de *La Barra de Coyuca,* qui marque l'extrémité du cordon littoral. Si vous voulez encore plus de tranquillité, c'est par là qu'il faut aller. La route longe sur 15 km une immense plage. De-ci, de-là, quelques *posadas* en dur où vous pourrez dormir, manger, « hamaquer », isolé du monde. Un peu plus d'animation le week-end. Certains bus venant d'Acapulco vont jusqu'à La Barra. Sinon, on peut prendre un combi à Pie de la Cuesta. Au bout de la route, d'autres *lanchas* proposent des balades sur la lagune.

⚓ ***Playa Luces Kamping Acapulco Beach :*** *à 4 km de Pie de la Cuesta, vers La Barra de Coyuca.* ☎ *444-43-73.* 📱 *(744) 113-34-56.* ● *acapulcoplayalu ces.com* ● *Comptez autour de 300 $Me (18 €) pour une tente pour 2 ; 300-400 $Me (18-24 €) pour un camping-car, avec ou sans services.* Beau camping donnant directement sur la plage, mais mer assez dangereuse, sinon grande piscine. Une autre option pour les campeurs (favori des *trailers*) ou plus en retrait, sous les arbres. Resto-bar.

LES VILLES COLONIALES

QUERÉTARO

597 000 hab.   IND. TÉL. : 442

◎ À 220 km au nord de Mexico, Querétaro séduit par sa beauté lumineuse, ses ruelles, ses places romantiques... et ses quelque 3 000 édifices historiques ! Le centre historique, inscrit au Patrimoine mondial de l'Unesco, est un délice, les demeures coloniales aux couleurs chaudes bordent des rues piétonnes pavées d'énormes dalles et des places ombragées qui rivalisent de charme. Le soir, les innombrables dômes et clochers s'illuminent, et toutes les générations sortent pour leur balade vespérale. Vous l'aurez compris, Querétaro est une escale de charme dans le circuit des villes coloniales, et un lieu prisé des habitants de la capitale ; les hôtels sont donc souvent complets le week-end et en période de fête, alors il vaut mieux réserver.

Arriver – Quitter

En bus

Voir la liste des principales compagnies et leurs coordonnées dans la rubrique « Transports » du chapitre « Mexique utile ».

🚌 *Le terminal* (hors plan par B2) se trouve à Prolongación Luis Vega y Monroy 800, au sud-est de la ville, à 5 km du centre. ☎ 229-01-81 ou 82. Pour rejoindre le centre-ville, attraper un des nombreux minibus blancs (notamment les Transmetro n°s 7, 8 et 121) qui partent du terminal des microbus, situé à gauche en sortant du terminal A, tt au bout du parking. Ils vous déposent aux portes du centre historique, à l'angle de l'av. Constituyentes et de la calle Pasteur (plan B2). Liaisons ttes les 12 mn env lun-sam, 5h-22h ; ttes les 20 mn dim et j. fériés, 7h-23h (6,50 $Me, soit 0,40 €). En taxi, 37 $Me (2,20 €) de 1 à 4 pers. 25 kg de bagages par trajet. Achat du billet de taxi dans un kiosque à l'intérieur du terminal A. Si vous rejoignez le terminal de nuit depuis le centre, préférez prendre un taxi officiel devant le *Museo regional* (plan A1) plutôt que d'en attraper un au vol. Plus sûr.
Le terminal, très moderne, est divisé en 2 parties distinctes :
– Terminal A, pour les bus de 1re classe et de luxe : *Primera Plus, ETN, Omnibus de México*. On y trouve un cybercafé, un service de consigne à bagages ouv 24h/24, un distributeur de billets et des agences de location de voitures.
– Terminal B, pour les bus bon marché et les petites destinations : *Flecha Amarilla* (même société que *Primera Plus*), *Futura* et *Viajero*.
➤ *Pour/de Mexico (Norte) :* voir aussi la rubrique « Quitter Mexico ». Départs en permanence avec plusieurs compagnies. Trajet : 2h40-3h30.
– 1re classe : bus 4h-23h30 (ttes les 20 mn, 6h-19h) avec *Primera Plus* et *ETN*. 6 bus/ j., 8h-20h30, avec *Omnibus de México*. Trajet : 2h45.
– 2e classe : bus ttes les 20 mn, 2h15-22h40, avec *Flecha Amarilla* ; 21 bus/j. 2h30-20h40 avec *Viajero*. Trajet : 3h env.
À noter : *Primera Plus* assure ttes les 45 mn 2h-18h30 une liaison avec l'aéroport international.
➤ *Pour/de San Miguel de Allende :* départ ttes les 30 mn en 2e classe avec *Flecha Amarilla*, 1h-22h (moins de fréquences entre 1h et 6h) ; 25 bus/j. 2h30-23h05 avec *Viajero*. Avec *ETN*, 4 bus/j., 9h45-21h15. Trajet : 1h15.

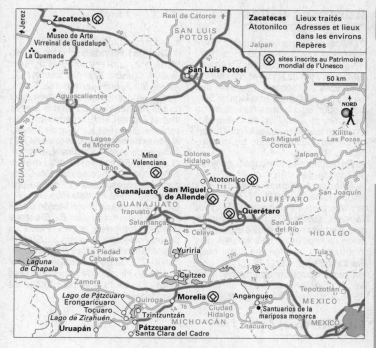

LES VILLES COLONIALES

➤ **Pour/de San Luis Potosí :** 9 bus/j. 8h-0h30 avec *Omnibus de México*. Également 3 départs tôt le mat, puis ttes les heures env 8h45-23h30 avec *Primera Plus*. Avec *ETN*, départs à 13h et 17h. Trajet : 2h30. En 2ᵉ classe, 11 bus/j. 7h-20h30 avec *Flecha Amarilla*.

➤ **Pour/de Guanajuato :** Avec *Primera Plus*, 5 bus/j. 8h-18h. Trajet : 2h30.

➤ **Pour/de Morelia :** 18 bus/j. 1h30-23h45 (ttes les heures de 12h30-20h30) avec *Primera Plus*. Plus 9 bus/j. 5h-20h45 avec *ETN*. Trajet : 2h45. En 2ᵉ classe, 12 bus/j. 1h30-minuit avec *Flecha Amarilla* (plus fréquents en milieu de journée).

➤ **Pour/de Guadalajara :** bus ttes les heures 24h/24 avec *Primera Plus*. Plus 4 bus 3h-14h avec *Omnibus de México* et 8 bus avec *ETN* 7h-0h30. En 2ᵉ classe avec *Flecha Amarilla* 20 bus/j. 24h/24. Trajet : 4h15-5h30.

➤ **Pour/de Zacatecas :** 9 bus/j. 8h-0h30 avec *Omnibus de México*. 2 bus à 6h30 et 18h30 avec *ETN*. Trajet : 6h30.

➤ **Pour/de Uruapán :** 3 bus/j. à 4h15, 8h45 et 23h45 avec *Primera Plus*. Et 2 autres avec *ETN* à 5h et 5h50. Trajet : 5h.

➤ **Pour/de Puebla :** 20 bus/j. 0h35-23h15 avec *Futura*.

➤ **Pour/de Puerto Vallarta :** 1 bus/j. à 20h15 avec *Primera Plus*.

En avion

✈ **L'aéroport** est à 5 km au nord-est du centre-ville. ● aiq.com.mx ● 2 vols/j. pour Monterrey avec *Aeroméxico*, et 2 vols/j. pour Houston avec *Continental Airlines*.

LES VILLES COLONIALES

Adresses utiles

🏛 *Office de tourisme* (plan B1) : Pasteur Norte 4. ☎ 238-50-00. ● queretaro.travel ● À deux pas de la pl. de Armas. Tlj 9h-20h. Plan de la ville et infos sur les spectacles du moment. Organise des excursions nocturnes au village de *Bernal* et pour les missions françaises de *Sierra Gorda* à 200 km de Querétaro. Kiosques touristiques également au *jardín Zenea* et à la *plaza de la Constitución*.

✉ *Poste* (plan A2) : Arteaga 5. Lun-ven 8h-18h ; sam 9h-13h.

■ *Alliance française* (plan B2, **1**) : Manuel Tolsá 22. ☎ 212-71-74. ● queretaro.af.org.mx ● Ouv lun-ven 9h-13h et 15h-20h ; sam 9h-13h. Petite médiathèque avec journaux français en consultation (les nouvelles ne sont déjà plus très fraîches...). Organise aussi quelques manifestations.

■ *Consul honoraire de France* : Mme Cécile Cherbonnel. ☎ 213-85-86 ou 86-46. ● consuladofciaqro@prodigy.net.

mx ● En cas d'urgence seulement.

■ *Change : Prendalana* (plan A1, **4**), Madero 2. Lun-ven 8h30-20h ; sam 9h-20h. *Cambio Express* (plan A1, **2**), Juárez Sur 3. Lun-ven 10h-16h. Sinon, change et distributeurs de billets dans toutes les banques du centre (cartes *Visa* et *MasterCard*), notamment *Bancomer* et *Banamex* sur le *jardín Zenea*.

■ *Vente de billets de bus* (plan A1, **3**) : à l'agence *Viajes Opalo*, Juárez 20. ☎ 212-99-88 et 214-19-43. Lun-ven 10h-14h, 16h-20h ; sam 10h-13h. Compagnies représentées (1ʳᵉ classe uniquement) : *ETN, Primera Plus*.

@ Le cybercafé de l'hôtel *Mesón Carolina*, sur Reforma 36 (plan B2, **5**) est ouv 24h/24. Nombreux postes. Plusieurs postes également au cybercafé *El Milagro*, Altamirano 10 (plan B1, **6**). Ouv tlj 10h30-21h. Autre cybercafé enfin sur Juárez 16, à côté de l'agence *Viajes Opalo*. On capte le wifi sur toutes les places de la vieille ville.

Où dormir ?

Réservation vivement recommandée pour le week-end, obligatoire durant les vacances de Noël et Pâques.

Très bon marché (moins de 300 $Me, soit 18 €)

🏠 *Mesón Colonial* (plan A2, **10**) : Juárez Sur 19. ☎ 212-02-39. Autour de 2 courettes, des chambres sans fenêtre largement défraîchies mais propres, avec TV, draps, serviettes et papier toilette fournis. Sanitaires privés ou communs, là encore plus que

fatigués mais bien tenus. Une adresse pour les budgets serrés, peu regardants sur le confort mais qui apprécieront les prix plancher, l'accueil sérieux et la situation idéale, à 30 m de la plaza de la Constitución.

Bon marché (300-400 $Me, soit 18-24 €)

🏠 *Posada Mesón de Matamoros* (plan A1, **12**) : andador Matamoros 8. ☎ 214-03-75. ● posadamatamoros@hotmail. com ● Dans une jolie ruelle piétonne, au calme. Petit hôtel moderne aux chambres simples mais plutôt vastes et bien arrangées, toutes avec ventilo, certaines avec balcon et ouvrant sur un étroit et charmant patio couvert agrémenté de plantes. Évitez quand même celles du

rez-de-chaussée, sombres et manquant d'aération. Accueil agréable d'une femme âgée. Un excellent rapport qualité-prix. Café à deux pas pour le petit déj.

🏠 *Mesón Acueducto* (plan A2, **15**) : Juárez Sur 64. ☎ 224-12-89. ● fruti-lupis-6@hotmail.com ● Petit hôtel chaleureux, agréable et tranquille, joliment décoré dans les tons jaune et bleu.

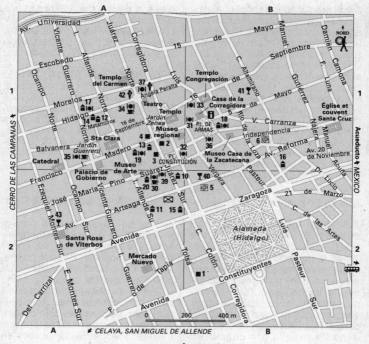

QUERÉTARO

■ **Adresses utiles**

🛈 Office de tourisme
1 Alliance française
2 Cambio Express
3 Vente de billets de bus
4 Change Prendalana
@ 5 Mesón Carolina
@ 6 El Milagro

🛏 **Où dormir ?**

10 Mesón Colonial
11 Hotel Posada Diamante
12 Posada Mesón de Matamoros
13 Hotel Hidalgo
14 Itza Hostal
15 Mesón Acueducto
16 Mansión del Burro Azul
17 Hotel Señorial
18 Mesón de Santa Rosa
19 La Casa de la Marquesa
20 Hotel Acueducto

🍽 **Où manger ? Où prendre le petit déj ?**

18 Restaurant de l'hôtel Mesón de Santa Rosa
19 Restaurant de l'hôtel La Casa de la Marquesa
30 Café del Fondo
31 La Antojeria de la Casona de los 5 Patios
32 Las Deliciosas Gorditas del Portal
33 Los Compadres
34 Restaurante Fin de Siglo
35 El Arcángel
36 El Mesón de Chucho El Roto
39 Bisquets

🍽🍦 **Où déguster une pâtisserie ou une glace ?**

37 La Mariposa
42 Dulces Típicos

🍸 **Où boire un verre ?**

40 El Rincón de los Sentidos
41 Aleph
43 Cafés de la plazuela Mariano de las Casas

Organisées autour d'un patio calme malgré la rue passante, les chambres, avec bains, placards, AC et TV, sont toutes différentes. Celles du rez-de-chaussée disposent d'un lit *king size*. On préfère les chambres du 1er étage, plus belles et claires, avec des salles de bains modernes. Une adresse bien tenue et idéalement située, d'un excellent rapport qualité-prix. Accueil dynamique.

≜ *Hotel Posada Diamante (plan A2, 11) : Allende Sur 45.* ☎ 212-66-37. ● *po sadadiamante.com.mx* ● Hôtel récent aux couleurs chaudes, organisé sur 3 niveaux autour d'un petit patio. Cham-

bres à la déco sobre, fraîches et très bien tenues. Toutes avec fenêtre, TV câblée et salle de bains nickel. Laverie. Accueil sympathique. Encore un bon rapport qualité-prix à deux pas du centre.

≜ *Itza Hostal (plan A1, 14) : Hidalgo 25.* ☎ 212-42-23. *Wifi.* Un hôtel récent, façon auberge de jeunesse. Autour de 2 cours, petits dortoirs clairs, propres et dépouillés, avec lits superposés pouvant loger jusqu'à 4 routards. Pratique pour ceux qui voyagent en solo. Douches et w-c communs à la propreté aléatoire.

De prix moyens à chic (400-800 $Me, soit 24-48 €)

≜ |●| *Hotel Hidalgo (plan A1, 13) : Madero 11.* ☎ 212-00-81 *ou 81-02.* ● *ho telhidalgo.com.mx* ● À 50 m du jardín Zenea. Cette vieille demeure coloniale abrite une quarantaine de chambres donnant sur une belle cour à arcades pleine de couleurs. L'ensemble conserve quelques beaux vestiges, avec une jolie fontaine au centre du patio et des murs couverts d'azulejos dans l'entrée. Côté chambres, moquette et matelas neufs, élégants meubles en bois sombre, ventilo, TV... et des petites salles de bains fringantes. Préférer celles à l'étage, plus intimes et donnant sur le patio ; les autres n'ont pas de fenêtre. Resto dans la cour, pratique pour le petit déj.

≜ |●| *Hotel Señorial (plan A1, 17) : Guerrero Norte 10 A.* ☎ 214-37-00. ● *se norialqro.com* ● *Parking gratuit.* Un grand édifice moderne dans un quartier calme. Pas de charme, rien de colonial, mais l'hôtel est fonctionnel et bien tenu. AC, TV câblée et téléphone. Restaurant proposant un menu bon et copieux.

≜ *Mansión del Burro Azul (plan B1, 16) : Altamirano Sur 35.* ☎ 148-71-57 *ou 224-24-10.* ● *mansiondelburroazul. com* ● Attention, la calle Altamirano fait un petit détour pas évident à suivre :

face au cul-de-sac, prendre à droite puis de suite à gauche. Une belle adresse, à la façade flashy bleu et vert facilement repérable. Passé le porche, le patio tout en longueur souligne d'un bleu électrique les murs d'un blanc éclatant. Au centre, une fontaine ; autour, des ouvertures au style ibérique. Dans les chambres, tout confort, la déco imaginative ne manque pas de charme : vieux azulejos, lavabos en céramique, cages à oiseaux en guise de lampes... Maria, la jeune proprio, est de plus très accueillante.

≜ *Hotel Acueducto (plan A2, 20) : Pino Suárez 11.* ☎ 224-30-83. ● *hotelacue ductoqueretaro.com* ● À deux pas de la pl. de la Constitución. Pas de petit déj. *Wifi.* Autour de son patio creusé d'une belle piscine, cette demeure du XVIIIe s restaurée dans un style très moderne accueille des chambres blanchies à la chaux. Sobres, un peu sombres aussi, elles sont dotées d'un élégant mobilier de bois sombre, d'une vaste salle de bains moderne en marbre et de la TV câblée. D'autres, organisées sur 2 niveaux encerclent ce premier carré. Solarium sur la terrasse, salle de fitness et salle de ping-pong enrichissent le tableau de cet hôtel calme, au cœur du centre-ville.

Beaucoup plus chic (plus de 1 200 $Me, soit 72 €)

≜ |●| *Mesón de Santa Rosa (plan B1, 18) : Pasteur Sur 17 ; sur la pl. de Armas*

(appelée aussi pl. de la Independencia). ☎ 224-26-23. ● *hotelmesonsantarosa.*

com ● À partir de 1 600 $Me, hors offres spéciales sur Internet. Une somptueuse demeure du XVIIe s d'une beauté rare, avec patios à arcades, bassins, murs ocre, profusion de plantes et de fleurs, mobilier colonial. Les chambres, des suites pour la plupart, sont dignes de figurer dans un magazine de décoration. Resto dans un cadre enchanteur (buffet gargantuesque le dimanche jusqu'à 14h) et même une petite piscine.

🛏 |●| *La Casa de la Marquesa* (plan A1, **19**) : Madero 41. ☎ 212-00-92. ● lacasadelamarquesa.com ● À côté de l'église Santa Clara. À partir de

2 400 $Me, taxes incluses, hors offres spéciales sur Internet. Magnifique demeure baroque du XVIIIe s, largement teintée d'inspiration mauresque. Un véritable palais des *Mille et Une Nuits*, avec une vingtaine de suites différentes. Quelques chambres-musées luxueuses. On peut prendre un verre ou un café dans le somptueux lobby, au son du piano. Restaurant superbe mais très cher. Les chambres les moins chères sont dans l'annexe *Casa Azul* dans la rue perpendiculaire ; elles sont toutes somptueuses mais moins grandioses.

Où manger ? Où prendre le petit déj ?

De très bon marché à bon marché (moins de 80 $Me, soit 4,80 €)

|●| *Las Deliciosas Gorditas del Portal* (plan A-B1, **32**) : Corregidora 15 B, face à la pl. de la Constitución. Tlj 8h-22h30. Pas d'alcool. Dès l'entrée, pétries par des mains expertes, elles vous font de l'œil, ces « petites grosses » *(gorditas)*, des galettes épaisses, nature ou fourrées au fromage, à garnir de l'accompagnement de son choix. Viande, œufs, guacamole… Même pas besoin de choisir au pif, suffit de montrer les plats qui chauffent ou de zieuter les photos. Puis on s'enfonce dans la salle, kitsch, colorée, joyeuse, pour engloutir le tout calé sur un tabouret bariolé, accoudé à une table sculptée façon mauvais décor mexicain de chez Disney. Populaire, pas cher (moins de 15 $Me l'unité) et surtout très bon.

|●| *Bisquets* (plan A2, **39**) : Pino Suárez 7. ☎ 214-14-81. Tlj 7h-23h. Menu 4 plats moins de 70 $Me. Pas d'alcool. Un petit resto étonnant, avec plusieurs salles colorées autour d'un patio couvert, tapissées de tableaux et photos juxtaposés sans queue ni tête. Carte proposant 15 façons de faire cuire un œuf mais aussi salades, *sopas, frijoles, tortas* et un vaste choix de viandes que l'on déguste au son de l'écoulement de l'eau dans la fontaine centrale. Très populaire et bon enfant, cette *cantina* est une option économique de bon aloi, assurée par un service efficace et

rapide.

|●| 🍴 *Café del Fondo* (plan A2, **30**) : Pino Suárez 9. ☎ 212-05-09. Tlj 7h45-22h. Dans une vieille maison coloniale, plusieurs salles colorées et conviviales. Diverses formules pour le petit déj et aussi un bon menu du jour, avec un grand choix d'entrées et de plats. Toutes sortes de cafés *exóticos* arrosés à l'alcool, ou « spéciaux » pour les gourmands. Brûlerie de café dans l'entrée, encadrée d'affiches d'événements culturels, notamment ceux de l'alliance française. Bonne atmosphère, service jeune et décontracté. Un jumeau homonyme est né dans la même rue, au n° 53, derrière le temple Santo Domingo. Belle terrasse autour d'un patio fleuri à l'ambiance plus calme.

|●| *La Antojeria de la Casona de los 5 Patios* (plan B1, **31**) : Andador 5 de Mayo. Tlj sf lun 10h-23h (minuit sam). Ici, on se nourrit de *tortas*, tacos, *enchiladas*, salades et autres bons petits plats pour pas cher, dans un décor pétaradant d'objets hétéroclites et colorés. Très populaire, souvent plein, et il faut alors faire la queue dehors.

|●| *Los Compadres* (plan B1, **33**) : andador 16 de Septiembre 46. ☎ 212-98-86. Tlj sf lun 8h-22h30. Un petit resto populaire bien appréciable dans ce coin très touristique. On s'installe sur les bancs en bois d'un petit patio orangé et

on coche soi-même son menu, avec au choix toute une variété d'*antojitos* et de tapas, du *pozole* ou des plats complets de viande. Le tout est cuit illico presto sous vos yeux ébahis et servi dans la minute, prêt à être englouti avec délice ! Pas d'alcool, mais de grandes jarres d'*agua fresca* et des sodas.

Prix moyens (80-250 $Me, soit 4,80-15 €)

|●| ☛ Restaurante Fin de Siglo (plan A1, **34**) : Hidalgo 1. ☎ 224-25-48. En face du théâtre. Tlj 8h-22h. Petit déj-buffet jusqu'à 13h. Le petit patio, très lumineux, couvert d'une verrière, fait office de salle principale ouvrant sur deux autres plus cosy. En guise de déco, des vieux jouets d'enfants plein de couleurs et, dans l'assiette, une cuisine traditionnelle. Goûter notamment le *chile en nogada* ou la *carne virtuosa,* un tendre morceau de bœuf flambé à l'alcool sous vos yeux ! Un délice. Choix également de *botanas* (petits plats à la manière des tapas) pour accompagner une boisson, à siroter pourquoi pas sur l'une des tables en terrasse. Musique live midi et soir du jeudi au dimanche. Ambiance agréable.

|●| ☛ El Arcángel (plan A1, **35**) : Guerrero 1 ; à l'angle de Madero, face à la pl. Guerrero. ☎ 212-65-42. Lun-sam 8h-22h ; dim 8h-19h. Menu le midi moins de 80 $Me. Jolie déco de bistrot parigot pour ce petit resto aux murs ocre et beige, aux tables en bois vernis et vieux carrelage. L'archange, du haut de sa niche, veille à la bonne tenue des serveuses vêtues de noir et d'un petit tablier blanc en dentelles. Pour se mettre au vert, petite cour intérieure remplie de plantes. Dans l'assiette, toute une variété de *huevos* pour le petit déj, de bons plats mexicains, mais aussi de délicieuses pizzas et des salades à déguster dans une ambiance musicale très calme.

Chic (plus de 200 $Me, soit 12 €)

|●| El Mesón de Chucho El Roto (plan B1, **36**) : Libertad 60 ; sur le côté sud de la pl. de Armas. ☎ 212-42-95. Tlj 8h-23h. Pour le plaisir de manger en terrasse face à la prestigieuse et splendide *plaza*. Cadre agréable et ombragé, service efficace, voire empressé... Carte impressionnante, mais on vient plus ici pour voir (et être vu) que pour la gastro-nomie internationale mexicanisée. Spectacle les samedi et dimanche, musique *en vivo* tous les jours.

|●| Pour un vrai dîner de charme, n'oubliez pas les restaurants des hôtels **Mesón de Santa Rosa** (plan B1, **18**) et **La Casa de la Marquesa** (plan A1, **19**). Voir « Où dormir ? ».

Où déguster une pâtisserie ou une glace ?

|●| ♥ La Mariposa (plan A1, **37**) : Angela Peralta 7. ☎ 212-11-66. Près du théâtre. Tlj sf j. fériés 8h-21h30. Une institution depuis 1940 ! Un rendez-vous des familles où, dans un décor de papier peint désuet éclairé aux néons (1940 qu'on vous dit !), les serveuses en blouse bleu layette et tablier blanc s'affairent tranquillement malgré l'affluence. Fait surtout pâtisserie, yaourts frais et glacier avec un comptoir bien fourni, mais propose aussi des plats simples (tacos, *sopas*...).

♥ Dulces Típicos (plan A1, **42**) : Juárez Norte 69. Face au théâtre. Tlj 10h-22h. Envie d'appétissants bonbons au chocolat, de caramels, de pâtes de fruits ou d'une glace aux parfums étranges tels que *cajota, rompope, elote, pasta* ou *chongos* ? Les vitrines en regorgent... Et pour ceux qui ne sauraient attendre avant de s'empiffrer, les tables judicieusement placées devant l'entrée n'attendent que d'être squattées. Enfin, pour les amateurs de digestifs, le choix est tout aussi vaste : liqueurs de café, crème de macadamia, *anis dulce*...

Où boire un verre ?

🍸 *El Rincón de los Sentidos* (plan B2, **40**) : Reforma 25. ☎ 212-04-89. Dim-jeu 10h-minuit ; ven-sam 10h-1h. Wifi. Un lieu relax et branché, où 6 petites salles colorées entourent un agréable patio et son arbre touffu garni de lampions. Lumières tamisées, fauteuils, canapés, gros coussins, tables basses... l'endroit est propice aux rencontres et à la détente. Service jeune et jovial et musique *en vivo* du jeudi au samedi soir. Café, cocktails, *cervezas*... on peut même y manger (petit déj, gaufres, salades...) !

🍸 *Aleph* (plan B1, **41**) : calle Altamirano 7. Mar-sam 18h-3h. L'antre rock de la ville, festive, bruyante. Une suite de sal-les tout en longueur, des mezzanines, un mobilier dépareillé, chaises hautes et fauteuils mous, un billard, un baby... À chaque coin son ambiance. Quelques affiches parsèment les murs défraîchis et, au fond, un patio s'ouvre sur le ciel pour s'en griller une la tête dans les étoiles. Vous reprendrez bien une bière ?

🍸 Un œil sur l'église *Santa Rosa de Viterbos*, l'autre sur la fontaine aux jeux d'eaux multicolores, *les cafés de la plazuela Mariano de las Casas* (plan A2, **43**) allongent leurs terrasses sous les arcades pour une pause de charme. De quoi laisser filer le temps.

Achats

⊛ Les lécheurs de vitrines pourront traîner leur langue dans les *rues piétonnes à l'ouest du jardín Zenea,* en particulier sur la *calle 16 de Septiembre* (plan B1) semée de nombreuses boutiques. Également quelques stands ambulants d'artisanat sur le haut de *Vergara* (plan B1) et les ruelles adjacentes.

À voir

Flâner dans le centre colonial est un plaisir sans fin. Impossible de décrire ici tout ce qu'il y a à découvrir, chaque coin de rue révèle une nouvelle surprise. On compte ainsi plus de 300 églises, temples et couvents dispersés dans la ville ; nous ne citons que les plus remarquables. Voir sur les plans et fascicules de l'office de tourisme la liste complète. Tous ont leur intérêt et leurs particularités. L'histoire de chaque monument est éclairée par un panneau rédigé en espagnol et en anglais.

➤ Possibilité de visiter le centre historique en *train touristique. Départ* jardín Zenea, *face au Museo regional. Tlj ttes les 30 mn 11h-19h (ttes les heures hors saison). Visite commentée en espagnol slt. Compter 70 $Me (4,20 €) le parcours ; 120 $Me (7,20 €) les 2 ; réduc. Durée : 1h env.* Deux parcours au choix (vers l'*Acueducto* ou vers le *Cerro de las Campanas*).

🎭🚶 *Templo Santa Clara de Jesús* (plan A1) : pl. Guerrero. Tlj 10h-13h30, 16h30-18h45. L'une des églises les plus importantes de « la nouvelle Espagne ». Le couvent servit de prison à Josefa Ortiz de Dominguez (la *Corregidora,* lire plus bas « Casa de la Corregidora ») en 1810. L'extérieur, plutôt sobre, ne laisse rien supposer du délire baroque-churrigueresque, cher au XVIIᵉ s, de l'intérieur. Les murs sont entièrement tapissés de retables d'une exubérance folle, jusqu'à donner l'impression d'être complètement submergé...

🎭🚶 *Museo de Arte* (plan A1-2) : Allende Sur 14. ☎ 212-23-57. ● museodearteque retaro.com ● À côté de l'église San Agustín. Tlj sf lun 10h-18h. Entrée : 30 $Me (1,80 €) ; gratuit mar. Droit photo-vidéo 15 $Me (0,90 €). Un superbe musée à la scénographie soignée, dans l'un des plus somptueux bâtiments baroques de la ville, ancien couvent de l'église San Agustín. Le patio aux voûtes colorées est entièrement sculpté de figures indigènes, le cigare aux lèvres en guise de gouttière. Les salles présentent des toiles du XVIe au XIXe s, dont une remarquable collection de peintures religieuses (artistes mexicains et européens). Au 1er étage, intéressante exposition de peintures mexicaines maniéristes et baroques des XVIIe et XVIIIe s. Et puis au diable les peintres christiques, la bâtisse mérite à elle seule la visite ! Également des expos temporaires d'art contemporain. Jeter un œil au passage à la librairie, bien approvisionnée.

🕍🕍 **Templo y convento San Francisco** (plan A1) : face au jardin Zenea. Tlj 8h-10h, 16h-21h. Majestueuse église en pierre ocre sculptée, au dôme recouvert de tuiles colorées. Construite au XVIIe s dans un style baroque, elle fut la cathédrale de la ville jusqu'au début du siècle dernier. Sur sa façade, on notera le bas-relief de saint Jacques, patron de la ville. L'intérieur est moins impressionnant ; pas de retables ni de tableaux, mais un vaste orgue et un christ sanguinolent dans la chapelle. Le Museo regional est aujourd'hui installé dans le couvent de l'église.

🕍🕍 **Museo regional** (plan A1) : Corregidora Sur 3. ☎ 212-20-31. À côté de l'église San Francisco. Tlj sf lun 10h-19h. Entrée : 41 $Me (2,50 €) ; gratuit plus de 60 ans et moins de 13 ans. Droit vidéo : 35 $Me (2,10 €). Logé dans un ancien monastère franciscain commencé au XVIe s et achevé au XVIIIe s, d'où les différences de styles. Superbes cours intérieures ornées de colonnes sculptées. Les nombreuses salles présentent un vaste panorama de l'histoire de la région, à travers une riche collection de peintures religieuses des XVIIe et XVIIIe s, de mobilier baroque, de pièces archéologiques et d'objets préhispaniques. Belle collection de masques et de costumes. L'accent est mis à l'étage sur l'évangélisation du pays et la vie des « frères martyrs », la colonisation espagnole, puis l'indépendance. Amusantes bornes interactives et bandes sonores à écouter dans de vieux téléphones. Au passage, on notera les restes d'une femme momifiée dans une crypte et le cercueil utilisé pour le transport de Maximilien d'Autriche le jour de son exécution. Attention, certaines salles sont parfois fermées par manque de personnel.

🕍 **Teatro de la República** (plan A1) : mar-dim 10h-15h, 17h-20h. Entrée libre. Théâtre à l'italienne assez sobre, où s'est réuni en 1867 le congrès qui jugea l'empereur Maximiliano et ses principaux généraux. C'est aussi le lieu où fut signée, le 31 janvier 1917, la constitution générale de la République, qui contient la promesse faite à la nation pour la révolution constitutionnelle.

🕍 **Casa de la Corregidora** (plan B1) : c'est le bel édifice qui domine la plaza de Armas. Aujourd'hui siège administratif. Rien de bien éblouissant esthétiquement parlant, mais ce lieu est capital dans l'histoire du Mexique. En effet, c'est ici que Joséfa Ortiz (la Corregidora), femme du gouverneur de l'époque, informa les leaders indépendantistes de leur arrestation imminente, alors qu'ils préparaient l'insurrection de 1810. Le bâtiment servit aussi de prison.

🕍🕍 **Templo Santa Rosa de Viterbos** (plan A2) : à l'angle d'Arteaga et d'Ezequiel Montes. Tlj 6h30-13h30, 16h30-20h. L'extérieur, exubérant, ressemble à un gigantesque décor de théâtre avec ses imposants arcs-boutants arrondis. L'intérieur churrigueresque est aussi splendide que chargé. Un bel exemple de cet art baroque du XVIIIe s qui faisait un peu trop dans la dentelle, en témoigne ces six retables dorés enrichis de tableaux. La chapelle est séparée de la nef par une grande grille. Dans la sacristie, trois confessionnaux du XVIIe s et une représentation de la cène avec des apôtres grandeur nature en bois sculpté, entourant un christ dont la poitrine s'ouvre pour contenir les hosties. En sortant, ne pas manquer les jeux d'eau musicaux (ttes les 15 mn) sur la jolie **plazuela Mariano de las Casas** encadrée d'arbres touffus.

🕍🕍 **Museo Casa de la Zacatecana** (plan B1) : Independencia 59. ☎ 224-07-58. ● museolazacatecana.com ● Tlj sf lun 10h-18h. Entrée : 30 $Me (1,80 €) ; réduc ; gratuit moins de 10 ans. Droit photo et vidéo 20 $Me (1,20 €).

Superbe hôtel particulier ayant appartenu à la riche Zacatecana et qui fut le théâtre d'un étrange fait divers au XVIIIe s : l'assassinat de son mari, qu'elle fit commettre par un domestique avant de l'éliminer à son tour. Transformé au fil des siècles par l'imagination des conteurs, le fait divers devint légende, que l'on raconte aux enfants pour leur faire peur...

Outre la vidéo en deux parties de 6 mn retraçant cette sombre histoire interprétée par des comédiens, le lieu vaut surtout pour son riche ameublement d'époque. Sur deux niveaux autour du patio, nombreux salons, salle à manger,

LE CRIME PARFAIT

Son domestique complice avait été le meurtrier sur commande de son mari. Il fut aussi sa victime : la Zacatecana l'assassina à son tour, puis enterra les deux corps dans le sous-sol de sa maison. Pas de témoin, pas de cadavre, le crime était parfait. La vengeance le fut aussi. Peu de temps plus tard, la veuve noire fut à son tour assassinée, et personne ne sut jamais qui avait été l'auteur de cette revanche. Quant aux corps du mari et du domestique, ils ne furent découverts que des décennies plus tard, à l'occasion de travaux dans la maison que l'on dit depuis hantée...

salle de musique, parloirs et chambres aux mobilier et bibelots variés de styles français, espagnol, italien, victorien et même ottoman. Quelques tableaux religieux du XVIIIe s signés Miguel Cabrera. Le salon des Christs expose une impressionnante collection d'une soixantaine de crucifix en matériau divers. Il est situé entre les chambres des époux, où le mannequin de la *Zacatecana* surprend le visiteur par son étrange regard dans un habile jeu de miroir. À l'étage également, un salon exposant une quarantaine de pendules cliquetantes – dont une imposante cathédrale de Reims en bronze –, impressionnantes quand elles sonnent toutes en même temps. Enfin, on ne manquera pas la montée au mirador circulaire sur le toit du bâtiment, accessible par un escalier dérobé, qui offre une vue impressionnante sur le centre historique et ses nombreuses églises. Les plus attentifs auront remarqué dans la crypte les macabres squelettes des deux victimes de la belle, visibles par une dalle en verre à côté de la fontaine du patio. Rassurez-vous, ce sont des reproductions, mais c'est bien ici qu'ils ont été trouvés !

🕯 **Templo y convento Santa Cruz** *(plan B1)* : visite guidée du couvent (30 mn, en espagnol slt, gratuit) mar-sam 10h-14h, 16h-18h et dim 10h-16h. Slt si un groupe se constitue. Son histoire mouvementée remonte à son édification vers 1650, à l'emplacement même d'un combat qui opposa Espagnols et Indiens. Une apparition miraculeuse de saint Jacques aurait donné un sacré coup de main aux premiers pour soumettre et évangéliser les seconds. Une statue relate cet événement sur la plaza de los Fundadores. Pendant longtemps, de nombreuses missions partirent d'ici, puis Maximilien d'Autriche en fit sa place forte, avant d'y être emprisonné. Aujourd'hui, une petite communauté de franciscains y réside. La visite du couvent vaut surtout pour sa partie non restaurée, très austère, et l'habile circulation d'eau du toit jusqu'aux baignoires d'azulejos, en passant par divers puits. Dans le jardin, après le calme patio transformé en terrain de basket, de curieux arbres à épines en forme de croix, dont l'origine légendaire est assez floue. Sur le parvis encadré de petits cafés, quelques étals d'artisanat local. Un lieu à l'atmosphère populaire, légèrement à l'écart du centre plus touristique.

🕯 **Acueducto** *(hors plan par B1-2)* **:** à 15 mn à pied du centre. Longer l'église Santa Cruz par sa gauche jusqu'à tomber sur le mirador face à l'acueducto. Au XVIIIe s, un homme tombe fou amoureux d'une nonne qui exige de lui, comme preuve de son amour, qu'il fasse construire un aqueduc pour alimenter la ville en eau potable. La preuve est longue de 1 280 m et sa construction dura 9 ans ! Du mirador, lieu de rendez-vous des amoureux au coucher du soleil, belle vue générale sur les faubourgs de la ville qui se découpent sous les 74 arches de l'aqueduc. Derrière, le mausolée de *la Corregidora* et de son époux est entouré de statues des personnalités historiques de la ville.

🚶 **Cerro de las Campanas** *(hors plan par A1) : petite colline à l'ouest de la ville. Prendre la rue Morelos toujours tt droit vers l'ouest ; au bout, tourner à droite et longer l'université jusqu'au mur orange du parc. Ferme à 18h. Prix d'entrée déri- soire.* Parc mignonnet tout bien taillé, planté d'une chapelle construite par le gou- vernement autrichien. Faut dire que c'est ici que fut exécuté l'empereur Maximilien d'Autriche en 1867. La chapelle n'atteint cependant pas les dimensions de la gigan- tesque statue de Benito Juárez, premier président de l'après Max, érigée pour le centenaire de l'exécution de cet empereur tant aimé. Autrichiens, Mexicains, à cha- cun son symbole... Heureusement, les locaux l'emportent ! Du pied de la statue, belle vue sur les montagnes environnantes. Derrière elle, **La Magia del Pasado,** un petit musée interactif pour les enfants, conte l'histoire de la ville de l'époque pré- hispanique à nos jours. Didactique et ludique mais les jeux audio et vidéo sont en espagnol seulement *(tlj sf lun 9h-17h ; 15 $Me, soit 0,90 € ; réduc ; tickets en vente à l'entrée du parc).* Pour prendre le vert sans s'essouffler, on peut aussi aller flâner au grand **parc Alameda,** plus proche du centre *(plan B2). Entrée libre.*

Fêtes et manifestations

– **Callejoneadas :** *départ le sam à 20h sur la pl. de Armas (plan B1).* Rendez-vous pour une *callejoneada* : dans les pas d'une dizaine de musiciens costumés, vous parcourez le centre historique en musique. Gratuit et super ambiance.
– **Concerts :** *chaque dim 19h-21h, dans le* jardín Zenea. Orchestre à vent.
– **Posadas :** *au moment de Noël et du Jour de l'an.* Nombreux concerts et mani- festations. Demandez la liste des lieux à l'office de tourisme. Crèche géante sur le *jardín Zenea* et nombreux marchands de *tacos, quesadillas* et *bebidas* à partager dans une ambiance chaleureuse et conviviale sur des tables de fortune.

SAN MIGUEL DE ALLENDE   61 000 hab.   IND. TÉL. : 415

◎ Située à 1 850 m d'altitude, cette belle ville coloniale vallonnée, classée Monument historique et inscrite au Patrimoine mondial de l'Unesco en 2008, a charmé de nombreux artistes américains venus dans les années 1940 suivre les cours du muraliste Siqueiros. Séduits par cette lumière particulière due au sol riche en quartz et cette douceur de vivre teintée d'exotisme, certains y sont restés, et le bouche-à-oreille a fonctionné. Aujourd'hui, San Miguel est peuplée d'un bon nombre de *gringos* vieillissants, et le prix du mètre carré y atteint des sommes démentes. Le charme du vieux centre colonial encore dans son jus, avec ses rues empierrées de pavés disjoints et bordées de peti- tes maisons multicolores, est un peu gâché par la surabondance de galeries d'art, de boutiques d'antiquités, de restos chic, de bars branchés et de bou- tiques d'artisanat. On aime ou on n'aime pas. L'hiver, il peut y faire aussi froid le soir qu'à Mexico, si ce n'est plus. En haute saison d'été, la ville est envahie de touristes.

Arriver – Quitter

En bus

Consulter la liste et les coordonnées des principales compagnies dans la rubrique « Transports » du chapitre « Mexique utile ».

🚌 **Central de autobuses** *(hors plan par A2) :* ☎ 152-00-84. *À 2 km à l'ouest du centre, mais des taxis (moins de 40 $Me, soit 2,40 €) et minibus urbains font la navette tte la journée (Ruta 2, 7h-21h ; 5 $Me, soit 0,30 € ; départs sur l'av. face au*

*terminal). Pour le retour, départs en face de l'église de la Salud (plan C1, **2**). Les* compagnies de 1re classe sont *ETN,* la plus luxueuse, et *Primera Plus,* également très confortable. La compagnie *Flecha Amarilla* n'affrète que des bus de 2e classe (ils sont moins confortables et surtout font plusieurs arrêts). On trouve au terminal un service de consigne et un petit bureau d'informations touristiques (plan de la ville, résas d'hôtels...).
– On peut aussi acheter son billet *Primera Plus* ou *ETN* à l'agence de voyages *Pera-dora* (voir « Adresses utiles »).

➤ **Pour/de Atotonilco :** départ ttes les 20 mn depuis la *Calzada de la Luz (hors plan par C1, **1**),* tout au bout de la rue Relox, à 10 mn à pied du *zócalo.* Trajet : 30 mn.

➤ **Pour/de Dolores Hidalgo :** 2 bus/j. à 20h20 et 21h10, avec *Primera Plus.* En 2e classe, départ ttes les 20 mn, 6h50-21h35, avec *Flecha Amarilla,* et ttes les 40 mn env, 7h-20h (puis 22h et 23h), avec *Autovías.* Trajet : 40 mn.

➤ **Pour/de Guanajuato :** à une centaine de km. Avec *ETN,* départs à 8h45, 16h15 et 17h45. Avec *Primera Plus,* 9 départs, 7h10-20h. Avec *Omnibus de México,* 1 bus à 11h30. En 2e classe, avec *Flecha Amarilla,* 9 départs, 6h45-16h50. Trajet : 1h30.

➤ **Pour/de Guadalajara :** avec *Primera Plus,* 6 départs/j., 7h10-20h. Avec *ETN,* départs à 8h45, 16h15 et 17h45. Trajet : 5h30.

➤ **Pour/de Mexico** *(terminal Norte) :* en 1re classe avec *ETN,* 5 bus/j. 7h-18h. Avec *Primera Plus,* départs à 6h30, 10h et 16h30 ; avec *Autovías,* ttes les 40 mn 7h-19h. Trajet : env 4h. En 2e classe, avec *Flecha Amarilla,* départ ttes les 40 mn, 6h30-20h.

➤ **Pour/de Querétaro :** avec *ETN,* départs à 9h, 15h et 18h. Trajet : 1h20. Avec *Flecha Amarilla* et *Autovías,* ce sont les mêmes bus que pour Mexico (ttes les 40 mn, 7h-20h env).

➤ **Pour/de San Luis Potosí :** avec *Primera Plus,* 2 bus/j. à 12h05 et 16h45. Trajet : env 4h.

➤ **Pour/de Morelia :** avec *Primera Plus,* 1 bus slt, à 7h45.

➤ **Pour/de León :** avec *Primera Plus,* 8 bus/j., 7h10-20h. Avec *ETN,* départs à 8h45, 16h15 et 17h45. Trajet : env 2h30.

Adresses utiles

La place principale de San Miguel, comme souvent, porte différents noms. Officiellement plaza de Allende, on la connaît encore sous les appellations plaza Principal ou plaza Mayor. Pour simplifier, on l'appellera *zócalo.*

Office de tourisme *(Consejo turístico de San Miguel de Allende ; plan C2) :* sur le zócalo, *porte de droite du* palacio municipal. ☎ 152-09-00. ● sanmiguelallende.gob.mx ● Lun-ven 8h30-20h ; sam 10h-20h ; dim 10h-17h30. Quelques brochures et un bon plan de la ville, avec sens de la circulation. On trouve également un kiosque d'info sur le zócalo.

✉ **Poste** *(plan C2) : Correo 18. Lun-ven 8h-16h30 ; sam 9h-13h.* Service Western Union.

■ **Change :** un peu partout, ainsi que plusieurs distributeurs automatiques autour du zócalo. Les banques *Banamex* et *Santander,* à l'angle du zócalo et de la rue Canal, changent les dollars, euros et chèques de voyage. 2 agences

CI Banco autour de la *plaza San Francisco (plan C2, **4**)* changent euros et dollars. *Ouv lun-ven 9h-17h ; sam 10h-17h ; dim 10h-14h.*

@ **Cybercafés :** un peu partout dans la ville. On vous en indique 2 : *un au 1er étage du bâtiment qui fait l'angle entre le zócalo et la calle Umaran, à droite de la* Parroquia *(plan C2, **5**). Passer sous les arcades puis monter l'escalier. Ouv tlj 9h-21h. L'autre dans le hall d'un petit hôtel, à côté du marché d'artisanat (plan C1, **6**), Loreto 19. Tlj 8h30-22h.* On capte par ailleurs le **wifi sur les places du centre-ville.**

■ **Laverie Arco Iris** *(plan C1, **3**) : dans le mignon passage Allende ; au niveau du n° 5 de la calle Mesones. Lun-ven 9h-14h, 16h-19h ; sam 8h-14h.* Pas de

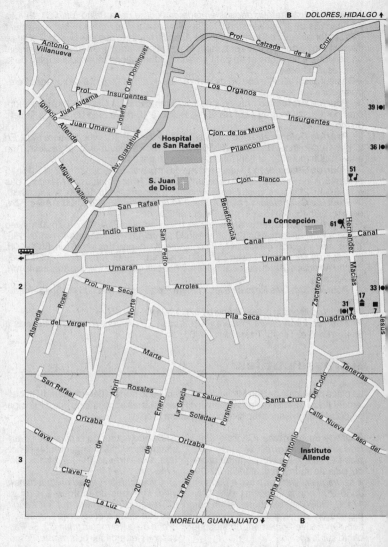

DOLORES, HIDALGO ↑

MORELIA, GUANAJUATO ↓

■ **Adresses utiles**

- ℹ Office de tourisme
- 🚌 Central de autobuses
- 🚌 1 Bus pour Atotonilco
- 🚌 2 Bus pour la gare routière
- 3 Laverie Arco Iris
- 4 Change CI Banco
- @ 5 Cybercafé
- @ 6 Cybercafé

- 7 Moto Rent
- 8 Agence de voyages Peradora

🏠 **Où dormir ?**

- 10 Hotel Parador San Sebastián
- 11 Casa de Huéspedes
- 12 Hotel Quinta Loreto
- 13 Hostal Alcatraz

- 14 Hotel Vista Hermosa Taboada
- 15 Posada Carmina
- 16 Posada La Gloria
- 17 Hotel Posada Los Insurgentes
- 18 La Mansión del Bosque
- 19 Hostel Inn
- 20 Edén de Los Angeles

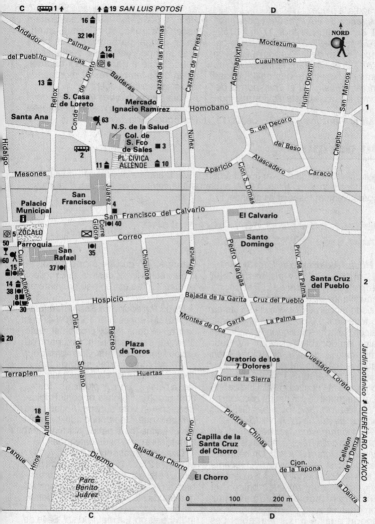

SAN MIGUEL DE ALLENDE

30 Ten Ten Pie
31 Café El Viajero
32 Café Olé-Olé
33 Café de la Parroquia,
restaurante La Brasserie
35 Restaurant El Correo
36 Restaurant Aquí es
México
37 La Alborada
38 La Posadita

39 Bugambilia

Où déguster un
vrai chocolat chaud
et d'autres douceurs ?

40 Chocolates y churros
San Agustín

Où boire un verre ?

50 Leonardos – Bar du
resto Mama Mía

51 Tío Lucas

À voir

60 Museo histórico
de San Miguel
61 Escuela de Bellas
Artes, centro cultural
El Nigromante
63 Oratorio de San
Felipe Neri

lavage à la pièce.

■ *Agence de voyages Peradora* (plan C2, **8**) : cuna de Allende 17 A. ☎ 152-80-11 et 154-97-77. *Dans la ruelle qui longe l'église de la Parroquia. Lun-ven 9h30-15h et 17h-19h ; fermé mar ap-m.* Vente de tickets de bus de 1re classe (*Primera Plus, ETN* et *Transportes del Norte*), ainsi que billets d'avion et excursions.

■ *Moto Rent* (plan B2, **7**) : Jesús 18.

☎ 152-47-11. *Loc de quad 250 $Me/h* (15 €), *1 000 $Me/j.* (60 €). La ville étant assez escarpée, et influence américaine oblige, particulièrement ici, la grande mode est de se déplacer en quad, facile à garer. Belles balades aussi dans les rivières et montagnes avoisinantes (plan offert).

■ *Toilettes publiques* (plan C2) : *dans Cuna de Allende, la ruelle qui longe la* Parroquia *sur la droite.*

Où dormir ?

Il est déjà difficile de trouver une chambre le week-end, ça devient une vraie galère durant les ponts, les fêtes, à Noël et pendant la semaine de Pâques. Il faut alors impérativement réserver à l'avance.

De très bon marché à bon marché (moins de 400 $Me, soit 24 €)

🛏 *Hostal Alcatraz* (plan C1, **13**) : Relox 54. ☎ 152-85-43. ● alcatrazhostal@ yahoo.com ● *Internet.* Petite AJ accueillante et fort bien tenue. Cette maison moderne dispose de 25 lits en dortoirs de 4 à 6 personnes, avec petit balcon sur la rue pour certains, salles de bains impeccables et salon TV. Petit patio calme, cuisine commune bien équipée, casiers, etc. Pas de draps, mais des couvertures. L'atmosphère est conviviale et l'accueil jovial. Une bonne adresse routarde à 5 mn du *zócalo.*

🛏 *Hostel Inn* (hors plan par C1, **19**) : calzada de la Luz 31 A. ☎ 154-67-27. ● hostelinnmexico@yahoo.com ● *Au bout de la calle Rejoj, à moins de 10 mn du zócalo. Internet et wifi.* Un bâtiment blanc discret qui cache une AJ récente et très sympa. Dortoirs de 4 à 8 personnes nickel, dont un avec balcon, et chambres doubles aveugles mais confortables avec salle d'eau privée, au rapport qualité-prix imbattable. Les draps sont fournis. Agréable petit jardin avec terrasse ombragée. Parties communes conviviales et bien équipées

(canapé, TV, cuisine moderne, lave-linge, sèche-linge, casiers...). Excellent accueil. La rue est un peu bruyante en revanche.

🛏 *Hotel Parador San Sebastián* (plan C1, **10**) : Mesones 7. ☎ 152-70-84. Très bon hôtel dans le style colonial, doté d'un joli patio coloré et luxuriant où gazouillent des canaris. Chambres pour 2 à 6 personnes avec salle de bains. Toutes différentes, certaines plus claires, à l'étage ; en voir plusieurs. Toutes sont propres, fraîches et confortables. Boissons en libre-service. Accueil très sympathique. Une bonne adresse simple et calme (côté patio), certainement la meilleure dans cette catégorie.

🛏 *Casa de Huéspedes* (plan C1, **11**) : Mesones 27. ☎ 152-13-78. *Pas de petit déj.* L'hôtel est au 1er étage ; les chambres s'organisent le long de coursives garnies de plantes. Très simple, défraîchi mais encore propre. Au choix, 2 lits individuels ou 1 lit *matrimonial.* Salle de bains individuelle avec eau chaude. Belle vue de la terrasse sur les toits de la ville. Bruyant côté rue.

De prix moyens à plus chic (400-800 $Me, soit 24-48 €)

🛏 *Posada La Gloria* (plan C1, **16**) : Loreto 68. ☎ 152-31-70. ● travelbymexi

co.com/guan/posadalagloria ● Dans une ruelle calme, un petit hôtel au charme colonial, disposant sa poignée de chambres autour d'un patio coiffé d'une terrasse sous tonnelle. Chambres fraîches, élégantes avec leur mobilier de bois brun et leur sobre déco au cachet ancien. TV, ventilo et salles de bains modernes.

🏠 *Hotel Vista Hermosa Taboada* (plan C2, **14**) : cuna de Allende 11. ☎ 152-00-78. ● taboada.com.mx ● *Dans la ruelle qui longe l'église de la Parroquia.* L'entrée est banale, mais les chambres, distribuées autour d'un patio aux 1er et 2e étages, sont nettement plus agréables. 2 tarifs, avec ou sans vue (ni fenêtre). Les 3 meilleures, mais aussi les plus chères, s'ouvrent ainsi sur un balcon profitant d'une vue majestueuse sur la jolie ruelle Allende et l'arrière de la cathédrale. Toutes offrent un confort optimal et une déco soignée (tons chauds, meubles patinés...). Tout serait parfait si cet hôtel n'augmentait pas ses tarifs en été, durant les périodes festives et quelques jours par mois en suivant une grille assez compliquée.

🏠 ▮◀ *Hotel Quinta Loreto* (plan C1, **12**) : Loreto 15. ☎ 152-00-42. ● quinta loreto.com.mx ● *Juste à côté du marché d'artisanat. Parking.* Les chambres, spacieuses mais banales, sont alignées autour d'un grand jardin tranquille et ravissant. Celles avec TV sont plus chères. Petit restaurant, pratique pour le petit déj en terrasse. Un bon rapport qualité-prix.

🏠 *Hotel Posada Los Insurgentes* (plan B2, **17**) : Hernández Macías 92. ☎ et fax : 152-02-83. À 5 mn à pied du centre. Agréable maison de style colonial, dotée d'une dizaine de chambres un peu sombres distribuées autour d'un petit patio arboré. Celles à l'étage, plus claires, ne proposent que des lits *king size*. Très colorées, elles sont décorées de façon assez sommaire avec un goût incertain, mais restent propres et confortables. Accueil simple et familial.

🏠 *Hotel Edén de Los Angeles* (plan B2, **20**) : calle de Jesús 28. ☎ 152-28-23 ou 29-23. ● edendelosangeles. com ● Pratiques pour ceux qui souhaitent se poser quelque temps, de vrais petits apparts à moins de 700 $Me, propres et vastes, avec cuisine tout équipée (plaques, micro-ondes, frigo) et TV *king size*. Bon confort donc, mais déco d'un rare mauvais goût, 1er prix du grand concours kitsch de San Miguel. Accueil gentil.

Beaucoup plus chic (plus de 1 200 $Me, soit 72 €)

🏠 *La Mansión del Bosque* (plan C3, **18**) : Aldama 65. ☎ 152-02-77. ● infos ma.com/mansion ● ½ pens obligatoire de mi-déc à fin mars, à partir de 100 US$ pour 2. Doubles d'avr à mi-déc à partir de 80 US$. Dans un quartier agréable, à côté du parc Benito Juárez. Une vingtaine de chambres personnalisées de différentes tailles, toutes avec baie vitrée voire cheminée, certaines avec terrasse privative, d'autres que l'on atteint par un escalier de fer forgé en colimaçon. Salon cosy plein de bouquins, salle à manger très chaleureuse... L'ensemble, tout en coins et recoins, coloré et tarabiscoté, n'est plus au top de la modernité mais dégage un charme fou. La propriétaire, une *charming lady* américaine installée ici depuis 1968, fera tout pour rendre votre séjour agréable. Elle organise aussi des stages de peinture. Une étape sereine et reposante.

🏠 ▮◀ *Posada Carmina* (plan C2, **15**) : cuna de Allende 7. ☎ 152-88-88. ● po sadacarmina.com ● À côté de l'église de la Parroquia. Doubles 1 230-1 450 $Me selon confort, petit déj compris ; prix stables tte l'année. Superbe maison coloniale, avec un patio planté d'orangers et mangé de verdure sur lequel donnent une dizaine de chambres spacieuses et décorées avec goût. Grands volumes, mosaïques... toutes sont superbes. 3 d'entre elles donnent sur la ruelle tranquille, dont la n° 101, particulièrement élégante. Une chambre immense au rez-de-chaussée (n° 106) pourra intéresser ceux qui se fichent de la vue. Ceux qui préfèrent le confort moderne au charme de l'ancien opteront pour une chambre dans l'annexe récente. Resto dans le patio avec musique live tous les soirs jusqu'à 21h30 (23h le week-end). Une bien douce étape de luxe.

Où manger ?

Spot touristique oblige, on trouve peu de gargotes typiques et bon marché dans le centre de San Miguel. Pour un encas vite payé, vite avalé, on pourra toujours se replier sur les roulottes posées sur le *zócalo.*

Bon marché (moins de 80 $Me, soit 4,80 €)

|●| *La Alborada* (plan C2, **37**) : Sollano 11. ☎ 154-99-82. Lun-sam 13h-22h30. Une petite affaire familiale qui tourne bien, très fréquentée par les Mexicains – et les touristes avisés – pour sa cuisine authentique et bon marché. Carte restreinte, avec une dizaine de plats au choix, des classiques *antojitos* aux pieds de porc farcis (!). Le cadre est convivial, 3 petites salles colorées et un patio sous verrière, garni de plantes en pots. On compte même un coin cafétéria pour la pause-café (bio), logiquement nommé *La Ventana,* puisqu'on peut commander de la rue, par la fenêtre ! Une adresse rare à deux pas de la cathédrale.

|●| *Restaurant Aquí es México* (plan B1, **36**) : Hidalgo 28 ; au 1er étage. Tlj 11h-22h (ou plus selon l'ambiance). Pour le déjeuner, comida corrida bon marché (3 menus au choix pour 55 $Me). Un resto agréable, avec ses petites salles décalées sur différents niveaux et joliment décorées. La carte n'est pas bien longue, mais l'accueil convivial et la qualité de la cuisine traditionnelle mitonnée à vue assurent une bonne soirée. Musique *en vivo* certains soirs.

|●| ♟ *Café El Viajero* (plan B2, **31**) : calle Macias ; à l'angle avec Quadrante. Tlj 9h-21h. Modeste, convivial, ce petit café-galerie d'art offre sa miniterrasse, ses 3 tables dans le patio ou sa paire de fauteuils profonds dans le salon aux amateurs de cafés, pâtisseries, sandwichs et salades. Une pause paisible, un peu à l'écart des rues plus touristiques. Accueil tout sourire des patrons qui ont posé leurs valises ici. On est entre *viajeros...*

De prix moyens à un peu plus chic (80-200 $Me, soit 4,80-12 €)

|●| *La Posadita* (plan C2, **38**) : cuna de Allende 13. ☎ 154-75-88. Tlj sf mer 12h-22h. Une excellente adresse à prix très raisonnables, malgré la proximité du *zócalo.* On grimpe une volée de marches pour accéder aux 2 terrasses colorées et verdoyantes, offrant une vue exceptionnelle sur la *Parroquia.* Accueil aimable, service efficace et vaisselle soignée. Des conditions idéales pour apprécier une goûteuse cuisine mexicaine (*pozole, enchiladas verdes* et *fajitas*), élaborée à partir de bons produits frais.

|●| ☕ *Ten Ten Pie* (plan C2, **30**) : cuna de Allende 21. Tlj 9h-23h30. Un petit resto que l'on apprécie particulièrement pour sa terrasse en escalier inondée de soleil, à l'angle de la ruelle piétonne qui longe l'église de la Parroquia. Idéal pour un petit déjeuner ou une pause gourmande en journée. Tacos,

ensaladas, T-bone... le choix est vaste et le service agréable.

|●| *Café Olé-Olé* (plan C1, **32**) : Loreto 66. Près du marché d'artisanat. Tlj 13h-21h (fin de la cuisine), puis bar. Le patron est un passionné de corrida ; décor délirant, inégalable pour sa concentration d'objets et de références tauromachiques. Quant aux *fajitas mixtas,* difficile de trouver meilleur. Quelques bonnes brochettes également.

|●| *Café de la Parroquia, restaurante La Brasserie* (plan B2, **33**) : Jesús 11. ☎ 152-31-61. Tt près du zócalo. Marsam 7h30-16h, 17h-22h. Formule brasserie (plat + dessert + vin) autour de 150 $Me. Jolie maison vieille de 300 ans, tenue par une Française du Jura installée à San Miguel depuis une vingtaine d'années. Plats mexicains et internationaux. Pour les nostalgiques,

fondue au fromage et steak frites joueront parfaitement leur rôle de madeleine de Proust... Une cuisine fraîche et goûteuse, à déguster dans le petit salon ou dans le patio aéré.

|●| **Restaurant El Correo** (plan C2, **35**) : Correo 23. ☎ 152-01-51. Juste en face de la poste. Tlj sf mar 8h-22h30. Cadre

plutôt agréable, sobre et élégant, pour ce petit resto mexicain. Carte réduite déroulant une bonne cuisine fraîche, servie en assiettes copieuses et joliment présentées, le tout à des prix très honnêtes. Clientèle composée de touristes essentiellement, mais c'est San Miguel...

Chic (plus de 250 $Me, soit 15 €)

|●| **Bugambilia** (plan B1, **39**) : Hidalgo 42. ☎ 152-01-27. Tlj 12h-22h30. CB acceptées. Une cuisine mexicaine gastronomique, servie dans un élégant patio fleuri à l'atmosphère tamisée apaisante, animé chaque soir par une formation musicale. Carte variée offrant un

large choix de viandes de qualité, de poissons et de fameux chiles en nogada maintes fois récompensés. Les curieux goûteront les surprenantes camarones al tequilla, un régal ! Le plus vieux resto de la ville et dont la réputation, justifiée, est d'en être aussi le meilleur.

Où déguster un vrai chocolat chaud et d'autres douceurs ?

|●| **Chocolates y churros San Agustín** (plan C2, **40**) : San Francisco 21. ☎ 154-91-02. En face de l'église San Francisco. Lun-ven 8h-23h ; w-e 9h-minuit. Un look qui oscille entre la brasserie et le salon de thé, tous deux à l'ancienne. Longue salle aux plafonds ornés de vannerie et murs couverts de tableaux et miroirs. Une adresse qui ne désem-

plit pas, où il faut quelquefois faire la queue dehors. On s'y presse surtout pour déguster leur onctueux chocolat chaud accompagné de churros, mais aussi leurs jus de fruits frais 100 % naturels et yaourts. Quelques encas salés également, pour ceux qui ont l'esprit de contradiction.

Où boire un verre ?

🍸 **Leonardos – Bar du resto Mama Mía** (plan C2, **50**) : Umaran 8. ☎ 152-20-63. Ouv tlj jusqu'à 1h (3h le we). Un vaste bar-resto branchouille établi dans une vieille maison coloniale, surtout fréquenté par les gringos et la jeunesse dorée mexicaine. On aime venir y boire un verre pour le cadre et l'ambiance rugissante et festive, mais on ne ferait pas du resto notre cantine. Superbe terrasse sur le toit et plusieurs petites salles surpeuplées d'une faune déchaînée en fin de semaine.

🍸♪ **Tío Lucas** (plan B1, **51**) : Mesones 103. ☎ 152-49-96. Tlj 12h-minuit. Concerts à partir de 21h. Une adresse chic au cadre soigné, dispersant ses petits espaces autour d'un agréable patio couvert. Salades fraîches et bonnes grillades, mais tout de même cher payées (plat autour de 200 $Me). On préfère y venir pour prendre un verre en soirée, sur un air jazzy. Seul bémol, malgré l'accueil chaleureux du patron, l'ambiance reste guindée.

Achats

La ville de prédilection pour faire agoniser vos économies en un temps record ! D'innombrables boutiques vendent de très belles pièces d'artisanat régional et national, mais aussi toutes sortes de babioles, T-shirts, tissus, etc. Ne pas manquer la boutique *Zócalo,* un peu excentrée, dans Hernández Macias 110, véritable petit musée dédié à la « fête des Morts ». On trouve également de nombreux brocanteurs et antiquaires.

– On peut aussi aller faire un tour au *marché d'artisanat* qui prolonge le marché couvert jusqu'à la calle de Loreto *(plan C1).* Les prix sont plus doux et on y trouve toutes sortes d'objets, des petits miroirs à graver pour sac à main, des robes et chemises brodées, ponchos en laine, couvertures, céramiques, étain, etc.

À voir

Si le centre de San Miguel n'est pas très étendu, il est néanmoins assez ondulé et surtout pavé. Nos lecteurs que la marche fatigue apprécieront le circuit touristique dans un vieux bus en bois. *Départ ttes les heures 9h-19h du zócalo. Compter 70 $Me/pers (4,20 €).* Bonne nouvelle enfin pour ceux qui galèrent à déchiffrer l'espagnol : la plupart des édifices possèdent à l'entrée une colonne d'explications à trois pans, dont l'un est écrit en français !

🚶🚶 *Parroquia de San Miguel Arcángel (plan C2) : en face du* zócalo. Étrange édifice commencé en 1578 puis maintes fois remanié, d'abord par des indigènes condamnés aux travaux forcés pour avoir tué les troupeaux de vaches des haciendas locales. À la fin du XIXᵉ s, Zeferino Gutiérrez, un architecte d'origine indienne imprégné de l'esprit majestueux des cathédrales européennes, lui imprimera son style gothique actuel. Son clocher nous a fait penser à la *Sagrada Familía* de Gaudí, ses tours roses dominant le centre-ville à un château de conte de fées. Le soir, la façade est superbement mise en valeur par un jeu d'éclairages. L'intérieur, où domine la brique, est moins remarquable. À gauche, la première église de la ville, *San Rafael,* plus sobre, fut construite en 1564. Elle est en partie ornée de fresques. Au pied de la *Parroquia* s'étend le *zócalo,* place principale encadrée d'arbres et d'arcades, toujours pleine de vie. Les gamins se courent après, les amoureux se bécotent, le tout au rythme des guitares des groupes de mariachis. Le soir, l'animation redouble.

🚶 *Museo histórico de San Miguel (plan C2, 60) : cuna de Allende 1.* ☎ 152-24-99. *Juste à côté de l'église de la Parroquia. Tlj sf lun 9h-17h. Entrée : 37 $Me (2,20 €). Droit photo et vidéo 45 $Me (2,80 €).* Installé dans la maison natale d'Ignacio Allende, héros de l'indépendance. Et pas n'importe lequel, il a tout de même légué son nom à la ville (et à un bon nombre de rues du pays !). La demeure, restaurée dans le style de l'époque, a conservé à l'étage son ameublement du XVIIIᵉ s (chapelle privée, armoires et coffres marquetés...). On y décrit largement les aventures de l'insurgé. Depuis les fenêtres, jolie vue sur le *zócalo.* Au rez-de-chaussée, quelques modestes tableaux, objets et textes anciens illustrent l'histoire de la ville, contée par de riches panneaux explicatifs en anglais et espagnol. C'est comme lire un bouquin d'histoire, mais dans un musée.

🚶 *Templo de la Concepción (plan B2) : à l'angle des rues Canal et Zacateros.* Construit au milieu du XVIIIᵉ s, il était intégré dans l'ancien monastère du même nom (voir ci-dessous). Ce n'est qu'à la fin du XIXᵉ s que Zeferino Gutiérrez lui ajouta son dôme, en s'inspirant des Invalides à Paris. L'intérieur ne présente pas d'intérêt majeur, à part quelques beaux tableaux de Miguel Cabrera, entre autres.

🚶🚶 *Escuela de Bellas Artes, centro cultural El Nigromante (plan B2, 61) :* cet ancien couvent, qui comprenait l'église de la Concepción, accueille aujourd'hui le centre culturel *El Nigromante,* ainsi que l'école des beaux-arts. Bel ensemble architectural aux couleurs ocre. Autour du patio à deux étages, les arcades abritent des fresques murales, dont une immense et inachevée de Siqueiros.

– En face, les plazas Golondrinas et Colonial, dans de petits passages, abritent de jolies boutiques, cafétéria, petits restos et le consulat des États-Unis.

🚶🚶 *Casa de los Perros* : il y a 2 entrées, Canal 14 et Umaran 3. L'une des plus belles maisons coloniales de San Miguel, surnommée ainsi à cause de son balcon supporté par des chiens, son vrai nom étant *Casa Umaran*. On peut la visiter tranquillement et gratuitement, puisqu'elle est aujourd'hui transformée en boutique luxueuse de décoration et d'art populaire.

🚶🚶 *Oratorio de San Felipe Neri* (plan C1, 63) : riche façade baroque du XVIIIᵉ s en pierre rose qui trahit l'influence indienne, notamment sur les statues des niches. L'intérieur est plus intéressant que beau, avec une kyrielle de statues de saints enfermés dans des cercueils de verre. Au fond du transept de gauche se trouve la *Santa Casa de Loreto* – une reproduction du sanctuaire italien dédié à la Vierge de Lorette –, dont le sol et les murs sont ornés de céramiques en provenance de Puebla, de Valence et même de Chine. Bien entendu, elle abrite la Vierge Marie, avec, à ses pieds, le donateur Manuel Tomás de la Canal et son épouse. N'oubliez pas d'aller admirer le *camarín*, étonnante chambre baroque octogonale avec ses trois magnifiques retables et son plafond de style mudéjar.

🚶 *Templo de la Salud* (plan C1) : près de la précédente. Construit en 1735. Portail churrigueresque assez impressionnant, avec sa grande coquille Saint-Jacques abritant l'œil de Dieu. À l'intérieur, quelques éléments baroques intéressants, mais l'ensemble est plutôt austère, à l'exception d'une collection d'ex-voto populaires qui redonnent le sourire.

🚶 *Templo San Francisco* (plan C1-2) : construit en 1779. Il est doté d'un très beau portail churrigueresque, d'un dôme aux tuiles vernissées et d'une haute tour néo-classique, tout comme l'intérieur. L'ensemble, aux airs d'église fortifiée, s'ouvre sur un petit square fleuri.

🚶🚶 *Parc Benito Juárez* (plan C3) : vaste et agréable parc fleuri, ombragé par des arbres exotiques. Charmants petits chemins formant un labyrinthe, ponctués de placettes avec fontaine. Un lieu rafraîchissant pour de bucoliques balades, très apprécié des joggeurs et des familles, qui se retrouvent le week-end autour des kiosques à sucreries.

🚶 *Panorama sur la ville* : grimper jusqu'au mirador pour jouir d'une superbe vue sur San Miguel et les paysages environnants.
➤ *Pour y aller* : prendre la rue Recreo en direction de la plaza de Toros (plan C2), puis la rue Piedras Chinas et enfin la rue Salida a Querétaro.

Fêtes et festivals

– *Sanmiguelada* : le 3ᵉ sam de sept. Grande fête traditionnelle avec un lâcher de taureaux dans la ville, qui se termine sur le *zócalo*.
– *Fiesta de San Miguel Arcángel* : juste après la feria de sept. Fêtes en l'honneur du saint patron de la ville : spectacles, concerts, corridas...
– *Festival international de jazz* : la dernière sem de nov. Une semaine de concerts avec des artistes internationaux.

➤ DANS LES ENVIRONS DE SAN MIGUEL DE ALLENDE

🚶🚶 *Jardín botánico – El Charco del Ingenío* (hors plan par D3) : à env 5 km du centre, vers Querétaro. Dans la partie haute de la ville. Face au grand centre commercial, prendre un chemin sur 2 km (fléché). En taxi, compter 30-50 $Me (1,80-3 €). ☎ 154-47-15 et 154-88-38. ● elcharco.org.mx ● Ouv tlj de l'aube au coucher du soleil. Entrée : 40 $Me (2,40 €) ; visite guidée 80 $Me (4,80 €) ; réduc. Les amateurs de nature se doivent d'y faire un tour. Plus de mille variétés de cactées et de plantes grasses. La plupart poussent naturellement sur les collines escarpées, les plus rares sont préservées en serre solaire *(ferme à 17h)*. Belle balade de 1h30 environ dans la réserve écologique de 100 ha aux sentiers bien tracés ; très romantique au coucher du soleil ! Vaste et calme plan d'eau central, squatté par des canards siffleurs mexicains, des hérons et des aigrettes. Une partie est même réservée à l'observation ornithologique et abrite les ibis, des pélicans blancs et une multitude d'oiseaux migrateurs. En aval du barrage qui servit un temps à alimenter la centrale électrique, un impressionnant canyon pour s'adonner à l'escalade. Au passage, petit monument colonial et trois points de vue impressionnants à ne pas manquer. Retour en ville possible par un chemin de traverse (compter 30 mn de marche). Petite cafétéria en terrasse sur place.

🚶🚶 *Los balnearios (les sources d'eau chaude)* : *à une dizaine de km de San Miguel, sur la route 51 direction Dolores Hidalgo.* Plusieurs sources d'eau minérale à environ 40 °C alimentent d'agréables parcs balnéaires offrant de petites oasis de verdure dans le désert aride environnant. Accès en bus de 2e classe direction Dolores Hidalgo au départ du terminal toutes les 20 mn avec *Flecha Amarilla*. La course en taxi coûte environ 120 $Me (7,30 €) le trajet aller ; vous pouvez demander au chauffeur de venir vous rechercher à une heure convenue.

– 🚶 *Parque acuático Xote* : *prendre la route 51 direction Dolores Hidalgo. Après 8 km, prendre une piste pavée sur la gauche (fléché), puis encore à gauche à la fourche après 2 km. C'est 1,5 km plus loin. Minibus direct ttes les 2h jusqu'à 18h depuis San Miguel (Ruta XVI).* ☎ 155-81-87. ● xoteparqueacuatico.com.mx ● Tlj 9h-18h. Entrée : 90 $Me (5,40 €) ; ½ tarif pour les enfants. Déployé sur un site vallonné et ombragé bien entretenu, ce vaste parc aquatique compte une dizaine de bassins pour adultes et enfants, avec de grands toboggans. Eau thermale et cristalline de 28 à 32 °C. Aire de jeux, terrain de beach volley, emplacements pour barbecue... Un lieu agréable pour un pique-nique. Camping possible.

– *Taboada Water Resort Club* : *même route que pour le parque Xote. À la fourche, laisser ce dernier sur la gauche et continuer la piste principale, puis prendre à droite au fléchage. Tlj 8h30-18h. Entrée : 90 $Me (5,40 €) ; gratuit moins de 4 ans.* Piscine olympique genre piscine municipale avec pataugeoire pour les enfants, dans un petit parc arboré. Vieillot, défraîchi, mais le lieu est très couru des Mexicains. Eau thermale à environ 40 °C et petite restauration sur place.

– *Balneario Escondido* : *sur la route 51, prendre à gauche 2 km après l'embranchement pour le parque Xote (fléché). Poursuivre ensuite par une piste sur 1 km. Le plus facile d'accès à pied (demandez au bus de vous laisser à l'embranchement).* ☎ 185-20-22. ● escondidoplace.com ● Tlj 8h-17h30. Entrée : 90 $Me (5,40 €) ; gratuit moins de 2 ans. Dans un parc arboré souffrant un peu de la sécheresse ambiante, parsemé d'étangs poissonneux appréciés des canards. Une dizaine de bassins de tailles et formes différentes, bien intégrés au calme du lieu. Certains, dans des grottes artificielles voûtées, sont reliés entre eux par d'étroits passages de 50 cm de largeur. L'eau atteint les 45 °C et s'écoule alors du plafond dans une chaleur tropicale (déconseillé à ceux qui souffrent de claustrophobie).

🚶🚶 ⊗ *Atotonilco* : *à 15 km de San Miguel, après les sources d'eau chaude sur la route 51 direction Dolores Hidalgo (fléché sur la gauche).* Petit village désolé, poussiéreux, écrasé par le soleil, perdu dans une campagne aride. L'*église* du XVIIIe s, blanche et massive, est remarquable pour ses murs et ses plafonds entièrement recouverts de fresques (désormais classées et inscrites au Patrimoine mondial par l'Unesco depuis 2008), mais aussi pour une tranche d'histoire chère aux Mexicains. En effet, c'est ici qu'Hidalgo, à la tête de son armée d'insurgés indépendantistes, retira de l'église le portrait de la Vierge de Guadalupe pour en orner sa bannière. C'est ainsi que la Guadalupe, patronne des Indiens, servit d'étendard aux insurgés. Et voilà pourquoi cette petite église accueille les pèlerins de tout le Mexique, en particulier lors de l'importante procession de la Semaine sainte. À l'entrée de l'église, une petite borne interactive conte l'histoire du lieu en musique. Pas génial pour rester discret, surtout quand on arrive en pleine messe...

SAN LUIS POTOSÍ
715 000 hab.   IND. TÉL. : 444

Ville étape située à 1 880 m d'altitude, à mi-chemin entre Mexico et la ville industrielle de Monterrey, San Luis Potosí conserve de beaux restes de son glorieux passé colonial. Elle n'a certes pas autant de charme que ses voisines, mais son centre rénové et en partie rendu aux piétons, ses larges places bordées de monuments, de nobles édifices coloniaux et d'imposantes églises rappellent l'époque prospère où la cité vivait de ses mines d'argent. De quoi flâner avec plaisir, d'autant que San Luis, populaire et commerçante, déborde d'énergie.

UN PEU D'HISTOIRE

Au moment de la conquête, la région était seulement habitée par les rudes tribus nomades chichimèques, aguerries à la vie hostile dans le désert. Ce sont les moines franciscains qui s'y aventurèrent les premiers (vers 1589, soit presque 70 ans après la chute de l'Empire aztèque) et fondèrent plusieurs missions, dont celle de San Luis (en hommage à Saint Louis, roi de France). On découvrit alors de riches gisements argentifères et des mines d'or qui firent accourir les colons espagnols. L'histoire se répète ; les Indiens furent soumis et envoyés aux mines. En novembre 1792, la ville fut fondée officiellement et l'on ajouta fièrement le mot « Potosí », en référence aux fameuses mines de Bolivie (*potosí* signifie « grande richesse » en quechua).
Plus tard, lors de l'invasion du Mexique par les troupes françaises de Maximilien, Benito Juárez installa son gouvernement à San Luis Potosí, qui devint la capitale provisoire du pays entre 1863 et 1867.

Arriver – Quitter

En bus

Consulter la liste et les coordonnées des principales compagnies dans la rubrique « Transports » du chapitre « Mexique utile ».

🚌 *Terminal terrestre potosina (TTP) – Gare routière* (hors plan par B2, **5**) *:* situé sur la route 57, en direction de Mexico. ☎ 816-45-96. Pour aller au centre-ville, bus collectif jaune au bord de la route, de l'autre côté du parking (5,80 $Me, soit 0,30 €). Ttes les 5 mn, 6h-22h. En taxi prépayé au terminal, compter 33 $Me (2 €), 36 $Me la nuit (2,20 €). En sens inverse, prendre le bus urbain (Ruta 6) *calle Constitución* (plan B2, **6**). Si vous voyagez avec les compagnies *ETN* et *Primera Plus*, il est possible de réserver vos billets en ville dans une agence de voyages. Compagnies de 2ᵉ classe représentées : *Flecha Amarilla*, certains bus de *Estrella Blanca/Futura*. En 1ʳᵉ classe, on voyage avec *Primera Plus/Flecha Amarilla* ou avec la luxueuse *ETN*.
Consigne à bagages 4 $Me/h (0,30 €). Bureau de change, distributeur de billets et cybercafé sur place.
➤ *Vers Matehuala (Real de Catorce) :* en 1ʳᵉ classe avec *Autobuses del Noreste* (☎ 01-800-280-10-10), départs ttes les heures, 7h-1h. En 2ᵉ classe, env 10 bus/j. 7h-minuit avec *Estrella Blanca*. Trajet : 2h30.
➤ *Pour/de Mexico :* en 2ᵉ classe, env 7 départs, 2h15-14h50, avec *Flecha Amarilla*. En 1ʳᵉ classe, bus ttes les heures 24h/24 avec *ETN* et *Primera Plus*. Trajet : 5-6h selon la compagnie. *Primera Plus* affrète également 1 bus/j. pour l'aéroport, à 23h15.
➤ *Pour/de Dolores Hidalgo :* 3 bus/j. à 4h20, 9h20 et 18h avec *Primera Plus*. De là, correspondance pour *San Miguel de Allende.*
➤ *Pour/de Querétaro :* en 2ᵉ classe, 13 bus/j., 5h-19h20, avec *Flecha Amarilla*. En 1ʳᵉ classe, bus ttes les heures 24h/24 avec *Primera Plus*. Avec *ETN*, 7 bus/j. 4h15-21h30. Trajet : 2h45.

➤ *Pour/de Zacatecas :* avec *Estrella Blanca,* ttes les heures 7h-minuit env. Ou en 1ʳᵉ classe avec *Omnibus de México,* 6 départs/j., 3h30-20h30. Trajet : 3h.

➤ *Pour/de Guadalajara :* avec *Estrella Blanca,* 4 départs/j. en 2ᵉ classe, 7h-minuit env. En 1ʳᵉ classe, 12 bus/j., 1h30-20h avec *Primera Plus.* Liaison assurée par *Omnibus de México* également. Avec *ETN,* 11 départs, 0h15-18h30. Trajet : 5-6h.

➤ *Pour/de Morélia :* 12 bus/j., 1h30-22h45, avec *Primera Plus.*

➤ *Pour/de Uruapán :* 3 bus/j., à 1h30, 6h et 23h45, avec *Primera Plus.*

➤ *Pour/de Puerto Vallarta :* 1 bus/j. slt, à 20h, avec *Primera Plus.*

➤ *Pour Acapulco :* 1 bus/j. à 23h avec *ETN.*

➤ *Pour Monterrey :* 4 bus/j. 1h-23h avec *ETN.*

En avion

✈ *Aéroport :* à 13 km au nord, sur la route 57 en direction de Monterrey. ☎ 822-23-96. ● oma.aero/es/aeropuertos/san-luis-potosi/ ● Pour Mexico, 10 vols directs/j. avec *Aeroméxico Connect* et *Continental Airlines.* Pour Monterrey, 1 vol direct/j. avec *Aeromar.* Liaisons directes avec Houston et Dallas aux États-Unis par *Continental* et *American Eagle Airlines.*

Adresses utiles

Attention, de nombreuses rues du quartier historique portent encore la plaque de leur ancien nom. Pour éviter la confusion, ne tenez compte que de la plus grosse des deux plaques.

🛈 *Turismo municipal (plan A2) :* calle M. José Othon 130, dans le palacio municipal. *En face de la cathédrale.* ☎ 812-67-69. ● visitasanluispotosi. com ● *Lun-ven 8h-21h ; sam 9h-17h.* Peu de brochures sur les environs, mais des cartes de la ville et de la région. Serviable et efficace.

✉ *Poste (plan B2) : Universidad 526. Lun-ven 8h-17h.* Service *Western Union.*

■ *Change (plan A1, 1) : plusieurs bureaux de change sont regroupés sous les arcades de la rue Julián de los Reyes, entre Hidalgo et Morelos. En général ouv tlj 9h-20h.* On peut comparer les taux en toute tranquillité. Ici, les euros, les dollars et les pesos s'échangent à un taux souvent intéressant.

■ *Banque Banamex (plan A1, 2) :* angle Alvaro Obregón et Allende. *Lun-ven 9h-16h30.* Change les espèces ou chèques de voyage. Service *Western Union.* Distributeur de billets (*Master-*

Card et *Visa*) accessible 24h/24 à l'arrière de la banque.

■ *Consul honoraire de France :* Mme *Rosa Villa de Mebius.* ☎ 811-34-45. ● ro sahvilla@hotmail.com ●

@ *Infinitum/Hard & Soft (plan A2, 4) :* calle Carranza 416. *Lun-ven 9h30-19h ; sam 10h-19h ; dim 11h-15h.* Dans une grande salle à l'ambiance studieuse.

Copia e Internet (plan B2, 7) : Escobedo 315 A, sur la pl. del Carmen, face à l'église. *Lun-sam 9h-21h ; dim 10h-20h.* Matériel récent et rapide. Si c'est plein, le voisin fait également cybercafé.

■ *Laverie (hors plan par A2, 8) :* 5 de Mayo 870. *Lun-ven 10h-19h ; sam 10h-15h.* Pas de repassage.

■ *Agence de voyages 2001 Viajes (plan A1, 9) :* Obregón 604. ☎ 812-49-92 et 29-53. *Lun-ven 10h-12h30, 16h-19h30 ; sam 10h-12h30.* Vente de tickets de bus de 1ʳᵉ classe *(Primera Plus, ETN)* ainsi que de billets d'avion.

Où dormir ?

San Luis Potosí souffre d'une pénurie hôtelière. Peu de choix de logements de qualité dans le centre historique, et ceux de la périphérie sont vraiment trop excentrés. Nous resterons donc dans le centre.

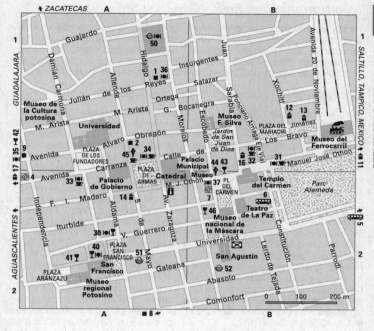

SAN LUIS POTOSÍ

■ **Adresses utiles**

- 🛈 Turismo municipal
- 1 Change
- 2 Banque Banamex
- @ 4 Infinitum/Hard & Soft
- 🚌 5 Terminal des bus
- 🚌 6 Bus urbain pour le terminal
- @ 7 Copia e Internet
- 8 Laverie
- 9 Agence de voyages 2001 Viajes

🛏 **Où dormir ?**

- 11 Hotel del Río
- 12 Hotel Anáhuac
- 13 Hotel Guadalajara
- 14 Hotel de Gante
- 16 Hotel Napoles
- 17 Hotel Real Plaza

|●| **Où manger ?**

- 30 El Bocolito
- 31 Café Tokio
- 32 Café Pacífico

- 33 Restaurante La Parroquia
- 34 La Posada del Virrey
- 35 Rincón Huasteco
- 36 Gargotes de la calle Reyes
- 37 Nicolle 1
- 40 El Rincón de San Francisco
- 50 Mercado Hidalgo

♦ **Où déguster une glace ?**

- 44 Tucky-Tucky
- 45 Chaires

🍸 **Où boire un verre ?**

- 40 El Rincón de San Francisco
- 41 Luna Café
- 42 Paredon
- 43 Villa Carmela
- 46 Ezgodi Bar Club

⚙ **Achats**

- 50 Mercado Hidalgo
- 51 Casa Grande
- 52 Boutique Fonart

Très bon marché (moins de 300 $Me, soit 18 €)

🛏 *Hotel del Río (hors plan par B1, 11) : calle Chicosein, à droite du museo del Ferrocarril.* ☎ 812-15-07. *Wifi.* Posté au bord d'une rue lépreuse mais à seulement 500 m de la plaza del Carmen, un hôtel propret, aux chambres sombres mais somme toute confortables et très bien tenues, toutes avec salle de bains privée, louées à un prix dérisoire. Café' au rez-de-chaussée pour le petit déj.

Bon marché (300-400 $Me, soit 18-24 €)

🛏 *Hotel Guadalajara (plan B1, 13) : Jiménez 253.* ☎ 128-64-51 à 54. ● *hotel guadalajaraensanluis.com.mx* ● *À une cuadra de la pl. del Mariachi. Pas de petit déj. Ascenseur (flippant, on croirait décoller dans la soute d'un avion à réaction !). Parking gardé. Internet et wifi.* Ne vous fiez pas à sa façade tristounette en béton, cet hôtel est une bonne surprise : une trentaine de petites chambres confortables et presque guillerettes, réparties sur 3 étages autour d'une cour intérieure qui fait office de salon. Très propre, avec salle de bains et TV. Préférez quand même celles sur rue, plus lumineuses. A l'avantage d'être bien tenu et sûr, dans un quartier ma foi un peu glauque. Café en libre-service. Un lieu qui attire des routards du monde entier. Accueil chaleureux.

🛏 *Hotel de Gante (plan A2, 14) : 5 de Mayo 140 ; à l'angle de la pl. de Armas.* ☎ 812-14-92 ou 93. ● *hotel_degante@ hotmail.com* ● *Internet.* Un hôtel rétro, un peu décati et assez froid avec son vaste hall et ses longs couloirs carrelés. Sa situation très centrale en fait pourtant un choix judicieux. Grandes chambres propres et claires, avec mobilier et salles de bains des années 1950 (la plomberie refoule un peu), TV et parfois même un canapé. Certaines possèdent un vrai charme, notamment les n°s 110 et 210, à l'angle, lumineuses et avec vue directe sur la place. Café en libre-service.

🛏 *Hotel Anáhuac (plan B1, 12) : Xochitl 140.* ☎ 812-65-05 ou 814-49-04. *Parking. Internet.* Juste derrière la plaza del Mariachi, un hôtel en béton tout neuf, sans charme mais offrant un confort optimal pour un prix plancher. Chambres nickel, pour 2 à 4 personnes, avec lits douillets, ventilos et salles d'eau pimpantes. Préférer celles du 1er étage, au rez-de-chaussée elles n'ont pas de fenêtre.

Chic (plus de 600 $Me, soit 36 €)

🛏 *Hotel Napoles (plan B1, 16) : Juan Sarabia 120.* ☎ 812-84-18 ou 19. ● *ho telnapoles.com* ● *Parking. Internet et wifi.* En plein centre, sur une rue passante, un hôtel de béton sur 5 étages, plus tout jeune mais encore de bon confort malgré des salles de bains étroites. Les chambres sont assez grandes en revanche, mais pas très gaies. Reste la TV pour se dérider. Resto au rez-de-chaussée pour le petit déj.

🛏 *Hotel Real Plaza (hors plan par A2, 17) : V. Carranza 890.* ☎ 814-60-55 ou 69-69. *Résas :* ☎ 814-20-57. ● *realpla za.com.mx* ● *À 15 mn à pied du centre.* En bus, prendre le n° 9. *Parking. Internet.* Dans une tour en verre de 14 étages, un grand hôtel chic assimilable à un hôtel de chaîne. On est un peu loin du centre (à environ 1 km de la plaza de Armas), mais le quartier, bourgeois, est commerçant et animé. Chambres vitrées, tout confort et agréables, avec dessus-de-lit et rideaux aux couleurs chatoyantes. Au choix, lit *king size* ou 2 lits individuels. TV câblée. Demander une chambre à partir du 6e étage : vue superbe sur la ville. Celles situées dans les angles offrent le plus beau panorama. Accueil pro.

Où manger ?

Très bon marché (moins de 80 $Me, soit 4,80 €)

🍴 *Mercado Hidalgo (plan A1, 50) : tlj 6h-18h.* Comida corrida *autour de* 40 $Me. Stands populaires installés à l'étage, sur les coursives autour du marché couvert. *Sopas, quesadillas, tostadas, enchiladas, tamales, bistecs...* Vivant et chaleureux. Dans le même esprit, une rangée de *gargotes* alignées sous les arcades de la calle Reyes *(plan A1, 36)* servent pour une poignée de pesos des encas à avaler accoudé au comptoir. Populaire et plus que pas cher.

|●| 🍷 *El Bocolito* *(plan A2, 30)* : Vincente Guerrero 2. ☎ 812-76-94. *Tlj 6h-21h.* Vaste salle aérée et lumineuse, donnant sur la belle place San Francisco. La cuisine y est vraiment excellente et d'un très bon rapport qualité-prix. La *comida corrida* comprend un potage maison et riz sauté, 3 plats au choix (le *pollo* sauce *mole* est un régal !),

fruits frais en dessert (ou gélatine, beurk !) et *agua fresca* à volonté ! Service assuré par toute la famille, charmante, et atmosphère bien agréable. Bar-concert jeune et sympa à l'étage *(ouv jusqu'à 3h du mat jeu-sam).*

|●| *Nicolle 1* *(plan B2, 37)* : Escobedo 315 ; sur la plaza del Carmen, face au Templo. *Tlj 9h-22h30.* Pas vraiment un resto, plutôt un snack très couru de la jeunesse locale. On y croque pour 20 $Me soda compris de grosses parts de pizza incendiaires, calé sur la plus belle terrasse de la ville : pile face au Templo del Carmen. La vue – légèrement brouillée par les montées de piments –, le goût... De quoi réveiller les sens !

Prix moyens (80-250 $Me, soit 4,80-15 €)

|●| 🍽 *La Posada del Virrey* *(plan A1, 34)* : au nord de la pl. de Armas. ☎ 812-32-80. *Tlj 7h-minuit. Wifi.* Dans le vaste patio d'une maison historique – la plus ancienne de la ville – construite en 1736. Tableaux baroques, lustres et plafond à caissons assurent le décor. La cuisine mexicaine, convaincante, s'occupe du reste. Excellente *crema de elote* suivi d'un savoureux *pozole* (sorte de ragoût) de viande fondante. Petit déj également. Très central et pas trop cher.

|●| 🍷 *El Rincón de San Francisco* *(plan A2, 40)* : callejón de Lozada 1. ☎ 812-45-08. *Tlj sf dim 13h-minuit.* Dans la ruelle qui longe l'église San Francisco, une vieille maison coloniale au cadre soigné avec, sur le toit, une très agréable terrasse donnant sur le clocher de l'église magnifiquement illuminée la nuit. Belle carte de poissons et de viandes dont un délicieux *arrachera al chipotle.* Au menu également, des pizzas et autres *perros calientes* (« chiens chauds »), histoire de combattre l'hégémonie de la langue de Shakespeare. Un lieu romantique à souhait. Accueil chaleureux et service efficace.

|●| *Rincón Huasteco* *(hors plan par A2, 35)* : Cuauhtémoc 232 ; à l'angle de Tres Guerras (au bout à gauche de la rue qui part en face de l'hôtel Real Plaza). ☎ 814-60-03. *Tlj 8h-23h.* Petite salle toute simple aux murs jaune, rose et vert, décorés de costumes traditionnels et de tableaux. Bon choix à la carte

sur photos, dont un savoureux *adobo de puerco,* parmi d'autres spécialités locales excellentes. Pour ne pas manger idiot, le menu détaille même les recettes. Accueil amical et service rapide. L'un des meilleurs restos de la ville dans cette gamme de prix, connu depuis plus de 20 ans mais hélas assez excentré.

|●| 🍽 *Restaurante La Parroquia* *(plan A2, 33)* : Carranza 303. ☎ 812-66-81. *Tlj 7h-minuit. Petit déj-buffet, puis formule 4 plats (env 80 $Me) servie de 13h à minuit. Wifi.* Vaste salle kitsch façon *café'*, aux hautes baies vitrées donnant sur la plaza de los Fundadores. Toutes les générations s'y côtoient sur les banquettes de skaï rouge. Spécialités potosines et mexicaines fraîches et savoureuses, comme *las enchiladas huastecas y cecina* servies en soirée.

|●| 🍽 *Café Tokio* *(plan B1, 31)* : Manuel José Othon 415. En face du jardin de l'Alameda. ☎ 812-58-99. *Tlj 9h-18h.* Resto populaire grand et assez kitsch, décoré de quelques lampions et estampes japonaises histoire de justifier le nom de *Café Tokio.* Sinon, ni sushis ni sashimis, mais les plats classiques de la cuisine mexicaine. *Comida corrida* pour le déjeuner et bon choix de petits déj. Côté ambiance, la télé tourne en boucle, de quoi rester bouche bée, la fourchette haletante, devant le 318ᵉ rebondissement d'une *telenovela.* Le succès aidant, un autre resto plus central a

ouvert sur *Zaragoza 325, à l'angle de Guerrero (mêmes horaires).*

|●| ☕ *Café Pacífico (plan B1, 32) : Constitución 200.* ☎ 812-54-14. *En face de la pl. del Mariachi. Dim-jeu 7h-minuit ; ven-sam 24h/24.* Encore une grande cafétéria populaire, genre

hall de gare rétro avec banquettes en skaï. Carte très complète. Menu pas cher pour le midi et bonnes formules copieuses pour le petit déj, avec même un buffet le week-end. Le tout mené tambour battant par un service très efficace.

Où déguster une glace ou une pâtisserie ?

♥ *Tucky-Tucky (plan B1-2, 44) : Manuel José Othon 315. Tlj 9h-21h.* Le glacier incontournable de la ville. Plus d'une vingtaine de parfums aussi exotiques les uns que les autres et un grand choix de yaourts à déguster autour de la tranquille fontaine de la plaza del Carmen. Très familial.

♥ ☕ *Chaires (plan A1, 45) : au nord de*

la plaza de Armas. Tlj 8h-22h. Dans une belle salle à arcades ouverte sur la plaza de Armas. Pâtissier-glacier rétro, aux vitrines de bois patiné garnies de gros gâteaux crémeux. À déguster accompagnés d'un bon café noir (ça change du jus de santiags...), posé sur une chaise en fer forgé.

Où boire un verre ?

♟ *El Rincón de San Francisco (plan A2, 40) : callejón de Lozada 1.* ☎ 812-45-08. *Tlj sf dim 13h-minuit.* Dans la ruelle qui longe l'église San Francisco, le quartier branché en soirée. Petit bar chaleureux au rez-de-chaussée, et superbe resto en terrasse où il est bien agréable de boire un verre le soir (voir « Où manger ? »). Harmonie, calme et volupté face à l'église San Francisco si joliment éclairée. Bon choix de cocktails, *ron,* vodkas... De quoi étancher toutes les soifs.

♟ *Luna Café (plan A2, 41) : Universidad 155.* ☎ 812-44-14. *Tlj 17h-minuit.* Un bar-salon de thé très prisé de la jeunesse de San Luis. On profite des salles intimes et joliment décorées pour conter fleurette au-dessus des pâtisseries maison, en sirotant un café *especial* (une vingtaine au choix, avec du chocolat, de la glace vanille...) ou un cocktail fruité à base de tequila, le tout à petit prix. Les plus romantiques optent sans hésiter pour la terrasse sur le toit, avec superbe vue sur le dôme de l'église San Francisco.

♟ *Paredon (hors plan par A2, 42) :* Carranza 473. ☎ 812-55-55. *Tlj 14h-22h.* Une *cantina*-bar dédiée à Pancho Villa dont l'immense statue de plus de 5 m trône à l'entrée. Un repère de révolutionnaires assoiffés, où l'on peut

contempler d'innombrables photos de Francisco et de ses ouailles en action. Lumière tamisée, musique latino et un tel choix de tequila, *ron* et cocktails qu'il faudrait plusieurs jours pour les goûter tous... au risque de rater la révolution ! Ambiance jeune et sympa. Quelques encas mexicains pour accompagner le breuvage.

♟ *Ezgodi Bar Club (plan B2, 46) : Morelos 835.* ☎ 812-95-29. *Tlj jusqu'à minuit (21h dim).* On pousse les portes battantes façon saloon, on se cale au comptoir, face au miroir – faudrait pas se faire tirer dans le dos. Interdit de cracher par terre précise l'affichette, « pour l'hygiène ». Au plafond, des brasseurs d'air. Dans la salle, trop grande, des hommes surtout, d'abord méfiants puis accueillants. Quelques *borrachos,* peut-être. Dans le fond un juke-box diffuse de la musique locale. *Holà gringo, aquí es México.*

♟ *Villa Carmela (plan B1-2, 43) : Manuel José Othon 325.* ☎ 151-01-17. *Tlj jusqu'à 1h (2h ven-sam).* Belle terrasse sur le toit, donnant sur la plaza del Carmen joliment éclairée la nuit. Un lieu populaire, saoulé de *musica en vivo,* tous les jours de 13h à la fermeture. Marrant en soirée, mais pas idéal pour susurrer des mots doux à l'oreille, à moins d'hurler plus fort que le synthé.

Salle avec baie vitrée à l'étage inférieur, bien pratique quand ça fraîchit. On peut aussi y manger.

🍷 Voir aussi le bar à l'étage du resto *El Bocolito* (lire ci-dessus « Où manger ? »).

Achats

🛍 *Mercado Hidalgo* (plan A1, 50) : un quartier populaire et animé, avec ses rues piétonnes (la calle Hidalgo notamment) jalonnées de commerces et de boutiques de fringues. À l'intérieur du marché couvert, stands de souvenirs (babioles, sacs, jouets en bois) parmi quelques primeurs, bouchers et poissonniers. À l'étage, dans les coursives, se sont installés les traditionnels *comedores* (voir « Où manger ? »).

🛍 *Casa Grande* (plan A2, 51) : Universidad 220. À deux pas de la pl. San Francisco. Ouv tlj 9h-21h. Belle vitrine de l'artisanat traditionnel de Potosí. Beaucoup de choix : poteries, objets, cuir, tissus, produits bio (café, miel, liqueurs)... Le lieu est agréable, avec ses différentes salles dispersées autour d'un patio. Un bon plan pour faire le plein de souvenirs intelligemment, car l'argent est reversé directement aux artisans.

🛍 *Boutique Fonart* (plan B2, 52) : Morelos 1055. Derrière l'église San Agustín. Lun-ven 9h-14h, 16h-19h ; sam 10h-17h. Magasin gouvernemental d'artisanat. Belles pièces de toutes régions (Chihuahua, Puebla, Oaxaca, Chiapas...) et quelques productions locales. Un peu cher.

À voir

➤ On peut suivre une visite commentée du centre historique dans un *train touristique*. Départs en face de la cathédrale. 6 tours/j. 10h-19h, et un tour supplémentaire ven-dim à 20h30. Compter 45 mn de circuit et 50 $Me/pers (3 €) ; réduc.

🎥 *Plaza de Armas* (plan A1-2) : également appelée *jardín Hidalgo*. Vaste place aux belles proportions, toute de pierre rose et ocre vêtue. En fin de journée, les teintes sont superbes. La cathédrale et le palais municipal font face au *palacio de Gobierno*. De style néoclassique, ce dernier a été érigé en 1770.

🎥 *Catedral* (plan A-B2) : construite en pierre rose à la fin du XVIIe s, c'est l'une des plus belles églises baroques de la région. À l'intérieur, de grandes voûtes gothiques couvertes de dorures soutiennent un magnifique plafond peint en bleu qui diffuse une lumière subtile. À l'entrée, belles statues de style réaliste du roi Saint Louis et de saint Sébastien. D'autres sculptures intéressantes le long des deux travées, notamment un *christ penseur*. Belle coupole au-dessus du chœur. Petit musée d'Art sacré *(tlj sf mer 10h-14h, 16h30-20h)*.

🎥 *Templo del Carmen* (plan B1-2) : sur la pl. du même nom. L'église, de facture indigène comme disent les spécialistes, présente une façade churrigueresque du XVIIIe s incroyablement chargée et percée d'un magnifique vitrail. L'intérieur est particulièrement original, regroupant deux retables de styles différents, dont un naïf assez extraordinaire peint en blanc et beige, où dansent des angelots colorés dans toutes sortes de postures saugrenues ! Au fond à gauche, superbe chapelle baroque.

🎥 *Museo nacional del Virreinato* (plan B2) : dans l'ancien couvent accolé au Templo del Carmen. Mar-ven 10h-19h ; sam 10h-17h ; dim 11h-17h. Entrée : 15 $Me (0,90 €) ; réduc. Le bâtiment, superbement restauré, abrite un joli patio arboré orné de belles colonnades. Au rez-de-chaussée, peintures du XVIIIe s représentant les saints et les archanges. À l'étage, intéressante collection d'objets en fer forgé (clés, éperons, etc.) et quelques porcelaines. Ne pas manquer la salle des portraits des 12 apôtres aux étranges regards orientés hors cadre, peints par José de Ibarra au XVIIIᵉ s. À voir également, des peintures de la période « novohispana », en pleine évangélisation du Mexique, avec des normes picturales définies par le concile de Trente (1545-1563). Puis des sculptures religieuses polychromes, dont un étonnant *Niño Jesús* et un *Ecce Homo* représentent un christ sanguinolent à l'air dépité.

🍴 Juste à droite de l'église, sur la plaza del Carmen, s'élève le *teatro de La Paz (plan B2),* construit au début du XXᵉ s dans un style néoclassique. Les théâtreux hispanophiles assisteront à une représentation (places pas chères) ; les autres prendront un verre au *Café del Teatro,* très agréable.

🍴 *Plaza del Mariachi (plan B1) :* vision assez insolite en fin de journée : des dizaines de musiciens costumés en mariachis battent le pavé, attendant d'être embauchés pour animer une soirée.

🍴 *Templo San Augustín (plan B2) :* bâti au XVIIᵉ s dans un style baroque par les moines augustins pour y loger leurs missionnaires, il fut rénové au XIXᵉ s à la manière néoclassique. Il se distingue par son superbe clocher sculpté aux penchants churrigueresques. Le parvis est planté de quelques arbres et creusé d'une fontaine.

🍴🍴 *Templo de San Francisco (plan A2) :* sur la place du même nom, superbe, avec sa grande fontaine au centre, de nombreux arbres pour flâner à l'ombre et de beaux bâtiments coloniaux tout autour, le tout délicatement mis en valeur la nuit tombée. Belle coupole recouverte d'azulejos et façade baroque datant de la fin du XVIIᵉ s. À l'intérieur, un magnifique plafond peint d'un bleu divin et de nombreux tableaux baroques (Cabrera, Antonio de Torres...). Sur la gauche du Templo, mignonne petite église presbytérienne bâtie au XIXᵉ s.

🍴🍴🍴 *Museo regional Potosino (plan A2) :* pl. de Aranzazu ; derrière l'église San Francisco. ☎ 814-35-72. Mar-dim 10h-19h (17h dim). Entrée : 35 $Me (2,10 €) ; gratuit moins de 13 ans.
Dans un ancien couvent franciscain fondé en 1590. Musée consacré aux civilisations préhispaniques. Scénographie soignée dans de vastes salles voûtées. Belles sculptures, poteries, céramiques et objets artisanaux des peuples mayas, aztèques, zapotèques, huastecos et autres peuples méso-américains... Une autre salle est dédiée à la révolution constitutionnelle de 1913 avec tableaux des principaux protagonistes, photos et objets divers.
Il faut absolument monter au 1ᵉʳ étage pour admirer la *chapelle Aranzazu.* Un chef-d'œuvre de l'art churrigueresque. Construite en 1590, elle était réservée à l'usage personnel des franciscains. Vraiment surprenante avec ses ornements de stuc peints en rose et turquoise, soulignés de dorures. Au fond à gauche, quelques tableaux d'art sacré, ainsi qu'un incroyable christ du XVIIIᵉ s, dont la structure en bois est couverte de pâte de maïs et de stuc, puis peinte, lui donnant presque l'aspect du bois. Au passage, on notera les trois énormes coffres-forts en fer à l'astucieuse fermeture, qui servaient à stocker l'or des mines environnantes.

🍴 *Museo-casa Manuel José Othon (plan B2) :* Manuel José Othon 225. ☎ 812-74-12. Mar-sam 10h-18h ; dim 10h-14h. Entrée : 5 $Me (0,30 €). La maison natale de Manuel José Othon (qui ?), poète et dramaturge potosinien (ahhh...) né en 1858. Avocat de profession, il consacra sa vie aux lettres et accéda au panthéon des poètes avec son *Himno de los Bosques* et ses *Poemas Rústicos.* Belle demeure, bien qu'assez austère, organisée autour de deux petits patios. Les pièces, toutes meublées, ont la particularité de ne pas être reliées entre elles, la cuisine et la salle de bains étant même reléguées au fond de la deuxième courette. Quelques tableaux et photos de l'artiste à la petite moustache retroussée.

🍴 *Museo Federico Silva :* Obregón 80, face au jardin de San Juan de Dios. ☎ 812-38-48. ● museofedericosilva.org ● Lun et mer-sam 10h-18h ; dim 10h-14h. Fermé mar. Entrée : 30 $Me (1,80 €). Droit photo 5 $Me (0,30 €). Musée d'Art contemporain installé dans l'ancien hôpital et couvent de l'église Juan de Dios, devenu école au siècle dernier. Belles sculptures monolithiques de Federico Silva et d'intéressantes expositions temporaires de sculpteurs contemporains de renommée internationale. Librairie d'art.

🍴 S'ils sont ouverts, on pourra enfin jeter un œil au *Museo de la Cultura potosina* (*plan A1*) qui retrace modestement l'histoire de la région ; au *Museo nacional de la Máscara* (*plan B2*) avec sa collection de masques préhispaniques ; et au *Museo del Ferrocarril* (*plan B1*) où il est, bien sûr question de trains. Pour souffler un peu après toutes ses visites, direction le *grand parc Alameda* (*plan B1-2*), toujours très fréquenté.

Fêtes et festivals

– *Festival del Café potosino* : *pdt 3 j. le dernier w-e de janv.* Animations, dégustation et vente de café des producteurs locaux.
– *Muestra internacional de Cine* : *vers la 2ᵈᵉ quinzaine de fév. Rens auprès du* Secretaría de Cultura, *jardín Guerrero 6.* ☎ *812-90-14 ou 55-50. Billet : 38 $Me (2,30 €).* La 70ᵉ édition en 2010 ! Intéressante programmation de films espagnols, italiens, chinois, français...
– *Festival de Arte* : *fin mars-début avr, pdt 2 sem.* Riche programme : concerts de musique classique, spectacles de danse, expos d'art contemporain, cinéma, etc. Concerts symphoniques gratuits sur les plazas de Armas et de los Fundadores.
– Si vous avez la chance de vous trouver là pour la *Semaine sainte* et en particulier le *Vendredi saint*, vous assisterez à la procession du silence, un événement impressionnant où des milliers de figurants, vêtus de longues robes macabres, défilent dans les rues en portant des scènes reconstituées de la vie du Christ. Pour suivre ce spectacle incroyable dans des conditions confortables (sur des chaises installées sur le trottoir), se renseigner dans les grands hôtels du centre ou à l'office de tourisme. Durant toute la semaine, spectacles, concerts et animations dans le centre historique.
– *Feria nacional potosina* : *pdt 3 sem en août.* Au sud de la ville, un vaste espace consacré au commerce, à l'agriculture et au tourisme de l'État de San Luis. Nombreuses animations, notamment d'importants combats de coqs, et gigantesque fête foraine.
– *Fiesta de San Luis :* *le 25 août.* Pour clore la *feria.* Très populaire, elle célèbre le saint patron de la ville, roi de France. Au programme, parades de chars, musique, danses folkloriques et feux d'artifice.
– *Festival international de danse contemporaine « Lila López »* : *chaque année en oct.* Spectacles de danse par des compagnies mexicaines et étrangères. Nombreuses représentations au théâtre de La Paz.

ZACATECAS
108 000 hab.   IND. TÉL. : 492

◎ Isolé au milieu d'un paysage aride et rocailleux, Zacatecas, petit joyau de l'architecture coloniale, se cache parmi les collines désertiques, à 2 500 m d'altitude. Si les Espagnols ont bravé les éléments pour venir s'installer ici à la fin du XVIᵉ s, c'est que le sous-sol regorge d'argent, et, depuis très longtemps, les mines ont assuré la prospérité de la ville et de ses habitants. Amoureux d'histoire et d'architecture coloniale, prenez donc le temps de visiter cette jolie ville inscrite au Patrimoine mondial de l'Unesco. Le tracé des ruelles pentues suit gaiement les ondulations du terrain, découvrant au fil de la balade escaliers, petites places arborées, squares et recoins pleins de charme... La pierre rose des édifices se détache sur le ciel bleu, les petites maisons colorées grimpent à l'assaut des collines, le nom des enseignes se peint sur les murs des boutiques. Le soir, de superbes éclairages mettent en valeur les monuments historiques et ajoutent à la ville une note théâtrale et romantique. Seule ombre au tableau, la circulation intense sur les deux axes principaux engorgés en permanence par les 4x4 roulant au pas.

Enfin, vivante et populaire, Zacatecas n'est pas une ville-musée figée dans l'histoire. Elle a aussi une vie culturelle très dynamique, avec des musées de qualité, un théâtre, un cinéma d'art et d'essai (parfois des films français), des conférences, des concerts... Quant à l'atmosphère (fraîche le soir en hiver), elle est réchauffée par la forte densité d'étudiants (la moitié de la population), qui envahissent un grand nombre de bars et de discos ouverts en semaine, dès la nuit tombée. Chaque fin de semaine, la ville est animée par les musiciens-troubadours, qui entraînent la foule sur des airs traditionnels.

UN PEU D'HISTOIRE

« De l'argent ! » Attirée par les rumeurs, la petite expédition menée par Juan de Tolosa arrive dans cette région inhospitalière en 1546. Celle-ci est déjà habitée depuis bien longtemps par des tribus nomades chichimèques, les Zacatecos, qui s'opposent farouchement aux conquistadors. Mais

LE DANGER DE LA CIGARETTE

Le ranch familial du gouverneur de Zacatecas (6 000 ha quand même !) ne servait pas seulement au repos dominical. On y a découvert plus de 14 t de marijuana !

la découverte des filons d'argent attire de plus en plus d'Espagnols. Le développement urbain s'accélère, au point que Zacatecas devient, au cours du XVIᵉ s, la deuxième ville la plus peuplée du Nouveau Monde après Mexico. Et les ordres religieux d'accourir, faisant de Zacatecas le point de départ de l'évangélisation du nord du pays. Au XVIIIᵉ s, la ville connaît son apogée économique. Elle produit alors 20 % de l'argent de la Nouvelle-Espagne. À cette époque, les riches exploitants miniers rivalisent d'orgueil en faisant construire d'imposantes demeures coloniales, et de nombreux édifices publics sont bâtis : églises, couvents, collèges, hôpitaux... Après la révolution mexicaine, l'exploitation des mines reprend. Aujourd'hui encore, la région reste le premier producteur d'argent du pays (sur les villes argentifères, voir aussi Real de Catorce, Guanajuato et Taxco).

Arriver – Quitter

En bus

Consulter la liste et les coordonnées des principales compagnies dans la rubrique « Transports » du chapitre « Mexique utile ».

▸ *La gare routière (hors plan par A3, 1)* est située à l'extérieur de la ville, à env 3 km du centre en direction de Fresnillo. Bus fréquents depuis le centre-ville, qui passent dans la rue Gonzalez Ortega. Prendre un bus Ruta 8 de couleur orange (30-35 mn). En taxi, compter 35-40 $Me (2,10-2,40 €) et 15 mn de trajet. Attention, beaucoup de bus sont *de paso,* ce qui veut dire qu'ils ne sont pas au départ de Zacatecas et s'arrêtent uniquement s'il reste des places. Si vous voulez réserver votre billet à l'avance, il faut donc prendre un bus au départ de Zacatecas, malheureusement peu nombreux. Consigne à bagages et distributeur de billets sur place.

➤ *Pour/de Guadalajara :* en 1ʳᵉ classe, bus *de paso* ttes les 2h, 2h30-23h, avec *Transportes Chihuahuenses/Futura ;* avec *Omnibus de México,* bus ttes les heures 24h/24. Plusieurs bus avec *ETN* également. Nombreux bus en 2ᵉ classe avec *Estrella Blanca.* Trajet : 5h.

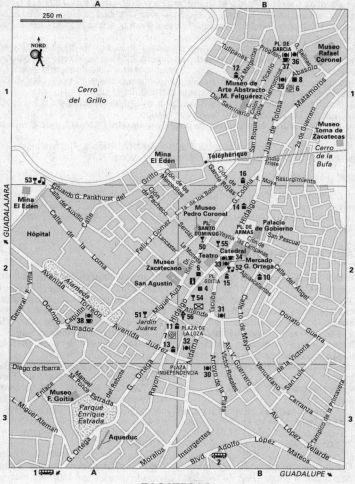

ZACATECAS

■ **Adresses utiles**

B Office de tourisme
🚌 1 Gare routière
🚌 2 Bus pour Guadalupe
4 Banque Santander
5 Agence de voyages
Jema
@ 6 Cyber Adventure
@ 7 Café Internet
8 Laverie

🏠 **Où dormir ?**

10 Hostel Villa Colonial
11 Hostal del Río
12 Hostal Las Margaritas

13 Hotel Condesa
14 Casa Santa Lucía
15 Hostal Reyna Soledad
16 Hotel Mesón de la
Concepción

🍽 **Où manger ?**

30 Mercado Arroyo
de la Plata
31 Gorditas Doña Julia
32 Mercado Codina
33 La Cantera Musical
34 Acrópolis
35 Viva México
36 Los Dorados de Villa
37 Taquería Wendy

38 El Recoveco

🍷☕ **Où boire un café ?**
Où manger une glace ?

55 El Rincón Zapatista
56 Paleteria Neveria

🍷♪♫ **Où boire un verre ?**
Où sortir ?

50 Los Adobes
51 Bistro
52 Mandalai et Gaudi
Destileria
53 Club La Mina
54 Rimini

➢ *Pour/de San Luis Potosí et Querétaro :* env 4 départs/j. avec *Futura* ; 8 bus/j. avec *Chihuahuenses* ; 12 bus/j. 1h30-23h30 avec *Omnibus de México*. Avec *ETN*, départ à 15h pour Querétaro slt. En 2ᵉ classe, env 8 bus avec *Estrella Blanca*. Trajet : respectivement 3 et 7h.

➢ *Pour/de Mexico (terminal Norte) :* départs à 5h30, 8h, 10h30 et 15h30 avec arrêts à San Luis Potosí et Querétaro, puis direct à 22h45 avec *Futura Plus* ; 8 bus/j. avec arrêts aussi, 8h-minuit env, avec *Chihuahuenses*. Plusieurs départs avec *ETN* également. En 2ᵉ classe, env 8 bus/j. avec *Chihuahuenses* et 10 bus/j. 5h30-0h30 avec *Omnibus de México*, plus un direct à 21h50. Trajet : 8h.

➢ *Pour/de Morelia :* départs à 8h15 et 23h avec *Chihuahuenses* ; et 5 bus/j. 2h30, 8h, 12h, 12h05 et 0h30 avec *Omnibus de México*.

➢ *Pour/de León (correspondance pour Guanajuato) :* 12 bus/j. avec *Omnibus de México*.

➢ Quelques bus pour *Chihuahua, Puerto Vallarta, Puebla, Tijuana* avec *Chihuahuenses,* pour *Aguacalientes* et *Monterrey* avec *ETN*.

En avion

✈ *L'aéroport* est situé à 30 km au nord de la ville. ☎ 925-08-63 ou 03-38. *Pour s'y rendre en taxi, compter env 25 mn de trajet et 220 $Me (13,30 €) la course.*

➢ Vols quotidiens de et pour *Mexico,* avec Aeromar et Aeroméxico ; vols pour *Tijuana* avec *Volaris*.

Adresses utiles

🛈 *Office de tourisme (plan B2) :* Hidalgo 401. ☎ 924-40-47 ou 01-800-112-40-78 (nº gratuit). ● turismozacate cas.gob.mx ● Lun-ven 9h-21h ; dim 9h30-17h. Très compétent. Plan de la ville et intéressante documentation sur les monuments et musées. Demandez l'*agenda cultural*, qui indique les expos et les événements culturels du moment (gratuit).

✉ *Poste (plan B2) :* Allende 111. Lun-sam 8h-16h.

@ Plusieurs **centres Internet** dans le centre-ville dont un au fond d'une maison de la presse, Hidalgo 114 (plan A2, **7**). Lun-sam 9h30-20h. Un autre callejón El Santero (plan B2). Un 3ᵉ enfin, *Cyber Adventure* (plan B1, **6**), est situé calle Juan de Tolosa 1222. Tlj 11h-22h. Et s'il est plein, son voisin aussi est connecté.

■ *Banque Santander (plan B2, **4**) :* Hidalgo 114. Fait le change. Son distributeur accepte *Visa* et *Mastercard* et est accessible 24h/24. Distributeurs de billets dans les banques *Banorte* (Hidalgo 209) et *Banamex* en face.

■ *Laverie (plan B1, **8**) :* calle Abasolo. Lun-sam 10h-20h (18h sam).

■ *Agence de voyages Jema (plan B2, **5**) :* Hidalgo 411. ☎ 924-24-47. Lun-ven 10h-19h ; sam 10h-14h. Vente de billets de bus et d'avion pour toutes les compagnies. Organise des excursions de 4h dans le centre-ville, à Guadalupe ou à la Quemada *(compter env 250 $Me, soit 15 €).*

⚕ On compte de nombreuses *boutiques d'artisanat* dans le centre historique. Un peu attrape-touristes, mais on pourra toujours y dénicher une babiole pour mamie.

Où dormir ?

Attention, les tarifs font un bond à Noël, à Pâques et au milieu de l'été. En basse saison, on peut négocier à la baisse.

De très bon marché à bon marché (moins de 400 $Me, soit 24 €)

🛏 *Hostel Villa Colonial (plan B2, **10**) :* Primero de Mayo et callejón Mono | Prieto. ☎ 922-19-80. ● hostalvillacolo nial@hotmail.com ● hihostels.com ● CB *acceptées. Internet.* Appartient au réseau *Hostelling International.* Dans une jolie maison coloniale pleine de coins et recoins, tenue par Ernesto Lozano et ses 2 fils. Accueil très chaleureux et ambiance conviviale, presque communautaire ; ici, on est comme chez soi. Petits dortoirs de 4-5 lits, lumineux, sympas et bien conçus (avec *lockers*). Et petites chambres avec ou sans salle de bains et fenêtre. Salon confortable sur la mezzanine, TV et DVD, coin-lessive, 2 cuisines collectives bien aménagées, bouquins (en anglais ou espagnol) en libre-service. Sur le toit, grande terrasse avec une vue superbe sur la cathédrale et les collines environnantes. Une excellente adresse. Un bémol : les résas en direct par Internet ne sont pas toujours respectées.

🛏 *Hostal Las Margaritas (plan B1, 12) : calle 2^{nda} de las Margaritas.* ☎ 925-17-11. ● *lasmargaritashostal.com.mx* ● *Wifi.* Légèrement à l'écart du centre, une AJ tout en hauteur, plus défraîchie mais plus tranquille que le *Villa Colonial.* Au choix, des petits dortoirs de 4 ou des chambres privées, tous avec salles de bains communes propres. Au sous-sol, salon sympa avec billard et, sur le toit, grande terrasse et cuisine pour se faire sa popote en admirant la superbe vue sur la ville. Accueil plein de chaleur et sans chichis. Une bonne adresse, conviviale.

🛏 *Hostal del Río (plan A2, 11) : Hidalgo 116.* ☎ 924-00-35 et 922-78-33. ● *ana_mapago@hotmail.com* ● Un drôle de petit hôtel familial, niché dans une maison à l'architecture originale datant de 1837. L'entrée se situe au fond du couloir. Les chambres sont bien tenues et rénovées pour la plupart, avec salle de bains impeccable. Seules celles de l'étage (plus grandes et un peu plus chères) ont une fenêtre donnant sur la rue ou sur l'arrière. Les doubles standard sont au sous-sol, accessibles par un couloir aux voûtes de pierre. Jolie vue sur les toits de la ville depuis les coursives et la terrasse informelle du dernier étage. Accueil et atmosphère tranquilles et agréables.

De prix moyens à plus chic (400-1 000 $Me, soit 24-60 €)

🛏 *Hotel Mesón de la Concepción (plan B1, 16) : Genaro Codina 717.* ☎ 147-03-12. ● *hmdc_zac@hotmail.com* ● Un hôtel un peu fou, un feu d'artifice de tableaux, de couleurs, un labyrinthe de couloirs, de courettes, de terrasses jusqu'à atteindre celle, gigantesque, s'étendant sur toute la longueur du toit. De là bien sûr, superbe vue sur la ville. Les chambres enfin – on est tout de même là pour ça – sont spacieuses, bien tenues et confortables, avec TV. N'hésitez pas à en voir plusieurs, toutes sont différentes. Et, pour ne rien gâcher, l'accueil est charmant.

🛏 *Hotel Condesa (plan A2, 13) : Juárez 102.* ☎ 922-11-60 ou 11-84. ● *hotelcondesa.com.mx* ● *Wifi.* Bâtiment de 3 étages en bordure du centre historique. Les chambres, modernes, propres et confortables, ne sont pas bien grandes mais pimpantes. Certaines possèdent un petit balcon donnant sur la rue, d'autres ont vue sur la cathédrale. Bar et resto. Accueil charmant.

🛏 *Casa Santa Lucía (plan B2, 14) : Hidalgo 717.* ☎ 924-49-00 à 03. ● *hotel casasantalucia.com* ● *Rabais importants hors saison. Petit déj inclus.* Hôtel de charme très bien situé, presque en face de la plaza de Armas. Une vieille demeure à l'architecture labyrinthique, disposant d'une vingtaine de vastes chambres confortables, meublées d'armoires multicolores et de tableaux du XVIIe s. Certaines donnent sur le grand patio en vieille pierre, d'autres sur le *zócalo.* Accueil poli et cordial.

🛏 *Hostal Reyna Soledad (plan B2, 15) : calle Tacuba 170.* ☎ 922-07-90. ● *hostalreynasoledad.com.mx* ● *Rabais importants hors saison. Parking. Wifi.* Dans une bâtisse ancienne, un hôtel récent aux installations modernes, aménagé dans le style colonial : terre cuite au sol, meubles en bois patiné, fer forgé et plein de plantes. Bref, un lieu coloré et chaleureux. Grandes chambres coquettes et cosy, aux meubles rustiques, avec superbe salle de bains et TV câblée. Demandez-en une qui donne sur le patio ou sur le balcon du 1er étage. Tranquille. Bon accueil.

Où manger ? Où prendre le petit déj ?

Bon marché (moins de 80 $Me, soit 4,80 €)

|●| *Mercado Arroyo de la Plata et mercado Codina* (plan B3, 30, et B2, 32) : 2 marchés couverts, reliés l'un à l'autre par une série de ruelles surchargées de boutiques et d'étals posés à même la rue. Un souk version mexicaine, populaire, bouillonnant, avec une foultitude de gargotes où manger pas cher. Dans l'enceinte du *mercado Arroyo de Plata* se sont installés de nombreux petits *comedores* où dévorer tacos, *enchiladas,* etc. La nourriture est moins variée au *mercado Codina,* mais les étals de fruits et de légumes (notamment le nopal) valent le coup d'œil. Plusieurs stands proposant jus de fruits frais et *vitaminas.* En face du *mercado,* sur le *callejón del Trafico,* une petite cour abrite une poignée de *comedores.*

|●| *Gorditas Doña Julia* (plan B2, 31) : au n° 23 de la pl. avec la fontaine formée par Tacuba, Independencia et Guerrero. ☎ 923-79-55. Tlj 8h30-21h30. Les *gorditas* (« petites grosses ») sont de petites galettes épaisses de maïs à fourrer de la garniture de son goût. On coche son choix sur une fiche, puis on attend d'être servi, en observant du coin de l'œil les cuisinières pétrir la pâte à coups de petites claques. Les garnitures sont nombreuses, de la classique *picadillo* (à la viande hachée et aux oignons) à celles au poulet, au fromage, aux *frijoles,* aux œufs... Bon, pas cher (env 10 $Me l'unité) et populaire. Le succès aidant, une autre salle aussi colorée s'est ouverte dans l'avenue centrale (*Hidalgo 409*). Même goût et mêmes horaires.

|●| 🍴 *Taquería Wendy* (plan B1, 37) : *sur la mignonne plazuela de García.* ☎ 924-17-65. Tlj 10h-17h30 et 19h-minuit. Petite affaire familiale où déguster une savoureuse cuisine. Menu différent en fonction du repas : *quesadillas,* yaourt et jus de fruits pour le petit déj, plats du jour le midi ; enfin, une variété de tacos et de goûteuses soupes maison (*pozole, sopa azteca...*) pour le dîner. Atmosphère chaleureuse dans la salle au mobilier en fer forgé, joliment décorée de soleils en céramique. Le tout est servi copieusement, avec le sourire, et fait de cette adresse l'une des plus populaires du quartier.

|●| *Viva México* (plan B1, 35) : *Abasolo 1001.* Tlj 12h-23h. Dissimulé derrière ses rideaux grand-mère, un petit resto familial, propret, plein de couleurs évidemment, qui sert un bon choix de spécialités mexicaines bien tournées à déguster sur des tables en fer forgé. À la carte, *pozole,* tacos et rien de moins qu'un « *festival de las enchiladas* », avec plus d'une dizaine de façons de les assortir.

|●| 🍴 *El Recoveco* (plan A2, 38) : *av. Torreón 513.* ☎ 924-20-13. Tlj 8h30-19h. *Petit déj-buffet env 70 $Me ; buffet repas env 80 $Me.* Le cadre est certes banal, mais ce resto propose une bonne formule pour le *desayuno* et un buffet appétissant d'une trentaine de plats, servi à toute heure. La qualité et les prix restent très honnêtes. Sympa et populaire.

De prix moyens à chic (80-250 $Me, soit 4,80-15 €)

|●| 🍴 *Acrópolis* (plan B2, 34) : *à l'angle de Hidalgo et Rinconada de Catedral ; à côté du mercado G. Ortega.* ☎ 922-12-84. Tlj 8h-22h. Caféteria rétro, avec banquettes en cuir, sympa pour prendre le petit déj (copieux !) ou manger un petit plat mexicain. Grand choix de gâteaux et de glaces pour une pause gourmande dans la journée.

|●| *La Cantera Musical* (plan B2, 33) : *Tacuba 2 ; sous l'ancien mercado G. Ortega.* ☎ 922-88-28. Tlj 13h-22h (*minuit sam*). Dans les anciennes caves du marché, sous une voûte en pierre décorée d'amusants tableaux en relief. Bonne cuisine mexicaine traditionnelle préparée sous les yeux des clients. Très animé en fin de semaine, le lieu est prisé des étudiants. Prix raisonnables le midi, qui grimpent pour le dîner.

▮❙ *Los Dorados de Villa* (plan B1, *36*) : sur l'adorable plazuela de García 314. ☎ 922-57-22. Tlj 15h-1h. Ce superbe resto s'est choisi comme patronyme le surnom donné à l'armée du révolutionnaire Pancho Villa. La décoration, incroyablement riche, est elle aussi ins-pirée de la révolution mexicaine. Très bonne cuisine régionale, proposant entre autres la spécialité locale, le *pozole verde*, et de délicieuses *enchila-das*. La carte est au dos d'une repro-duction d'un journal de 1923 annon-çant la mort du légendaire voleur de bétail. Service impeccable dans de bel-les assiettes en céramique peinte. Fruit du succès, l'adresse est souvent bon-dée ; patienter ou réserver à l'avance. Certainement le meilleur resto de la ville.

Où manger une glace ? Où boire un café militant ?

♦ *Paleteria Neveria* (plan B2, *56*) : Hidalgo 202. Tlj 10h-22h. Grand glacier ouvert sur la rue, très populaire, tou-jours bondé. Faut dire qu'il s'est installé à deux pas du marché... Large choix de parfums glacés et autres sucreries.

♟ *El Rincón Zapatista* (plan B2, *55*) : callejón Santero. Lun-sam 10h-15h et 17h-20h. Petit café militant, engagé dans la diffusion des idées du mouve-ment révolutionnaire zapatiste du Chia-pas (lire le chapitre qui lui est consacré dans « Hommes, culture et environne-ment »). Vente de café bio du Chiapas, d'artisanat, de tee-shirts à l'effigie du Che, d'Emiliano Zapata et du subcom-mandante Marcos bien sûr. Expos, pro-jection de films... Tous les bénéfices sont reversés à la cause. Pour une pause altermondialiste, et à coup sûr passionnante si vous engagez la conversation avec les gérants.

Où boire un verre ? Où sortir ?

♟ *Los Adobes* (plan B2, *50*) : Hierro 409. Tlj 12h-22h (3h jeu-dim). ¡ Incre-íble ! Dans ce vaste patio colonial paré d'un bar élégant, on vous offre gratis et dès le premier verre un gargantuesque assortiment de 9 *botanas* (sortes de tapas). Rien que ça ! La carte des bois-sons, longue comme les deux bras, fournit de quoi faire glisser tout ça et, à partir de 120 $Me de consommation, c'est la *parillada* (viande grillée) qui est incluse dans le prix ! De quoi manger presque à l'œil.

♟ *Rimini* (plan B2, *54*) : Hidalgo 316. Tlj 16h-1h. Au sommet d'un escalier monumental, une grande salle nue, tar-tinée de rouge. Les étudiants friands de musique à la mode viennent y prendre un verre perchés sur un tabouret ou, mieux, calés à deux sur un balconnet jeté au-dessus de l'avenue Hidalgo. Les yeux dans les yeux, dominant l'artère principale de la ville...

♟ ♪ *Mandalai* (plan B2, *52*) : Tacuba 5 ; sous le mercado G. Ortega. ☎ 922-82-75. Jeu-sam 19h-1h. Juste à côté du resto *La Cantera Musical* (voir plus haut « Où manger ? ») ; la jeunesse festive passe généralement de l'un à l'autre pour finir la soirée en beauté. Bar *lounge modern style*, un lieu cosy et branché, à l'éclairage étudié. Canapé, mobilier design et musique... *lounge* bien sûr. Clientèle jeune et joli(e). Le voisin, *Gaudi Destileria* (☎ 922-14-33 ; tlj 20h-3h), joue les contrepoints. On passe du *lounge* au *trash*, avec musi-que techno, lumière vive et de sacrés loulous en soirée ! Billard. Groupes de rock *en vivo* le week-end. Chaude ambiance certains soirs.

♟ *Bistro* (plan A2, *51*) : Jardín Juárez 137. ☎ 924-23-70. Caché tt au fond de la petite pl. Mar-jeu et dim 16h-23h ; ven-sam 16h-1h30. Petit bar discret sur 2 niveaux, dans un angle au fond de la placette ombragée par des palmiers. Aquarium à tous les étages et ambiance jeune, branchouille, décontractée, baignée d'une lumière tamisée. Tabourets de bar en plexiglas au rez-de-chaussée, gros fauteuils et canapés à l'étage parmi des œuvres contemporaines exposées sur les murs.

🍷 🎵 *Club La Mina* (plan A1, 53) : à l'intérieur de la mine El Edén. ☎ 922-30-02. Jeu-sam 22h-3h env. Entrée chère : 115 $Me (7 €). Une idée plutôt originale, la discothèque a été aménagée à 300 m sous terre ! Pour une fois, les mineurs sont acceptés en boîte... Accès par un minitrain. Musique et mobilier new-age. Très couru mais un peu froid.

À voir. À faire

Le centre colonial de Zacatecas présente plusieurs visages. Populaire, il palpite dans sa partie basse autour des *mercados Arroyo de la Plata* et *Codina* et de la *plaza de la Loza* (plan B2-3. Lire aussi plus haut « Où manger ? »). Sa colonne vertébrale, *l'av. Hidalgo*, se révèle elle plus bourgeoise et commerçante, avant de rejoindre, dans la partie haute de la ville, un quartier plus tranquille. Mignon et résidentiel, populaire lui aussi, il rayonne autour de la charmante *plazuela de Garcia* (plan B1). De part et d'autre de cet axe sud-nord, édifices coloniaux puis petites maisons cubiques et colorées s'entassent à l'assaut des collines.

Au cœur du centre historique

➤ Possibilité de visiter le centre historique en **train touristique tranvía.** ☎ 924-87-79 et 📠 103-05-52. Départ av. Hidalgo, face à la pl. Goitia. Billets sur la place. Tlj, ttes les 30 mn, 10h-19h (20h30 sam-dim). Visite commentée en espagnol slt. Compter 40 $Me (2,40 €) ; réduc. Durée : 45 mn env. Autres parcours incluant le *Cerro de la Bufa*, la mine *El Eden* et *la capilla de Nápoles* à Guadalupe. *Départs 10h et 16h ; 120 $Me (7,20 €) ; réduc.*

🚶🚶🚶 *Catedral* (plan B2) : la façade principale, superbe, préchurrigueresque, en grès rose, est considérée comme l'un des chefs-d'œuvre du baroque mexicain. Sa construction s'est achevée en 1752. Elle est ornée de statues des 12 apôtres entourant le Christ ; Dieu est lui-même représenté au sommet, parmi les anges. Marie est en effigie juste au-dessus de l'impressionnante porte d'entrée. L'intérieur, pas toujours ouvert, est plus sobre, ni retable doré ni tableau.

🚶 *Palacio de Gobierno* (plan B2) : pl. de Armas 54. Ancienne demeure particulière du XVIIIᵉ s. Une très belle fresque murale peinte en 1970 par Antonio Rodríguez domine l'escalier central. Elle relate l'histoire de l'État de Zacatecas de la période préhispanique à un futur ultramoderne.

🚶 *Mercado González Ortega* (plan B2) : pl. Francisco Goitia ; près de la cathédrale. Un beau bâtiment de fer et de verre, bâti en 1890 dans un style néoclassique aux influences parisiennes. Il abrita pendant de longues années le grand marché couvert de Zacatecas. Depuis sa rénovation, on y trouve une galerie commerciale avec des boutiques luxueuses d'artisanat, de souvenirs et de vêtements de marque, ainsi que des restos et bars branchés au rez-de-chaussée. En face, le beau *Teatro Calderón,* datant de la fin du XIXᵉ s, programme des pièces de théâtre, des concerts et des films.

🚶🚶 *Templo Santo Domingo* (plan B2) : pl. Santo Domingo. Érigé par les jésuites au milieu du XVIIIᵉ s, ce temple à la belle et sobre façade baroque fut cédé aux prêtres dominicains en 1767. Le séminaire qui lui est accolé abrite aujourd'hui un superbe musée (lire ci-dessous), après avoir été confisqué par le gouvernement puis transformé en prison au début du XXᵉ s. L'intérieur du temple est particulièrement exubérant. Doté de plafonds peints, d'un impressionnant orgue rouge et d'un parquet qui grince préservé dans son état d'origine, il est enfin tapissé de sept retables de bois dorés et sculptés au style churrigueresque.

🎬🎬🎬 ***Museo Pedro Coronel*** *(plan B2)* : *pl. Santo Domingo.* ☎ *922-80-21. Tlj sf lun 10h-17h. Entrée : 30 $Me (1,80 €).* Artistes et collectionneurs éclairés, les frères Coronel, originaires de Zacatecas, ont rassemblé au cours de leur vie une collection de peintures et d'objets du monde entier assez incroyable. Ce musée, situé dans un ancien séminaire jésuite, présente ainsi toute une collection de peintures contemporaines (Picasso, Chagall, Kandinsky, Miró, Goya), des lithographies (Fernand Léger, Cocteau, Braque, Topor, Dalí), des dessins à l'érotisme exacerbé de Hans Bellmer, des estampes japonaises... Superbe collection de statuettes et céramiques précolombiennes, des antiquités romaines, grecques, égyptiennes, asiatiques, africaines... et mexicaines bien sûr. L'ensemble, bien mis en valeur, s'accompagne de nombreuses explications, sur le parcours des artistes exposés notamment. Au rez-de-chaussée, grande bibliothèque comprenant plus de 20 000 volumes du XVIᵉ au XXᵉ s, dont quelques ouvrages en français. Un musée d'une incroyable richesse ! Celui du second frère Coronel, Rafael, tout aussi passionnant, est consacré aux masques mexicains (lire plus bas).

🎬🎬 ***Museo Zacatecano*** *(plan A-B2)* : *Dr. Hierro 301.* ☎ *922-65-80. À côté de la casa de la Moneda. Tlj sf mar 10h-17h. Entrée : 20 $Me (1,20 €) ; réduc.* Superbe bâtiment colonial abritant un intéressant musée consacré à la culture locale et à l'art huichol. Pour commencer la visite, riche collection de retables populaires aux cadres colorés et peintures naïves représentant toute une pléiade de saints et martyrs et des scènes de la passion du Christ. L'essentiel du musée présente ensuite une belle collection d'artisanat huichol, peuple indigène de la région qui ne compterait plus qu'environ 20 000 représentants. La plupart auraient d'ailleurs émigré dans d'autres régions du Mexique. La collection rassemble des panneaux brodés de fils multicolores aux dessins psychédéliques, des objets, colliers, vêtements... Également une petite expo de photos évoquant la rencontre des explorateurs avec ce peuple méconnu, des scènes de leur vie quotidienne, la *fiesta del peyotl* et le pèlerinage vers la montagne sacrée (voir le chapitre en introduction de Real de Catorce).

🎬 ***Templo San Agustín*** *(plan A-B2)* : l'histoire de cette église construite au XVIIᵉ s n'est pas très catholique. Elle a été en grande partie détruite au XIXᵉ s, puis l'ensemble est devenu un hôtel (de passe, murmure-t-on ici) avant d'être reconverti en entrepôt. Finalement, le monastère a été racheté en 1904 par l'Église qui y a installé l'évêché, et une partie du temple abrite aujourd'hui un petit centre culturel proposant des expos temporaires. À l'extérieur, magnifique façade baroque exubérante.

🎬🎬🎬 ***Museo Rafael Coronel*** *(plan B1)* : *installé dans les ruines de l'ancien couvent San Francisco.* ☎ *922-81-16. Tlj sf mer 10h-17h. Entrée : 30 $Me (1,80 €).* L'endroit est sublime. Le musée occupe une partie de l'ex-*convento* en partie en ruine, érigé par les franciscains au XVIᵉ s pour évangéliser les peuples indigènes. Il présente une formidable collection de plus de 2 500 masques mexicains, exposés selon leur expression et leur utilisation rituelle ou festive. L'origine des masques mexicains remonte à l'époque préhispanique. Ils étaient destinés au sacerdoce, aux fêtes cérémonieuses ou à la guerre comme symbole distinctif des dieux que le porteur vénère. Lors des rites funéraires, on les utilisait pour cacher le visage du défunt, mais, dans la vie, ils servaient plus à se dévoiler qu'à se cacher et permettaient ainsi aux ethnies de se reconnaître. Lien entre le monde réel et spirituel, le masque offrait une identité divine et chassait les êtres maléfiques. Représentatifs d'un mythe, d'une légende, d'un personnage, les plus impressionnants sont ceux d'animaux, du diable et de la mort elle-même. Ils sont faits en bois, en peau, en papier mâché ou en cire, quelquefois garnis de pierres précieuses. La collection exposée ici est l'une des plus belles du pays.
Également une collection de marionnettes superbement mises en scène, de nombreux instruments de musique, des figurines indigènes de *Terracota* et une salle

consacrée aux peintures de Rafael Coronel (1949-1999) dont l'étrange *Mortaja*, indescriptible. Superbe jardin labyrinthique ponctué de ruines ; petite boutique et caféteria. Un musée à ne pas rater.

🦶🦶 ***Museo de Arte abstracto Manuel Felguérez*** *(plan B1)* : *Colón 1 ; à l'angle de Seminario.* ☎ 924-37-05. *Tlj sf mar 10h-17h. Entrée : 30 $Me (1,80 €) ; réduc.* Musée entièrement dédié à l'art abstrait. L'endroit est pour le moins original. Cet imposant édifice fut bâti au XIXᵉ s pour loger les séminaristes. Puis il servit de garnison, avant de devenir pendant de longues années la prison de Zacatecas ! Le musée présente les œuvres d'une centaine d'artistes (peintures, sculptures, photos retouchées...), dont celles de Manuel Felguérez lui-même. Ses spectaculaires *murales* très colorés, réalisés pour le pavillon du Mexique à la Foire mondiale d'Osaka de 1970, sont exposés sur quatre niveaux autour des passerelles de la prison restaurée. Quelques cellules et de vastes salles voûtées complètent ce musée aussi étonnant que les œuvres qu'il expose. Bonne librairie de livres d'art à l'entrée.

Autour du parque Enrique Estrada *(plan A3)*

🦶 ***Acueducto*** *(plan A3)* : *à côté du joli parc Enrique Estrada.* Un peu noyé au centre de plusieurs axes routiers, l'aqueduc fut construit à la fin du XVIIIᵉ s et alimenta la ville en eau jusqu'en 1910.

🦶 ***Museo Francisco Goitia*** *(plan A3)* : *General Enrique Estrada 102 ; face au parc du même nom.* ☎ 922-02-11. *Tlj sf lun 10h-17h. Entrée : 30 $Me (1,80 €).* Installé dans la somptueuse demeure à colonnades d'un ancien gouverneur, au cœur d'un jardin à la française, ce musée porte le nom d'un peintre célèbre né à Zacatecas, Francisco Goitia (1882-1960). Y est exposé son fameux *Tata Jet Society*, considéré comme l'une des grandes œuvres de la peinture mexicaine du XXᵉ s. À voir aussi, son superbe autoportrait. Quelques salles sont dédiées aux œuvres d'autres artistes de Zacatecas, dont Pedro Coronel (1923-1985) et Manuel Felguérez. Décidément, cette ville fut féconde en artistes !

Autour du Cerro de la Bufa

🦶 ***Mina El Edén*** *(plan A2)* : *il y a 2 entrées ; la 1ʳᵉ à Cerro del Grillo, près de la station du téléphérique ; pour atteindre l'autre (La Esperanza), suivre Juárez, puis Torreón le long du parc Alameda et tourner à droite après l'hôpital.* ☎ 922-30-02. ● minae leden.com ● *Tlj 10h-18h. Visite guidée ttes les 45 mn (en anglais sur résa). Entrée : 80 $Me (4,80 €) ; réduc enfants.* Prévoir une petite laine car la température n'excède pas les 12 °C. La mine fut exploitée de 1586 à 1960. Les mineurs, dont des enfants, y travaillaient dans des conditions abominables pour extraire de l'argent, mais aussi de l'or, du fer, du cuivre et du zinc. Aujourd'hui, quatre niveaux sont ouverts aux visiteurs sur les sept existants. On pénètre à l'intérieur par un petit train (sur un trajet de 500 m), puis on parcourt quelques galeries pour sortir de l'autre côté par un ascenseur (ou l'inverse). Au passage, quelques mannequins de mineurs en situation, des effets sonores pour être dans l'ambiance, une petite chapelle et une rivière souterraine. Une balade souterraine sans grande saveur : les galeries cimentées et trop propres permettent difficilement au visiteur de se rendre compte de ce qu'elles furent pendant leur activité. Sinon, on peut découvrir la mine de nuit en allant danser à la disco *La Mina* (voir « Où sortir ? »). Petit musée (et boutique !) de minerais.

🦶🦶 ***Le téléphérique*** *(plan B1)* : ☎ 922-56-94. *Pour rejoindre l'entrée, monter les marches du callejón García Rojas. Tlj 10h-18h, départs ttes les 10 mn sf quand il y a trop de vent. Prix aller : 30 $Me (1,80 €). Nocturne 19h-minuit jeu-sam : 40 $Me l'aller (2,40 €) ; réduc.* C'est l'attraction numéro un de Zacatecas ! Le téléphérique joint le *Cerro del Grillo* au *Cerro de la Bufa* (trajet de 650 m, à 85 m de hauteur). La vue est superbe. Pour aider à se repérer, le préposé fait office durant le trajet de table d'orientation vivante. *Propina* bienvenue. Bar chic à l'arrivée au *Cerro de la Bufa* (ouv 17h-minuit ; 13h-minuit en hte saison).

🏨🏨 *Cerro de la Bufa* *(plan B1) :* une imposante colline qui surplombe la ville, point d'arrivée du téléphérique. On peut aussi y monter à pied (ça grimpe dur !) ou par la route. Vue extraordinaire sur le centre historique. Sur l'esplanade, d'imposantes statues de bronze rendent hommage à Francisco Villa et à ses deux généraux vainqueurs de la bataille de Zacatecas, tous trois juchés sur leur destrier. Leurs biographies rappellent une fois de plus que les révolutionnaires finissent rarement leurs jours en pantoufles dans le jardin d'une maison de retraite. En face, la *capilla de la Virgen del Patrocinio,* charmante petite chapelle du XVIe s dédiée à la sainte patronne des mineurs, attire des milliers de pèlerins pendant la fête de la ville, début septembre. Petite restauration sur l'esplanade et boutiques de souvenirs. Enfin, pour les casse-cou, une tyrolienne.

🏨 *Museo Toma de Zacatecas (plan B1) :* sur l'esplanade au sommet du Cerro de la Bufa ; à côté de la chapelle. ☎ 922-80-66. Ouv tlj 10h-16h30. Entrée : 20 $Me (1,20 €) ; réduc. Dans un ancien hospice datant de 1830, petit musée commémorant la prise de Zacatecas en juin 1914 par Francisco Villa et ses généraux Felipe Ángeles et Pánfilo Natera, à la tête d'une armée de plus de 2 000 hommes. Cette bataille victorieuse ouvrit la voie vers Mexico. Costumes, armes lourdes, sabres et articles de journaux de l'époque retracent l'événement, qui s'acheva par la capitulation du président Victoriano Huerta.

Fêtes et festival

– *Callejoneadas :* jeu-sam à partir de 20h. Cette tradition existe depuis 1610. La foule suit gaiement des musiciens-troubadours à travers les rues de Zacatecas. Départ sur la place de l'Alameda *(plan A2),* sur la plazuela Francisco Goitia à côté du mercado G. Ortega *(plan B2),* ou sur la plaza de Armas *(plan B2).*
– *Festival culturel :* à Pâques pdt la Semaine sainte. Excellents concerts (des pointures de la musique latine comme le *Buena Vista Social Club* y sont passées), spectacles et théâtre sur les places publiques.
– *La Morisma de Bracho :* le dernier w-e d'août. Un événement très populaire qui, durant 3 jours, met en scène l'expulsion des Maures par l'Espagne catholique ; une tradition depuis plusieurs siècles. Étrange coutume... Servait-elle de défouloir dans l'attente de l'expulsion des Espagnols ? Pour les dates précises, consultez le site internet de la ville (voir plus haut « Adresses utiles. Office de tourisme »).
– *Feria nationale :* 1re quinzaine de sept. Nombreuses animations et une flopée de stands de produits et d'artisanat locaux.

➤ DANS LES ENVIRONS DE ZACATECAS

🏨🏨 *Museo de Guadalupe :* à Guadalupe (à 7 km de Zacatecas mais les 2 villes se touchent), sur le jardin Juárez. ☎ 923-20-89. Prendre un bus Transportes de Guadalupe à l'arrêt situé 627 bd López Mateos (plan B3, **2**), sous la passerelle piétonne. Ouv mar-dim 9h-18h. Fermé 1er janv et 25 déc. Entrée : 41 $Me (2,50 €) ; gratuit dim et pour les moins de 13 ans et plus de 60 ans. C'est en 1707 que commença la construction de ce superbe couvent franciscain. Il servait de collège pour préparer les missionnaires avant qu'ils ne partent essaimer le nord de la Nouvelle-Espagne. Il abrite aujourd'hui une riche et magnifique collection d'art religieux de l'époque coloniale. La plupart des tableaux, certains monumentaux, ont été conçus pour s'intégrer à l'édifice. Tous sont accompagnés d'un panneau détaillant sa composition, un vrai cours illustré de théologie. À l'époque, c'était d'ailleurs souvent la fonction de ces œuvres : enseigner par l'image la Bible aux fidèles. Ne pas man-

LES VILLES COLONIALES

quer non plus l'église en grès rouge, juste à côté, avec son plafond rose bonbon et surtout sa très belle et très dorée chapelle, la *capilla de Nápoles*. Au pied de l'église s'étend le *jardín Juárez*, une jolie place pavée encadrée de maisons basses, qui semble ne pas avoir bougé depuis le XIXᵉ s.

🚶🚶 **Sitio arqueológico de Chicomoztoc** (dit « La Quemada ») : à env 48 km au sud de Zacatecas en direction de Guadalajara. Prendre le bus Estrella Blanca au même endroit que pour Guadalupe (voir ci-dessus) ; passage ttes les 30 mn. Demandez qu'il vous laisse au panneau « Zona archeológica La Quemada ». Comptez

LES MARTYRS DU JAPON

Exposés au Museo de Guadalupe, une série de tableaux religieux évoquent l'épisode oublié des martyrs chrétiens… au Japon. Parti d'Acapulco pour évangéliser les Philippines, un navire espagnol s'échoua en 1596 sur les côtes de l'empire du Soleil Levant. Prenant les missionnaires pour l'avant-garde d'une prochaine invasion espagnole, l'empereur fit torturer en public et exhiber de village en village 26 jésuites, franciscains et convertis japonais, en guise d'avertissement à ses sujets tentés par le christianisme. Et Tagosama ne manquait pas de culture chrétienne. Pour les achever, il ordonna qu'on les crucifie puis les transperce d'une lance…

env 45 mn de trajet et 25 $Me (1,50 €). Il reste alors 2 km jusqu'au site. ☎ 922-21-84. Tlj 9h-17h. Entrée : 41 $Me (2,50 €) ; réduc. Droit vidéo : 35 $Me (2,10 €). Musée et film vidéo de 30 mn : tlj sf 1ᵉʳ janv 10h-16h (dernière vidéo à 15h) ; 10 $Me (0,60 €) ; explications en espagnol sous-titrées en anglais. Visite guidée possible. Préférer effectuer la visite le matin ou en fin de journée, et prévoir de l'eau et un sombrero ; sur place il n'y a pas d'ombre. De la route principale, il faut vraiment bien scruter les collines pour finir par deviner les remparts de cette ancienne cité chalchihuite qui épouse la forme et la couleur brune de l'une d'entre elles. Habitée à la période classique (surtout entre 400 et 900 de notre ère), elle fut détruite par un incendie, d'où son nom *La Quemada* (la brûlée). Une salle des colonnes, une pyramide tronquée, un jeu de pelote et bien d'autres vestiges bordent les voies dallées et les escaliers qui gravissent les différents niveaux de cette vaste cité fortifiée en pierre plate. Belle balade, un peu essoufflante vu l'altitude, à l'assaut des collines écrasées par le soleil. Vue époustouflante sur le paysage désertique alentour et le lac artificiel bordé de cactus géants. Intéressant petit musée organisé comme une maquette du site et présentant divers objets retrouvés sur les lieux. Pour le visiter il faut cependant payer à nouveau… Faudrait voir à pas pousser mémé dans les cactus !

Fête et festival

– **Feria San Marcos à Aguascalientes :** de mi-avr à mi-mai pdt 1 mois. À 120 km de Zacatecas en direction de Guanajuato, la ville sans charme d'Aguascalientes organise un important festival culturel doublé d'une fête très populaire qui attire chaque année, depuis 180 ans, près d'un million de spectateurs. Concerts gratuits, danses traditionnelles, expos, compétitions de rodéo, de lasso, corridas, combats de coqs et une immense fête foraine. Une sacrée ambiance et une véritable institution !

GUANAJUATO   70 800 hab.   IND. TÉL. : 473

✪ Imaginez une ville où tout serait serré, imbriqué, entrelacé, une folie au dessin labyrinthique ! Cette bizarrerie enchâssée dans plusieurs collines recèle des charmes qui se dévoilent peu à peu, dans des ruelles parfois si étroites qu'on peut s'y embrasser de balcon à balcon. Tout le centre historique (inscrit au Patrimoine mondial de l'Unesco) est piéton, et on prend plaisir à se perdre dans les *callejones* adjacents, allant de surprise en surprise, à la découverte de charmantes places arborées, de ravissantes fontaines, de balcons en fer forgé, de corniches sculptées. Ça, c'est pour la surface. Mais Guanajuato vit aussi sous terre. Cet ancien centre minier, le plus important au monde à l'époque coloniale, est un véritable gruyère dans lequel on circule à travers un dédale de rues souterraines. Si vous y pénétrez en voiture, préparez-vous à un vrai casse-tête pour arriver à bon port...

REBELLES, À EN PERDRE LA TÊTE

Après avoir exécuté à Chihuahua quatre leaders indépendantistes – Hidalgo, l'âme de l'insurrection, mais aussi Allende, Aldama et Jiménez –, les Espagnols les décapitèrent et abandonnèrent leurs corps sur place. Salées pour éviter qu'elles ne se décomposent, les têtes furent, elles, à titre d'exemple, exposées 10 ans durant dans des cages aux quatre coins du bâtiment de la Alhóndiga à Guanajuato. En 1823, après que l'indépendance fut acquise, on transporta têtes et corps à Mexico, où ils furent conservés dans la cathédrale. Et ce n'est qu'en 1925 qu'ils connurent leur sépulture définitive.

Outre son activité universitaire et culturelle, Guanajuato s'anime aussi le soir, quand les *callejoneadas* et les mariachis envahissent les rues de leur musique. Les monuments s'illuminent, les places et les marches des églises se remplissent de jeunes Mexicains et d'étudiants étrangers. Une atmosphère très festive et conviviale. La cité déborde ainsi de vie, de couleurs, de musique... et attire de nombreux touristes aussi. La ville accueille enfin en octobre le festival de théâtre le plus célèbre du pays, le *Cervantino,* un peu l'équivalent du Festival d'Avignon. En outre, Guanajuato s'est autoproclamée capitale de Cervantès, avec un superbe musée consacré à Don Quichotte, un théâtre et de belles statues disséminées dans le centre historique. Un dernier mot : n'oubliez pas que, à 2 000 m d'altitude, il fait frisquet en hiver et les nuits restent fraîches toute l'année.

Arriver – Quitter

En bus

🚌 *Le terminal* (hors plan par A1) se trouve à 8 km du centre. ☎ 733-14-40. Pour se rendre au centre-ville, prendre un bus urbain en face de la sortie indiquant « Mercado Hidalgo » (4 $Me, soit 0,25 €). Pour rejoindre le terminal, prendre le bus urbain qui indique « Central de autobuses » : arrêt devant le théâtre principal (plan C2) ou devant le mercado Hidalgo (plan A1). En taxi, compter 40 $Me (2,40 €). Pour certaines compagnies, on peut acheter ses billets en ville, à l'agence *Viajes Frausto* (voir « Adresses utiles »). Guanajuato n'est pas un nœud routier. Pour plus de fréquences et de destinations, prendre un bus pour León (compter 1h de trajet).

■ *Compagnies de 1ʳᵉ classe :* site internet et n° national gratuit des principales compagnies dans le chapitre « Mexique utile » rubrique « Transports. Le bus ».
■ *Compagnie de 2ᵉ classe : Flecha Amarilla.*

➢ *Depuis Mexico :* départ au terminal Norte ; voir « Quitter Mexico ».
➢ *Vers Mexico :* avec *Primera Plus,* 10 départs, 5h30-minuit. Avec *Futura,* 1 bus à 8h. Avec *ETN,* 8 départs, 8h30-18h30 (et 2 départs à 1h et 5h). Trajet : 5h. En 2ᵉ classe, changement à León.

LES VILLES COLONIALES

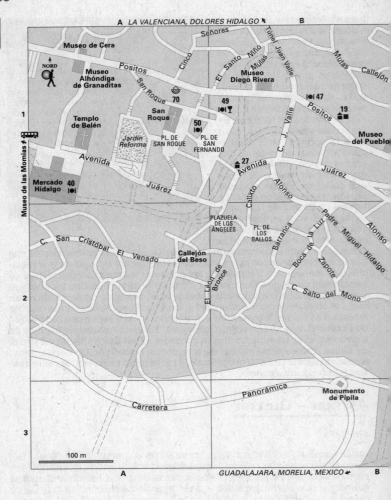

A LA VALENCIANA, DOLORES HIDALGO

B

Museo de Cera

Señores

Positos

Cinco

El Santo Niño

Túnel Juan Valle

Mulas

NORD

Museo
Alhóndiga
de Granaditas

San Roque

Museo
Diego Rivera

Mulas

Callejón

70

49

47

Positos

19

Templo
de Belén

San
Roque

50

Museo
del Pueblo

1

Jardín
Reforma

PL. DE
SAN ROQUE

PL. DE
SAN
FERNANDO

C. J. Valle

Museo de las Momias

Avenida

27

Avenida

Juárez

Juárez

Mercado
Hidalgo

40

Calixto

Alonso

Barranca

Padre Miguel Hidalgo

Alonso

C. San Cristóbal

El Venado

PLAZUELA
DE LOS
ÁNGELES

PL. DE
LOS
GALLOS

Boca de la Luz

Zapote

Callejón
del Beso

El León de
Bronce

C. Salto del Mono

2

Panorámica

Monumento
de Pípila

Carretera

3

100 m

A

GUADALAJARA, MORELIA, MEXICO

B

■ **Adresses utiles**

🛈 Office de tourisme
1 Tranvía turístico
  « El Quijote »
2 Funiculaire
@ 3 Internet
4 Banque Banamex
5 Vente de billets
  de bus
6, 7 et 19 Laveries
@ 44 El Tapiato

🛏 **Où dormir ?**

19 Hostal Casa del Angel
20 Casa Mexicana
21 La Casa del Tío
22 Hostel Santuario
23 Hostal Refugio-Bagel Cafetín
24 Casa de Pita
25 Posada Molino del Rey
26 Casa Bertha
27 Mesón del Rosario
28 Quinta de las Acacias
29 Hospedería del Truco 7

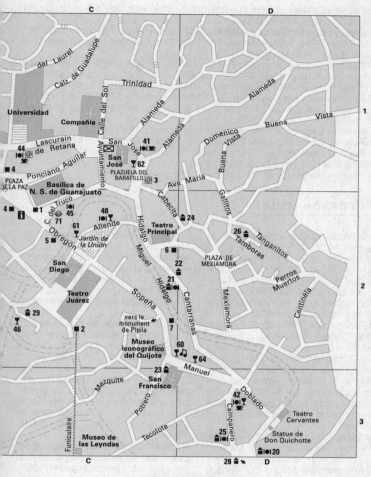

GUANAJUATO

➢ *Pour/de Dolores Hidalgo :* compter 1h de trajet avec *Flecha Amarilla*. Départ ttes les 25 mn env, 5h50-22h15.

➢ *Pour/de San Miguel de Allende :* avec *Flecha Amarilla*, 7 départs, 7h25-19h. Avec *Primera Plus*, 8 départs aussi, 8h-19h30. Avec *ETN*, départs à 13h, 15h15 et 19h15. Trajet : 1h30 sans arrêt.

➢ *Pour/de Guadalajara :* avec *Flecha Amarilla*, départs à 9h10 et 14h10. Avec *Primera Plus*, 10 départs, 8h40-1h30, plus 1 bus direct pour l'aéroport à 1h30. Avec *ETN*, 6 départs, 8h-19h15. Trajet : 4h en 1re classe et 6h30 en 2e classe.

➢ *Pour/de León :* ttes les 20 mn avec *Flecha Amarilla* 5h45-22h40. En 1re classe, 12 départs/j. 24h/24 avec *Primera Plus* ; et 6 bus/j., 8h-19h15, avec *ETN*. Trajet : 1h.

➢ *Pour/de Zacatecas :* 1 départ/j. avec *Omnibus de México*, à 21h. Trajet : 6h.

➢ *Pour/de Querétaro :* avec *Primera Plus*, 7 départs 8h-17h30. Trajet : 2h30.

➢ *Pour/de Morelia :* avec *Flecha Amarilla*, départ ttes les heures 9h15-17h. Avec *Primera Plus*, 1 bus slt à 7h50. Trajet : 3h30.

➢ *Pour/de Yuriria :* avec *Flecha Amarilla*, départs à 16h et 18h.

Adresses utiles

🛈 *Office de tourisme* (plan C2) : pl. de La Paz 14. ☎ 732-15-74, 76-22 ou 01-800-714-10-86. ● vamosaguanajuato.com ● Tlj 10h-17h. Peu de documentation ; on y trouve malgré tout une bonne carte de la ville. Plusieurs kiosques sur les places de la ville proposent plans et liste des logements.

■ *Funiculaire* (plan C2, *2*) : station située derrière le théâtre Juárez. Lun-ven 8h-21h50 ; sam 9h-21h50 ; dim 10h-20h50. Accès : 15 \$Me (0,90 €) l'aller ; gratuit moins de 4 ans. Avec 85 m de dénivelée, il permet d'accéder au *Pípila* dominant la ville. Parking dans la partie haute, bien utile pour venir visiter la ville sans passer par les souterrains !

✉ *Poste* (plan C1) : Ayuntamiento 25. Près de l'église Compañía. Lun-ven 8h30-17h ; sam 9h-13h.

@ *Internet* : un peu partout dans la ville dont 3 autour de la plazuela del Baratillo. L'un d'entre eux, *El Emporio* (plan C1, *3*), est ouv tlj 8h30-2h30. Autre adresse : *El Tapatio* (plan C1, *44*), accolé au resto du même nom, juste en face du grand escalier de l'université.

■ *Banques, change :* plusieurs agences aux abords de la pl. de La Paz (plan C1 et C2, *4*). La *Banamex* change les euros. Distributeurs de billets (*Visa* et *MasterCard*) dans toutes les banques.

■ *Vente de billets de bus* (plan C2, *5*) : à l'agence *Viajes Frausto,* calle Luis Obregón. Lun-ven 9h-14h, 16h30-20h ; sam 9h-14h. Très pratique, on peut y acheter ses billets à l'avance. Compagnies représentées : *ETN, Primera Plus, Omnibus de México*. Possibilité également de réserver des billets de bus au départ de Mexico vers le Sud et la côte pacifique, et des billets d'avion.

■ *Laveries : Lavandería Noguedea* (plan C-D2, *6*), subida Princípal. En bas des escaliers, à droite du teatro Principal. Tlj 10h-20h. Une autre dans la rue piétonne principale, Sopeña 26 (plan C2, *7*). Lun-ven 9h30-20h30 ; sam 9h30-16h. Une 3e calle Positos 17 (plan B1, *19*). Tlj 9h-23h30.

Où dormir ?

Les prix indiqués concernent la basse saison. Ils peuvent faire un bond en haute saison de 20 à 100 % : juillet et août, Noël et Semaine sainte, Festival Cervantino et week-ends prolongés. Réservation conseillée pendant ces périodes chargées. Attention, il est interdit de stationner en ville, et on est obligé de laisser son véhicule dans un des parkings *(11 \$Me/h, soit 0,70 €).*

De très bon marché à bon marché (moins de 4 000 $Me, soit 24 €)

🛏 *Casa Bertha* (plan D2, 26) : Tamboras 9. Fléché depuis la mignonne plaza de Mexiamora. ☎ 732-13-16. C'est par un dédale d'étroits *callejones* que l'on atteint cette adorable auberge à l'accueil tout sourire. Les chambres, simples mais propres et confortables, grimpent les unes sur les autres, reliées par des escaliers et passerelles de fer. On les choisit sans ou avec salle d'eau, voire cuisine. Au sommet de la bâtisse, le toit terrasse, avec cuisine commune et pergola, offre une vue exceptionnelle sur la ville et le *Pípila*, perché sur la colline d'en face. Un nid tranquille et à prix doux, dans un quartier plein de charme.

🛏 |●| *La Casa del Tío* (plan C2, 21) : Cantarranas 47. ☎ 733-97-28. ●lacasadeltio.hostel.com ● *Petit déj inclus. Wifi*. À l'étage d'un petit resto de sushis, une AJ de taille familiale aux dortoirs clairs et non mixtes, pouvant loger jusqu'à 8 personnes. Sanitaires communs très propres. Quelques doubles et quadruples également, sans salle de bains. TV, laverie, casiers et cuisine à disposition. Sur le toit, superbe terrasse toute rose, offrant une belle vue sur le centre historique. Bonne ambiance routarde.

🛏 *Hostal Casa del Angel* (plan B1, 19) : Positos 17, après le museo del Pueblo. ☎ 732-34-67. *Petit déj inclus. Wifi et Internet*. Dans une belle demeure coloniale, un *hostal* récent aux couleurs chaudes avec, à l'étage, un vaste dortoir et 2 chambres aux matelas tout neufs. Tous s'ouvrent sur un balcon. La chambre avec salle de bains est immense. Resto familial dans le patio et cuisine bien équipée à dispo. Salon TV et terrasse sur le toit. Laverie au rez-de-chaussée. Excellent accueil. Un lieu plein de charme, calme, bien tenu et très central.

🛏 *Hostel Santuario* (plan C-D2, 22) : Cantarranas 38, en face de La Casa del Tío. ☎ 732-07-93. Dans une maison coloniale. Dortoirs convenables de 5-10 personnes et chambres correctes mais sans charme particulier ; préférer celles avec lit *king size* et salle de bains, plus chères bien sûr mais bien plus vastes. L'ensemble est défraîchi mais encore bien tenu. Salon TV, cuisine. Grande terrasse sur le toit pour contempler la ville. Accueil aux petits soins. Resto en face pour se sustenter.

🛏 *Hostal Refugio-Bagel Cafetín* (plan C2-3, 23) : callejón de Potrero 2. Réception au café. ☎ 733-97-33. ● bagelcafetin.com ● Le long de l'église San Francisco, à l'arrière d'un café sympa pour le petit déj, une mini-auberge de jeunesse informelle, aménagée à la va-vite au-dessus d'une laverie. Au choix, 2 dortoirs (un par sexe), ou une grande chambre sympa pouvant loger jusqu'à 4 personnes, avec microondes, TV, frigo et mini-salle d'eau privée. Cuisine commune, casiers. L'ensemble, bien tenu, manque de cohérence mais peut dépanner pour pas cher. Accueil gentil.

De prix moyens à chic (400-800 $Me, soit 24-48 €)

🛏 |●| *Casa Mexicana* (plan D3, 20) : Sostenes Rocha 28. ☎ 732-05-59 ou 50-05. ● casamexicanaweb.com ● Internet. Chambres sur plusieurs étages, autour d'un patio moderne jaune et bleu. Fraîches et confortables, avec murs et tissus colorés, elles sont dotées de meubles en bois, d'un canapé et d'une bonne literie. Les plus chères disposent de leur petite salle de bains. Préférer celles donnant sur la cour, car l'hostal est situé à une sortie de tunnel. L'ensemble est plaisant et bien entretenu. Laverie et cuisine à disposition. Au rez-de-chaussée, resto et petite association organisant des cours d'espagnol.

🛏 *Casa de Pita* (plan C-D2, 24) : Cabecita 26. ☎ 732-15-32. ● casadepita.com ● Accès par les escaliers à droite du teatro Principal. *Résa indispensable (par Internet). Petit déj inclus. Wifi et*

Internet. Attention, perle rare ! Cette maison familiale possède un charme fou, et l'accueil de la pétillante (Lu) Pita est inégalable ! Au menu, 8 chambres personnalisées, certaines avec accès indépendant, TV, coin-cuisine, etc. Une chambre à l'atmosphère très cosy, avec cheminée et meubles en bois ; une autre pour les lunes de miel (sic !) ; une autre pour les familles, avec mezzanine et 2 lits simples à l'étage. Bref ! On vous laisse le plaisir de la découverte, et apprécier l'ambiance conviviale. Pour ne rien gâcher, le quartier, un peu en hauteur de la ville, est populaire et calme, à seulement 5 mn du centre. Terrasse sur le toit.

🏠 |●| ***Posada Molino del Rey*** *(plan D3, 25) : Padre Belaunzarán y Campanero 15.* ☎ *732-22-23.* ● *machuca123@hot mail.com* ● *molinodelrey.webs.com* ● *À l'angle d'une ruelle en retrait de la place. Wifi.* Architecture assez originale, avec des chambres de style colonial aux voûtes en brique, réparties sur plusieurs niveaux autour d'un grand patio sous verrière. Propres mais un brin austères et vieillottes ; les matelas commencent d'ailleurs à fatiguer. Préférer celles, plus lumineuses, donnant sur la rue. Bon accueil. Au sous-sol, resto très correct.

🏠 ***Hospedería del Truco 7*** *(plan C2, 29) : Constancia 9 E.* ☎ *732-65-13.* ● *hospederiadeltruco7.com* ● *Petit déj inclus. Internet.* Dépendant du sympathique resto du même nom *(lire plus bas « Où manger ? »),* un petit hôtel pimpant accroché à la colline, disposant d'une poignée de chambres tout confort jouissant toutes d'une belle vue sur la ville. Salles d'eau ornées de céramiques, lits *king size,* canapés, TV écran plat... le tout enrobé d'une déco chaleureuse, sobre et soignée. Une belle adresse, intimiste.

🏠 ***Mesón del Rosario*** *(plan B1, 27) : Juárez 31.* ☎ *732-32-84 et 06-66.* ● *tra velbymexico.com/guan/mesonrosa rio* ● *Wifi.* Une grande et vieille demeure datant de 1784, entièrement rénovée. Chambres assez modernes (ventilateur, TV) et toutes identiques, confortables et propres, réparties sur 4 étages. On y accède par un long patio. L'ensemble, un peu impersonnel, est plutôt agréable et bien tenu, situé en plein centre mais au calme. Accueil souriant et disponible.

Une adresse de charme hors catégorie

🏠 ***Quinta de las Acacias*** *(hors plan par D3, 28) : paseo de la Presa 168.* ☎ *731-15-17 ou 01-800-710-89-38.* ● *quintalasacacias.com* ● *Doubles à partir de 2 250 $Me (135 €), petit déj américain à la carte inclus.* Dans un vallon verdoyant plein de fraîcheur, surplombant un plan d'eau au pied du *Cerro de la Bufa,* voici une adresse exceptionnelle pour nos lecteurs fortunés. Ceux qui prisent le style XIXe s opteront pour les chambres situées dans la maison d'origine (même époque), moins chères. Nous, on a été subjugués par celles décorées avec de l'artisanat régional (la « Purépecha », la « Lacandona »...), situées sur la terrasse supérieure du jardin planté de hauts cactus. Gaies et lumineuses, elles bénéficient aussi d'une jolie vue sur les collines environnantes. La plupart des salles de bains ont un espace jacuzzi, mais il y en a un collectif sur l'une des terrasses. Toutes ont TV par satellite, clim, chauffage... Une belle adresse de charme pour se reposer à l'écart de l'animation.

Où manger ? Où prendre le petit déj ?

Afflux touristique oblige, on ne trouve presque pas dans le centre de petites gargotes populaires, sauf dans les environs du *Mercado Hidalgo.* En contrepartie, de jolis petits restos à la cuisine soignée essaiment ci et là entre les attrape-gringos, sans pour autant s'enflammer sur les prix.

De bon marché à prix moyens (80-200 $Me, soit 4,80-12 €)

|●| *Mercado Hidalgo* (plan A1, **40**) : *quelques gargotes dans le marché et à gauche des halles sur 3 niveaux, ouv jusqu'à 21h.* Gargotes servant des plats populaires en un large choix de jus de fruits frais et *vitaminas*. Comme d'habitude, choisir le stand qui paraît le plus propre et qui rameute le plus de monde.

|●| *Truco 7* (plan C2, **45**) : Truco 7 (donc !). ☎ 732-83-74. Tlj 8h30-23h. Resto très convivial, style café littéraire. Tables rondes, fauteuils recouverts de cuir, affiches, tableaux et tout un bric-à-brac d'objets hétéroclites. Chouette musique en fond sonore. Beaucoup d'étudiants, d'intellos ; c'est souvent bondé aux heures de pointe. Faut dire que le succulent menu du jour coûte à peine 50 $Me ! Également d'excellents *antojitos*, enchiladas (*verdes, rojas...*), *huevos al gosto*, viandes, pâtisseries, et même un rare *espresso*. Le patron, derrière son bar, propose le vin au verre adapté au plat choisi. Une véritable institution.

|●| 🍴 *El Abue* (plan C1, **41**) : San José 14. ☎ 732-62-42. *Dans la petite ruelle montante, à gauche de la plazuela del Baratillo. Tlj 8h30-23h.* Dans des box en bois verni, quelques tables vite prises d'assaut par les locaux venus profiter de la bonne aubaine : petit déj, *salmón a la plancha*, *arrachera* au roquefort, *tacos de pescados* et autres succulents plats au rapport qualité-prix excellent. Appétissant menu du jour également, salade bio incluse, servi pour moins de 70 $Me. Bon choix à l'ardoise de vin au verre venu d'Espagne, du Chili, de France... Service un peu précieux.

|●| *La Oreja de Van Gogh* (plan A1, **50**) : pl. San Fernando 24. ☎ 732-03-01. *Tlj 8h-minuit.* Sympathique resto aux fresques colorées, peintes dans le style de « l'homme à l'oreille coupée ». À l'extérieur, une agréable terrasse chauffée se love au centre de la romantique place,

au bord de la fontaine. Un guitariste vient tous les soirs y jouer de douces mélodies. Plats convaincants, dont un savoureux *molcajete* sur plaque de fonte, la spécialité de la maison. Un lieu reposant.

|●| 🍷 *La Clave Azul* (plan B1, **49**) : *dans l'étroite ruelle qui relie la pl. San Fernando à la calle Positos. Tlj sf dim 13h30-22h ; comida corrida jusqu'à 18h.* Petit resto-bar à *botanas* (sorte de tapas) tout en coins et recoins, niché dans le coude du *callejón*. Pour environ 100 $Me, on vous apporte une succession de petites assiettes de spécialités du jour délicieuses (quelquefois très épicées), accompagnées de la boisson de votre choix. En soirée, on vient y prendre un verre sur fond musical jazzy, blues ou latino, avant de se déplacer vers d'autres aventures... Clientèle d'étudiants et de profs surtout. Un excellent rapport qualité-prix !

|●| 🍷 *Santo Café* (plan D3, **42**) : Campanero 4. *Tlj 10h-minuit (23h pour la cuisine).* Ce petit café chaleureux a déployé sa mignonne terrasse sur une passerelle jetée au-dessus de la ruelle. Sympa pour s'offrir un cours d'une balade dans la ville, en gardant un œil sur l'animation. Selon l'heure et l'appétit, on se sustentera d'un petit déj, d'une pâtisserie, de lasagnes ou d'un petit plat coloré, mexicain ou plus internationalisé. Voire d'un verre un fin de journée.

|●| 🍴 *El Tapatio* (plan C1, **44**) : *juste en face du grand escalier de l'université.* ☎ 732-32-91. *Lun-sam 7h30-21h30 (voire plus selon l'ambiance).* La déco est assez kitsch, avec TV en fond sonore, mais l'ambiance reste chaleureuse et familiale. Quelques profs, des employés de l'université et des routards avisés ! De bons plats surtout et, au déjeuner, une *comida corrida* bon marché. Musique live et karaoké certains soirs.

De chic à plus chic (plus de 250 $Me, soit 15 €)

|●| *Chao Bella* (plan B1, **47**) : Positos 25. ☎ 732-67-64. *Lun-sam 14h-22h.*

L'accueillant patron est mexicain, mais il maîtrise l'art d'une cuisine italienne goûteuse, parfumée et joliment présentée. Il se fera même un plaisir de vous conseiller en français. Produits bien frais, à déguster dans un cadre agréable ; plusieurs petites salles sobres et aérées et une cour intérieure aux murs colorés. Idéal pour un dîner en amoureux.

|●| ☖ *Restaurant de la Posada Santa Fé* (plan C2, 48) : *jardín de la Unión 12.* ☎ 732-00-84. *Tlj 8h-23h.* Superbe édifice du XIXᵉ s, qui abrita à l'époque le consulat de Prusse. Si le rapport qualité-prix des chambres ne nous a pas enthousiasmés, on peut, en revanche, s'offrir un bon repas dans la salle au cadre chic et compassé. En terrasse, au bord du *jardín de la Unión,* c'est plus cool et touristique ; les groupes de mariachis se succèdent. Les nostalgiques de pubs anglais se devront d'aller prendre un verre au bar *El Consulado,* très smart.

Où boire un verre ? Où sortir ?

☖ ♫ *La Dama de las Camelias, es él* (plan C-D2, 60) : *Sopeña 32. En face du musée Don Quijote. Slt ven-sam 21h-5h.* En réalité, la soirée ne commence vraiment que vers 1h. Vraiment étrange, ce nom : « La Dame aux Camélias, c'est lui » ! Tout comme l'ambiance de ce bar délirant, aux murs recouverts de fresques, de collages, de partitions, de miroirs brisés... Musique surtout latino (salsa, rumba...), parfois du jazz ou du flamenco. Hétéroclite à souhait, de petits groupes d'âges, d'affinités ou de genres s'y retrouvent à leurs heures. Et tout ce petit monde sorti d'un film de Fellini se met à danser après quelques verres de tequila. Propice aux rencontres insolites...

☖ *Antik Kfé* (plan C1, 62) : *plazuela del Baratillo 16. Lun-sam 9h-2h ; dim 12h-minuit. Wifi.* Une adresse prisée par les étudiants. Entrée tout en longueur, fauteuils et canapés en skaï rouge et blanc, vieux projecteurs de films en déco et 2 petites salles intimes au fond derrière une grille en fer forgé, où l'on s'installe sur des coussins par terre, sous des loupiotes colorées. Carte longue comme le bras, de bières nationales et internationales, vins, tequilas... mais aussi thés, cafés et chocolats. Le soir, l'ambiance s'échauffe sur fond de musique latino parfois *en vivo* et au rythme des verres écloués ! Pour éponger, on peut aussi y manger. Service charmant.

☖ *Los Lobos* (plan D2, 64) : *Manuel Doblado 2. Face à l'église San Francisco. Tlj 18h-3h.* Assez des mariachis ? Place au rock, au vrai, aux tables qui collent et aux guitares qui crachent. La clientèle, jeune, squatte les recoins embrumés et tente de s'entendre dans le brouhaha. D'autres optent pour le billard, au fond de la salle, plus besoin de causer. Concert quelquefois. Un lieu qu'on repère de loin, à l'oreille !

☖ *El Gallo Pitagórico* (plan C2, 46) : *Constancia 10 A. Le bar se trouve au-dessus du resto. Tlj 14h-23h.* Le resto ne mérite pas qu'on y saigne son portefeuille, mais le bar dispose d'une agréable terrasse dominant la ville. On vous laisse imaginer la vue... À l'intérieur, cadre coloré et chaleureux.

☖ Plusieurs cafés allongent leur terrasse sur le *jardín de la Unión,* le cœur du vieux centre toujours animé. Notre préféré, le *Bar Tradicional Luna* (plan C2, 61 ; *tlj jusqu'à 2h),* pile en face du kiosque à musique. Un repère idéal quand l'orchestre municipal est de sortie. Sinon, restent les mariachis, ou le juke-box à l'intérieur. On peut aussi y manger.

☖ Les restos *La Clave Azul, Santo Café* et *Posada Santa Fé* (lire plus haut « Où manger ? ») peuvent aussi jouer les escales apéritives.

Achats

⚜ *El Viejo Zaguán* (plan A1, 70) : *Positos 64. Mar-sam 10h30-15h, 17h-20h ; dim 11h-15h.* Belle boutique de produits artisanaux où piocher souvenirs, livres et CD. Petit café sympa au fond de la salle.

🐚 *La Casa de la Abuela* (plan C2, *71*) : *Truco 5. Tlj 11h-21h30.* Mi-boutique d'artisanat, mi-brocante, cette véritable caverne d'Ali Baba expose un nombre impressionnant d'objets divers et variés. Un plaisir des yeux pour les chineurs !

À voir. À faire

La compagnie *tranvía turístico « El Quijote »* (plan C2, *1*) : ☎ 732-21-34 ou 28-38. *Juste en face de l'office de tourisme, au pied de la basilique.* Organise des tours de la ville en minibus, incluant le *museo de las Momias,* le *Pípila,* les mines de *Valenciana* et l'*Hacienda de Cochero.* Durée du circuit : 3h30. *Billet :* 100 $Me (6 €). *Départs tlj sf lun à 10h30, 13h30 et 16h.*

🎭🎭 *Jardín de la Unión* (plan C2) : charmante petite place ombragée par des lauriers d'Inde si touffus qu'ils dispensent une douce fraîcheur. Le cœur de la vieille ville, le lieu de tous les rendez-vous : c'est ici que se rassemblent les mariachis et les flâneurs de toutes sortes, les premiers flirts comme les simples badauds. Le kiosque au centre du jardin accueille fréquemment le soir des orchestres de cuivres. Ils disputent alors la vedette aux groupes de mariachis, que la guitare démange d'aller pousser une sérénade aux clients calés sur les terrasses des cafés et restos chics. C'est aussi là que se retrouvent les étudiants vers 20h en fin de semaine pour former les *callejoneadas* qui se répandront ensuite joyeusement dans les rues de la ville. En costume, un groupe de musiciens entraîne alors derrière lui les passants, et tous reprennent en chœur des chansons populaires, rient aux plaisanteries du maître de cérémonie. Un moment de fête collective, vécu sans artifices.

🎭🎭 *Teatro Juárez* (plan C2) : *en face du jardín de la Unión. Ouv aux visites mar-dim 9h-13h45, 17h-19h45. Entrée :* 35 $Me (2,10 €) ; *réduc. Droit photo-vidéo : 30-60 $Me (1,80-3,60 €).* Inauguré en 1903 par Porfirio Díaz. Les colonnes de sa façade néoclassique sont coiffées d'une balustrade sur laquelle s'élèvent les statues des muses. La salle, splendide et au style mozarabe très marqué, s'inspire de l'Alhambra de Grenade. Le foyer est assez surprenant, néoclassique mais avec des touches Art nouveau exubérantes et très colorées. Représentations de mars à septembre en fin de semaine dans le cadre de « *Todos al teatro* » et spectacle de rue tous les jours sur les marches extérieures.

🎭🎭🎭 *Basílica de Nuestra Señora de Guanajuato* (plan C1-2) : toute de jaune vêtue, cette basilique du XVIIᵉ s dévore la plaza de La Paz par son architecture baroque imposante. Les ornements intérieurs, peintures, balcons, lustres et statues, en font l'une des plus belles églises de la région. La statue de la Vierge à l'Enfant du chœur, richement parée de bijoux, fut offerte par le roi Philippe II d'Espagne.

🎭🎭🎭 *Museo iconográfico del Quijote* (plan C2) : *Manuel Doblado 1 ; à côté de l'église San Francisco.* ☎ 732-67-21. ● museoiconografico.guanajuato.gob.mx ● *Tlj sf lun 9h30-18h45. Entrée :* 20 $Me (1,20 €) ; *gratuit mar. Photo-vidéo interdite.* Dans un superbe bâtiment colonial du XVIIIᵉ s, où vécut entre autres figures mexicaines ce bon vieux Maximilien d'Autriche. Mais c'est à un tout autre « antihéros » que ce musée est dédié. On y célèbre Don Quijote, le personnage de roman le plus lu et commenté depuis 4 siècles. De nombreux artistes – dont Picasso et Dalí – l'ont représenté sous diverses formes artistiques, allant du figuratif à l'abstrait en passant par le cubisme. Tant de représentations du même personnage, c'est à peine croyable. De quoi faire pâlir de jalousie Jésus Christ, autre incontestée star des toiles. Sculptures, peintures, fresques et dessins revisitent les tribulations du héros de Cervantès, accompagné de son fidèle écuyer Sancho Panza. Une riche collection privée dotée de quelques très belles pièces, notamment une œuvre délirante de Pedro Coronel de 8,5 m sur 3,5 m, *El Quijote cósmico.*

🏃🏃 *Les callejones :* on se plaît à se perdre dans le labyrinthe d'étroits *callejones* qui s'entrelacent au dessus de la mignonne *plaza Mexiamora (plan D2).* Une balade guidée par le hasard dans ce quartier paisible et populaire, à l'assaut des volées d'escaliers, au gré de minuscules placettes aux bancs en fer forgé, le long de maisons colorées parfois mangées de lierre.

🏃 *Les rues souterraines :* la ville repose sur une sorte d'énorme gruyère, des trous desquels surgissent, disparaissent et réapparaissent des rues en zigzag aux parois de roche. Elles débouchent parfois sur des maisons à encorbellement miraculeusement accrochées aux flancs des ravins creusés lors de l'inondation de 1905. En voiture, cauchemar total assuré pour l'étranger qui débarque ; il faut abandonner son véhicule au plus vite dans n'importe quel parking souterrain. En bus, c'est nettement plus rigolo !

🏃🏃 *Monumento de Pípila (plan B2-3) :* il surplombe la ville. Accessible par des escaliers (dur, dur quand il fait chaud !) ou, mieux, par un funiculaire (voir « Adresses utiles »). *Pípila* (« la dinde ») est le charmant surnom de Juan José de los Reyes Martinez, un héros de la guerre d'indépendance, durant laquelle il se distingua en attaquant le grenier municipal où les Espagnols s'étaient réfugiés. Il y mit le feu, offrant ainsi les clés de la ville aux troupes de Hidalgo. Perchée là-haut, sa statue monumentale domine toute la cité, et une esplanade panoramique permet ainsi de jouir d'une vue splendide sur Guanajuato. Et on ne vous dit pas le spectacle en fin de journée, lorsque le soleil couchant embrase les monuments et les maisons aux façades colorées. Petit musée à l'intérieur du monument, retraçant la vie du héros *(ouv tlj 11h-19h).*

🏃🏃 *Plaza de San Fernando (plan A-B1) :* romantique place ombragée, bordée de belles maisons coloniales et cernée de bars et restos en terrasse (voir « Où manger ? »). C'est le contrepoint calme et tranquille du *jardín de la Unión,* pas de mariachis mais parfois un marché de livres d'occasion en journée. Les petites ruelles à l'ouest mènent à la *plaza de San Roque,* dominée par son église baroque, l'un des principaux lieux où sont jouées des saynètes théâtrales durant le Festival Cervantino. La ruelle suivante conduit au *jardín Reforma* hérissé de colonnes, lieu de rendez-vous des étudiants.

🏃 *Mercado Hidalgo (plan A1) : Juárez.* Au cœur d'un quartier commerçant, bouillonnant et populaire, un vaste bâtiment du début du XXᵉ s qui, outre le marché, principalement de vêtements et de souvenirs, abrite aussi quelques gargotes (voir « Où manger ? »).

🏃 *Universidad de Guanajuato (plan C1) : Lascuraín de Retana 5.* Impressionnante université moderne dont l'architecture néoclassique se fond parfaitement dans le paysage historique de la cité. Elle fut construite en 1950 sur les ruines d'un hospice, en intégrant certains bâtiments d'un ancien collège jésuite. Sa réputation est d'excellence pour le droit et les matières artistiques. L'immense escalier extérieur rassemble à toute heure la jeunesse estudiantine locale.

🏃 *Templo de la Compañia de Jesús (plan C1) :* église à la façade churrigueresque typique, érigée par les Jésuites au XVIIIᵉ s. L'intérieur aux larges volumes présente une coupole néoclassique ajoutée plus tardivement, et deux tableaux de Miguel Cabrera.

🏃 *El callejón del Beso (ruelle du Baiser ; plan A2) : près de la plazuela Los Angeles.* C'est l'une des grandes attractions de la ville. Pas grand-chose à voir, mais la légende est mignonne : au XIXᵉ s, deux amoureux vivaient dans des maisons se faisant face. Comme leurs parents ne voulaient pas entendre parler de leur union, ils se retrouvaient sur leurs balcons respectifs, si proches (quelque 68 cm !) qu'ils pouvaient s'embrasser.

🎥🎥 *Museo Alhóndiga de Grana-ditas* (plan A1) : au bout de la rue Pocitos. ☎ 732-11-12. Mar-sam 10h-17h45 ; dim 10h-14h45. Entrée : 49 $Me (3 €) ; réduc. Droit photo-vidéo : 30-60 $Me (1,80-3,60 €).

Installé dans les anciens greniers de la ville (réserves de céréales et entrepôts de tabac), qui furent transformés en place forte par les Espagnols en 1810, lors de la guerre d'indépendance. Pípila, un indépendantiste mené par le père Hidalgo, finit par y pénétrer en y

BAISERS VOLÉS

En 2009, le maire de Guanajuato a réussi à créer la polémique en interdisant sous peine de prison les baisers et tout autre type d'effusion affective dans les lieux publics. Un comble dans la ville du callejón del Beso (ruelle du Baiser), passage obligé des touristes ! Face au scandale qu'il a suscité, le maire a tout de même consenti à adoucir un peu sa position. On pourra tout de même se bécoter dans le callejón del Beso… mais ici seulement.

mettant le feu, offrant ainsi la victoire à son camp. La bataille fit plus de 300 morts, et les *insurgentes* mirent ensuite la ville à sac. Cette période capitale dans l'histoire du Mexique est racontée ici sous forme de grandes fresques de Chávez Morado, qui ornent les murs des escaliers.

À l'étage, les salles entourant le patio relatent modestement l'histoire du Mexique, depuis les Aztèques jusqu'à la fin des colonies, l'instauration de la république, la révolution et les réformes. Nombreux panneaux très instructifs, pour peu que l'on maîtrise l'espagnol. L'accent est mis en particulier sur l'État de Guanajuato, à travers une foule d'objets, de sceaux préhispaniques, de peintures, de sculptures, etc. Parmi les curiosités, l'une des cages en fer où furent exposées pendant 10 ans, à l'extérieur du bâtiment, les têtes des quatre leaders indépendantistes : Allende, Hidalgo, Aldama et Jiménez. On retrouve leur tête sous forme de sculptures monumentales, exposées au rez-de-chaussée. Également quelques salles d'expos temporaires étonnantes.

En sortant, les inconditionnels des mannequins de cire pourront jeter un œil au minimusée Grévin local, le *Museo de Cera* situé de l'autre côté de la rue *(ouv tlj 9h-19h ; entrée : 25 $Me, soit 1,50 €).*

🎥 *Museo Diego Rivera* (plan B1) : Positos 47. ☎ 732-11-97. Mar-sam 10h-19h ; dim 10h-15h. Entrée : 20 $Me (1,20 €) ; réduc. Photo-vidéo interdite. Visite guidée possible. C'est la maison où le peintre Diego Rivera (1886-1957) a passé la première partie de son enfance. Au rez-de-chaussée, quelques pièces meublées ; aux étages, quelques photos et un grand nombre de ses œuvres, illustrant les différentes périodes de sa vie. Très éclectique, son évolution artistique est impressionnante : figuratif, cubisme, naïf, expressionnisme… D'autres de ses fresques murales se trouvent notamment au *Palacio nacional* de Mexico.

🎥🚶 *Museo del Pueblo* (plan B-C1) : Positos 7. ☎ 732-29-90. Mar-dim 10h-18h30. Entrée : 5 $Me (0,30 €). Dans cette belle maison du XVIIᵉ s, une étonnante collection de miniatures (certains objets ne sont visibles qu'à la loupe !) occupe quasiment tout le rez-de-chaussée et représente les arts de toutes les provinces du pays. Aux étages, expositions temporaires de poteries, de sculptures et une collection d'Hermenegildo Bustos et d'artistes anonymes des XVIIIᵉ et XIXᵉ s. Ne pas manquer, dans la chapelle baroque, le beau triptyque du muraliste José Chávez Morado.

🎥 *Museo de las Momias* (hors plan par A1) : un peu en dehors du centre. Prendre un bus marqué « Pueblo de Rocha », « Tepetapa » ou « Momias ». À pied, compter au moins 20 mn de marche. ☎ 732-06-39. • momiasdeguanajuato.gob.mx • Tlj 9h-18h. Entrée : 52 $Me (3,20 €) ; réduc. C'est l'attraction principale de la ville, dans laquelle se pressent les touristes mexicains. Une centaine de cadavres exhumés du cimetière voisin sont exposés dans de froides vitrines, devant lesquelles se photographient les couples en goguette. Certains ont encore leurs cheveux, leurs poils, leurs dents. La plupart arborent d'horribles expressions. La galerie des bébés est tout simplement insoutenable. Ceux qui en redemandent pourront conclure leur tour macabre par la visite du *Museo del culto de la muerte,* un musée des horreurs. Compter 12 $Me de plus (0,70 €).

Fêtes et festivals

– *Callejoneadas :* tte l'année, rassemblement ven-sam soir au jardin de la Unión et sur l'escalier du teatro Juárez (plan C2). Mais d'autres *callejoneadas* surgissent spontanément à tout moment. Des musiciens vêtus de costumes espagnols du XIXe s invitent la foule à les suivre dans les rues de la ville. Le défilé se transforme rapidement en une vaste fête populaire...

– *Viernes del Dolores :* le ven avt la Semaine sainte. C'est le jour des offrandes à la Vierge de Dolores, sainte patronne des mineurs. Traditionnel *paseo* fleuri sur le *jardín de la Unión.* Un beau spectacle coloré.

– *Fiestas de San Juan :* la 2de quinzaine de juin. Spectacles, concerts, animations dans le centre historique... Le point d'orgue de la fête a lieu le 24 juin, jour de la Saint-Jean. À ne pas manquer !

– *Festival Cervantino :* 15 j. en oct. ● festivalcervantino.gob.mx ● Ce célèbre festival de danse et de théâtre réunit d'excellentes troupes d'artistes venus du monde entier. Spectacles dans les théâtres, mais aussi une multitude de groupes et d'animations partout dans la ville.

– *Feria del Alfeñique :* fin oct-début nov. Une tradition populaire. On réalise à cette occasion d'immenses figurines en sucre, notamment des squelettes pour le jour des Morts, le 2 novembre.

➤ DANS LES ENVIRONS DE GUANAJUATO

🚶🚶 *Templo San Cayetano :* à env 4 km sur la route de Dolores Hidalgo. Prendre un bus marqué « Valenciana » près du musée Alhóndiga. Tlj sf lun 7h-18h. Entrée : 25 $Me (1,50 €). Magnifique église baroque du XVIIIe s, construite sur les hauteurs dominant la ville. La façade de style churrigueresque est superbe. À l'intérieur, trois retables baroques, dorés et bien lourds.

En contrebas, la *mine de Valenciana,* très active à la fin du XVIIIe s, produisait en grande quantité de l'or et de l'argent exportés en Espagne et en Asie. Elle fut fermée au moment de la révolution mexicaine et remise en activité bien plus tard, en 1968, sous forme de coopérative. Des « guides » vous proposent la visite, mais c'est sans grand intérêt ; on ne voit pas grand-chose de plus que ce qui est visible à l'entrée.

🚶 *Hacienda San Gabriel de la Barrera :* ☎ 732-06-19. Pour y aller, bus en direction de Noria Alta ou Marfil et descendre à l'hôtel Misión Guanajuato (2,5 km du centre). Tlj 9h-18h. Entrée : 22 $Me (1,30 €). Droit photo-vidéo : 20-25 $Me (1,20-1,50 €). Belle propriété datant du XVIIe s, qui fut remaniée en résidence officielle pour les grands de ce monde (le roi d'Espagne et la reine d'Angleterre y séjournèrent) au début du XXe s. En 1979 elle fut reconvertie en musée (beau mobilier ancien à dominante française), entouré de 17 jardins d'agrément aux styles divers (oriental, anglais, français, arabe...). Boutique d'artisanat et café-resto sur place. Un lieu tranquille, pour prendre l'air.

MORELIA   608 000 hab.   IND. TÉL. : 443

⊚ À 300 km de Mexico et 200 km de Querétaro, Morelia est une magnifique ville coloniale aux allures bourgeoises. Toute de pierre rosée vêtue, elle renferme d'authentiques merveilles architecturales. Son centre historique a d'ailleurs été inscrit au Patrimoine mondial de l'Unesco en 1991. On peut y admirer les façades du XVIIIᵉ s et pénétrer dans les patios des édifices publics où l'on découvre arcades sculptées, colonnades et fontaines octogonales. Longtemps ville de province endormie (il y avait même un couvre-feu), Morelia peine encore à se réveiller de sa torpeur, une gageure dans un pays si bouillonnant. Attention, à près de 2 000 m d'altitude, il y fait assez frisquet le soir en hiver.

UN PEU D'HISTOIRE

La ville s'appelait encore Valladolid quand, au milieu du XVIᵉ s, elle fut peuplée par une cinquantaine de familles issues de la noblesse espagnole. Dès lors, « la ville des conquistadors » n'eut de cesse de vouloir ravir la primauté à sa rivale Pátzcuaro, la cité indienne qui était protégée par le fameux évêque Vasco de Quiroga. Mais une fois le « défenseur » des Indiens purepechas mort, les dés étaient jetés : Valladolid obtint le siège de l'évêché et, plus tard, le titre de capitale de l'État de Michoacán. Quant au nom de « Morelia », il fut donné en 1828 en l'honneur de Morelos, héros de l'indépendance natif de la ville.

Arriver – Quitter

En bus

Consulter la liste et les coordonnées des principales compagnies dans la rubrique « Transports » du chapitre « Mexique utile ».

🚌 **Central camionera :** sur le périphérique, au nord-ouest de la ville, en face du stade Morelios. ☎ 334-10-71 à 76. Pour rejoindre le centre-ville, à l'arrivée à la gare routière, prendre le combi n° 1. Il passe ttes les 10-15 mn devant les 3 terminaux. Pour le retour, le prendre devant l'église San Francisco (plan C2, **6**), ou prendre un combi indiquant « Ponguato » ou « Pedragal ». En taxi prépayé (guichet dans les terminaux A et B), compter 35 $Me (2,10 €). Ultramoderne, le *Central Camionera* est composé de 3 bâtiments : sur la droite, le **terminal A** pour les bus de 1ʳᵉ classe ; au fond, le **terminal B** pour les bus de 2ᵉ classe ; sur la gauche, le **terminal C** pour les destinations locales. Consigne dans les terminaux A et B, cybercafé dans le terminal A.

Pour les moyennes et grandes destinations, on vous indique ici les principales compagnies et les plus grandes fréquences, sachant que vous trouverez aussi quelques départs supplémentaires avec d'autres compagnies dans les terminaux A et B.

■ *Pour les **résas** auprès des compagnies Primera Plus/Flecha Amarilla, Omnibus de México et ETN, voir leurs sites internet et le n° national gratuit dans la rubrique « Transports » du cha-* pitre « Mexique utile ».
■ *Réservations Autovías :* ☎ *01-800-375-75-87.*
■ *Réservations Herradura de Plata :* ☎ *01-800-622-22-22.* ● *hdp.com.mx* ●

Terminal A (1ʳᵉ classe)

➤ **Pour/de Mexico** *(terminal Poniente-Observatorio) :* env 30 bus/j., 1h30-minuit avec *ETN.* Ttes les 30 mn, minuit-19h (et un dernier à 22h), avec *Autovías.* Trajet : 4h.
➤ **Pour/de Mexico** *(terminal Norte) :* 6 bus, 1h45-19h20, avec *ETN.* Également 16 bus directs/j. avec *Primera Plus,* 1h30-minuit ; 10 bus/j., 7h40-1h30, avec *Autovías.* Trajet : env 4h.
➤ **Pour/de Querétaro :** env 20 bus/j., 1h45-minuit avec *Primera Plus.* Env 5 bus/j., 8h05-18h20, avec *ETN.* Trajet : 3h30-4h.

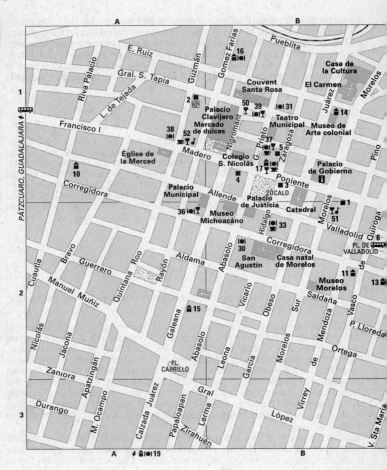

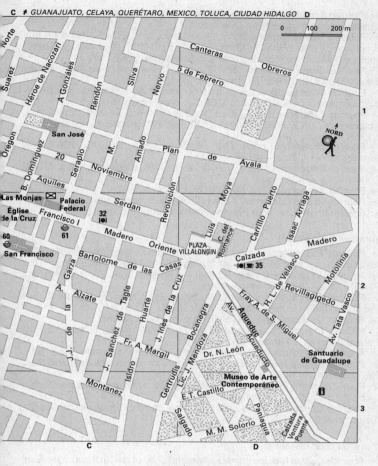

MORELIA

32 Govinda's
33 El Tragadero
35 Restaurant Villalongin
36 Bizancio
37 La Casa del Portal
38 Fonda Las Mercedes
39 La Casona de las Rosas

Où prendre le petit déjeuner ?

17 Resto de l'hôtel Casino
37 La Casa del Portal
52 El Rincón de los Sentidos

Où boire un verre ? Où sortir ?

17 Onix
50 Café del Conservatorio
51 Bar de l'hôtel Los Juaninos
52 El Rincón de los Sentidos

Achats

60 Casa de las Artesanías
61 Museo de los Dulces

LES VILLES COLONIALES

➢ *Pour/de San Miguel de Allende :* 1 bus slt, à 17h15, avec *Primera Plus*. Pour plus de fréquences, passer par Querétaro.
➢ *Pour/de Guadalajara :* 8 bus/j., 1h30-18h45, avec *ETN*. Également 9 bus directs avec *Primera Plus*, 2h-23h45 ; 9 bus/j., 5h10-0h30, avec *Autovías*. Trajet : 3h30 (par l'autoroute) et 5h-6h30 par la route nationale *(por la libre)*.
➢ *Pour/de San Luis Potosí :* env 12 bus/j., 1h45-minuit, avec *Primera Plus*. 6 bus/j. 8h05-21h30 avec *ETN*. Trajet : 6h.
➢ *Pour/de Guanajuato :* 1 bus slt, à 14h50, avec *Primera Plus*. Pour plus de fréquences, passer par **León** (25 bus/j., 24h/24, avec *Primera Plus*).
➢ *Pour/de Zacatecas :* 3 bus/j. avec *Omnibus de México*, à 14h15, 18h et 20h15. 4 bus directs/j. (1h30, 6h30, 10h30 et 12h30) avec *ETN*, plus 2 bus via Guadalajara, à 19h30 et 21h30.
➢ *Pour/de Uruapán :* 7 bus/j., 4h45-19h45, avec *ETN*. 12 bus/j., 2h30-22h40, avec *Primera Plus*. Trajet : env 2h.
➢ *Pour/de Pátzcuaro :* 3 bus/j., à 5h30, 14h40 et 18h, avec *Primera Plus*. 10 bus/j., 4h45-0h40, avec *Autovías*.
➢ *Pour/de Acapulco :* 1 bus slt, à 23h, avec *ETN*.
➢ *Pour/de Lázaro Cárdenas :* 7 bus/j., 2h30-minuit, avec *Autovías*.
➢ *Également des bus pour Puerto Vallarta, Monterrey... avec ETN.*

Terminal B *(2e classe)*
➢ *Pour/de Pátzcuaro :* ttes les 10 mn, 4h15-20h30, avec *Purhépechas/Ruta Paraíso*. 3 bus/j., à 10h20, 13h et 14h15, avec *Flecha Amarilla*. Trajet : 1h.
➢ *Pour/de Lázaro Cárdenas :* 8 bus/j. 4h45-16h40, avec *Purhépechas/Ruta Paraíso*. 7 bus/j. 2h30-19h avec *Autovías*.
➢ *Pour/de Mexico (terminal Norte) :* 13 bus/j., 6h-1h, avec *Flecha Amarilla*. Bus ttes les 2h, 7h40-19h, avec *Autovías*. Trajet : 6h.
➢ *Pour/de Querétaro :* 6 bus/j., 6h40-1h, avec *Flecha Amarilla*.
➢ *Pour/de Uruapán :* bus ttes les 30 mn, 5h40-20h30, avec *Purhépechas/Ruta Paraíso*. 1 bus slt, à 17h, avec *Flecha Amarilla*.
➢ *Pour/de Guadalajara :* 8 bus, 5h15-16h15, avec *Flecha Amarilla*. Trajet : 5h.
➢ *Pour/de Ciudad Hidalgo (étape sur la route du sanctuaire des papillons) :* ttes les 30 mn, 2h-18h40, avec *Autovías*.
➢ *Pour Zitácuaro (autre étape sur la route du sanctuaire des papillons) :* 14 bus/j., 2h30-20h, avec *Herradura de Plata*.
➢ *Pour/de Cuitzeo et Yuriria :* ttes les 20 mn, 5h-20h50, avec *Flecha Amarilla*. Trajet : 1h-1h30.

Terminal C *(2e classe)*
➢ *Pour/de Ciudad Hidalgo (par les sommets) :* 7 bus/j., 6h50-16h30, avec *Autotransportes Milcumbres*.

En avion

➢ Env 6 vols directs/j. pour **Mexico** avec *Aeromar, Aeroméxico Connect* et *Delta Airlines*. Quelques liaisons directes pour Houston aux États-Unis (avec *Continental Airlines* notamment). L'aéroport est à 35 km de la ville. Compter 200-250 $Me (12-15 €) en taxi.

Adresses utiles

🔲 *Offices de tourisme :* palacio de Gobierno *(plan B1)* ; angle Madero et Benito Juárez ; en face de la cathédrale. ☎ *317-78-05 ou 01-800-830-53-63.* L'office de tourisme principal *(plan D3)* est excentré, av. Tata Vasco 80, à côté du Santuario de Nuestra Señora de Guadalupe. ☎ 312-80-52 ou 01-800-450-23-00 (n° gratuit). ● visitmichoacan. com.mx ● Lun-sam 9h-12h, 16h-18h ; dim 10h-14h. Bien documenté et serviable, avec même (parfois) quelques dépliants en français ! Voir aussi dans leur brochure-guide les circuits à faire à pied.

✉ **Poste** (plan C2) : Madero Oriente 369. À l'intérieur du palacio federal. Lun-ven 8h-16h ; sam 8h-12h.

@ **Librería Hidalgo** (plan B1) : à l'angle de Madero et Nigromante. Lun-ven 7h-22h ; sam-dim 10h-21h. Une dizaine de postes dans une petite librairie. Café attenant, dans un patio.

■ **Banques : Banamex** et **Bancomer** (plan B1-2, 1), Madero Oriente. Lun-ven 9h-19h. Change les dollars. Distribu-teurs de billets dans toutes les banques de la rue.

■ **Agences de voyages : Quetzal Tours** (plan B1, 4), Madero Poniente 330. ☎ 317-11-33. Lun-ven 9h30-14h30, 16h30-19h30 ; sam 9h30-14h. Vente de billets d'avion pour Mexico et les États-Unis. **Viajes Kuanary** (plan B1, 5), Zaragoza 95. ☎ 317-41-46 et 317-79-97. Lun-ven 9h30-14h30, 16h30-19h ; sam 10h-14h. Vente de billets de bus 1ʳᵉ classe. Organise aussi nov-mars des excursions au Santuario de la Mariposa Monarca. Compter 500 $Me/pers (30 €), voyage, repas, entrée du site (sf loc chevaux) inclus. Départ 9h ; durée 10h.

@ ■ **Laverie** (plan A1, 2) : Santiago Tapia 543. Lun-sam 8h-20h. **Cybercafé** juste et face. Pratique.

Où dormir ?

Comme pour les restos, peu de choix dans la catégorie « Prix moyens ». Certains hôtels augmentent leurs tarifs en période de pointe. Bon à savoir aussi, les hôtels situés à proximité des artères principales peuvent être très bruyants en raison d'une circulation dense de bon matin à très, très tard la nuit...

De très bon marché à bon marché (moins de 400 $Me, soit 24 €)

🛏 **Hostel Allende** (plan A1, 10) : Allende 843. ☎ 312-22-46. ● hostelallen de.com.mx ● Réduc de 10 % avec la carte ISIC ou Hostelling International. Internet. Un ancien hôtel transformé en AJ agréable et bien tenue, organisée autour d'un patio bleu et jaune planté d'un oranger. 2 petits dortoirs de 4 lits superposés dotés de bons gros mate-las, plus une trentaine de chambres avec 1 grand lit ou 2 lits, tous avec salle de bains. Cuisine collective, casiers, chauffage solaire. Ambiance cool. Un très bon rapport qualité-prix dans l'un des hôtels les moins chers de la ville, malheureusement un peu excentré. Attention, 2 lits en dortoir coûtent plus cher qu'une chambre pour 2 person-nes !

🛏 **Hostal San Franciskuni** (plan B-C2, 13) : Antonio Alzate 302. ☎ 313-07-03. Petit déj inclus. Internet. À proximité de la place San Francisco, une AJ propre, à l'ambiance sympa, dans une vieille bâtisse du XIXᵉ s lumineuse et colorée. Dortoirs agréables pour 4 à 8 person-nes avec lockers, et chambres pour 2 fonctionnelles et vraiment pas chères. Bon matelas. Cuisine bien équipée, salle commune et belle terrasse à dispo.

🛏 **Posada Don Vasco** (plan B2, 11) : Vasco de Quiroga 232. ☎ 312-14-84. ● posada_don_vasco@hotmail.com ● Pas de petit déj. Au cœur d'un quartier populaire et commerçant, l'hôtel s'est installé dans un ancien couvent de cla-risses dont le patio à arcades rappelle le cloître. Ne vous laissez pas découra-ger par les parties communes déglin-guées, les chambres sont rénovées, clean et dotées du confort de base (TV et salle de bains, sans miroir). Préférer celles aux étages (dites de lujo) et situées côté cour. Les autres sont plus petites, tristes et bruyantes. Accueil pépère.

De prix moyens à chic (400-800 $Me, soit 24-48 €)

🛏 *Hotel El Carmen* (plan B1, **14**) : Eduardo Ruiz 63. ☎ 312-17-25 et 317-71-66. ● *hotel_elcarmen@hotmail. com* ● *En face de l'ancien couvent del Carmen (se reporter à la rubrique « À voir »). Pas de petit déj. Quartier sympa, calme, à deux pas du centre. Les chambres à lit* matrimonial *sont petites ; celles à 2 grands lits, tout aussi simples, sont plus spacieuses mais plus chères. Demandez-en une qui s'ouvre sur la jolie place. Tellement romantique... Les autres n'ont pas de fenêtre, évitez d'ailleurs celles du rez-de-chaussée. L'ensemble est confortable et bien tenu.*

🛏 *Hotel Casa Galeana* (plan A2, **15**) : Galeana 507. ☎ et fax : 313-10-87 ou 317-21-88. *Pas de petit déj. Un peu excentrée, cette maison basse à la façade de brique cache une charmante* pension à l'atmosphère familiale, installée dans un petit immeuble moderne. *Petites chambres simples aux tons ensoleillés, très propres, toutes avec salle de bains et TV câblée. Préférer celles dans les étages, les autres n'ont pas de fenêtre. Courette où l'on peut boire un verre. Terrasse sur le toit.*

🛏 |●| *Hotel Concordia* (plan B1, **16**) : Valentin Gómez Farías 328. ☎ 312-30-52. ● *hotelconcordiamorelia.com.mx* ● *À l'écart de la circulation, dans le quartier des gagneuses. Rassurez-vous, elles n'ont pas fait de cet hôtel leur QG. Petit déj inclus. Parking gratuit. Internet. Basique, moderne et propre, le genre d'hôtel que prisent les voyageurs d'affaires. Chambres nickel, équipées de tout le confort d'un hôtel de chaîne. Bar, resto, salle de gym, laverie... Sans charme particulier mais une valeur sûre.*

Plus chic (plus de 1 200 $Me, soit 72 €)

🛏 |●| *Hotel Casino* (plan B1, **17**) : Portal Hidalgo 229, sous les arcades, en face du zócalo. ☎ 313-13-28 ou 01-800-450-21-00 (n° gratuit). ● *hotelcasino.com.mx* ● *Tarifs promotionnels tt au long de l'année, se renseigner via le site internet. Parking gratuit. Internet. Pour être aux premières loges. Grand hôtel classique labellisé* Best Western. *Chambres modernes et confortables, avec cafetière individuelle. Si vous donnez sur le* zócalo*, vous aurez le soleil le matin, mais gare aux cloches de la cathédrale ! Côté patio intérieur, les* chambres sont plus sombres mais plus calmes. Resto (voir aussi « Où prendre le petit déjeuner ? »). Si c'est complet, l'*hotel Misión Catedral* (entrée par Zaragoza 37 ; ☎ 313-04-06 ; ● *hotelca tedralmorelia.com* ● *Parking et Internet), juste à côté, propose des tarifs similaires pour des chambres spacieuses et tout aussi confortables. Elles sont distribuées le long de coursives carrelées, encadrant de leurs arcades 2 patios ocre aux proportions aristocratiques. Au choix, vue sur les cours ou sur la rue. Resto face au* zócalo.

Très chic (plus de 154 €)

🛏 |●| *Villa Montaña* (hors plan par A3, **19**) : Patzimba 201, colonia Vista Bella. ☎ 314-02-31, 01-79 ou 01-800-963-31-00. ● *villamontana.com.mx* ● *Sur la colline au sud du zoo. En voiture, quitter le centre par la calle Juárez, puis, au bout de la rue, prendre la voie rapide à gauche. Tourner ensuite dans la 1re à droite, qu'il faut remonter jusqu'à la calle Patzimba (sur la gauche). L'hôtel est presque à l'angle (indiqué). Double à partir de 210 US$, taxes et petit déj non* inclus. Forfaits spéciaux à certaines périodes. CB obligatoire pour la résa. Des chambres-maisonnettes disséminées dans un jardin luxuriant offrant un panorama exceptionnel sur la ville. Toutes sont spacieuses, ultraconfortables, décorées avec un goût exquis à l'ancienne dans un style toujours différent. Elles possèdent même une cheminée. Restaurant proposant une savoureuse cuisine. Piscine, spa, tennis... Pour ceux qui ont les moyens.

Où manger ?

Bon marché (moins de 80 $Me, soit 4,80 €)

|●| *Stands de nourriture* (plan B2, 30) : sur Corregidora, en descendant du zócalo ; sous les arcades de l'église San Augustín. Ouv tlj 11h-17h, jusqu'à 23h pour certains stands. Plats 10-30 $Me (0,60-1,80 €). Tacos, enchiladas, tamales, pollo con papas, sopas... Un tas de petits plats à avaler en plein air, sur des tables en bois allongées sous les arcades. Atmosphère populaire, parfois de la musique, de l'ambiance toujours. Et c'est bon !

|●| *Super Cocina Las Rosas* (plan B1, 31) : à l'angle de Guillermo Prieto et Santiago Tapia. Tlj 8h30-16h30. Un petit local sympathique, modeste mais avenant. On mange au milieu des fourneaux où mijotent les marmites. Bonne cuisine familiale typique, avec un menu pas cher. Vend aussi à emporter.

|●| *Govinda's* (plan C2, 32) : Madero Oriente 549 ; au 1er étage. ☎ 313-13-68. Tlj 10h-18h30. Un bon végétarien dans un décor semi-oriental aux tons bleu, blanc et jaune. Plusieurs menus composés d'assortiments de petits plats.

|●| 🍽 *El Tragadero* (plan B2, 33) : Hidalgo 63 ; dans la rue piétonne qui descend derrière la cathédrale. ☎ 313-00-92. Tlj 7h30-23h (18h dim). Le cadre est plutôt chaleureux, une salle ouverte sur la rue, tapissée de vieilles photos de la ville. Resto bondé au déjeuner, la cuisine y est très appréciée des autochtones. Bon menu très accessible. Sert également des petits déj.

Prix moyens (80-150 $Me, soit 4,80-9 €)

|●| 🍸 *La Casona de las Rosas* (plan B1, 39) : jardin de las Rosas 331. ☎ 317-88-22. Face au couvent Santa Rosa. Dim-mar 8h30-minuit ; mer-sam 8h30-2h. Musica en vivo mar-dim dès 21h. Un café-resto-galerie, idéalement situé sur l'adorable place de las Rosas. Côté cour, un beau patio à colonnades tapissé de tableaux. Côté rue, une terrasse calme et reposante en journée, où l'on traîne en écoutant les élèves chanteurs et musiciens du conservatoire voisin. Le soir tout s'anime, on bat alors le pavé le temps qu'une table se libère. Dans l'assiette, d'excellentes truites d'élevage accompagnées de légumes frais, cuits simplement à la vapeur. Un régal ! Viandes et salades également, et des petits plats *para picar* avec l'apéro. À toute heure, c'est un plaisir d'y repasser, ne serait-ce que pour boire un café, grignoter une crêpe ou une pâtisserie.

|●| 🍽 *Restaurant Villalongin* (plan D2, 35) : calzada Madero 1044. ☎ 313-00-84. Tlj 9h-minuit. Bonnes grosses viandes grillées au feu de bois, à dévorer en plein air, sous les arcades du porche face à l'aqueduc avec, en point de mire, la cathédrale qui se découpe sous les arches. Petite salle colorée s'il fait frisquet. Pour faire glisser, de copieux jus de fruits mousseux sont servis à la carafe. Petit déj le matin. S'il n'y a plus de place, les carnivores se rabattront sur *El Chato Carbajal,* juste en face.

Chic (150-250 $Me, soit 9-15 €)

|●| 🍸 *Bizancio* (plan A2, 36) : Corregidora 432. ☎ 317-45-98. Mar-sam 14h-22h30 ; dim 14h-17h. Un bon resto italien dans une ancienne demeure coloniale. Très beau cadre, surtout le soir, où le patio est élégamment éclairé. Outre de bonnes pizzas et toute une kyrielle de plats italiens succulents, un médaillon de veau au jambon de Parme et aux épinards très réussi et joliment présenté. Musique *lounge* et ambiance cosy. Le bar, avec sa magnifique collection de verreries, ouvre à partir de 19h.

|●| 🍸 *La Casa del Portal* (plan B1, 37) : Guillermo Prieto 30. ☎ 313-48-99. Tlj 8h-23h ; dim, petit déj-buffet. Ne vous fiez pas à la drôle d'entrée : on passe à travers des stands de souvenirs avant

de monter au 1er étage. Là, vous découvrirez une véritable caverne d'Ali Baba remplie d'antiquités. Même les papiers peints doivent dater de l'époque porfirienne ; la maison a d'ailleurs été habitée par un président du Mexique. On dîne dans une ambiance assez chic, parmi des meubles de style colonial ou Art déco. Un incroyable mélange. Et tout est en vente ! Le vaisselier des années 1950, le buffet rococo ou les statues de saints. En plus, on mange bien et le service est aimable, mais attention à l'addition qui grimpe vite avec le vin. Allez-y au moins pour prendre un verre au bar de la terrasse sur le toit *(ouv à 18h)*. Très belle vue sur le *zócalo*.

Très chic (plus de 300 $Me, soit 18 €)

|●| *Fonda Las Mercedes* (plan A1, **38**) : León Guzmán 47. ☎ 312-61-13. Lun-sam 13h30-minuit ; dim 13h-21h. Somp005tueuse déco qui marie pierre coloniale, fragments de colonnes, sculptures sacrées et éclairages tamisés ultra-contemporains. Élégant patio couvert agrémenté de plantes exotiques. En hiver, dans les somptueux salons, la cheminée crépite. Belle carte de viande et de poisson ; goûtez à l'exquise truite *(trucha)* à la portugaise ! Un lieu rare, pour un dîner chic.

Où prendre le petit déjeuner ?

🍴 *Resto de l'hôtel Casino* (plan B1, **17**) : voir « Où dormir ? ». Tlj à partir de 8h. Formules petit déj plus chères que la moyenne, mais quel plaisir de démarrer la journée sous les arcades, face au *zócalo*, en compagnie des premiers rayons du soleil ! Même cadre et mêmes prix chez le voisin, *Misión Catedral*.

🍴 *La Casa del Portal* (plan B1, **37**) : voir « Où manger ? ». Petit déj-buffet dim. Plusieurs formules originales à des prix décents. Papaye au fromage blanc, céréales, *hot cakes*, crêpes à la fleur de courgette... Ça change des *huevos* aux *frijoles* !

🍴 *El Rincón de los Sentidos* (plan A1, **52**) : voir « Où boire un verre ? Où sortir ? ». Petit déj servi 10h-12h. Les classiques œufs à la *mexicana*, mais aussi des gaufres *(wafles)* ou des croissants garnis *(cuernitos)*.

🍴 Enfin, pour un petit déj plus popu, direction *El Tragadero* (plan B2, **33**). Voir « Où manger ? ».

Où boire un verre ? Où sortir ?

🍸♪ *El Rincón de los Sentidos* (plan A1, **52**) : Madero Poniente 485. ☎ 312-29-03. Tlj 10h-minuit (1h ven-sam). Un immense café-bar musical décontract et convivial, aménagé sur 2 étages dans un de ces anciens palais qui bordent l'avenue Madero. Belle déco sous les arcades du patio. Plusieurs salles aux tables basses en acajou, et des recoins où l'on s'écroule sur de confortables canapés ou sur des poufs moelleux. Clientèle jeune et hétéroclite, désinhibée par les éclairages tamisés. Du mercredi au samedi soir, musique live de 21h à 23h. Petite restauration (gaufres, tacos, hamburgers et... fondue au fromage !). Et des prix tout aussi sympas que l'endroit.

🍸|●| *Onix* (plan B1, **17**) : Portal Hidalgo 261, sous les arcades, à quelques pas de l'hôtel Casino. ☎ 317-82-90. Tlj 13h30-1h (3h le w-e). Le resto-bar branché de Morelia, plus propice aux libations qu'aux agapes, malgré un drôle de menu flirtant de la fondue suisse au steak de crocodile. Plutôt que de déguster, on vient surtout ici se montrer, calé en terrasse sous les arcades face au *zócalo*, ou accoudé au bar chromé face à un splendide miroir en onyx. En salle, déco contemporaine et mobilier design, avec des chaises rouges au dossier interminable. Choix de cocktails exotiques. Bonne musique.

🍸 *Café del Conservatorio* (plan B1, 50) : Santiago Tapia 363. ☎ 312-86-01. Juste en face de la belle église Santa Rosa. Lun-ven 9h-22h ; w-e 13h-23h. Un lieu chic et cosy, avec quelques tables en terrasse sur la jolie place ombragée. Étudiants et intellos viennent y prendre leur *espresso*. Délicieux et copieux sandwichs, assiette de fruits frais, pâtisseries... Un peu cher. Pour un verre plus décontract, et plus vivant aussi, on optera pour le voisin, *La Casona de las Rosas* (lire plus haut « Où manger ? »).

🍸♪ *Bar de l'hôtel Los Juaninos* (plan B2, 51) : Morelos Sur 39 ; presque à l'angle de Madero. ☎ 312-00-36. Ouv tlj 13h-22h30 (plus tard ven-sam, avec DJ à partir de 21h). Cher et très chic. On prend l'ascenseur design pour monter au dernier étage de cet ancien palais épiscopal de la fin du XVIIIᵉ s. De la terrasse, vue somptueuse sur la cathédrale et magnifique perspective sur la rue Madero. Belle carte de tequilas et de cocktails. Le soir, clientèle de yuppies mexicains.

🍸 On peut également siroter un verre le petit doigt levé aux bars des restos *Bizancio* (plan A2, 36) et *La Casa del Portal* (plan B1, 37). Lire plus haut « Où manger ? ».

Achats

🛍 *Casa de las Artesanías* (plan C2, 60) : entrée sous les arcades de la pl. Valladolid adossées à l'église San Francisco. Lun-sam 9h-20h ; dim 10h-15h. Dans l'ancien couvent de l'église, exposition-vente d'objets en terre cuite et de meubles du Michoacán. Tout est assez imposant, genre amphore conçue pour stocker des quintaux de maïs en prévision de la fin du monde (rappelez-vous, les Aztèques s'y préparent tous les 52 ans !). Pas très pratique à rapporter dans l'avion...

🛍 *Museo de los Dulces* (plan C2, 61) : Madero Oriente 440. Tlj 10h-19h30 (20h30 ven-sam). Vendeuses en costumes du XIXᵉ s, vitrines en bois verni, douceurs présentées dans des écrins de joaillerie... Cette boutique n'a rien d'un musée, même si les bonbons et autres gourmandises y sont bichonnés comme des œuvres d'art. Ces *ates* (pâtes de fruits), *obleas* à la confiture de lait ou de miel et autres caramels durs ou mous sont bien plus alléchants, et plus chers aussi, qu'au *mercado de dulces* (lire ci-dessous « À voir »). À l'arrière, joli petit patio avec salon de thé pour tester la marchandise.

🛍 Le dimanche, un *grand marché aux puces* investit le sud de l'avenue Garcia Obeso et les rues adjacentes (hors plan par B2). Beaucoup de monde et plein de petits stands où manger pas cher.

À voir

➤ On peut visiter la ville en trolley avec *le tranvía touristique Kuanari et Xanguereti* (plan B1, 3). Départ ttes les heures (ttes les 15 mn en hte saison) 10h30-20h30, près du kiosque aux billets situé sur le zócalo. Compter 55 $Me/pers (3,30 €). Plusieurs parcours, de 45 mn à 1h (avec arrêt au Santuario de Nuestra Señora de Guadalupe).

– Pour les marcheurs, voici une petite *boucle baroque* à travers le centre historique. Suivez le guide ! Voir aussi les circuits proposés par la brochure de l'office de tourisme.

🏛🏛 *Catedral* (plan B1-2) : au milieu de la pl. de Armas (le zócalo). Elle a été commencée en 1660 et achevée une centaine d'années plus tard. Un mélange de baroque et de néoclassicisme. Levez les yeux : les coupoles recouvertes d'azulejos se découpent sur le ciel bleu. De superbes photos à faire. L'intérieur laissera plus indifférent : des fonts baptismaux en argent, un orgue imposant (4 600 tuyaux) construit en Allemagne et un christ en pâte de maïs du XVIᵉ s, portant une couronne en or offerte par Philippe II d'Espagne. Au pied de la cathédrale s'étend le *zócalo* aux arbres impeccablement taillés, rendez-vous des bulleurs et des vendeurs de ballons.

🔧 *Palacio de Gobierno* (plan B1) *: en face de la cathédrale.* Un ancien séminaire construit en 1750. Du beau baroque. Autour du patio cerné d'arcades, splendides peintures murales d'Alfredo Zalce sur l'histoire du Mexique. Abrite une antenne de l'office de tourisme.

🔧 *Templo del Carmen* (plan B1) *: sis sur une place charmante et sereine.* Il était intégré à l'ancien couvent des moines carmélites du XVIII⁰ s, qui héberge aujourd'hui la *Casa de la cultura* avec ateliers, auditorium, salles d'expos, cafétéria... *(entrée par Morelos 485).* Un imposant ensemble architectural aux allures de forteresse, où se rencontre la jeunesse locale. Animations et expos temporaires. À deux pas, on jettera un œil, s'il est ouvert, au *Museo de Arte Colonial* (Juárez 240). Collection de peintures religieuses, sculptures et christs en pâte de maïs (pas touche ! ils ne se mangent pas !).

🔧🔧 *Santa Rosa* (plan B1) *:* cet ancien couvent de religieuses dominicaines occupe tout un pâté de maisons. Très belle façade ornée de gargouilles et prolongée d'une série d'arcades. À l'intérieur de l'église, splendide retable churrigueresque. En face, à portée de notes du conservatoire de musique, les terrasses de cafés-restos prennent leurs aises sur la romantique place arborée où trône une fontaine (voir « Où manger ? » et « Où boire un verre ? »).

🔧🔧 *Palacio Clavijero* (plan B1) *: entrée par Nigromante 79.* Colossal et magnifique ensemble architectural du XVII⁰ s. Il a servi, entre autres, de collège jésuite. Aujourd'hui, il abrite la bibliothèque de l'université du Michoacán. Immense cour en pierre rose ornée d'une fontaine centrale octogonale. À l'arrière (entrée par Gómez Farías), sous les arcades de l'ancien collège, le *mercado de dulces* propose dans ses échoppes un vaste choix de douceurs sucrées, spécialités de la ville (bonbons au lait, au miel, caramels, pâtes de fruits...). Également quelques stands de verroterie et d'artisanat.

🔧 *Colegio de San Nicolás de Hidalgo* (plan B1) *:* fondé en 1580, ce fut la première université du continent américain. Morelos y usa ses fonds de culotte. Il sert toujours de lycée aujourd'hui.

🔧 *Palacio municipal* (plan A-B1-2) *: angle Allende et Galeana.* Bel édifice baroque construit en 1781 pour y installer une fabrique de tabac. Superbe patio avec de très belles arcades, pas toujours ouvert malheureusement. Au *cuadra* suivant *(angle d'Allende et d'Abasolo),* une belle demeure baroque abrite le *Museo michoacáno,* récemment réaménagé, qui retrace l'histoire du Michoacán.

🔧 *Palacio de justicia* (plan B1-2) *: Allende et Abasolo. Tlj jusqu'à 20h. Entrée gratuite.* L'un des plus anciens bâtiments de la ville, remanié en 1885. Petit musée sur l'histoire de Morelia, présentant des journaux et des textes originaux des principales réformes judiciaires, dont « la déclaration de l'abolition de l'esclavage en Amérique latine ». Une immense fresque murale d'Agustín Cárdenas domine l'escalier central.

🔧 Prenez la rue piétonne Hidalgo pour passer devant l'église *San Agustín* (plan B2) avec sa belle et sobre façade platéresque. Les pigeons envahissent sa mignonne esplanade. Allez, soyez gosses, faites-les s'envoler ! Derrière l'église, la *Casa natale de Morelos,* ornée de tableaux figurant les grands événements de la guerre d'indépendance, a été aménagée en modeste centre culturel, avec une cinémathèque et une salle d'étude *(ouv tlj 9h-19h ; entrée libre).* Agréable petit jardin à l'arrière.

🔧 *Museo histórico de sitio casa Morelos* (plan B2) *: Morelos Sur 323.* ☎ *313-26-51. Tlj 9h-16h. Entrée : 31 $Me (1,90 €) ; gratuit dim.* Pour les passionnés de l'histoire de l'indépendance du Mexique. C'est ici qu'habita le célèbre héros Morelos, qui donna son nom à la ville et à un État. Chaque grande période de sa vie est illustrée d'objets courants de l'époque (faïences, outils, objets de culte, portraits, textes...). Panneaux explicatifs épuisants.

🗡 Remontez ensuite vers la plaza Valladolid, elle aussi ornée d'une fontaine. Attenante à la *Casa de las Artesanías* (voir « Achats »), *San Francisco (plan C2)* est la plus vieille église de la ville.

🗡 En redescendant Madero Oriente, on s'arrêtera au passage pour visiter le *templo de las Monjas* (temple des nonnes), édifice baroque dédié à sainte Catherine, construit au début du XVIIIᵉ s pour les dominicaines. Sa disposition est typique des couvents de l'époque coloniale, avec une grande grille séparant la chapelle de l'église.

🗡🗡🗡 *Santuario de Nuestra Señora de Guadalupe (plan D2-3)* : pour y aller, descendre la rue Madero Oriente. On arrive à un charmant quartier bien tranquille, que l'on traverse en empruntant la *chaussée Fray Antonio de San Miguel.* Construite en 1732, cette ravissante rue pavée et piétonne est bordée d'anciennes maisons de campagne des XVIIIᵉ et XIXᵉ s. Elle débouche sur une vaste esplanade hérissée de palmiers. Érigée en 1656, l'église vaut vraiment le déplacement. L'extérieur est assez sobre, mais l'intérieur est un joyau. Un feu d'artifice de couleurs vives. Les plafonds et les murs sont peints en rouge, jaune et fuchsia, les frises virevoltent en arabesques dorées. Un surprenant et somptueux mélange de baroque et d'art populaire. De quoi en mettre plein les yeux aux indigènes. D'immenses tableaux évoquent, plein de manichéisme, l'évangélisation des Indiens. Un autre, complété par des médaillons placés au-dessus du chœur, conte l'histoire de la fameuse effigie de la Vierge de Guadalupe, trouvée sur une colline de Mexico. Derrière l'autel agonise un christ sanguinolent. Si vous n'avez plus de force pour le retour, de fréquents combis remontent vers le *zócalo.*

🗡 On peut aussi remonter vers le centre à pied, en suivant l'*aqueduc,* superbement illuminé le soir. Il est bordé d'un grand parc dans lequel s'est installé, dans une petite bâtisse du XIXᵉ s, le *musée d'Art contemporain Alfredo Zalce (Macaz).* Expos temporaires d'artistes mexicains comme étrangers *(plan D2-3 ; ouv mar-ven 10h-19h45 et w-e 10h-17h45 ; entrée libre).* L'aqueduc vient enfin mourir sur la jolie *plaza Villalongin (plan D2)*, où jaillit une fois de plus une fontaine. Descendez de quelques pas la rue Madero Oriente. S'échappe alors sur la gauche, juste après avoir passé les arches de l'aqueduc, le mignon *callejón del Romance (plan D2)*, un passage piéton encadré de maisons du XIXᵉ s mangées par les fleurs.

➤ *DANS LES ENVIRONS DE MORELIA*

🗡 *Cuitzeo :* à 35 km au nord de Morelia. Bus Flecha Amarilla ttes les 10 mn pour Morelia ou Yuriria. Village tranquille au bord du lac du même nom, dont l'architecture rappelle Pátzcuaro : des rues en damier, pavées et bordées de maisons basses blanc immaculé, avec le nom des enseignes peint sur la façade. Face au *zócalo* s'élève un très beau *monastère augustinien* du XVIᵉ s magnifiquement restauré *(ouv tlj 9h-18h ; ferme à 17h dim ; entrée : 31 $Me, soit 1,90 €).* On se balade à travers le cloître et les cellules des novices organisées autour de deux calmes patios, en songeant aux Indiens moinillons découvrant cette religion venue d'ailleurs. Au passage, on remarquera des fresques des XVIᵉ et XVIIᵉ s recouvrant la *sala capitular* (réfectoire). Petit musée présentant quelques tableaux religieux du XVIIIᵉ s et belle collection de céramiques archéologiques polychromes d'époque *preclásico* (de 500 à 1 000 ans av. J.-C.).
À la sortie du village, tel Jésus marchant sur les eaux, la route traverse le magnifique lac, véritable paradis pour oiseaux et pêcheurs.

🍴 *Yuriria* : à 22 km au nord de Cuitzeo, et à 65 km de Morelia. *De/pour Morelia, bus Flecha Amarilla ttes les 20 mn jusqu'à 20h. Le terminal à Yuriria se situe face au monastère. On peut y prendre un bus direct pour Querétaro (ttes les 50 mn 6h20-18h40) avec Flecha Amarilla.* Au cœur du bourg se dresse un imposant **monastère augustinien** du milieu du XVIᵉ s, encerclé d'une vaste esplanade jardin accueillant le week-end un grand marché. Belle façade ouvragée de style plateresque et campanile carré. À l'intérieur *(ouv tlj sf lun et j. fériés 10h-17h45 ; entrée : 31 $Me, soit 1,90 € ; gratuit dim)*, magnifique cloître orné d'orangers. Grimpez l'escalier pour découvrir la vue fabuleuse qu'avaient les moines depuis leur cellule sur les alentours du lac de Yuriria. Cela a dû susciter bien des vocations ! Pas grand-chose à voir sinon, la plupart des salles sont vides. On compte tout de même quelques pièces d'art religieux et une collection de tampons préhispaniques. Déjà, le poids de l'administration... Adossée au monastère, superbe église à la façade sculptée de divers personnages (y a même un joueur de volley).

🍴 Pour reprendre des forces avant de sauter dans le bus, direction le **café-loncheria Quetzacoatl,** juste à côté du terminal. On y croque sandwichs et *tortas* frais et croustillants, dans une petite salle colorée ouverte sur la place. Commander au comptoir.

🚶🚶🚶 🌐 *Santuarios de la Mariposa monarca (sanctuaires des papillons monarques) :* à 155 km de Morelia et 213 km de Mexico. Le point de départ des excursions est le village d'**Angangueo**. *L'accès en bus par les petites routes de montagne est long et nécessite plusieurs changements. Départ du terminal de bus de Morelia (voir « Arriver – Quitter ») pour Ciudad Hidalgo ; prendre ensuite un combi (ttes les 15 mn) ou un bus local (ttes les heures) pour Angangueo. Autre solution pour ceux qui viennent ou vont vers Mexico : passer par Zitácuaro. Départ du terminal de bus de Morelia ou du terminal Poniente de Mexico. On peut dormir à Zitácuaro et y laisser ses bagages. Plusieurs bus assurent alors la liaison avec les sanctuaires.*
En voiture, il est préférable de passer par l'autoroute, qui rallonge la distance de 40 km. Prendre la direction de Mexico sur 100 km, sortir à Maravalio, prendre la direction de Ciudad Hidalgo, puis, avt l'entrée d'Irimbo, celle d'Aporo et d'Angangueo. Trajet : 2h30.
On peut enfin passer par l'une des nombreuses excursions proposées au départ de Morelia. Compter alors 500 $Me/pers (30 € ; transport, repas, guide et entrée inclus ; ajouter loc chevaux et pourboires).

Chaque année, des millions de papillons monarques quittent le Canada et les États-Unis où ils sont allés se ravitailler, pour venir hiberner et se reproduire 4 000 km plus au sud, dans les montagnes mexicaines. Partir à la rencontre de ces milliers de gros papillons voyageurs, aux ailes orange, blanc et or si finement dessinées, venus se poser sur le promeneur ébloui, est un spectacle inoubliable et exceptionnel ! Ils sont d'ailleurs le symbole de l'État du Michoacán. Mais comment ces papillons, dont

> ### DES PAPILLONS TOMBÉS DANS LA BASSINE DE VIAGRA
>
> *N'est pas monarque qui veut mais qui peut ! Alors que ses congénères se reproduisent environ trois fois dans leur existence, le papillon monarque mâle atteint la performance de sept fois ! Parfois, emportés par la vigueur de leur instinct et la température ambiante nécessaire à leur reproduction, ils sautent même sur des papillons du même sexe qu'eux !*

l'espérance de vie ne dépasse pas un an, reconnaissent-ils ce long trajet ? Et pourquoi reviennent-ils toujours ici, dans ces montagnes au climat froid, à plus de 3 000 m d'altitude ?

Comment visiter les sanctuaires ?
Le village d'**Angangueo** sert de camp de base pour la visite des sanctuaires. Grimpant sur la montagne, il est dominé par le *Templo de la Immaculada Concepción,*

bâti au XVIIIe s. On trouve, au pied de cette église, un **petit bureau d'informations touristiques** très efficace (ouv tlj jusqu'à 18h).

Il existe cinq sanctuaires de papillons, mais deux seulement se visitent : *El Rosario* et *Sierra Chincua* (ouv tlj 15 nov-21 mars). Le nombre de papillons varie d'un site à l'autre en fonction de la température. Mieux vaut commencer l'excursion tôt le matin. Prévoir de bonnes chaussures et des vêtements chauds et imperméables. En effet, oscillant entre 8 et 22 °C, les températures peuvent descendre jusqu'à - 3 °C. Attention, en cas de mauvais temps (ou simplement nuageux et donc plus frais en altitude), les papillons, anesthésiés par le froid, se réunissent pour dormir en grappes serrées, formants des cocons de 2 à 3 m suspendus aux branches. La déception est alors totale de ne pas en voir un seul voler. Bien s'assurer que la température soit clémente avant de s'y rendre.

Autre recommandation importante : les papillons sont des animaux fragiles, la plus grande discrétion est demandée aux observateurs afin de le pas les déranger dans leur habitat naturel, sous peine de les voir migrer d'ici peu vers d'autres sanctuaires non visitables.

Les sanctuaires :

– **Le sanctuaire d'El Rosario :** *à 12 km d'Angangueo. On peut s'y rendre en voiture de tourisme ou en bus depuis Angangueo. Compter alors 25 $Me l'aller (1,50 €). 3 bus/j. à 8h30, 12h et 15h. Dernier retour à 15h30. Entrée :* 40 $Me (2,40 €). Facile d'accès, ce site est le plus visité. Il peut même être envahi de touristes certains week-ends, ce qui gâche le charme de la balade. À l'entrée, suivre le guide (compris dans le billet) sur 2 à 5 km à pied pour atteindre le lieu (changeant) d'hibernation des papillons. Resto et petit musée avec vidéo de présentation sur place.

– **Le sanctuaire de Sierra Chincua :** *sur la commune d'Ocampo, à 6 km d'Angangueo. Parking accessible en voiture particulière, en taxi (négocier) ou à pied pour les plus courageux (ou fauchés...). Entrée :* 35 $Me (2,10 €). Du parking, compter 2h de marche difficile sur des chemins escarpés et boueux. Ça descend, il faudra donc monter au retour... Heureusement, on peut louer un cheval *(100 $Me/pers, soit 6 €)*, mais cela alourdit encore le coût de la balade ! La récompense sera d'évoluer parmi les millions de papillons, pas farouches pour un sou, qui viendront se poser sur vous ! Ne pas manquer non plus, depuis le mirador, la vue fantastique sur les vallées environnantes.

Où dormir à Angangueo ?

🛏 🍴 **La Margarita :** *Morelos 83. Dans la partie basse du village, à 500 m du centre.* ☎ 715-156-01-49. *Compter 300-500 $Me (18-30 €) la double, avec ou sans cheminée. Parking.* Ce motel à étage rose bonbon propose des chambres propres, colorées et spacieuses, avec salle de bains. En cas de crise de foi, on y trouve même une chapelle.

PÁTZCUARO
45 000 hab.   IND. TÉL. : 434

Perchée à 2 140 m d'altitude entre ce qui était considéré comme le plus beau lac du Mexique et les forêts de pins, Pátzcuaro est une cité pleine de caractère qui nous a charmés. Petit bijou architectural, ce village de montagne frappe par son style colonial si particulier. Appuyées sur des charpentes en bois brûlé et coiffées d'un toit de tuiles, les maisons blanches au liseré lie-de-vin rappellent les villages traditionnels du pays basque. On est pourtant là au cœur de la terre des Indiens purépechas, les Tarasques, comme les ont appelés les Espagnols. Ils ont toujours résisté à l'envahisseur, notamment aux attaques des Aztèques. Cependant, les Espagnols ont réussi à s'imposer, d'abord avec le cruel Nuño de Guzmán, qui fit brûler vif leur dernier chef, Tanganxoan II. Vint ensuite l'évêque Vasco de Quiroga (*Tata Vasco* pour les intimes) qui, nourri des idéaux utopisto-humanistes de Thomas More, organisa les indigènes en communautés. Il les incita à développer leur propre artisanat, ce dont personne ne se plaindra. La région est donc une grande productrice d'artisanat, et les boutiques et les galeries d'art ont fleuri ces dernières années à Pátzcuaro, qui vit désormais de ses marchés et du tourisme. Attention, on est ici à la montagne, il fait donc frais l'hiver.

EL DÍA DE LOS MUERTOS

Les 1er et 2 novembre se déroule, dans les villages du lac de Pátzcuaro, l'émouvante et traditionnelle cérémonie religieuse *del día de los muertos,* le « jour des Morts ». Les gens du pays honorent leurs disparus avec solennité et ferveur. Les cimetières sont en fête. On place sur les tombes de magnifiques autels de fleurs. Puis, dans la nuit du 1er au 2 novembre *(la noche de los muertos),* les femmes apportent les offrandes (pain des morts et victuailles) qu'elles déposent sur de petites nappes. Parfois, des groupes de musiciens viennent jouer sur les tombes les airs préférés du défunt.

Chaque village a ses propres rites. Sur l'île de Janitzio, la plus connue, la cérémonie s'est reconvertie en fête touristique, avec, durant toute la nuit, un va-et-vient de bateaux surchargés de visiteurs... et l'impression amère que cette célébration séculaire est piétinée par les marchands du temple, bateliers, restaurateurs et vendeurs de souvenirs. Préférez d'autres îles ou bien les hameaux du rivage comme Tzurumutaro, Tzintzuntzán et Ihuatzio. L'office de tourisme régional publie une brochure qui décrit le programme des manifestations dans chaque village.

Arriver – Quitter

En bus

🚌 *Le terminal* (hors plan par A2) se trouve à env 15 mn à pied du centre. ☎ 342-00-52. *Le taxi (20 \$Me, soit 1,20 €) n'est pas vraiment utile, sf si vous êtes très chargé. À l'arrivée, on peut aussi attraper un combi qui indique « Centro » à la sortie du terminal ou sur l'av. principale. Pour le retour, prendre un combi indiquant « Estación » sur la pl. San Agustín (plan A-B1).*
Attention, Pátzcuaro n'est pas une station routière importante, et, hormis quelques départs particuliers, les bus de grandes lignes n'y sont que *de paso* (de passage). Pour se rendre dans d'autres grandes villes de la région ou du pays, il faut donc soit faire la queue en attendant une éventuelle place dans le bus pour la direction qui vous intéresse, soit prendre un bus pour Morelia ou pour Uruapán, où vous aurez plus de choix. Pour les bus 1re classe *Primera Plus,* voir site et n° national gratuit dans le chapitre « Mexique utile », rubrique « Transports ». Consigne à bagages sur place.

➤ *Pour/de Santa Clara del Cobre :* ttes les 20 mn env, 5h45-20h30, avec *Buses de Occidente.* Trajet : 20 mn. Ticket en vente directement sur le quai.

➤ *Pour/de Tzintzuntzán :* ttes les 15 mn env, 6h-18h30, avec *Erandi.* Trajet : 40 mn. Ticket en vente directement sur le quai.

➤ *Pour/de Tocuaro et Erongaricuaro :* ttes les 10 mn env, 7h-20h30, avec *Buses de Occidente.* Trajet : 25 et 40 mn. Ticket en vente directement sur le quai.

➤ *Pour/de Morelia :* ttes les 15 mn, 5h45-20h30, avec *Ruta Paraíso/Purépecha.* Aussi 4 bus/j. directs en 1re classe avec *Primera Plus* à 11h, 15h45, 22h45 et 1h, et 7 autres avec arrêts, 6h-20h10. Ts sont au même tarif. Avec *Autovías,* 10 bus/j. 7h45-1h15. Trajet : 1h env.

➤ *Pour/de Uruapán :* ttes les 30 mn, 6h-20h30, avec *Ruta Paraíso/Purépecha* par la nationale. Trajet : 1h20. Aussi 1 bus direct en 1re classe avec *Primera Plus* à 6h30, et 1 avec arrêts à 18h20.

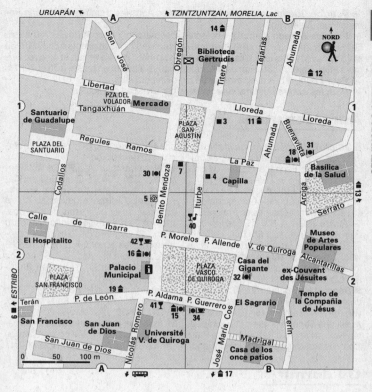

PÁTZCUARO

■ **Adresses utiles**

- **ℹ** Office de tourisme municipal
- **3** Caseta telefónica Dialmex
- **4** Banque HSBC
- **@ 5** Meganet
- **6** Laverie
- **7** Banamex

🏠 **Où dormir ?**

- **11** Hotel Valmen
- **12** Posada Camelinas
- **13** Posada de la Salud
- **14** Posada de los Angeles
- **15** Posada San Rafael
- **16** Hotel Los Escudos
- **17** Posada Yolihuani
- **18** Posada La Basílica

- **19** Casa de la Real Aduana

|◉| ☕ **Où manger ? Où prendre le petit déj ?**

- **18** Restaurant de la Posada Basílica
- **30** Restaurante Doña Rafa
- **31** Restaurant Lupita
- **32** La Compañia
- **34** El Patio

🍸 ♪ **Où boire un verre ? Où manger une pâtisserie ? Où sortir ?**

- **40** El Viejo Gaucho
- **41** El Campanario
- **42** La Surditora

LES VILLES COLONIALES

➤ *Pour/de Guadalajara :* 1 bus à 12h15 avec *Autovías.* 1 autre à 0h15 avec *Primera Plus.* Trajet : 4h.

➤ *Pour/de Mexico (terminal Poniente-Observatorio) :* avec *Autovías,* 10 bus/j. 6h45-1h15. Trajet : 5h. Pour le *Terminal Norte,* bus 1ʳᵉ classe directs à 8h30, 12h30 et 23h15 avec *Autovías* ; plus 5 autres à 11h, 15h45, 22h40, minuit et 1h avec *Primera Plus.* Trajet : 5h30. *Primera Plus* affrète aussi 2 bus avec arrêts, à 7h et 20h10.

➤ *Pour León :* 1 bus avec arrêts à 9h avec *Primera Plus.*

➤ *Pour les autres destinations :* passer par Uruapán ou Morelia.

Adresses utiles

🛈 *Office de tourisme municipal (plan A2) :* sur la pl. Vasco de Quiroga, à côté de l'hôtel Los Escudos. ☎ 344-34-86. ● patzcuaro.org ● *Lun-sam 9h-19h ; dim 9h-15h et 17h-20h.* Plan de la ville et quelques brochures sur Pátzcuaro et sa région, dont certaines en français.

✉ *Poste (plan A-B1) :* Obregón 13. *Lun-ven 8h-16h ; sam 9h-13h.*

■ *Téléphone :* un peu partout dans la ville. La *caseta telefónica Dialmex (plan B1, 3),* sur la pl. San Agustín, face à la bibliothèque, est ouv 7h-22h.

■ *Banque HSBC (plan B1, 4) :* Iturbe, à côté de l'hôtel Rincón de Josefa. *Lun-ven 9h-19h ; sam 9h-15h.* DAB à côté. Aussi une *Bancomer* avec DAB un peu plus loin, à l'angle d'Iturbe et de La Paz. Sous les arcades de la pl. *San Augustín,*

une *Banamex (plan A1, 7)* assure le service *Western Union.*

@ *Meganet (plan A2, 5) :* Benito Mendoza. *Tlj 9h-20h30.* Quelques ordinateurs et même des jeux vidéo. Ambiance jeune et sympa. *Autre adresse sur la pl. Vasco de Quiroga, près de l'angle avec Benito Mendoza (plan A2). Lun-ven 8h-21h. Enfin, nombreux postes et connexion bon marché dans un cadre mystique à la Biblioteca Gertrudis (plan A1). Lun-ven 8h30-19h ; sam 9h-14h.*

■ *Laverie (hors plan par A2, 6) :* Terán 16, à env 100 m de la pl. San Francisco. ☎ 342-39-39. *Tlj sf dim 8h-20h.*

■ *Toilettes publiques :* sous les arcades au sud des pl. Vasco de Quiroga *(plan A-B2)* et San Augustín *(plan A-B1).*

Où dormir ?

Le 8 juillet (fête de Notre-Dame de la Salud), pendant la fête des Morts et enfin à Pâques, il est difficile de trouver une chambre. Réservez longtemps à l'avance. Durant ces périodes, les tarifs peuvent augmenter considérablement. En revanche, on peut largement négocier en basse saison.

De très bon marché à bon marché (moins de 400 $Me, soit 24 €)

🛏 *Hotel Valmen (plan B1, 11) :* Lloreda y Ahumada 34. ☎ 342-11-61. ● *valmenhotel.com.mx* ● *Pas de petit déj. Wifi.* Le moins cher. Les chambres se répartissent sur 3 niveaux, autour d'un patio à colonnades et le long de couloirs vert pomme. Spacieuses, simples, avec douche privée, elles ne sont plus toutes jeunes mais encore très bien tenues. Évitez celles donnant sur la rue, très bruyante, même si elles disposent d'un petit balcon. Un bon petit hôtel, à l'accueil gentil.

🛏 *Posada de los Angeles (plan B1, 14) :* Titere 17. ☎ 342-24-40. *Pas de petit déj. Wifi.* Un joli petit hôtel familial très calme, lové dans une ruelle charmante. Les chambres, confortables, colorées et bien arrangées, presque élégantes et surtout impeccablement tenues, s'ouvrent sur un beau patio fleuri. Celles à l'étage se servent de la coursive comme d'une petite terrasse. TV. Parking à proximité. Accueil souriant, chaleureux. Un excellent rapport qualité-prix.

🛏 *Posada Camelinas* (plan B1, *12*) : Efrén Urincho 17. ☎ 342-18-74 et 342-17-47. • posadacamelinas@hotmail.com • *Parking gratuit. Wifi.* Cette pension installée dans un petit immeuble moderne, offre calme et repos à quelques pas de la plaza San Agustín, dans un quartier résidentiel. Chambres au ton jaune d'œuf, avec meubles en pin, TV câblée et salle de bains nickel. Elles sont réparties sur 3 niveaux autour d'un petit patio. Celles aux étages supérieurs – en particulier la 53 – bénéficient d'une belle vue sur les toits de la ville. Ceux qui logent en dessous pourront toujours profiter du panorama sur le village et le lac depuis la miniterrasse du 3ᵉ. Évitez en revanche les chambres du rez-de-chaussée, plus tristes. Une annexe au fond de l'impasse dispose de chambres tout aussi impeccables autour d'une courette tranquille. Accueil cool. Une bonne adresse dans cette catégorie.

De prix moyens à chic (400-1 200 $Me, soit 24-72 €)

🛏 *Posada de la Salud* (hors plan par B2, *13*) : Serrato 9. ☎ 342-00-58. • posadadelasalud.com.mx • À env 200 m à l'est de la basilique. Pas de petit déj. Chambres aux tons gais, lumineuses et impeccables, donnant sur 2 patios fleuris peints aux couleurs du soleil. On préfère celui du fond avec son jardinet propret. Également des chambres pour 3 ou 4 personnes, dont certaines avec une cheminée. Une bonne adresse, tenue par une gentille vieille dame.

🛏 |●| *Posada San Rafael* (plan A2, *15*) : sur la pl. Principal (ou Vasco de Quiroga). ☎ 342-07-70. Internet. Bel hôtel de style colonial. Il dispose d'une centaine de grandes chambres confortables et bien arrangées, réparties autour d'une vaste cour-parking ou desservies par d'immenses corridors un peu sombres. TV câblée. Préférez celles rénovées, qui offrent un meilleur rapport qualité-prix. Resto.

🛏 |●| *Hotel Los Escudos* (plan A2, *16*) : portal Hidalgo 73 ; sur la pl. Principal. ☎ 342-12-90. • hescudos@ml.com.mx • *Tarifs variables selon saison.* Un bel hôtel colonial agencé autour de 2 superbes patios fleuris. Jolies couleurs des tissus et des murs, qui compensent le manque de clarté de certaines chambres pourtant très confortables. Elles sont décorées à l'ancienne, avec angelots et meubles en bois verni. Quelques-unes possèdent une cheminée, bien agréable l'hiver. D'autres ont vue sur la place. Resto.

🛏 *Posada Yolihuani* (hors plan par B2, *17*) : Dr Cos 40. À 200 m de la pl. Vasco de Quiroga. ☎ 342-16-66. • posada-yolihuani.com • *Wifi.* Un havre de paix. Autour de 2 jardins, cette vénérable bâtisse aux murs de terre, rénovée sans y perdre son âme, abrite des chambres immenses, toutes différentes, sobres et élégantes, avec plafond de bois, matelas moelleux et belles salles d'eau couvertes de céramiques. Accueil des plus chaleureux de Maria et de son mari français, qui organisent le lundi des soirées cinéclub et invitent le vendredi des paysans des environs à venir vendre leurs produits bio. Un lieu paisible et convivial où l'on se sent chez soi.

🛏 |●| *Posada La Basílica* (plan B1, *18*) : Arciga 6. ☎ 342-11-08. • posadalabasilica.com • *En face de la basilique.* Charmant hôtel aux tons basques, disposant d'une douzaine de chambres magnifiques avec parquet ciré et vrai lit *king size*. 9 d'entre elles ont même une cheminée. En voir plusieurs cependant, car certaines sont surévaluées. La terrasse centrale est un peu vide mais domine le village. Petit salon de lecture au-dessus du resto qui jouit d'un panorama absolument splendide.

Une adresse chère au charme rare

🛏 *Casa de la Real Aduana* (plan A2, *19*) : Ponce de León 16. ☎ 342-02-65. • real_aduana@lafoliamx.com • lafoliamx.com • *Résa obligatoire (slt 5 chambres). Doubles 264-400 US$, selon chambre et saison, petit déj mai-*

son royal inclus. CB refusées. On entre ici comme chez des amis. La maison de Gemma et Didier, une ancienne douane du XVIe s, est quasiment une œuvre d'art : le moindre détail – les terres cuites du sol, les ferronneries des lourdes portes d'époque, les objets posés çà et là, les plantes des patios luxuriants... – est d'un raffinement extrême. Et les chambres... Ah ! Toutes portent le nom d'artistes inspirés par le mouvement musical de la Folia (XVIIe s), avec lequel Didier se sent des affinités. La « Corelli » (plus chère) possède un plafond voûté couvert de fresques qui ne peuvent que vous inciter à faire de beaux rêves. Les autres ont chacune un charme singulier. Et toutes sont dotées d'un lit *king size* et d'un confort luxueux, cela va sans dire. Une adresse pour amoureux de l'art et amoureux tout court. La douane royale est aussi un lieu de culture abritant expositions, conférences et autres manifestations.

Où manger ? Où prendre le petit déj ?

À Pátzcuaro, vous ne risquez pas de mourir de faim, on trouve un resto tous les 50 m. Oubliez le célèbre *pescado blanco* (poisson blanc) du lac ; non seulement il n'est pas vraiment savoureux, mais en plus, le lac n'en contient plus et c'est donc désormais du poisson d'élevage. En revanche, n'hésitez pas à goûter à la délicieuse soupe tarasque *(sopa tarasca)* et aux *corundas,* des sortes de *tamales* servis avec une crème aux oignons. Pas très fin, mais ça cale bien.

Bon marché (moins de 80 $Me, soit 4,80 €)

|●| *Le marché* (plan A1) : à l'entrée et sur le côté droit du marché, plein de stands populaires où l'on mange pour pas cher des immenses *quesadillas* dégoulinantes d'huile perché sur un tabouret. Les casseroles chauffent toute la journée, jusque tard dans la soirée.

|●| *Restaurante Doña Rafa* (plan A1, 30) : *Benito Mendoza 30.* ☎ *342-04-98. Tlj 8h30-20h30. Menu du jour env 60 $Me.* Un petit resto tout en longueur et sur 2 niveaux, à la déco datée. Ambiance chaleureuse et conviviale. Bonne cuisine de spécialités locales dont la délicieuse soupe tarasque.

De prix moyens à chic (80-250 $Me, soit 4,80-15 €)

|●| *Restaurant Lupita* (plan B1, 31) : *Buena Vista 7-9.* ☎ *342-16-27. Tlj 8h30-22h.* Une cuisine régionale et mexicaine fraîche, concoctée sous le regard des curieux, et bien présentée dans des assiettes et tasses en grosse poterie. À déguster dans la petite ou la grande salle à la jolie déco, voire dans le patio. Atmosphère agréable.

|●| *La Compañia* (plan B2, 32) : *Portal de Matamoros 35.* ☎ *342-49-97. Mardim 13h-23h. Menu touristique env 45 $Me, plats à la carte plus chers.* Salle chaleureuse, décorée de nombreux masques et statues artisanales, prolongée de quelques tables posées en terrasse, sous les arcades en bordure de la place. Cuisine régionale bien préparée, plus quelques plats aux incontour-

nables influences italo-mexicaines.

|●| ♨ *El Patio* (plan B2, 34) : *pl. Vasco de Quiroga 19.* ☎ *342-42-40. Tlj 8h-22h.* Une valeur sûre à Pátzcuaro. Joli décor très coloré de bleu et de jaune, tapissé de kitschissimes tableaux. Service chaleureux, soigné, un peu guindé. Poisson bien cuisiné et plats copieux. Également des petits déj, assez chers, mais quel plaisir de commencer la journée en terrasse, attablé sur la si belle place.

|●| *Resto de la Posada La Basílica* (plan B1, 18) : voir « Où dormir ? ». Ouv tlj 8h-22h. De la salle du restaurant, on domine la ville et ses toits si caractéristiques, avec le lac en toile de fond. Panorama époustouflant. Petite carte, assez chère évidemment.

Où boire un verre ? Où manger une pâtisserie ? Où sortir ?

🍸 🍽 **La Surditora** (plan A2, **42**) : portal Hidalgo 71 A, sous les arcades de la pl. principale. ☎ 342-28-35. Tlj 7h-21h30. Murs en terre, carrelage en céramique... Ouvert sur la plaza Vasco de Quiroga, ce café au charme suranné est resté dans son jus depuis son ouverture en 1916. Vaste choix de petits déj, cafés, chocolats et pâtisseries, mais aussi quelques petits plats et alcools, à siroter sous le plafond à caissons, au pied de hautes étagères en bois patiné où s'alignent bouteilles de vins et de tequilas. Quelques tables sous les arcades également, ou dans un seconde salle à l'arrière, plus quelconque.

🍸 **El Campanario** (plan A2, **41**) : Aldama 12 ; sur la pl. Vasco de Quiroga. Tlj 16h-minuit. Terrasse agréable sous les arcades de la place centrale, idéale pour « apéroter » au calme. Certains poursuivent plus tard sur les hauts tabourets, dans la salle à l'éclairage tamisé et coloré, entre le torero en vitrine et l'étrange palier inaccessible et surréaliste, où attendent portant une table et une chaise ! Ambiance jeune, branchée et décontractée. Bon choix de cocktails à des prix des plus doux.

🍸 🍽 **El Viejo Gaucho** (plan B2, **40**) : Iturbe 10. ☎ 342-36-28. ● mexonline. com/vgaucho.htm ● Mar-sam 18h-minuit. CB acceptées. La salle principale, doucement éclairée, est parcourue d'épaisses tables en bois. Les peintures naïves côtoient de vieilles photos et de grandes marionnettes en papier mâché qui virevoltent dans les airs. Belle carte de boissons à prix serrés. On peut aussi y déguster une bonne cuisine argentine, un peu chère. Musique live à partir de 21h le week-end.

Achats

Si vous avez un camion, vous pourrez toujours vous équiper en lit, chaises, buffets ou lavabo en bronze ! Sinon, vous trouverez certainement ici d'autres merveilles de taille plus modeste ; on compte presque autant de boutiques d'artisanat que de maisons ! Entre autres spécialités du coin :

– **Les lacas :** petits meubles et objets laqués aux motifs floraux colorés, rehaussés de peinture à l'or ou au bronze. La minutie du travail est telle qu'un grand plateau peut demander jusqu'à 2 mois de labeur.

– **Le maque :** également des motifs floraux et des oiseaux, mais cette fois selon une technique préhispanique, surtout développée par les Purépechas d'Uruapán. On a retrouvé des plateaux en *maque* datant de 250 av. J.-C. en parfait état ! Vous pouvez donc acheter, c'est du solide ! Tous les ingrédients utilisés sont naturels. Sur un fond noir, les motifs sont d'abord évidés avec une sorte de cutter, puis ils sont remplis avec une couleur en poudre (cochenille, terre ou fleur) mélangée à de la poussière de quartz ; d'où sa résistance une fois sec. Cette mixture est appliquée avec la paume de la main à l'aide d'une huile extraite d'un ver (le *chía*), ce qui donne cet aspect lisse et brillant. Un plateau de 50 cm de diamètre demande 4 à 5 mois de travail. Seuls quelques artisans pratiquent encore cet art. On peut en voir à la *Casa de los 11 patios* (lire ci-dessous).

– **Le cuivre :** tradition artisanale du village de Santa Clara del Cobre (lire plus loin « Dans les environs de Pátzcuaro »). Vases, assiettes, pichets, marmites, etc.

– **Le bois sculpté :** meubles, coffres, cadres... Surtout une tradition de Tzintzuntzan (lire plus loin « Dans les environs de Pátzcuaro »).

🏛 **Casa de los 11 patios** (plan B2) : superbe ensemble de cours, jardins et escaliers, ancien couvent de dominicains. Un vrai labyrinthe, aujourd'hui consacré à l'artisanat local. On y voit des artisans œuvrer, et bien sûr, on peut acheter. Ne manquez pas, dans le 2e patio (le plus beau), la salle de bains des nonnes : un véritable jacuzzi... en pierre sculptée !

⊛ *Le marché (plan A1) :* saturé de couleurs, ce marché couvert aux échoppes de bois déborde largement sur les rues adjacentes. L'animation y est maximale entre 9h et 14h. Des Indiens viennent y vendre leurs produits, surtout des fruits et des légumes, mais aussi des plantes médicinales. Un peu d'artisanat tout de même. En fouillant un peu, on peut tomber sur quelques babioles marrantes.

⊛ *Le marché de las Ollas (plan A2) : pl. San Francisco, ven tte la journée.* Autrement dit des marmites, pots et autres récipients en terre.

À voir. À faire

➤ *Le tranvía touristique :* pour visiter la ville en trolley. *Achat des billets au resto El Patio (voir plus haut « Où manger ? ») et départ calle Dr Cos, sur la pl. Vasco de Quiroga (plan B2). Tlj 10h-19h. Compter 50 $Me/pers (3 €) ; réduc. Durée : 45 mn.*

🎎🎎🎎 *Plaza Vasco de Quiroga (appelée aussi **plaza Mayor** ou **Principal** ; plan A-B2) :* immense, plantée d'arbres centenaires et entourée d'arcades et de fort belles demeures coloniales. C'est peut-être bien notre place préférée au Mexique. Vraiment séduisante. Au centre, une statue de Vasco de Quiroga, premier évêque du Michoacán, nommé en 1536 et considéré comme un grand protecteur des Indiens.

🎎🎎 *Plaza San Agustín (plan A-B1) :* appelée officiellement « plaza Gertrudis Bocanegra », du nom d'une héroïne locale de l'indépendance. Sa statue trône au centre de la place. Ambiance plus populaire que sur la précédente (le marché est juste à côté). Jetez un coup d'œil dans l'ancienne église transformée en *bibliothèque (plan B1 ; lun-ven 8h30-19h, sam 9h-14h).* Des jeunes surfent sur la toile, d'autres étudient, bavardent... dans un cadre pour le moins mystique. Atmosphère surprenante ! Sur le mur du fond : imposante fresque de Juan O'Gormán, qui raconte l'histoire du Michoacán.

🎎 *Basílica de la Salud (plan B1) :* elle domine la ville de son imposante architecture néoclassique. Construite à partir du XVIe s sur des plans de Vasco de Quiroga. De nombreuses restaurations l'ont aidée à survivre aux tremblements de terre et aux guerres civiles. Elle fut la cathédrale de Pátzcuaro jusqu'au transfert de l'évêché à Morelia, en 1580. L'intérieur laisse assez froid avec ses grossiers vitraux contant la vie de Tata Vasco. Au-dessus de l'autel trône la *Virgen de la Salud,* une statue en pâte d'épi de maïs du XVIe s (technique préhispanique). Elle est extrêmement vénérée par les Tarasques, qui viennent lui rendre hommage le 8 de chaque mois. Sur la gauche en entrant, un mausolée contient les restes de Don Vasco.

🎎 *Museo de Artes populares (musée des Arts populaires ; plan B2) : mar-ven 9h-18h ; sam-dim 9h-17h. Entrée env 37 $Me (2,20 €).* Installé dans les bâtiments de l'ancien collège Saint-Nicolas, qui a été fondé en 1540 par Vasco de Quiroga (encore lui !) pour former les jeunes Indiens. Belle collection d'art populaire régional.

🎎 Plusieurs autres belles églises, à voir dans l'ordre ou dans le désordre : *santuario de Guadalupe (plan A1), El Hospitalito (plan A2)* qui est, paraît-il, la plus vieille de Pátzcuaro, *San Francisco (plan A2)* et sa très belle porte ouvrant sur le cloître, *San Juan de Dios (plan A2)* et son ancien hôpital adjacent, *El Sagrario (plan B2-3)* enfin, avec, en face, le *templo de la Compañía de Jésus (plan B2)* et son couvent qui abrita les jésuites avant leur expulsion. Il accueille désormais la Maison de la culture qui présente des expos temporaires *(mar-ven 9h-14h et 16h-19h ; sam 9h-15h).*

➤ DANS LES ENVIRONS DE PÁTZCUARO

➤ *Cerro del Estribo :* pour les marcheurs, balade très sympa à travers les pins jusqu'à cet ancien volcan. Partir de la rue Ponce de León *(plan A2),* sortir du bourg en traversant la route principale, continuer toujours tout droit (ça grimpe), puis passer devant l'église *El Calvario,* qu'on laisse sur sa gauche. Compter 1h de marche jusqu'au sommet. Paraît-il qu'il y a au moins 387 marches (392 selon certains) pour arriver en haut. On n'a pas eu la force de compter. Vue splendide sur le lac. Accès en voiture également.

🏃 *Le lac de Pátzcuaro et ses îles :* une trentaine de villages et de hameaux sont installés sur les rives et les îlots du lac. Ils ont longtemps vécu de la pêche du fameux *pescado blanco* (poisson blanc). Mais cette activité s'est largement réduite. Lors du tremblement de terre de 1985, le niveau d'eau a brutalement baissé, et depuis lors, le lac est chaque année moins profond. Ajoutez à cela la pollution, ainsi que l'absence d'un véritable projet de préservation de la part des autorités, et ce qui fut l'un des plus beaux lacs du Mexique ne vit plus que de sa réputation. Les pêcheurs jettent encore leur fameux filet papillon mais ils n'attrapent plus que les touristes. Et les eaux bleues des cartes postales d'antan ont viré au marron douteux...

La célèbre *île de Janitzio* a malheureusement vendu son âme au tourisme. Le village, construit à flanc de coteau, est mignon, mais les innombrables boutiques et les sollicitations permanentes lui ont fait perdre tout son charme. Cela dit, si vous êtes là, n'hésitez pas, pour la vue, à grimper à l'intérieur de l'immense et disgracieuse statue de Morelos qui domine le lac.

Si vous êtes allergique à la foule, surtout en période de fêtes, allez plutôt vous balader sur les autres îlots : *Yunuen, Pacanda* et *Tecuena* (ou *Tecuén*), le plus petit. Il n'y a rien, ni monument ni magasins de souvenirs, rien que le lac, les montagnes, des chiens hagards, et quelques pirogues glissant en silence sur une eau à la teinte indéfinissable.

➤ *Pour y aller :* le lac est à 4 km de Pátzcuaro. Prendre un combi indiquant « Lago » ou « Muelle » sur la place San Agustín (il y en a tout le temps), qui vous déposera à l'embarcadère principal *(muelle general ;* ☎ 342-06-81). De nombreux bateaux collectifs, les *lanchas,* desservent Janitzio ttes les 30 mn 7h30-19h. Compter 45 $Me (2,70 €) le billet AR. Pour 75 $Me (4,50 €), on peut visiter Janitzio plus un des trois autres îlots de son choix. Les *lanchas* ne partent alors que sur commande. Elles passent par Janitzio, puis vous déposent sur un des autres îlots, vous y attendent 30 à 40 mn puis repartent pour Janitzio. Pour visiter les 4 îles, il faut affréter un bateau privé, et ça revient cher. Compter env 800 $Me (48 €).

🏠 La communauté indienne de l'île de Yunuen administre de très chouettes *cabañas,* construites en bois et bien conçues. On peut aussi y camper. Idéal pour une retraite spirituelle. *Infos :* ☎ 342-44-73.

🏃🏃 *Le tour du lac :* ceux qui disposent d'un véhicule pourront s'embarquer pour un tour du lac par les routes secondaires, à la rencontre des petits villages aux églises blanches écrasées par le soleil, des paysans en sombrero, des champs, des marécages et des bois sapins, slalomant entre ânes, chevaux, vaches et chiens errants, sous l'œil aiguisé des rapaces tournoyant dans le ciel. Une escapade à l'écart des sentiers battus, offrant de jolis points de vue sur le lac. Compter une bonne demi-journée pour couvrir les 70 km du parcours.

🏃🏃 *Sitio arqueológico de Tzintzuntzán :* à 18 km à l'est de Pátzcuaro, au-dessus du village du même nom. Bus ttes les 15 mn de la gare routière (voir « Arriver – Quitter ». Compter 70 $Me (4,20 €) en taxi. Ouv tlj 10h-17h. Entrée : 41 $Me (2,50 €) ; droit photo 45 $Me (2,70 €). Après une petite grimpette et la visite du minimusée à l'entrée, on atteint le site, majestueux, occupant un plateau hérissé de pins, perché en surplomb du lac. S'y dressent des vestiges de *Yacatas,* d'imposantes structures cérémonielles de l'Empire tarasque, sortes de pyramides rectangulaires prolongées d'une avancée circulaire. Superbe panorama sur le lac dans son écrin de montagnes. Le site est vite visité cependant. Les linguistes pourront prolonger l'excursion en s'échinant à déchiffrer les panneaux explicatifs en tarasque... Quelques kilomètres plus au sud, le village d'*Ihuatzio* conserve également quelques vestiges de *Yacatas,* bien plus modestes cependant. Ils n'intéresseront que les spécialistes.

Le *bourg de Tzintzuntzán* (le « *lieu des colibris* » en purépecha), tout mignon avec ses basses maisons blanches, accueille un marché d'artisanat spécialisé en bois sculpté et poterie, moins chers qu'à Pátzcuaro. Derrière, au fond d'un grand parc, s'élèvent de beaux restes d'un couvent franciscain du XVIᵉ s, restauré peu à peu. Dans l'église, les fidèles agrafent des ex-voto à la robe de bure d'une statue de saint Antoine.

🎋 *Tocuaro :* à env 11 km au nord-ouest de Pátzcuaro. Prendre un bus Buses de Occidente *au terminal (voir « Arriver – Quitter »), ou un combi sur la pl. San Augustín. En taxi, compter env 80-100 $Me (4,80-6 €).* Village de misère, Tocuaro est réputé pour ses *masques traditionnels purépechas.* Felipe et Juan Orta sont passés maîtres dans leur fabrication. Leurs ateliers sont situés dans la calle Morelos (perpendiculaire à la route). N'hésitez pas à sonner. Les masques sont réalisés avec du bois de copal, les couleurs sont vives, les motifs expressifs et les traits particulièrement fins. Évidemment, les prix sont proportionnels à la taille et à la richesse du travail.

|●| *Restaurante Aleman Campenestre :* sur la droite de la route, au km 14, un peu après Tocuaro. ☎ (434) 344-00-06. Tlj 12h-19h. Plats 90-155 $Me (5,40-9,40 €).* Pour une pause-déjeuner rafraîchissante au cours de la balade. Les familles viennent en fin de semaine y déguster la spécialité maison : la truite d'élevage fumée (non pas du lac !) cuisinée avec finesse de 12 façons différentes (*chipotle,* au beurre, au vin blanc, aux pistaches, aux graines de macadamia...). Également quelques plats d'inspiration italienne, d'où le nom de « restaurant allemand ». Belle carte des vins. Cadre verdoyant, reposant ; on déjeune sur des terrasses ombragées posées au bord de petits bassins, bercé par le ruissellement de l'eau. Aire de jeux pour les enfants, promenade en *lancha* (20 $Me, soit 1,20 €, les 30 mn).

🎋 En poursuivant la même route, on atteint *Erongaricuaro,* un joli village tout en relief, dont l'architecture rappelle celle de Pátzcuaro. Une des ses particularités, outre la fabrication du miel, est d'avoir abrité une communauté de surréalistes. On peut voir devant l'église une croix élevée par André Breton (pas la peine de chercher la signature, il n'y en a pas). Aujourd'hui, il y resterait une petite communauté de hippies, mais ils doivent être vraiment discrets...

🎋 *Santa Clara del Cobre :* à 16 km au sud de Pátzcuaro. Bus ttes les 20 mn de la gare routière (voir « Arriver – Quitter »). Comp-

> **UN REPAIRE DE SURRÉALISTES**
>
> *À la fin des années 1930, André Breton, venu donner des conférences sur l'art et la littérature à Mexico, est hébergé par Frida Kahlo et Diego Rivera. En compagnie de ce dernier, ils partent rencontrer Trotski à Erongaricuaro. C'est là qu'ils rédigent le manifeste* Pour un art révolutionnaire indépendant, *que Trotski ne signe pas. Pendant la Seconde Guerre mondiale, André Breton et sa bande de copains surréalistes s'installeront au Mexique.*

ter 90 $Me (5,40 €) en taxi. Encore un bourg coquet à l'architecture d'inspiration basque, cette fois-ci entièrement consacré au travail du cuivre (*cobre*). Nombreuses boutiques avec leur atelier au fond, notamment dans la calle Pino Suárez. Les pièces sont montées à coups de marteau, remises au feu, puis subissent encore quelques coups de marteau avant d'être à nouveau chauffées. Et ainsi de suite... Un simple pichet demande une douzaine de jours de fabrication !

URUAPÁN

235 000 hab.   IND. TÉL. : 452

Seconde ville de l'État du Michoacán, Uruapán n'a pas l'attrait des belles cités voisines que sont Pátzcuaro et Morelia. On pourrait même la qualifier de ville sans charme. Mais, grâce à son altitude inférieure à ces dernières, elle béné-ficie d'un climat plus chaud et humide, propice à l'établissement de parcs nationaux luxuriants dans sa proche périphérie. *Uruapáni* désigne d'ailleurs en purépecha « la plante qui fleurit et donne des fruits en même temps ». Tout est dit. La ville s'est ainsi autoproclamée capitale mondiale de l'avocat, dont on cultive intensément ici plus de 100 espèces. La production de *Hass* assure à elle seule plus de 80 % de la consommation mondiale. Ville maraîchère donc, Uruapán est aussi réputée pour son café, fort et très parfumé, que l'on a cou-tume de servir ici dans son marc comme le café turc. La ville s'enorgueillit également de compter dans son proche périmètre le seul volcan au monde que des hommes encore vivants ont vu naître : *el volcán Paricutín*. C'est enfin un carrefour routier important et un passage obligé pour rejoindre les belles plages du Michoacán.

Arriver – Quitter

En bus

Liste des principales compagnies et leurs coordonnées dans la rubrique « Trans-ports » du chapitre « Mexique utile » pour connaître le site et le n° national gratuit des compagnies *Primera Plus*, *ETN* et *Omnibus de México*.

➤ *Central camionera d'Uruapán : à 3 km au nord-est de la ville. En taxi, compter env 20-30 $Me (1,20-1,80 €).*

➤ *Pour/de Mexico* (terminal Norte) : 5 bus/j., 7h-23h15, avec *Primera Plus*. 2 bus/j., à 13h15 et 21h, avec *Autovías*. 1 bus slt à minuit avec la confortable *ETN*. Trajet : 7h.

➤ *Pour/de Mexico* (terminal Poniente-Observatorio) : 10 bus/j. avec arrêt à *Toluca*, 7h-1h, avec *Autovías*. 10 autres directs, 6h45-1h, avec *ETN*. Trajet : 5h30.

➤ *Pour/de Guadalajara :* 5 bus/j., 7h-1h15, avec *ETN*. 10 bus/j., 4h-2h30, avec *Primera Plus*. 10 bus/j., 5h-3h15, avec *Autovías*. Trajet : 4h30.

➤ *Pour/de Morelia :* en 1re classe, bus ttes les 30 mn 24h/24 avec *Parhikuni*. 9 bus/ j., 7h-minuit, avec *Primera Plus* et 8 bus/j., 6h45-minuit, avec *ETN*. Trajet : 50 mn (par l'autoroute). 4 bus *Primera Plus* continuent leur route pour *Querétaro* et *San Luis Potosí*, et 3 bus *ETN* pour *Querétaro* slt. En 2e classe, bus ttes les 15 mn, 4h30-21h, avec *Purépecha/Ruta Paraíso*. Trajet : 1h20, par la nationale. 12 bus/j. 6h30-20h15, un peu plus chers, prennent l'autoroute. *Transportes del Norte* et *Flecha Amarilla* assurent aussi 3-4 départs/j. Les bus de 2e classe s'arrêtent à *Pátzcuaro.*

➤ *Pour/de Lázaro Cárdenas :* 13 bus/j. 1re classe, 6h-2h, avec *Parhikuni*. 8 bus/j. 2e classe, 4h30-18h30, avec *Purépecha/Ruta Paraíso.* Trajet : 4h par l'autoroute. Par la nationale, 7 départs/j., 4h45-17h30, avec *Purépecha/Ruta Paraíso*. Trajet plus long (6h30), mais la route est magnifique.

➤ *Pour/de Manzanillo :* 1 bus/j. slt, à 21h45, avec *Autovías*.

➤ Enfin, *Omnibus de México* propose 2 départs/j. pour *Zacatecas*, *Chihuahua* et *Ciudad Juárez*, à 9h et 12h ; 1 départ à 16h pour *Zacatecas* et *Durango*. Et 2 autres à 15h45 et 18h30 pour *Monterrey.*

Adresses utiles

🖪 *Office de tourisme :* Juan Ayala 16. ☎ 524-71-99. ● *uruapan.gob.mx* ● | À une cuadra au nord-ouest de la pl. principale. Lun-sam 9h-14h, 16h-19h ;

dim 9h-14h. Quelques dépliants d'hôtels, mais peu de conseils efficaces.

✉ **Poste :** Jalisco 88. Lun-ven 9h-16h ; sam 9h-13h.

■ **Téléphone :** plusieurs centres d'appels à l'ouest du zócalo, dont 2 sur Ocampo et Carranza, à l'angle de la place et de l'axe principal traversant la ville. Tlj 7h-22h.

@ **Internet café :** Independencia 10 A. À une cuadra au nord-ouest de la place, après l'hôtel Tarasco. Lun-sam 10h-20h30. Une vingtaine d'ordinateurs récents et rapides. Un autre sur Carranza, au centre d'appels téléphoniques.

■ **Banque Bancomer :** au début d'Independencia, au nord-ouest de la place, à côté de l'hôtel Tarasco. Lun-

ven 8h30-16h. Fait aussi change et DAB. Une autre à l'angle de Carranza et 20 de Noviembre, à 50 m à l'ouest de la place. Mêmes horaires.

■ **Laverie :** angle Jesús Garcia et Carranza 47. À env 200 m à l'ouest du zócalo. Lun-ven 9h30-15h, 16h30-20h30 ; sam 9h30-15h.

■ **Agences de voyages : Viajes Tzi-Tzi,** Ocampo 64. ☎ 523-34-19. À l'ouest de la place, sur la gauche de l'hôtel Plaza. Lun-ven 9h-19h ; sam 9h-14h. Vente de billets de bus ETN seulement. **Elektra,** Carranza 19, à env 100 m à l'ouest du zócalo. Un magasin d'électroménager où l'on trouve aussi des motos, un guichet de banque faisant du change et... un comptoir où l'on vend des billets de bus des principales compagnies (sauf ETN) !

Où dormir ?

Peu de choix pour les petits budgets, excepté trois hôtels très bon marché (150 $Me, soit 9 €), à l'est de la place principale (appelée aussi « plaza de los Mártires »), qui proposent des chambres sordides, bruyantes et dont la propreté est plus que limite. En revanche, plusieurs hôtels de qualité à l'ouest du zócalo, de bon marché à prix moyens.

🛏 **Hotel Posada Morelos :** Morelos 30. ☎ 523-23-02. À 5 mn à pied au sud-est de la place ; descendre Morelos sur 300 m. On y accède par un vaste patio fleuri, tout jaune à colonnades vertes, doté d'une grande fresque murale des curiosités de la région (le volcán Paricutín, le site de Tzintzuntzán, le lac de Pátzcuaro, les papillons monarques). Les chambres sans salle de bains sont simples : un lit matrimonial, une table et des murs à la peinture quelque peu écaillée. Les autres sont plus fraîches, plus spacieuses, mieux meublées et presque mignonnes. Préférez celles à l'étage du 2ᵉ patio, refaites et plus lumineuses. Une bonne adresse économique et à l'accueil charmant.

🛏 **Villa de Flores :** Carranza 15. ☎ 524-28-00. À 100 m au sud-ouest de la place, dans l'avenue principale. Belles chambres carrelées aux dessus-de-lit colorés, spacieuses et confortables, avec de grandes fenêtres donnant sur l'un des 2 patios gar-

nis de plantes vertes dans de gros pots violets. Préférez celui du fond, plus calme que le 1ᵉʳ ouvert sur la rue. Toutes les chambres sont identiques, celles du haut étant, bien sûr, plus claires. Accueil agréable.

🛏 **Hotel El Tarasco :** Independancia 2. ☎ 524-15-00. ●contacto_hoteltarasco@hotmail.com ● À une cuadra au nord-ouest du zócalo. Très bel hôtel, au vaste hall élégant agrémenté de statues, proposant dans sa moderne tour de verre de luxueuses chambres rustico-chic aux épaisses portes faussement vermoulues. TV câblée, AC, baie vitrée donnant sur la place, 2 lits douillets ou 1 lit king size, belle salle de bains... le confort est indéniable. Pour encore plus de calme, d'aussi élégantes chambres ont été aménagées autour d'un vaste patio à l'arrière de l'hôtel. Entre les 2, une magnifique piscine entourée de plantes vertes et un excellent resto, K'eri T'irekua (voir « Où manger ? »). Un hôtel luxueux à petit prix !

Où manger ?

Peu de choix de restaurants dans le centre. La plupart ferment tôt le soir, d'où l'affluence vers ceux des hôtels à l'ouest de la place. Heureusement, ils sont pour la plupart de qualité.

|●| Mercado de Antojitos : *derrière la Huatápera, après le petit marché de vêtements, au nord-est de la place, à la hauteur du kiosque. Ouv tlj 8h30-23h.* Stands populaires de nourriture installés autour d'une jolie fontaine. *Sopas, quesadillas, tostadas, bistecs...* ça sent un peu le graillon mais c'est plutôt bon, et l'ambiance est sympa quand les musiciens sont là.

|●| Mary : *Independancia 63.* ☎ 519-48-69. *La rue commence au nord-ouest de la place, le resto est à gauche à 100 m, avt Revolución. Tlj 8h-18h.* Petit resto familial proposant une cuisine variée et raffinée dans une grande salle conviviale qui a ses habitués de longue date.

|●| Café tradicional de Uruapán : *Carranza 5 B.* ☎ 523-56-80. *Tlj 8h-22h30.* Grande et belle brasserie au carrelage luisant, entièrement revêtue de bois sculpté et décorée de tableaux très « nature ». Bon choix à la carte, *antoji-* tos, *fajitas* et nombreuses viandes très honorables. Un lieu couru où l'on se retrouve à toute heure et particulièrement pour boire un café.

|●| K'eri T'irekua : *c'est le resto de l'hôtel El Tarasco (voir « Où dormir ? »). Tlj 8h-23h.* Élégante salle recouverte de bois et décorée de statuettes endimanchées à tête de mort du *día de los muertos.* Baie vitrée laissant imaginer la belle piscine de l'hôtel et une autre ouverte sur la cuisine pour vérifier l'efficacité de l'équipe en place. Musique *lounge,* personnel aimable, impliqué et bavard pour un service impeccable mais pas ampoulé. Dans l'assiette, une excellente *trucha a la macadamia* joliment présentée, accompagnée de petits légumes frits, suivie d'un dessert flamboyant. Bon choix de viandes aussi et de vins chiliens au verre. L'un des meilleurs restos de la ville.

Où boire un verre ? Où boire un bon café ?

🍷 Café La Lucha : *Garcia Ortiz 22. Au nord-ouest de la place, dans la ruelle faisant face à l'hôtel Régis. Tlj 9h-21h.* Un vieux café plein de vitraux et de photos en noir et blanc de la ville. Un lieu traditionnel et typique pour déguster le fameux café d'Uruapán servi dans son marc. Des effluves de saveurs enivrantes parfument la petite rue tranquille. Le magasin, collé au café, propose un large choix du nectar en grains derrière un grand comptoir de pharmacie à l'ancienne.

🍷 Café Antiqua : *Morelos 8. À une cuadra au sud-est du zócalo, à droite en descendant Morelos. Tlj 10h-minuit.* Dans la cour d'une bâtisse du XIXᵉ s, une vaste terrasse carrelée avec canapés et tables basses, sous un haut toit de tuiles ouvrant sur une fresque très colorée du lac de Pátzcuaro. Ambiance bohème entretenue par un jeune Mexicain baba-chic et guitariste à ses heures. Certains jours, des musiciens et poètes de passage improvisent un bœuf ou une lecture. Petit en-cas pour accompagner les cocktails. Une adresse très routarde, comme on les aime.

🍷 La Casa : *Revolución 3. À 3 cuadras à l'ouest de la pl. principale, entre Independancia et Carranza. Jeu-dim 9h-2h.* « Café-cocktails » dans un beau patio aux allures cosy, où tous les âges se retrouvent pour traîner à toute heure. Ambiance de plus en plus jeune à mesure que l'heure avance. À partir de 23h s'ouvre la salle du fond, donnant sur un petit jardin. Lumière tamisée, plusieurs TV diffusant des clips et ambiance *lounge.* Sympa.

À voir ✓

🎭 *Plaza de los Mártires* : vaste *zócalo* dont le kiosque central est le lieu de rendez-vous musical des week-ends. Au nord, la *iglesia de la Immaculada* offre une façade plus séduisante que l'intérieur. La *Huatápera,* le premier hôpital d'Amérique construit par les franciscains en 1533, abrite le petit musée de la Culture *purépecha.*

🎭🎭 *Parque nacional Barranca del Cupatitzio* : *calzada Fray Juan de San Miguel.* ☎ 524-01-97. ● *parquenacional.org* ● *À 1 km à l'ouest du zócalo, au bout de Carrazan ou d'Independencia. Tlj 8h-18h (19h en été). Entrée : 12 $Me (0,70 €) ; réduc.* En bordure du centre historique, un parc vallonné de 458 ha à la végétation luxuriante et tropicale, abritant une faune et une flore importantes et variées. Deux zones de promenade traversent le parc par des petits sentiers bien entretenus : le long de la rivière *Cupatizio* ou dans une partie montagneuse, moins exotique. Au passage, on notera une dizaine de fontaines et de belles cascades à proximité des nombreux ponts en arche qui font le bonheur des photographes romantiques. 495 espèces de plantes, 213 vertébrés terrestres, 43 types de mammifères dont 28 espèces endémiques du Mexique (13 de reptiles, 11 de chauves-souris, 132 d'oiseaux, des salamandres, des lézards, des renards...). Nous, on a surtout vu des écureuils ! Petite restauration au bord des sentiers pédestres et un bon resto spécialisé dans la truite *(La Terraza de la Trucha ; tlj 9h-18h)* face à la *Rodilla del diablo,* le vaste bassin d'eau turquoise en amont de la rivière, où le diable se serait agenouillé. Dommage que les nombreux marchands de souvenirs gâchent un peu la bucolique balade.

➤ *DANS LES ENVIRONS D'URUAPÁN*

El volcán Paricutín

🎭🎭🎭 C'était plat et il y avait des champs de maïs. Aujourd'hui, il y a un volcan et un énorme champ de lave noire. C'est en 1943 que le Paricutín s'est éveillé et a décidé d'engloutir les villages alentour (non, non, ne pleurez pas, l'éruption a duré plusieurs années et les habitants ont eu le temps de fuir). Seul le clocher d'une église émerge, fixé dans la lave, prisonnier du temps. Surréaliste comme un tableau de Magritte. Le spectacle est splendide. On peut aller jusqu'à l'église ou pousser jusqu'au cratère, à pied ou à cheval. Le site, entouré de montagnes couvertes de sapins, est vraiment magnifique. Ici, quasiment pas de voitures. On se trimballe à cheval. Les habitants parlent le purépecha. Au moins, avec votre espagnol balbutiant, vous n'aurez pas de complexes. Au fait, sachez que « bonjour » se dit *nashki.*

Comment y aller ?

Le point de départ pour le volcan est le petit village tarasque de *Angahuán* (5 000 habitants), à 37 km d'Uruapán et à 2 380 m d'altitude. Bus au départ de la *central camionera d'Uruapán* ttes les 30 mn, 5h-20h, avec *Purépecha/Ruta Paraíso* ou avec le très local *Rumbos Tarascos* (direction Los Reyes ou Zicuicho). Bus de retour ttes les 40 mn, 5h-20h aussi. Trajet : 40-45 mn. En taxi, compter 200 $Me (12 €).

À l'arrivée, vous serez assailli par les guides et loueurs de chevaux. Si vous voulez simplement aller à l'*église* à pied (2h aller-retour), vous n'en aurez pas besoin. Il suffit de traverser le village, de passer à côté du petit centre écotouristique *Las Cabañas* et de suivre le chemin qui descend vers la forêt (suivre les traces de sabots).

Si vous préférez le *sommet du volcan,* encore fumant et tout chaud (2 800 m d'altitude), sachez que, à pied, c'est une vraie randonnée d'une journée (plus de 8h aller-retour, avec passage à l'église au retour). L'ascension du cratère ne pose pas de difficultés particulières, excepté le final abrupt dans la lave aux abords du sommet (prévoir de bonnes chaussures). Il nécessite un guide car le sentier est difficile à trouver dans la forêt de pins. Partez tôt, car bonjour les détours ! À cheval, c'est super sympa, même pour les cavaliers inexpérimentés. Dur, dur pour les fesses le lendemain ! Compter alors 6-8h, car le passage à l'église est prévu dans la balade. *Loc du cheval 250 $Me (15 €) pour le volcan, ou 130 $Me (7,80 €) pour l'église ; plus autant pour le guide, à cheval aussi.*

Où dormir ? Où manger ?

On peut loger à **Angahuán,** authentique village tarasque perdu dans la montagne, mais le confort y est spartiate et le village sans intérêt particulier avec ses ruelles boueuses ou poussiéreuses suivant le temps. Malgré tout, c'est une bonne option pour partir tôt. Il peut être intéressant dans ce cas de négocier avec votre logeur un forfait comprenant le logement, le guide et les chevaux. Pour les repas, un resto face au *zócalo,* deux autres à la sortie du village en direction du volcan et un dernier au centre touristique *Las Cabañas. Ouv (théoriquement) tlj 8h-20h (mais certains n'ouvrent que s'il y a des touristes).*

🛏 *Chez Luis Lázaro-Cortez :* à la sortie du village, en direction du volcan, après le resto et avt le centre touristique Las Cabañas. 📞 45-21-31-09-37. *Très bon marché.* Un chalet tout neuf, lambrissé, facilement identifiable avec son toit de tôles vertes. Guide et propriétaire de chevaux, le très sympathique Luis a aménagé 2 chambres et un petit dortoir nickel à l'étage de son chalet (salle de bains et w-c à part). Il propose des formules tout compris avantageuses. Restos à proximité.

🛏 |●| *Las Cabañas :* tt au bout du village, sur la route qui mène à l'église. 📞 (452) 128-07-52 ou 523-39-34 (à Uruapán). ●centroturisticodeangahuan. com.mx ● *Entrée : 10 $Me (0,60 €) pour les non-résidents. Bon marché.* Centre de vacances dans la forêt, au départ du sentier, géré par la communauté. Des dortoirs et des grandes chambres (très froides en hiver) avec salle de bains, 1 grand lit et 2 lits superposés. Demandez à dormir dans le *troje,* la petite cabane en bois, typique de l'architecture locale. Si vous désirez une cheminée, il vous faudra louer une cabane

pour 6 personnes ! Sur place, un petit musée retrace la naissance du volcan, avec des photos de 1943 à 1952. Parking, barbecue et jeux d'enfants. Du resto, vue magnifique sur le volcan et l'église prise dans le champ de lave.

🛏 *Chez José Perucho :* Benito Juárez ; de la rue principale, après le zócalo, prendre à droite à la fourche (portail blanc), la maison est 100 m plus loin à droite (portail blanc aussi) ; ou demander, tt le monde le connaît. Numéro communal : 📞 (452) 525-80-64. *Très bon marché.* José et son épouse Rita, au rythme des rentrées d'argent, ont construit au milieu de leur jardin une maisonnette comprenant 4 chambres très rudimentaires et 2 salles de bains. Celle du bas a une cheminée, bien appréciable en hiver. Grande cuisine à dispo dans un bâtiment annexe. Vue superbe sur le village et le volcan. Au milieu des odeurs de sapin et de feu de bois. Accueil vraiment sympa. Pour les randonnées au volcan (à pied ou à cheval), demandez à son copain Cornelio de vous accompagner.

LÁZARO CÁRDENAS

165 000 hab.   IND. TÉL. : 753

Si vous baguenaudez dans la région, c'est fort possible que vous finissiez par échouer ici. Mais franchement, vous n'aurez pas grand-chose à faire dans cette ville portuaire, moderne, industrielle et particulièrement laide, à part prendre le bus à la découverte des magnifiques plages désertes de la côte du Michoacán.

Arriver – Quitter

En bus

– CONSEIL : évitez de circuler de nuit sur la route qui va à Manzanillo. Elle est plutôt déserte.

– Liste des principales compagnies et leurs coordonnées dans la rubrique « Transports » du chapitre « Mexique utile ».

🚌 *Les 3 petites gares routières* ne sont pas loin les unes des autres. Le terminal Galeana *est sur Lázaro Cárdenas (l'av. principale), il regroupe les compagnies de 1re classe* Parhikuni, Autovías, Omnibus de México *et* Linea Plus *avec celles de 2e classe* Ruta Paraíso/Purépecha *et* Sur de Jalisco. *Le terminal* Estrella Blanca, Futura *et* Turistar Sur *(1re et 2e classes) se trouve sur* Francisco Villa, *une* cuadra *derrière* Galeana. *Encore 2* cuadras *plus loin sur* Corregidora, *le terminal* Estrella de Oro *(1re et 2e classes) et ses bus verts.*

➤ *Pour/de Mexico (terminal Poniente-Observatorio) :* 7 bus/j., 5h30-0h30, avec *Autovías* ; 5 bus/j. dont 2 directs à 9h30 et 10h avec *Futura* et 1 direct à 20h avec *Estrella de Oro.* Trajet : 8h.

➤ *Pour/de Mexico (terminal Norte) :* 2 bus/j., à 13h15 et 21h, avec *Autovías* et 2 autres (avec arrêt à Morelia), à 21h30 et 22h, avec *Turistar Sur.* Trajet : 8-9h env.

➤ *Pour/de Morelia :* en 1re classe, 11 bus directs/j. minuit-20h30 par l'autoroute, et 13 autres 1h-23h avec arrêt à *Uruapán* avec *Parhikuni.* 8 bus/j., 5h30-0h30, avec *Autovías.* Trajet : 4h15. En 2e classe : 7 bus/j., 4h30-18h30, avec *Purépecha/Ruta Paraíso.* Compter 5h30 de route avec arrêt aussi à *Uruapán.*

➤ *Pour Pátzcuaro :* changer à Uruapán.

➤ *Pour Guadalajara :* 4 bus, à 6h15, 14h30, 22h45 et 1h15, avec arrêt à *Uruapán* par *Linea Plus.*

➤ *Pour Celaya, Querétaro, Saltillo et Monterrey :* 1 bus à 15h15 avec *Omnibus de México* et 1 autre avec *Turistar Sur* à 22h, qui passe aussi par *San Luis Potosí.*

➤ *Pour/de Acapulco :* en 1re classe, 8 bus/j. 6h-22h30 avec *Futura,* et 2 autres directs à 15h15 et 21h avec *Estrella de Oro.* En bus de 2e classe, *Estrella Blanca* ttes les 30 mn 3h45-18h, et *Estrella de Oro* chaque heure 3h-18h. Trajet : 6h en bus de 1re classe ; 7h avec l'*ordinario.*

➤ *Pour Manzanillo et les plages du Michoacán :* en 2e classe, 6 bus/j., 4h-minuit, avec *Purépecha/Ruta Paraíso* et 7 bus/j., 7h-2h30, avec *Sur de Jalisco* avec arrêts à *Caleta de campo, Nexpa, Maruata, La Placita* et *Tecomán,* ou demandez au chauffeur l'arrêt à la plage de votre choix. Ceux de 7h, 14h et 2h30 avec *Sur de Jalisco* continuent sur *Guadalajara* avec arrêts à *Colima* et *Ciudad Guzman.*

➤ *Pour Puerto Vallarta :* 1 bus à 21h45 avec arrêt à *Tecomán* avec *Futura/ Estrella Blanca.*

➤ *Pour Puerto Escondido :* changer à Acapulco.

Où dormir ?

🏠 *Hotel Delfín :* av. Lázaro Cárdenas 1633. ☎ 532-37-81 ou 14-18. *Dans l'av. principale de la ville, presque en face de la* central camionera Galeana. *À une* cuadra *de l'office de tourisme (à l'hôtel* Casablanca) *et à 10 mn du* zócalo (appelé « Pergola » par les autochtones). Bon marché. Chambres très bien tenues et très correctes pour attendre un bus. Et il y a même une piscine. DAB *Bancomer* à côté et *Banamex* en face.

GUADALAJARA ET LA CÔTE PACIFIQUE NORD

GUADALAJARA   1 600 000 hab.   IND. TÉL. : 33

Ville-test pour la prononciation, Guadalajara cherchera aussi à tester votre condition physique. La deuxième conurbation du Mexique est aussi la ville de la musique et de la danse. C'est le berceau des mariachis, qui sont nés ici, moulés dans leur costume super sexy et coiffés de leur grand chapeau rond, le fameux sombrero mexicain. Et puis il y a la célèbre tequila, produite dans le village du même nom, à quelque 60 km de là. C'est aussi, comme Guanajuato, une importante ville universitaire, pratiquant des échanges avec des villes de plusieurs pays. Rien d'étonnant, donc, à ce que Guadalajara aime faire la fête. On ne s'en plaindra pas.

En se promenant dans le centre historique, on ne peut s'empêcher de penser à Nuño de Guzmán, le plus brutal et le plus cruel des conquistadors, qui massacra une bonne partie des Indiens, fit venir ses petits copains espagnols et fonda la ville. Cela dit, le centre historique, avec ses rues piétonnes, recèle de belles maisons coloniales et quelques magnifiques édifices publics. Les quatre places qui se succèdent, de la cathédrale à l'Hospicio Cabañas, constituent une impressionnante réalisation architecturale, désormais consacrée à de très agréables promenades.

– En octobre, nombreuses manifestations culturelles, concerts et événements festifs.

Arriver – Quitter

En bus

Voir la liste des principales compagnies et leurs coordonnées dans la rubrique « Transports » du chapitre « Mexique utile ».

🚌 *Gare routière* (Nueva Central Camionera ; hors plan I) : *à env 10 km au sud-est, en direction de Tlaquepaque. Des bus urbains font la navette avec le centre historique : le bus urbain n° 275, le bus Tour (n° 706) ou le bus Cardenal (n° 709) passent ttes les 15 mn env sur 16 de Septiembre, à l'angle avec Prisciliano Sánchez (plan II, B2, 2). Trajet : 30 mn. Navette entre les 2 terminaux ttes les 10 mn.*

■ *Achat des billets* Primera Plus, ETN et Omnibus de México *à l'agence de voyages* Turismo Sonrisa *(voir « Adres-* ses utiles ») ou sur le site internet de la compagnie choisie.

➤ *Pour/de Mexico :* une dizaine de compagnies assurent des départs jour et nuit pour la capitale. Trajet : 7-8h. Prendre un bus de nuit ; avec *ETN* par exemple, les sièges se transforment en couchette (cher).

➤ *Pour/de Manzanillo :* avec, entre autres, *Flecha Amarilla, Primera Plus* et *ETN.* Départ ttes les heures env. Trajet : 5h.

➤ *Pour/de Puerto Vallarta :* avec, entre autres, *Primera Plus, Futura* et *ETN.* Départ ttes les 30 mn env. Trajet : 5h30.

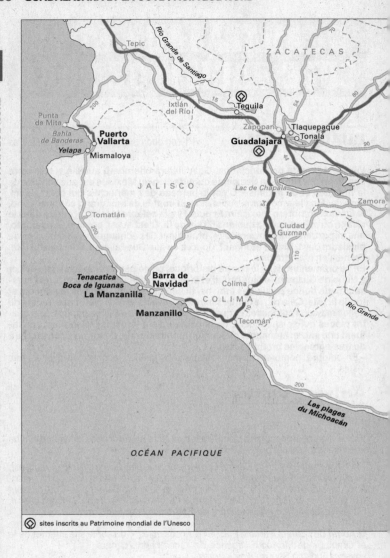

➤ *Pour/de Morelia :* au moins 4 compagnies, dont *Primera Plus* et *ETN*. Départ ttes les heures env. Attention, certains bus prennent la nationale (trajet : 4-5h), d'autres l'autoroute (trajet : 3h).

➤ *Pour/de Zacatecas :* avec, entre autres, *Chihuahuense, Futura* et *Turistar*. Départ ttes les 30 mn env. Trajet : 4h45.

➤ Également des bus pour et de **Querétaro, San Miguel de Allende, Guanajuato,** etc.

GUADALAJARA ET LA CÔTE PACIFIQUE NORD

En avion

✈ **Aéroport international** (hors plan I) **:** à 20 km au sud de la ville. ☎ 36-88-53-76. Pour s'y rendre, prendre le bus Atasa qui passe à la Central Antigua (plan I, **1**) à chaque heure ronde + 10 mn. Trajet : 40 mn. Pour rejoindre le centre-ville, prendre ce bus à la sortie des vols nationaux, en face de l'hôtel Sun. Il passe à chaque heure ronde, 6h-18h. Les bus urbains Chapala passent ttes les 15 mn, au pied de la pas-

serelle, mais comme ils sont souvent bondés, mieux vaut ne pas avoir de bagages. Dans les 2 cas, descendre au parc Agua Azul, en face de la Casa de Artesanías (plan I, 1) ; puis prendre n'importe quel bus urbain indiquant « Centro ».

■ *Aeroméxico (plan II, B2, 5) : Corona 196 ; à l'angle de Madero.* ☎ *36-13-69-90. Lun-sam 9h-19h (18h sam). À l'aéroport :* ☎ *36-88-56-66. Lun-sam 9h-18h.*

Voir aussi les compagnies charter ou à bas prix dans la rubrique « Quitter Mexico. En avion ».

➤ Avec *Aeroméxico*, vols pour de très nombreuses villes du Mexique, via Mexico pour les villes du Sud.
➤ *Pour/depuis les États-Unis :* vols avec *Aeroméxico, Continental, American* et *Delta Airlines.*

Circuler en ville

➤ *En fiacre (pour les touristes) :* on en trouve sur la plaza San Francisco *(plan II, D5).* Sympa, mais bonjour les gaz d'échappement !
➤ *En métro :* 2 lignes perpendiculaires (nord-sud et est-ouest). Le jeton coûte 5 $Me (0,30 €).

Adresses utiles

🛈 *Office de tourisme (plan II, C1) :* Degollado 105. ☎ *36-68-16-00, 01* ou *0800-363-22-00.* ● *buscajalisco.com. mx* ● Sur la pl. Tapatía, derrière le théâtre Degollado. *Lun-ven 9h-20h ; w-e 10h-14h.* Bon accueil. On peut s'y procurer, entre autres informations touristiques, les horaires de bus.
– En vente dans les kiosques, le petit hebdo *Público,* qui évoque des événements du moment.
✉ *Poste (plan II, B1) :* Venustiano Carranza 16. Tt près du zócalo. *Lun-ven 8h-19h ; sam 8h-16h.*
@ *Internet Caor (plan II, B1) :* San Felipe 340 ; à l'angle de Pedro Loza. *Lun-sam 8h-22h30 ; dim 9h30-10h30.* Un autre centre Internet Priscialiano Sanchez 402 *(plan II, A-B2).* Mêmes horaires et un peu moins cher.
■ *Change (plan II, C2, 6) :* plusieurs bureaux de change sont regroupés dans López Cotilla, entre Molina et 16 de Septiembre. *Lun-sam jusque vers*

19h. Dim, il y en aura sans doute au moins un qui sera ouv. Acceptent les euros (espèces seulement) et les dollars (espèces et chèques de voyage) mais à un taux moins intéressant que dans les banques.
■ *Banamex (plan II, B2, 3) : av. Juárez 237 ; à l'angle de Corona.* ☎ *36-79-32-52. Lun-ven 9h-16h.* Guichet automatique.
■ *American Express (hors plan I) : av. Vallarta 2440 (pl. Los Arcos).* ☎ *36-30-02-00. Lun-ven 9h-14h, 16h-17h ; sam mat.*
■ *Alliance française (hors plan I) :* López Cotilla 1199. ☎ *38-25-55-95.*
■ *Agence Turismo Sonrisa (plan II, D1, 4) :* paseo del Hospicio 63, en bas de la pl. Tapatía. ☎ *36-17-25-11. Lun-ven 9h30-20h ; sam 10h30-14h.* Personnel compétent. En outre, on peut acheter ici les billets de bus pour les compagnies *Primera Plus, TAP, ETN* et *Omnibus de México.*

Où dormir ?

Deux zones relativement distinctes : le centre historique, à l'ouest de la calzada Independencia (à ne pas confondre avec la calle Independencia) ; et le quartier très populaire de la rue Mina, près du grand marché et de la place des Mariachis. Le soir, évitez de vous y trimballer avec vos malles Vuitton...

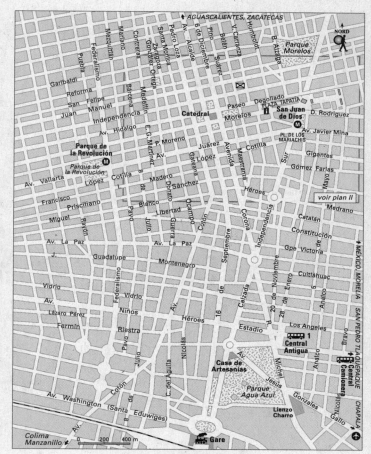

GUADALAJARA (PLAN I)

Très bon marché (moins de 300 $Me, soit 18 €)

🏠 **Hostel Guadalara Centro** (plan II, B2, **10**) : Maestranza 147 ; à l'angle de López Cotilla. ☎ 35-62-75-20. ● hostel guadalajara.com ● Accepte les cartes des AJ et ISIC. Petit déj inclus. Internet. Bien situé. Cuisine équipée.

Bon marché (300-400 $Me, soit 18-24 €)

🏠 **Hotel Posada San Pablo** (plan II, A2, **11**) : Madero 429 ; attention, pas d'enseigne à l'extérieur. ☎ 36-14-28-11. ● posadasanpablo@prodigy.net. mx ● Une chambre avec 4 lits. Dans une vaste maison tranquille, chambres très spacieuses. Préférer celles donnant sur la terrasse du 1er étage. Tout est très propre. Atmosphère familiale. Laverie. Stationnement possible à côté.

🏠 **Hotel Latino** (plan II, C2, **12**) : Prisciliano Sánchez 74. ☎ 36-14-44-84 ou

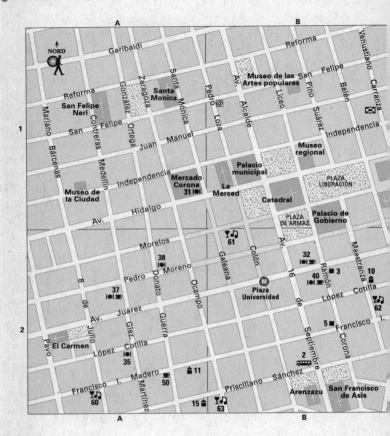

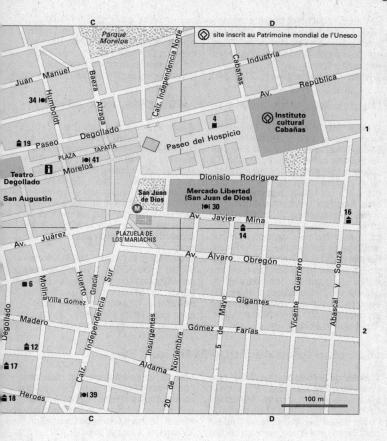

GUADALAJARA (PLAN II)

|●| Où manger ?

- **30** Mercado Libertad *(plan II)*
- **31** Mercado Corona *(plan II)*
- **32** Café Madrid *(plan II)*
- **34** Las 2B *(plan II)*
- **35** Villa Madrid *(plan II)*
- **37** Café Madoka *(plan II)*
- **38** La Fonda de San Miguel *(plan II)*
- **39** Nuevo León *(plan II)*
- **40** La Chata *(plan II)*
- **41** Tacos Providencia *(plan II)*

🍽 Où prendre le petit déjeuner ?

- **32** Café Madrid *(plan II)*
- **37** Café Madoka *(plan II)*
- **40** La Chata *(plan II)*
- **50** Panadería Danés *(plan II)*

🍷 ♫ Où boire un verre ?
Où danser ?

- **60** La Mutualista *(plan II)*
- **61** Terraza Oasis *(plan II)*
- **62** La Maestranza *(plan II)*
- **63** Caudillos *(plan II)*

62-14. Bon petit hôtel, propre et confortable. Chambres avec *baño,* certaines avec lit *king size.* Seul problème : l'hôtel est vite complet et on ne peut pas réserver ; arriver tôt.

🛏 **Hotel Ana Isabel** *(plan II, D1-2, 14) :* *Javier Mina 164.* ☎ *36-17-79-20. Réception au 1er étage.* Les chambrettes s'alignent sur 2 étages autour d'un hall intérieur. Correctes, avec bains. Propre. On l'indique seulement pour son prix, car le quartier est excentré et peu sûr la nuit.

De prix moyens à chic (400-800 $Me, soit 24-48 €)

🛏 **Hotel Sevilla** *(plan II, A2, 15) :* Prisciliano Sánchez 413. ☎ 36-14-91-72 ou 93-54. Chambres nickel et bonne literie. Salle de bains moderne, ventilo, TV câblée et téléphone. Ascenseur, cafétéria et parking. Petit hic : on entend la disco d'à côté dans certaines chambres. À part ça, une bonne option.

🛏 **Hotel Azteca** *(plan II, D1, 16) :* Javier Mina 311. ☎ 36-17-74-65. ● *hotel-azteca.com* ● *Un peu excentré.* Hôtel moderne et confortable pour un quartier très populaire. Chambres avec ventilo, TV câblée, téléphone. Les *matrimoniales* donnant sur les tours de la cathédrale et les *hospices* sont les plus sympas : blanches, spacieuses, avec un petit balcon. Terrasse sur le toit. Ascenseur, parking et resto.

🛏 **San Francisco Plaza** *(plan II, C2, 17) :* Degollado 267. ☎ 36-13-89-54 ou 01-800-821-13-43. ● *sanfranciscohotel. com.mx* ● *Petit déj-buffet tlj 65 $Me (3,90 €).* Belle bâtisse. Plus de 70 chambres disposées autour de plusieurs patios. Très spacieuses et confortables, avec de beaux meubles en bois, clim et TV câblée. Tous les services de cette catégorie. Grand resto sous les arcades en pierre. Bon rapport qualité-prix.

🛏 **Don Quijote** *(plan II, C2, 18) :* Heroes 91. ☎ 36-58-12-99. ● *hotelquijotepla zagdl@hotmail.com* ● *Au bout de Maestranza.* Joli hôtel de style colonial. Bien entretenu. Chambres confortables, avec parquet et carrelage. Salles de bains de bonne taille. Petit resto.

Plus chic (plus de 1 200 $Me, soit 72 €)

🛏 **Hotel de Mendoza** *(plan II, C1, 19) :* Venustiano Carranza 16, à 50 m du théâtre. ● *demendoza.com.mx* ● *Internet.* On ne peut mieux situé ! Une partie de l'hôtel faisait partie du couvent voisin dont il reste une église. Dans un dédale de couloirs labyrinthiques, plusieurs catégories de chambres, toutes très confortables, certaines un rien vieillissantes (moins chères). Celles donnant sur les cours intérieures sont très calmes et pourtant si près de l'animation ! TV satellite. Piscine, jacuzzi.

Où manger ?

Bon marché (moins de 80 $Me, soit 4,80 €)

|●| **Mercado Libertad** *(ou San Juan de Dios ; plan II, D1, 30) :* au 1er étage, des dizaines de stands de nourriture où l'on peut manger correctement, dans une ambiance unique. Bien se faire préciser les prix avant de commander.

|●| **Mercado Corona** *(plan II, A1, 31) :* angle Hidalgo et Santa Monica. Plus petit que le précédent, mais atmosphère plus familiale, plus liée au quartier. Goûtez aux tacos de chez *Rizo*. Miam ! N'oubliez pas de monter au 1er étage pour les herbes médicinales.

|●| **Café Madrid** *(plan II, B2, 32) :* av. Juárez 264. ☎ 36-14-95-04. *Tlj 7h30-22h30.* Dans le plus pur style formica des années 1960. Très sympa le matin pour un bon petit déj (céréales, salades de fruits, jus naturels). De plus, un vrai *espresso* ! En journée, bonne et copieuse *comida corrida.* Clientèle d'habitués.

|●| **Las 2B** *(plan II, C1, 34) :* Humboldt 105. *Lun-ven 8h-15h.* Un resto très fré-

quenté par les employés du voisinage à l'heure du déjeuner. Cuisine familiale, variée et servie généreusement.

|●| *Tacos Providencia* (plan II, C1, *41*) : Morelos 86 (partie piétonne) ou pl. Tapatía. ☎ 36-13-99-14. Tlj 10h-21h. Dans le superbe cadre d'une vaste maison de style colonial, on peut soit acheter à l'échoppe de délicieux tacos à emporter, soit s'attabler pour un copieux buffet (env 60 $Me) à la *Rinconada* (lun-

sam 14h-17h).

|●| *Villa Madrid* (plan II, A2, *35*) : à l'angle de López Cotilla et E. G. Martínez. Résas : ☎ 36-13-42-50. Tlj 11h30-21h. On peut y danser le sam à partir de 21h. Musique live. Cadre rafraîchissant, avec des montagnes de fruits tropicaux. Viande, hamburgers, salades composées... et un magnifique choix de jus de fruits, de *licuados* et de yaourts maison aux fruits.

Prix moyens (80-250 $Me, soit 4,80-15 €)

|●| *Café Madoka* (plan II, A2, *37*) : E. Gonzalez Martínez 78. ☎ 36-13-06-49. Tlj 8h-22h. Dans un décor désuet à souhait, une cafétéria immense proposant 15 sortes de cafés et plein de plats sympas. Ambiance animée et service longuet. Les vieux Mexicains viennent y jouer aux dominos ou lire le journal. Le « vrai » Mexique comme il se fait de plus en plus rare.

|●| *La Fonda de San Miguel* (plan II, A2, *38*) : Donato Guerra 25. ☎ 36-13-08-09. Tlj 8h30-minuit (18h lun ; 21h dim). Formules petit déj bon marché. Si la cuisine est moyenne, le lieu vaut d'y passer au moins prendre un verre ou un

petit déj. Dans un ancien couvent plein de légendes (lisez le petit fascicule, qui en parle mieux que nous !) plus ou moins scabreuses, un patio à la déco surprenante.

|●| *Nuevo León* (plan II, C2, *39*) : calzada Independencia 223. ☎ 36-17-27-40. Tlj 11h-23h. Très bon resto dont la spécialité est le chevreau au gril. Une adresse réputée et un patron très aimable.

|●| *La Chata* (plan II, B2, *40*) : Corona 126. ☎ 36-13-13-15. Tlj 8h-minuit. Une adresse colorée, bourdonnante de monde au moment des repas. Il faut dire que la cuisine est extra et copieuse, servie avec diligence. Et c'est nickel.

Où prendre le petit déjeuner ?

☛ *Panadería Danés* (plan II, A2, *50*) : à l'angle de Madero et Donato Guerra. ☎ 36-13-44-01. Lun-sam 8h (9h dim)-21h. Plein de délicieux *panes dulces* (viennoiseries) et même des croissants, *cuernitos*, c'est-à-dire « petites

cornes ».

☛ Petit déj servi jusqu'à 12h (accompagné d'un bon café !) au *Café Madrid,* à *La Chata* et au *Café Madoka* (cher tout de même pour ce dernier). Voir « Où manger ? ».

Où boire un verre ? Où danser ?

🍸 ♪ *La Mutualista* (plan II, A2, *60*) : Madero 553 ; à l'angle de 8 de Julio. Lun-mer 13h-minuit ou 1h ; jeu-sam jusqu'à env 3h. Quand une ancienne *cantina* réservée aux commis voyageurs de la ville devient une boîte branchée ! Concerts de salsa du jeudi au samedi, ambiance d'enfer.

🍸 ♪ *Terraza Oasis* (plan II, B2, *61*) : Morelos (partie piétonne) ; entre Colón et Galeana. ☎ 36-13-82-85. Entrée par une sorte de galerie commerciale ; ne

pas confondre avec le resto d'à côté, du même nom. Tlj 11h-21h30. Une immense salle au 2e étage, qui domine la rue. Ici, c'est le règne du Mexique populaire comme vous ne le goûterez que dans le nord du pays. À partir de 18h, oui, en plein après-midi, un orchestre se met à jouer, et la salle de s'ébranler. Jeunes fiancés, retraités, couples dépareillés se bousculent sur la piste de danse. À ne pas rater. En plus, les prix sont aussi cool que l'ambiance.

🍷 🎵 *La Maestranza* (plan II, B2, **62**) : Maestranza 179. ☎ 36-13-58-78. Tlj 12h-minuit (plus tard le w-e). Un immense bar au décor chaleureux et feutré. Clientèle de trentenaires dans le vent. On y va surtout pour prendre un verre le soir et pour y danser entre les tables.

🍷 🎵 *Caudillos* (plan II, B2, **63**) : Priscillano Sánchez 407 ; à l'angle d'Ocampo. Tlj à partir de 20h. L'une des nombreuses boîtes gay de Guada. Entrée gratuite et conso super bon marché. Toujours plein à craquer.

Du côté de l'université

🍸 *Café Morgana* (hors plan II par A2) : Pedro Moreno 1290. À env 3 km à l'ouest du centre par l'av. Juárez puis Vallarta ; ou Ⓜ Plaza Universitad et descendre à « Parque de la Revolución », puis continuer à pied. Lun-ven 8h30-22h ; sam 17h-23h. Eduardo, ex-étudiant à Bordeaux, a ouvert ce bar à la déco originale. Sympa d'y prendre un verre et même une salade.

À voir

➤ *Visite guidée* à pied du centre historique. Pendant les périodes de fête et en haute saison, tous les jours à 9h30 ou 13h ; se présenter 30 mn avant. Départ en face de l'entrée du *palacio municipal.* Compter environ 3h de parcours. Gratuit.

🎇 *Catedral* (plan II, B1) : sa construction se termina en 1618, mais les tours furent reconstruites 2 siècles plus tard, à la suite d'un tremblement de terre. Intérieur néoclassique sans grand charme.

🎇 *Palacio municipal* (plan II, B1) : lun-ven 9h-20h. Entrée gratuite. Fresque murale de Flores, élève d'Orozco. Cinq parties sur l'histoire mexicaine.

🎇🎇 *Palacio de Gobierno* (plan II, B1-2) : tlj 9h-20h. Entrée gratuite. Magnifique façade (1774) pour le siège du gouvernement de l'État de Jalisco. À l'intérieur, célèbre peinture murale d'Orozco de 400 m², qui domine l'escalier central. Au centre d'une humanité écrasée par les tragédies, les guerres, la religion hypocrite et les idéologies totalitaires, se dresse l'homme pur et incorruptible : Hidalgo, le grand héros initiateur de la révolution mexicaine. De sa main puissante, il éclaire le chemin avec une torche. Impressionnant. Dans la salle du Congrès, autre fresque qui illustre l'abolition de l'esclavage par Hidalgo.

🎇 *Museo regional* (plan II, B1) : Liceo 60. À côté de la cathédrale, face à la pl. de la Rotonda de los Hombres Ilustres. Mar-sam 9h-17h30 ; dim 9h-17h. Entrée : 41 $Me (2,50 €) ; gratuit pour les étudiants. Département archéologique important et peintures régionales des XVIIIᵉ et XIXᵉ s.

🎇 *Teatro Degollado* (plan II, C1) : ouv en principe aux visites tlj sf dim 10h-14h. De style néoclassique. Plafond peint par Orozco, qui s'est inspiré d'un des cantiques de *La Divine Comédie* de Dante. Ballet folklorique le dimanche à 10h : 2h de spectacle de qualité.

🎇🎇🎇 ◎ *Instituto cultural Cabañas* (ex-hospicio ; plan II, D1) : ☎ 38-18-28-00. Mar-sam 10h-18h ; dim 10h-15h. Entrée pas chère ; 50 % de réduc pour les étudiants. Imposant édifice néoclassique (1810), inscrit au Patrimoine mondial de l'Unesco. Rien moins que 23 patios ! Il servit d'orphelinat durant de nombreuses années. Dans la chapelle, magnifiques fresques d'Orozco peintes en 1937. Au total, 53 peintures et 2 ans de travail. Les explications du guide valent vraiment la peine, car chaque peinture recèle des effets d'optique incroyables. La pièce maîtresse par exemple, *El Hombre de fuego,* est une véritable prouesse technique : bien que peint sur la surface concave de la coupole, « l'Homme de feu » paraît complètement droit. Des bancs permettent de se coucher pour mieux admirer les fresques du plafond.

🕺🕺 **Les églises** (plan II) : la tournée des *templos* est un bon prétexte pour se balader dans les rues du centre historique. Très belles façades pour certaines : **San Felipe Neri, Santa Monica, Jesús María, Arenzazú** (splendides retables dans cette dernière, mais elle est souvent fermée)...

🕺 **Museo de la Ciudad** (plan II, A1) : Independencia 684. ☎ 36-58-37-06. *Marsam 10h-17h ; dim 10h-14h30. Entrée à prix symbolique.* L'histoire de la ville depuis sa fondation en 1542. Intéressant.

🕺🕺 **Museo de las Artes populares** (plan II, B1) : San Felipe 211. ☎ 36-14-38-91. *Mar-sam 10h-18h ; dim mat. Entrée gratuite.* Bon aperçu de la variété de l'artisanat de la région : verre soufflé, magnifiques objets en terre cuite, ex-voto, art des Indiens huicholes... Vous verrez aussi des boules de Noël, une tradition du village de San Julian. Cet artisanat est exposé en fonction des périodes festives de l'année. Une salle est consacrée à la *charrería* : costumes des cavaliers, somptueuses selles et harnais en cuir.

🕺 **Plazuela de los Mariachis** (plan II, C2) : l'ancien royaume des mariachis a bien perdu de sa superbe. Ambiance mi-glauque, mi-touristique. Tout autour s'étend un quartier très chaud le soir. Plein de *cantinas* d'où s'échappent des flots de musique. La tequila coule éperdument, les corps des danseurs évoluent dans une chaleur moite, chemises et robes collent à la peau. Vous pariez combien que Blaise Cendrars et Charles Bukowski sont passés par là ?

🕺 **Mercado Libertad ou San Juan de Dios** (plan II, D1) : immense (trois étages) ! Artisanat. Ambiance unique.

➤ *DANS LES ENVIRONS DE GUADALAJARA*

🕺🕺 **Tlaquepaque** : à 15 mn en périphérie du centre-ville. *Prendre le bus n° 275 dans la rue 16 de Septiembre, à l'angle avec Prisciliano Sánchez (plan II, B2, 2). Il existe également des bus « spécial touristes », bleus, beaucoup plus chers. Descendre quand on voit un panneau qui indique « Tlaquepaque » sur la gauche.* Un très joli village ancien, de l'époque coloniale. Sa mise en valeur réussie vous ravira les mirettes. Ici, l'artisanat s'est élevé au rang de l'art : de très belles pièces qui valent le coup d'œil mais évidemment très chères. Beaucoup de galeries d'art. Vous pourrez toujours aller voir les deux superbes églises, vous promener dans les ruelles et autour du *zócalo*, parce que ça, c'est gratuit. De même que le *musée de la Céramique*, dans la rue piétonne (*tlj 10h-18h ; 15h dim*).

🕺 **Tonalá** : petit village pas loin de Guada. *Bus n° 275 ou 231 à prendre dans la rue 16 de Septiembre (plan II, B2, 2), comme pour Tlaquepaque ; compter 35 mn de trajet.* Tonalá est réputé pour ses céramiques et poteries à des prix défiant toute concurrence. Marché les jeudi et dimanche. C'est immense (2 km de long), populaire, et il n'y a pas de touristes. Vous pourrez faire de très bonnes affaires).

🕺 ⊘ **Tequila** : à 60 km de Guadalajara. *Des bus partent ttes les 20 mn de l'ancienne station de bus, la Central Antigua (plan I, 1). On peut aussi y aller en train, avec le Tequila Express. Très cher, et ambiance pigeons en goguette.* Village dédié à la boisson nationale, désormais célèbre dans le monde entier. La consommation a été multipliée par 15 entre les années 1970 et 2000 ! À tel point que la région a connu une grave crise de sous-production de l'agave bleu, dont on tire le précieux nectar (voir la rubrique « Boissons » dans « Hommes, culture et environnement »). À Tequila, rien moins que 18 distilleries, dont les deux leaders nationaux *Cuervo* et *Sauza*. Imaginez un instant que le fantasme de Salman Rushdie dans *La Terre sous ses pieds* (Plon, 1999) devienne réalité et que, à la suite d'un séisme, les rues de Tequila se transforment en fleuve d'alcool... Visite des usines ; avec dégustation à la clé, évidemment. Très touristique. La ville et la région, plantée d'agaves, sont inscrites au Patrimoine mondial de l'Unesco.

Peut-être plus authentique, une autre distillerie se visite à Amatitán (sur la route, le bus pour Tequila s'y arrête), l'*Hacienda San José del Refugio* (☎ 39-42-39-00). L'hacienda elle-même est magnifique – cour ombragée, patio, une bibliothèque fascinante – et la visite plus complète. On peut même voir les cuves de fermentation et finir par une généreuse dégustation (hic !).

MANZANILLO   140 000 hab.   IND. TÉL. : 314

C'est souvent le cas des stations balnéaires au Mexique : la zone hôtelière est déconnectée de la ville ancienne. Manzanillo en est un bon exemple. D'un côté, la ville avec son port marchand ; de l'autre à l'ouest, sur 15 km, les plages et les hôtels à la queue leu leu. Entre les deux, on dépense beaucoup d'argent en taxis ou beaucoup de temps en bus. De plus, Manzanillo n'a ni le cachet de Puerto Vallarta ni le fun d'Acapulco. Bon, vous l'avez compris, ce n'est pas la ville que l'on préfère, même si elle a fait des efforts de coquetterie pour séduire les touristes. Mais vous y ferez peut-être étape après un long trajet en bus, avant de prendre une correspondance pour d'autres coins plus paradisiaques, comme Barra de Navidad et la Costa Alegre.
– Pour se rendre à la *zona hotelera*, de nombreux bus font la navette depuis le centre-ville.

Arriver – Quitter

🚌 *Terminal des Autobus de Manzanillo (TAMA) :* à env 5 km à l'ouest du centre, près de la plage Las Brisas. Pour le centre-ville, prendre le bus indiquant « Jardín ».
➤ *Pour/de Barra de Navidad :* une douzaine de bus/j. Trajet : 1h30.
➤ *Pour/de Guadalajara :* très nombreux bus/j. Trajet : 4-5h en bus 1re classe, plus long en 2de.
➤ *Pour/de Puerto Vallarta :* une quinzaine de bus/j. Trajet : 5h30-7h.
➤ *Pour/de Lázaro Cárdenas :* env 6 bus/j. Trajet : 6h.

Où dormir ? Où manger ?

Voici deux adresses d'hôtel au cœur de la ville ancienne. Donc bien situés, à proximité du *zócalo*, des banques, services, petits restos pas chers et bars.

🛏 *Hotel Emperador :* Balbino Davalos 69. ☎ 332-23-74. À gauche du zócalo en regardant le port. Entrée par le resto. Sympa et bon marché.

🛏 🍴 *Hotel Colonial :* à l'angle de Bocanegra et México. ☎ 332-10-80. Cossu et confortable. Un peu plus cher que l'hôtel *Emperador*. Resto délicieux.

BARRA DE NAVIDAD   7 000 hab.   IND. TÉL. : 315

À 60 km au nord de Manzanillo et à 275 km de Puerto Vallarta. Charmante petite station balnéaire, lovée entre la mer et une lagune. On la préfère de beaucoup à Melaque, sa voisine. Des maisons blanches, des rues pavées, des pélicans et des vagues... une ambiance paisible, troublée entre mi-novembre et fin avril par les touristes nord-américains et européens qui colonisent la ville. Barra peut servir de point de départ pour aller voir les plages des environs (voir plus bas : Manzanilla, Tenacatita, etc.).

Arriver – Quitter

En bus

Voir aussi la liste des principales compagnies et leurs coordonnées dans la rubrique « Transports » du chapitre « Mexique utile ».

🚌 *Les petites gares routières se trouvent dans le village, non loin l'une de l'autre.* **Primera Plus :** *Veracruz 228. Et la compagnie chic* **ETN :** *Veracruz 273.* Les bus de la compagnie *Cihuatlán* desservent les villages de la région ainsi que Puerto Vallarta.

➤ *Pour/de Manzanillo :* avec *Primera Plus,* départ ttes les heures en 2ᵉ classe, 7h25-19h45. Avec *ETN,* 5 bus/j., 7h20-20h10. Trajet : 1h-1h30.

➤ *Pour/de Puerto Vallarta :* avec *Primera Plus,* une douzaine de bus/j. en 2ᵉ classe (pratique pour s'arrêter sur la côte) et 3 bus/j. en 1ʳᵉ classe. Avec *ETN,* 1 bus à 8h20. Trajet : 4h en 1ʳᵉ classe, 5h30 en 2ᵉ classe.

➤ *Pour/de Guadalajara :* avec *Primera Plus,* une douzaine de bus/j. dont 5 en 2ᵉ classe, 6h-18h. Trajet : 5h30 en 1ʳᵉ classe, 6h30 en 2ᵉ classe. Avec *ETN,* 5 bus/j., à 0h45, 7h20, 12h20, 15h30 et 16h40 (les 3 premiers passent par l'aéroport). Trajet : 5h.

➤ *Pour/de Mexico Norte :* avec *Primera Plus,* 1 départ en 1ʳᵉ classe vers 17h. Avec *ETN,* départ à 18h10 (on voyage de nuit). Trajet : env 12h30.

Adresses utiles

🏛 *Office de tourisme :* Jalisco 67. ☎ 355-51-00. • bdenavidad.com • Lun-ven 9h-17h ; w-e 10h-15h. Plan de la ville.
✉ *Petit bureau de poste :* angle Veracruz et Guanajuato. Lun-ven 8h-15h.
■ *Banamex :* à côté de la poste. Distributeur. En face, le distributeur de *Bancomer.*

Où dormir ?

Les prix font un bond en haute saison (décembre, Pâques et les ponts). Le reste du temps, essayez de négocier.

🏨 *Hotel Sarabi :* Veracruz 196. ☎ 355-82-23. • hotelsarabi.com • *Prix moyens. Parking.* Passé un porche, de jolies chambres colorées qui donnent sur une cour tranquille. Impeccables. Ventilo et TV.
🏨 *Hotel Caribe :* Sonora 15. ☎ 355-59-52. *Prix moyens.* Dans le centre du village en allant vers la lagune. Chambres avec bains, sommaires mais propres. Sombre et ouvert à tous les vents.
🏨 *Hotel Delfin :* Morelos 23. ☎ 355-50-68. • hoteldelfinmx.com • *Prix moyens. Parking privé. Internet.* Joli petit hôtel sur plusieurs niveaux, noyé dans la végétation. Chambres coquettes, avec ventilo, donnant toutes sur une galerie faisant office de balcon commun, avec sièges et tables pour bouquiner. Très bien tenu. Adorable terrasse où prendre le petit déj. Une autre sur le toit, d'où l'on a une belle vue sur la baie. Petite piscine. Salle de fitness. Un excellent rapport qualité-prix.

Où manger ?

Plusieurs restos de fruits de mer assez chers. Côté lagune pour le déjeuner, côté mer pour le coucher du soleil. Restos plus économiques dans les rues perpendiculaires à Veracruz.

|●| **Ambar di mare :** *costera López de Legazpi 158, à côté de El Horno Francés.* ☎ 355-81-69. *Tlj 17h30-minuit de mi-déc à mi-mai ; jeu-dim le reste de l'année. Fermé en principe mai-juin et sept-oct. Salades et pizzas plus une boisson à prix moyens, de chic à plus chic pour les autres plats.* Tenu par Véronique, une Française dynamique, et Ricardo, son mari mexicain. Dans la salle à manger aux couleurs gaies ou sur la terrasse romantique au-dessus de la plage, à vous de voir, mais mieux vaut réserver, car c'est vite complet. Salades originales. Cuisine à la tonalité italienne : belle carte de pâtes et délicieuses pizzas cuites au feu de bois par Ricardo, ces dernières à consommer sur place ou à emporter. Fruits de mer bien frais. Sans oublier les fameuses crêpes...

|●| **Veleros :** *Veracruz 64 ; côté lagune.* ☎ 355-59-07. *Tlj 12h-22h30. Prix moyens.* Choisir une table au bord de l'eau pour observer le ballet des *lanchas* sur la lagune et les îles en face. Excellents poissons frais. Crevettes panées ou en brochettes.

|●| **El Horno Francés :** *López de Legazpi 125.* ☎ 355-81-90. *Tlj 7h-19h. Fermé de début mai à mi-nov.* Ils ont atterri ici un beau jour avec leur camping-car en provenance du Canada. Coup de foudre, ils sont restés. Lui est boulanger, elle décoratrice. Christine et Émeric, tous deux français, ont ouvert une boulangerie dans ce local riquiqui. Dès l'aube, de délicieux croissants et vraies baguettes sortent du four. Vous n'avez plus qu'à vous attabler en terrasse sur le trottoir, pour savourer un bon petit déj.

Où boire un verre ?

🍷 **La Azotea :** *López de Legazpi 152 ; au 1ᵉʳ étage.* ☎ 355-50-29. *Tlj 18h30-2h.* Joli bar sur une grande terrasse couverte d'un toit en palmes. Excellents cocktails et jus de fruits. Bonne musique et chouette ambiance. Certains soirs, quand le monde afflue, ça déménage !

À voir. À faire

➤ Au programme : promenades dans les rues piétonnes, bronzette sur la grande plage qui borde la ville et balades en bateau sur la lagune (négociez ferme, car pas mal d'arnaque !).

– Pour les sportifs, surf et pêche au gros.

– Allez voir aussi le Christ aux bras ballants, dans la petite église de Barra. Lors du cyclone de 1971, ses bras sont tombés, ce qui, selon les habitants, a épargné la ville.

LA MANZANILLA

IND. TÉL. : 315

À 20 km au nord de Barra, un petit coin très peu connu et tranquille. Des Canadiens s'y sont installés, mais ici la vie reste une longue baie tranquille. Les quelques spéculateurs immobiliers ont battu en retraite devant les assauts chroniques du Pacifique. Ici, la montée des eaux est bien une réalité.
Les pêcheurs pêchent, les crocodiles lézardent dans la lagune, les dauphins plongent à quelques mètres de la plage (bon, ça c'est de fin décembre à fin février...). Et le samedi soir, on danse sur la place du hameau.

➤ **Pour y aller :** à Barra de Navidad, prenez un bus urbain devant le terminal de *Primera Plus* indiquant « La Manzanilla ». Ou bien un bus 2ᵉ classe pour Puerto Vallarta et demandez l'arrêt au chauffeur. Il vous déposera à l'embranchement. Il reste 2 km à faire à pied ou en stop.

Où manger ?

I●I Pour manger, faites votre choix sur la plage : plusieurs gargotes proposent du poisson, mais leur réputation est variable.

PUERTO VALLARTA   180 000 hab.   IND. TÉL. : 322

En voiture ou en bus, la carretera 200 traverse des petits villages écrasés sous la chaleur. Chemises collant à la peau, rues défoncées, maisons basses aux toits de palmes, enseignes rouillées, *mamas* langoureusement allongées dans des hamacs et donnant le sein à leur bébé... Depuis Guadalajara, la route traverse la sierra Madre et entame sa descente vers les terres chaudes, *las tierras calientes*. Le climat et la végétation changent peu à peu, l'atmosphère devient lourde et humide, apparaissent les plantations de canne à sucre, les bananeraies et enfin les cocotiers. Pendant la saison des pluies, les averses transforment les rues en bourbier. Surgit enfin Puerto Vallarta et son immense baie, avec sa végétation luxuriante qui dévale les collines jusqu'au bord de mer.

Près de 20 % de la population active de Puerto Vallarta est composée d'Américains et de Canadiens ! Cependant, la ville est loin d'avoir atteint les proportions d'Acapulco. La ville, séparée en deux par une petite rivière, a conservé tout son charme, colonial du côté nord, plus populaire du côté sud. De toutes parts, on aperçoit les collines recouvertes de jungle épaisse.

Pour en profiter pleinement, évitez les périodes de rush, surtout Pâques et Noël.

JOHN HUSTON À PUERTO VALLARTA

Dans ses mémoires, le cinéaste John Huston écrit : « À partir de 1975, j'ai passé la majeure partie de ma vie dans l'État de Jalisco, au Mexique. Lorsque j'y suis venu pour la première fois, il y a une trentaine d'années, Puerto Vallarta était un village de pêcheurs qui comptait à peine 2 000 âmes. [...] Par la suite, je suis revenu souvent à Vallarta ; en particulier en 1963, pour y tourner *La Nuit de l'iguane*. Ce film révéla au monde l'existence de mon village, et les touristes d'accourir. » On trouve une statue du metteur en scène sur l'île Cuale.

Arriver – Quitter

Le terminal des bus et l'aéroport sont situés à une dizaine de kilomètres au nord de la ville *(hors plan par B1)*. Bien desservis par les *bus urbains* que l'on prend sur Pino Suárez au niveau du parc Lázaro Cárdenas *(plan A3, 10)* ou bien à l'angle d'Insurgentes et Madero *(plan B2)*. Grimper dans un de ceux qui indiquent « Ixtapa », « Las Mojoneras » ou « Las Juntas », parfois « Aeropuerto » (le terminal des bus se trouve après l'aéroport).

En bus

Voir la liste des principales compagnies et leurs coordonnées dans la rubrique « Transports » du chapitre « Mexique utile ».

🚌 À l'arrivée, si on veut éviter de prendre le taxi pour rejoindre le centre, il faut marcher jusqu'à l'avenue principale (environ 300 m), la traverser et prendre un bus qui indique « Centro ».

À noter qu'en ville, pour aller vers le nord, le sens de la circulation passe par Insurgentes et Juárez ; pour le sud, il passe par Morelos, Vallarta, Basilio Badillo. Les bus urbains empruntent donc ce trajet. Demandez l'arrêt le plus proche de votre destination.

➤ **Pour/de Guadalajara :** très grande fréquence avec *Estrella Blanca* (*Futura* et surtout *Pacífico*), *Primera Plus* et *ETN*. Trajet : 5h (6h30 avec les bus 2ᵉ classe).

➤ **Pour/de Mexico** (terminal Norte) **:** départs le soir pour des trajets de nuit avec *Estrella Blanca* et *Primera Plus*. Et avec *ETN* dont les sièges se transforment en couchette (cher, mais on arrive à dormir !). Trajet : 12h.

➤ **Pour/de Barra de Navidad et Manzanillo :** ttes les heures avec *Cihuatlán*. Trajet : respectivement 5h30 et 6h30. Pour les autres compagnies, voir aussi « Arriver – Quitter » à Barra.

➤ **Pour/de Los Mochis** (Canyon du Cuivre) **:** avec *TAP* (1ʳᵉ classe), 1 bus/j. en soirée. Trajet : env 14h.

En avion

Voir dans la rubrique « Quitter Mexico. En avion », les numéros gratuits et le site internet des compagnies aériennes.

✈ **Aéroport** (hors plan par B1) **:** ☎ 221-13-25 ou 12-98. On peut prendre un taxi collectif (même guichet que les taxis) ou le bus qui passe sur l'avenue. Plusieurs compagnies aériennes dont :

■ **Aeroméxico :** dans la zona hotelera, centre commercial Plaza Genovesa, local 2 et 3. Et à l'aéroport : ☎ 221-10-55. Vol direct pour *Mexico*, *Guadalajara* et *Los Angeles*.

Adresses utiles

🛈 **Office de tourisme** (plan A2) **:** à l'angle du zócalo et de Juárez. ☎ 226-80-80 (extension 233). Ouv lun-ven 8h-21h, parfois le sam. Distribue un plan très pratique et donne des tas d'infos.

✉ **Poste** (hors plan par B1) **:** à l'angle de Colombia (qui prolonge Sánchez) et Argentina. ☎ 222-18-88. Assez excentrée. Lun-sam 8h-18h.

■ **Change et banques :** les banques sont regroupées autour du zócalo, au nord du río Cuale. Avec distributeurs de billets. *Banamex* (plan A2, **1**) **:** sur le zócalo ; lun-ven 9h-16h, sam mat. **Bancomer** (plan B2, **2**) **:** à l'angle de Mina et Juárez ; lun-ven 8h30-16h30.

■ **American Express** (plan B1, **3**) **:** à l'angle de Morelos et Abasolo. ☎ 223-29-55. Lun-ven 9h-18h ; sam mat.

■ **Consulat canadien :** dans la zone hôtelière. ☎ 293-00-99 ou 28-94.

@ **Ciber Milenium** (plan B2, **4**) **:** Madero 370. Lun-sam 9h-22h30 ; dim 10h-22h. Internet et appels téléphoniques.

■ **Laverie El Cisne** (plan B2, **7**) **:** Madero 407. En face du resto Gilmar. Tlj sf dim 9h-19h30. Pratique pour les routards qui logent dans le quartier.

Où dormir ?

La ville est partagée en deux parties par la rivière Cuale. Les hôtels se situent plutôt du côté sud. Nous indiquons les prix pour la basse saison, en gros de mai à octobre. En haute saison (de décembre à Pâques), les prix grimpent, passant parfois du simple au double. Réservation impérative à Noël et à Pâques.

De bon marché à prix moyens (300-600 $Me, soit 18-36 €)

Les hôtels les moins chers sont situés sur la calle Madero, très passante, donc assez bruyante. Essayez d'avoir une chambre donnant sur l'intérieur.

🛏 **Hotel Villa del Mar** (plan B2, **20**) : Madero 440. ☎ 222-07-85 ou 28-85. ● hvilladelmar.com ● Sans doute le plus agréable de la rue, et donc souvent complet. Chambres bien aménagées, avec ventilo et point d'eau. Très propre. La plupart donnent sur une galerie intérieure entourant le patio. Plus cher avec balcon sur rue mais aussi plus bruyant. Le meilleur rapport qualité-prix dans cette catégorie.

🛏 **Hotel Ana Liz** (plan B2, **21**) : Madero 429. ☎ 222-17-57. ● franciscolandin moya@hotmail.com ● Petit hôtel tranquille. Les chambres avec fenêtres sont plus aérées. Ambiance familiale et sympathique.

🛏 **Hotel Azteca** (plan B2, **22**) : Madero 473. ☎ 222-27-50. ● hotel_azteca_ pvta@hotmail.com ● Patio ombragé sur lequel donnent les chambres. Très propre. Carafe d'eau à disposition. Ventilo. TV avec supplément. Demander une chambre à l'étage. Accueil impersonnel.

🛏 **Hotel Hortencia** (plan B3, **23**) : Madero 336. ☎ 222-24-84. ● hotelhor tencia.com ● Petit hôtel tenu par la même famille depuis un bail. Le patron adore bavarder avec les clients, et sa fille aussi ! Chambres fraîches, au ton orangé très gai, avec salle de bains. Très propre. Dommage que son voisinage, avec un bar de nuit à l'arrière, rende le sommeil difficile.

Chic (600-1 000 $Me, soit 36-60 €)

🛏 **Hotel Yasmin** (plan A3, **24**) : B. Badillo 168. ☎ 222-00-87. Attention, l'enseigne est discrète. Joli cadre, avec des terrasses, idéales pour prendre le frais le soir. Beau patio intérieur, agrémenté de nombreuses plantes. À deux pas de la plage.

🛏 **Hotel Los Cuatro Vientos** (plan B1, **25**) : Matamoros 520, dans la partie ancienne de la ville, sur une hauteur. ☎ 222-01-61. ● cuatrovientos.com ● Resto ouv slt en ht saison. Cadre intime et chaleureux, noyé dans la végétation, très calme. Richard Burton, Elizabeth Taylor et d'autres stars de l'époque venaient dîner avec leurs amis au restaurant attenant, Chez Elena, la première propriétaire des lieux. Les 16 chambres sont joliment arrangées dans le style rustique (terre cuite, brique...). Celles du 2ᵉ étage ont une vue magnifique sur le village et la baie (à réserver à l'avance). Petite piscine, resto et surtout un superbe bar-terrasse sur le toit, qui offre un panorama exceptionnel.

🛏 **Hotel La Posada de Roger** (plan A3, **26**) : B. Badillo 237, à 200 m de la plage. ☎ 222-06-39 ou 08-36. ● posa daroger.com ● Parking. Chambres impeccables. Celles sur rue ont un balcon. Piscine-terrasse au 1ᵉʳ niveau. Un peu bruyant mais très agréable. C'est l'un des préférés des Américains. Avec bar et resto.

Plus chic (plus de 1 200 $Me, soit 72 €)

🛏 **Hotel Rosita** (hors plan par B1, **27**) : dans la partie nord de la ville, tt au bout du malecón (front de mer), 31 de Octubre. ☎ 223-00-00 ou 222-18-84. ● ho telrosita.com ● Internet. Très bien situé, à l'écart de l'agitation sans être éloigné. Plus d'une centaine de chambres, dont la moitié avec vue al mar. Spacieuses et confortables. Suite avec 3 lits de 2 personnes ; prix très intéressant à plusieurs. Ventilo ou AC. Belle piscine face à la mer, bar et resto.

GUADALAJARA ET LA CÔTE PACIFIQUE NORD

Où manger ?

Deux zones animées le soir : d'une part le *malecón* (le front de mer) ; d'autre part, la calle Olas Altas au sud de la ville, beaucoup moins « zimboumboum ».

De bon marché à prix moyens (80-250 $Me, soit 4,80-15 €)

I●I Sur la plage au sud de la rivière, on peut s'acheter pour quelques pesos des brochettes à déguster sur un banc ou sur la plage.

I●I *Le marché* (plan B2, **40**) : *juste au nord de la rivière, au niveau du pont de Insurgentes.* Au 1er étage, plusieurs stands bien délimités. Ne cédez pas au racolage des premiers et installez-vous là où il y a le plus de monde. Le dernier au fond, dans l'angle, *Meme's,* propose une cuisine mexicaine correcte en profitant de la vue sur l'île. Plats copieux et bon marché.

I●I *Dianita* (plan A3, **41**) : *Madero 243. Pas de tél. Tlj sf dim 8h-18h.* Très bon menu pas cher du tout. Apprécié par les commerçants du quartier.

I●I *Gilmar* (plan B2, **42**) : *Madero 418.*

☎ *222-39-23. Tlj sf dim 7h-23h. CB acceptées.* Un bon p'tit resto sans prétention, idéal pour le déjeuner. Cuisine mexicaine correcte. Il est d'ailleurs fréquenté par les autochtones. *Comida corrida* très bon marché.

I●I *Planeta Vegetariana* (plan B2, **43**) : *Iturbide 270 ; entre Hidalgo et Matamoros.* ☎ *222-30-73. Tlj 8h-22h.* Un végétarien situé dans le vieux Puerto Vallarta, un quartier plein de charme. Joli cadre et accueil sympathique. Formule buffet à prix très serré pour les 3 repas de la journée. Très bonne cuisine. Les fumeurs devront aller dehors pour s'en griller une.

I●I *Una Página en el Sol* (plan A3, **44**) : *à l'angle d'Olas Altas et Dieguez.* ☎ *222-36-08. Tlj 7h30-minuit.* L'endroit

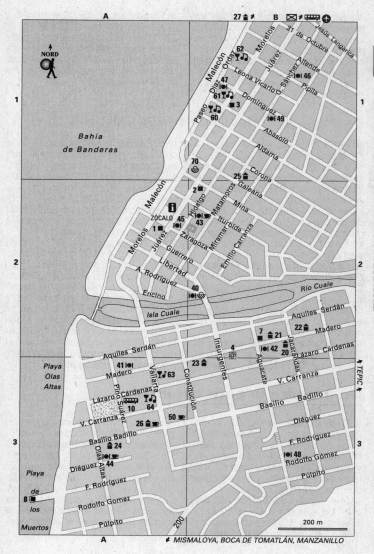

PUERTO VALLARTA

est sympa, avec ses petites tables sur le trottoir et son coin-bibliothèque à l'intérieur. On y vient pour manger sur le pouce une délicieuse salade composée ou un copieux sandwich chaud bien garni. Très bons *licuados* aux fruits tropicaux. Tableau de petites annonces. Et des prix sages.

|●| *Pietro* (plan A2, *45*) : Zaragoza 245 ; à l'angle de Hidalgo. ☎ 222-32-33. Tlj 12h-23h. CB acceptées. Salle spacieuse pour cette *fonda* italienne qui sert des pâtes et de délicieuses pizzas cuites au feu de bois, le tout dans une ambiance mexicaine.

De chic à plus chic (plus de 250 $Me, soit 15 €)

|●| *Pipi's* (plan B1, *46*) : à l'angle de Pipila et G. Sanchez. ☎ 223-27-67. Tlj 11h-23h. Un resto réputé pour ses savoureuses et copieuses *fajitas* (à la viande, aux crevettes, au poisson...) et ses inventives margaritas. Le chef aime bien associer viande et poisson ou fruits de mer dans ses spécialités. Arriver au moins une demi-heure à l'avance ; le soir, c'est la cohue. Ambiance on ne peut plus animée...

|●| *La Dolce Vita* (plan B1, *47*) : paseo Ordaz, le malecón ; à côté du Hard Rock Café. ☎ 222-38-52. Lun-sam 12h-2h ; dim 6h-minuit. CB acceptées. On s'y presse surtout pour les pizzas, cuites au feu de bois, il est vrai, délicieuses. Terrasse avec vue sur la mer.

|●| *El Palomar de los Gonzales* (plan B3, *48*) : Aguacate 425. ☎ 222-07-95. Résa conseillée. Tlj 18h-23h. CB acceptées. Prendre la rue Aguacate vers la colline et monter un long escalier ardu avant d'arriver à cet élégant « pigeonnier » qui propose une délicieuse cuisine raffinée. Un endroit de charme. Vue splendide sur la ville et la baie. Pour assister au coucher de soleil, arriver tôt et s'installer au bord de la petite piscine en sirotant une *piña colada*.

|●| *Si Señor !* (plan B1, *49*) : Ortíz de Dominguez 274 ; à l'angle de Sánchez. ☎ 113-00-64. Tlj pour le déj et le dîner. CB acceptées. Accroché à une pente du vieux quartier, le resto offre dans son jardin luxuriant de romantiques petits espaces en terrasse. S'il fait frisquet, on préférera la belle salle à la présentation chic. Le tout dans une ambiance décontractée. Excellente cuisine mexicaine et métissée, gastronomique et joliment présentée. Service aimable.

Où prendre le petit déjeuner ?

☛ *Fredy's Tucan* (plan A3, *26*) : Badillo 237. Le resto de La Posada de Roger (voir « Où dormir ? »). Ouvre tlj à 7h30. Pancakes, waffles, peanut's butter, etc.

☛ *Planeta Vegetariana* (plan B2, *43*) : voir « Où manger ? ». Formule buffet bon marché servie jusqu'à 12h.

☛ *Una Página en el Sol* (plan A3, *44*) : voir « Où manger ? ». Ouvre tlj dès 7h. Très bon café, *espresso* ou capuccino. Même l'*americano* est parfaitement buvable. Le tout accompagné de pain grillé en feuilletant le journal du matin.

☛ *Memo's Pancake House* (plan A3, *50*) : Badillo 289. Tlj 8h-14h. Memo, l'aimable patron, a vécu jadis quelques années en France et parle le français. Également un ancien du *Fredy's Tucan*. Copieux petit déjs composés de fruits, pancakes, gaufres à volonté dans une ambiance chaleureuse et authentique.

Où sortir ? Où boire un verre ?

Avec la plage, c'est la deuxième activité essentielle ici. Vous pouvez démarrer la soirée sur le *malecón*, autrement dit le front de mer, qui se trouve au nord de la rivière. Là, vous trouverez bien une charmante Américaine (ou un charmant Américain) qui vous indiquera la dernière boîte à la mode.

♈ ♫ Sur le *malecón,* les bars se succèdent, avec leurs baies grandes ouvertes et leurs façades plus ou moins kitsch. Impossible de les rater : le **Hard Rock Café** *(plan B1, 61),* le **Carlos O'Brians** *(plan B1, 62)* ou le très branché **Bar Zoo** *(plan B1, 60).* On y danse... de plus en plus au fur et à mesure que la nuit avance. Plusieurs kilomètres de queue à l'entrée durant les vacances et ambiance proche de l'hystérie collective.

♈ ♫ Dans la partie sud de la ville, l'atmosphère est plus soft. L'animation se trouve surtout calle Vallarta : quelques bars classiques avec mariachis. Allez plutôt au bar-disco **Roxy** *(plan A3, 63) : Vallarta 217. Fermé dim.* Bons groupes de rock et ambiance sympa. Pas de *cover* et la bière n'y est pas chère.

♈ ♫ Quant aux gays, ils seront aussi heureux qu'à Acapulco. Le plus simple pour eux est d'aller tout droit au fameux bar-disco **Paco Paco** *(plan A3, 64) : Vallarta 278. Tlj sf dim à partir de minuit.*

Achats

Les occasions de se laisser tenter ne manquent pas. Les boutiques et les galeries d'art sont nombreuses. Certaines proposent de magnifiques objets d'artisanat huichol (voir plus haut le chapitre « Real de Catorce »).

✺ **Galerie Huichol Collection** *(plan B1, 70) : sur le malecón, en face de la statue de l'hippocampe (le symbole de Vallarta).* ☎ 222-01-82. Pour le plaisir des yeux, de l'imaginaire, et pour stimuler les méandres souterrains de l'inconscient archaïque.

✺ **Marché d'artisanat** *(plan B2, 40) : le plus grand se trouve au marché municipal, dans le prolongement d'Insurgentes, juste après le pont, au rdc et au 1er étage.*

À voir. À faire

🏃 **Balade dans la ville :** dans la partie nord, la vieille ville qui surplombe la cathédrale est pleine de charme. Rues pavées de cailloux ronds, terrasses fleuries, abondance de bougainvillées multicolores, toits de tuiles rouges et, au détour d'un escalier, de superbes vues sur la baie. N'oubliez pas votre appareil photo. En haut de la rue Zaragoza *(plan B2),* on devine à peine l'emplacement de la *Casa Kimberley,* la maison où Richard Burton et Elizabeth Taylor abritaient leur idylle. Après le tournage

> ### LIEU CULTE POUR INCULTES
>
> *Dix ans après la mort de Richard Burton, Liz Taylor vendit la Casa Kimberley avec tout ce qu'il y avait à l'intérieur jusqu'à ses vêtements, souvenirs trop douloureux qu'elle ne pouvait emporter. Puis la maison devint un B & B-musée. En 2009, une banque l'acquit pour en faire, paraît-il, un hôtel alors que le maire voulait en faire un musée. La villa fut démolie, les travaux suspendus par décision de justice et le petit pont s'étiole au-dessus des palissades...*

du film *La Nuit de l'iguane* à Mismaloya, un village au sud de Puerto Vallarta, Burton acheta deux maisons de part et d'autre de la rue et fit construire la passerelle qui l'enjambe pour que sa belle puisse se retirer dans son petit nid surplombant le río Cuale et la somptueuse baie.

🍃 **Zócalo** *(plan A2) : au nord de la rivière, avec sa **cathédrale** coiffée d'une reproduction géante de la couronne de l'impératrice Charlotte. Du 1er au 12 décembre (le jour de la fête nationale de la Guadalupe), elle est illuminée comme un gros gâteau d'anniversaire et, le soir, les corporations de la ville viennent en procession y faire leurs dévotions.

à l'angle du *zócalo* et de Zaragoza, petit *museo naval (mar-ven 9h-19h30 ; w-e 10h-14h, 15h-19h30)* qui expose des maquettes de caravelles et bateaux de l'époque coloniale. À l'étage, cafétéria avec vue sur la mer.

🏃 En bord de mer, le *malecón* (la promenade des Anglais locale) est un point de passage obligé pour admirer le coucher de soleil.

🏃 *Isla Cuale :* un petit coin de verdure et de fraîcheur au milieu de la ville. Quelques boutiques de souvenirs et restos à touristes, rien de grave. C'était une promenade très agréable avant que la boulimie immobilière ne vienne gâcher les lieux.

Les plages

Cette baie immense (la plus grande du Mexique) compte de nombreuses plages. Dans la ville même *(plan A3)*, deux belles plages pour les flemmards, où l'on peut se baigner sans risque : la *playa Olas Altas* et la *playa de los Muertos.* Sur cette dernière, il y a un petit *embarcadère (plan A3, 8)* pour prendre le bateau-taxi ou partir à la pêche.

Vers le sud

C'est là que se trouvent les plus belles plages. Pour s'y rendre, prenez un bus blanc sur Insurgentes *(plan B3)* ou vert *(plan B3)*. Départ ttes les 10 à 15 mn. Ces *colectivos* vont jusqu'à Boca de Tomatlán, mais ils s'arrêtent où vous voulez le long de la splendide route côtière.

➢ *Mismaloya :* la plus célèbre et le coin favori des cinéastes. À la suite de Huston, c'est Bebel qui est venu tourner ici *Le Magnifique.* Et, plus tard, Schwarzy a joué les *Predators,* un peu plus haut dans la forêt vierge. Au bout de la plage, on peut visiter les restes de bâtiments qui apparaissent dans *La Nuit de l'iguane* : prenez le sentier côtier jusqu'à l'iguane en ciment.

➢ Si la plage vous ennuie, l'alternative consiste à partir dans les montagnes à travers la forêt vierge. La balade classique, c'est de grimper jusqu'à l'*Eden,* un resto au bord d'une rivière, sur les lieux du tournage de *Predators,* d'où la carcasse d'hélicoptère. On peut y aller à pied (environ 5 km) et revenir en taxi (environ 110 $Me, soit 6,60 €) ; ou l'inverse. Un petit conseil : prévoyez de ne rien consommer à l'*Eden.* C'est de la pure arnaque.

➢ Même balade mais à cheval : allez au *Rancho Manolo,* un loueur de chevaux installé à Mismaloya, sous le pont de la route côtière (☎ 228-00-18 le mat ou 222-36-94 l'ap-m). Pour plus de sécurité, on peut réserver les chevaux la veille. Compter 3h aller-retour jusqu'à l'*Eden,* trempette dans la rivière comprise. Les bons cavaliers se donneront encore plus de frissons d'aventure avec une randonnée de 9h dans la montagne.

➢ *Boca de Tomatlán :* un peu plus loin sur la route, à 17 km de Vallarta. Une charmante petite crique où il n'y a pas encore d'hôtel. Seulement quelques paillotes où l'on déguste des fruits de mer. C'est aussi là que l'on peut prendre un hors-bord *(lancha)* pour les plages qui suivent.

➢ *Las Ánimas, Quimixto et Yelapa :* trois plages idylliques auxquelles on n'accède guère qu'en bateau, et qui accueillent durant la journée les cargaisons de touristes en provenance de Puerto Vallarta. Prendre le bateau-taxi à l'*embarcadère (plan A3, 8)* de la plage de los Muertos vers 10h et 11h ; mais c'est assez cher. La solution la plus économique est d'aller en bus jusqu'à Boca de Tomatlán et, de là, prendre une *lancha* qui vous conduira à la plage de votre choix. En haute saison, c'est très organisé et le prix du passage est élevé ; en basse saison, on peut négocier. Ou, mieux, faire la traversée avec la barque de ramassage scolaire. *Conseil :* si c'est possible, ne prenez pas le retour, vous déciderez sur place. Mais renseignez-vous auparavant pour l'heure de passage des dernières *lanchas* ; sinon, ce sera dodo sur la plage.

– *Las Ánimas :* c'est la plus proche (donc le moins cher pour y aller) et aussi la plus jolie et la plus tranquille. Les bateaux de croisière n'y débarquent pas trop. Belle balade à pied pour rejoindre la plage de Quimixto, en longeant la côte (1h de marche).

– *Quimixto :* ravissante également et déjà un peu plus fréquentée. Mais en marchant un peu, vous trouverez sans difficulté un p'tit coin désert rien que pour vous. Cascade dans la jungle à 30 mn à pied ou à cheval.

– *Yelapa :* la plage la plus éloignée. Depuis Puerto Vallarta, compter 45 mn en bateau-taxi. C'est la plus touristique, et le petit village est squatté par une colonie de riches Américains. On peut y loger (un hôtel sur la plage et d'autres plus modestes dans le village). Le soir, quand les bateaux touristiques sont partis, c'est très sympa.

Vers le nord

⚲ **Chacala :** *à 1h30 au nord de Puerto Vallarta.* Un petit village de pêcheurs de 300 âmes, installé au fond d'une anse parfaite. Magnifique plage bordée par une immense palmeraie. Ambiance douce et paisible. Et pour partir à la pêche, visiter les grottes sous-marines ou suivre les baleines (de décembre à février), allez chercher Oscar (bavard et très sympa) sur le môle du petit port (ou chez lui, *casa Mirador*).

➤ **Pour y aller :** bus jusqu'à Las Varas. Demandez au chauffeur de vous laisser avant l'entrée de ce bourg, à l'embranchement pour Chacala. Il reste 9 km, en taxi collectif ou en stop. Le hameau se trouve au bout, sur la droite, vers le port.

GUADALAJARA ET LA CÔTE PACIFIQUE NORD

LA LIGNE DE CHEMIN DE FER LOS MOCHIS-CHIHUAHUA

De Chihuahua au Pacifique ! Le célèbre train *Chihuahua al Pacífico* relie le désert du Nord aux riches plaines fertiles de Los Mochis en traversant les extraordinaires paysages de la sierra Tarahumara et du canyon du Cuivre. On vous conseille vivement de prendre le train à partir de Los Mochis, mieux de El Fuerte, et non de Chihuahua. En effet, au départ de Chihuahua, le train arrive tard le soir à Los Mochis (que ce soit en 1re ou en 2e classe), et vous risquez donc de traverser les plus beaux paysages dans l'obscurité.

Le trajet dure entre 16h30 et 18h30 ; en condition normale. Or il se passe toujours quelque chose sur cette ligne de chemin de fer ! Imaginez : 37 ponts, 86 tunnels, 655 km de voie ferrée qui longent sur la plus grande partie du trajet un ensemble de canyons, parmi les plus imposants du monde. Les montagnes grandioses et les précipices se succèdent, que la voie enjambe sur un rail unique dépourvu de parapets. Et si l'on juge de la friabilité des pentes abruptes sous les pieds, pardon sous les rails, frissons garantis ! Perdus dans le secret des gorges, quelques hameaux sont restés isolés de la civilisation et du temps. Et puis encore le vide et, tout en bas, des rivières impétueuses nées dans les hautes forêts de pins, qui ont creusé leur chemin à travers les roches volcaniques de la sierra. D'où ce somptueux réseau de gorges encaissées, qui forment un ensemble quatre fois plus important que le Grand Canyon du Colorado.

LA SIERRA TARAHUMARA ET LA BARRANCA DEL COBRE

Tirant profit de la multiplicité de microclimats et d'écosystèmes, les Indiens tarahumaras trouvèrent refuge ici après avoir été refoulés par les colons espagnols, puis pour échapper au travail forcé dans les mines. Au début du XVIIe s, la région fut découverte par les missionnaires jésuites. À la recherche de cuivre, ils la baptisèrent *Barranca del Cobre.* Mais, en réalité, le sous-sol renfermait bien d'autres richesses qui attirèrent les chercheurs de fortune : de l'or, de l'argent et de l'opale.

Quant à la ligne de chemin de fer, elle est née de l'obsession d'un Américain, Albert Owen, qui rêvait dans les années 1870 de relier les États-Unis au Mexique. Ce n'est qu'en 1903 que les travaux commencèrent. Pancho Villa lui-même y travailla. Mais la voie ferrée ne fut achevée qu'en 1961. On raconte que les grèves réprimées, les révoltes et les accidents causèrent plus de 10 000 morts ! La ligne dessert plusieurs gares qui constitueront les étapes de votre voyage. Attention, les nuits sont fraîches toute l'année dans la sierra, et en hiver (novembre-février), il peut neiger fortement à partir de 2 000 m d'altitude, alors qu'en été, au fond des canyons, on supporte à peine un drap pour dormir.

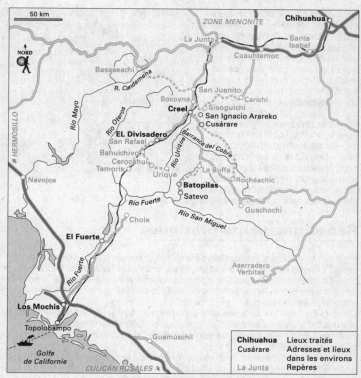

LA SIERRA TARAHUMARA

LES INDIENS TARAHUMARAS

C'est l'un des derniers peuples légendaires d'Amérique à résister au progrès et à fuir les contacts avec la civilisation « occidentale ». Avec l'arrivée des Espagnols, ils furent d'abord refoulés dans les montagnes, et les missionnaires jésuites tentèrent, sans beaucoup de succès, de les convertir au catholicisme. Au cours des siècles suivants, leurs terres furent envahies par les métis, ce qui provoqua des heurts sanglants. Depuis, les Tarahumaras, ou *Raramuris* dans leur langue, ont recherché la paix dans un isolement qui s'est révélé être le seul moyen de défense efficace.

Établis dans leurs montagnes immenses, les Tarahumaras sont aujourd'hui environ 60 000 à vivre en harmonie avec cet environnement austère, disséminés dans la sierra. Chaque famille dispose de deux ou trois logements, souvent des grottes naturelles, mais aussi des cabanes en bois et en pierre. Au rythme des saisons, ils changent d'habitat : au fond des canyons en hiver, sur les plateaux en été. Ils vivent de leurs cultures et élèvent un peu de bétail, se nourrissant pour l'essentiel de tortillas de maïs, de pommes de terre et de haricots. Ils viennent aussi en ville vendre leur artisanat, mais le contact n'est pas facile, ne serait-ce qu'à cause de l'obstacle de la langue (à moins de parler le raramuri !). À Creel, un petit groupe d'entre eux s'est sacrifié au tourisme, et leurs grottes sont périodiquement envahies de visiteurs.

Les Indiens ont su conserver leurs traditions séculaires, se livrant encore à des rites étranges et compliqués. Antonin Artaud affirme à leur sujet : « Le pays des Tarahumaras est plein de signes, de formes, d'effigies naturelles qui ne semblent point nés du hasard, comme si les dieux, qu'on sent partout ici, avaient voulu signifier leurs pouvoirs dans ces étranges signatures où c'est la figure de l'homme qui est de toute part pourchassée. » Une de leurs particularités est d'être imbattables à la course à pied (*raramuri* signifie « les pieds qui volent »). Certains ont même été sollicités pour participer à de grands marathons.

LES HOMMES AUX PIEDS QUI VOLENT

Le rite tarahumara le plus étonnant, chargé d'un sens magique, est une course à pied qui dure au minimum 24h, parfois 3 jours consécutifs, et durant laquelle les coureurs poussent du pied une boule de bois (de 10 cm de diamètre environ). Ils l'organisent sur des distances allant jusqu'à 300 km pour les hommes et 100 km pour les femmes. C'est vrai qu'il faut un bon entraînement pour parcourir un relief si accidenté !

Renseignements pratiques

Pour profiter au mieux des beautés de la région, prévoyez au minimum une semaine entre El Fuerte et Creel, ne serait-ce qu'en raison des horaires et fréquences du train. En général, l'étape classique pour quelques nuits est le village de ***Creel***. Mais on peut aussi procéder par bonds successifs et s'arrêter sur le trajet. Il faudra alors attendre le lendemain pour reprendre le train.

On vous conseille de visiter les sites suivants pour établir un itinéraire et sa durée, et y trouver toutes les informations pratiques et culturelles nécessaires.

● *amigos3.com* ● et ● *amigotrails.com* ● Sites de l'association *The 3 Amigos,* basée à Creel et à El Fuerte.

Il existe 2 trains quotidiens, à choisir en fonction du temps de parcours et de votre budget. Résas slt pour le train de 1re classe : ● *chepe@ferromex.com* ● Sinon, pour l'achat des billets, voir selon votre cas « Arriver – Quitter » à Los Mochis ou à Chihuahua.

– **Le CHEPE Primera Express :** départ tlj à 6h dans les 2 sens. C'est le train le plus chic, avec wagon-restaurant, bar, AC, sièges inclinables et numérotés... Cher, évidemment.

➢ *De Los Mochis à El Fuerte :* 400 $Me (24 €).
➢ *De Los Mochis à El Divisadero :* 998 $Me (60 €).
➢ *De Los Mochis à Creel :* 1 191 $Me (71,50 €).
➢ *De Los Mochis à Chihuahua :* 2 179 $Me (env 131 €).

Voici les gares desservies et les horaires officiels : *Los Mochis* (6h), *El Fuerte* (8h40), *San Rafael* (13h29), *El Divisadero* (14h04), *Creel* (15h38), *Cuauhtémoc* (18h30) et *Chihuahua* (20h56).

Dans l'autre sens :

➢ *De Chihuahua à Creel :* 991 $Me (env 60 €). Arrivée : 11h20.
➢ *De Chihuahua à El Divisadero :* 1 184 $Me (71 €). Arrivée : 12h34.
➢ *De Chihuahua à El Fuerte et Los Mochis :* 1 909 $Me (114,60 €) et 2 179 $Me (131 €). Arrivée : 18h et 20h40.

– **Le train Clase económica :** départ tlj à 7h dans les 2 sens. De Los Mochis à Chihuahua, les mar, ven et dim ; dans l'autre sens, les lun, jeu et sam. Moitié moins cher que le précédent.

Tout à fait confortable, puisqu'il s'agit de l'ancien train de 1re classe reconverti en 2e classe, mais pas de résas : 1er arrivé, 1er servi ! Et tout comme dans celui de 1re classe, les wagons sont pourvus de larges fenêtres panoramiques. Il y a un snack-bar, mais on apporte en général son casse-croûte avec soi. L'ambiance est nettement plus animée et locale que dans le précédent. Il est aussi plus lent, car il dessert toutes les gares de la ligne : *Los Mochis* (7h), *Sufragio, El Fuerte* (9h40), *Loreto, Temoris, Bahuichivo, Cuiteco, San Rafael, Posada Barrancas, El Divisadero* (15h42), *Creel* (17h22), *San Juanito, La Junta, Cuauhtémoc* (20h313) et enfin *Chihuahua* (22h42).

Bien entendu, il ne faut s'attendre à aucune fiabilité quant aux horaires. De mémoire de Chihuahuense, on n'a jamais vu un train arriver à l'heure.

Les plus beaux paysages se trouvent entre El Fuerte et Creel. À partir de Creel, vous pouvez prendre le bus pour rejoindre Chihuahua : plus rapide et surtout plus souple quant aux horaires. De même, on peut se passer de la 1re partie du voyage entre Los Mochis et El Fuerte, car le trajet en train est plus long qu'en bus (même en 1re classe) et le paysage est assez monotone. De nombreux bus permettent de rallier El Fuerte en 1h30 environ depuis Los Mochis. Donc, si vous arrivez à Los Mochis après le départ du train, 2 solutions : soit passer la journée en ville et y dormir ; soit aller en bus à El Fuerte, y passer la nuit et attraper le train là-bas le lendemain matin. Attention, dans ce cas, le paiement ne se fait qu'en espèces dans le train.

Les 2 trains s'arrêtent 15 mn en gare d'*El Divisadero,* point de vue panoramique extraordinaire. On peut descendre du train pour aller admirer la vue. Ne vous en privez surtout pas. On est ici à la confluence de 3 canyons : celui d'Urique, de Tararecua et la Barranca del Cobre. De toute beauté. Nombreuses femmes et jeunes filles qui vendent des vanneries typiques, cadeaux légers à transporter.

LOS MOCHIS   235 000 hab.   IND. TÉL. : 668

Une ville moderne et construite suivant un plan quadrillé, à l'américaine, mais avec une animation toute populaire. Et puis, comme on y passe obligatoirement pour prendre le train qui pénètre dans la sierra Tarahumara, autant en profiter pour apprécier son marché, son agréable jardin botanique et surtout le village et le port de Topolobampo (à 45 mn de bus), où s'ébattent pélicans et dauphins.

– À noter, on est ici, comme dans tout l'État de Sinaloa, avec un décalage horaire de - 1h par rapport à Mexico.

Arriver – Quitter

En avion

✈ *L'aéroport* (☎ 815-30-70) *est à mi-chemin entre Los Mochis et le port de Topolobampo, à une quinzaine de km. Bus Azules à 7h, 9h, 13h, 16h (même terminal que pour El Fuerte). En taxi, négocier le prix.*

➤ *Pour/de Mexico :* 1 vol direct/j. avec *Aeroméxico* dans les 2 sens. Compter 1h10 de vol.

➤ *Vers Mexico :* 1 vol direct avec *Aeroméxico.*

➤ *Pour/de Tijuana :* avec *Aeroméxico,* 1 vol pour Tijuana avec escale à Hermosillo.

➤ *Pour/de Guadalajara : Aeroméxico* assure 1 vol/j. avec escale.

➤ Vols quotidiens (avec escales) pour et de **Querétaro, Monterrey, Mérida** ; et plusieurs villes des États-Unis : **Los Angeles** (2 vols/j.), **Houston, Tucson, San Antonio** et **Phœnix.**

Voir aussi, dans la rubrique « Quitter Mexico. En avion », les autres compagnies aériennes (charter ou à bas prix).

La ligne de chemin de fer Los Mochis-Chihuahua

En bus

Liste des principales compagnies et leurs coordonnées à la rubrique « Transports » du chapitre « Mexique utile ».

➢ *Pour/de Topolobampo :* port d'embarquement du ferry pour la Basse-Californie (voir plus loin « Dans les environs de Los Mochis »). Arrêt de bus à l'angle de Prieto et Cuauhtémoc *(plan A2, 2)*. Départ ttes les 20 mn env, 6h30-20h30. Trajet : 45 mn.

➢ *Vers El Fuerte :* terminal de la compagnie *Azules* située à env 100 m du bd Castro et G. Leyva *(plan A2, 3)*. Départ ttes les heures ou 30 mn, 8h-20h ; 55 $Me (3,30 €). Trajet : env 1h45.

🚌 *Le terminal principal* du groupe Estrella Blanca/Futura *(hors plan par A2, 4)* est un peu éloigné sur le bd Castro, au niveau de Belisario Dominguez. Juste à côté se trouve également le terminal des bus *TAP*. Très confortables.

➢ *Pour/de Puerta Vallarta :* départ à 18h avec *TAP* ; 640 $Me (38,40 €). Trajet : env 14h.

➢ *Pour/de Guadalajara :* très nombreux bus/j. avec *Estrella Blanca/Futura* et *TAP* ; 575 $Me (34,50 €).

➢ *Pour/de Mexico :* nombreux départs quotidiens avec *TAP* et *Estrella Blanca/ Futura* ; 1 045 $Me (62,70 €). Trajet : 21h (bon courage !).

En train (pour le canyon du Cuivre et la sierra Tarahumara)

La voie ferrée est le moyen idéal pour pénétrer dans la sierra des Indiens tarahumaras et découvrir le spectacle grandiose du canyon du Cuivre. Toutefois, pour ceux qui comptent faire escale à El Fuerte, le trajet en train est plus long qu'en bus et assez monotone (avec un départ très matinal), et il vous fait lever très tôt. Avis aux dormeurs.

■ *Réservations et achat des billets :* auprès de Ferrocarril Mexicano (Ferromex). ☎ *(614) 439-72-12 ou 01-800-122-43-73.* ● *chepe@ferromex.com.mx* ● *chepe.com.mx* ● Également à la gare, dans les agences de voyages ou certains hôtels de Los Mochis (mais attention aux commissions !). L'agence *Viajes Flamingo* (voir « Adresses utiles ») est très efficace. On peut aussi réserver par téléphone ou par mail.

🚉 *Gare :* excentrée, à 10 mn en taxi, moyen de transport obligatoire pour le train de 6h, car il n'y a pas encore de bus. Compter env 80 $Me (4,80 €). Pour celui de 7h, on peut prendre un bus bd R. Castro, entre Prieto et Zaragoza *(plan A2, 1)*. Ils passent ttes les 15 mn env. Le prendre vers 6h. Trajet : 15 mn. Il n'est pas nécessaire d'arriver aussi tôt qu'indiqué sur les billets, mais prévoir une marge de sécurité.

En bateau

Voir plus loin « Dans les environs de Los Mochis ».

Adresses utiles

🅸 *Office de tourisme* (plan A2) : dans Allende, à l'angle de Marcial Ordoñez ; dans le centre administratif du gouvernement de l'État de Sinaloa, au rdc. ☎ 815-10-90. Lun-ven 9h-17h. Nombreux dépliants sur chaque village de la région. Mais les agences de voyages sont mieux renseignées sur la sierra Tarahumara ou la Barranca del Cobre, qui se trouvent dans l'État de Chihuahua.

■ *Agence Viajes Flamingo* (plan A2, 8) : dans le hall de l'hôtel Anita, av. Gabriel Leyva. ☎ 812-16-13 ou 19-29. ● *viajesflamingo@mexicoscoppercanyon.com* ● Lun-ven 8h30-18h30 ; sam

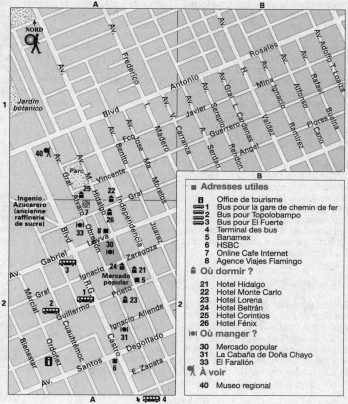

LOS MOCHIS

■ **Adresses utiles**

☐	Office de tourisme
🚌 1	Bus pour la gare de chemin de fer
🚌 2	Bus pour Topolobampo
🚌 3	Bus pour El Fuerte
4	Terminal des bus
5	Banamex
6	HSBC
7	Online Cafe Internet
8	Agence Viajes Flamingo

🛏 **Où dormir ?**

21	Hotel Hidalgo
22	Hotel Monte Carlo
23	Hotel Lorena
24	Hotel Beltrán
25	Hotel Corintios
26	Hotel Fénix

🍴 **Où manger ?**

30	Mercado popular
31	La Cabaña de Doña Chayo
33	El Farallón

🏃 **À voir**

40	Museo regional

8h30-12h. Pour réserver son billet de train ou autres excursions dans le canyon du Cuivre.

■ *Banques :* plusieurs agences dans le centre, dotées de distributeurs de billets (*Visa* et *MasterCard*). *La Banamex (plan A2, 5),* à l'angle de Hidalgo et Guillermo Prieto, est ouv lun-ven 9h-16h. Guichet *Western Union.* La **HSBC** *(plan A2, 6),* angle av. Santos Degollado et bd

R. Castro, possède un distributeur accessible 24h/24. *Change lun-sam 10h-12h.*

@ *Online Cafe Internet (plan A2, 7) :* av. Obregón ; juste à côté de l'hôtel Corintios. ☎ 812-90-97. *Lun-sam 9h-20h.*

■ *Taxis :* importante station devant l'hôtel Best Western, av. Obregón ; entre Guerrero et Mina *(plan A1).*

Où dormir ?

Bon marché (300-400 $Me, soit 18-24 €)

🛏 *Hotel Hidalgo (plan A2, 21) :* Hidalgo 260. ☎ 818-34-53. Un hôtel un peu

triste et vieillot mais propre. Surtout valable pour les chambres bon marché, sombres (sans fenêtre), assez petites et sommaires mais avec salle de bains et ventilo. Pour dépanner.

🛏 **Hotel Monte Carlo** (plan A1-2, **22**) : Angel Flores 322 ; à l'angle d'Independencia. ☎ 812-18-18 ou 13-44. • nuevo hotelmontecarlo.com.mx • Parking. Grand édifice à la belle façade de style colonial. Vaste patio garni de plantes. Les chambres sencillas, assez sombres et vieillottes, auraient besoin d'être

rafraîchies. L'aile récente dispose d'une dizaine de petites chambres plus lumineuses. AC et TV.

🛏 **Hotel Beltrán** (plan A2, **24**) : Hidalgo 281. ☎ 812-06-88 ou 00-39. Hôtel bien tenu, aux chambres claires et proprettes, avec salle de bains, AC, téléphone et TV. Préférer celles à l'arrière, plus calmes. Au dernier étage, petite terrasse avec vue sur la ville. Très correct.

Prix moyens (400-600 $Me, soit 24-36 €)

🛏 **Hotel Fénix** (plan A2, **26**) : Angel Flores Sur 365. ☎ 812-26-23 ou 25. • hotelfenix@email.com • Un établissement moderne aux chambres nickel, avec salle de bains, TV, AC, et petit balcon pour certaines. Les doubles sont spacieuses et les couleurs sont douces. Confort impeccable, des prix honnêtes et un accueil souriant.

🛏 **Hotel Lorena** (plan A2, **23**) : Obregón Poniente 186. ☎ 812-02-39 ou 09-58. • hotellorena.com.mx • En plein centre. Parking. Immeuble moderne sans caractère. Une cinquantaine de chambres propres et correctes, avec AC, TV et téléphone. Parties communes moyennement tenues. Bar et resto.

Chic (plus de 600 $Me, soit 36 €)

🛏 **Hotel Corintios** (plan A1, **25**) : Obregón 580. ☎ 818-22-24 ou 23-00. • hotelcorintios.com • Proche du joli Parque 27 de Septiembre, qui fait office de zócalo. Petit déj-buffet mar-dim autour de 90 $Me (5,40 €). Internet. Ne pas se fier à la façade gréco-kitsch de cet hôtel récent. Elle cache en fait un agréable

patio arboré et une trentaine de chambres tout confort, auxquelles on accède par des escaliers couverts d'azulejos. Room service, resto, salle de fitness, jacuzzi. Et agréable accueil. Possibilité d'y laisser son véhicule pendant un circuit dans la sierra.

Où manger ?

Bon marché (moins de 80 $Me, soit 4,80 €)

🍴 **El mercado popular** (plan A2, **30**) : quelques stands pour manger un plat typique en profitant de l'ambiance populaire. Les amateurs se régaleront avec des tacos de cabeza (tête de bœuf). Il faut aussi goûter le menudo, une soupe à base de tripes de bœuf (ou de fruits de mer) et d'oignons, parfu-

mée à la coriandre. ¡ Riquísimo !

🍴 **La Cabaña de Doña Chayo** (plan A2, **31**) : à l'angle d'Obregón et d'Allende. ☎ 818-54-98. Tlj 8h-1h. La taquería typique pour déguster de délicieux tacos ou quesadillas à la viande grillée et au fromage. Les tortillas, de farine de blé ou de maïs, sont faites à la main.

Plus chic (plus de 200 $Me, soit 12 €)

🍴 **El Farallón** (plan A2, **33**) : à l'angle d'Angel Flores et Obregón. ☎ 812-12-73 ou 14-28. Ouv tlj ; le soir, ferme plus tard que les autres. Avant de péné-

trer dans la sierra, offrez-vous un dernier repas de mariscos dans cette institution locale. Une de leurs spécialités, le poisson farci de fruits de mer, mais aussi des plateaux de fruits de mer, poissons, poulpe et crevettes à toutes les sauces, et même des sushis. Cadre épuré, plats copieux et finement cuisinés, ballet de serveurs empressés, le tout au prix de la réputation...

À voir

Pas grand-chose. Si vous êtes en attente d'un train ou du ferry pour la Basse-Californie, voici quelques idées quand même pour vous occuper.

🍴 *Jardín botánico (parque Sinaloa ; plan A1) :* à 10 mn à pied du centre. Pour y accéder, remonter Obregón jusqu'au bd Antonio Rosales et tourner à gauche. Tlj 4h-19h. Pratique pour le footing matinal dans ses majestueuses allées bordées de hauts palmiers. On y voit les ruines de la maison de maître qu'occupaient les premiers propriétaires de la raffinerie de sucre *(plan A1-2)*.

🍴 *Museo regional (plan A1, 40) :* av. Obregón ; presque en face de l'église du Parque 27 de Septiembre. Lun-sam 9h-13h, 16h-19h ; dim 10h-13h. Entrée : env 10 \$Me (0,60 €). Quelques objets, photos et panneaux sur l'histoire de l'État de Sinaloa. Fait aussi « ciné-club » plusieurs fois par semaine.

➤ *DANS LES ENVIRONS DE LOS MOCHIS*

🍴🍴 *Topolobampo :* à env 25 km de Los Mochis, un village de pêcheurs à l'atmosphère populaire, établi au bord du golfe de Californie. C'est l'un des ports d'embarquement pour Pichilingue, près de La Paz, en Basse-Californie. Monter jusqu'à la petite église *Nuestra Señora de la Guadalupe* pour découvrir le panorama sur la baie et ses îlots. Le site est un sanctuaire naturel où s'épanouissent les oiseaux marins, notamment les pélicans qui longent la côte et assurent un spectacle insolite. Possibilité d'excursions en bateau pour rallier plusieurs îlots sanctuaires de dauphins, phoques et oiseaux marins. S'adresser aux pêcheurs munis d'une autorisation officielle, à l'embarcadère touristique *Mazocahui*.
À quelques kilomètres au nord, belle plage de *Maviri* où vous pouvez vous prélasser en attendant votre ferry. Bons restos de poisson. Pour s'y rendre, bus près de l'hôtel *Marina* (toutes les heures jusqu'à 18h environ), ou *Ecotaxi,* ou encore voir avec les pêcheurs au vieux port. Négocier.

🏠 *Hotel Marina :* à l'entrée de Topolobampo, à côté de la petite gare de bus pour Los Mochis et la plage de Maviri. ☎ et fax : 862-01-00. *Double bien tenue, avec ventilo ou clim en même temps que la mise en marche de l'électricité, à prix moyens. CB acceptées. Les sencillas sont regroupées dans des* blocs, tandis que les doubles entourent un patio circulaire, plus agréable. Petite piscine dans la cour, mais pas attirante. On vous garde les sacs si vous allez à la plage en attendant le ferry.
🍽 Quelques gargotes pour s'offrir une *agua fresca* ou un plat de poisson, avec vue sur la mer.

EL FUERTE

93 000 hab. IND. TÉL. : 698

Première étape à quelque 3h de train de Los Mochis. Et pas n'importe quelle étape ! El Fuerte a été fondé en 1564 par les premiers explorateurs de la sierra. Il en subsiste des ruelles pavées de gros galets et quelques belles demeures du XVIIIᵉ s comme le *palacio municipal* ou la *Casa de la cultura*. Le *zócalo* est aussi plein de charme (joli kiosque à musique et nombreux palmiers) et très animé en soirée. Cette ravissante petite ville au passé colonial est en train de se refaire une beauté pour briguer le titre de « pueblo mágico ».

Pour visiter la ville et les environs, on peut prévoir d'y rester deux jours. Davantage pour les amateurs de pêche.

Arriver – Quitter

En bus

➢ *Pour/de Los Mochis :* une quinzaine de bus/j., 6h-19h. À El Fuerte, arrêt de bus à l'angle de Juárez et 16 de Septiembre *(plan B2)*, en face de la *Banamex.* Trajet : env 2h.
➢ Pas de liaison en bus vers Creel, car la route est trop longue et sinueuse.

En train

🚂 *La gare* est à 7 km du centre-ville. Liaison en bus depuis le centre (devant l'hôtel San José) en principe à 7h45 pour le Primera Express et à 9h pour le train de 2e classe, mais se faire préciser par précaution. Sinon, demander aux hôtels, ils ont souvent une navette (payante) pour emmener leurs clients prendre le célèbre train.
➢ *Pour/de Los Mochis :* 2 départs/j. à 6h en 1re classe et 7h en 2e classe depuis Los Mochis ; respectivement 18h10 et 22h30 en sens inverse (en principe !). Trajet : 2h30-3h30 env.
➢ *Pour/de Creel et la sierra Tarahumara :* départs/j. à 11h15 en 1re classe et 13h20 en classe économique depuis Creel ; respectivement 8h30 et 10h15 depuis El Fuerte. Trajet : env 7-9h.

Adresses utiles

🛈 ✉ *Kiosque touristique et poste* *(plan B1) :* à l'intérieur du palacio municipal. *Lun-ven 9h-16h.*
– *Site internet :* ● elfuerte.gob.mx ●
■ *The 3 Amigos / Amigos Trail (plan A2, 1) : Reforma 100 ; au bord de la rivière.* ☎ 893-50-28. ● amigos3.com

● amigotrails.com ● L'association créée à Creel a ouvert un bureau à El Fuerte. Les contacter par mail.
■ *Bancomer (plan B2, 2) : à l'angle des rues Constitución et B. Juárez. Lun-ven 8h30-16h.* Distributeur (Visa et MasterCard) accessible 24h/24.

Où dormir ?

De bon marché à prix moyens (300-600 $Me, soit 18-36 €)

🏠 *Hotel Guerrero (plan A2, 10) : Juárez 206.* ☎ 893-13-50. ● hotelguerrero@hotmail.com ● *Presque en face du terminus des bus Azules. Simple ou double 350 $Me.* Jolies mosaïques colorées à l'entrée et long patio fleuri desservant une quinzaine de chambres impeccables. Déco simple mais agréable, confort et propreté nickel, accueil charmant. Atmosphère familiale. Bref, un bon rapport qualité-prix.
🏠 *Hotel Río Vista (plan B1, 11) :* mirador de Montes Claros. ☎ et fax : 893-04-13. ● hotelriovista@hotmail.com ●

Contourner le fort sur la droite. Attention, perle rare ! Un véritable jardin d'Éden chargé de fleurs et de cactus, agrémenté d'une foule d'objets hétéroclites, parsemé de chaises et de tables. On peut s'installer tranquillement sur la grande terrasse à toute heure du jour pour contempler le panorama sur le fleuve et les montagnes. D'autres terrasses plus intimes également. Les chambres tout confort sont personnalisées, joliment décorées et accueillantes. Accueil chaleureux et atmosphère vraiment paisible. Un excellent rapport

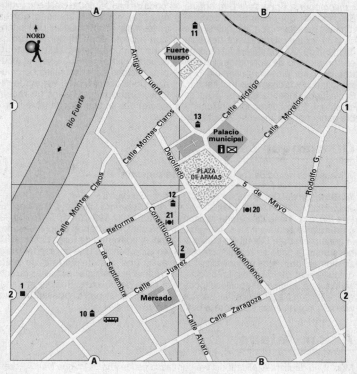

EL FUERTE

- ■ **Adresses utiles**
  - **ℹ ✉** Kiosque touristique et poste
  - 🚌 Arrêt de bus
  - 1 The 3 Amigos / Amigos Trail
  - 2 Bancomer

- 🏠 **Où dormir ?**
  - 10 Hotel Guerrero

- 11 Hotel Río Vista
- 12 Hotel Real de Carapoa
- 13 Posada del Hidalgo

- |●| **Où manger ?**
  - 20 El Mesón del General
  - 21 El Supremo

qualité-prix. Fait également resto.
🏠 *Hotel Real de Carapoa* (plan A2,
12) : paseo de la Juventud 102. ☎ 893-
17-96. *Petit déj inclus. Internet.* Une
belle maison patricienne rénovée, dont
la quiétude présente contraste avec le

passé bourdonnant de fêtes organisées par son ancienne propriétaire.
5 vastes chambres décorées avec goût,
fraîches et impeccables. Gérant très
aimable et de bon conseil. Atmosphère
chambres d'hôtes.

Très chic (plus de 1 200 $Me, soit 72 €)

🏠 *Posada del Hidalgo* (plan B1, **13**) :
calle Hidalgo, mais entrée par la rue qui

monte au fort. Résas : ☎ (668) 818-
70-46 ou 812-19-29. ● mexicoscopper

canyon.com ● Appartient à la chaîne *Balderrama,* qui détient bon nombre d'hôtels dans la région, du plus simple au plus luxueux. Une illustre demeure du début du XXe s, entièrement rénovée et agrémentée de splendides jardins tropicaux sur plusieurs niveaux. Une cinquantaine de chambres tout confort. Si c'est pour loger dans un bel hôtel de caractère, autant demander une chambre dans la partie ancienne : hauts plafonds de brique, poutres et beaux volumes, ferronneries, lourdes portes ouvrant sur le patio. Celles de l'extension récente donnent sur les jardins mais sont de style passe-partout. Superbe cadre colonial, objets et meubles anciens dans les salles communes. De la piscine, belle vue sur le village. Grand jacuzzi dans un recoin discret des jardins. Bonne table à prix chic.

Où manger ?

Voir aussi les restos des hôtels mentionnés ci-dessus.

|●| *El Mesón del General* *(plan B2, 20) :* Juárez 202. ☎ 893-02-60. Tlj 8h-22h30. *Prix moyens.* Dans l'ancienne maison d'un important gouverneur de la région, le général Macias. Les tables disséminées dans le patio se remplissent vite au moment des repas par une clientèle d'habitués et de touristes. La cuisine, variée, y est soignée et copieuse (poisson, viande et plats mexicains). Service amical. On peut aussi y prendre le petit déj ou un verre.

|●| *El Supremo* *(plan A2, 21) :* Constitución 102. ☎ 893-00-21. Tlj 7h-22h30. Bon petit resto frais et propre. Grandes tables couvertes de toiles cirées et TV en fond sonore. Une cuisine familiale, avec une grande variété de plats copieux et quelques spécialités du coin à base de poisson. Snacks et sandwichs pour les petits appétits. Très bon rapport qualité-prix.

À voir. À faire

Muni d'un dépliant explicatif délivré par l'association *The 3 Amigos* (voir « Adresses utiles »), déambulez dans les ruelles à la découverte des belles demeures coloniales aux façades colorées ; faites une sieste à l'ombre des palmiers de la place principale et prenez le temps de vivre...

🏃 ***Fuerte museo Mirador*** *(plan A-B1) : mirador de Montes Claros. Accès par la calle 5 de Mayo qui monte depuis le* zócalo. Tlj 7h-19h. Entrée : env 5 $Me (0,30 €). Dans une reconstitution de l'ancien fort, petit musée récent dédié à l'histoire de la région. Salles d'expos temporaires présentant les œuvres d'artistes locaux et expo permanente d'objets d'artisanat et de la vie quotidienne ; photos de familles locales, masques, et même un vieux corbillard digne de *Lucky Luke* ! Le panorama imprenable sur la rivière et El Fuerte ajoute de l'intérêt à la visite.

– Pour les balades sur le río El Fuerte et les pétroglyphes demandez conseil auprès de *The 3 Amigos* ou au kiosque touristique.

EL DIVISADERO

IND. TÉL. : 634

Lieu-dit à 2 250 m d'altitude. Le train s'y arrête systématiquement durant 15 mn. « Tout le monde descend ! » Toute une flopée de stands d'artisanat et de gargotes pour se restaurer sur le pouce précède le belvédère qui permet d'admirer le panorama sur le canyon. Tout simplement époustouflant ! La vue plonge à l'infini sur les gorges profondes d'Urique, de Cobre et de Tararecura.

Pour y passer un peu plus de temps, on peut aussi venir ici en bus depuis Creel et repartir par le train, ou encore passer une nuit à l'hôtel *Divisadero,* vendu par les agences, mais nourriture nulle.

CREEL

8 000 hab.   IND. TÉL. : 635

C'est la ville la plus importante sur le parcours de la ligne de chemin de fer et l'étape idéale pour rayonner dans la région. Vous êtes ici à 2 340 m d'altitude. Entre novembre et janvier, il peut faire très froid ; les paysages couverts de neige sont alors splendides. Ses maisons basses alignées le long de la rue principale et les chevaux peuplant les champs alentour lui confèrent un petit côté western. Né grâce à la construction de la voie ferrée, le village s'est développé avec l'exploitation forestière au début du XXe s. Aujourd'hui, c'est plutôt le tourisme qui le fait vivre. On peut y rester plusieurs jours pour visiter les environs et partir en randonnée dans la sierra. La *Barranca del Cobre* et l'ensemble de canyons offrent de belles excursions à la découverte de paysages sauvages et préservés.

Arriver – Quitter

En train

🚂 *La gare* est à côté de la pl. principale d'où part la rue López Mateos (rue principale). C'est dans cette rue que se concentrent nos adresses sur environ 500 m. Toutefois, si vous êtes chargé, des taxis attendent à chaque arrivée du train.
➤ *Pour El Fuerte et Los Mochis :* départ quotidien à 11h35 avec le *Primera Express* et 13h20 en 2e classe. En 1re classe, arrivée (en principe) à 18h10 à El Fuerte et 20h50 à Los Mochis ; respectivement 22h25 et 1h30 en classe économique. Pour les tarifs, voir la rubrique « Renseignements pratiques » en début de chapitre.
➤ *Pour Chihuahua :* pour les amoureux du train, car en réalité les plus beaux paysages sont derrière vous (et le bus est plus rapide). Départ du train 1re classe à 15h24 et du train 2e classe à 19h (en principe !). Trajet : min 6h30.

En bus

Voir les coordonnées des principales compagnies dans la rubrique « Transports » du chapitre « Mexique utile ».

🚌 *Les 2 compagnies de bus sont presque côte à côte de l'autre côté des rails par rapport à la gare et en face celle-ci :* **Estrella Blanca,** *plus économique, et* **Noroeste,** *en meilleur état, plus confortable.* Pour acheter son billet, arriver env 15-20 mn avt le départ.
➤ *Pour/de Chihuahua :* 10 bus/j., 6h-17h30, avec *Estrella* ; 5 bus/j., 6h45-15h, avec *Noroeste.* Trajet : 4h30 env.
➤ *Pour/d'El Divisadero :* 3 bus/j. avec *Estrella* et 3 bus avec *Noroeste.*
➤ *Pour/de Guachochi :* 2 bus/j. avec *Estrella* (12h10 et 17h30).

Adresses utiles

✉ *Poste :* sur la pl. principale, à côté du poste de police. Lun-sam 9h-16h.
@ *Deux centres internet :* López Mateos 33 et 49. Tlj 8h-21h et 22h.

◼ *Banque Santander :* sur la pl. principale. Lun-ven 9h-16h. Change des euros et des chèques de voyage jusqu'à 13h seulement. Distributeur de billets

(Visa et MasterCard).

■ *The 3 Amigos : López Mateos 46.* ☎ 456-00-36. ● the3amigoscanyonex peditions.com ● *Tlj 9h-18h ou 19h.* Adresse incontournable pour obtenir toutes les infos sur Creel et la sierra. Grands connaisseurs des Tarahumaras (le personnel est issu de cette communauté), les membres de *The 3 Amigos* ont pour but de faire connaître et d'apprendre à respecter cette population. Leur devise : « Soyez votre propre guide. » Ils vous aideront à composer un itinéraire à la carte en fonction de votre temps et de votre budget, vous donneront les conseils et aide matérielle pour circuler dans les meilleures conditions. Randonnée pédestre ou à cheval, combiné train et découverte du canyon et des villages en 3, 5 ou 8 jours, location de pick-up, VTT et scooters avec casque et trousse à outils ; réservation de train et hôtels, etc. Excellente documentation et cartes détaillées, presta-tions de qualité. Prix honnêtes.

■ *Location de VTT et scooters : chez The 3 Amigos.* Le plus professionnel de Creel, avec un matériel de qualité. *Compter 160 $Me/j. (9,60 €) pour un VTT et 550 $Me/j. (33 €) pour un scooter.* VTT également à la *Casa Margarita* (voir « Où dormir ? »). En été, mieux vaut réserver les vélos la veille.

■ *Location de chevaux : s'adresser à El Aventurero, López Mateos 68 (la rue principale).* ☎ 456-05-07. ● ridemexico. com ● Nombreuses possibilités d'excursions dans les environs de 2 à 8h. *2 pers min. Compter 130-480 $Me (7,80-28,80 €) selon durée.* Possibilité d'hébergement en dortoirs. Chevaux bien entretenus et personnel compétent.

🚌 *Achat de billets de bus pour Batopilas :* dans la boutique Artesa-nias Towi, *en face du resto* Lupita. *Départ dans la rue principale, en face de l'agence* The 3 Amigos.

Où dormir ?

Camping

⋀ On peut camper sur les rives du *lac Arareko,* à environ 5 km de Creel. Moins cher et plus sauvage.

Bon marché (300-400 $Me, soit 18-24 €)

🛏 *Casa Margarita : López Mateos 11 ; sur la place.* ☎ 456-00-45. ● casamarga ritas.tripod.com ● *Lit en dortoir (5-8 pers) 70 $Me. Les prix incluent les dîner et petit déj.* Devenu quasiment le point de rencontre des routards. Tous les dortoirs et chambres ont une salle de bains. Une bonne adresse à prix serrés malgré l'affluence de touristes. S'il n'y a plus de place, on vous dirigera avec un grand sourire sur l'hôtel *Marga-rita's Plaza Mexicana,* appartenant à la même famille mais 3 fois plus cher (voir ci-dessous). Possibilité d'excursions et location de VTT.

🛏 *Cabañas Sierra Azul : s'adresser à l'épicerie* Aborrotes Pérez, *López Mateos 29.* ☎ 456-01-11. Un bâtiment moderne de type motel, juste en retrait de l'avenue principale. Sans charme particulier, mais une vingtaine de chambres confortables et très propres.

Prix moyens (400-800 $Me, soit 24-48 €)

🛏 *Hotel Margarita's Plaza Mexi-cana : de la gare, prendre l'av. princi-pale López Mateos et, à 100 m, tourner à gauche dans la rue Elfido Batista.* ☎ 456-02-45. *Les tarifs comprennent aussi la ½ pens, mais la qualité des repas semble irrégulière.* Appartient à la même famille que la *Casa Margarita.* Chambres joliment décorées, donnant sur une grande cour extérieure. Éviter l'hiver, car problèmes récurrents de chauffage et d'eau chaude...

De chic à plus chic (à partir de 800 $Me, soit 48 €)

En basse saison, essayez de négocier.

🛏 *Hotel Parador de la Montaña :* *López Mateos 44.* ☎ *456-00-23 ou 75.* ● *hotelparadorcreel.com* ● *À 200 m de la gare. Petit déj inclus.* Le 1er hôtel construit à Creel. Chambres spacieuses et confortables un peu vieillissantes, salles de bains impeccables. TV et téléphone, chauffage central. Resto et parking.

🛏 *Hotel Best Western Creel :* *López Mateos 61.* ☎ *456-00-71.* ● *thelodgeat creel.com* ● *Peu après l'hôtel* Parador *en venant de la gare. CB acceptées. Parking. Internet.* Un peu plus cher que l'hôtel *Parador.* Chambres dans des bungalows en bois très cosy, avec poêle à gaz et lits douillets. Resto dans une belle salle façon cathédrale avec cheminée, tout comme la réception où le bois domine, mais la cuisine n'est pas à la hauteur. Bar-pub proposant un grand choix de cafés. Spa.

Où manger ?

De bon marché à prix moyens (80-250 $Me, soit 4,80-15 €)

🍴 *El Tungar :* à deux pas de la gare, sur le même quai. Tlj sf dim 8h-17h. Petit snack populaire et authentique pour s'offrir un bon plat de cuisine familiale (soupe aux choux et bœuf salé, *comida corrida, chile rellenos*). À déguster au comptoir, dans une jolie salle colorée, avec la cuisine au centre pour observer la maîtresse des lieux en action.

🍴 *Mi Café :* au début de López Mateos, l'av. principale, à gauche quand on vient de la pl. Tlj 8h-20h. Quelques tables pour dévorer le petit déj ou grignoter un snack. Les *quesadillas* et le chocolat chaud sont fameux.

🍴 *Restaurant Veronica :* López Mateos 33. Tlj 8h-22h30. Plats ou menu et même des *tacos vegetarianos* pas chers du tout. À dévorer dans une petite salle pimpante. Consistant et pas vraiment diététique, mais après une bonne rando dans le coin...

🍴 *Restaurant Lupita :* López Mateos 44. Tlj 7h-22h30. Bon petit resto de cuisine familiale. Salades, *comida corrida* et quelques plats basiques. Sert aussi des petits déj. Très propre. Ambiance comme à la maison.

🍴 *Tío Molcas :* López Mateos. Tlj 7h-23h. Restaurant au cadre chaleureux, tout en bois, et bar convivial à l'arrière, avec cheminée et bonne musique pour réchauffer les soirées d'hiver. Pas une grande sélection de plats, mais une cuisine goûteuse (comme la *sopa azteca* et les *enchiladas*) et un accueil agréable. Surtout fréquenté par les touristes.

À voir

🪕 *Casa de las Artesanías y Museo regional :* av. Ferrocarril 178 ; sur la place. ☎ 456-00-80. Lun-sam 9h-18h ; dim 9h-13h. Entrée : 10 $Me (0,60 €). Divers panneaux et objets traditionnels retracent l'histoire de la région depuis l'arrivée du premier missionnaire en 1601. Un bon aperçu de l'histoire des Indiens tarahumaras : mode de vie, coutumes, rites, artisanat... Superbes photos noir et blanc de Gérard Tournebize, un Français qui vécut plusieurs années avec eux dans les montagnes. On peut y acheter et consulter des bouquins sur la sierra.

➤ DANS LES ENVIRONS DE CREEL

Presque tous les hôtels proposent des excursions aux endroits qu'on vous indique. En réalité, ils font surtout office de taxis collectifs, ce qui peut être très pratique pour certains sites, vu que les transports publics sont quasi inexistants. Les plus sportifs peuvent opter pour la location de VTT, moyen de transport bien agréable pour rejoindre facilement l'ensemble des sites autour de Creel. L'autre solution consiste à s'organiser à plusieurs pour louer un pick-up à la journée chez *The 3 Amigos* (voir « Adresses utiles ») et sillonner la région librement.

En été, lors de la saison des pluies, partir tôt en balade pour profiter du soleil. La pluie débarque généralement en fin d'après-midi (parfois des trombes). Enfin, un dernier mot sur les sites autour de Creel. Sachez que l'entrée est payante (5-15 $Me, soit 0,30-1 €), car il s'agit d'une zone *ejidal*, c'est-à-dire qui appartient à la communauté des Tarahumaras. Cette « coopération » sert au nettoyage et à l'entretien, et permet l'emploi d'une trentaine d'Indiens.

🚶🚶 *Le complexe ecoturístico Arareko* : *à 3 km du centre. Prendre l'av. principale López Mateos vers le sud, sortir du village et continuer tt droit.* Balade relativement facile à pied : c'est le site le plus accessible depuis Creel, mais pour faire ensuite le tour du lac, mieux vaut y aller en VTT. À noter que l'on trouve dans le complexe deux petites épiceries où l'on peut acheter de quoi boire et grignoter.

➤ En général, on commence par la visite de la *gruta de Sebastián*, habitée par une famille d'Indiens depuis quatre générations, mais peu à peu transformée en entrepôt d'artisanat. La *cueva* est un exemple caractéristique de l'habitat traditionnel des Tarahumaras, qui vivent dans des grottes aménagées.

➤ En continuant vers le sud, on arrive à la *misión de San Ignacio* : construite au début du XVIIIᵉ s pour accueillir les jésuites sur la route entre Batopilas et Cerocahui, c'est aujourd'hui la petite église des Tarahumaras (*ouv slt le dim*). À l'intérieur, pas de banc. Les Indiens s'assoient par terre durant la messe, qui est célébrée dans leur langue, le raramuri. Après la messe, les Tarahumaras se réunissent sur le parvis et prennent les décisions importantes concernant la vie de leur communauté.

➤ En poursuivant la balade, on tombe sur la *valle de los Hongos* et la *valle de las Ranas* : zone étonnante de rochers en forme de champignons (*hongo*) et de grenouilles *(rana)*. Au loin, dispersées sur ce vaste plateau, quelques grottes et cabanes de Tarahumaras.

➤ En continuant la route qui va à Guachochi et Cusárare, on accède au *lago de Arareko* (à environ 8 km de Creel). Même ticket que pour le *complexe ecoturístico*. Un petit sentier sur la gauche mène directement à ce lac en forme de fer à cheval, comme son nom l'indique... en raramuri. Juste avant d'arriver, remarquer la curieuse roche en forme d'éléphant. C'est un beau site aux eaux tranquilles, où l'on peut camper à la belle saison. Location de barques toute l'année et agréable balade pour en faire le tour (5 km environ). Pour le retour, on peut passer par les chemins détournés : depuis le lac, prendre le chemin qui part vers l'est. Après 45 mn de marche, on arrive à la *misión Gonogochi* (près de la vallée de Los Monjes) ; là, prendre en direction de la *misión de San Ignacio,* pour rejoindre Creel facilement. En tout, compter 4 à 5h de marche.

🚶 *El valle de los Monjes* : *à une dizaine de km de Creel.* Un site naturel étonnant. « La vallée des Moines » ! Appelée ainsi pour les énormes et incroyables rochers qui évoquent leurs silhouettes. Les Tarahumaras l'appellent aussi « la vallée des Dieux ». Une belle escapade à à vélo (c'est pratiquement plat) ou à cheval, par une piste en terre. N'oubliez pas le pique-nique et de quoi boire. On peut se procurer des cartes topographiques en ville (chez *The 3 Amigos*).

🚶 *Las fuentes de agua caliente de Recohuata* (sources d'eau chaude) : *à 22 km de Creel. Au fond d'un canyon. Prendre la route de Divisadero ; après 7 km, prendre à gauche ; on descend au fond du ravin.* En bas, trempette relaxante dans une eau à 37 °C. À pied ou à vélo, attention à la remontée : 600 m de dénivelée sur un chemin ardu pavé de grosses pierres. Mieux vaut être en bonne condition physique !

🚶 *Cascada de Cusárare* : *pas loin du village du même nom, à 25 km de Creel.* Une impressionnante chute d'eau de 40 m de hauteur. Site magnifique. Les téméraires n'oublieront pas leur maillot de bain. L'accès est facile : en stop, à vélo ou à cheval :

On peut aussi prendre le bus qui va à Guachochi (avec la compagnie *Estrella Blanca*) et passe devant le sentier qui mène à la cascade (15 mn de marche). *Cooperación* à l'entrée. Dans le hameau de Cusárare, petite mission fondée par les jésuites, avec son église du XVIIIe s que les Indiens ont décorée de quelques peintures.

BATOPILAS

IND. TÉL. : 649

« Faire » la ligne Chihuahua al Pacífico sans aller à Batopilas, c'est vraiment du gâchis ! Seulement, il faut choisir la saison entre les périodes touristiques et les intempéries.

Batopilas, à près de 500 m d'altitude, est un vieux village minier de chercheurs d'or, fondé au XVIIe s, qui s'étend sur environ 5 km le long de la rivière éponyme. Les ruines de l'ancienne hacienda San Miguel et son charmant centre colonial évoquent un âge révolu. Au début du XXe s, il y avait 20 000 habitants. Ils sont à peine 2 000 aujourd'hui. Un petit goût de bout du monde.

Cette superbe virée nécessite au moins 2 jours pleins si l'on y va par ses propres moyens ou avec une excursion organisée. En quelques heures, on passe d'un climat montagnard à un climat tropical. On passe de ravin en canyon, de paysages semi-désertiques à d'immenses forêts de pins, avant d'entamer l'impressionnante descente dans le canyon de Batopilas. Enfin apparaissent les palmiers et les bananiers, les terres rouges et les cactus candélabres.

Comment y aller ?

Le village est situé à 140 km au sud de Creel. Environ la moitié du trajet se fait par une piste étroite et cahoteuse, agrippée au flanc fragile des montagnes, souvent endommagée en saison des pluies (juin-juillet et parfois en hiver). Mais elle offre des panoramas époustouflants. Ne pas avoir peur du vide lorsqu'on croise un véhicule !

➤ *De Creel :* en bus court et haut sur roues (vous comprendrez en le prenant !), les lun, mer et ven à 9h30 ; ou les mar, jeu et sam à 7h30. Le bus qui vous descend à Batopilas remonte le lendemain mat, à 5h (aïe !) lun-sam. Trajet : env 6h. Départ de Creel en face de l'agence *The 3 Amigos,* dans la rue principale López Mateos. Tarif : env 350 $Me (21 €) aller-retour.

– Par ses propres moyens, un véhicule 4x4 avec chauffeur expérimenté est indispensable et permet plus de souplesse bien sûr, notamment pour les arrêts photo. À plusieurs, le prix est plus intéressant. Voir avec l'hôtel *Margarita* ou *The 3 Amigos* à Creel. Trajet : env 5h.

Info utile

Trois épiceries aux abords du *zócalo*.

Où dormir ?

De très bon marché à prix moyens (de moins de 300 à 800 $Me, soit 18-48 €)

🛏 *Hotel Mary's :* en face de l'église, juste avt le zócalo. L'adresse prisée des routards au budget serré. Chambres très rudimentaires et sombres, avec salle de bains. Ventilo.

🛏 *Hotel Juanita's :* à l'angle du zócalo et de la piste qui longe la rivière. ☎ 456-90-43. Belle maison ocre abritant une dizaine de chambres spacieuses et confortables. Bien tenu. Eau chaude et café le matin. Petit jardin intérieur ouvert sur la rivière.

🛏 *Casa Monse : sur le* zócalo, *côté rivière, juste avt le* Juanita's. ☎ *456-90-27. Guesthouse* proposant quelques chambres donnant sur une petite cour fleurie. Un peu plus cher que le *Juanita's*.

🛏 *Real de Minas : Donato Guerra 1.* ☎ *456-90-45. À deux pas du* zócalo. *Ne donne les prix qu'en dollars.* Petit hôtel de charme dans une ancienne maison coloniale. Autour d'un agréable patio, une dizaine de chambres confortables et joliment décorées.

Où manger ?

🍴 *Restaurant Doña Mica : sur la 2ᵈᵉ plazita, 100 m après l'hôtel Real de Minas. Tlj du petit déj au dîner.* Tenu par une maternelle jeune patronne. Repas bon et copieux. Une atmosphère familiale en diable.

🍴 *Quinto patio (5° Patio) : entrée par* l'hôtel Mary's *ou par la ruelle qui le longe vers la rivière. Tlj 8h-21h.* Pour le petit déj ou les repas. Bonne cuisine familiale locale (*bisteca raramuri,* petits morceaux de bœuf en sauce accompagnés de *frijoles,* salade, avocat, tomate). Très propre.

À voir

🎋 *Le Musée régional : sur le* zócalo. Exposition d'objets et engins liés à l'histoire du village. Bien présenté. Vaut le coup d'œil.

🎋 *Les ruines de l'hacienda San Miguel : sur la rive opposée au village.* Elle date de la fin du XIXᵉ s et appartenait à l'Américain Alexander Sheperd, qui fit fortune avec la mine de la Bufa. Certains rêvent de la restaurer pour en faire un hôtel de luxe...

➤ DANS LES ENVIRONS DE BATOPILAS

🎋 *La catedral perdida : à Satevo,* env 7 km par la piste très difficile qui suit la rivière après l'hôtel Juanita's. Magnifique balade à faire à pied pour les courageux. La « cathédrale perdue » est en réalité une ancienne église jésuite du XVIIIᵉ s. Émouvant de la voir apparaître enfin dans une boucle du río Batopilas, avec sa belle façade blanche et son clocher ocre, trônant dans un écrin de montagnes. Pas vraiment isolée puisqu'un hameau de Tarahumaras lui tient compagnie. Intérieur très sobre. Chaire reposant sur un seul pilier de bois. Quelques pierres tombales au sol.

CHIHUAHUA (prononcer « chi-oua-oua ») 750 000 hab.   IND. TÉL. : 614

> **Attention :** Chihuahua, située sur l'un des axes fréquentés par les narcotrafiquants, est devenue une ville où il ne fait pas bon s'attarder. Nous vous indiquons quand même quelques adresses pour le cas où la connexion entre le départ ou l'arrivée du train pour la Barranca del Cobre et votre vol vous obligerait à y passer la nuit.

Eh bien non ! En nahuatl, *Chihuahua* ne signifie pas « petit chien avec nœud-nœud bleu et rose », mais « lieu sec et sablonneux ». En effet, c'est un peu plus au nord que s'ouvre le désert qui étend ses terres arides et ses cactus jusqu'à la frontière avec le Nouveau-Mexique et le Texas (El Paso). On est ici à 1 500 km de Mexico, dans la capitale de l'État de Chihuahua, le plus grand du Mexique. La ville doit ses premières richesses aux mines d'argent découvertes à la fin du XVIIᵉ s. Par la suite, c'est avant tout l'élevage qui fit la réputation de la région. Quelques familles se partageaient le territoire en d'immenses ranchs s'étendant à perte de vue. La ville est donc celle des cow-boys à la mexicaine : bottes en cuir (les fameuses santiags), éperons, chapeau... la panoplie complète. Anecdote au passage : c'est ici que naquit l'acteur américain Anthony Quinn, en 1915, en pleine révolution mexicaine. Le héros de *Lawrence d'Arabie* ne manquera pas de jouer bien plus tard dans le film culte réalisé par Kazan, *¡ Viva Zapata !* Chihuahua lui a érigé une statue, qui trône fièrement dans le parc El Palomar.

LES MENNONITES

La région de Chihuahua est aussi le berceau d'une communauté originale, les mennonites, installés autour de Cuauhtémoc (environ 60 000 membres). On découvre des Mexicains blonds aux yeux bleus qui parlent l'allemand du XVIIIᵉ s, ne reconnaissent qu'une seule autorité, celle de la Bible, et refusent les machines et les règles sociales de notre siècle. Ils sont arrivés en 1923, après avoir fui Lyon, la Prusse, la Russie et le Canada parce qu'on leur demandait de servir sous les armes. Le gouvernement mexicain leur octroya un grand bout de plaine déserte et une exemption de service militaire et d'impôt pendant cinquante ans, à la condition qu'ils mettent le pays en valeur. Pari gagné. Travaillant sans relâche, ils ont réussi à faire pousser sur cette terre aride du blé, des pommiers, et ils fabriquent de délicieux fromages. D'autres communautés mennonites, issues de cette religion fondée au XVIᵉ s par le Hollandais Menno Simonsz, se sont installées au Belize et en Amérique centrale.

Arriver – Quitter

En train, le Chihuahua al Pacífico

On a préféré faire ce magnifique parcours au départ de Los Mochis ou d'El Fuerte. Car si vous partez de Chihuahua, vous terminerez le voyage dans l'obscurité, alors que le train traversera les plus beaux paysages. Si vous allez seulement à Creel, prenez plutôt le bus, plus rapide. Pour les horaires et tarifs du train, reportez-vous plus haut, en début de chapitre, à la rubrique « Renseignements pratiques ».

La gare Chihuahua al Pacífico (plan B3) : av. Méndez. Le bus pour y aller se prend sur l'av. Ocampo, au niveau de la cathédrale. Demander l'arrêt Sacré-Cœur. En taxi (nécessaire pour le train de 6h), compter 15 mn de trajet.

■ *Achat des billets :* on peut le faire le jour même à la gare ou réserver à l'avance par tél ou mail. ☎ 439-72-12 ou 01-800-122-43-73 (n° gratuit). ● chepe@ferromex.com.mx ● chepe.com.mx ●

En bus

Attention, la compagnie *Noroeste,* qui relie aussi Creel à Chihuahua, ne va pas à la gare routière *(central camionera).* Son petit terminal se trouve av. Silvestre Terrazas 7027, au sud-ouest du centre. ☎ 411-57-83. Il faut demander au chauffeur de vous laisser à l'arrêt le plus proche du centre.

Central camionera : Circunvalación, au niveau de Pacheco, 10 km à l'est de la ville. ☎ 420-22-86. À 15 mn du centre en taxi (60 $Me, soit 3,60 €). Ou autobus sur Ocampo ou Juárez (35 mn de trajet). Nombreuses destinations, mais beaucoup de bus sont *de paso* entre Ciudad Juárez (à la frontière américaine) et Torreón, où l'on

trouve des correspondances pour de nombreuses villes. Si vous avez du temps et que vous voyagez par étapes, consultez les sites des compagnies qui passent à Chihuahua pour votre destination : *Omnibus de México* (● odm.com.mx ●), *Transportes Chihuahuenses* et *Futura/Groupe Estrella Blanca* (● futura.com.mx ●).
Remarque : pour une longue distance, mieux vaut prendre l'avion. À titre d'exemple, pour un trajet Mexico-Chihuahua, le prix proposé par la compagnie *low-cost Interjet* est quasiment équivalent à celui du bus.
➤ *Pour/de Creel :* 8 bus/j., 7h-18h, avec *Noroeste* et *Estrella Blanca* (☎ 01-800-507-55-00). Trajet : env 5h.

En avion

✈ *Aéroport international :* à 25 km à l'est du centre. ☎ 420-06-76. En taxi, compter env 120 $Me (7,20 €) la course et 30 mn de trajet. Pour une location de voitures, *Hertz, Europcar, Avis, Budget* et *Alamo* y possèdent un bureau. Distributeurs de billets (*HSBC* et *Bancomer*).

■ *Aeroméxico :* Bolivar 445. ☎ 893-24-61 ou 63. Dans le centre. Très nombreuses liaisons avec toutes les régions du Mexique et les États-Unis.
■ *Interjet :* à l'aéroport. ● interjet.com.mx ● Une compagnie *low-cost* qui semble remporter beaucoup de succès. Le vol Mexico-Chihuahua coûte autour de 1 100 $Me (66 €), à peu près le même prix que pour un voyage en bus dont la durée est d'environ 19h. Elle propose même des sandwichs gratuits à bord.

Adresses utiles

🛈 *Office de tourisme* (plan B1) : au rdc du palacio de Gobierno, *en face de la pl. Hidalgo ; à l'angle d'Aldama et V. Carranza.* ☎ et fax : 429-35-96 ou ☎ 01-800-508-01-11. ● chihuahua.gob.mx/turismoweb ● Lun-ven 9h-19h ; sam-dim 10h-17h. Efficace et bien documenté, avec des cartes de la ville, de l'État de Chihuahua et du canyon du Cuivre. Profitez-en pour admirer dans la cour intérieure les impressionnantes *murales* d'Aarón Piña Mora, qui retracent l'histoire de la région.
■ *Trolley turístico El Tarahumara :* départ de la pl. Hidalgo, en face du palacio del Gobierno. *Mar-dim 9h-13h, 15h-19h. Vente des billets à l'office de tourisme :* 30 $Me (1,80 €) ; réduc.
✉ *Poste* (plan B1) : Libertad ; à côté de l'église San Francisco. Lun-ven 8h-17h.
@ *Internet :* dans Juárez, juste à côté de l'hôtel Apolo. Voir aussi au resto Mi Café (plan A1, 21).
■ *Bancomer :* sur la pl. de la cathédrale. Lun-ven 9h-16h ; sam 10h-14h. Change le mat slt. Plusieurs banques autour de la cathédrale, toutes avec distributeurs automatiques.
■ Plusieurs *casas de cambio* en face de la cathédrale, sur l'av. Independencia.

Où dormir ?

De prix moyens à chic (400-1 200 $Me, soit 24-72 €)

🏠 *Hotel Jardín del Centro* (plan A1, 11) : Victoria 818. ☎ et fax : 415-18-32. Au fond d'un sympathique patio fleuri, une quinzaine de chambres très propres. Préférer celles à l'étage, plus claires et de confort égal (eau chaude et TV). Une chambre bon marché au rez-de-chaussée. Atmosphère familiale et accueil agréable. Un bon rapport quali-té-prix dans cette catégorie.
🏠 *Casa San Felipe El Real* (plan B2, 13) : Allende 1005. ☎ 437-20-37. ● sanfelipeelreal.com ● Petit déj inclus. Internet. Dans un quartier calme, proche du centre et en passe de devenir branché. Un petit hôtel de charme récent, abritant 6 chambres toutes différentes et décorées d'objets anciens chinés. Cha-

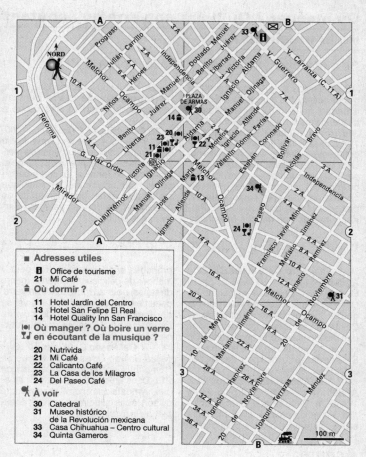

■ **Adresses utiles**

🛈 Office de tourisme
21 Mi Café

🛌 **Où dormir ?**

11 Hotel Jardín del Centro
13 Hotel San Felipe El Real
14 Hotel Quality Inn San Francisco

|●| **Où manger ? Où boire un verre**
🍴♪ **en écoutant de la musique ?**

20 Nutrivida
21 Mi Café
22 Calicanto Café
23 La Casa de los Milagros
24 Del Paseo Café

🚶 **À voir**

30 Catedral
31 Museo histórico
de la Revolución mexicana
33 Casa Chihuahua – Centro cultural
34 Quinta Gameros

CHIHUAHUA

cune porte le nom d'une communauté constitutive de la région. Une adresse très originale. Organise des randonnées dans les environs.

Plus chic (plus de 1 200 $Me, soit 72 €)

🛌 *Hotel Quality Inn San Francisco* *(plan A1, 14)* : Victoria 409. ☎ 439-90-00 ou 01-877-800-68-45. ● *qualityin nchihuahua.com* ● *Juste derrière la cathédrale, en plein centre. Les prix incluent le petit déj continental et les taxes. Parfois des promos à prix intéres-* sants sur son site. Internet. Vaste, moderne et tout confort, mais style impersonnel. Fréquenté par les hommes d'affaires et les touristes. Salle de fitness. Au resto, plats mexicains et internationaux copieux. Bar style pub, chaleureux.

Où manger ? Où boire un verre en écoutant de la musique ?

Bon marché (moins de 80 $Me, soit 4,80 €)

|●| Les fast-foods et les marchands de glaces se trouvent dans la rue piétonne (Libertad) qui part de la cathédrale et descend vers le *palacio de Gobierno*.

|●| *Nutrivida* (plan A1, **20**) : *Aldama 117. Lun-sam 12h-16h30.* Une adresse entièrement dédiée aux végétariens. D'un côté de la salle, gâteaux maison, pains bio, yaourts... De l'autre, le resto, où l'on peut consommer une copieuse *comida corrida* avec salade, soupe, plat, dessert et boisson (ouf !). Plusieurs menus bon marché avec ham-burger, *burrito* ou *torta*, etc. Une bonne halte pour manger sainement au royaume du bœuf et des tacos à l'huile !

|●| *Mi Café* (plan A1, **21**) : *Victoria 1000.* ☎ 410-12-38. À côté de l'hôtel Jardín del Centro. Cafétéria qui aligne de merveilleuses banquettes en skaï orange et des tables en formica. Le cadre parfait pour engloutir une cuisine classique mais bien servie, quelques plats de poisson et de bonnes salades. Sert aussi des petits déj.

De prix moyens à chic (80-250 $Me, soit 4,80-15 €)

|●| ▼ *Calicanto Café* (plan B1, **22**) : *Aldama 411.* ☎ 410-44-52. *Entre Ocampo et 4ª calle. Ouv en fin d'ap-m.* Un resto très agréable où vous pourrez goûter des spécialités de la région de Chihuahua, comme le fameux fromage des mennonites, sorte de cheddar. On peut aussi prendre un verre en terrasse. Salle de danse au fond pour des soirées endiablées le week-end.

|●| ▼ ♪ *La Casa de los Milagros* (plan A1, **23**) : *Victoria 812.* ☎ 437-06-93. *Tlj 17h30-2h.* Belle façade de style colonial, cadre de charme avec plusieurs salles aux couleurs vives pour jeunes branchés *chihuahuenses*. On peut y manger de délicieuses *botanas* (genre de tapas) pour accompagner un verre, dans ce cas bon marché. Carte variée de cocktails maison et de cuisine mexicaine pour tous les goûts. Petits concerts en fin de semaine.

|●| ▼ ♪ *Del Paseo Café* (plan B2, **24**) : *paseo Bolívar. Lun-sam à partir de 8h (16h dim). Concert mar-dim à partir de 21h.* Dans un quartier chic de Chihuahua, sympathique endroit pour prendre un bon repas ou boire un verre en écoutant de la musique live.

Achats

– *Des bottes,* encore des bottes, toujours des bottes... Pas moins de 20 boutiques concentrées dans les rues autour de la cathédrale. On trouve des santiags de toutes les couleurs, jaune, rouge, turquoise, et de toutes tailles, même pour enfants ! N'oubliez pas le chapeau pour parfaire le look (huit boutiques spécialisées dans l'avenida Juárez).

À voir

▼ *Catedral* (plan A-B1, **30**) : *sur la pl. de Armas.* Construite entre 1725 et 1826. Belle façade baroque. Intérieur sans grand intérêt. Sur son côté gauche, petit *musée d'Art sacré. Lun-ven 10h-14h, 16h-18h. Entrée : 18 $Me (1,10 €).* Une quarantaine de peintures religieuses du XVIIIᵉ s. En face, la *Presidencia municipal,* bâtie au début du XVIIIᵉ s, abrite aujourd'hui l'hôtel de ville.

⚅⚅ *Museo histórico de la Revolución mexicana « Casa Villa »* (plan B2, **31**) : à l'angle de la calle 10ª et Méndez. À une dizaine de cuadras *du centre*. Prendre un autobus en direction du « Cerro de la Cruz », ou n'importe quel autre qui continue l'av. Ocampo (arrêt à l'angle de Méndez). Mar-sam 9h-13h, 15h-19h ; dim 10h-18h. Entrée : 10 \$Me (0,60 €). C'est la résidence que Pancho Villa fit construire pour sa femme, qui y vécut jusqu'à sa mort, en septembre 1981, à l'âge de 90 ans. La veuve du révolutionnaire montrait elle-même la limousine criblée de balles où il fut assassiné en 1923 à Parral, ainsi que des souvenirs tels que pistolets, épées, uniformes, etc. L'ameublement des pièces à vivre est resté tel quel et donne une idée d'un intérieur bourgeois de l'époque. Visite indispensable, bien sûr, pour les aficionados de la révolution mexicaine.

⚅ *Palacio de Gobierno* (plan B1) : abrite l'office de tourisme. Ouv tlj 8h-19h. Vaste demeure de la fin du XIXᵉ s, édifiée sur les fondations d'une mission jésuite mais reconstruite après l'incendie qui la ravagea dans les années 1940. Sous les arcades de la cour, des *fresques* de Piña Mora (réalisés de 1956 à 1962) racontent l'histoire et la vie de la région de Chihuahua, du XVIᵉ s à la révolution mexicaine. Dans la cour, on peut voir le monument près duquel Hidalgo fut fusillé en 1811.

⚅⚅ *Casa Chihuahua – Centro cultural* (plan B1, **33**) : dans l'ancien palais fédéral, près du palacio de Gobierno. Tlj sf mar 10h-17h. Entrée au musée seul : 15 \$Me (0,90 €) ; pour l'ensemble 49 \$Me (3 €). Comme celui du Gobierno, ce palais est également assis sur l'ancienne mission jésuite. Un petit *museo de Hidalgo* retrace modestement l'histoire de l'indépendance mexicaine (objets, maquettes). Au sous-sol, dans les fondations visibles de cette mission, reconstitution de la petite chambre-cellule dans laquelle Hidalgo vécut jusqu'à sa mort. Pénombre pour un recueillement suggéré. La plus grande partie du palais abrite des expositions permanentes du patrimoine culturel et artistique régional, ainsi que des expos temporaires. Belle présentation, mais la conception des notices explicatives ne les rend pas très lisibles. Dommage. Librairie, snack.

⚅ *Quinta Gameros* (plan B2, **34**) : à l'angle de Bolívar et de calle 4. Mar-dim 11h-14h, 16h-19h. Entrée : 30 \$Me (1,80 €). On raconte que cette grande maison, terminée en 1910 et construite dans le style français rococo, serait le fruit d'une histoire rocambolesque. Le propriétaire, Gameros, ne put pas en jouir bien longtemps : la révolution la lui confisqua 3 ans après pour y installer notamment le quartier général de Pancho Villa.

UN CADEAU EMPOISONNÉ !

Don Gameros, un riche propriétaire de mines, voulait offrir à sa fiancée, pour preuve de son amour, une maison d'un raffinement exceptionnel. Seulement voilà, la belle fiancée se prit vite d'intérêt pour l'architecte qui était censé réaliser le cadeau et préféra partir conter fleurette avec lui ! Attention, Brad Pitt est architecte, lui aussi...

La maison abrite aujourd'hui le centre culturel de l'université de Chihuahua et une très belle collection de meubles et d'objets Art nouveau.

LES GUIDES DU ROUTARD
2012-2013

(dates de parution sur **routard.com**)

France

Nationaux

- Nos meilleures chambres d'hôtes en France
- Nos meilleurs campings en France
- Nos meilleurs hôtels et restos en France
- Nos meilleurs produits du terroir en France
- Petits restos des grands chefs
- Tourisme responsable

Régions françaises

- Alsace
- Ardèche, Drôme
- Auvergne
- Berry
- Bordelais, Landes, Lot-et-Garonne
- Bourgogne
- Bretagne Nord
- Bretagne Sud
- La Bretagne et ses peintres
- Champagne-Ardenne
- Châteaux de la Loire
- Corse
- Côte d'Azur
- Dordogne-Périgord
- Franche-Comté
- Guadeloupe, Saint-Martin, Saint-Barth
- **Isère, hautes-Alpes (mai 2012)**
- Languedoc-Roussillon
- Limousin
- Lorraine
- Lot, Aveyron, Tarn

- Martinique
- Nord-Pas-de-Calais
- Normandie
- La Normandie des impressionnistes
- Pays basque (France, Espagne), Béarn
- Pays de la Loire
- Picardie
- Poitou-Charentes
- Provence
- Pyrénées, Gascogne et Pays toulousain
- Réunion
- **Savoie, Mont-Blanc (avril 2012)**

Villes françaises

- Lyon
- Marseille
- Nantes et ses environs
- Nice

Paris

- Environs de Paris
- Junior à Paris et ses environs
- Paris
- Paris à vélo
- Paris balades
- Paris la nuit
- Paris, ouvert le dimanche
- Paris zen
- Restos et bistrots de Paris
- Le Routard des amoureux à Paris
- Week-ends autour de Paris

Europe

Pays européens

- Allemagne
- Andalousie
- Angleterre, Pays de Galles
- Autriche
- Baléares
- Belgique
- Catalogne (+ Valence et Andorre)
- Crète
- Croatie
- Danemark, Suède
- Écosse
- Espagne du Nord-Ouest (Galice, Asturies, Cantabrie)
- Finlande
- Grèce continentale
- Hongrie, République tchèque, Slovaquie

- Îles grecques et Athènes
- Irlande
- Islande
- Italie du Nord
- Italie du Sud
- Lacs italiens
- Madrid, Castille (Aragon et Estrémadure)
- Malte
- Norvège
- Pologne
- Portugal
- Roumanie, Bulgarie
- Sardaigne
- Sicile
- Suisse
- Toscane, Ombrie

LES GUIDES DU ROUTARD 2012-2013 (suite)

(dates de parution sur **routard.com**)

Villes européennes

- Amsterdam et ses environs
- Barcelone
- Berlin
- Bruxelles
- Florence
- Lisbonne
- Londres
- Moscou, Saint-Pétersbourg
- Prague
- Rome
- Venise

Amériques

- Argentine
- Brésil
- Californie
- Canada Ouest et Ontario
- Chili et île de Pâques
- Équateur et les îles Galápagos
- États-Unis Nord-Est
- Floride
- Guatemala, Yucatán et Chiapas
- Louisiane et les villes du Sud
- Mexique
- New York
- Parcs nationaux de l'Ouest américain et Las Vegas
- Pérou, Bolivie
- Québec et Provinces maritimes

Asie

- Bali, Lombok
- Birmanie (Myanmar)
- Cambodge, Laos
- Chine
- Inde du Nord
- Inde du Sud
- Istanbul
- **Israël, Palestine (mai 2012)**
- Jordanie, Syrie
- Malaisie, Singapour
- Népal, Tibet
- **Sri Lanka (Ceylan ; mai 2012)**
- Thaïlande
- Tokyo, Kyoto et environs
- Turquie
- Vietnam

Afrique

- Afrique de l'Ouest
- Afrique du Sud
- Égypte
- Kenya, Tanzanie et Zanzibar
- Maroc
- Marrakech
- Sénégal, Gambie
- Tunisie

Îles Caraïbes et océan Indien

- Cuba
- Guadeloupe, Saint-Martin, Saint-Barth
- Île Maurice, Rodrigues
- Madagascar
- Martinique
- République dominicaine (Saint-Domingue)
- Réunion

Guides de conversation

- Allemand
- Anglais
- Arabe du Maghreb
- Arabe du Proche-Orient
- Chinois
- Croate
- Espagnol
- Grec
- Italien
- Japonais
- Portugais
- Russe

Et aussi...

- G'palémo (conversation par l'image)

"Qui **sauve un enfant,** sauve le **monde**"

Espace offert par le Guide du Routard

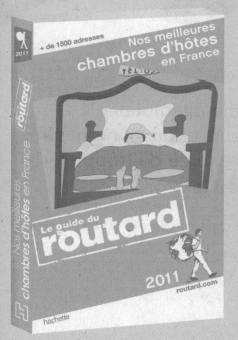

Cour pénale internationale :
face aux dictateurs et aux tortionnaires,
la meilleure force de frappe,
c'est le droit.

L'impunité, espèce en voie d'arrestation.

Fédération Internationale des ligues des droits de l'homme.

www.fidh.org

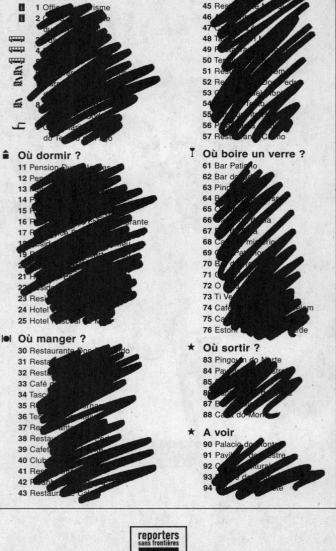

■ **Adresses utiles**

ℹ 1 Offi[...]isme
ℹ 2 [...]

44 Restaur[...]
45 Rest[...]
46 [...]
47 C[...]
48 Tas[...]
49 R[...]
50 Ter[...]
51 Res[...]em
52 Re[...] Don[...]dr[...]
53 C[...]el[...]op[...]
54 [...] To[...]o
55 [...]
56 P[...]
57 Rest[...]t Chim[...]

â **Où dormir ?**

11 Pension Du[...]es
12 Pen[...]
13 [...]
14 P[...]
15 P[...]
16 R[...]rante
17 R[...]
1[...]side[...]men
19 P[...]
21 H[...]
2[...]side[...]
23 Resi[...]
24 Hotel [...]
25 Hotel [...]

Ⅰ **Où boire un verre ?**

61 Bar Pati[...]o
62 Bar de [...]
63 Pin[...]
64 B[...]s[...]
65 C[...]
66 C[...]a
67 [...]
68 Ca[...]mi[...]rio
69 C[...] Pa[...]o
70 B[...]
71 C[...]
72 O[...]
73 Ti Ve[...]
74 Cafe[...]em
75 Ca[...]
76 Estom[...]nde

|●| **Où manger ?**

30 Restaurante Don [...]do
31 Restau[...]
32 Resta[...]
33 Café d[...]
34 Tasc[...]
35 R[...]rna[...]
36 Ter[...]
37 Res[...]ante[...]
38 Restau[...]
39 Cafet[...]
40 Club[...]
41 Res[...]
42 R[...]n[...]
43 Restaur[...]e CA[...]

★ **Où sortir ?**

83 Pingou[...]o N[...]te
84 Pav[...] [...]stre
85 [...]
8[...]
87 B[...]
88 Ca[...]a do Mont[...]

★ **A voir**

90 Palacio do [...]ont[...]
91 Pavill[...] [...]estre
92 C[...]ural[...]
93 [...]e d[...]
94 [...]te

Espace offert par le guide du Routard

SAATCHI & SAATCHI

Pour plus d'informations : Tél. : 01 44 63 51 00*
Fax : 01 42 80 41 57- www.avi-international.com

routard assurance
Voyage de moins de 8 semaines
Monde entier

INTERNATIONAL
L'Assurance Voyage

RÉSUMÉ DES GARANTIES*	MONTANT MAXIMUM DES GARANTIES
FRAIS MÉDICAUX MONDE SAUF EUROPE (pharmacie, médecin, hôpital)	300 000 € sans franchise
RÉÉDUCATION / KINÉSITHERAPIE / CHIROPRACTIE	Prescrite par un médecin suite à un accident
FRAIS DENTAIRES D'URGENCE	75 €
FRAIS DE PROTHÈSE DENTAIRE	500 € par dent en cas d'accident caractérisé
FRAIS D'OPTIQUE	400 € en cas d'accident caractérisé
FRAIS DE TRANSPORT	
Rapatriement médical et transport du corps	Frais illimités
Visite d'un parent si l'assuré est hospitalisé plus de 5 jours	2 000 €
CAPITAL DÉCÈS	15 000 €
CAPITAL INVALIDITÉ À LA SUITE D'UN ACCIDENT**	
Permanente totale	75 000 €
Permanente Partielle (application directe du %)	De 1 % à 99 %
BILLET DE RETOUR	
En cas de décès accidentel ou risque de décès d'un parent proche (conjoint, enfant, père, mère, frère, sœur)	Frais nécessaires et raisonnables
ASSURANCE RESPONSABILITÉ CIVILE VIE PRIVÉE	
Dommages corporels garantis à 100 % y compris honoraires d'avocats et assistance juridique accidents	750 000 €
Dommages matériels garantis à 100 % y compris honoraires d'avocats et assistance juridique accidents	450 000 €
Dommages aux biens confiés	1 500 €
AGRESSION (déposer une plainte à la police dans les 24 h)	Inclus dans les frais médicaux
PRÉJUDICE MORAL ESTHÉTIQUE (inclus dans le capital invalidité)	15 000 €
FRAIS DE RECHERCHE ET DE SAUVETAGE	2 000 €
TRANSMISSION DE MESSAGES URGENTS	Mise à disposition
AVANCE D'ARGENT (en cas de vol de vos moyens de paiement)	1 000 €
CAUTION PÉNALE	7 500 €
ASSURANCE BAGAGES	2 000 € (limite par article de 300 €)***

* Nous vous invitons préalablement à souscription à prendre connaissance de l'ensemble des Conditions générales sur www.avi-international.com ou par téléphone au 01 44 63 51 00 (coût d'un appel local).
** 15 000 euros pour les plus de 60 ans.
*** Les objets de valeur, bijoux, appareils électroniques, photo, ciné, radio, cassettes, instruments de musique, jeux et matériel de sport, embarcations sont assurés ensemble jusqu'à 300 €.

PRINCIPALES EXCLUSIONS* (commune à tous les contrats d'assurance voyage)
- Les conséquences d'évènements catastrophiques et d'actes de guerre,
- Les conséquences de faits volontaires d'une personne assurée,
- Les conséquences d'événements antérieurs à l'assurance,
- Les dommages matériels causés par une activité professionnelle,
- Les dommages causés ou subis par les véhicules que vous utilisez,
- Les accidents de travail manuel et de stages en entreprise (sauf avec les Options Sports et Loisirs, Sports et Loisirs Plus),
- L'usage d'un véhicule à moteur à deux roues et les sports dangereux : surf, rafting, escalade, plongée sous-marine (sauf avec les Options Sports et Loisirs, Sports et Loisirs Plus).

Devoir de conseil : AVI International - S.A.S. de courtage d'assurances au capital de 100 000 euros - Siège social : 106-108, rue la Boétie, 75008 Paris - RCS Paris 323 234 575 - N° ORIAS 07 000 002 (www.orias.fr) - Le nom des entreprises avec lesquelles AVI International travaille peut vous être communiqué à votre demande. AVI International est soumise à l'Autorité de Contrôle Prudentiel (ACP) 61 rue Taitbout 75436 Paris Cedex 09. En vue du traitement d'éventuels différends, vous pouvez formuler une réclamation par courrier simple à AVI International et si le conflit persiste auprès de l'ACP.
Vos besoins sont de bénéficier d'une assurance voyage. Nous vous conseillons l'adhésion aux contrats d'assurances collectifs à adhésion facultative n° FR32/332.335 ou n° FR32/335.370 souscrits par l'association ISTEC auprès de ACE EUROPEAN GROUP Direction Générale pour la France de la société de droit anglais - ACE EUROPEAN GROUP LTD - Société au capital de 544 741 144 £ - RCS Nanterre B N°450327374 - Le Colisée - 8 avenue de l'Arche - 92419 Courbevoie Cedex.

TARIFS FAMILLE sur www.avi-international.com

routard assurance
Voyage de moins de 8 semaines
Monde entier

L'Assurance Voyage

BULLETIN D'ADHÉSION

❏ M.   ❏ Mme   ❏ Mlle

Nom : I_I_I_I_I_I_I_I_I_I_I_I_I_I_I_I_I_I_I_I_I_I_I_I_I_I_I_I_I_I

Prénom : I_I_I_I_I_I_I_I_I_I_I_I_I_I_I_I_I_I_I_I_I_I_I_I_I_I_I_I

Date de naissance : I_I_I / I_I_I / I_I_I_I_I

Adresse de résidence : I_I_I_I_I_I_I_I_I_I_I_I_I_I_I_I_I_I_I_I_I_I_I_I

I_I_I_I_I_I_I_I_I_I_I_I_I_I_I_I_I_I_I_I_I_I_I_I_I_I_I_I_I_I_I_I_I_I

Code Postal : I_I_I_I_I_I

Ville : I_I_I_I_I_I_I_I_I_I_I_I_I_I_I_I_I_I_I_I_I_I_I_I_I_I_I

Pays : I_I_I_I_I_I_I_I_I_I_I_I_I_I_I_I_I_I_I_I_I_I_I_I_I_I_I

Nationalité : I_I_I_I_I_I_I_I_I_I_I_I_I_I_I_I_I_I_I_I_I_I_I_I_I

Tél. : I_____I Portable : I_____I

Email : I_____I@I_____I

Pays de départ : I_I_I_I_I_I_I_I_I_I_I_I_I_I_I_I_I_I_I_I_I_I_I

Pays de destination principale : I_I_I_I_I_I_I_I_I_I_I_I_I_I_I_I_I_I

Date de départ : I_I_I / I_I_I / I_I_I_I_I

Date du début de l'assurance : I_I_I / I_I_I / I_I_I_I_I

Date de fin de l'assurance : I_I_I / I_I_I / I_I_I_I_I = I_I_I semaines

(Calculer exactement votre tarif en semaine selon la durée de votre voyage : 7 jours du calendrier = 1 semaine)

COTISATION FORFAITAIRE (Tarifs valable jusqu'au 31/03/2012)

❏ De 0 à 2 ans inclus	42 € TTC x I_I semaines =	I_I_I_I_I € TTC
❏ De 3 à 50 ans inclus	28 € TTC x I_I semaines =	I_I_I_I_I € TTC
❏ De 51 à 60 ans inclus	42 € TTC x I_I semaines =	I_I_I_I_I € TTC
❏ De 61 à 75 ans inclus (sénior)	44 € TTC x I_I semaines =	I_I_I_I_I € TTC
ou ❏ OPTION Sports et Loisirs**	7 € TTC x I_I semaines =	I_I_I_I_I € TTC
❏ OPTION Sports et Loisirs Plus***	11 € TTC x I_I semaines =	I_I_I_I_I € TTC

TOTAL À PAYER = I_I_I_I_I € TTC

PAIEMENT

❏ Carte Bancaire (Visa / Eurocard / Mastercard / American Express)   Expire le I_I_I / I_I_I

N° I_I_I_I_I_I_I_I_I_I_I_I_I_I_I_I_I   Cryptogramme I_I_I_I

❏ Chèque (sans frais en France) à l'ordre d'AVI International à envoyer au 106-108, rue la Boétie 75008 Paris

Date : I_I_I / I_I_I / I_I_I_I_I   SIGNATURE :

INDEX GÉNÉRAL

A

B

C